# anglais

français-anglais
anglais-français

**HarperCollins Publishers**
Westerhill Road
Bishopbriggs
Glasgow
G64 2QT
Great Britain

Onzième édition/Eleventh edition
2015

© William Collins Sons & Co.
Ltd 1979, 1988
© HarperCollins Publishers 1993,
1997, 2000, 2001, 2003, 2005, 2006,
2009, 2012, 2015

Collins Gem® is a registered trademark
of HarperCollins Publishers Limited

www.collins.co.uk
www.collinsdictionary.com

ISBN 978-0-00-745078-7

A catalogue record for this book is
available from the British Library

Dictionnaires Le Robert
25, avenue Pierre-de-Coubertin,
75211 Paris cedex 13, France

www.lerobert.fr

ISBN Mini+ 978-2-32100-834-7
ISBN Mini 978-2-32100-830-9

Dépôt légal mai 2016
Achevé d'imprimer en mai 2016
N° éditeur : 10217912 - 10217908

Photocomposition/Typeset by
Davidson Publishing Solutions,
Glasgow

Imprimé en Italie par/
Printed in Italy by
La Tipografica Varese

DIRECTION ÉDITORIALE/
PUBLISHING DIRECTOR
Catherine Love
Helen Newstead

CHEF DE PROJET/EDITORIAL
MANAGEMENT
Persephone Lock

COLLABORATEURS/CONTRIBUTORS
Jean-François Allain
Gaëlle Amiot-Cadey
Cécile Aubinière-Robb
Sabine Citron
Wendy Lee
Catherine Love
Rose Rociola

POUR LA MAISON D'ÉDITION/FOR THE
PUBLISHER
Gerry Breslin
Kerry Ferguson

Based on the 1rst edition of the
Collins Gem French Dictionary under
the direction of Pierre-Henri Cousin.

## TABLE DES MATIÈRES   CONTENTS

# INTRODUCTION

Nous sommes très heureux que vous ayez choisi ce dictionnaire et espérons que vous aimerez l'utiliser et que vous en tirerez profit au lycée, à la maison, en vacances ou au travail.

Cette introduction a pour but de vous donner quelques conseils sur la façon d'utiliser au mieux votre dictionnaire, en vous référant non seulement à son importante nomenclature mais aussi aux informations contenues dans chaque entrée. Ceci vous aidera à lire et à comprendre, mais aussi à communiquer et à vous exprimer en anglais contemporain.

Au début du dictionnaire, vous trouverez la liste des abréviations utilisées dans le texte et celle de la transcription des sons par des symboles phonétiques. Vous y trouverez également la liste des verbes irréguliers en anglais, suivis d'une section finale sur les nombres et sur les expressions de temps.

## COMMENT UTILISER VOTRE DICTIONNAIRE

Ce dictionnaire offre une richesse d'informations et utilise diverses formes et tailles de caractères, symboles, abréviations, parenthèses et crochets. Les conventions et symboles utilisés sont expliqués dans les sections qui suivent.

## ENTRÉES

Les mots que vous cherchez dans le dictionnaire – les entrées – sont classés par ordre alphabétique. Ils sont imprimés en couleur pour pouvoir être repérés rapidement. Les entrées figurant en haut de page indiquent le premier (sur la page de gauche) et le dernier mot (sur la page de droite) des deux pages en question.

Des informations sur l'usage ou sur la forme de certaines entrées sont données entre parenthèses, après la transcription phonétique. Ces indications apparaissent sous forme abrégée et en italiques (par ex. (*fam*), (*Comm*)).

Pour plus de facilité, les mots de la même famille sont regroupés sous la même entrée (**ronger, rongeur** ; **accept, acceptance**) et apparaissent également en couleur.

Les expressions courantes dans lesquelles apparaît l'entrée sont indiquées par des caractères romains gras différents (par exemple **retard** [...] **avoir du ~**).

### TRANSCRIPTION PHONÉTIQUE

La transcription phonétique de chaque entrée (indiquant sa prononciation) est présentée entre crochets immédiatement après l'entrée (par ex. **fumer [fyme]** ; **knee [ni:]**). La liste des symboles phonétiques figure aux pages xi et xii.

### TRADUCTIONS

Les traductions des entrées apparaissent en caractères ordinaires ; lorsque plusieurs sens ou usages coexistent, ces traductions sont séparées par un point-virgule. Vous trouverez des synonymes de l'entrée en italique entre parenthèses avant les traductions (par ex. **poser** (*installer: moquette, carrelage*)) ou des mots qui fournissent le contexte dans lequel l'entrée est susceptible d'être utilisée (par ex. **poser** (*question*)).

### MOTS-CLÉS

Une importance particulière est accordée à certains mots français et anglais qui sont considérés comme des « mots-clés » dans chacune des langues. Cela peut être dû à leur utilisation très fréquente ou au fait qu'ils ont divers types d'usage (par ex. **vouloir, plus** ; **get, that**). L'utilisation de triangles et de chiffres aide à distinguer différentes catégories grammaticales et différents sens. D'autres renseignements utiles apparaissent en italique et entre parenthèses dans la langue de l'utilisateur.

## DONNÉES GRAMMATICALES

Les catégories grammaticales sont données sous forme abrégée et en italique après la transcription phonétique (par ex. *vt, adv, conj*). Les genres des noms français sont indiqués de la manière suivante : *nm* pour un nom masculin et *nf* pour un nom féminin. Le féminin et le pluriel irréguliers de certains noms sont également indiqués (par ex. **directeur, -trice** ; **cheval, -aux**).

Le masculin et le féminin des adjectifs sont indiqués lorsque ces deux formes sont différentes (par ex. **noir, e**). Lorsque l'adjectif a un féminin ou un pluriel irrégulier, ces formes sont clairement indiquées (par ex. **net, nette**). Les pluriels irréguliers des noms et les formes irrégulières des verbes anglais sont indiqués entre parenthèses, avant la catégorie grammaticale (par ex. **man** (*pl* **men**) *n* ; **give** (*pt* **gave**; *pp* **given**) *vt*).

# INTRODUCTION

We are delighted that you have chosen this dictionary and hope you will enjoy and benefit from using it at school, at home, on holiday or at work.

This introduction gives you a few tips on how to get the most out of your dictionary – not simply from its comprehensive wordlist but also from the information provided in each entry. This will help you to read and understand modern French, as well as communicate and express yourself in the language.

This dictionary begins by listing the abbreviations used in the text and illustrating the sounds shown by the phonetic symbols. You will also find French verb forms, followed by a final section on numbers and time expressions.

## USING YOUR DICTIONARY
A wealth of information is presented in the dictionary, using various typefaces, sizes of type, symbols, abbreviations and brackets. The various conventions and symbols used are explained in the following sections.

## HEADWORDS
The words you look up in a dictionary – 'headwords' – are listed alphabetically. They are printed in colour for rapid identification. The headwords appearing at the top of each page indicate the first (if it appears on a left-hand page) and last word (if it appears on a right-hand page) dealt with on the page in question.

Information about the usage or form of certain headwords is given in brackets after the phonetic spelling. This usually appears in abbreviated form and in italics (e.g. (inf), (Comm)).

Where appropriate, words related to headwords are grouped in the same entry (ronger, rongeur; accept, acceptance) and are also in colour.

Common expressions in which the headword appears are shown in a bold roman type (e.g. inquire [...] to ~ about).

## PHONETIC SPELLINGS

The phonetic spelling of each headword (indicating its pronunciation) is given in square brackets immediately after the headword (e.g. fumer [fyme]; knee [ni:]). A list of these symbols is given on pages xi and xii.

## TRANSLATIONS

Headword translations are given in ordinary type and, where more than one meaning or usage exists, these are separated by a semi-colon. You will often find other words in italics before the translations. These offer suggested contexts in which the headword might appear (e.g. rough (*voice*) [...] (*plan*)) or provide synonyms (e.g. rough (*manner: coarse*)). The gender of the translation also appears in italics immediately following the key element of the translation.

## KEYWORDS

Special status is given to certain French and English words which are considered as 'keywords' in each language. They may, for example, occur very frequently or have several types of usage (e.g. **vouloir**, **plus**; **get**, **that**). A combination of triangles and numbers helps you to distinguish different parts of speech and different meanings. Further helpful information is provided in brackets and italics.

## GRAMMATICAL INFORMATION

Parts of speech are given in abbreviated form in italics after the phonetic spellings of headwords (e.g. *vt, adv, conj*). Genders of French nouns are indicated as follows: *nm* for a masculine noun and *nf* for a feminine noun. Feminine and irregular plural forms of nouns are also shown (**directeur, -trice**; **cheval, -aux**).

Adjectives are given in both masculine and feminine forms where these forms are different (e.g. **noir, e**). Clear information is provided where adjectives have an irregular feminine or plural form (e.g. **net, nette**).

# ABRÉVIATIONS

# ABBREVIATIONS

| | | |
|---|---|---|
| abréviation | *ab(b)r* | abbreviation |
| adjectif, locution adjectivale | *adj* | adjective, adjectival phrase |
| administration | *Admin* | administration |
| adverbe, locution adverbiale | *adv* | adverb, adverbial phrase |
| agriculture | *Agr* | agriculture |
| anatomie | *Anat* | anatomy |
| architecture | *Archit* | architecture |
| article défini | *art déf* | definite article |
| article indéfini | *art indéf* | indefinite article |
| automobile | *Aut(o)* | automobiles |
| aviation, voyages aériens | *Aviat* | flying, air travel |
| biologie | *Bio(l)* | biology |
| botanique | *Bot* | botany |
| anglais britannique | *BRIT* | British English |
| chimie | *Chem* | chemistry |
| commerce, finance, banque | *Comm* | commerce, finance, banking |
| informatique | *Comput* | computing |
| conjonction | *conj* | conjunction |
| construction | *Constr* | building |
| nom utilisé comme adjectif | *cpd* | compound element |
| cuisine | *Culin* | cookery |
| article défini | *def art* | definite article |
| économie | *Écon, Econ* | economics |
| électricité, électronique | *Élec, Elec* | electricity, electronics |
| en particulier | *esp* | especially |
| exclamation, interjection | *excl* | exclamation, interjection |
| féminin | *f* | feminine |
| langue familière | *fam(!)* | colloquial usage |
| (! emploi vulgaire) | | (! particularly offensive) |
| emploi figuré | *fig* | figurative use |
| (verbe anglais) dont la particule est inséparable | *fus* | (phrasal verb) where the particle is inseparable |
| généralement | *gén, gen* | generally |
| géographie, géologie | *Géo, Geo* | geography, geology |
| géométrie | *Géom, Geom* | geometry |
| article indéfini | *indef art* | indefinite article |
| langue familière | *inf(!)* | colloquial usage |
| (! emploi vulgaire) | | (! particularly offensive) |
| infinitif | *infin* | infinitive |
| informatique | *Inform* | computing |
| invariable | *inv* | invariable |
| irrégulier | *irreg* | irregular |
| domaine juridique | *Jur* | law |

| grammaire, linguistique | Ling | grammar, linguistics |
|---|---|---|
| masculin | m | masculine |
| mathématiques, algèbre | Math | mathematics, calculus |
| médecine | Méd, Med | medical term, medicine |
| masculin ou féminin | m/f | masculine or feminine |
| domaine militaire, armée | Mil | military matters |
| musique | Mus | music |
| nom | n | noun |
| navigation, nautisme | Navig, Naut | sailing, navigation |
| nom ou adjectif numéral | num | numeral noun or adjective |
| | o.s. | oneself |
| péjoratif | péj, pej | derogatory, pejorative |
| photographie | Phot(o) | photography |
| physiologie | Physiol | physiology |
| pluriel | pl | plural |
| politique | Pol | politics |
| participe passé | pp | past participle |
| préposition | prép, prep | preposition |
| pronom | pron | pronoun |
| psychologie, psychiatrie | Psych | psychology, psychiatry |
| temps du passé | pt | past tense |
| quelque chose | qch | |
| quelqu'un | qn | |
| religion, domaine ecclésiastique | Rel | religion |
| | sb | somebody |
| enseignement, système scolaire et universitaire | Scol | schooling, schools and universities |
| singulier | sg | singular |
| | sth | something |
| subjonctif | sub | subjunctive |
| sujet (grammatical) | subj | (grammatical) subject |
| techniques, technologie | Tech | technical term, technology |
| télécommunications | Tél, Tel | telecommunications |
| télévision | TV | television |
| typographie | Typ(o) | typography, printing |
| anglais des États-Unis | US | American English |
| verbe (auxiliaire) | vb (aux) | (auxiliary) verb |
| verbe intransitif | vi | intransitive verb |
| verbe transitif | vt | transitive verb |
| zoologie | Zool | zoology |
| marque déposée | ® | registered trademark |
| indique une équivalence culturelle | ≈ | indicates a cultural equivalent |

# TRANSCRIPTION PHONÉTIQUE

| CONSONNES | | CONSONANTS |
|---|---|---|
| NB. **p, b, t, d, k, g** sont suivis d'une aspiration en anglais. | | NB. **p, b, t, d, k, g** are not aspirated in French. |
| pou**p**ée | p | **p**uppy |
| **b**om**b**e | b | **b**a**b**y |
| **t**en**t**e **th**ermal | t | **t**en**t** |
| **d**in**d**e | d | **d**a**ddy** |
| **c**o**q** **qu**i **k**épi | k | **c**ork **k**iss **ch**ord |
| **g**age ba**gu**e | g | **g**ag **gu**ess |
| **s**ale **c**e na**ti**on | s | **s**o ri**ce** ki**ss** |
| **z**éro ro**s**e | z | cou**s**in bu**zz** |
| ta**ch**e **ch**at | ʃ | **sh**eep **s**ugar |
| gi**l**et ju**g**e | ʒ | plea**s**ure bei**ge** |
| | tʃ | **ch**urch |
| | dʒ | **j**udge **g**eneral |
| fer **ph**are | f | **f**arm ra**ff**le |
| **v**er**v**eine | v | **v**ery re**v**el |
| | θ | **th**in ma**th**s |
| | ð | **th**at o**th**er |
| **l**ent sa**ll**e | l | **l**ittle ba**ll** |
| **r**are **r**ent**r**er | R | |
| | r | **r**at **r**are |
| ma**m**an fe**mm**e | m | **m**u**mm**y co**mb** |
| **n**on bo**nn**e | n | **n**o ra**n** |
| a**gn**eau vi**gn**e | ɲ | **ch**urch |
| | ŋ | si**ng**ing ba**nk** |
| | h | **h**at re**h**earse |
| **y**eux pa**ill**e p**i**ed | j | **y**et |
| n**ou**er **ou**i | w | **w**all **w**ail |
| h**ui**le l**ui** | ɥ | |
| | x | lo**ch** |
| **DIVERS** | | **MISCELLANEOUS** |
| pour l'anglais : le **r** final se prononce en liaison devant une voyelle | ʳ | in English transcription: final **r** can be pronounced before a vowel |
| pour l'anglais : précède la syllabe accentuée | ' | in French wordlist: no liaison before aspirate **h** and **y** |

En règle générale, la prononciation est donnée entre crochets après chaque entrée. Toutefois, du côté anglais-français et dans le cas des expressions composées de deux ou plusieurs mots non réunis par un trait d'union et faisant l'objet d'une entrée séparée, la prononciation doit être cherchée sous chacun des mots constitutifs de l'expression en question.

# PHONETIC TRANSCRIPTION

## VOYELLES

NB. La mise en équivalence de certains sons n'indique qu'une ressemblance approximative.

## VOWELS

NB. The pairing of some vowel sounds only indicates approximate equivalence.

| | | |
|---|---|---|
| ici vie lyrique | i i: | heel bead |
| | ɪ | hit pity |
| jouer été | e | |
| lait jouet merci | ɛ | set tent |
| plat amour | a æ | bat apple |
| bas pâte | ɑ ɑ: | after car calm |
| | ʌ | fun cousin |
| le premier | ə | over above |
| beurre peur | œ | |
| peu deux | ø ə: | urgent fern work |
| or homme | ɔ | wash pot |
| mot eau gauche | o ɔ: | born cork |
| genou roue | u | full hook |
| | u: | boom shoe |
| rue urne | y | |

### DIPHTONGUES

### DIPHTHONGS

| | | |
|---|---|---|
| | ɪə | beer tier |
| | ɛə | tear fair there |
| | eɪ | date plaice day |
| | aɪ | life buy cry |
| | au | owl foul now |
| | əu | low no |
| | ɔɪ | boil boy oily |
| | uə | poor tour |

### NASALES

### NASAL VOWELS

| | | |
|---|---|---|
| matin plein | ɛ̃ | |
| brun | œ̃ | |
| sang an dans | ɑ̃ | |
| non pont | ɔ̃ | |

In general, we give the pronunciation of each entry in square brackets after the word in question. However, on the English-French side, where the entry is composed of two or more unhyphenated words, each of which is given elsewhere in this dictionary, you will find the pronunciation of each word in its alphabetical position.

## FRENCH VERB FORMS

**a** Present participle **b** Past participle **c** Present **d** Imperfect **e** Future
**f** Conditional **g** Present subjunctive

1 ARRIVER **a** arrivant **b** arrivé
**c** arrive, arrives, arrive, arrivons,
arrivez, arrivent **d** arrivais
**e** arriverai **f** arriverais **g** arrive

2 FINIR **a** finissant **b** fini **c** finis, finis,
finit, finissons, finissez, finissent
**d** finissais **e** finirai **f** finirais **g** finisse

3 PLACER **a** plaçant **b** placé **c** place,
places, place, plaçons, placez,
placent **d** plaçais, plaçais, plaçait,
placions, placiez, plaçaient
**e** placerai, placeras, placera,
placerons, placerez, placeront
**f** placerais, placerais, placerait,
placerions, placeriez, placeraient
**g** place

3 BOUGER **a** bougeant **b** bougé
**c** bouge, bougeons **d** bougeais,
bougions **e** bougerai **f** bougerais
**g** bouge

4 appeler **a** appelant **b** appelé
**c** appelle, appelons **d** appelais
**e** appellerai **f** appellerais **g** appelle

4 jeter **a** jetant **b** jeté **c** jette, jetons
**d** jetais **e** jetterai **f** jetterais **g** jette

5 geler **a** gelant **b** gelé **c** gèle, gelons
**d** gelais **e** gèlerai **f** gèlerais **g** gèle

6 CÉDER **a** cédant **b** cédé **c** cède,
cèdes, cède, cédons, cédez, cèdent
**d** cédais, cédais, cédait, cédions,
cédiez, cédaient **e** céderai,
céderas, cédera, céderons,
céderez, céderont **f** céderais,
céderais, céderait, céderions,
céderiez, céderaient **g** cède

7 épier **a** épiant **b** épié **c** épie, épions
**d** épiais **e** épierai **f** épierais **g** épie

8 noyer **a** noyant **b** noyé **c** noie,
noyons **d** noyais **e** noierai **f** noierais
**g** noie

9 ALLER **a** allant **b** allé **c** vais, vas,
va, allons, allez, vont **d** allais **e** irai
**f** irais **g** aille

10 HAÏR **a** haïssant **b** haï **c** hais,
hais, hait, haïssons, haïssez,
haïssent **d** haïssais, haïssais,
haïssait, haïssions, haïssiez,
haïssaient **e** haïrai, haïras, haïra,
haïrons, haïrez, haïront **f** haïrais,
haïrais, haïrait, haïrions, haïriez,
haïraient **g** haïsse

11 courir **a** courant **b** couru **c** cours,
courons **d** courais **e** courrai
**g** coure

12 cueillir **a** cueillant **b** cueilli
**c** cueille, cueillons **d** cueillais
**e** cueillerai **g** cueille

13 assaillir – **a** assaillant **b** assailli
**c** assaille, assaillons **d** assaillais
**e** assaillirai **g** assaille

14 servir **a** servant **b** servi **c** sers,
servons **d** servais **g** serve

15 bouillir **a** bouillant **b** bouilli
**c** bous, bouillons **d** bouillais
**g** bouille

16 partir **a** partant **b** parti **c** pars,
partons **d** partais **g** parte

17 fuir **a** fuyant **b** fui **c** fuis, fuyons,
fuient **d** fuyais **g** fuie

18 couvrir **a** couvrant **b** couvert
**c** couvre, couvrons **d** couvrais
**g** couvre

19 **mourir** a mourant b mort
c meurs, mourons, meurent
d mourais e mourrai g meure
20 **vêtir** a vêtant b vêtu c vêts,
vêtons d vêtais e vêtirai g vête
21 **acquérir** a acquérant b acquis
c acquiers, acquérons, acquièrent
d acquérais e acquerrai
g acquière
22 **venir** a venant b venu c viens,
venons, viennent d venais
e viendrai g vienne
23 **pleuvoir** a pleuvant b plu c pleut,
pleuvent d pleuvait e pleuvra
g pleuve
24 **prévoir** *like* voir e prévoirai
25 **pourvoir** a pourvoyant b pourvu
c pourvois, pourvoyons,
pourvoient d pourvoyais
g pourvoie
26 **asseoir** a asseyant b assis
c assieds, asseyons, asseyez,
asseyent d asseyais e assiérai
g asseye
27 **MOUVOIR** a mouvant b mû
c meus, meus, meut, mouvons,
mouvez, meuvent d mouvais
e mouvrai f mouvrais g meuve,
meuves, meuve, mouvions,
mouviez, meuvent
28 **RECEVOIR** a recevant b reçu
c reçois, reçois, reçoit, recevons,
recevez, reçoivent d recevais
e recevrai f recevrais g reçoive
29 **valoir** a valant b valu c vaux,
vaut, valons d valais e vaudrai
g vaille
30 **voir** a voyant b vu c vois, voyons
voient d voyais e verrai g voie

31 **vouloir** a voulant b voulu c veux,
veut, voulons, veulent d voulais
e voudrai g veuille ; *impératif*
veuillez !
32 **savoir** a sachant b su c sais,
savons, savent d savais e saurai
g sache *impératif* sache ! sachons !
sachez !
33 **pouvoir** a pouvant b pu c peux,
peut, pouvons, peuvent d pouvais
e pourrai g puisse
34 **AVOIR** a ayant b eu c ai, as, a,
avons, avez, ont d avais e aurai
f aurais g aie, aies, ait, ayons,
ayez, aient
35 **conclure** a concluant b conclu
c conclus, concluons d concluais
g conclue
36 **rire** a riant b ri c ris, rions d riais
g rie
37 **dire** a disant b dit c dis, disons,
dites, disent d disais g dise
38 **nuire** a nuisant b nui c nuis, nuisons
d nuisais e nuirai f nuirais g nuise
39 **écrire** a écrivant b écrit c écris,
écrivons d écrivais g écrive
40 **suivre** a suivant b suivi c suis,
suivons d suivais g suive
41 **RENDRE** a rendant b rendu
c rends, rends, rend, rendons,
rendez, rendent d rendais
e rendrai f rendrais g rende
42 **vaincre** a vainquant b vaincu
c vaincs, vainc, vainquons
d vainquais g vainque
43 **lire** a lisant b lu c lis, lisons d lisais
g lise
44 **croire** a croyant b cru c crois,
croyons, croient d croyais g croie

xiv

**45 CLORE a** closant **b** clos **c** clos, clos, clôt, closent **e** clorai, cloras, clora, clorons, clorez, cloront **f** clorais, clorais, clorait, clorions, cloriez, cloraient

**46 vivre a** vivant **b** vécu **c** vis, vivons **d** vivais **g** vive

**47 MOUDRE a** moulant **b** moulu **c** mouds, mouds, moud, moulons, moulez, moulent **d** moulais, moulais, moulait, moulions, mouliez, moulaient **e** moudrai, moudras, moudra, moudrons, moudrez, moudront **f** moudrais, moudrais, moudrait, moudrions, moudriez, moudraient **g** moule

**48 coudre a** cousant **b** cousu **c** couds, cousons, cousez, cousent **d** cousais **g** couse

**49 joindre a** joignant **b** joint **c** joins, joignons **d** joignais **g** joigne

**50 TRAIRE a** trayant **b** trait **c** trais, trais, trait, trayons, trayez, traient **d** trayais, trayais, trayait, trayions, trayiez, trayaient **e** trairai, trairas, traira, trairons, trairez, trairont **f** trairais, trairais, trairait, trairions, trairiez, trairaient **g** traie

**51 ABSOUDRE a** absolvant **b** absous **c** absous, absous, absout, absolvons, absolvez, absolvent **d** absolvais, absolvais, absolvait, absolvions, absolviez, absolvaient **e** absoudrai, absoudras, absoudra, absoudrons, absoudrez, absoudront **f** absoudrais, absoudrais, absoudrait, absoudrions, absoudriez, absoudraient **g** absolve

**52 craindre a** craignant **b** craint **c** crains, craignons **d** craignais **g** craigne

**53 boire a** buvant **b** bu **c** bois, buvons, boivent **d** buvais **g** boive

**54 plaire a** plaisant **b** plu **c** plais, plaît, plaisons **d** plaisais **g** plaise

**55 croître a** croissant **b** crû **c** croîs, croissons **d** croissais **g** croisse

**56 mettre a** mettant **b** mis **c** mets, mettons **d** mettais **g** mette

**57 connaître a** connaissant **b** connu **c** connais, connaît, connaissons **d** connaissais **g** connaisse

**58 prendre a** prenant **b** pris **c** prends, prenons, prennent **d** prenais **g** prenne

**59 naître a** naissant **b** né **c** nais, naît, naissons **d** naissais **g** naisse

**60 FAIRE a** faisant **b** fait **c** fais, fais, fait, faisons, faites, font **d** faisais **e** ferai **f** ferais **g** fasse

**61 ÊTRE a** étant **b** été **c** suis, es, est, sommes, êtes, sont **d** étais **e** serai **f** serais **g** sois, sois, soit, soyons, soyez, soient

# VERBES IRRÉGULIERS ANGLAIS

| PRÉSENT | PASSÉ | PARTICIPE | PRÉSENT | PASSÉ | PARTICIPE |
|---|---|---|---|---|---|
| arise | arose | arisen | fall | fell | fallen |
| awake | awoke | awoken | feed | fed | fed |
| be | was, were | been | feel | felt | felt |
| (am, is, | | | fight | fought | fought |
| are; being) | | | find | found | found |
| bear | bore | born(e) | flee | fled | fled |
| beat | beat | beaten | fling | flung | flung |
| become | became | become | fly | flew | flown |
| begin | began | begun | forbid | forbad(e) | forbidden |
| bend | bent | bent | forecast | forecast | forecast |
| bet | bet, | bet, | forget | forgot | forgotten |
| | betted | betted | forgive | forgave | forgiven |
| bid (at auction, | bid | bid | forsake | forsook | forsaken |
| cards) | | | freeze | froze | frozen |
| bid (say) | bade | bidden | get | got | got, |
| bind | bound | bound | | | (us) gotten |
| bite | bit | bitten | give | gave | given |
| bleed | bled | bled | go (goes) | went | gone |
| blow | blew | blown | grind | ground | ground |
| break | broke | broken | grow | grew | grown |
| breed | bred | bred | hang | hung | hung |
| bring | brought | brought | hang (execute) | hanged | hanged |
| build | built | built | have | had | had |
| burn | burnt, | burnt, | hear | heard | heard |
| | burned | burned | hide | hid | hidden |
| burst | burst | burst | hit | hit | hit |
| buy | bought | bought | hold | held | held |
| can | could | (been able) | hurt | hurt | hurt |
| cast | cast | cast | keep | kept | kept |
| catch | caught | caught | kneel | knelt, | knelt, |
| choose | chose | chosen | | kneeled | kneeled |
| cling | clung | clung | know | knew | known |
| come | came | come | lay | laid | laid |
| cost | cost | cost | lead | led | led |
| cost (work | costed | costed | lean | leant, | leant, |
| out price of) | | | | leaned | leaned |
| creep | crept | crept | leap | leapt, | leapt, |
| cut | cut | cut | | leaped | leaped |
| deal | dealt | dealt | learn | learnt, | learnt, |
| dig | dug | dug | | learned | learned |
| do (does) | did | done | leave | left | left |
| draw | drew | drawn | lend | lent | lent |
| dream | dreamed, | dreamed, | let | let | let |
| | dreamt | dreamt | lie (lying) | lay | lain |
| drink | drank | drunk | light | lit, | lit, |
| drive | drove | driven | | lighted | lighted |
| dwell | dwelt | dwelt | lose | lost | lost |
| eat | ate | eaten | make | made | made |

| PRÉSENT | PASSÉ | PARTICIPE | PRÉSENT | PASSÉ | PARTICIPE |
|---|---|---|---|---|---|
| may | might | – | speed | sped, | sped, |
| mean | meant | meant | | speeded | speeded |
| meet | met | met | spell | spelt, | spelt, |
| mistake | mistook | mistaken | | spelled | spelled |
| mow | mowed | mown, | spend | spent | spent |
| | | mowed | spill | spilt, | spilt, |
| must | (had to) | (had to) | | spilled | spilled |
| pay | paid | paid | spin | spun | spun |
| put | put | put | spit | spat | spat |
| quit | quit, | quit, | spoil | spoiled, | spoiled, |
| | quitted | quitted | | spoilt | spoilt |
| read | read | read | spread | spread | spread |
| rid | rid | rid | spring | sprang | sprung |
| ride | rode | ridden | stand | stood | stood |
| ring | rang | rung | steal | stole | stolen |
| rise | rose | risen | stick | stuck | stuck |
| run | ran | run | sting | stung | stung |
| saw | sawed | sawed, | stink | stank | stunk |
| | | sawn | stride | strode | stridden |
| say | said | said | strike | struck | struck |
| see | saw | seen | strive | strove | striven |
| seek | sought | sought | swear | swore | sworn |
| sell | sold | sold | sweep | swept | swept |
| send | sent | sent | swell | swelled | swollen, |
| set | set | set | | | swelled |
| sew | sewed | sewn | swim | swam | swum |
| shake | shook | shaken | swing | swung | swung |
| shear | sheared | shorn, | take | took | taken |
| | | sheared | teach | taught | taught |
| shed | shed | shed | tear | tore | torn |
| shine | shone | shone | tell | told | told |
| shoot | shot | shot | think | thought | thought |
| show | showed | shown | throw | threw | thrown |
| shrink | shrank | shrunk | thrust | thrust | thrust |
| shut | shut | shut | tread | trod | trodden |
| sing | sang | sung | wake | woke, | woken, |
| sink | sank | sunk | | waked | waked |
| sit | sat | sat | wear | wore | worn |
| slay | slew | slain | weave | wove | woven |
| sleep | slept | slept | weave (wind) | weaved | weaved |
| slide | slid | slid | wed | wedded, | wedded, |
| sling | slung | slung | | wed | wed |
| slit | slit | slit | weep | wept | wept |
| smell | smelt, | smelt, | win | won | won |
| | smelled | smelled | wind | wound | wound |
| sow | sowed | sown, | wring | wrung | wrung |
| | | sowed | write | wrote | written |
| speak | spoke | spoken | | | |

## LES NOMBRES

## NUMBERS

| | | |
|---|---|---|
| un (une) | 1 | one |
| deux | 2 | two |
| trois | 3 | three |
| quatre | 4 | four |
| cinq | 5 | five |
| six | 6 | six |
| sept | 7 | seven |
| huit | 8 | eight |
| neuf | 9 | nine |
| dix | 10 | ten |
| onze | 11 | eleven |
| douze | 12 | twelve |
| treize | 13 | thirteen |
| quatorze | 14 | fourteen |
| quinze | 15 | fifteen |
| seize | 16 | sixteen |
| dix-sept | 17 | seventeen |
| dix-huit | 18 | eighteen |
| dix-neuf | 19 | nineteen |
| vingt | 20 | twenty |
| vingt et un (une) | 21 | twenty-one |
| vingt-deux | 22 | twenty-two |
| trente | 30 | thirty |
| quarante | 40 | forty |
| cinquante | 50 | fifty |
| soixante | 60 | sixty |
| soixante-dix | 70 | seventy |
| soixante-et-onze | 71 | seventy-one |
| soixante-douze | 72 | seventy-two |
| quatre-vingts | 80 | eighty |
| quatre-vingt-un (-une) | 81 | eighty-one |
| quatre-vingt-dix | 90 | ninety |
| cent | 100 | a hundred, one hundred |
| cent un (une) | 101 | a hundred and one |
| deux cents | 200 | two hundred |
| deux cent un (une) | 201 | two hundred and one |
| quatre cents | 400 | four hundred |
| mille | 1000 | a thousand |
| cinq mille | 5000 | five thousand |
| un million | 1000000 | a million |

| LES NOMBRES | NUMBERS |
|---|---|
| premier (première), 1er (1ère) | first, 1st |
| deuxième, 2e or 2ème | second, 2nd |
| troisième, 3e or 3ème | third, 3rd |
| quatrième, 4e or 4ème | fourth, 4th |
| cinquième, 5e or 5ème | fifth, 5th |
| sixième, 6e or 6ème | sixth, 6th |
| septième | seventh |
| huitième | eighth |
| neuvième | ninth |
| dixième | tenth |
| onzième | eleventh |
| douzième | twelfth |
| treizième | thirteenth |
| quartorzième | fourteenth |
| quinzième | fifteenth |
| seizième | sixteenth |
| dix-septième | seventeenth |
| dix-huitième | eighteenth |
| dix-neuvième | nineteenth |
| vingtième | twentieth |
| vingt-et-unième | twenty-first |
| vingt-deuxième | twenty-second |
| trentième | thirtieth |
| centième | hundredth |
| cent-unième | hundred-and-first |
| millième | thousandth |

| LES FRACTIONS ETC. | FRACTIONS ETC. |
|---|---|
| un demi | a half |
| un tiers | a third |
| un quart | a quarter |
| un cinquième | a fifth |
| zéro virgule cinq, 0,5 | (nought) point five, 0.5 |
| trois virgule quatre, 3,4 | three point four, 3.4 |
| dix pour cent | ten per cent |
| cent pour cent | a hundred per cent |

**EXEMPLES**

elle habite au septième (étage)
il habite au sept
au chapitre/à la page sept
il est arrivé (le) septième

**EXAMPLES**

she lives on the 7th floor
he lives at number 7
chapter/page 7
he came in 7th

| L'HEURE | THE TIME |
|---|---|
| *quelle heure est-il ?* | *what time is it?* |
| *il est …* | *it's ou it is …* |
| minuit | midnight, twelve p.m. |
| une heure (du matin) | one o'clock (in the morning), one (a.m.) |
| une heure cinq | five past one |
| une heure dix | ten past one |
| une heure et quart | a quarter past one, one fifteen |
| une heure vingt-cinq | twenty-five past one, one twenty-five |
| une heure et demie, une heure trente | half-past one, one thirty |
| deux heures moins vingt-cinq, une heure trente-cinq | twenty-five to two, one thirty-five |
| deux heures moins vingt, une heure quarante | twenty to two, one forty |
| deux heures moins le quart, une heure quarante-cinq | a quarter to two, one forty-five |
| deux heures moins dix, une heure cinquante | ten to two, one fifty |
| midi | twelve o'clock, midday, noon |
| deux heures (de l'après-midi), quatorze heures | two o'clock (in the afternoon), two (p.m.) |
| sept heures (du soir), dix-neuf heures | seven o'clock (in the evening), seven (p.m.) |
| *à quelle heure ?* | *(at) what time?* |
| à minuit | at midnight |
| à sept heures | at seven o'clock |
| dans vingt minutes | in twenty minutes |
| il y a un quart d'heure | fifteen minutes ago |

# a

**a** [a] *vb voir* **avoir**

**MOT-CLÉ**

**à** [a] (*à + le =* **au**, *à + les =* **aux**) *prép* **1** (*endroit, situation*) at, in; **être à Paris/au Portugal** to be in Paris/Portugal; **être à la maison/à l'école** to be at home/at school; **à la campagne** in the country; **c'est à 10 m/km/à 20 minutes (d'ici)** it's 10 m/km/20 minutes away **2** (*direction*) to; **aller à Paris/au Portugal** to go to Paris/Portugal; **aller à la maison/à l'école** to go home/to school; **à la campagne** to the country **3** (*temps*): **à 3 heures/minuit** at 3 o'clock/midnight; **au printemps** in the spring; **au mois de juin** in June; **à Noël/Pâques** at Christmas/Easter; **à demain/la semaine prochaine!** see you tomorrow/next week!

**4** (*attribution, appartenance*) to; **le livre est à Paul/à lui/à nous** this book is Paul's/his/ours; **donner qch à qn** to give sth to sb; **un ami à moi** a friend of mine **5** (*moyen*) with; **se chauffer au gaz** to have gas heating; **à bicyclette** on *ou* by bicycle; **à pied** on foot; **à la main/machine** by hand/machine **6** (*provenance*) from; **boire à la bouteille** to drink from the bottle **7** (*caractérisation, manière*): **l'homme aux yeux bleus** the man with the blue eyes; **à la russe** the Russian way **8** (*but, destination*): **tasse à café** coffee cup; **maison à vendre** house for sale; **je n'ai rien à lire** I don't have anything to read; **à bien réfléchir …** thinking about it …, on reflection … **9** (*rapport, évaluation, distribution*): **100 km/unités à l'heure** 100 km/ units per *ou* an hour; **payé à l'heure** paid by the hour; **cinq à six** five to six **10** (*conséquence, résultat*): **à ce qu'il prétend** according to him; **à leur grande surprise** much to their surprise; **à nous trois nous n'avons pas su le faire** we couldn't do it even between the three of us; **ils sont arrivés à quatre** four of them arrived (together)

**abaisser** [abese] /1/ *vt* to lower, bring down; (*manette*) to pull down; **s'abaisser** *vi* to go down; (*fig*) to demean o.s.

**abandon** [abãdɔ̃] *nm* abandoning; giving up; withdrawal; **être à l'~** to be in a state of neglect; **laisser à l'~** to abandon

**abandonner** [abãdɔne] /1/ *vt* (*personne*) to leave, abandon, desert; (*projet, activité*) to abandon, give up; (*Sport*) to retire *ou* withdraw from; (*céder*) to surrender; **s'~ à** (*paresse, plaisirs*) to give o.s. up to

**abat-jour** [abaʒuʀ] *nm inv* lampshade

**abats** [aba] *nmpl (de bœuf, porc)* offal *sg; (de volaille)* giblets

**abattement** [abatmɑ̃] *nm:* **~ fiscal** ≈ tax allowance

**abattoir** [abatwaʀ] *nm* slaughterhouse

**abattre** [abatʀ] /41/ *vt (arbre)* to cut down, fell; *(mur, maison)* to pull down; *(avion, personne)* to shoot down; *(animal)* to shoot, kill; *(fig)* to wear out, tire out; to demoralize; **s'abattre** *vi* to crash down; **ne pas se laisser ~** to keep one's spirits up, not to let things get one down; **s'~ sur** to beat down on; *(coups, injures)* to rain down on; **~ du travail** *ou* **de la besogne** to get through a lot of work

**abbaye** [abei] *nf* abbey

**abbé** [abe] *nm* priest; *(d'abbaye)* abbot

**abcès** [apsɛ] *nm* abscess

**abdiquer** [abdike] /1/ *vi* to abdicate

**abdominal, e, -aux** [abdɔminal, -o] *adj* abdominal; **abdominaux** *nmpl:* **faire des abdominaux** to do sit-ups

**abeille** [abɛj] *nf* bee

**aberrant, e** [abeʀɑ̃, -ɑ̃t] *adj* absurd

**aberration** [abeʀasjɔ̃] *nf* aberration

**abîme** [abim] *nm* abyss, gulf

**abîmer** [abime] /1/ *vt* to spoil, damage; **s'abîmer** *vi* to get spoilt *ou* damaged

**aboiement** [abwamɑ̃] *nm* bark, barking *no pl*

**abolir** [abɔliʀ] /2/ *vt* to abolish

**abominable** [abɔminabl] *adj* abominable

**abondance** [abɔ̃dɑ̃s] *nf* abundance

**abondant, e** [abɔ̃dɑ̃, -ɑ̃t] *adj* plentiful, abundant, copious; **abonder** /1/ *vi* to abound, be plentiful; **abonder dans le sens de qn** to concur with sb

**abonné, e** [abɔne] *nm/f* subscriber; season ticket holder

**abonnement** [abɔnmɑ̃] *nm* subscription; *(pour transports en commun, concerts)* season ticket

**abonner** [abɔne] /1/ *vt:* **s'abonner à** to subscribe to, take out a subscription to ; **s'~ aux tweets de qn sur Twitter** to follow sb on Twitter

**abord** [abɔʀ] *nm:* **abords** *nmpl (environs)* surroundings; **d'~** first; **au premier ~** at first sight, initially

**abordable** [abɔʀdabl] *adj (personne)* approachable; *(prix)* reasonable

**aborder** [abɔʀde] /1/ *vi* to land ▷ *vt (sujet, difficulté)* to tackle; *(personne)* to approach; *(rivage)* to reach

**aboutir** [abutiʀ] /2/ *vi (négociations etc)* to succeed; **~ à/dans/sur** to end up at/in/on; **n'~ à rien** to come to nothing

**aboyer** [abwaje] /8/ *vi* to bark

**abréger** [abʀeʒe] /3, 6/ *vt* to shorten

**abreuver** [abʀœve] /1/: **s'abreuver** *vi* to drink; **abreuvoir** *nm* watering place

**abréviation** [abʀevjasjɔ̃] *nf* abbreviation

**abri** [abʀi] *nm* shelter; **être à l'~** to be under cover; **se mettre à l'~** to shelter; **à l'~ de** sheltered from; *(danger)* safe from

**abricot** [abʀiko] *nm* apricot

**abriter** [abʀite] /1/ *vt* to shelter; **s'abriter** *vi* to shelter, take cover

**abrupt, e** [abʀypt] *adj* sheer, steep; *(ton)* abrupt

**abruti, e** [abʀyti] *adj* stunned, dazed ▷ *nm/f (fam)* idiot, moron; **~ de travail** overworked

**absence** [apsɑ̃s] *nf* absence; *(Méd)* blackout; **en l'~ de** in the absence of; **avoir des ~s** to have mental blanks

**absent, e** [apsɑ̃, -ɑ̃t] *adj* absent ▷ *nm/f* absentee; **absenter** /1/: **s'absenter** *vi* to take time off work; *(sortir)* to leave, go out

**absolu, e** [apsɔly] *adj* absolute; **absolument** *adv* absolutely

**absorbant, e** [apsɔʀbɑ̃, -ɑ̃t] *adj* absorbent

**absorber** [apsɔʀbe] /1/ vt to absorb; (gén, Méd: manger, boire) to take

**abstenir** [apstəniʀ] /22/ : **s'abstenir** vi: **s'~ de qch/de faire** to refrain from sth/from doing

**abstrait, e** [apstʀɛ, -ɛt] adj abstract

**absurde** [apsyʀd] adj absurd

**abus** [aby] nm abuse; **~ de confiance** breach of trust; **il y a de l'~!** (fam) that's a bit much!; **abuser** /1/ vi to go too far, overstep the mark; **s'abuser** vi (se méprendre) to be mistaken; **abuser de** (violer, duper) to take advantage of; **abusif, -ive** adj exorbitant; (punition) excessive

**académie** [akademi] nf academy; (Scol: circonscription) ≈ regional education authority; see note **"Académie française"**

- **ACADÉMIE FRANÇAISE**

- The Académie française was founded
- by Cardinal Richelieu in 1635,
- during the reign of Louis XIII. It is
- made up of forty elected scholars
- and writers who are known as 'les
- Quarante' or 'les Immortels'. One
- of the Académie's functions is to
- keep an eye on the development
- of the French language, and its
- recommendations are frequently
- the subject of lively public debate.
- It has produced several editions
- of its famous dictionary and also
- awards various literary prizes.

**acajou** [akaʒu] nm mahogany

**acariâtre** [akaʀjɑtʀ] adj cantankerous

**accablant, e** [akablɑ̃, -ɑ̃t] adj (chaleur) oppressive; (témoignage, preuve) overwhelming

**accabler** [akable] /1/ vt to overwhelm, overcome; **~ qn d'injures** to heap ou shower abuse on sb; **~ qn de travail** to overwork sb

**accalmie** [akalmi] nf lull

**accaparer** [akapaʀe] /1/ vt to monopolize; (travail etc) to take up (all) the time ou attention of

**accéder** [aksede] /6/ : **~ à** vt (lieu) to reach; (accorder: requête) to grant, accede to

**accélérateur** [akseleʀatœʀ] nm accelerator

**accélérer** [akseleʀe] /6/ vt to speed up ▷ vi to accelerate

**accent** [aksɑ̃] nm accent; (Phonétique, fig) stress; **mettre l'~ sur** (fig) to stress; **~ aigu/grave/circonflexe** acute/grave/circumflex accent; **accentuer** /1/ vt (Ling) to accent; (fig) to accentuate, emphasize; **s'accentuer** vi to become more marked ou pronounced

**acceptation** [aksɛptasjɔ̃] nf acceptance

**accepter** [aksɛpte] /1/ vt to accept; **~ de faire** to agree to do

**accès** [aksɛ] nm (à un lieu) access; (Méd: de toux) fit; ( de fièvre) bout; **d'~ facile/malaisé** easily/not easily accessible; **facile d'~** easy to get to; **~ de colère** fit of anger; **accessible** adj accessible; (livre, sujet): **accessible à qn** within the reach of sb

**accessoire** [akseswaʀ] adj secondary; (frais) incidental ▷ nm accessory; (Théât) prop

**accident** [aksidɑ̃] nm accident; **par ~** by chance; **~ de la route** road accident; **accidenté, e** adj damaged ou injured (in an accident); (relief, terrain) uneven; hilly; **accidentel, le** adj accidental

**acclamer** [aklame] /1/ vt to cheer, acclaim

**acclimater** [aklimate] /1/ : **s'acclimater** vi to become acclimatized

**accolade** [akɔlad] nf (amicale) embrace; (signe) brace

**accommoder** [akɔmɔde] /1/ vt (Culin) to prepare; **s'accommoder**

**de** to put up with; (*se contenter de*) to make do with

**accompagnateur, -trice** [akɔ̃paɲatœʀ, -tʀis] *nm/f* (*Mus*) accompanist; (*de voyage*) guide; (*de voyage organisé*) courier

**accompagner** [akɔ̃paɲe] /1/ *vt* to accompany, be *ou* go *ou* come with; (*Mus*) to accompany

**accompli, e** [akɔ̃pli] *adj* accomplished

**accomplir** [akɔ̃pliʀ] /2/ *vt* (*tâche, projet*) to carry out; (*souhait*) to fulfil; **s'accomplir** *vi* to be fulfilled

**accord** [akɔʀ] *nm* agreement; (*entre des styles, tons etc*) harmony; (*Mus*) chord; **se mettre d'~** to come to an agreement (with each other); **être d'~** to agree; **d'~!** OK!

**accordéon** [akɔʀdeɔ̃] *nm* (*Mus*) accordion

**accorder** [akɔʀde] /1/ *vt* (*faveur, délai*) to grant; **~ de l'importance/de la valeur à qch** to attach importance/value to sth; (*harmoniser*) to match; (*Mus*) to tune

**accoster** [akɔste] /1/ *vt* (*Navig*) to draw alongside ▷ *vi* to berth

**accouchement** [akuʃmã] *nm* delivery, (child)birth; labour

**accoucher** [akuʃe] /1/ *vi* to give birth, have a baby; **~ d'un garçon** to give birth to a boy

**accouder** [akude] /1/: **s'accouder** *vi*: **s'~ à/contre/sur** to rest one's elbows on/against/on; **accoudoir** *nm* armrest

**accoupler** [akuple] /1/ *vt* to couple; (*pour la reproduction*) to mate; **s'accoupler** *vi* to mate

**accourir** [akuʀiʀ] /11/ *vi* to rush *ou* run up

**accoutumance** [akutymãs] *nf* (*gén*) adaptation; (*Méd*) addiction

**accoutumé, e** [akutyme] *adj* (*habituel*) customary, usual

**accoutumer** [akutyme] /1/ *vt*: **s'accoutumer à** to get accustomed *ou* used to

**accroc** [akʀo] *nm* (*déchirure*) tear; (*fig*) hitch, snag

**accrochage** [akʀɔʃaʒ] *nm* (*Auto*) (minor) collision; (*dispute*) clash, brush

**accrocher** [akʀɔʃe] /1/ *vt* (*suspendre*) to hang; (*fig*) to catch, attract; **s'accrocher** (*se disputer*) to have a clash *ou* brush; **~ qch à** (*suspendre*) to hang sth (up) on; (*attacher: remorque*) to hitch sth (up) to; (*déchirer*) to catch sth (on); **il a accroché ma voiture** he bumped into my car; **s'~ à** (*rester pris à*) to catch on; (*agripper, fig*) to hang on *ou* cling to

**accroissement** [akʀwasmã] *nm* increase

**accroître** [akʀwatʀ] /55/ *vt*: **s'accroître** *vi* to increase

**accroupir** [akʀupiʀ] /2/: **s'accroupir** *vi* to squat, crouch (down)

**accru, e** [akʀy] *pp de* **accroître**

**accueil** [akœj] *nm* welcome; **comité/centre d'~** reception committee/centre; **accueillir** /12/ *vt* to welcome; (*aller chercher*) to meet, collect

**accumuler** [akymyle] /1/ *vt* to accumulate, amass; **s'accumuler** *vi* to accumulate; to pile up

**accusation** [akyzasjɔ̃] *nf* (*gén*) accusation; (*Jur*) charge; (*partie*): **l'~** the prosecution

**accusé, e** [akyze] *nm/f* accused; (*prévenu(e)*) defendant ▷ *nm*: **~ de réception** acknowledgement of receipt

**accuser** [akyze] /1/ *vt* to accuse; (*fig*) to emphasize, bring out; (: *montrer*) to show; **~ qn de** to accuse sb of; (*Jur*) to charge sb with; **~ réception de** to acknowledge receipt of

**acéré, e** [aseʀe] *adj* sharp

**acharné, e** [aʃaʀne] *adj* (*lutte, adversaire*) fierce, bitter; (*travail*) relentless

**acharner** [aʃaʀne] /1/: **s'acharner** *vi*: **s'~ sur** to go at fiercely; **s'~ contre**

to set o.s. against; (malchance) to
hound; **s'~ à faire** to try doggedly to
do; to persist in doing

**achat** [aʃa] nm purchase; **faire l'~
de** to buy; **faire des ~s** to do some
shopping

**acheter** [aʃte] /5/ vt to buy,
purchase; (soudoyer) to buy; **~ qch
à** (marchand) to buy ou purchase
sth from; (ami) to buy for;
**acheteur, -euse** nm/f buyer;
shopper; (Comm) buyer

**achever** [aʃ(ə)ve] /5/ vt to complete,
finish; (blessé) to finish off; **s'achever**
vi to end

**acide** [asid] adj sour, sharp; (Chimie)
acid(ic) ▷ nm acid; **acidulé, e** adj
slightly acid; **bonbons acidulés**
acid drops

**acier** [asje] nm steel; **aciérie** nf
steelworks sg

**acné** [akne] nf acne

**acompte** [akɔ̃t] nm deposit

**à-côté** [akote] nm side-issue; (argent)
extra

**à-coup** [aku] nm: **par ~s** by fits
and starts

**acoustique** [akustik] nf (d'une salle)
acoustics pl

**acquéreur** [akerœr] nm buyer,
purchaser

**acquérir** [akerir] /21/ vt to acquire

**acquis, e** [aki, -iz] pp de **acquérir**
▷ nm (accumulated) experience; **son
aide nous est ~e** we can count on ou
be sure of his help

**acquitter** [akite] /1/ vt (Jur) to
acquit; (facture) to pay, settle; **s'~
de** to discharge; (promesse, tâche)
to fulfil

**âcre** [ɑkr] adj acrid, pungent

**acrobate** [akrɔbat] nm/f acrobat;
**acrobatie** nf acrobatics sg

**acte** [akt] nm act, action; (Théât)
act; **prendre ~ de** to note, take note
of; **faire ~ de présence** to put in an
appearance; **faire ~ de candidature**
to submit an application; **~ de**

**mariage/naissance** marriage/birth
certificate

**acteur** [aktœr] nm actor

**actif, -ive** [aktif, -iv] adj active ▷ nm
(Comm) assets pl; (Ling): **avoir à son ~**
to have to one's credit; **population
active** working population

**action** [aksjɔ̃] nf (gén) action; (Comm)
share; **une bonne/mauvaise ~** a
good/an unkind deed; **actionnaire**
nm/f shareholder; **actionner** /1/ vt
(mécanisme) to activate; (machine)
to operate

**activer** [aktive] /1/ vt to speed up;
**s'activer** vi to bustle about; (se hâter)
to hurry up

**activité** [aktivite] nf activity; **en
~** (volcan) active; (fonctionnaire) in
active life

**actrice** [aktris] nf actress

**actualité** [aktɥalite] nf (d'un
problème) topicality; (événements): **l'~**
current events; **les ~s** (Ciné, TV) the
news; **d'~** topical

**actuel, le** [aktɥɛl] adj (présent)
present; (d'actualité) topical; **à
l'heure ~le** at this moment in time;
**actuellement** [aktɥɛlmɑ̃] adv at
present, at the present time
   Attention ne pas traduire
   actuellement par actually.

**acupuncture** [akypɔ̃ktyr] nf
acupuncture

**adaptateur, -trice** [adaptatœr,
-tris] nm/f adapter

**adapter** [adapte] /1/ vt to adapt; **s'~
(à)** (personne) to adapt (to); **~ qch
à** (approprier) to adapt sth to (fit);
**~ qch sur/dans/à** (fixer) to fit sth
on/into/to

**addition** [adisjɔ̃] nf addition; (au
café) bill; **additionner** /1/ vt to
add (up)

**adepte** [adɛpt] nm/f follower

**adéquat, e** [adekwa(t), -at] adj
appropriate, suitable

**adhérent, e** [aderɑ̃, -ɑ̃t] nm/f
member

**adhérer** [adere] /6/: ~ **à** (coller) to adhere ou stick to ou; (se rallier à: parti, club) to join; **adhésif, -ive** adj adhesive, sticky; **ruban adhésif** sticky ou adhesive tape

**adieu, x** [adjø] excl goodbye ▷ nm farewell

**adjectif** [adʒɛktif] nm adjective

**adjoint, e** [adʒwɛ̃, -wɛ̃t] nm/f assistant; ~ **au maire** deputy mayor; **directeur** ~ assistant manager

**admettre** [admɛtr] /56/ vt (visiteur) to admit; (candidat: Scol) to pass; (tolérer) to allow, accept; (reconnaître) to admit, acknowledge

**administrateur, -trice** [administratœr, -tris] nm/f (Comm) director; (Admin) administrator

**administration** [administrasjɔ̃] nf administration; **l'A~** ≈ the Civil Service

**administrer** [administre] /1/ vt (firme) to manage, run; (biens, remède, sacrement etc) to administer

**admirable** [admirabl] adj admirable, wonderful

**admirateur, -trice** [admiratœr, -tris] nm/f admirer

**admiration** [admirasjɔ̃] nf admiration

**admirer** [admire] /1/ vt to admire

**admis, e** [admi, -iz] pp de **admettre**

**admissible** [admisibl] adj (candidat) eligible; (comportement) admissible, acceptable

**ADN** sigle m (= acide désoxyribonucléique) DNA

**ado** [ado] (fam) nm/f teen

**adolescence** [adolesɑ̃s] nf adolescence

**adolescent, e** [adolesɑ̃, -ɑ̃t] nm/f adolescent, teenager

**adopter** [adopte] /1/ vt to adopt; **adoptif, -ive** adj (parents) adoptive; (fils, patrie) adopted

**adorable** [adorabl] adj adorable

**adorer** [adore] /1/ vt to adore; (Rel) to worship

**adosser** [adose] /1/ vt: ~ **qch à** ou **contre** to stand sth against; **s'~ à** ou **contre** to lean with one's back against

**adoucir** [adusir] /2/ vt (goût, température) to make milder; (avec du sucre) to sweeten; (peau, voix, eau) to soften; **s'adoucir** vi (caractère) to mellow

**adresse** [adrɛs] nf skill, dexterity; (domicile) address; ~ **électronique** email address

**adresser** [adrese] /1/ vt (lettre: expédier) to send; (: écrire l'adresse sur) to address; (injure, compliments) to address; **s'adresser à** (parler à) to speak to, address; (s'informer auprès de) to go and see (: bureau) to enquire at; (livre, conseil) to be aimed at; ~ **la parole à qn** to speak to ou address sb

**adroit, e** [adrwa, -wat] adj skilled

**ADSL** sigle m (= asymmetrical digital subscriber line) ADSL, broadband

**adulte** [adylt] nm/f adult, grown-up ▷ adj (personne, attitude) adult, grown-up; (chien, arbre) fully-grown, mature

**adverbe** [adverb] nm adverb

**adversaire** [adverser] nm/f (Sport, gén) opponent, adversary

**aération** [aerasjɔ̃] nf airing; (circulation de l'air) ventilation

**aérer** [aere] /6/ vt to air; (fig) to lighten

**aérien, ne** [aerjɛ̃, -ɛn] adj (Aviat) air cpd, aerial; (câble, métro) overhead; (fig) light; **compagnie ~ne** airline (company)

**aéro-**: **aérobic** nf aerobics sg; **aérogare** nf airport (buildings); (en ville) air terminal; **aéroglisseur** nm hovercraft; **aérophagie** nf (Méd) wind, aerophagia (Méd); **aéroport** nm airport; **aérosol** nm aerosol

**affaiblir** [afeblir] /2/: **s'affaiblir** vi to weaken

**affaire** [afer] nf (problème, question) matter; (criminelle, judiciaire) case; (scandaleuse etc) affair; (entreprise) business; *(marché, transaction)* (business) deal, *(piece of)* business no pl; *(occasion intéressante)* good deal; **affaires** nfpl affairs; *(activité commerciale)* business sg; *(effets personnels)* things, belongings; **~s de sport** sports gear; **tirer qn/se tirer d'~** to get sb/o.s. out of trouble; **ceci fera l'~** this will do (nicely); **avoir ~ à** *(en contact)* to be dealing with; **ce sont mes ~s** *(cela me concerne)* that's my business; **occupe-toi de tes ~s!** mind your own business!; **les ~s étrangères** *(Pol)* foreign affairs; **affairer** /1/: **s'affairer** vi to busy o.s., bustle about

**affamé, e** [afame] *adj* starving

**affecter** [afɛkte] /1/ *vt* to affect; **~ qch à** to allocate ou allot sth to; **~ qn à** to appoint sb to; *(diplomate)* to post sb to

**affectif, -ive** [afɛktif, -iv] *adj* emotional

**affection** [afɛksjɔ̃] *nf* affection; *(mal)* ailment; **affectionner** /1/ *vt* to be fond of; **affectueux, -euse** *adj* affectionate

**affichage** [afiʃaʒ] *nm* billposting; *(électronique)* display; **"~ interdit"** "stick no bills"; **à cristaux liquides** liquid crystal display, LCD

**affiche** [afiʃ] *nf* poster; *(officielle)* (public) notice; *(Théât)* bill; **être à l'~** to be on

**afficher** [afiʃe] /1/ *vt* (affiche) to put up; *(réunion)* to put up a notice about; *(électroniquement)* to display; *(fig)* to exhibit, display; **s'afficher** vi *(péj)* to flaunt o.s.; *(électroniquement)* to be displayed; **"défense d'~"** "no bill posters"

**affilée** [afile]: **d'~** *adv* at a stretch

**affirmatif, -ive** [afirmatif, -iv] *adj* affirmative

**affirmer** [afirme] /1/ *vt* to assert

**affligé, e** [afliʒe] *adj* distressed, grieved; **~ de** *(maladie, tare)* afflicted with

**affliger** [afliʒe] /3/ *vt* (peiner) to distress, grieve

**affluence** [aflyɑ̃s] *nf* crowds pl; **heures d'~** rush hour sg; **jours d'~** busiest days

**affluent** [aflyɑ̃] *nm* tributary

**affolement** [afɔlmɑ̃] *nm* panic

**affoler** [afɔle] /1/ *vt* to throw into a panic; **s'affoler** vi to panic

**affranchir** [afʀɑ̃ʃiʀ] /2/ *vt* to put a stamp ou stamps on; *(à la machine)* to frank (BRIT), meter (US); *(fig)* to free, liberate; **affranchissement** *nm* postage

**affreux, -euse** [afʀø, -øz] *adj* dreadful, awful

**affront** [afʀɔ̃] *nm* affront; **affrontement** *nm* clash, confrontation

**affronter** [afʀɔ̃te] /1/ *vt* to confront, face

**affût** [afy] *nm*: **à l'~ (de)** *(gibier)* lying in wait (for); *(fig)* on the look-out (for)

**Afghanistan** [afganistɑ̃] *nm*: **l'~** Afghanistan

**afin** [afɛ̃]: **~ que** *conj* so that, in order that; **~ de faire** in order to do, so as to do

**africain, e** [afʀikɛ̃, -ɛn] *adj* African ▷ *nm/f*: **A~, e** African

**Afrique** [afʀik] *nf*: **l'~** Africa; **l'~ australe/du Nord/du Sud** southern/North/South Africa

**agacer** [agase] /3/ *vt* to irritate

**âge** [aʒ] *nm* age; **quel ~ as-tu?** how old are you?; **prendre de l'~** to be getting on (in years); **le troisième ~** *(personnes âgées)* senior citizens; *(période)* retirement; **âgé, e** *adj* old, elderly; **âgé de 10 ans** 10 years old

**agence** [aʒɑ̃s] *nf* agency, office; *(succursale)* branch; **~ immobilière** estate agent's (office) (BRIT), real estate office (US); **~ de voyages** travel agency

**agenda** [aʒɛ̃da] *nm* diary; **~ électronique** PDA

Attention à ne pas traduire *agenda* par le mot anglais *agenda*.

**agenouiller** [aʒ(ə)nuje] /1/: **s'agenouiller** vi to kneel (down)

**agent, e** [aʒã, -ãt] nm/f (aussi: **~(e) de police**) policeman (policewoman); (Admin) official, officer; **~ immobilier** estate agent (BRIT), realtor (US)

**agglomération** [aglɔmeʀasjɔ̃] nf town; (Auto) built-up area; **l'~ parisienne** the urban area of Paris

**aggraver** [agʀave] /1/: **s'aggraver** vi to worsen

**agile** [aʒil] adj agile, nimble

**agir** [aʒiʀ] /2/ vi to act; **il s'agit de** it's a matter or question of; (ça traite de) it is about; **il s'agit de faire** we (ou you etc) must do; **de quoi s'agit-il?** what is it about?

**agitation** [aʒitasjɔ̃] nf (hustle and) bustle; (trouble) agitation, excitement; (politique) unrest, agitation

**agité, e** [aʒite] adj fidgety, restless; (troublé) agitated, perturbed; (mer) rough

**agiter** [aʒite] /1/ vt (bouteille, chiffon) to shake; (bras, mains) to wave; (préoccuper, exciter) to trouble

**agneau, x** [aɲo] nm lamb

**agonie** [agɔni] nf mortal agony, death pangs pl; (fig) death throes pl

**agrafe** [agʀaf] nf (de vêtement) hook, fastener; (de bureau) staple; **agrafer** /1/ vt to fasten; to staple; **agrafeuse** [agʀaføz] nf stapler

**agrandir** [agʀãdiʀ] /2/ vt to extend; **s'agrandir** vi (ville, famille) to grow, expand; (trou, écart) to get bigger; **agrandissement** nm (photographie) enlargement

**agréable** [agʀeabl] adj pleasant, nice

**agréé, e** [agʀee] adj: **concessionnaire ~** registered dealer

**agréer** [agʀee] /1/ vt (requête) to accept; **~ à** to please, suit; **veuillez ~, Monsieur/Madame,**

**mes salutations distinguées** (personne nommée) yours sincerely; (personne non nommée) yours faithfully

**agrégation** [agʀegasjɔ̃] nf highest teaching diploma in France; **agrégé, e** nm/f holder of the agrégation

**agrément** [agʀemã] nm (accord) consent, approval; (attraits) charm, attractiveness; (plaisir) pleasure

**agresser** [agʀese] /1/ vt to attack; **agresseur** nm aggressor, attacker; (Pol, Mil) aggressor; **agressif, -ive** adj aggressive

**agricole** [agʀikɔl] adj agricultural; **agriculteur, -trice** nm/f farmer; **agriculture** nf agriculture; farming

**agripper** [agʀipe] /1/ vt to grab, clutch; **s'~ à** to cling (on) to, clutch, grip

**agroalimentaire** [agʀoalimãtɛʀ] nm farm-produce industry

**agrumes** [agʀym] nmpl citrus fruit(s)

**aguets** [age]: **aux ~** adv; **être aux ~** to be on the look-out

**ai** [ɛ] vb voir **avoir**

**aide** [ɛd] nm/f assistant ▷ nf assistance, help; (secours financier) aid; **à l'~ de** with the help ou aid of; **appeler (qn) à l'~** to call for help (from sb); **à l'~!** help!; **~ judiciaire** legal aid; **~ ménagère** nf ≈ home help (BRIT) ou helper (US); **aide-mémoire** nm inv memoranda pages pl; (key facts) handbook

**aider** [ɛde] /1/ vt to help; **~ à qch** to help (towards) sth; **~ qn à faire qch** to help sb to do sth; **s'~ de** (se servir de) to use, make use of

**aide-soignant, e** [ɛdswaɲã, -ãt] nm/f auxiliary nurse

**aie** etc [ɛ] vb voir **avoir**

**aïe** [aj] excl ouch!

**aigle** [ɛgl] nm eagle

**aigre** [ɛgʀ] adj sour, sharp; (fig) sharp, cutting; **aigre-doux, -douce** adj (sauce) sweet and sour; **aigreur** nf sourness; sharpness

**aigu, ë** [egy] *adj (objet, arête)* sharp; *(son, voix)* high-pitched, shrill; *(note)* high(-pitched)

**aiguille** [eguij] *nf* needle; *(de montre)* hand; **~ à tricoter** knitting needle

**aiguiser** [egize] */vt* to sharpen; *(fig)* to stimulate (*: sens)* to excite

**ail** [aj] *nm* garlic

**aile** [ɛl] *nf* wing; **aileron** *nm (de requin)* fin; **ailier** *nm* winger

**aille** [aj] *vb voir* **aller**

**ailleurs** [ajœʀ] *adv* elsewhere, somewhere else; **partout/nulle part ~** everywhere/nowhere else; **d'~** *(du reste)* moreover, besides; **par ~** *(d'autre part)* moreover, furthermore

**aimable** [ɛmabl] *adj* kind, nice

**aimant** [ɛmɑ̃] *nm* magnet

**aimer** [eme] */vt* to love; *(d'amitié, affection, par goût)* to like; **j'aimerais …** *(souhait)* I would like …; **j'aime faire du ski** I like skiing; **je t'aime** I love you; **bien ~ qn/qch** to like sb/sth; **j'aime mieux Paul (que Pierre)** I prefer Paul (to Pierre); **j'aimerais autant** *ou* **mieux y aller maintenant** I'd sooner *ou* rather go now

**aine** [ɛn] *nf* groin

**aîné, e** [ene] *adj* elder, older; *(le plus âgé)* eldest, oldest ▷ *nm/f* oldest child *ou* one, eldest boy *ou* son/girl *ou* daughter

**ainsi** [ɛ̃si] *adv (de cette façon)* like this, in this way, thus; *(ce faisant)* thus ▷ *conj* thus, so; **~ que** *(comme)* (just) as; *(et aussi)* as well as; **pour ~ dire** so to speak; **et ~ de suite** and so on (and so forth)

**air** [ɛʀ] *nm* air; *(mélodie)* tune; *(expression)* look, air; **paroles/menaces en l'~** empty words/ threats; **prendre l'~** to get some (fresh) air; **avoir l'~** *(sembler)* to look, appear; **avoir l'~ triste** to look *ou* seem sad; **avoir l'~ de qch** to look like sth; **avoir l'~ de faire** to look as though one is doing

**airbag** [ɛʀbag] *nm* airbag

**aisance** [ɛzɑ̃s] *nf* ease; *(richesse)* affluence

**aise** [ɛz] *nf* comfort; **être à l'~** *ou* **à son ~** to be comfortable; *(pas embarrassé)* to be at ease; *(financièrement)* to be comfortably off; **se mettre à l'~** to make o.s. comfortable; **être mal à l'~** *ou* **à son ~** to be uncomfortable; *(gêné)* to be ill at ease; **en faire à son ~** to do as one likes; **aisé, e** *adj* easy; *(assez riche)* well-to-do, well-off

**aisselle** [ɛsɛl] *nf* armpit

**ait** [ɛ] *vb voir* **avoir**

**ajonc** [aʒɔ̃] *nm* gorse *no pl*

**ajourner** [aʒuʀne] */vt (réunion)* to adjourn; *(décision)* to defer, postpone

**ajouter** [aʒute] */vt* to add

**alarme** [alaʀm] *nf* alarm; **donner l'~** to give *ou* raise the alarm; **alarmer** */vt* to alarm; **s'alarmer** *vi* to become alarmed

**Albanie** [albani] *nf*: **l'~** Albania

**album** [albɔm] *nm* album

**alcool** [alkɔl] *nm*: **l'~** alcohol; **un ~** a spirit, a brandy; **bière sans ~** non-alcoholic *ou* alcohol-free beer; **~ à brûler** methylated spirits (BRIT), wood alcohol (US); **~ à 90°** surgical spirit; **alcoolique** *adj, nm/f* alcoholic; **alcoolisé, e** *adj* alcoholic; **une boisson non alcoolisée** a soft drink; **alcoolisme** *nm* alcoholism; **alco(o)test®** *nm* Breathalyser ®; *(test)* breath-test

**aléatoire** [aleatwaʀ] *adj* uncertain; *(Inform, Statistique)* random

**alentour** [alɑ̃tuʀ] *adv* around (about); **alentours** *nmpl* surroundings; **aux ~s de** in the vicinity of *ou* neighbourhood of, around about; *(temps)* around about

**alerte** [alɛʀt] *adj* agile, nimble; *(style)* brisk, lively ▷ *nf* alert; warning; **~ à la bombe** bomb scare; **alerter** */vt* to alert

**algèbre** [alʒɛbʀ] *nf* algebra

**Alger** [alʒe] n Algiers
**Algérie** [alʒeʀi] nf: l'~ Algeria;
**algérien, ne** adj Algerian ▷ nm/f:
**Algérien, ne** Algerian
**algue** [alg] nf seaweed no pl;
(Bot) alga
**alibi** [alibi] nm alibi
**aligner** [aliɲe] /1/ vt to align, line
up; (idées, chiffres) to string together;
(adapter): ~ **qch sur** to bring sth into
alignment with; **s'aligner** (soldats
etc) to line up; **s'~ sur** (Pol) to align
o.s. with
**aliment** [alimɑ̃] nm food;
**alimentation** nf (en eau etc, de
moteur) supplying; (commerce) food
trade; (régime) diet; (Inform) feed;
**alimentation (générale)** (general)
grocer's; **alimenter** /1/ vt to feed;
(Tech): **alimenter (en)** to supply
(with), feed (with); (fig) to sustain,
keep going
**allaiter** [alete] /1/ vt to (breast-)feed,
nurse; (animal) to suckle
**allécher** [aleʃe] /6/ vt: ~ **qn** to make
sb's mouth water; to tempt sb,
entice sb
**allée** [ale] nf (de jardin) path; (en ville)
avenue, drive; **~s et venues** comings
and goings
**allégé, e** [aleʒe] adj (yaourt etc)
low-fat
**alléger** [aleʒe] /6, 3/ vt (voiture) to
make lighter; (chargement) to lighten;
(souffrance) to alleviate, soothe
**Allemagne** [almaɲ] nf: l'~
Germany; **allemand, e** adj German
▷ nm (Ling) German ▷ nm/f:
**Allemand, e** German
**aller** [ale] /9/ nm (trajet) outward
journey; (billet) single (BRIT) ou
one-way ticket (US) ▷ vi (gén) to
go; **~ simple** (billet) single (BRIT) ou
one-way ticket; **~ (et) retour (AR)**
return trip ou journey (BRIT), round
trip (US); (billet) return (BRIT) ou
round-trip (US) ticket; **~ à** (convenir)
to suit; (forme, pointure etc) to fit;

~ **avec** (couleurs, style etc) to go (well)
with; **je vais le faire/me fâcher** I'm
going to do it/to get angry; ~ **voir/
chercher qn** to go and see/look for
sb; **comment allez-vous?** how are
you?; **comment ça va?** how are
things?; (affaires etc) how are things?;
**il va bien/mal** he's well/not well,
he's fine/ill; **ça va bien/mal** (affaires
etc) it's going well/not going well;
~ **mieux** to be better; **allez!** come
on!; **allons!** come now!
**allergie** [alɛʀʒi] nf allergy
**allergique** [alɛʀʒik] adj: ~ **à**
allergic to
**alliance** [aljɑ̃s] nf (Mil, Pol) alliance;
(bague) wedding ring
**allier** [alje] /7/ vt (Pol, gén) to ally; (fig)
to combine; **s'allier** to become allies;
(éléments, caractéristiques) to combine
**allô** [alo] excl hullo, hallo
**allocation** [alɔkasjɔ̃] nf allowance;
~ **(de) chômage** unemployment
benefit; ~**s familiales** ≈ child benefit
**allonger** [alɔ̃ʒe] /3/ vt to lengthen,
make longer; (étendre: bras, jambe)
to stretch (out); **s'allonger** vi to
get longer; (se coucher) to lie down,
stretch out; ~ **le pas** to hasten one's
step(s)
**allumage** [alymaʒ] nm (Auto)
ignition
**allume-cigare** [alymsigaʀ] nm inv
cigar lighter
**allumer** [alyme] /1/ vt (lampe, phare,
radio) to put ou switch on; (pièce)
to put ou switch the light(s) on in;
(feu, bougie, cigare, pipe, gaz) to light;
**s'allumer** vi (lumière, lampe) to come
ou go on
**allumette** [alymɛt] nf match
**allure** [alyʀ] nf (vitesse) speed; (: à
pied) pace; (démarche) walk; (aspect,
air) look; **avoir de l'~** to have style; **à
toute** ~ at full speed
**allusion** [a(l)lyzjɔ̃] nf allusion; (sous-
entendu) hint; **faire ~ à** to allude ou
refer to; to hint at

**MOT-CLÉ**

**alors** [alɔʀ] *adv* **1** (*à ce moment-là*) then, at that time; **il habitait alors à Paris** he lived in Paris at that time **2** (*par conséquent*) then; **tu as fini? alors je m'en vais** have you finished? I'm going then **3** : **et alors?** so (what)?
▶ *conj* : **alors que** (*au moment où*) when, as; **il est arrivé alors que je partais** he arrived as I was leaving; (*tandis que*) whereas, while; **alors que son frère travaillait dur, lui se reposait** while his brother was working hard, HE would rest; (*bien que*) even though; **il a été puni alors qu'il n'a rien fait** he was punished, even though he had done nothing

**alourdir** [aluʀdiʀ] /2/ *vt* to weigh down, make heavy

**Alpes** [alp] *nfpl*: **les ~** the Alps

**alphabet** [alfabɛ] *nm* alphabet; (*livre*) ABC (book)

**alpinisme** [alpinism] *nm* mountaineering, climbing

**Alsace** [alzas] *nf* Alsace; **alsacien, ne** *adj* Alsatian ▶ *nm/f*: **Alsacien, ne** Alsatian

**altermondialisme** [altɛʀmɔ̃djalism] *nm* anti-globalism; **altermondialiste** *adj, nm/f* anti-globalist

**alternatif, -ive** [altɛʀnatif, -iv] *adj* alternating ▶ *nf* alternative; **alternative** *nf* (*choix*) alternative; **alterner** /1/ *vt* to alternate

**altitude** [altityd] *nf* altitude, height

**alto** [alto] *nm* (*instrument*) viola

**aluminium** [alyminjɔm] *nm* aluminium (*BRIT*), aluminum (*US*)

**amabilité** [amabilite] *nf* kindness

**amaigrissant, e** [amegʀisɑ̃, -ɑ̃t] *adj*: **régime ~** slimming (*BRIT*) ou weight-reduction (*US*) diet

**amande** [amɑ̃d] *nf* (*de l'amandier*) almond; **amandier** *nm* almond (tree)

**amant** [amɑ̃] *nm* lover

**amas** [ama] *nm* heap, pile; **amasser** /1/ *vt* to amass

**amateur** [amatœʀ] *nm* amateur; **en ~** (*péj*) amateurishly; **~ de musique/sport** *etc* music/sport *etc* lover

**ambassade** [ɑ̃basad] *nf* embassy; **l'~ de France** the French Embassy; **ambassadeur, -drice** *nm/f* ambassador/ambassadress

**ambiance** [ɑ̃bjɑ̃s] *nf* atmosphere; **il y a de l'~** everyone's having a good time

**ambigu, ë** [ɑ̃bigy] *adj* ambiguous

**ambitieux, -euse** [ɑ̃bisjø, -jøz] *adj* ambitious

**ambition** [ɑ̃bisjɔ̃] *nf* ambition

**ambulance** [ɑ̃bylɑ̃s] *nf* ambulance; **ambulancier, -ière** *nm/f* ambulanceman/woman (*BRIT*), paramedic (*US*)

**âme** [ɑm] *nf* soul; **~ sœur** kindred spirit

**amélioration** [ameljɔʀasjɔ̃] *nf* improvement

**améliorer** [ameljɔʀe] /1/ *vt* to improve; **s'améliorer** *vi* to improve, get better

**aménager** [amenaʒe] /3/ *vt* (*agencer*) to fit out; (: *terrain*) to lay out; (: *quartier, territoire*) to develop; (*installer*) to fix up, put in; **ferme aménagée** converted farmhouse

**amende** [amɑ̃d] *nf* fine; **faire ~ honorable** to make amends

**amener** [am(ə)ne] /5/ *vt* to bring; (*causer*) to bring about; **s'amener** *vi* (*fam*) to show up, turn up; **~ qn à qch/à faire** to lead sb to sth/to do

**amer, amère** [amɛʀ] *adj* bitter

**américain, e** [ameʀikɛ̃, -ɛn] *adj* American ▶ *nm/f*: **A-, e** American

**Amérique** [ameʀik] *nf* America; **l'~ centrale** Central America; **l'~ latine** Latin America; **l'~ du Nord** North America; **l'~ du Sud** South America

**amertume** [amɛʀtym] *nf* bitterness

**ameublement** [amœbləmɑ̃] nm furnishing; (*meubles*) furniture

**ami, e** [ami] nm/f friend; (*amant, maîtresse*) boyfriend/girlfriend ▷ adj: **pays/groupe ~** friendly country/group; **petit ~/petite ~e** boyfriend/girlfriend

**amiable** [amjabl]: **à l'~** adv (Jur) out of court; (*gén*) amicably

**amiante** [amjɑ̃t] nm asbestos

**amical, e, -aux** [amikal, -o] adj friendly; **amicalement** adv in a friendly way; (*formule épistolaire*) regards

**amincir** [amɛ̃siʀ] /2/ vt: **~ qn** to make sb thinner, slimmer; (*vêtement*) to make sb look slimmer

**amincissant, e** [amɛ̃sisɑ̃, -ɑ̃t] adj slimming; **régime ~** diet; **crème ~e** slimming cream

**amiral, -aux** [amiral, -o] nm admiral

**amitié** [amitje] nf friendship; **prendre en ~** to take a liking to; **faire ou présenter ses ~s à qn** to send sb one's best wishes; **~s** (*formule épistolaire*) (with) best wishes

**amonceler** [amɔ̃s(ə)le] /4/ vt to pile ou heap up; **s'amonceler** to pile ou heap up; (*fig*) to accumulate

**amont** [amɔ̃]: **en ~** adv upstream

**amorce** [amɔʀs] nf (*sur un hameçon*) bait; (*explosif*) cap; (*tube*) primer; (: *contenu*) priming; (*fig: début*) beginning's, start

**amortir** [amɔʀtiʀ] /2/ vt (*atténuer: choc*) to absorb, cushion; (: *bruit, douleur*) to deaden; (*Comm: dette*) to pay off; **~ un abonnement** to make a season ticket pay (for itself); **amortisseur** nm shock absorber

**amour** [amuʀ] nm love; **faire l'~** to make love; **amoureux, -euse** adj (*regard, tempérament*) amorous; (*vie, problèmes*) love cpd; (*personne*): **être amoureux (de qn)** to be in love (with sb) ▷ nmpl courting couple(s); **amour-propre** nm self-esteem, pride

**ampère** [ɑ̃pɛʀ] nm amp(ere)

**amphithéâtre** [ɑ̃fiteatʀ] nm amphitheatre; (*d'université*) lecture hall ou theatre

**ample** [ɑ̃pl] adj (*vêtement*) roomy, ample; (*gestes, mouvement*) broad; (*ressources*) ample; **amplement** adv: **amplement suffisant** more than enough; **ampleur** nf (*de dégâts, problème*) extent

**amplificateur** [ɑ̃plifikatœʀ] nm amplifier

**amplifier** [ɑ̃plifje] /7/ vt (*fig*) to expand, increase

**ampoule** [ɑ̃pul] nf (*électrique*) bulb; (*de médicament*) phial; (*aux mains, pieds*) blister

**amusant, e** [amyzɑ̃, -ɑ̃t] adj (*divertissant, spirituel*) entertaining, amusing; (*comique*) funny, amusing

**amuse-gueule** [amyzɡœl] nm inv appetizer, snack

**amusement** [amyzmɑ̃] nm (*voir amusé*) amusement; (*jeu etc*) pastime, diversion

**amuser** [amyze] /1/ vt (*divertir*) to entertain, amuse; (*égayer, faire rire*) to amuse; **s'amuser** vi (*jouer*) to amuse o.s.; (*se divertir*) to enjoy o.s., have fun; (*fig*) to mess around

**amygdale** [amidal] nf tonsil

**an** [ɑ̃] nm year; **être âgé de** ou **avoir 3 ans** to be 3 (years old); **le jour de l'an, le premier de l'an, le nouvel an** New Year's Day

**analphabète** [analfabɛt] nm/f illiterate

**analyse** [analiz] nf analysis; (*Méd*) test; **analyser** /1/ vt to analyse; (*Méd*) to test

**ananas** [anana(s)] nm pineapple

**anatomie** [anatɔmi] nf anatomy

**ancêtre** [ɑ̃sɛtʀ] nm/f ancestor

**anchois** [ɑ̃ʃwa] nm anchovy

**ancien, ne** [ɑ̃sjɛ̃, -jɛn] adj old; (*de jadis, de l'antiquité*) ancient; (*précédent, ex-*) former, old; (*par l'expérience*) senior ▷ nm/f (*dans une tribu etc*) elder;

**ancienneté** nf (Admin) (length of) service; (privilèges obtenus) seniority

**ancre** [ãkʀ] nf anchor; **jeter/lever l'~** to cast/weigh anchor; **ancrer** /1/ vt (Constr: câble etc) to anchor; (fig) to fix firmly

**Andorre** [ãdɔʀ] nf Andorra

**andouille** [ãduj] nf (Culin) sausage made of chitterlings; (fam) clot, nit

**âne** [ɑn] nm donkey, ass; (péj) dunce

**anéantir** [aneãtiʀ] /2/ vt to annihilate, wipe out; (fig) to obliterate, destroy

**anémie** [anemi] nf anaemia; **anémique** adj anaemic

**anesthésie** [anɛstezi] nf anaesthesia; **~ générale/locale** general/local anaesthetic; **faire une ~ locale à qn** to give sb a local anaesthetic

**ange** [ãʒ] nm angel; **être aux ~s** to be over the moon

**angine** [ãʒin] nf throat infection; **~ de poitrine** angina (pectoris)

**anglais, e** [ãglɛ, -ɛz] adj English ▷ nm (Ling) English ▷ nm/f: **A~, e** Englishman/woman; **les A~** the English; **filer à l'~e** to take French leave

**angle** [ãgl] nm angle; (coin) corner

**Angleterre** [ãglətɛʀ] nf: **l'~** England

**anglo...** [ãglo] préfixe Anglo-, anglo(-); **anglophone** adj English-speaking

**angoisse** [ãgwas] nf: **l'~** anguish no pl; **angoissé, e** adj (personne) distressed

**anguille** [ãgij] nf eel

**animal, e, -aux** [animal, -o] adj, nm animal

**animateur, -trice** [animatœʀ, -tʀis] nm/f (de télévision) host; (de groupe) leader, organizer

**animation** [animasjɔ̃] nf (voir animé) busyness; liveliness; (Ciné: technique) animation

**animé, e** [anime] adj (rue, lieu) busy, lively; (conversation, réunion) lively, animated

**animer** [anime] /1/ vt (ville, soirée) to liven up; (mettre en mouvement) to drive

**anis** [ani(s)] nm (Culin) aniseed; (Bot) anise

**ankyloser** [ãkiloze] /1/: **s'ankyloser** vi to get stiff

**anneau, x** [ano] nm (de rideau, bague) ring; (de chaîne) link

**année** [ane] nf year

**annexe** [anɛks] adj (problème) related; (document) appended; (salle) adjoining ▷ nf (bâtiment) annex(e); (jointe à une lettre, un dossier) enclosure

**anniversaire** [anivɛʀsɛʀ] nm birthday; (d'un événement, bâtiment) anniversary

**annonce** [anɔ̃s] nf announcement; (signe, indice) sign; (aussi: **~ publicitaire**) advertisement; **les petites ~s** the small ou classified ads

**annoncer** [anɔ̃se] /3/ vt to announce; (être le signe de) to herald; **s'annoncer bien/difficile** to look promising/difficult

**annuaire** [anɥɛʀ] nm yearbook, annual; **~ téléphonique** (telephone) directory, phone book

**annuel, le** [anɥɛl] adj annual, yearly

**annulation** [anylasjɔ̃] nf cancellation

**annuler** [anyle] /1/ vt (rendez-vous, voyage) to cancel, call off; (jugement) to quash (BRIT), repeal (US); (Math, Physique) to cancel out

**anonymat** [anɔnima] nm anonymity; **garder l'~** to remain anonymous

**anonyme** [anɔnim] adj anonymous; (fig) impersonal

**anorak** [anɔʀak] nm anorak

**anorexie** [anɔʀɛksi] nf anorexia

**anormal, e, -aux** [anɔʀmal, -o] adj abnormal

**ANPE** sigle f (= Agence nationale pour l'emploi) national employment agency (functions include job creation)

**antarctique** [ɑ̃taʀktik] *adj* Antarctic
▷ *nm*: **l'A~** the Antarctic

**antenne** [ɑ̃tɛn] *nf* (de radio, télévision)
aerial; (d'insecte) antenna, feeler;
(poste avancé) outpost; (petite
succursale) sub-branch; **passer
à/avoir l'~** to go/be on the air;
**~ parabolique** satellite dish

**antérieur, e** [ɑ̃teʀjœʀ] *adj* (d'avant)
previous, earlier; (de devant) front

**anti...** [ɑ̃ti] *préfixe* anti...;
**antialcoolique** *adj* anti-alcohol;
**antibiotique** *nm* antibiotic;
**antibrouillard** *adj*: **phare
antibrouillard** fog lamp

**anticipation** [ɑ̃tisipasjɔ̃] *nf*: **livre/
film d'~** science fiction book/film

**anticipé, e** [ɑ̃tisipe] *adj*: **avec mes
remerciements ~s** thanking you in
advance *ou* anticipation

**anticiper** [ɑ̃tisipe] /1/ *vt* (événement,
coup) to anticipate, foresee

**anti**: **anticorps** *nm* antibody;
**antidote** *nm* antidote; **antigel** *nm*
antifreeze; **antihistaminique** *nm*
antihistamine

**antillais, e** [ɑ̃tijɛ, -ɛz] *adj* West
Indian, Caribbean ▷ *nm/f*: **A~, e** West
Indian, Caribbean

**Antilles** [ɑ̃tij] *nfpl*: **les ~** the West
Indies; **les Grandes/Petites ~** the
Greater/Lesser Antilles

**antilope** [ɑ̃tilɔp] *nf* antelope

**anti**: **antimite(s)** *adj*: **(produit)
antimite(s)** mothproofer, moth
repellent; **antimondialisation** *nf*
anti-globalization; **antipathique**
*adj* unpleasant, disagreeable;
**antipelliculaire** *adj* anti-dandruff

**antiquaire** [ɑ̃tikɛʀ] *nm/f* antique
dealer

**antique** [ɑ̃tik] *adj* antique; (très
vieux) ancient, antiquated; **antiquité**
*nf* (objet) antique; **l'Antiquité**
Antiquity; **magasin/marchand
d'antiquités** antique shop/dealer

**anti**: **antirabique** *adj* rabies *cpd*;
**antirouille** *adj inv* anti-rust *cpd*;

**antisémite** *adj* anti-Semitic;
**antiseptique** *adj, nm* antiseptic;
**antivirus** *nm* (Inform) antivirus
(program); **antivol** *adj, nm*:
**(dispositif) antivol** antitheft device

**anxieux, -euse** [ɑ̃ksjø, -jøz] *adj*
anxious, worried

**AOC** *sigle f* (= Appellation d'origine
contrôlée) guarantee of quality of wine

**août** [u(t)] *nm* August

**apaiser** [apeze] /1/ *vt* (colère) to calm;
(douleur) to soothe; (personne) to calm
(down), pacify; **s'apaiser** *vi* (tempête,
bruit) to die down, subside; (personne)
to calm down

**apercevoir** [apɛʀsəvwaʀ] /28/ *vt* to
see; **s'apercevoir de** *vt* to notice; **s'~
que** to notice that

**aperçu** [apɛʀsy] *nm* (vue d'ensemble)
general survey

**apéritif, -ive** [apeʀitif, -iv] *adj*
which stimulates the appetite ▷ *nm*
(boisson) aperitif; (réunion) (pre-lunch
*ou* -dinner) drinks *pl*

**à-peu-près** [apøpʀɛ] *nm inv* (péj)
vague approximation

**apeuré, e** [apœʀe] *adj* frightened,
scared

**aphte** [aft] *nm* mouth ulcer

**apitoyer** [apitwaje] /8/ *vt* to move
to pity; **s'~ (sur qn/qch)** to feel pity
*ou* compassion (for sb/over sth)

**aplatir** [aplatiʀ] /2/ *vt* to flatten;
**s'aplatir** *vi* to become flatter; (écrasé)
to be flattened

**aplomb** [aplɔ̃] *nm* (équilibre) balance,
equilibrium; (fig) self-assurance
nerve; **d'~** steady

**apostrophe** [apɔstʀɔf] *nf* (signe)
apostrophe

**apparaître** [apaʀɛtʀ] /57/ *vi* to
appear

**appareil** [apaʀɛj] *nm* (outil, machine)
piece of apparatus, device; (électrique
etc) appliance; (avion) (aero)plane,
aircraft *inv*; (téléphonique) telephone;
(dentier) brace (BRIT), braces (US); **qui
est à l'~?** who's speaking?; **dans le**

**plus simple ~** in one's birthday suit; **~ (photo)** camera; **~ numérique** digital camera; **~ vt** (*Navig*) to cast off, get under way ▷ **vt** (*assortir*) to match up

**apparemment** [aparamɑ̃] *adv* apparently

**apparence** [aparɑ̃s] *nf* appearance; **en ~** apparently

**apparent, e** [aparɑ̃, -ɑ̃t] *adj* visible; (*évident*) obvious; (*superficiel*) apparent

**apparenté, e** [aparɑ̃te] *adj*: **~ à** related to; (*fig*) similar to

**apparition** [aparisjɔ̃] *nf* appearance; (*surnaturelle*) apparition

**appartement** [apartəmɑ̃] *nm* flat (*BRIT*), apartment (*US*)

**appartenir** [apartənir]/**22**/: **~ à** vt to belong to; **il lui appartient de** it is up to him to

**apparu, e** [apary] *pp de* **apparaître**

**appât** [apa] *nm* (*Pêche*) bait; (*fig*) lure, bait

**appel** [apɛl] *nm* call; (*nominal*) roll call (: *Scol*) register; (*Mil: recrutement*) call-up; **faire ~ à** (*invoquer*) to appeal to; (*avoir recours à*) to call on; (*nécessiter*) to call for, require; **faire ou interjeter ~** (*Jur*) to appeal; **faire l'~** to call the roll; (*Scol*) to call the register; **sans ~** (*Comm*) final, irrevocable; **d'~** (*Comm*) invitation to tender; **faire un ~ de phares** to flash one's headlights; **~ (téléphonique)** (tele)phone call

**appelé** [ap(ə)le] *nm* (*Mil*) conscript

**appeler** [ap(ə)le]/**4**/ vt to call; (*faire venir: médecin etc*) to call, send for; **s'appeler** vi: **elle s'appelle Gabrielle** her name is Gabrielle, she's called Gabrielle; **comment vous appelez-vous?** what's your name?; **comment ça s'appelle?** what is that called?

**appendicite** [apɑ̃disit] *nf* appendicitis

**appesantir** [apəzɑ̃tir]/**2**/: **s'appesantir** vi to grow heavier; **s'~ sur** (*fig*) to dwell at length on

**appétissant, e** [apetisɑ̃, -ɑ̃t] *adj* appetizing, mouth-watering

**appétit** [apeti] *nm* appetite; **bon ~!** enjoy your meal!

**applaudir** [aplodir]/**2**/ vt to applaud ▷ vi to applaud, clap; **applaudissements** *nmpl* applause *sg*, clapping *sg*

**appli** [apli] *nf* app

**application** [aplikasjɔ̃] *nf* application

**appliquer** [aplike]/**1**/ vt to apply; (*loi*) to enforce; **s'appliquer** vi (*élève etc*) to apply o.s.; **s'~ à** to apply to

**appoint** [apwɛ̃] *nm* (*extra*) contribution *ou* help; **avoir/faire l'~** to have/give the right change *ou* money; **chauffage d'~** extra heating

**apporter** [aporte]/**1**/ vt to bring

**appréciable** [apresjabl] *adj* appreciable

**apprécier** [apresje]/**7**/ vt to appreciate; (*évaluer*) to estimate, assess

**appréhender** [apreɑ̃de]/**1**/ vt (*craindre*) to dread; (*arrêter*) to apprehend

**apprendre** [aprɑ̃dr]/**58**/ vt to learn; (*événement, résultats*) to learn of, hear of; **~ qch à qn** (*informer*) to tell sb (of) sth; (*enseigner*) to teach sb sth; **~ à faire qch** to learn to do sth; **~ à qn à faire qch** to teach sb to do sth; **apprenti, e** *nm/f* apprentice; **apprentissage** *nm* learning; (*Comm, Scol: période*) apprenticeship

**apprêter** [aprete]/**1**/: **s'apprêter** vi: **s'~ à qch/à faire qch** to prepare for sth/for doing sth

**appris, e** [apri, -iz] *pp de* **apprendre**

**apprivoiser** [aprivwaze]/**1**/ vt to tame

**approbation** [aprɔbasjɔ̃] *nf* approval

**approcher** [aprɔʃe]/**1**/ vi to approach, come near ▷ vt to approach; (*rapprocher*) : **~ qch (de qch)** to bring *ou* put *ou* move sth near (to sth); **s'approcher de** to approach, go ou come ou move near to; **~ de** (lieu, but) to draw near to; (quantité, moment) to approach

**approfondir** [apʁɔfɔdiʁ] /2/ vt to deepen; (question) to go further into

**approprié, e** [apʁɔpʁije] adj: **~ (à)** appropriate (to), suited (to)

**approprier** [apʁɔpʁije] /7/: **s'approprier** vt to appropriate, take over; **s'~ en** to stock up with

**approuver** [apʁuve] /1/ vt to agree with; (trouver louable) to approve of

**approvisionner** [apʁɔvizjɔne] /1/ vt to supply; (compte bancaire) to pay funds into; **s'~ en** to stock up with

**approximatif, -ive** [apʁɔksimatif, -iv] adj approximate, rough; (imprécis) vague

**appt** abr = **appartement**

**appui** [apɥi] nm support; **prendre ~ sur** to lean on; (objet) to rest on; **l'~ de la fenêtre** the windowsill, the window ledge

**appuyer** [apɥije] /8/ vt (poser, soutenir: personne, demande) to support, back (up) ▷ vi: **~ sur** (bouton) to press, push; (mot, détail) to stress, emphasize; **s'appuyer sur** vt to lean on; (compter sur) to rely on; **~ qch sur/contre/à** to lean ou rest sth on/ against/on; **~ sur le frein** to brake, to apply the brakes

**après** [apʁɛ] prép after ▷ adv afterwards; **deux heures ~** two hours later; **~ qu'il est parti/avoir fait** after he left/having done; **courir ~ qn** to run after sb; **crier ~ qn** to shout at sb; **être toujours ~ qn** (critiquer etc) to be always on at sb; **~ quoi** after which; **d'~** (selon) according to; **~ coup** after the event, afterwards; **~ tout** (au fond) after all; **et (puis) ~?** so what?; **après-demain** adv the day after tomorrow; **après-midi** [apʁɛmidi] nm ou f inv afternoon; **après-rasage** nm inv after-shave; **après-shampooing**

nm inv conditioner; **après-ski** nm inv snow boot

**après-soleil** [apʁɛsɔlɛj] adj inv after-sun cpd ▷ nm after-sun cream ou lotion

**apte** [apt] adj: **~ à qch/faire qch** capable of sth/doing sth; **~ (au service)** (Mil) fit (for service)

**aquarelle** [akwaʁɛl] nf watercolour

**aquarium** [akwaʁjɔm] nm aquarium

**arabe** [aʁab] adj Arabic; (désert, cheval) Arabian; (nation, peuple) Arab ▷ nm (Ling) Arabic ▷ nm/f: **A~** Arab

**Arabie** [aʁabi] nf: **~ Saoudite** ou **Séoudite** Saudi Arabia

**arachide** [aʁaʃid] nf groundnut (plant); (graine) peanut, groundnut

**araignée** [aʁɛɲe] nf spider

**arbitraire** [aʁbitʁɛʁ] adj arbitrary

**arbitre** [aʁbitʁ] nm (Sport) referee (: Tennis, Cricket) umpire; (fig) arbiter, judge; (Jur) arbitrator; **arbitrer** /1/ vt to referee; to umpire; to arbitrate

**arbre** [aʁbʁ] nm tree; (Tech) shaft

**arbuste** [aʁbyst] nm small shrub

**arc** [aʁk] nm (arme) bow; (Géom) arc; (Archit) arch; **en ~ de cercle** semi-circular

**arcade** [aʁkad] nf arch(way); **~s** arcade sg, arches

**arc-en-ciel** [aʁkɑ̃sjɛl] nm rainbow

**arche** [aʁʃ] nf arch; **~ de Noé** Noah's Ark

**archéologie** [aʁkeɔlɔʒi] nf arch(a)eology; **archéologue** nm/f arch(a)eologist

**archet** [aʁʃɛ] nm bow

**archipel** [aʁʃipɛl] nm archipelago

**architecte** [aʁʃitɛkt] nm architect

**architecture** [aʁʃitɛktyʁ] nf architecture

**archives** [aʁʃiv] nfpl (collection) archives

**arctique** [aʁktik] adj Arctic ▷ nm: **l'A~** the Arctic

**ardent, e** [aʁdɑ̃, -ɑ̃t] adj (soleil) blazing; (amour) ardent, passionate; (prière) fervent

**ardoise** [aʀdwaz] *nf* slate

**ardu, e** [aʀdy] *adj* (*travail*) arduous; (*problème*) difficult

**arène** [aʀɛn] *nf* arena; **arènes** *nfpl* bull-ring *sg*

**arête** [aʀɛt] *nf* (*de poisson*) bone; (*d'une montagne*) ridge

**argent** [aʀʒɑ̃] *nm* (*métal*) silver; (*monnaie*) money; **~ de poche** pocket money; **~ liquide** ready money, (ready) cash; **argenterie** *nf* silverware

**argentin, e** [aʀʒɑ̃tɛ̃, -in] *adj* Argentinian ▷ *nm/f*: **A~, e** Argentinian

**Argentine** [aʀʒɑ̃tin] *nf*: **l'~** Argentina

**argentique** [aʀʒɑ̃tik] *adj* (*appareil photo*) film *cpd*

**argile** [aʀʒil] *nf* clay

**argot** [aʀgo] *nm* slang; **argotique** *adj* slang *cpd*; (*très familier*) slangy

**argument** [aʀgymɑ̃] *nm* argument

**argumentaire** [aʀgymɑ̃tɛʀ] *nm* argument

**argumenter** [aʀgymɑ̃te] /1/ *vi* to argue

**aride** [aʀid] *adj* arid

**aristocratie** [aʀistɔkʀasi] *nf* aristocracy; **aristocratique** *adj* aristocratic

**arithmétique** [aʀitmetik] *adj* arithmetic(al) ▷ *nf* arithmetic

**arme** [aʀm] *nf* weapon; **armes** *nfpl* weapons, arms; (*blason*) (coat of) arms; **~ à feu** firearm; **~s de destruction massive** weapons of mass destruction

**armée** [aʀme] *nf* army; **~ de l'air** Air Force; **~ de terre** Army

**armer** [aʀme] /1/ *vt* to arm; (*arme à feu*) to cock; (*appareil photo*) to wind on; **s'armer** *vi*: **s'~ de** to arm o.s. with; **~ qch de** to reinforce sth with

**armistice** [aʀmistis] *nm* armistice; **l'A~** ≈ Remembrance (BRIT) *ou* Veterans (US) Day

**armoire** [aʀmwaʀ] *nf* (tall) cupboard; (*penderie*) wardrobe (BRIT), closet (US)

**armure** [aʀmyʀ] *nf* armour *no pl*, suit of armour; **armurier** *nm* gunsmith

**arnaque** [aʀnak] (*fam*) *nf* swindling; **c'est de l'~** it's daylight robbery; **arnaquer** [aʀnake] (*fam*) *vt* to do (*fam*)

**arobase** [aʀobaz] *nf* (*Inform*) 'at' symbol; **"paul ~ société point fr"** "paul at société dot fr"

**aromates** [aʀomat] *nmpl* seasoning *sg*, herbs (and spices)

**aromathérapie** [aʀomateʀapi] *nf* aromatherapy

**aromatisé, e** [aʀomatize] *adj* flavoured

**arôme** [aʀom] *nm* aroma

**arracher** [aʀaʃe] /1/ *vt* to pull out; (*page etc*) to tear off, tear out; (*légume, herbe, souche*) to pull up; (*bras etc*) to tear off; **s'arracher** *vt* (*article très recherché*) to fight over; **~ qch à qn** to snatch sth from sb; (*fig*) to wring sth out of sb

**arrangement** [aʀɑ̃ʒmɑ̃] *nm* arrangement

**arranger** [aʀɑ̃ʒe] /3/ *vt* to arrange; (*réparer*) to fix, put right; (*régler*) to settle, sort out; (*convenir à*) to suit, be convenient for; **cela m'arrange** that suits me (fine); **s'arranger** *vi* (*se mettre d'accord*) to come to an agreement *ou* arrangement; **je vais m'~** I'll manage; **ça va s'~** it'll sort itself out

**arrestation** [aʀɛstasjɔ̃] *nf* arrest

**arrêt** [aʀɛ] *nm* stopping; (*de bus etc*) stop; (*Jur*) judgment, decision; **être à l'~** to be stopped; **rester ou tomber en ~ devant** to stop short in front of; **sans ~** non-stop; (*fréquemment*) continually; **~ de travail** stoppage (of work)

**arrêter** [aʀete] /1/ *vt* to stop; (*chauffage etc*) to turn off, switch off; (*fixer: date etc*) to appoint, decide on; (*criminel, suspect*) to arrest; **s'arrêter** *vi* to stop; **~ de faire** to stop doing

**arrhes** [aʀ] *nfpl* deposit *sg*

**arrière** [aʀjɛʀ] *nm* back; (*Sport*) fullback ▷ *adj inv*: **siège/roue**

~ back *ou* rear seat/wheel; **à l'~**
behind, at the back; **en ~** behind;
(*regarder*) back, behind; (*tomber,
aller*) backwards; **arrière-goût** *nm*
aftertaste; **arrière-grand-mère** *nf*
great-grandmother; **arrière-grand-
père** *nm* great-grandfather; **arrière-
pays** *nm inv* hinterland; **arrière-
pensée** *nf* ulterior motive; (*doute*)
mental reservation; **arrière-plan**
*nm* background; **à l'arrière-plan** in
the background; **arrière-saison** *nf*
late autumn

**arrimer** [aʀime] /1/ *vt* (*cargaison*) to
stow; (*fixer*) to secure

**arrivage** [aʀivaʒ] *nm* consignment

**arrivée** [aʀive] *nf* arrival; (*ligne
d'arrivée*) finish

**arriver** [aʀive] /1/ *vi* to arrive;
(*survenir*) to happen, occur; **il arrive
à Paris à 8 h** he gets to ou arrives in
Paris at 8; **~ à** (*atteindre*) to reach; **~ à
(faire) qch** to manage (to do) sth;
**en ~ à faire ...** to end up doing ...; **il
arrive que ...** it happens that ...; **il
lui arrive de faire ...** he sometimes
does ...

**arrobase** [aʀɔbaz] *nf* (*Inform*) 'at'
symbol

**arrogance** [aʀɔɡɑ̃s] *nf* arrogance

**arrogant, e** [aʀɔɡɑ̃, -ɑ̃t] *adj* arrogant

**arrondissement** [aʀɔ̃dismɑ̃] *nm*
(*Admin*) ≈ district

**arroser** [aʀoze] /1/ *vt* to water;
(*victoire etc*) to celebrate (over a
drink); (*Culin*) to baste; **arrosoir** *nm*
watering can

**arsenal, -aux** [aʀsənal, -o] *nm*
(*Navig*) naval dockyard; (*Mil*) arsenal;
(*fig*) gear, paraphernalia

**art** [aʀ] *nm* art

**artère** [aʀtɛʀ] *nf* (*Anat*) artery; (*rue*)
main road

**arthrite** [aʀtʀit] *nf* arthritis

**artichaut** [aʀtiʃo] *nm* artichoke

**article** [aʀtikl] *nm* article; (*Comm*)
item, article; **à l'~ de la mort** at the
point of death

**articulation** [aʀtikylasjɔ̃] *nf*
articulation; (*Anat*) joint

**articuler** [aʀtikyle] /1/ *vt* to
articulate

**artificiel, le** [aʀtifisjɛl] *adj* artificial

**artisan** [aʀtizɑ̃] *nm* artisan, (self-
employed) craftsman; **artisanal, e,
-aux** [aʀtizanal, -o] *adj* of *ou* made
by craftsmen; (*péj*) cottage industry
*cpd*; **de fabrication artisanale**
home-made; **artisanat** [aʀtizana]
*nm* arts and crafts *pl*

**artiste** [aʀtist] *nm/f* artist; (*Théât,
Mus*) performer; (*de variétés*)
entertainer; **artistique** *adj* artistic

**as** *vb* [a]; *voir* **avoir** ▷ *nm* [ɑs] ace

**ascenseur** [asɑ̃sœʀ] *nm* lift (BRIT),
elevator (US)

**ascension** [asɑ̃sjɔ̃] *nf* ascent; (*de
montagne*) climb; **l'A~** (*Rel*) the
Ascension

> **L'ASCENSION**
>
> The *fête de l'Ascension* is a public
> holiday in France. It always falls on
> a Thursday, usually in May. As
> French people take the following
> Friday off work too and enjoy a long
> weekend.

**asiatique** [azjatik] *adj* Asian, Asiatic
▷ *nm/f*: **A~** Asian

**Asie** [azi] *nf*: **l'~** Asia

**asile** [azil] *nm* (*refuge*) refuge,
sanctuary; **droit d'~** (*Pol*) (political)
asylum

**aspect** [aspɛ] *nm* appearance, look;
(*fig*) aspect, side; **à l'~ de** at the
sight of

**asperge** [aspɛʀʒ] *nf* asparagus *no pl*

**asperger** [aspɛʀʒe] /3/ *vt* to spray,
sprinkle

**asphalte** [asfalt] *nm* asphalt

**asphyxier** [asfiksje] /7/ *vt* to
suffocate, asphyxiate; (*fig*) to stifle

**aspirateur** [aspiʀatœʀ] *nm* vacuum
cleaner; **passer l'~** to vacuum

**aspirer** [aspiʀe] /1/ vt (air) to inhale; (liquide) to suck (up); (appareil) to suck ou draw up; **~ à** to aspire to

**aspirine** [aspiʀin] nf aspirin

**assagir** [asaʒiʀ] /2/ vt, **s'assagir** vi to quieten down, settle down

**assaillir** [asajiʀ] /13/ vt to assail, attack

**assaisonnement** [asɛzɔnmɑ̃] nm seasoning

**assaisonner** [asɛzɔne] /1/ vt to season

**assassin** [asasɛ̃] nm murderer; assassin; **assassiner** /1/ vt to murder; (Pol) to assassinate

**assaut** [aso] nm assault, attack; **prendre d'~** to (take by) storm, assault; **donner l'~ (à)** to attack

**assécher** [aseʃe] /6/ vt to drain

**assemblage** [asɑ̃blaʒ] nm (action) assembling; **un ~ de** (fig) a collection of

**assemblée** [asɑ̃ble] nf (réunion) meeting; (public, assistance) gathering; (Pol) assembly; **l'A~ nationale (AN)** the (French) National Assembly

**assembler** [asɑ̃ble] /1/ vt (joindre, monter) to assemble, put together; (amasser) to gather (together), collect (together); **s'assembler** vi to gather

**asseoir** [aswaʀ] /26/ vt (malade, bébé) to sit up; (personne debout) to sit down; (autorité, réputation) to establish; **s'asseoir** vi to sit (o.s.) down

**assez** [ase] adv (suffisamment) enough, sufficiently; (passablement) rather, quite, fairly; **~ de pain/ livres** enough ou sufficient bread/ books; **vous en avez ~?** have you got enough?; **j'en ai ~!** I've had enough!

**assidu, e** [asidy] adj assiduous, painstaking; (régulier) regular

**assied** etc [asje] vb voir **asseoir**

**assiéra** etc [asjeʀa] vb voir **asseoir**

**assiette** [asjɛt] nf plate; (contenu) plate(ful); **il n'est pas dans son ~** he's not feeling quite himself; **~ à dessert** dessert ou side plate; **~ anglaise** assorted cold meats; **~ creuse** (soup) dish, soup plate; **~ plate** (dinner) plate

**assimiler** [asimile] /1/ vt to assimilate, absorb; (comparer): **~ qch/qn à** to liken ou compare sth/ sb to; **s'assimiler** vi (s'intégrer) to be assimilated ou absorbed

**assis, e** [asi, -iz] pp de **asseoir** ▷ adj sitting (down), seated

**assistance** [asistɑ̃s] nf (public) audience; (aide) assistance; **enfant de l'A~ (publique)** child in care

**assistant, e** [asistɑ̃, -ɑ̃t] nm/f assistant; (d'université) probationary lecturer; **~e sociale** social worker

**assisté, e** [asiste] adj (Auto) power-assisted; **~ par ordinateur** computer-assisted; **direction ~e** power steering

**assister** [asiste] /1/ vt to assist; **~ à** (scène, événement) to witness; (conférence, séminaire) to attend, be (present) at; (spectacle, match) to be at, see

**association** [asɔsjasjɔ̃] nf association

**associé, e** [asɔsje] nm/f associate; (Comm) partner

**associer** [asɔsje] /7/ vt to associate; **~ qn à** (profits) to give sb a share of; (affaire) to make sb a partner in; (joie, triomphe) to include sb in; **~ qch à** (joindre, allier) to combine sth with; **s'associer** vi to join together; **s'~ à** (couleurs, qualités) to be combined with; (opinions, joie de qn) to share in; **s'~ à** ou **avec qn pour faire** to join (forces) ou join together with sb to do

**assoiffé, e** [aswafe] adj thirsty

**assommer** [asɔme] /1/ vt (étourdir, abrutir) to knock out, stun

**Assomption** [asɔ̃psjɔ̃] nf: **l'~** the Assumption

**L'ASSOMPTION**

The *fête de l'Assomption*, more commonly known as "le 15 août", is a national holiday in France. Traditionally, large numbers of holidaymakers leave home on 15 August, frequently causing chaos on the roads.

**assorti, e** [asɔʀti] *adj* matched, matching; **fromages/légumes ~s** assorted cheeses/vegetables; **~ à** matching; **assortiment** *nm* assortment, selection

**assortir** [asɔʀtiʀ] /2/ *vt* to match; **~ qch à** to match sth with; **~ qch de** to accompany sth with

**assouplir** [asupliʀ] /2/ *vt* to make supple; (*fig*) to relax; **assouplissant** *nm* (fabric) softener

**assumer** [asyme] /1/ *vt* (*fonction, emploi*) to assume, take on

**assurance** [asyʀɑ̃s] *nf* (*certitude*) assurance; (*confiance en soi*) (self-) confidence; (*contrat*) insurance (policy); (*secteur commercial*) insurance; **~ au tiers** third party insurance; **~ maladie (AM)** health insurance; **~ tous risques** (*Auto*) comprehensive insurance; **~s sociales (AS)** ≈ National Insurance (BRIT), ≈ Social Security (US); **assurance-vie** *nf* life assurance ou insurance

**assuré, e** [asyʀe] *adj* (*réussite, échec, victoire etc*) certain, sure; (*démarche, voix*) assured; (*pas*) steady ▷ *nm/f* insured (person); **assurément** *adv* assuredly, most certainly

**assurer** [asyʀe] /1/ *vt* (*Comm*) to insure; (*victoire etc*) to ensure; (*frontières, pouvoir*) to secure; (*service, garde*) to provide, operate; **s'assurer (contre)** (*Comm*) to insure o.s. (against); **~ à qn que** to assure sb that; **~ qn de** to assure sb of; **s'~ de/que** (*vérifier*) to make sure of/that; **s'~ (de)** (*aide de qn*) to secure

**asthmatique** [asmatik] *adj, nm/f* asthmatic

**asthme** [asm] *nm* asthma

**asticot** [astiko] *nm* maggot

**astre** [astʀ] *nm* star

**astrologie** [astʀɔlɔʒi] *nf* astrology

**astronaute** [astʀonot] *nm/f* astronaut

**astronomie** [astʀɔnɔmi] *nf* astronomy

**astuce** [astys] *nf* shrewdness, astuteness; (*truc*) trick, clever way; **astucieux, -euse** *adj* clever

**atelier** [atalje] *nm* workshop; (*de peintre*) studio

**athée** [ate] *adj* atheistic ▷ *nm/f* atheist

**Athènes** [atɛn] *n* Athens

**athlète** [atlɛt] *nm/f* (*Sport*) athlete; **athlétisme** *nm* athletics *sg*

**atlantique** [atlɑ̃tik] *adj* Atlantic ▷ *nm*: **l'(océan) A~** the Atlantic (Ocean)

**atlas** [atlɑs] *nm* atlas

**atmosphère** [atmɔsfɛʀ] *nf* atmosphere

**atome** [atom] *nm* atom; **atomique** *adj* atomic; nuclear

**atomiseur** [atomizœʀ] *nm* atomizer

**atout** [atu] *nm* trump; (*fig*) asset

**atroce** [atʀɔs] *adj* atrocious

**attachant, e** [ataʃɑ̃, -ɑ̃t] *adj* engaging, likeable

**attache** [ataʃ] *nf* clip, fastener; (*fig*) tie

**attacher** [ataʃe] /1/ *vt* to tie up; (*étiquette*) to attach, tie on; (*ceinture*) to fasten; (*souliers*) to do up ▷ *vi* (*poêle, riz*) to stick; **s'~ à** (*par affection*) to become attached to; **~ qch à** to tie ou fasten ou attach sth to

**attaque** [atak] *nf* attack; (*cérébrale*) stroke; (*d'épilepsie*) fit

**attaquer** [atake] /1/ *vt* to attack; (*en justice*) to sue ▷ *vi* to attack; **s'attaquer à** *vt* (*personne*) to attack; (*épidémie, misère*) to tackle

**attarder** [ataʀde] /1/: **s'attarder** *vi* to linger

**atteindre** [atɛdʀ] /49/ vt to reach; (blesser) to hit; (émouvoir) to affect; **atteint, e** adj (Méd): **être atteint de** to be suffering from ▷ nf attack; **hors d'atteinte** out of reach; **porter atteinte à** to strike a blow at

**attendant** [atɑ̃dɑ̃]: **en ~** adv meanwhile, in the meantime

**attendre** [atɑ̃dʀ] /41/ vt to wait for; (être destiné ou réservé à) to await, be in store for ▷ vi to wait; **s'~ à (ce que)** to expect (that); **attendez-moi, s'il vous plaît** wait for me, please; **~ un enfant** to be expecting a baby; **~ de faire/d'être** to wait until one does/is; **attendez qu'il vienne** wait until he comes; **~ qch de** to expect sth of.

⚠ Attention à ne pas traduire *attendre* par *to attend*.

**attendrir** [atɑ̃dʀiʀ] /2/ vt (émouvoir) (to pity); (viande) to tenderize

**attendu, e** [atɑ̃dy] adj (événement) long-awaited; (prévu) expected; **~ que** considering that, since

**attentat** [atɑ̃ta] nm assassination attempt; **~ à la pudeur** indecent assault no pl; **~ suicide** suicide bombing

**attente** [atɑ̃t] nf wait; (espérance) expectation

**attenter** [atɑ̃te] /1/: **~ à** vt (liberté) to violate; **~ à la vie de qn** to make an attempt on sb's life

**attentif, -ive** [atɑ̃tif, -iv] adj (auditeur) attentive; (travail) careful; **~ à** paying attention to

**attention** [atɑ̃sjɔ̃] nf attention; (prévenance) attention, thoughtfulness no pl; **à l'~ de** for the attention of; **faire ~ (à)** to be careful (of); **faire ~ (à ce) que** to be ou make sure that; **~! **careful!, watch out!; **~ à la voiture!** watch out for that car!; **attentionné, e** [atɑ̃sjɔne] adj thoughtful, considerate

**atténuer** [atenɥe] /1/ vt (douleur) to alleviate, ease; (couleurs) to soften;

**s'atténuer** vi to ease; (violence etc) to abate

**atterrir** [ateʀiʀ] /2/ vi to land; **atterrissage** nm landing

**attestation** nf certificate

**attirant, e** [atiʀɑ̃, -ɑ̃t] adj attractive, appealing

**attirer** [atiʀe] /1/ vt to attract; (appâter) to lure, entice; **~ qn dans un coin/vers soi** to draw sb into a corner/towards one; **~ l'attention de qn** to attract sb's attention; **~ l'attention de qn sur qch** to draw sb's attention to sth; **~ des ennuis** to bring trouble upon o.s., get into trouble

**attitude** [atityd] nf attitude; (position du corps) bearing

**attraction** [atʀaksjɔ̃] nf attraction; (de cabaret, cirque) number

**attrait** [atʀɛ] nm appeal, attraction

**attraper** [atʀape] /1/ vt to catch; (habitude, amende) to get, pick up; (fam: duper) to con; **se faire ~** (fam) to be told off

**attrayant, e** [atʀɛjɑ̃, -ɑ̃t] adj attractive

**attribuer** [atʀibɥe] /1/ vt (prix) to award; (rôle, tâche) to allocate, assign; (imputer): **~ qch à** to attribute sth to; **s'attribuer** vt (s'approprier) to claim for o.s.

**attrister** [atʀiste] /1/ vt to sadden

**attroupement** [atʀupmɑ̃] nm crowd

**attrouper** [atʀupe] /1/: **s'attrouper** vi to gather

**au** [o] prép voir **à**

**aubaine** [obɛn] nf godsend

**aube** [ob] nf dawn, daybreak; **à l'~** at dawn ou daybreak

**aubépine** [obepin] nf hawthorn

**auberge** [obɛʀʒ] nf inn; **~ de jeunesse** youth hostel

**aubergine** [obɛʀʒin] nf aubergine

**aucun, e** [okœ̃, -yn] adj, pron no; (positif) any ▷ pron none; (positif) any(one); **sans ~ doute** without any doubt; **plus qu'~ autre** more than any other; **il le fera mieux qu'~ de nous** he'll do it better than any of us; **~ des deux** neither of the two; **~ d'entre eux** none of them

**audace** [odas] *nf* daring, boldness; (*péj*) audacity; **audacieux, -euse** *adj* daring, bold

**au-delà** [od(ə)la] *adv* beyond ▷ *nm*: **l'~** the hereafter; **~ de** beyond

**au-dessous** [odsu] *adv* underneath; below; **~ de** under(neath), below; (*limite, somme etc*) below, under; (*dignité, condition*) below

**au-dessus** [odsy] *adv* above; **~ de** above

**au-devant** [od(ə)vɑ̃]: **~ de** *prép*: **aller ~ de** (*personne, danger*) to go (out) and meet; (*souhaits de qn*) to anticipate

**audience** [odjɑ̃s] *nf* audience; (*Jur: séance*) hearing

**audio-visuel, le** [odjovizɥɛl] *adj* audio-visual

**audition** [odisjɔ̃] *nf* (*ouïe, écoute*) hearing; (*Jur: de témoins*) examination; (*Mus, Théât: épreuve*) audition

**auditoire** [oditwar] *nm* audience

**augmentation** [ɔgmɑ̃tasjɔ̃] *nf* increase; **~ (de salaire)** rise (in salary) (BRIT), (pay) raise (US)

**augmenter** [ɔgmɑ̃te] /1/ *vt* to increase; (*salaire, prix*) to increase, raise, put up; (*employé*) to increase the salary of ▷ *vi* to increase

**augure** [ogyr] *nm*: **de bon/mauvais ~** of good/ill omen

**aujourd'hui** [oʒurdɥi] *adv* today

**aumône** [omon] *nf* alms sg (*pl inv*); **aumônier** *nm* chaplain

**auparavant** [oparavɑ̃] *adv* before(hand)

**auprès** [oprɛ]: **~ de** *prép* next to, close to; (*recourir, s'adresser*) to; (*en comparaison de*) compared with

**auquel** [okɛl] *pron voir* **lequel**

**aurai** *etc* [ɔre] *vb voir* **avoir**

**aurons** *etc* [ɔrɔ̃] *vb voir* **avoir**

**aurore** [ɔrɔr] *nf* dawn, daybreak

**ausculter** [ɔskylte] /1/ *vt* to sound

**aussi** [osi] *adv* (*également*) also, too; (*de comparaison*) therefore, consequently; **~ fort que** as strong as; **moi ~** me too

**aussitôt** [osito] *adv* straight away, immediately; **~ que** as soon as

**austère** [ɔstɛr] *adj* austere

**austral, e** [ɔstral] *adj* southern

**Australie** [ɔstrali] *nf*: **l'~** Australia; **australien, ne** *adj* Australian ▷ *nm/f*: **Australien, ne** Australian

**autant** [otɑ̃] *adv* so much; **je ne savais pas que tu la détestais ~** I didn't know you hated her so much; (*comparatif*): **~ (que)** as much (as); (*nombre*) as many (as); **~ (de)** so much (*ou* many), as much (*ou* many); **~ partir** we (*ou* you *etc*) may as well leave; **~ dire que …** one might as well say that …; **pour ~** for all that; **d'~ plus/mieux (que)** all the more/the better (since)

**autel** [otɛl] *nm* altar

**auteur** [otœr] *nm* author

**authentique** [otɑ̃tik] *adj* authentic, genuine

**auto** [oto] *nf* car; **autobiographie** *nf* autobiography; **autobronzant** *nm* self-tanning cream (*or* lotion *etc*); **autobus** *nm* bus; **autocar** *nm* coach

**autochtone** [ɔtɔktɔn] *nm/f* native

**auto:** **autocollant, e** *adj* self-adhesive; (*enveloppe*) self-seal ▷ *nm* sticker; **autocuiseur** *nm* pressure cooker; **autodéfense** *nf* self-defence; **autodidacte** *nm/f* self-taught person; **auto-école** *nf* driving school; **autographe** *nm* autograph

**automate** [ɔtɔmat] *nm* (*machine*) (automatic) machine

**automatique** [ɔtɔmatik] *adj* automatic ▷ *nm*: **l'~** ≈ direct dialling

**automne** [ɔtɔn] *nm* autumn (BRIT), fall (US)

**automobile** [ɔtɔmɔbil] *adj* motor *cpd* ▷ *nf* (motor) car; **automobiliste** *nm/f* motorist

**automutiler** [otomytile] /1/:
**s'automutiler** vt to self-harm
**autonome** [otɔnɔm] adj
autonomous; **autonomie** nf
autonomy; (Pol) self-government
**autopsie** [otɔpsi] nf post-mortem
(examination), autopsy
**autoradio** [otoRadjo] nf car radio
**autorisation** [otɔRizasjɔ̃] nf
authorization; (papiers) permit
**autorisé, e** [otɔRize] adj (opinion,
sources) authoritative
**autoriser** [otɔRize] /1/ vt to give
permission for, authorize; (fig) to
allow (of)
**autoritaire** [otɔRitɛR] adj
authoritarian
**autorité** [otɔRite] nf authority; **faire
~** to be authoritative
**autoroute** [otoRut] nf motorway
(BRIT), expressway (US); **~ de
l'information** (Inform) information
superhighway

> **AUTOROUTE**
>
> Motorways in France, indicated
> by blue road signs with the letter
> A followed by a number, are toll
> roads. The speed limit is 130 km/h
> (110 km/h when it is raining). At the
> tollgate, the lanes marked 'réservé'
> and with an orange 't' are reserved
> for people who subscribe to
> 'télépéage', an electronic payment
> system.

**auto-stop** [otostɔp] nm: **faire de
l'~** to hitch-hike; **prendre qn en ~** to
give sb a lift; **auto-stoppeur, -euse**
nm/f hitch-hiker
**autour** [otuR] adv around; **~ de**
around; **tout ~** all around

MOT-CLÉ

**autre** [otR] adj 1 (différent) other,
different; **je préférerais un**

**autre verre** I'd prefer another ou a
different glass
2 (supplémentaire) other; **je
voudrais un autre verre d'eau** I'd
like another glass of water
3: **autre chose** something else;
**autre part** somewhere else;
**d'autre part** on the other hand
▶ pron: **un autre** another (one);
**nous/vous autres** us/you;
**d'autres** others; **l'autre** the other
(one); **les autres** the others; (autrui)
others; **l'un et l'autre** both of
them; **se détester l'un l'autre/les
uns les autres** to hate each other
ou one another; **d'une semaine/
minute à l'autre** from one week/
minute ou moment to the next;
(incessamment) any week/minute
ou moment now; **entre autres
(personnes)** among others; (choses)
among other things

**autrefois** [otRəfwa] adv in the past
**autrement** [otRəmɑ̃] adv differently;
(d'une manière différente) in another
way; (sinon) otherwise; **~ dit** in
other words
**Autriche** [otRiʃ] nf: **l'~** Austria;
**autrichien, ne** adj Austrian ▷ nm/f:
**Autrichien, ne** Austrian
**autruche** [otRyʃ] nf ostrich
**aux** [o] prép voir **à**
**auxiliaire** [ɔksiljɛR] adj, nm/f
auxiliary
**auxquels, auxquelles** [okɛl] pron
voir **lequel**
**avalanche** [avalɑ̃ʃ] nf avalanche
**avaler** [avale] /1/ vt to swallow
**avance** [avɑ̃s] nf (de troupes etc)
advance; (progrès) progress; (d'argent)
advance; (opposé à retard) lead;
**avances** nfpl (amoureuses) advances;
**(être) en ~** (to be) early; (sur un
programme) (to be) ahead of schedule;
**d'~, à l'~** in advance
**avancé, e** [avɑ̃se] adj advanced;
(travail etc) well on, well under way

**avancement** [avɑ̃smɑ̃] nm (professionnel) promotion

**avancer** [avɑ̃se] /3/ vi to move forward, advance; (projet, travail) to make progress; (montre, réveil) to be fast to gain ▷ vt to move forward, advance; (argent) to advance; (montre, pendule) to put forward; **s'avancer** vi to move forward, advance; (fig) to commit o.s.

**avant** [avɑ̃] prép before ▷ adj inv: **siège/roue ~** front seat/wheel ▷ nm (d'un véhicule, bâtiment) front; (Sport: joueur) forward; **~ qu'il parte/de partir** before he leaves/leaving; **~ tout** (surtout) above all; **à l'~** (dans un véhicule) in (the) front; **en ~** (se pencher, tomber) forward(s); **partir en ~** to go on ahead; **en ~ de** in front of

**avantage** [avɑ̃taʒ] nm advantage; **~s sociaux** fringe benefits; **avantager** /3/ vt (favoriser) to favour; (embellir) to flatter; **avantageux, -euse** adj (prix) attractive

**avant: avant-bras** nm inv forearm; **avant-coureur** adj inv: **signe avant-coureur** advance indication ou sign; **avant-dernier, -ière** adj, nm/f next to last, last but one; **avant-goût** nm foretaste; **avant-hier** adv the day before yesterday; **avant-première** nf (de film) preview; **avant-veille** nf: **l'avant-veille** two days before

**avare** [avaʀ] adj miserly, avaricious ▷ nm/f miser; **~ de compliments** stingy ou sparing with one's compliments

**avec** [avɛk] prép with; (à l'égard de) to(wards), with; **et ~ ça?** (dans un magasin) anything ou something else?

**avenir** [avniʀ] nm: **l'~** the future; **à l'~** in future; **carrière/politicien d'~** career/politician with prospects ou a future

**aventure** [avɑ̃tyʀ] nf: **l'~** adventure; **une ~** (amoureuse) an affair;

**aventureux, -euse** adj adventurous, venturesome; (projet) risky, chancy

**avenue** [avny] nf avenue

**avérer** [aveʀe] /6/: **s'avérer** vr: **s'~ faux/coûteux** to prove (to be) wrong/expensive

**averse** [avɛʀs] nf shower

**averti, e** [avɛʀti] adj (well-) informed

**avertir** [avɛʀtiʀ] /2/ vt: **~ qn (de qch/que)** to warn sb (of sth/that); (renseigner) to inform sb (of sth/that); **avertissement** nm warning; **avertisseur** nm horn, siren

**aveu, x** [avø] nm confession

**aveugle** [avœgl] adj blind ▷ nm/f blind person

**aviation** [avjasjɔ̃] nf aviation; (sport, métier de pilote) flying; (Mil) air force

**avide** [avid] adj eager; (péj) greedy, grasping

**avion** [avjɔ̃] nm (aero)plane (BRIT), (air)plane (US); **aller (quelque part) en ~** to go (somewhere) by plane, fly (somewhere); **par ~** by airmail; **~ à réaction** jet (plane)

**aviron** [aviʀɔ̃] nm oar; (sport): **l'~** rowing

**avis** [avi] nm opinion; (notification) notice; **à mon ~** in my opinion; **changer d'~** to change one's mind; **jusqu'à nouvel ~** until further notice

**aviser** [avize] /1/ vt (informer): **~ qn de/que** to advise ou inform ou notify sb of/that ▷ vi to think about things, assess the situation; **nous aviserons sur place** we'll work something out once we're there; **s'~ de qch/que** to become suddenly aware of sth/that; **s'~ de faire** to take it into one's head to do

**avocat, e** [avɔka, -at] nm/f (Jur) ≈ barrister (BRIT), lawyer ▷ nm (Culin) avocado (pear); **l'~ de la défense/partie civile** the counsel for the defence/plaintiff; **~ général** assistant public prosecutor

**avoine** [avwan] nf oats pl

**MOT-CLÉ**

**avoir** [avwaʀ] /34/ vt **1** (*posséder*) to have; **elle a deux enfants/une belle maison** she has (got) two children/a lovely house; **il a les yeux bleus** he has (got) blue eyes; **vous avez du sel?** do you have any salt?; **avoir du courage/de la patience** to be brave/patient

**2** (*éprouver*) **avoir de la peine** to be ou feel sad; **voir aussi faim, peur**

**3** (*âge, dimensions*) to be; **il a 3 ans** he is 3 (years old); **le mur a 3 mètres de haut** the wall is 3 metres high

**4** (*fam: duper*) to have, have; **on vous a eu!** you've been done ou had!; (*faire une plaisanterie*) we ou they had you there

**5: en avoir contre qn** to have a grudge against sb; **en avoir assez** to be fed up; **j'en ai pour une demi-heure** it'll take me half an hour

**6** (*obtenir, attraper*) to get; **j'ai réussi à avoir mon train** I managed to get ou catch my train; **j'ai réussi à avoir le renseignement qu'il me fallait** I managed to get (hold of) the information I needed

▶ vb aux **1** to have; **avoir mangé/dormi** to have eaten/slept

**2** (*avoir+à +infinitif*): **avoir à faire qch** to have to do sth; **vous n'avez qu'à lui demander** you only have to ask him

▶ vb impers **1**: **il y a** (+ *singulier*) there is; (+ *pluriel*) there are; **il y avait du café/des gâteaux** there was coffee/there were cakes; **qu'y a-t-il?, qu'est-ce qu'il y a?** what's the matter?, what is it?; **il doit y avoir une explication** there must be an explanation; **il n'y a qu'à ...** we (ou you etc) will just have to ...; **il ne peut y en avoir qu'un** there can only be one

**2: il y a** (*temporel*): **il y a 10 ans** 10 years ago; **il y a 10 ans/longtemps que je le connais** I've

known him for 10 years/a long time; **il y a 10 ans qu'il est arrivé** it's 10 years since he arrived
▶ nm assets pl, resources pl; (Comm) credit

**avortement** [avɔʀtəmɑ̃] nm abortion

**avouer** [avwe] /1/ vt (*crime, défaut*) to confess (to); **~ avoir fait/que** to admit ou confess to having done/that

**avril** [avʀil] nm April

**axe** [aks] nm axis (pl axes); (de roue etc) axle; (fig) main line; **~ routier** trunk road (BRIT), main road, highway (US)

**ayons** etc [ɛjɔ̃] vb voir **avoir**

**bâbord** [babɔʀ] nm: **à** ou **par ~** to port, on the port side

**baby-foot** [babifut] nm inv table football

**baby-sitting** [babisitiŋ] nm babysitting; **faire du ~** to baby-sit

**bac** [bak] nm (récipient) tub

**baccalauréat** [bakalɔʀea] nm ≈ high school diploma

**bâcler** [bakle] /1/ vt to botch (up)

**baffe** [baf] nf (fam) slap, clout

**bafouiller** [bafuje] /1/ vi, vt to stammer

**bagage** [bagaʒ] nm: **~s** luggage sg; (connaissances) background, knowledge; **~ à main** handluggage

**bagarre** [bagaʀ] nf fight, brawl; **bagarrer** /1/: **se bagarrer** vi to (have a) fight

**bagnole** [baɲɔl] nf (fam) car

**bague** [bag] nf ring; **~ de fiançailles** engagement ring

**baguette** [bagɛt] nf stick; (cuisine chinoise) chopstick; (de chef d'orchestre) baton; (pain) stick of (French) bread; **~ magique** magic wand

**baie** [bɛ] nf (Géo) bay; (fruit) berry; **~ (vitrée)** picture window

**baignade** [bɛɲad] nf bathing; **"~ interdite"** "no bathing"

**baigner** [bɛɲe] /1/ vt (bébé) to bath; **se baigner** vi to go swimming ou bathing; **baignoire** nf bath(tub)

**bail** (pl **baux**) [baj, bo] nm lease

**bâiller** [baje] /1/ vi to yawn; (être ouvert) to gape

**bain** [bɛ̃] nm bath; **prendre un ~** to have a bath; **se mettre dans le ~** (fig) to get into (the way of) it ou things; **~ de bouche** mouthwash; **~ moussant** bubble bath; **~ de soleil: prendre un ~ de soleil** to sunbathe; **bain-marie** nm: **faire chauffer au bain-marie** (boîte etc) to immerse in boiling water

**baiser** [beze] nm kiss ▷ vt (main, front) to kiss; (fam!) to screw (!)

**baisse** [bes] nf fall, drop; **en ~** falling

**baisser** [bese] /1/ vt to lower; (radio, chauffage) to turn down ▷ vi to fall, drop, go down; (vue, santé) to fail, dwindle; **se baisser** vi to bend down

**bal** [bal] nm dance; (grande soirée) ball; **~ costumé/masqué** fancy-dress/ masked ball

**balade** [balad] (fam) nf (à pied) walk, stroll; (en voiture) drive; **balader** /1/ (fam): **se balader** vi to go for a walk ou stroll; to go for a drive; **baladeur** [baladœʀ] nm personal stereo, Walkman®

**balai** [bale] nm broom, brush

**balance** [balɑ̃s] nf scales pl; (signe): **la B~** Libra; **~ commerciale** balance of trade

**balancer** [balɑ̃se] /3/ vt to swing; (lancer) to fling, chuck; (renvoyer, jeter) to chuck out; **se balancer** vi to swing; to rock; **se ~ qch** (fam) not to

give a toss about sth; **balançoire** nf
swing; (sur pivot) seesaw
**balayer** [baleje] /8/ vt (feuilles etc)
to sweep up, brush up; (pièce, cour)
to sweep; (chasser) to sweep away
ou aside; (radar) to scan; **balayeur,**
**-euse** [balejœr, -øz] nm/f road sweeper
▷ nf (engin) road sweeper
**balbutier** [balbysje] /7/ vi, vt to
stammer
**balcon** [balkɔ̃] nm balcony; (Théât)
dress circle
**Bâle** [bal] n Basle ou Basel
**Baléares** [balear] nfpl: **les ~** the
Balearic Islands, the Balearics
**baleine** [balɛn] nf whale
**balise** [baliz] nf (Navig) beacon,
(marker) buoy; (Aviat) runway light,
beacon; (Auto, Ski) sign, marker;
**baliser** /1/ vt to mark out (with
beacons ou lights etc)
**balle** [bal] nf (de fusil) bullet; (de sport)
ball; (fam: franc) franc
**ballerine** [bal(ə)ʀin] nf (danseuse)
ballet dancer; (chaussure) pump,
ballet shoe
**ballet** [balɛ] nm ballet
**ballon** [balɔ̃] nm (de sport) ball; (jouet,
Aviat) balloon; **~ de football** football;
**~ d'oxygène** oxygen bottle
**balnéaire** [balneɛr] adj seaside cpd;
**station ~** seaside resort
**balustrade** [balystrad] nf railings
pl, handrail
**bambin** [bɑ̃bɛ̃] nm little child
**bambou** [bɑ̃bu] nm bamboo
**banal, e** [banal] adj banal,
commonplace; (péj) trite; **banalité**
nf banality
**banane** [banan] nf banana; (sac)
waist-bag, bum-bag
**banc** [bɑ̃] nm seat, bench; (de
poissons) shoal; **~ d'essai** (fig) testing
ground
**bancaire** [bɑ̃kɛr] adj banking;
(chèque, carte) bank cpd
**bancal, e** [bɑ̃kal] adj wobbly
**bandage** [bɑ̃daʒ] nm bandage

**bande** [bɑ̃d] nf (de tissu etc) strip;
(Méd) bandage; (motif, dessin) stripe;
(groupe) band; (péj): **une ~ de** a bunch
ou crowd of; **faire ~ à part** to keep
to o.s.; **~ dessinée (BD)** comic strip;
**~ magnétique** magnetic tape;
**~ sonore** sound track
**bande-annonce** [bɑ̃danɔ̃s] nf
trailer
**bandeau, x** [bɑ̃do] nm headband;
(sur les yeux) blindfold
**bander** [bɑ̃de] /1/ vt (blessure)
to bandage; **~ les yeux à qn** to
blindfold sb
**bandit** [bɑ̃di] nm bandit
**bandoulière** [bɑ̃duljɛr] nf: **en ~**
(slung ou worn) across the shoulder
**Bangladesh** [bɑ̃gladɛʃ] nm: **le ~**
Bangladesh
**banlieue** [bɑ̃ljø] nf suburbs pl;
**quartiers de ~** suburban areas;
**trains de ~** commuter trains
**bannir** [baniʀ] /2/ vt to banish
**banque** [bɑ̃k] nf bank; (activités)
banking; **~ de données** data bank
**banquet** [bɑ̃kɛ] nm dinner;
(d'apparat) banquet
**banquette** [bɑ̃kɛt] nf seat
**banquier** [bɑ̃kje] nm banker
**banquise** [bɑ̃kiz] nf ice field
**baptême** [batɛm] nm christening;
baptism; **~ de l'air** first flight
**baptiser** [batize] /1/ vt to christen;
to baptize
**bar** [bar] nm bar
**baraque** [baʀak] nf shed; (fam)
house; **~ foraine** fairground stand;
**baraqué, e** (fam) adj well-built, hefty
**barbant, e** [barbã, -ãt] adj (fam)
deadly (boring)
**barbare** [barbar] adj barbaric
**barbe** [barb] nf beard; **(au nez et)**
**à la ~ de qn** under sb's very
nose; **la ~!** (fam) damn it!; **quelle ~!**
(fam) what a drag ou bore!; **~ à papa**
candy-floss (BRIT), cotton candy (US)
**barbelé** [barbəle] adj, nm: **(fil de fer)**
**~** barbed wire no pl

**barbiturique** [baʀbityʀik] nm
barbiturate

**barbouiller** [baʀbuje] /1/ vt to daub;
**avoir l'estomac barbouillé** to feel
queasy ou sick

**barbu, e** [baʀby] adj bearded

**barder** [baʀde] /1/ vi (fam): **ça va ~**
sparks will fly

**barème** [baʀɛm] nm (Scol) scale;
(liste) table

**baril** [baʀi(l)] nm barrel; (de poudre)
keg

**bariolé, e** [baʀjɔle] adj many-
coloured, rainbow-coloured

**baromètre** [baʀɔmɛtʀ] nm barometer

**baron** [baʀɔ̃] nm baron

**baronne** [baʀɔn] nf baroness

**baroque** [baʀɔk] adj (Art) baroque;
(fig) weird

**barque** [baʀk] nf small boat

**barquette** [baʀkɛt] nf small boat-
shaped tart; (récipient: en aluminium)
tub; (: en bois) basket; (pour repas)
tray; (: pour fruits) punnet

**barrage** [baʀaʒ] nm dam; (routier)
roadblock, barricade

**barre** [baʀ] nf (de fer etc) rod; (Navig)
helm; (écrite) line, stroke

**barreau, x** [baʀo] nm bar; (Jur): **le
~** the Bar

**barrer** [baʀe] /1/ vt (route etc) to
block; (mot) to cross out; (chèque)
to cross (BRIT); (Navig) to steer; **se
barrer** vi (fam) to clear off

**barrette** [baʀɛt] nf (pour cheveux)
(hair) slide (BRIT) ou clip (US)

**barricader** [baʀikade] /1/: **se
barricader** vi: **se ~ chez soi** to
lock o.s. in

**barrière** [baʀjɛʀ] nf fence; (obstacle)
barrier; (porte) gate

**barrique** [baʀik] nf barrel, cask

**bar-tabac** [baʀtaba] nm bar (which
sells tobacco and stamps)

**bas, basse** [ba, bas] adj low ▷ nm
(vêtement) stocking; (partie inférieure):
**le ~ de** the lower part ou foot ou
bottom of ▷ adv low; (parler) softly;

**au ~ mot** at the lowest estimate;
**enfant en ~ âge** young child; **en
~** down below; (d'une liste, d'un mur
etc) at (ou to) the bottom; (dans une
maison) downstairs; **en ~ de** at the
bottom of; **à ~ la dictature!** down
with dictatorship!

**bas-côté** [bakote] nm (de route) verge
(BRIT), shoulder (US)

**basculer** [baskyle] /1/ vi to fall over,
topple (over); (benne) to tip up ▷ vt
(contenu) to tip out; (benne) to tip up

**base** [baz] nf base; (fondement,
principe) basis (pl bases); **la ~** (Pol) the
rank and file; **de ~** basic; **à ~ de café
etc** coffee etc-based; **~ de données**
database; **baser** /1/ vt: **baser qch
sur** to base sth on; **se baser sur**
(données, preuves) to base one's
argument on

**bas-fond** [bafɔ̃] nm (Navig) shallow;
**bas-fonds** nmpl (fig) dregs

**basilic** [bazilik] nm (Culin) basil

**basket** [baskɛt] nm basketball

**baskets** [baskɛt] nfpl trainers (BRIT),
sneakers (US)

**basque** [bask] adj Basque ▷ nm/f: **B-**
Basque; **le Pays ~** the Basque country

**basse** [bas] adj voir **bas** ▷ nf (Mus)
bass; **basse-cour** nf farmyard

**bassin** [basɛ̃] nm (pièce d'eau) pond,
pool; (de fontaine, Géo) basin; (Anat)
pelvis; (portuaire) dock

**bassine** [basin] nf basin; (contenu)
bowl, bowlful

**basson** [basɔ̃] nm bassoon

**bat** [ba] vb voir **battre**

**bataille** [bataj] nf battle; (rixe) fight;
**elle avait les cheveux en ~** her hair
was a mess

**bateau, x** [bato] nm boat; ship;
**bateau-mouche** nm (passenger)
pleasure boat (on the Seine)

**bâti, e** [bati] adj (terrain) developed;
**bien ~** well-built

**bâtiment** [batimɑ̃] nm building;
(Navig) ship, vessel; (industrie): **le ~**
the building trade

**bâtir** [bɑtiʀ] /2/ vt to build

**bâtisse** [bɑtis] nf building

**bâton** [bɑtɔ̃] nm stick; **parler à -s rompus** to chat about this and that

**bats** [ba] vb voir **battre**

**battement** [batmɑ̃] nm (de cœur) beat; (intervalle) interval (between classes, trains etc); **10 minutes de -** 10 minutes to spare

**batterie** [batʀi] nf (Mil, Élec) battery; (Mus) drums pl, drum kit; **- de cuisine** kitchen utensils pl; (casseroles etc) pots and pans pl

**batteur** [batœʀ] nm (Mus) drummer; (appareil) whisk

**battre** [batʀ] /41/ vt to beat; (blé) to thresh; (cartes) to shuffle; (passer au peigne fin) to scour ▷ vi (cœur) to beat; (volets etc) to bang, rattle; **se battre** vi to fight; **- la mesure** to beat time; **- son plein** to be at its height, be going full swing; **- des mains** to clap one's hands

**baume** [bom] nm balm

**bavard, e** [bavaʀ, -aʀd] adj (very) talkative; gossipy; **bavarder** /1/ vi to chatter; (indiscrètement) to gossip; (révéler un secret) to blab

**baver** [bave] /1/ vi to dribble; (chien) to slobber, slaver; **en -** (fam) to have a hard time (of it)

**bavoir** [bavwaʀ] nm bib

**bavure** [bavyʀ] nf smudge; (fig) hitch; (policière etc) blunder

**bazar** [bazaʀ] nm general store; (fam) jumble; **bazarder** /1/ vt (fam) to chuck out

**BCBG** sigle adj (= bon chic bon genre) smart and trendy, ≈ preppy

**BD** sigle f = **bande dessinée**

**bd** abr = **boulevard**

**béant, e** [beɑ̃, -ɑ̃t] adj gaping

**beau (bel), belle, beaux** [bo, bɛl] adj beautiful, lovely; (homme) handsome ▷ nf: **il fait -** the weather's fine ▷ nm: **un - jour** one (fine) day; **de plus belle** more than ever, even more; **bel et bien** well

and truly; **le plus - c'est que ...** the best of it is that ...; **on a - essayer** however hard do we no matter how hard we try; **faire le -** (chien) to sit up and beg

 MOT-CLÉ

**beaucoup** [boku] adv 1 a lot; **il boit beaucoup** he drinks a lot; **il ne boit pas beaucoup** he doesn't drink much ou a lot
2 (suivi de plus, trop etc) much, a lot; **il est beaucoup plus grand** he is much ou a lot far taller; **c'est beaucoup plus cher** it's a lot ou much more expensive; **il a beaucoup plus de temps que moi** he has much ou a lot more time than me; **il y a beaucoup plus de touristes ici** there are a lot ou many more tourists here; **beaucoup trop vite** much too fast; **il fume beaucoup trop** he smokes far too much
3: **beaucoup de** (nombre) many, a lot of; (quantité) much, a lot of; **beaucoup d'étudiants/de touristes** a lot of ou many students/tourists; **beaucoup de courage** a lot of courage; **il n'a pas beaucoup d'argent** he hasn't got much ou a lot of money
4: **de beaucoup** by far

**beau: beau-fils** nm son-in-law; (remariage) stepson; **beau-frère** nm brother-in-law; **beau-père** nm father-in-law; (remariage) stepfather

**beauté** [bote] nf beauty; **de toute -** beautiful; **finir qch en -** to complete sth brilliantly

**beaux-arts** [bozaʀ] nmpl fine arts

**beaux-parents** [boparɑ̃] nmpl wife's/husband's family, in-laws

**bébé** [bebe] nm baby

**bec** [bɛk] nm beak, bill; (de cafetière etc) spout; (de casserole etc) lip; (fam) mouth; **- de gaz** (street) gaslamp

**bêche** [bεʃ] nf spade; **bêcher** /1/ vt to dig

**bedaine** [bədεn] nf paunch

**bedonnant, e** [bədɔnɑ̃, -ɑ̃t] adj potbellied

**bée** [be] adj: **bouche** ~ gaping

**bégayer** [begeje]/8/ vt, vi to stammer

**beige** [bεʒ] adj beige

**beignet** [bεɲε] nm fritter

**bel** [bεl] adj m voir **beau**

**bêler** [bele] /1/ vi to bleat

**belette** [bəlεt] nf weasel

**belge** [bεlʒ] adj Belgian ▸ nm/f: **B-** Belgian

**Belgique** [bεlʒik] nf: **la ~** Belgium

**bélier** [belje] nm ram; (signe): **le B-** Aries

**belle** [bεl] adj f voir **beau** ▸ nf (Sport): **la ~** the decider; **belle-fille** nf daughter-in-law; (remariage) stepdaughter; **belle-mère** nf mother-in-law; (remariage) stepmother; **belle-sœur** nf sister-in-law

**belvédère** [bεlvedεr] nm panoramic viewpoint (or small building there)

**bémol** [bemɔl] nm (Mus) flat

**bénédiction** [benediksjɔ̃] nf blessing

**bénéfice** [benefis] nm (Comm) profit; (avantage) benefit; **bénéficier** /7/ vi: **bénéficier de** to enjoy; (profiter) to benefit by ou from; **bénéfique** adj beneficial

**Benelux** [benelyks] nm: **le ~** Benelux, the Benelux countries

**bénévole** [benevɔl] adj voluntary, unpaid

**bénin, -igne** [benε̃, -iɲ] adj minor, mild; (tumeur) benign

**bénir** [benir] /2/ vt to bless; **bénit, e** adj consecrated; **eau bénite** holy water

**benne** [bεn] nf skip; (de téléphérique) (cable) car; **~ à ordures** (amovible) skip

**béquille** [bekij] nf crutch; (de bicyclette) stand

**berceau, x** [bεrso] nm cradle, crib

**bercer** [bεrse] /3/ vt to rock, cradle; (musique etc) to lull; **~ qn de** (promesses etc) to delude sb with; **berceuse** nf lullaby

**béret** [berε] nm (aussi: **~ basque**) beret

**berge** [bεrʒ] nf bank

**berger, -ère** [bεrʒe, -εr] nm/f shepherd/shepherdess; **~ allemand** alsatian (dog) (BRIT), German shepherd (dog) (US)

**Berlin** [bεrlε̃] n Berlin

**Bermudes** [bεrmyd] nfpl: **les (îles) ~** Bermuda

**Berne** [bεrn] n Bern

**berner** [bεrne] /1/ vt to fool

**besogne** [bəzɔɲ] nf work no pl, job

**besoin** [bəzwε̃] nm need; (pauvreté): **le ~** need, want; **faire ses ~s** to relieve o.s.; **avoir ~ de qch/faire qch** to need sth/to do sth; **au ~** if need be; **être dans le ~** to be in need ou want

**bestiole** [bεstjɔl] nf (tiny) insect

**bétail** [betaj] nm livestock, cattle pl

**bête** [bεt] nf animal; (bestiole) insect, creature ▸ adj stupid, silly; **chercher la petite ~** to nit-pick; **~ noire** pet hate; **~ sauvage** wild beast

**bêtise** [betiz] nf stupidity; (action, remarque) stupid thing (to say ou do)

**béton** [betɔ̃] nm concrete; **(en) ~** (fig: alibi, argument) cast iron; **~ armé** reinforced concrete

**betterave** [bεtrav] nf beetroot (BRIT), beet (US); **~ sucrière** sugar beet

**Beur** [bœr] nm/f see note **"Beur"**

**beurre** [bœʀ] nm butter; **beurrer** /1/ vt to butter; **beurrier** nm butter dish

**biais** [bjɛ] nm (moyen) device, expedient; (aspect) angle; **en ~, de ~** (obliquement) at an angle; **par le ~ de** by means of

**bibelot** [biblo] nm trinket, curio

**biberon** [bibʀɔ̃] nm (feeding) bottle; **nourrir au ~** to bottle-feed

**bible** [bibl] nf bible

**bibliobus** nm mobile library van

**bibliothécaire** nm/f librarian

**bibliothèque** nf library; (meuble) bookcase

**bic®** [bik] nm Biro®

**bicarbonate** [bikaʀbɔnat] nm: **~ (de soude)** bicarbonate of soda

**biceps** [bisɛps] nm biceps

**biche** [biʃ] nf doe

**bicolore** [bikɔlɔʀ] adj two-coloured

**bicoque** [bikɔk] nf (péj) shack

**bicyclette** [bisiklɛt] nf bicycle

**bidet** [bidɛ] nm bidet

**bidon** [bidɔ̃] nm can ▷ adj inv (fam) phoney

**bidonville** [bidɔ̃vil] nm shanty town

**bidule** [bidyl] nm (fam) thingamajig

○  **MOT-CLÉ**

**bien** [bjɛ̃] nm 1 (avantage, profit): **faire du bien à qn** to do sb good; **dire du bien de** to speak well of; **c'est pour son bien** it's for his own good

2 (possession, patrimoine) possession, property; **son bien le plus précieux** his most treasured possession; **avoir du bien** to have property; **biens (de consommation etc)** (consumer etc) goods

3 (moral): **le bien** good; **distinguer le bien du mal** to tell good from evil

▷ adv 1 (de façon satisfaisante) well; **elle travaille/mange bien** she works/eats well; **croyant bien faire, je/il ...** thinking I/he was doing the right thing, I/he ...; **tiens-toi bien!** (assieds-toi correctement)

sit up straight!; (debout) stand up straight!; (sois sage) behave yourself!; (prépare-toi) wait for it!

2 (valeur intensive) quite; **bien jeune** quite young; **bien assez** quite enough; **bien mieux** (very) much better; **bien du temps/des gens** quite a time/a number of people; **j'espère bien y aller** I do hope to go; **je veux bien le faire** (concession) I'm quite willing to do it; **il faut bien le faire** it has to be done; **cela fait bien deux ans que je ne l'ai pas vu** I haven't seen him for at least ou a good two years; **Paul est bien venu, n'est-ce pas?** Paul HAS come, hasn't he?; **où peut-il bien être passé?** where on earth can he have got to?

▷ excl right!, OK!, fine!; **(c'est) bien fait!** it serves you (ou him etc) right!; **bien sûr!** certainly!

▷ adj inv 1 (en bonne forme, à l'aise): **je me sens bien** I feel fine; **je ne me sens pas bien** I don't feel well; **on est bien dans ce fauteuil** this chair is very comfortable

2 (joli, beau) good-looking; **tu es bien dans cette robe** you look good in that dress

3 (satisfaisant) good; **elle est bien, cette maison/secrétaire** it's a good house/she's a good secretary; **c'est très bien (comme ça)** it's fine (like that); **c'est bien?** is that all right?

4 (moralement) right; (: personne) good, nice; (respectable) respectable; **ce n'est pas bien de ...** it's not right to ...; **elle est bien, cette femme** she's a nice woman, she's a good sort; **des gens bien** respectable people

5 (en bons termes): **être bien avec qn** to be on good terms with sb; **bien-aimé, e** adj, nm/f beloved; **bien-être** nm well-being; **bienfaisance** nf charity; **bienfait** nm act of generosity, benefaction; (de la science etc) benefit; **bienfaiteur, -trice**

*nm/f* benefactor/benefactress;
**bien-fondé** *nm* soundness; **bien que**
*conj* although

**bientôt** [bjɛ̃to] *adv* soon; **à ~** see
you soon
**bienveillant, e** [bjɛ̃vɛjɑ̃, -ɑ̃t] *adj*
kindly
**bienvenu, e** [bjɛ̃vny] *adj* welcome
▷ *nf*: **souhaiter la ~ e à** to welcome;
**~e à** welcome to
**bière** [bjɛʀ] *nf* (*boisson*) beer; (*cercueil*)
bier; **~ blonde** lager; **~ brune** brown
ale (BRIT), dark beer (US); **~ (à la)
pression** draught beer
**bifteck** [biftɛk] *nm* steak
**bigoudi** [bigudi] *nm* curler
**bijou, x** [biʒu] *nm* jewel; **bijouterie**
*nf* jeweller's (shop); **bijoutier, -ière**
*nm/f* jeweller
**bikini** [bikini] *nm* bikini
**bilan** [bilɑ̃] *nm* (Comm) balance
sheet(s); (*fig*) (net) outcome (: *de
victimes*) toll; **faire le ~ de** (*situation*)
to review; **déposer son ~** to file a
bankruptcy statement; **~ de santé**
check-up
**bile** [bil] *nf* bile; **se faire de la ~** (*fam*)
to worry o.s. sick
**bilieux, -euse** [biljø, -øz] *adj* bilious;
(*fig*: *colérique*) testy
**bilingue** [bilɛ̃g] *adj* bilingual
**billard** [bijaʀ] *nm* billiards *sg*; (*table*)
billiard table
**bille** [bij] *nf* ball; (*du jeu de billes*)
marble
**billet** [bijɛ] *nm* (*aussi*: **~ de banque**)
(bank)note; (*de cinéma, de bus
etc*) ticket; (*courte lettre*) note; **~
électronique** e-ticket; **billetterie**
*nf* ticket office; (*distributeur*) ticket
dispenser; (*Banque*) cash dispenser
**billion** [biljɔ̃] *nm* billion (BRIT),
trillion (US)
**bimensuel, le** [bimɑ̃sɥɛl] *adj*
bimonthly
**bio** [bjo] *adj* organic
**bio...** [bjo] *préfixe* bio...;

**biocarburant** [bjokaʀbyʀɑ̃] *nm*
biofuel; **biochimie** *nf* biochemistry;
**biographie** *nf* biography; **biologie**
*nf* biology; **biologique** *adj*
biological; **biométrie** *nf* biometrics;
**biotechnologie** *nf* biotechnology;
**bioterrorisme** *nm* bioterrorism
**bipolaire** [bipɔlɛʀ] *adj* bipolar
**Birmanie** [biʀmani] *nf* Burma
**bis¹, e** [bi, biz] *adj* (*couleur*) greyish
brown ▷ *nf* (*baiser*) kiss; (*vent*) North
wind; **faire une ou la ~e à qn** to kiss
sb; **grosses ~es (de)** (*sur lettre*) love
and kisses (from)
**bis²** [bis] *adv*: **12 ~** 12a *ou* A ▷ *excl,
nm* encore
**biscotte** [biskɔt] *nf* toasted bread
(*sold in packets*)
**biscuit** [biskɥi] *nm* biscuit (BRIT),
cookie (US)
**bise** [biz] *nf* voir **bis²**
**bisexuel, le** [bisɛksɥɛl] *adj*
bisexual
**bisou** [bizu] *nm* (*fam*) kiss
**bissextile** [bisɛkstil] *adj*: **année ~**
leap year
**bistro(t)** [bistʀo] *nm* bistro, café
**bitume** [bitym] *nm* asphalt
**bizarre** [bizaʀ] *adj* strange, odd
**blague** [blag] *nf* (*propos*) joke; (*farce*)
trick; **sans ~!** no kidding!; **blaguer**
/ı/ *vi* to joke
**blaireau, x** [blɛʀo] *nm* (Zool) badger;
(*brosse*) shaving brush
**blâme** [blam] *nm* blame; (*sanction*)
reprimand; **blâmer** /ı/ *vt* to blame
**blanc, blanche** [blɑ̃, blɑ̃ʃ] *adj* white;
(*non imprimé*) blank ▷ *nm/f* white,
white man/woman ▷ *nm* (*couleur*)
white; (*espace non écrit*) blank; (*aussi*:
**~ d'œuf**) (egg-)white; (*aussi*: **~ de
poulet**) breast, white meat; (*aussi*:
**vin ~**) white wine ▷ *nf* (Mus) minim
(BRIT), half-note (US); **chèque
en ~** blank cheque; **à ~** (*chauffer*)
white-hot; (*tirer, charger*) with blanks;
**~ cassé** off-white; **blancheur** *nf*
whiteness

**blanchir** [blɑ̃ʃiʀ] /2/ vt (gén) to whiten; (linge) to launder; (Culin) to blanch; (fig: disculper) to clear ▷ vi (cheveux) to go white; **blanchisserie** nf laundry

**blason** [blazɔ̃] nm coat of arms

**blasphème** [blasfɛm] nm blasphemy

**blazer** [blazɛʀ] nm blazer

**blé** [ble] nm wheat

**bled** [blɛd] nm (péj) hole

**blême** [blɛm] adj pale

**blessé, e** [blese] adj injured ▷ nm/f injured person, casualty

**blesser** [blese] /1/ vt to injure; (délibérément) to wound; (offenser) to hurt; **se blesser** to injure o.s.; **se ~ au pied** etc to injure one's foot etc; **blessure** nf (accidentelle) injury; (intentionnelle) wound

**bleu, e** [blø] adj blue; (bifteck) very rare ▷ nm (couleur) blue; (contusion) bruise; (vêtement: aussi: **~s**) overalls pl; **fromage ~** blue cheese; **~ marine/nuit/roi** navy/midnight/royal blue; **bleuet** nm cornflower

**bloc** [blɔk] nm (de pierre etc) block; (de papier à lettres) pad; (ensemble) group, block; **serré à ~** tightened right down; **en ~** as a whole; **~ opératoire** operating ou theatre block; **blocage** nm (des prix) freezing; (Psych) hang-up; **bloc-notes** nm note pad

**blog** [blɔg] nm blog; **blogosphère** nf blogosphere; **bloguer** /1/ vi to blog

**blond, e** [blɔ̃, -ɔ̃d] adj fair; blond; (sable, blés) golden

**bloquer** [blɔke] /1/ vt (passage) to block; (pièce mobile) to jam; (crédits, compte) to freeze

**blottir** [blɔtiʀ] /2/: **se blottir** vi to huddle up

**blouse** [bluz] nf overall

**blouson** [bluzɔ̃] nm blouson (jacket); **~ noir** (fig) = rocker

**bluff** [blœf] nm bluff

**bobine** [bɔbin] nf reel; (Élec) coil

**bobo** [bɔbo] sigle m/f (= bourgeois bohème) boho

**bocal, -aux** [bɔkal, -o] nm jar

**bock** [bɔk] nm glass of beer

**bœuf** [pl **bœufs**] [bœf, bø] nm ox; (Culin) beef

**bof** [bɔf] excl (fam: indifférence) don't care!; (pas terrible) nothing special

**bohémien, ne** [bɔemjɛ̃, -ɛn] nm/f gipsy

**boire** [bwaʀ] /53/ vt to drink; (s'imprégner de) to soak up; **~ un coup** to have a drink

**bois** [bwa] nm wood; **de ~, en ~** wooden; **boisé, e** adj woody, wooded

**boisson** [bwasɔ̃] nf drink

**boîte** [bwat] nf box; (fam: entreprise) firm; **aliments en ~** canned ou tinned (BRIT) foods; **~ à gants** glove compartment; **~ à ordures** dustbin (BRIT), trash can (US); **~ aux lettres** letter box; **~ d'allumettes** box of matches; (vide) matchbox; **~ de conserves** can ou tin (BRIT) (of food); **~ de nuit** night club; **~ de vitesses** gear box; **~ postale (BP)** PO box; **~ vocale** voice mail

**boiter** [bwate] /1/ vi to limp; (fig: raisonnement) to be shaky

**boîtier** [bwatje] nm case

**boive** etc [bwav] vb voir **boire**

**bol** [bɔl] nm bowl; **un ~ d'air** a breath of fresh air; **en avoir ras le ~** (fam) to have had a bellyful; **avoir du ~** (fam) to be lucky

**bombarder** [bɔ̃baʀde] /1/ vt to bomb; **~ qn de** (cailloux, lettres) to bombard sb with

**bombe** [bɔ̃b] nf bomb; (atomiseur) (aerosol) spray

○ **MOT-CLÉ**

**bon, bonne** [bɔ̃, bɔn] adj 1 (agréable, satisfaisant) good; **un bon repas/restaurant** a good meal/restaurant; **être bon en maths** to be good at maths

**2** (charitable): **être bon (envers)** to be good (to)

**3** (correct) right: **le bon numéro/moment** the right number/moment

**4** (souhaits): **bon anniversaire!** happy birthday!; **bon courage!** good luck!; **bon séjour!** enjoy your stay!; **bon voyage!** have a good trip!; **bonne année!** happy New Year!; **bonne chance!** good luck!; **bonne fête!** happy holiday!; **bonne nuit!** good night!

**5** (approprié): **bon à/pour** fit to/for; **à quoi bon (…)?** what's the point ou use (of …)?

**6**: **bon enfant** adj inv accommodating, easy-going; **bonne femme** (péj) woman; **de bonne heure** early; **bon marché** cheap; **bon mot** witticism; **bon sens** common sense; **bon vivant** jovial chap; **bonnes œuvres** charitable works, charities

▶ nm **1** (billet) voucher; (aussi: **bon cadeau**) gift voucher; **bon d'essence** petrol coupon; **bon du Trésor** Treasury bond

**2**: **avoir du bon** to have its good points; **pour de bon** for good

▶ adv: **il fait bon** it's ou the weather is fine; **sentir bon** to smell good; **tenir bon** to stand firm

▶ excl **good!**; **ah bon?** really?; **bon, je reste** right, I'll stay; voir aussi **bonne**

**bonbon** [bɔ̃bɔ̃] nm (boiled) sweet

**bond** [bɔ̃] nm leap; **faire un ~** to leap in the air

**bondé, e** [bɔ̃de] adj packed (full)

**bondir** [bɔ̃diʀ] /2/ vi to leap

**bonheur** [bɔnœʀ] nm happiness; **porter ~ (à qn)** to bring (sb) luck; **au petit ~** haphazardly; **par ~** fortunately

**bonhomme** [bɔnɔm] (pl **bonshommes** [bɔ̃zɔm]) nm fellow; **~ de neige** snowman

**bonjour** [bɔ̃ʒuʀ] excl, nm hello; (selon l'heure) good morning (ou afternoon); **c'est simple comme ~!** it's easy as pie!

**bonne** [bɔn] adj f voir **bon** ▷ nf (domestique) maid

**bonnet** [bɔnɛ] nm hat; (de soutien-gorge) cup; **~ de bain** bathing cap

**bonsoir** [bɔ̃swaʀ] excl good evening

**bonté** [bɔ̃te] nf kindness no pl

**bonus** [bɔnys] nm (Assurances) no-claims bonus; (de DVD) extras pl

**bord** [bɔʀ] nm (de table, verre, falaise) edge; (de rivière, lac) bank; (de route) side; **(monter) à ~** (to go) on board; **jeter par-dessus ~** to throw overboard; **le commandant de ~/les hommes du ~** the ship's master/crew; **au ~ de la mer/route** at the seaside/roadside; **être au ~ des larmes** to be on the verge of tears

**bordeaux** [bɔʀdo] nm Bordeaux ▷ adj inv maroon

**bordel** [bɔʀdɛl] nm brothel; (fam!) bloody (BRIT) ou goddamn (US) mess (!)

**border** [bɔʀde] /1/ vt (être le long de) to line, border; (qn dans son lit) to tuck up; **~ qch de** (garnir) to trim sth with

**bordure** [bɔʀdyʀ] nf border; **en ~ de** on the edge of

**borne** [bɔʀn] nf boundary stone; (aussi: **~ kilométrique**) kilometre-marker, ≈ milestone; **bornes** nfpl (fig) limits; **dépasser les ~s** to go too far

**borné, e** [bɔʀne] adj (personne) narrow-minded

**borner** [bɔʀne] /1/ vt: **se ~ à faire** (se contenter de) to content o.s. with doing; (se limiter à) to limit o.s. to doing

**bosniaque** [bɔznjak] adj Bosnian ▷ nm/f: **B~** Bosnian

**Bosnie-Herzégovine** [bɔznjɛʀzegɔvin] nf Bosnia-Herzegovina

**bosquet** [bɔskɛ] nm grove

**bosse** [bɔs] nf (de terrain etc) bump; (enflure) lump; (du bossu, du chameau) hump; **avoir la ~ des maths** etc (fam) to have a gift for maths etc; **il a roulé sa ~** (fam) he's been around

**bosser** [bɔse] /1/ vi (fam) to work; (: dur) to slave (away)

**bossu, e** [bɔsy] nm/f hunchback

**botanique** [bɔtanik] nf botany ▷ adj botanic(al)

**botte** [bɔt] nf (soulier) (high) boot; (gerbe): **~ de paille** bundle of straw; **~ de radis/d'asperges** bunch of radishes/asparagus; **~s de caoutchouc** wellington boots

**bottine** [bɔtin] nf ankle boot

**bouc** [buk] nm goat; (barbe) goatee; **~ émissaire** scapegoat

**boucan** [bukã] nm din, racket

**bouche** [buʃ] nf mouth; **faire du ~ à ~ à qn** to give sb the kiss of life (BRIT), give sb mouth-to-mouth resuscitation; **rester ~ bée** to stand open-mouthed; **~ d'égout** manhole; **~ d'incendie** fire hydrant; **~ de métro** métro entrance

**bouché, e** [buʃe] adj (flacon etc) stoppered; (temps, ciel) overcast; (péj: personne) thick; **avoir le nez ~** to have a blocked(-up) nose; **c'est un secteur ~** there's no future in that area; **l'évier est ~** the sink's blocked

**bouchée** [buʃe] nf mouthful; **~s à la reine** chicken vol-au-vents

**boucher** [buʃe] /1/ vt (pour colmater) to stop up; (trou) to fill up; (obstruer) to block (up); **se boucher** vi (tuyau etc) to block up, get blocked up; **j'ai le nez bouché** my nose is blocked; **se ~ le nez** to hold one's nose

**bouchère** [buʃɛʀ] nf butcher

**boucherie** nf butcher's (shop); (fig) slaughter

**bouchon** [buʃɔ̃] nm (en liège) cork; (autre matière) stopper; (de tube) top; (fig: embouteillage) holdup; (Pêche) float

**boucle** [bukl] nf (forme, figure) loop; (objet) buckle; **~ (de cheveux)** curl; **~ d'oreille** earring

**bouclé, e** [bukle] adj (cheveux) curly

**boucler** [bukle] /1/ vt (fermer: ceinture etc) to fasten; (terminer) to finish off; (enfermer) to shut away; (quartier) to seal off ▷ vi to curl

**bouder** [bude] /1/ vi to sulk ▷ vt (personne) to refuse to have anything to do with

**boudin** [budɛ̃] nm: **~ (noir)** black pudding; **~ blanc** white pudding

**boue** [bu] nf mud

**bouée** [bwe] nf buoy; **~ (de sauvetage)** lifebuoy

**boueux, -euse** [bwø, -øz] adj muddy

**bouffe** [buf] nf (fam) grub, food

**bouffée** [bufe] nf (de cigarette) puff; **une ~ d'air pur** a breath of fresh air; **~ de chaleur** hot flush (BRIT) ou flash (US)

**bouffer** [bufe] /1/ vi (fam) to eat

**bouffi, e** [bufi] adj swollen

**bouger** [buʒe] /3/ vi to move; (dent etc) to be loose; (s'activer) to get moving ▷ vt to move; **les prix/les couleurs n'ont pas bougé** prices/ colours haven't changed

**bougie** [buʒi] nf candle; (Auto) spark(ing) plug

**bouillabaisse** [bujabɛs] nf type of fish soup

**bouillant, e** [bujã, -ãt] adj (qui bout) boiling; (très chaud) boiling (hot)

**bouillie** [buji] nf (de bébé) cereal; **en ~** (fig) crushed

**bouillir** [bujiʀ] /15/ vi to boil ▷ vt to boil; **~ de colère** etc to seethe with anger etc

**bouilloire** [bujwaʀ] nf kettle

**bouillon** [bujɔ̃] nm (Culin) stock no pl; **bouillonner** /1/ vi to bubble; (fig: idées) to bubble up

**bouillotte** [bujɔt] nf hot-water bottle

**boulanger, -ère** [bulãʒe, -ɛʀ] nm/f baker; **boulangerie** nf bakery

**boule** [bul] *nf* (*gén*) ball; (*de pétanque*) bowl; **~ de neige** snowball

**boulette** [bulɛt] *nf* (*de viande*) meatball

**boulevard** [bulvaʀ] *nm* boulevard

**bouleversement** [bulvɛʀsəmã] *nm* upheaval

**bouleverser** [bulvɛʀse] /1/ *vt* (*émouvoir*) to overwhelm; (*causer du chagrin à*) to distress; (*pays, vie*) to disrupt; (*papiers, objets*) to turn upside down

**boulimie** [bulimi] *nf* bulimia

**boulimique** [bulimik] *adj* bulimic

**boulon** [bulɔ̃] *nm* bolt

**boulot¹** [bulo] *nm* (*fam: travail*) work

**boulot², te** [bulo, -ɔt] *adj* plump, tubby

**boum** [bum] *nm* bang ▷ *nf* (*fam*) party

**bouquet** [bukɛ] *nm* (*de fleurs*) bunch (of flowers), bouquet; (*de persil etc*) bunch; **c'est le ~!** that's the last straw!

**bouquin** [bukɛ̃] *nm* (*fam*) book; **bouquiner** /1/ *vi* (*fam*) to read

**bourdon** [buʀdɔ̃] *nm* bumblebee

**bourg** [buʀ] *nm* small market town (*ou* village)

**bourgeois, e** [buʀʒwa, -waz] *adj* ≈ (upper) middle class; **bourgeoisie** *nf* ≈ upper middle classes *pl*

**bourgeon** [buʀʒɔ̃] *nm* bud

**Bourgogne** [buʀgɔɲ] *nf*: **la ~** Burgundy ▷ *nm*: **b~** Burgundy (wine)

**bourguignon, ne** [buʀgiɲɔ̃, -ɔn] *adj of ou* from Burgundy, Burgundian

**bourrasque** [buʀask] *nf* squall

**bourratif, -ive** [buʀatif, -iv] (*fam*) *adj* filling, stodgy

**bourré, e** [buʀe] *adj* (*rempli*): **~ de** crammed full of; (*fam: ivre*) pickled, plastered

**bourrer** [buʀe] /1/ *vt* (*pipe*) to fill; (*poêle*) to pack; (*valise*) to cram (full)

**bourru, e** [buʀy] *adj* surly, gruff

**bourse** [buʀs] *nf* (*subvention*) grant; (*porte-monnaie*) purse; **la B~** the Stock Exchange

**bous** [bu] *vb voir* **bouillir**

**bousculade** [buskylad] *nf* (*hâte*) rush; (*poussée*) crush; **bousculer** /1/ *vt* (*heurter*) to knock into; (*fig*) to push, rush

**boussole** [busɔl] *nf* compass

**bout** [bu] *vb voir* **bouillir** ▷ *nm* bit; (*d'un bâton etc*) tip; (*d'une ficelle, table, rue, période*) end; **au ~** at the end of, after; (*temps*) end; **pousser qn à ~** to push sb to the limit (of his patience); **venir à ~ de** to manage to finish (off) *ou* overcome; **à ~ portant** at point-blank range

**bouteille** [butɛj] *nf* bottle; (*de gaz butane*) cylinder

**boutique** [butik] *nf* shop

**bouton** [butɔ̃] *nm* button; (*Bot*) bud; (*sur la peau*) spot; **boutonner** /1/ *vt* to button up; **boutonnière** *nf* buttonhole; **bouton-pression** *nm* press stud

**bovin, e** [bɔvɛ̃, -in] *adj* bovine ▷ *nm*: **~s** cattle *pl*

**bowling** [bolin] *nm* (tenpin) bowling; (salle) bowling alley

**boxe** [bɔks] *nf* boxing

**BP** *sigle f* = **boîte postale**

**bracelet** [bʀaslɛ] *nm* bracelet

**braconnier** [bʀakɔnje] *nm* poacher

**brader** [bʀade] /1/ *vt* to sell off; **braderie** *nf* cut-price (BRIT) *ou* cut-rate (US) sale

**braguette** [bʀagɛt] *nf* fly, flies *pl* (BRIT), zipper (US)

**braise** [bʀɛz] *nf* embers *pl*

**brancard** [bʀãkaʀ] *nm* (civière) stretcher; **brancardier** *nm* stretcher-bearer

**branche** [bʀãʃ] *nf* branch

**branché, e** [bʀãʃe] *adj* (*fam*) trendy

**brancher** [bʀãʃe] /1/ *vt* to connect (up); (*en mettant la prise*) to plug in

**brandir** [bʀãdiʀ] /2/ *vt* to brandish

**braquer** [bʀake] /1/ *vi* (*Auto*) to turn (the wheel) ▷ *vt* (*revolver etc*): **~ qch sur** to aim sth at, point sth at; (*mettre en colère*): **~ qn** to antagonize sb

**bras** [bʀɑ] nm arm; **~ dessus ~ dessous** arm in arm; **se retrouver avec qch sur les ~** (fam) to be landed with sth; **~ droit** (fig) right hand man

**brassard** [bʀasaʀ] nm armband

**brasse** [bʀas] nf (nage) breast-stroke; **~ papillon** butterfly-(stroke)

**brassée** [bʀase] nf armful

**brasser** [bʀase] /1/ vt to mix; **~ l'argent/les affaires** to handle a lot of money/business

**brasserie** [bʀasʀi] nf (restaurant) bar (selling food); (usine) brewery

**brave** [bʀav] adj (courageux) brave; (bon, gentil) good, kind

**braver** [bʀave] /1/ vt to defy

**bravo** [bʀavo] excl bravo! ▷ nm cheer

**bravoure** [bʀavuʀ] nf bravery

**break** [bʀɛk] nm (Auto) estate car

**brebis** [bʀəbi] nf ewe; **~ galeuse** black sheep

**bredouiller** [bʀəduje] /1/ vi, vt to mumble, stammer

**bref, brève** [bʀɛf, bʀɛv] adj short, brief ▷ adv in short; **d'un ton ~** sharply, curtly; **en ~** in short, in brief

**Brésil** [bʀezil] nm: **le ~** Brazil

**Bretagne** [bʀətaɲ] nf: **la ~** Brittany

**bretelle** [bʀətɛl] nf (de vêtement) strap; (d'autoroute) slip road (BRIT), entrance ou exit ramp (US); **bretelles** nfpl (pour pantalon) braces (BRIT), suspenders (US)

**breton, ne** [bʀətɔ̃, -ɔn] adj Breton ▷ nm/f: **B~, ne** Breton

**brève** [bʀɛv] adj f voir **bref**

**brevet** [bʀəvɛ] nm diploma, certificate; **~ (des collèges)** school certificate, taken at approx. 16 years; **~ (d'invention)** patent; **breveté, e** adj patented

**bricolage** [bʀikɔlaʒ] nm: **le ~** do-it-yourself (jobs)

**bricoler** [bʀikɔle] /1/ vi (en amateur) to do DIY jobs; (passe-temps) to potter about ▷ vt (réparer) to fix up; **bricoleur, -euse** nm/f handyman/woman, DIY enthusiast

**bridge** [bʀidʒ] nm (Cartes) bridge

**brièvement** [bʀijɛvmɑ̃] adv briefly

**brigade** [bʀigad] nf (Police) squad; (Mil) brigade; **brigadier** nm = sergeant

**brillamment** [bʀijamɑ̃] adv brilliantly

**brillant, e** [bʀijɑ̃, -ɑ̃t] adj (remarquable) bright; (luisant) shiny, shining

**briller** [bʀije] /1/ vi to shine

**brin** [bʀɛ̃] nm (de laine, ficelle etc) strand; (fig): **un ~ de** a bit of

**brindille** [bʀɛ̃dij] nf twig

**brioche** [bʀijɔʃ] nf brioche (bun); (fam: ventre) paunch

**brique** [bʀik] nf brick; (de lait) carton

**briquet** [bʀikɛ] nm (cigarette) lighter

**brise** [bʀiz] nf breeze

**briser** [bʀize] /1/ vt to break; **se briser** vi to break

**britannique** [bʀitanik] adj British ▷ nm/f: **B~** Briton, British person; **les B~s** the British

**brocante** [bʀɔkɑ̃t] nf (objets) secondhand goods pl, junk; **brocanteur, -euse** nm/f junk shop owner; junk dealer

**broche** [bʀɔʃ] nf brooch; (Culin) spit; (Méd) pin; **à la ~** spit-roasted

**broché, e** [bʀɔʃe] adj (livre) paper-backed

**brochet** [bʀɔʃɛ] nm pike inv

**brochette** [bʀɔʃɛt] nf (ustensile) skewer; (plat) kebab

**brochure** [bʀɔʃyʀ] nf pamphlet, brochure, booklet

**broder** [bʀɔde] /1/ vt to embroider ▷ vi: **~ (sur des faits ou une histoire)** to embroider the facts; **broderie** nf embroidery

**bronches** [bʀɔ̃ʃ] nfpl bronchial tubes; **bronchite** nf bronchitis

**bronze** [bʀɔ̃z] nm bronze

**bronzer** [bʀɔ̃ze] /1/ vi to get a tan; **se bronzer** to sunbathe

**brosse** [bʀɔs] nf brush; **coiffé en ~** with a crewcut; **~ à cheveux**

hairbrush; **~ à dents** toothbrush; **~ à habits** clothesbrush; **brosser** /1/ vt (nettoyer) to brush; (fig: tableau etc) to paint; **se brosser les dents** to brush one's teeth

**brouette** [bʀuɛt] nf wheelbarrow

**brouillard** [bʀujaʀ] nm fog

**brouiller** [bʀuje] /1/ vt (œufs, message) to scramble; (idées) to mix up; (rendre trouble) to cloud; (désunir: amis) to set at odds; **se brouiller** vi (ciel, vue) to cloud over; **se ~ (avec)** to fall out (with)

**brouillon, ne** [bʀujɔ̃, -ɔn] adj (sans soin) untidy; (qui manque d'organisation) disorganized ▷ nm (first) draft; **(papier)** ~ rough paper

**broussailles** [bʀusaj] nfpl undergrowth sg; **broussailleux, -euse** adj bushy

**brousse** [bʀus] nf: **la ~** the bush

**brouter** [bʀute] /1/ vi to graze

**brugnon** [bʀyɲɔ̃] nm nectarine

**bruiner** [bʀɥine] /1/ vb impers: **il bruine** it's drizzling, there's a drizzle

**bruit** [bʀɥi] nm: **un ~** a noise, a sound; (fig: rumeur) a rumour; **le ~** noise; **sans ~** without a sound, noiselessly; **~ de fond** background noise

**brûlant, e** [bʀylɑ̃, -ɑ̃t] adj burning (hot); (liquide) boiling (hot)

**brûlé, e** [bʀyle] adj (fig: démasqué) blown ▷ nm: **odeur de ~** smell of burning

**brûler** [bʀyle] /1/ vt to burn; (eau bouillante) to scald; (consommer: électricité, essence) to use; (: feu rouge, signal) to go through (without stopping) ▷ vi to burn; **se brûler** to burn o.s.; (s'ébouillanter) to scald o.s.; **tu brûles** (jeu) you're getting warm ou hot

**brûlure** [bʀylyʀ] nf (lésion) burn; **~s d'estomac** heartburn sg

**brume** [bʀym] nf mist

**brumeux, -euse** [bʀymø, -øz] adj misty

**brun, e** [bʀœ̃, -yn] adj (gén, bière) brown; (cheveux, personne, tabac) dark; **elle est ~e** she's got dark hair

**brunch** [bʀœntʃ] nm brunch

**brushing** [bʀœʃiŋ] nm blow-dry

**brusque** [bʀysk] adj abrupt

**brut, e** [bʀyt] adj (diamant) uncut; (soie, minéral) raw; (Comm) gross; **(pétrole)** ~ crude (oil)

**brutal, e, -aux** [bʀytal, -o] adj brutal

**Bruxelles** [bʀysɛl] n Brussels

**bruyamment** [bʀɥijamɑ̃] adv noisily

**bruyant, e** [bʀɥijɑ̃, -ɑ̃t] adj noisy

**bruyère** [bʀyjɛʀ] nf heather

**BTS** sigle m (= Brevet de technicien supérieur) vocational training certificate taken at end of two-year higher education course

**bu, e** [by] pp de **boire**

**buccal, e, -aux** [bykal, -o] adj: **par voie ~e** orally

**bûche** [byʃ] nf log; **prendre une ~** (fig) to come a cropper (BRIT), fall flat on one's face; **~ de Noël** Yule log

**bûcher** [byʃe] /1/ nm (funéraire) pyre; (supplice) stake ▷ vi (fam) to swot, slave (away) ▷ vt to swot up, slave away at

**budget** [bydʒɛ] nm budget

**buée** [bɥe] nf (sur une vitre) mist

**buffet** [byfɛ] nm (meuble) sideboard; (de réception) buffet; **~ (de gare)** (station) buffet, snack bar

**buis** [bɥi] nm box tree; (bois) box(wood)

**buisson** [bɥisɔ̃] nm bush

**bulbe** [bylb] nm (Bot, Anat) bulb

**Bulgarie** [bylgaʀi] nf: **la ~** Bulgaria

**bulle** [byl] nf bubble

**bulletin** [byltɛ̃] nm (communiqué, journal) bulletin; (Scol) report; **~ d'informations** news bulletin; **~ (de vote)** ballot paper; **~ météorologique** weather report

**bureau, x** [byʀo] nm (meuble) desk; (pièce, service) office; **~ de change** (foreign) exchange office ou bureau;

**~ de poste** post office; **~ de tabac** tobacconist's (shop); **bureaucratie** [byʀokʀasi] *nf* bureaucracy
**bus¹** *vb* [by] *voir* **boire**
**bus²** *nm* [bys] *(véhicule)* bus
**buste** [byst] *nm (Anat)* chest *(: de femme)* bust
**but** [by] *vb voir* **boire** ▷ *nm (cible)* target; *(fig)* goal, aim; *(Football etc)* goal; **de ~ en blanc** point-blank; **avoir pour ~ de faire** to aim to do; **dans le ~ de** with the intention of
**butane** [bytan] *nm* butane; *(domestique)* calor gas® (BRIT), butane
**butiner** [bytine] /1/ *vi (abeilles)* to gather nectar
**buvais** *etc* [byvɛ] *vb voir* **boire**
**buvard** [byvaʀ] *nm* blotter
**buvette** [byvɛt] *nf* bar

**c'** [s] *pron voir* **ce**
**ça** [sa] *pron (pour désigner)* this *(: plus loin)* that; *(comme sujet indéfini)* it; **ça m'étonne que** it surprises me that; **ça va?** how are you?; how are things?; *(d'accord?)* OK?, all right?; **où ça?** where's that?; **pourquoi ça?** why's that?; **qui ça?** who's that?; **ça alors!** *(désapprobation)* well!, really!; **c'est ça** that's right; **ça y est** that's it
**cabane** [kaban] *nf* hut, cabin
**cabaret** [kabaʀɛ] *nm* night club
**cabillaud** [kabijo] *nm* cod *inv*
**cabine** [kabin] *nf (de bateau)* cabin; *(de piscine etc)* cubicle; *(de camion, train)* cab; *(d'avion)* cockpit; **~ d'essayage** fitting room; **~ (téléphonique)** call *ou* (tele) phone box
**cabinet** [kabinɛ] *nm (petite pièce)* closet; *(de médecin)* surgery (BRIT), office (US); *(de notaire etc)* office *(: clientèle)* practice; *(Pol)* cabinet;

**cabinets** *nmpl* (w.-c.) toilet *sg*; **~ de toilette** toilet

**câble** [kɑbl] *nm* cable; **le ~** (TV) cable television, cablevision (us)

**cacahuète** [kakauɛt] *nf* peanut

**cacao** [kakao] *nm* cocoa

**cache** [kaʃ] *nm* mask, card (for masking)

**cache-cache** [kaʃkaʃ] *nm*: **jouer à ~** to play hide-and-seek

**cachemire** [kaʃmiʀ] *nm* cashmere

**cacher** [kaʃe] /1/ *vt* to hide, conceal; **~ qch à qn** to hide ou conceal sth from sb; **se cacher** *vi* (volontairement) to hide; (être caché) to be hidden ou concealed

**cachet** [kaʃɛ] *nm* (comprimé) tablet; (de la poste) postmark; (rétribution) fee; (fig) style, character

**cachette** [kaʃɛt] *nf* hiding place; **en ~** on the sly, secretly

**cactus** [kaktys] *nm* cactus

**cadavre** [kadavʀ] *nm* corpse, (dead) body

**Caddie®** [kadi] *nm* (supermarket) trolley (BRIT), (grocery) cart (us)

**cadeau, x** [kado] *nm* present, gift; **faire un ~ à qn** to give sb a present ou gift; **faire ~ de qch à qn** to make a present of sth to sb, give sb sth as a present

**cadenas** [kadna] *nm* padlock

**cadet, te** [kadɛ, -ɛt] *adj* younger; (le plus jeune) youngest ▷ *nm/f* youngest child ou one

**cadran** [kadʀɑ̃] *nm* dial; **~ solaire** sundial

**cadre** [kadʀ] *nm* frame; (environnement) surroundings *pl* ▷ *nm/f* (Admin) managerial employee, executive; **dans le ~ de** (fig) within the framework ou context of

**cafard** [kafaʀ] *nm* cockroach; **avoir le ~** to be down in the dumps

**café** [kafe] *nm* coffee; (bistro) café ▷ *adj inv* coffee cpd; **~ au lait** white coffee; **~ noir** black coffee; **café-tabac** *nm* tobacconist's or newsagent's

also serving coffee and spirits; **cafétéria** [kafeteʀja] *nf* cafeteria; **cafetière** *nf* (pot) coffee-pot

**cage** [kaʒ] *nf* cage; **~ d'escalier** (stair) well; **~ thoracique** rib cage

**cageot** [kaʒo] *nm* crate

**cagoule** [kagul] *nf* (passe-montagne) balaclava

**cahier** [kaje] *nm* notebook; **~ de brouillons** rough book, jotter; **~ d'exercices** exercise book

**caille** [kaj] *nf* quail

**caillou, x** [kaju] *nm* (little) stone; **cailloux, -euse** *adj* stony

**Caire** [kɛʀ] *nm*: **le ~** Cairo

**caisse** [kɛs] *nf* box; (où l'on met la recette) till; (où l'on paye) cash desk (BRIT), checkout counter; (: au supermarché) checkout; (de banque) cashier's desk; **~ enregistreuse** cash register; **~ d'épargne (CE)** savings bank; **~ de retraite** pension fund; **caissier, -ière** *nm/f* cashier

**cake** [kɛk] *nm* fruit cake

**calandre** [kalɑ̃dʀ] *nf* radiator grill

**calcaire** [kalkɛʀ] *nm* limestone ▷ *adj* (eau) hard; (Géo) limestone cpd

**calcul** [kalkyl] *nm* calculation; **le ~** (Scol) arithmetic; **~ (biliaire)** (gall) stone; **calculateur** *nm*, **calculatrice** *nf* calculator; **calculer** /1/ *vt* to calculate, work out; **calculette** *nf* (pocket) calculator

**cale** [kal] *nf* (de bateau) hold; (en bois) wedge

**calé, e** [kale] *adj* (fam) clever, bright

**caleçon** [kalsɔ̃] *nm* (d'homme) boxer shorts; (de femme) leggings

**calendrier** [kalɑ̃dʀije] *nm* calendar; (fig) timetable

**calepin** [kalpɛ̃] *nm* notebook

**caler** [kale] /1/ *vt* to wedge ▷ *vi* (moteur, véhicule) to stall

**calibre** [kalibʀ] *nm* calibre

**câlin, e** [kɑlɛ̃, -in] *adj* cuddly, cuddlesome; (regard, voix) tender

**calmant** [kalmɑ̃] *nm* tranquillizer, sedative; (contre la douleur) painkiller

**calme** [kalm] *adj* calm, quiet ▷ *nm* calm(ness), quietness; **sans perdre son ~** without losing one's cool *ou* calmness; **calmer** /1/ *vt* to calm (down); *(douleur, inquiétude)* to ease, soothe; **se calmer** *vi* to calm down

**calorie** [kalɔʀi] *nf* calorie

**camarade** [kamaʀad] *nm/f* friend, pal; *(Pol)* comrade

**Cambodge** [kɑ̃bɔdʒ] *nm*: **le ~** Cambodia

**cambriolage** [kɑ̃bʀijɔlaʒ] *nm* burglary; **cambrioler** /1/ *vt* to burgle (BRIT), burglarize (US); **cambrioleur, -euse** *nm/f* burglar

**camelote** [kamlɔt] *(fam) nf* rubbish, trash, junk

**caméra** [kameʀa] *nf (Ciné, TV)* camera; *(d'amateur)* cine-camera

**Cameroun** [kamʀun] *nm*: **le ~** Cameroon

**caméscope®** [kameskɔp] *nm* camcorder

**camion** [kamjɔ̃] *nm* lorry (BRIT), truck; **~ de dépannage** breakdown (BRIT) *ou* tow (US) truck; **camionnette** *nf* (small) van; **camionneur** *nm* (entrepreneur) haulage contractor (BRIT), trucker (US); (chauffeur) lorry (BRIT) *ou* truck driver

**camomille** [kamɔmij] *nf* camomile; *(boisson)* camomile tea

**camp** [kɑ̃] *nm* camp; *(fig)* side

**campagnard, e** [kɑ̃paɲaʀ, -aʀd] *adj* country *cpd*

**campagne** [kɑ̃paɲ] *nf* country, countryside; *(Mil, Pol, Comm)* campaign; **à la ~** in/to the country

**camper** [kɑ̃pe] /1/ *vi* to camp ▷ *vt* to sketch; **se ~ devant** to plant o.s. in front of; **campeur, -euse** *nm/f* camper

**camping** [kɑ̃piŋ] *nm* camping; **(terrain de) ~** campsite, camping site; **faire du ~** to go camping; **camping-car** *nm* camper, motorhome (US); **camping-gaz®** *nm inv* camp(ing) stove

**Canada** [kanada] *nm*: **le ~** Canada; **canadien, ne** *adj* Canadian ▷ *nm/f*: **Canadien, ne** Canadian ▷ *nf (veste)* fur-lined jacket

**canal, -aux** [kanal, -o] *nm* canal; *(naturel, TV)* channel; **canalisation** *nf (tuyau)* pipe

**canapé** [kanape] *nm* settee, sofa

**canard** [kanaʀ] *nm* duck; *(fam: journal)* rag

**cancer** [kɑ̃sɛʀ] *nm* cancer; *(signe)*: **le C~** Cancer

**cancre** [kɑ̃kʀ] *nm* dunce

**candidat, e** [kɑ̃dida, -at] *nm/f* candidate; *(à un poste)* applicant, candidate; **candidature** *nf (Pol)* candidacy; *(à poste)* application; **poser sa candidature à un poste** to apply for a job

**cane** [kan] *nf* (female) duck

**canette** [kanɛt] *nf (de bière)* (flip-top) bottle

**canevas** [kanva] *nm (Couture)* canvas (for tapestry work)

**caniche** [kaniʃ] *nm* poodle

**canicule** [kanikyl] *nf* scorching heat

**canif** [kanif] *nm* penknife, pocket knife

**canne** [kan] *nf* (walking) stick; **~ à pêche** fishing rod; **~ à sucre** sugar cane

**cannelle** [kanɛl] *nf* cinnamon

**canoë** [kanɔe] *nm* canoe; *(sport)* canoeing; **~ (kayak)** kayak

**canot** [kano] *nm* dinghy; **~ pneumatique** rubber *ou* inflatable ding(h)y; **~ de sauvetage** lifeboat

**cantatrice** [kɑ̃tatʀis] *nf* (opera) singer

**cantine** [kɑ̃tin] *nf* canteen

**canton** [kɑ̃tɔ̃] *nm* district *(consisting of several communes)*; *(en Suisse)* canton

**caoutchouc** [kautʃu] *nm* rubber; **~ mousse** foam rubber; **en ~** rubber *cpd*

**CAP** *sigle m* (= *Certificat d'aptitude professionnelle*) vocational training certificate taken at secondary school

**cap** [kap] nm (Géo) cape; (promontoire) headland; (fig: tournant) watershed; (Navig): **changer de ~** to change course; **mettre le ~ sur** to head for

**capable** [kapabl] adj able, capable; **~ de qch/faire** capable of sth/doing

**capacité** [kapasite] nf ability; (Jur, Inform, d'un récipient) capacity

**cape** [kap] nf cape, cloak; **rire sous ~** to laugh up one's sleeve

**CAPES** [kapes] sigle m (= Certificat d'aptitude au professorat de l'enseignement du second degré) secondary teaching diploma

**capitaine** [kapiten] nm captain

**capital, e, -aux** [kapital, -o] adj (œuvre) major; (question, rôle) fundamental ▷ nm capital (fig) stock ▷ nf (ville) capital; (lettre) capital (letter); **d'une importance ~e** of capital importance; **capitaux** nmpl (fonds) capital sg; **~ (social)** authorized capital; **~ d'exploitation** working capital; **capitalisme** nm capitalism; **capitaliste** adj, nm/f capitalist

**caporal, -aux** [kapɔral, -o] nm lance corporal

**capot** [kapo] nm (Auto) bonnet (BRIT), hood (US)

**câpre** [kɑpr] nf caper

**caprice** [kapris] nm whim, caprice; **faire des ~s** to be temperamental; **capricieux, -euse** adj (fantasque) capricious; whimsical; (enfant) temperamental

**Capricorne** [kaprikɔrn] nm: **le ~** Capricorn

**capsule** [kapsyl] nf (de bouteille) cap; cap; (Bot etc, spatiale) capsule

**capter** [kapte] /1/ vt (ondes radio) to pick up; (fig) to win, capture

**captivant, e** [kaptivɑ̃, -ɑ̃t] adj captivating

**capture** [kaptyr] nf (action) capture; **~ d'écran** (Inform) screenshot

**capturer** [kaptyre] /1/ vt to capture

**capuche** [kapyʃ] nf hood

**capuchon** [kapyʃɔ̃] nm hood; (de stylo) cap, top

**car** [kar] nm coach (BRIT), bus ▷ conj because, for

**carabine** [karabin] nf rifle

**caractère** [karakter] nm (gén) character; **en ~s gras** in bold type; **en petits ~s** in small print; **en ~s d'imprimerie** in block capitals; **avoir bon/mauvais ~** to be good-/ ill-natured ou tempered

**caractériser** [karakterize] /1/ vt to characterize; **se ~ par** to be characterized ou distinguished by

**caractéristique** [karakteristik] adj, nf characteristic

**carafe** [karaf] nf decanter; (pour eau, vin ordinaire) carafe

**caraïbe** [karaib] adj Caribbean; **les Caraïbes** nfpl the Caribbean (Islands)

**carambolage** [karɑ̃bɔlaʒ] nm multiple crash, pileup

**caramel** [karamel] nm (bonbon) caramel, toffee; (substance) caramel

**caravane** [karavan] nf caravan; **caravaning** nm caravanning

**carbone** [karbɔn] nm carbon; (double) carbon (copy)

**carbonique** [karbɔnik] adj: **gaz ~** carbon dioxide; **neige ~** dry ice

**carbonisé, e** [karbɔnize] adj charred

**carburant** [karbyrɑ̃] nm (motor) fuel

**carburateur** [karbyratœr] nm carburettor

**cardiaque** [kardjak] adj cardiac, heart cpd ▷ nm/f heart patient; **être ~** to have a heart condition

**cardigan** [kardigɑ̃] nm cardigan

**cardiologue** [kardjɔlɔg] nm/f cardiologist, heart specialist

**Carême** [karem] nm: **le ~** Lent

**carence** [karɑ̃s] nf (manque) deficiency

**caresse** [kares] nf caress

**caresser** [karese] /1/ vt to caress; (animal) to stroke

**cargaison** [kaʁgɛzɔ̃] nf cargo, freight
**cargo** [kaʁgo] nm freighter
**caricature** [kaʁikatyʁ] nf caricature
**carie** [kaʁi] nf: **la ~ (dentaire)** tooth decay; **une ~** a bad tooth
**carnaval** [kaʁnaval] nm carnival
**carnet** [kaʁnɛ] nm (calepin) notebook; (de tickets, timbres etc) book; **~ de chèques** cheque book
**carotte** [kaʁɔt] nf carrot
**carré, e** [kaʁe] adj square; (fig: franc) straightforward ▷ nm (Math) square; **kilomètre ~** square kilometre
**carreau, x** [kaʁo] nm (en faïence etc) (floor) tile; (au mur) (wall) tile; (de fenêtre) (window) pane; (motif) check, square; (Cartes: couleur) diamonds pl; **tissu à ~x** checked fabric
**carrefour** [kaʁfuʁ] nm crossroads sg
**carrelage** [kaʁlaʒ] nm (sol) (tiled) floor
**carrelet** [kaʁlɛ] nm (poisson) plaice
**carrément** [kaʁemɑ̃] adv (franchement) straight out, bluntly; (sans détours, sans hésiter) straight; (intensif) completely; **c'est ~ impossible** it's completely impossible
**carrière** [kaʁjɛʁ] nf (de roches) quarry; (métier) career; **militaire de ~** professional soldier
**carrosserie** [kaʁɔsʁi] nf body, bodywork no pl (BRIT)
**carrure** [kaʁyʁ] nf build; (fig) calibre
**cartable** [kaʁtabl] nm satchel, (school)bag
**carte** [kaʁt] nf (de géographie) map; (marine, du ciel) chart; (de fichier, d'abonnement etc, à jouer) card; (au restaurant) menu; (aussi:
**~ postale**) (post)card; (aussi:
**~ de visite**) (visiting) card; **avoir/donner ~ blanche** to have/give carte blanche ou a free hand; **à la ~** (au restaurant) à la carte; **~ à puce** smartcard; **~ bancaire** cash card; **C~ Bleue®** debit card; **~ de crédit** credit card; **~ de fidélité** loyalty card; **~ d'identité** identity card; **la**

**~ grise** (Auto) ≈ the (car) registration document; **~ mémoire** (d'appareil photo numérique) memory card; **~ routière** road map; **~ de séjour** residence permit; **~ SIM** SIM card; **~ téléphonique** phonecard
**carter** [kaʁtɛʁ] nm sump
**carton** [kaʁtɔ̃] nm (matériau) cardboard; (boîte) (cardboard) box; **faire un ~** to score a hit; **~ (à dessin)** portfolio
**cartouche** [kaʁtuʃ] nf cartridge; (de cigarettes) carton
**cas** [kɑ] nm case; **ne faire aucun ~ de** to take no notice of; **en aucun ~** on no account; **au ~ où** in case; **en ~ de** in case of, in the event of; **en ~ de besoin** if need be; **en tout ~** in any case, at any rate
**cascade** [kaskad] nf waterfall, cascade
**case** [kɑz] nf (hutte) hut; (compartiment) compartment; (sur un formulaire, de mots croisés) box
**caser** [kɑze] /1/ (fam) vt (mettre) to put; (loger) to put up; **se caser** vi (se marier) to settle down; (trouver un emploi) to find a (steady) job
**caserne** [kazɛʁn] nf barracks
**casier** [kazje] nm (case) compartment; (pour courrier) pigeonhole (: à clef) locker; **~ judiciaire** police record
**casino** [kazino] nm casino
**casque** [kask] nm helmet; (chez le coiffeur) (hair-)dryer; (pour audition) (head-)phones pl, headset
**casquette** [kaskɛt] nf cap
**casse-croûte** nm inv snack
**casse-noisettes, casse-noix** nm inv nutcrackers pl
**casse-pieds** nm/f inv (fam): **il est ~, c'est un ~** he's a pain (in the neck)
**casser** [kɑse] /1/ vt to break; (Jur) to quash; **se casser** vi, vt to break; **~ les pieds à qn** (fam: irriter) to get on sb's nerves; **se ~ la tête** (fam) to go to a lot of trouble
**casserole** [kasʁɔl] nf saucepan

**casse-tête** [kɑstɛt] *nm inv*
(*difficultés*) headache (*fig*)

**cassette** [kasɛt] *nf* (*bande
magnétique*) cassette; (*coffret*) casket

**cassis** [kasis] *nm* blackcurrant

**cassoulet** [kasulɛ] *nm* sausage and
bean hotpot

**catalogue** [katalɔg] *nm* catalogue

**catalytique** [katalitik] *adj:* **pot ~**
catalytic converter

**catastrophe** [katastrɔf] *nf*
catastrophe, disaster

**catéchisme** [kateʃism] *nm* catechism

**catégorie** [kategɔri] *nf* category;
**catégorique** [kategɔrik] *adj* categorical

**cathédrale** [katedral] *nf* cathedral

**catholique** [katɔlik] *adj, nm/f*
(Roman) Catholic; **pas très ~** a bit
shady *ou* fishy

**cauchemar** [koʃmar] *nm* nightmare

**cause** [koz] *nf* cause; (*Jur*) lawsuit,
case; **à ~ de** because of, owing to;
**pour ~ de** on account of; **(et) pour ~**
and for (a very) good reason; **être en
~** (*intérêts*) to be at stake; **remettre
en ~** to challenge; **causer** /1/ *vt* to
cause ▷ *vi* to chat, talk

**caution** [kosjɔ̃] *nf* guarantee, security;
(*Jur*) bail (bond); (*fig*) backing, support;
**libéré sous ~** released on bail

**cavalier, -ière** [kavalje, -jɛr] *adj*
(*désinvolte*) offhand ▷ *nm/f* rider; (*au
bal*) partner ▷ *nm* (*Échecs*) knight

**cave** [kav] *nf* cellar

**caverne** [kavɛrn] *nf* cave

**CD** *sigle m* (= *compact disc*) CD

**CDD** *sigle m* (= *contrat à durée
déterminée*) fixed-term contract

**CDI** *sigle m* (= *centre de documentation et
d'information*) school library; (= *contrat
à durée indéterminée*) permanent *ou*
open-ended contract

**CD-ROM** [sederɔm] *nm inv* CD-Rom

 **MOT-CLÉ**

**ce, cette** [sə, sɛt] (*devant nm* **cet**
+ *voyelle ou h aspiré*; *pl* **ces**) *adj dém*

(*proximité*) this; these *pl*; (*non-
proximité*) that; those *pl*; **cette
maison(-ci/là)** this/that house;
**cette nuit** (*qui vient*) tonight; (*passée*)
last night

▷ *pron* 1: **c'est** it's, it is; **c'est un
peintre** he's *ou* he is a painter; **ce
sont des peintres** they're *ou* they
are painters; **c'est le facteur** *etc* (*à
la porte*) it's the postman *etc*; **qui est-
ce?** who is it?; (*en désignant*) who is
he/she?; **qu'est-ce?** what is it?; **c'est
toi qui lui as parlé** it was you who
spoke to him

2: **c'est ça** (*correct*) that's right

3: **ce qui, ce que** what; **ce qui me
plaît, c'est sa franchise** what I
like about him *ou* her is his *ou* her
frankness; **il est bête, ce qui me
chagrine** he's stupid, which saddens
me; **tout ce qui bouge** everything
that *ou* which moves; **tout ce que
je sais** all I know; **ce dont j'ai parlé**
what I talked about; **ce que c'est
grand!** it's so big!; *voir aussi* **c'est-à-
dire; -ci; est-ce que; n'est-ce pas**

**ceci** [səsi] *pron* this

**céder** [sede] /6/ *vt* to give up ▷ *vi*
(*pont, barrage*) to give way; (*personne*)
to give in; **~ à** to yield to, give in to

**cédérom** [sederɔm] *nm* CD-ROM

**CEDEX** [sedɛks] *sigle m* (= *courrier
d'entreprise à distribution exceptionnelle*)
accelerated postal service for bulk users

**cédille** [sedij] *nf* cedilla

**ceinture** [sɛ̃tyr] *nf* belt; (*taille*) waist;
**~ de sécurité** safety *ou* seat belt

**cela** [s(ə)la] *pron* that; (*comme sujet
indéfini*) it; **~ m'étonne que** it
surprises me that; **quand/où ~?**
when/where (was that)?

**célèbre** [selɛbr] *adj* famous;
**célébrer** /6/ *vt* to celebrate

**céleri** [sɛlri] *nm:* **~(-rave)** celeriac;
**~ (en branche)** celery

**célibataire** [selibatɛr] *adj* single,
unmarried ▷ *nm/f* bachelor/

unmarried *ou* single woman; **mère ~** single *ou* unmarried mother

**celle, celles** [sɛl] *pron voir* **celui**

**cellule** [selyl] *nf(gén)* cell; **~ souche** stem cell

**cellulite** [selylit] *nf* cellulite

**MOT-CLÉ**

**celui, celle** (*mpl* **ceux**, *fpl* **celles**) [səlɥi, sɛl] *pron* **1**: **celui-ci/là, celle-ci/là** this one/that one; **ceux-ci, celles-ci** these (ones); **ceux-là, celles-là** those (ones); **celui de mon frère** my brother's; **celui du salon/du dessous** the one in (*ou* from) the lounge/below

**2** (+ *relatif*): **celui qui bouge** the one which *ou* that moves; (*personne*) the one who moves; **celui que je vois** the one (which *ou* that) I see; (*personne*) the one (whom) I see; **celui dont je parle** the one I'm talking about

**3** (*valeur indéfinie*): **celui qui veut** whoever wants

**cendre** [sɑ̃dʀ] *nf* ash; **~s** (*d'un défunt*) ashes; **sous la ~** (*Culin*) in (the) embers; **cendrier** *nm* ashtray

**censé, e** [sɑ̃se] *adj*: **être ~ faire** to be supposed to do

**censeur** [sɑ̃sœʀ] *nm* (*Scol*) deputy head (*BRIT*), vice-principal (*US*)

**censure** [sɑ̃syʀ] *nf* censorship; **censurer** /1/ *vt* (*Ciné, Presse*) to censor; (*Pol*) to censure

**cent** [sɑ̃] *num* a hundred, one hundred ▷ *nm* (*US, Canada, partie de l'euro etc*) cent; **centaine** *nf*: **une centaine (de)** about a hundred, a hundred or so; **des centaines (de)** hundreds (of); **centenaire** *adj* hundred-year-old ▷ *nmf* (*anniversaire*) centenary; (*monnaie*) centenary; **centième** *num* hundredth; **centigrade** *nm* centigrade; **centilitre** *nm* centilitre; **centime** *nm* centime; **centime**

**d'euro** euro cent; **centimètre** *nm* centimetre; (*ruban*) tape measure, measuring tape

**central, e, -aux** [sɑ̃tʀal, -o] *adj* central ▷ *nm*: **~ (téléphonique)** (telephone) exchange ▷ *nf* power station; **~e électrique/nucléaire** electric/nuclear power station

**centre** [sɑ̃tʀ] *nm* centre; **~ commercial/sportif/culturel** shopping/sports/arts centre; **~ d'appels** call centre; **centre-ville** *nm* town centre (*BRIT*) *ou* center (*US*)

**cèpe** [sɛp] *nm* (edible) boletus

**cependant** [s(ə)pɑ̃dɑ̃] *adv* however, nevertheless

**céramique** [seʀamik] *nf* ceramics *sg*

**cercle** [sɛʀkl] *nm* circle; **~ vicieux** vicious circle

**cercueil** [sɛʀkœj] *nm* coffin

**céréale** [seʀeal] *nf* cereal

**cérémonie** [seʀemɔni] *nf* ceremony; **sans ~** (*inviter, manger*) informally

**cerf** [sɛʀ] *nm* stag

**cerf-volant** [sɛʀvɔlɑ̃] *nm* kite

**cerise** [s(ə)ʀiz] *nf* cherry; **cerisier** *nm* cherry (tree)

**cerner** [sɛʀne] /1/ *vt* (*Mil etc*) to surround; (*fig: problème*) to delimit, define

**certain, e** [sɛʀtɛ̃, -ɛn] *adj* certain; **~ (de/que)** certain *ou* sure (of/that); **d'un ~ âge** past one's prime, not so young; **un ~ temps** (quite) some time; **sûr et ~** absolutely certain; **un ~ Georges** someone called Georges; **~s** *pron* some; **certainement** *adv* (*probablement*) most probably *ou* likely; (*bien sûr*) certainly, of course

**certes** [sɛʀt] *adv* (*sans doute*) admittedly; (*bien sûr*) of course; indeed (yes)

**certificat** [sɛʀtifika] *nm* certificate

**certifier** [sɛʀtifje] /7/ *vt*: **~ qch à qn** to guarantee sth to sb

**certitude** [sɛʀtityd] *nf* certainty

**cerveau, x** [sɛʀvo] *nm* brain

**cervelas** [sɛʀvəla] *nm* saveloy

**cervelle** [sɛʁvɛl] *nf* (Anat) brain; (Culin) brain(s)

**CES** *sigle m* (= Collège d'enseignement secondaire) ≈ (junior) secondary school

**ces** [se] *adj dém voir* **ce**

**cesse** [sɛs]: **sans ~** *adv* (tout le temps) continually, constantly; (sans interruption) continuously; **il n'avait de ~ que** he would not rest until; **cesser** /1/ *vt* to stop ▷ *vi* to stop, cease; **cesser de faire** to stop doing; **cessez-le-feu** *nm inv* ceasefire

**c'est-à-dire** [sɛtadiʁ] *adv* that is (to say)

**cet** [sɛt] *adj dém voir* **ce**

**ceux** [sø] *pron voir* **celui**

**chacun, e** [ʃakœ̃, -yn] *pron* each; (indéfini) everyone, everybody

**chagrin, e** [ʃagʁɛ̃, -in] *adj* morose ▷ *nm* grief, sorrow; **avoir du ~** to be grieved ou sorrowful

**chahut** [ʃay] *nm* uproar; **chahuter** /1/ *vt* to rag, bait ▷ *vi* to make an uproar

**chaîne** [ʃɛn] *nf* chain; (Radio, TV: stations) channel; **travail à la ~** production line work; **réactions en ~** chain reactions; **~ (haute-fidélité ou hi-fi)** hi-fi system; **~ (de montagnes)** (mountain) range

**chair** [ʃɛʁ] *nf* flesh; **avoir la ~ de poule** to have goose pimples ou goose flesh; **bien en ~** plump, well-padded; **en ~ et en os** in the flesh; **~ à saucisse** sausage meat

**chaise** [ʃɛz] *nf* chair; **~ longue** deckchair

**châle** [ʃal] *nm* shawl

**chaleur** [ʃalœʁ] *nf* heat; (fig: d'accueil) warmth; **chaleureux, -euse** *adj* warm

**chamailler** [ʃamaje] /1/: **se chamailler** *vi* to squabble, bicker

**chambre** [ʃɑ̃bʁ] *nf* bedroom; (Pol) chamber; (Comm) chamber; **faire ~ à part** to sleep in separate rooms; **~ à un lit/deux lits** single/twin-bedded room; **~ à air** (de pneu) (inner) tube; **~ d'amis** spare ou guest room; **~ à**

**coucher** bedroom; **~ d'hôte** ≈ bed and breakfast (in private home); **~ meublée** bedsit(ter) (BRIT), furnished room; **~ noire** (Photo) dark room

**chameau, x** [ʃamo] *nm* camel

**chamois** [ʃamwa] *nm* chamois

**champ** [ʃɑ̃] *nm* field; **~ de bataille** battlefield; **~ de courses** racecourse

**champagne** [ʃɑ̃paɲ] *nm* champagne

**champignon** [ʃɑ̃piɲɔ̃] *nm* mushroom; (terme générique) fungus; **~ de couche ou de Paris** button mushroom

**champion, ne** [ʃɑ̃pjɔ̃, -ɔn] *adj, nm/f* champion; **championnat** *nm* championship

**chance** [ʃɑ̃s] *nf*: **la ~** luck; **chances** *nfpl* (probabilités) chances; **avoir de la ~** to be lucky; **il a des ~s de gagner** he has a chance of winning; **bonne ~!** good luck!

**change** [ʃɑ̃ʒ] *nm* (Comm) exchange

**changement** [ʃɑ̃ʒmɑ̃] *nm* change; **~ climatique** climate change; **~ de vitesse** gears *pl*; (action) gear change

**changer** [ʃɑ̃ʒe] /3/ *vt* (modifier) to change, alter; (remplacer, Comm) to change ▷ *vi* to change, alter; **se changer** *vi* to change (o.s.); **~ de** (remplacer: adresse, nom, voiture etc) to change one's; **~ de train** to change trains; **~ d'avis, d'idée** to change one's mind; **~ de vitesse** to change gear; **~ qn/qch de place** to move sb/sth to another place

**chanson** [ʃɑ̃sɔ̃] *nf* song

**chant** [ʃɑ̃] *nm* song; (art vocal) singing; (d'église) hymn

**chantage** [ʃɑ̃taʒ] *nm* blackmail; **faire du ~** to use blackmail

**chanter** [ʃɑ̃te] /1/ *vt*, *vi* to sing; **si cela lui chante** (fam) if he feels like it ou fancies it; **chanteur, -euse** *nm/f* singer

**chantier** [ʃɑ̃tje] *nm* (building) site; (sur une route) roadworks *pl*; **mettre en ~** to start work on; **~ naval** shipyard

**chantilly** [ʃɑ̃tiji] *nf voir* **crème**

**chantonner** [ʃɑ̃tɔne] /1/ *vi, vt* to sing to oneself, hum

**chapeau, x** [ʃapo] *nm* hat; **~!** well done!

**chapelle** [ʃapɛl] *nf* chapel

**chapitre** [ʃapitʀ] *nm* chapter

**chaque** [ʃak] *adj* each, every; (*indéfini*) every

**char** [ʃaʀ] *nm*: **~ (d'assaut)** tank; **~ à voile** sand yacht

**charbon** [ʃaʀbɔ̃] *nm* coal; **~ de bois** charcoal

**charcuterie** [ʃaʀkytʀi] *nf* (*magasin*) pork butcher's shop and delicatessen; (*produits*) cooked pork meats *pl*; **charcutier, -ière** *nm/f* pork butcher

**chardon** [ʃaʀdɔ̃] *nm* thistle

**charge** [ʃaʀʒ] *nf* (*fardeau*) load; (*Elec, Mil, Jur*) charge; (*rôle, mission*) responsibility; **charges** *nfpl* (*du loyer*) service charges; **à la ~ de** (*dépendant de*) dependent upon; (*aux frais de*) chargeable to; **prendre en ~** to take charge of; (*véhicule*) to take on; (*dépenses*) to take care of; **~s sociales** social security contributions

**chargement** [ʃaʀʒəmɑ̃] *nm* (*objets*) load

**charger** [ʃaʀʒe] /3/ *vt* (*voiture, fusil, caméra*) to load; (*batterie*) to charge ▷ *vi* (*Mil etc*) to charge; **se ~ de** to see to, take care of

**chargeur** [ʃaʀʒœʀ] *nm* (*de batterie*) charger

**chariot** [ʃaʀjo] *nm* trolley; (*charrette*) waggon

**charité** [ʃaʀite] *nf* charity; **faire la ~ à** to give (something) to

**charmant, e** [ʃaʀmɑ̃, -ɑ̃t] *adj* charming

**charme** [ʃaʀm] *nm* charm; **charmer** /1/ *vt* to charm

**charpente** [ʃaʀpɑ̃t] *nf* frame(work); **charpentier** *nm* carpenter

**charrette** [ʃaʀɛt] *nf* cart

**charter** [tʃaʀtœʀ] *nm* (*vol*) charter flight

**chasse** [ʃas] *nf* hunting; (*au fusil*) shooting; (*poursuite*) chase; (*aussi*: **~ d'eau**) flush; **prendre en ~** to give chase to; **tirer la ~ (d'eau)** to flush the toilet, pull the chain; **~ à courre** hunting; **chasse-neige** *nm inv* snowplough (BRIT), snowplow (US)

**chasser** /1/ *vt* to hunt; (*expulser*) to chase away ou out, drive away ou out; **chasseur, -euse** *nm/f* hunter ▷ *nm* (*avion*) fighter

**chat¹** [ʃa] *nm* cat

**chat²** [tʃat] *nm* (*Internet: salon*) chat room; (*conversation*) chat

**châtaigne** [ʃatɛɲ] *nf* chestnut

**châtain** [ʃatɛ̃] *adj inv* chestnut (brown); (*personne*) chestnut-haired

**château, x** [ʃato] *nm* (*forteresse*) castle; (*résidence royale*) palace; (*manoir*) mansion; **~ d'eau** water tower; **~ fort** stronghold, fortified castle

**châtiment** [ʃatimɑ̃] *nm* punishment

**chaton** [ʃatɔ̃] *nm* (*Zool*) kitten

**chatouiller** [ʃatuje] /1/ *vt* to tickle; **chatouilleux, -euse** [ʃatujø, -øz] *adj* ticklish; (*fig*) touchy, over-sensitive

**chatte** [ʃat] *nf* (she-)cat

**chatter** [tʃate] /1/ *vi* (*Internet*) to chat

**chaud, e** [ʃo, -od] *adj* (*gén*) warm; (*très chaud*) hot ▷ *nm*: **il fait ~** it's warm; it's hot; **avoir ~** to be warm; to be hot; **ça me tient ~** it keeps me warm; **rester au ~** to stay in the warm

**chaudière** [ʃodjɛʀ] *nf* boiler

**chauffage** [ʃofaʒ] *nm* heating; **~ central** central heating

**chauffe-eau** [ʃofo] *nm inv* water heater

**chauffer** [ʃofe] /1/ *vt* to heat ▷ *vi* to heat up, warm up; (*trop chauffer: moteur*) to overheat; **se chauffer** *vi* (*au soleil*) to warm o.s.

**chauffeur** [ʃofœʀ] *nm* driver; (*privé*) chauffeur

**chaumière** [ʃomjɛʀ] *nf* (thatched) cottage

**chaussée** [ʃose] *nf* road(way)

**chausser** [ʃose] /1/ vt (bottes, skis) to put on; (enfant) to put shoes on; **~ du 38/42** to take size 38/42

**chaussette** [ʃosɛt] nf sock

**chausson** [ʃosɔ̃] nm slipper; (de bébé) bootee; **~ (aux pommes)** (apple) turnover

**chaussure** [ʃosyʀ] nf shoe; **~s basses** flat shoes; **~s montantes** ankle boots; **~s de ski** ski boots

**chauve** [ʃov] adj bald; **chauve-souris** nf bat

**chauvin, e** [ʃovɛ̃, -in] adj chauvinistic

**chaux** [ʃo] nf lime; **blanchi à la ~** whitewashed

**chef** [ʃɛf] nm head, leader; (de cuisine) chef; **général/commandant en ~** general/commander-in-chief; **~ d'accusation** charge; **~ d'entreprise** company head; **~ d'état** head of state; **~ de famille** head of the family; **~ de file** (de parti etc) leader; **~ de gare** station master; **~ d'orchestre** conductor; **chef-d'œuvre** nm masterpiece; **chef-lieu** nm county town

**chelou, e** [ʃəlu] (fam) adj sketchy, dodgy

**chemin** [ʃəmɛ̃] nm path; (itinéraire, direction, trajet) way; **en ~** on the way; **~ de fer** railway (BRIT), railroad (US)

**cheminée** [ʃəmine] nf chimney; (à l'intérieur) chimney piece, fireplace; (de bateau) funnel

**chemise** [ʃəmiz] nf shirt; (dossier) folder; **~ de nuit** nightdress

**chemisier** [ʃəmizje] nm blouse

**chêne** [ʃɛn] nm oak (tree); (bois) oak

**chenil** [ʃənil] nm kennels pl

**chenille** [ʃənij] nf (Zool) caterpillar

**chèque** [ʃɛk] nm cheque (BRIT), check (US); **faire/toucher un ~** to write/cash a cheque; **par ~** by cheque; **~ barré/sans provision** crossed (BRIT) /bad cheque; **~ de voyage** traveller's cheque; **chéquier** [ʃekje] nm cheque book

**cher, -ère** [ʃɛʀ] adj (aimé) dear; (coûteux) expensive, dear ▷ adv: **cela coûte ~** it's expensive

**chercher** [ʃɛʀʃe] /1/ vt to look for; (gloire etc) to seek; **aller ~** to go for, go and fetch; **~ à faire** to try to do; **chercheur, -euse** nm/f researcher

**chéri, e** [ʃeʀi] adj beloved, dear; **(mon) ~** darling

**cheval, -aux** [ʃəval, -o] nm horse; (Auto:) horsepower no pl; **faire du ~** to ride; **à ~** on horseback; **à ~ sur** astride; (fig) overlapping; **~ de course** race horse

**chevalier** [ʃəvalje] nm knight

**chevaux** [ʃəvo] nmpl voir **cheval**

**chevet** [ʃəvɛ] nm: **au ~ de qn** at sb's bedside; **lampe de ~** bedside lamp

**cheveu, x** [ʃəvø] nm hair ▷ nmpl (chevelure) hair; **avoir les ~s courts/en brosse** to have short hair/a crew cut

**cheville** [ʃəvij] nf (Anat) ankle; (de bois) peg; (pour enfoncer une vis) plug

**chèvre** [ʃɛvʀ] nf (she-)goat

**chèvrefeuille** [ʃɛvʀəfœj] nm honeysuckle

**chevreuil** [ʃəvʀœj] nm roe deer inv; (Culin) venison

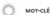 **MOT-CLÉ**

**chez** [ʃe] prép **1** (à la demeure de) at; (: direction) to; **chez qn** at/to sb's house ou place; **je suis chez moi** I'm at home; **je rentre chez moi** I'm going home; **allons chez Nathalie** let's go to Nathalie's
**2** (+profession) at; (: direction) to; **chez le boulanger/dentiste** at ou to the baker's/dentist's
**3** (dans le caractère, l'œuvre de) in; **chez ce poète** in this poet's work; **c'est ce que je préfère chez lui** that's what I like best about him

**chic** [ʃik] adj inv chic, smart; (généreux) nice, decent ▷ nm stylishness; **avoir**

**le ~ de** ou **pour** to have the knack of ou for; **~!** great!

**chicorée** [ʃikɔʀe] nf (café) chicory; (salade) endive

**chien** [ʃjɛ̃] nm dog; (de pistolet) hammer; **~ d'aveugle** guide dog; **~ de garde** guard dog

**chienne** [ʃjɛn] nf (she-)dog, bitch

**chiffon** [ʃifɔ̃] nm (piece of) rag; **chiffonner** /1/ vt to crumple; (tracasser) to concern

**chiffre** [ʃifʀ] nm (représentant un nombre) figure; numeral; (montant, total) total, sum; **en ~s ronds** in round figures; **chiffrer** /1/ vt (dépense) to put a figure to, assess; (message) to (en)code, cipher ▷ vi: **chiffrer à,** se **chiffrer à** to add up to

**chignon** [ʃiɲɔ̃] nm chignon, bun

**Chili** [ʃili] nm: **le ~** Chile; **chilien, ne** adj Chilean ▷ nm/f: **Chilien, ne** Chilean

**chimie** [ʃimi] nf chemistry; **chimiothérapie** [ʃimjoteʀapi] nf chemotherapy; **chimique** adj chemical; **produits chimiques** chemicals

**chimpanzé** [ʃɛ̃pɑ̃ze] nm chimpanzee

**Chine** [ʃin] nf: **la ~** China; **chinois, e** adj Chinese ▷ nm (Ling) Chinese ▷ nm/f: **Chinois, e** Chinese

**chiot** [ʃjo] nm pup(py)

**chips** [ʃips] nfpl crisps (BRIT), (potato) chips (US)

**chirurgie** [ʃiʀyʀʒi] nf surgery; **~ esthétique** cosmetic ou plastic surgery; **chirurgien, ne** nm/f surgeon

**chlore** [klɔʀ] nm chlorine

**choc** [ʃɔk] nm (heurt) impact; shock; (collision) crash; (moral) shock; (affrontement) clash

**chocolat** [ʃɔkɔla] nm chocolate; **~ au lait** milk chocolate

**chœur** [kœʀ] nm (chorale) choir; (Opéra, Théât) chorus; **en ~** in chorus

**choisir** [ʃwaziʀ] /2/ vt to choose, select

**choix** [ʃwa] nm choice; selection; **avoir le ~** to have the choice; **de premier ~** (Comm) class ou grade one; **de ~** choice cpd, selected; **au ~** as you wish ou prefer

**chômage** [ʃomaʒ] nm unemployment; **mettre au ~** to make redundant, put out of work; **être au ~** to be unemployed ou out of work; **chômeur, -euse** nm/f unemployed person

**chope** [ʃɔp] nf tankard

**choquer** [ʃɔke] /1/ vt (offenser) to shock; (commotionner) to shake (up)

**chorale** [kɔʀal] nf choir

**chose** [ʃoz] nf thing; **c'est peu de ~** it's nothing much

**chou, x** [ʃu] nm cabbage; **mon petit ~** (my) sweetheart; **~ à la crème** cream bun (made of choux pastry); **~ de Bruxelles** Brussels sprout; **choucroute** nf sauerkraut

**chouette** [ʃwɛt] nf owl ▷ adj (fam) great, smashing

**chou-fleur** [ʃuflœʀ] nm cauliflower

**chrétien, ne** [kʀetjɛ̃, -ɛn] adj, nm/f Christian

**Christ** [kʀist] nm: **le ~** Christ; **christianisme** nm Christianity

**chronique** [kʀɔnik] adj chronic ▷ nf (de journal) column, page; (historique) chronicle; (Radio, TV): **la ~ sportive/théâtrale** the sports/ theatre review

**chronologique** [kʀɔnɔlɔʒik] adj chronological

**chronomètre** [kʀɔnɔmɛtʀ] nm stopwatch; **chronométrer** /6/ vt to time

**chrysanthème** [kʀizɑ̃tɛm] nm chrysanthemum

◦ **CHRYSANTHÈME**
◦
◦ Chrysanthemums are strongly
◦ associated with funerals in France,
◦ and therefore should not be given
◦ as gifts.

**chuchotement** [ʃyʃɔtmɑ̃] nm
whisper

**chuchoter** [ʃyʃɔte] /1/ vt, vi to
whisper

**chut** excl [ʃyt] sh!

**chute** [ʃyt] nf fall; (déchet) scrap;
**faire une ~ (de 10 m)** to fall (10 m);
**~s de pluie/neige** rain/snowfall;
**~ (d'eau)** waterfall; **~ libre** free fall

**Chypre** [ʃipr] nm/f Cyprus

**-ci** [si] adv voir **par** ▷ adj dém: **ce
garçon-~/-là** this/that boy; **ces
femmes-~/-là** these/those women

**cible** [sibl] nf target

**cicatrice** [sikatris] nf scar;
**cicatriser** /1/ vt to heal

**ci-contre** [sikɔ̃tr] adv opposite

**ci-dessous** [sidəsu] adv below

**ci-dessus** [sidəsy] adv above

**cidre** [sidr] nm cider

**Cie** abr (= compagnie) Co

**ciel** [sjɛl] nm sky; (Rel) heaven

**cieux** [sjø] nmpl voir **ciel**

**cigale** [sigal] nf cicada

**cigare** [sigar] nm cigar

**cigarette** [sigaʀɛt] nf cigarette;
**~ électronique** e-cigarette

**ci-inclus, e** [siɛ̃kly, -yz] adj, adv
enclosed

**ci-joint, e** [siʒwɛ̃, -ɛ̃t] adj, adv
enclosed

**cil** [sil] nm (eye)lash

**cime** [sim] nf top; (montagne) peak

**ciment** [simɑ̃] nm cement

**cimetière** [simtjɛr] nm cemetery;
(d'église) churchyard

**cinéaste** [sineast] nm/f film-maker

**cinéma** [sinema] nm cinema

**cinq** [sɛ̃k] num five; **cinquantaine**
nf: **une cinquantaine (de)** about
fifty; **avoir la cinquantaine** (âge) to
be around fifty; **cinquante** num fifty;
**cinquantenaire** nm/f fifty/fifty-year-
old; **cinquième** num fifth ▷ nf (Scol)
year 8 (BRIT), seventh grade (US)

**cintre** [sɛ̃tr] nm coat-hanger

**cintré, e** [sɛ̃tre] adj (chemise) fitted

**cirage** [siʀaʒ] nm (shoe) polish

**circonflexe** [siʀkɔ̃flɛks] adj: **accent
~** circumflex accent

**circonstance** [siʀkɔ̃stɑ̃s] nf
circumstance; (occasion) occasion;
**~s atténuantes** mitigating
circumstances

**circuit** [siʀkɥi] nm (trajet) tour,
(round) trip; (Élec, Tech) circuit

**circulaire** [siʀkylɛr] adj, nf circular

**circulation** [siʀkylasjɔ̃] nf
circulation; (Auto): **la ~** (the) traffic

**circuler** [siʀkyle] /1/ vi (véhicules)
to drive (along); (passants) to walk
along; (train etc) to run; (sang, devises)
to circulate; **faire ~** (nouvelle) to
spread (about), circulate; (badauds)
to move on

**cire** [siʀ] nf wax; **ciré** nm oilskin; **cirer**
[siʀe] /1/ vt to wax, polish

**cirque** [siʀk] nm circus; (fig) chaos,
bedlam; **quel ~!** what a carry-on!

**ciseau, x** [sizo] nm: **~ (à bois)** chisel
▷ nmpl (paire de ciseaux) (pair of) scissors

**citadin, e** [sitadɛ̃, -in] nm/f city
dweller

**citation** [sitasjɔ̃] nf (d'auteur)
quotation; (Jur) summons sg

**cité** [site] nf town; (plus grande)
city; **~ universitaire** students'
residences pl

**citer** [site] /1/ vt (un auteur) to quote
(from); (nommer) to name; (Jur) to
summon

**citoyen, ne** [sitwajɛ̃, -ɛn] nm/f
citizen

**citron** [sitʀɔ̃] nm lemon; **~ pressé**
(fresh) lemon juice; **~ vert** lime;
**citronnade** nf still lemonade

**citrouille** [sitʀuj] nf pumpkin

**civet** [sivɛ] nm: **~ de lapin** rabbit stew

**civière** [sivjɛr] nf stretcher

**civil, e** [sivil] adj (Jur, Admin, poli) civil;
(non militaire) civilian; **en ~** in civilian
clothes; **dans le ~** in civilian life

**civilisation** [sivilizasjɔ̃] nf
civilization

**clair, e** [klɛr] adj light; (chambre)
light, bright; (eau, son, fig) clear ▷ adv:

**voir ~** to see clearly ▷ *nm*: **mettre au ~** (notes etc) to tidy up; **tirer qch au ~** to clear sth up, clarify sth; **~ de lune** moonlight; **clairement** *adv* clearly

**clairière** [klɛʀjɛʀ] *nf* clearing

**clandestin, e** [klɑ̃dɛstɛ̃, -in] *adj* clandestine, covert; (*Pol*) underground, clandestine; (*travailleur, immigration*) illegal; **passager ~** stowaway

**claque** [klak] *nf* (*gifle*) slap; **claquer** /1/ *vi* (*porte*) to bang, slam; (*fam: mourir*) to snuff it ▷ *vt* (*porte*) to slam, bang; (*doigts*) to snap; (*fam: dépenser*) to blow; **elle claquait des dents** her teeth were chattering; **être claqué** (*fam*) to be dead tired; **se claquer un muscle** to pull ou strain a muscle; **claquettes** *nfpl* tap-dancing *sg*; (*chaussures*) flip-flops

**clarinette** [klaʀinɛt] *nf* clarinet

**classe** [klɑs] *nf* class; (*Scol: local*) class(room); (: *leçon*) class; (: *élèves*) class; **aller en ~** to go to school; **classement** *nm* (*rang: Scol*) place; (: *Sport*) placing; (*liste: Scol*) class list (in order of merit); (: *Sport*) placings *pl*

**classer** [klɑse] /1/ *vt* (*idées, livres*) to classify; (*papiers*) to file; (*candidat, concurrent*) to grade; (*Jur: affaire*) to close; **se ~ premier/dernier** to come first/last; (*Sport*) to finish first/last; **classeur** *nm* (*cahier*) file

**classique** [klasik] *adj* (*sobre, coupe etc*) classic(al), classical; (*habituel*) standard, classic

**clavicule** [klavikyl] *nf* collarbone

**clavier** [klavje] *nm* keyboard

**clé** [kle] *nf* key; (*Mus*) clef; (*de mécanicien*) spanner (BRIT), wrench (US); **prix ~s en main** (*d'une voiture*) on-the-road price; **~ de contact** ignition key; **~ USB** USB key

**clergé** [klɛʀʒe] *nm* clergy

**clic** [klik] *nm* (*Inform*) click

**cliché** [kliʃe] *nm* (*fig*) cliché; (*Photo*) negative; print; (*Typo*) (printing) plate; (*Ling*) cliché

**client, e** [klijɑ̃, -ɑ̃t] *nm/f* (*acheteur*) customer, client; (*d'hôtel*) guest, patron; (*du docteur*) patient; (*de l'avocat*) client; **clientèle** *nf* (*du magasin*) customers *pl*, clientèle; (*du docteur, de l'avocat*) practice

**cligner** [kliɲe] /1/ *vi*: **~ des yeux** to blink (one's eyes); **~ de l'œil** to wink; **clignotant** *nm* (*Auto*) indicator; **clignoter** /1/ *vi* (*étoiles etc*) to twinkle; (*lumière*) to flicker

**climat** [klima] *nm* climate

**climatisation** [klimatizasjɔ̃] *nf* air conditioning; **climatisé, e** *adj* air-conditioned

**clin d'œil** [klɛ̃dœj] *nm* wink; **en un ~** in a flash

**clinique** [klinik] *nf* (*private*) clinic

**clip** [klip] *nm* (*pince*) clip; (*boucle d'oreille*) clip-on; (*vidéo*) **~** pop (*ou* promotional) video

**cliquer** [klike] /1/ *vi* (*Inform*) to click; **~ deux fois** to double-click ▷ *vt* to click; **~ sur** to click on

**clochard, e** [klɔʃaʀ, -aʀd] *nm/f* tramp

**cloche** [klɔʃ] *nf* (*d'église*) bell; (*fam*) clot; **clocher** /1/ *nm* church tower; (*en pointe*) steeple ▷ *vi* (*fam*) to be ou go wrong; **de clocher** (*péj*) parochial

**cloison** [klwazɔ̃] *nf* partition (wall)

**clonage** [klɔnaʒ] *nm* cloning

**cloner** [klɔne] /1/ *vt* to clone

**cloque** [klɔk] *nf* blister

**clore** [klɔʀ] /45/ *vt* to close

**clôture** [klotyʀ] *nf* closure; (*barrière*) enclosure

**clou** [klu] *nm* nail; **clous** *nmpl* = **passage clouté**; **pneus à ~s** studded tyres; **le ~ du spectacle** the highlight of the show; **~ de girofle** clove

**clown** [klun] *nm* clown

**club** [klœb] *nm* club

**CNRS** *sigle m* (= *Centre national de la recherche scientifique*) ≈ SERC (BRIT), ≈ NSF (US)

**coaguler** [kɔagyle] /1/ vi, vt, **se coaguler** vi (sang) to coagulate

**cobaye** [kɔbaj] nm guinea-pig

**coca®** [kɔka] nm Coke®

**cocaïne** [kɔkain] nf cocaine

**coccinelle** [kɔksinɛl] nf ladybird (BRIT), ladybug (US)

**cocher** [kɔʃe] /1/ vt to tick off

**cochon, ne** [kɔʃɔ̃, -ɔn] nm pig ⊳ adj (fam) dirty, smutty; **~ d'Inde** guinea-pig; **cochonnerie** nf (fam: saleté) filth; (marchandises) rubbish, trash

**cocktail** [kɔktɛl] nm cocktail; (réception) cocktail party

**cocorico** [kɔkɔriko] excl, nm cock-a-doodle-doo

**cocotte** [kɔkɔt] nf (en fonte) casserole; **ma ~** (fam) sweetie (pie); **~ (minute)**® pressure cooker

**code** [kɔd] nm code ⊳ adj: **phares ~s** dipped lights; **se mettre en ~(s)** to dip (BRIT) ou dim (US) one's (head) lights; **~ à barres** bar code; **~ civil** Common Law; **~ pénal** penal code; **~ postal** (numéro) postcode (BRIT), zip code (US); **~ de la route** highway code; **~ secret** cipher

**cœur** [kœr] nm heart; (Cartes: couleur) hearts pl; (: carte) heart; **avoir bon ~** to be kind-hearted; **avoir mal au ~** to feel sick; **par ~** by heart; **de bon ~** willingly; **cela lui tient à ~** that's (very) close to his heart

**coffre** [kɔfr] nm (meuble) chest; (d'auto) boot (BRIT), trunk (US); **coffre-fort** nm safe; **coffret** nm casket

**cognac** [kɔɲak] nm brandy, cognac

**cogner** [kɔɲe] /1/ vi to knock; **se ~ contre** to knock ou bump into; **se ~ la tête** to bang one's head

**cohérent, e** [kɔerɑ̃, -ɑ̃t] adj coherent, consistent

**coiffé, e** [kwafe] adj: **bien/mal ~** with tidy/untidy hair; **~ d'un béret** wearing a beret

**coiffer** [kwafe] /1/ vt (fig: surmonter) to cover, top; **~ qn** to do sb's hair; **se**

**coiffer** vi to do one's hair; **coiffeur, -euse** nm/f hairdresser ⊳ nf (table) dressing table; **coiffure** nf (cheveux) hairstyle, hairdo; (art): **la coiffure** hairdressing

**coin** [kwɛ̃] nm corner; (pour coincer) wedge; **l'épicier du ~** the local grocer; **dans le ~** (aux alentours) in the area, around about; (habiter) locally; **je ne suis pas du ~** I'm not from here; **au ~ du feu** by the fireside; **regard en ~** side/wary glance

**coincé, e** [kwɛ̃se] adj stuck, jammed; (fig: inhibé) inhibited, with hang-ups

**coïncidence** [kɔɛ̃sidɑ̃s] nf coincidence

**coing** [kwɛ̃] nm quince

**col** [kɔl] nm (de chemise) collar; (encolure, cou) neck; (de montagne) pass; **~ roulé** polo-neck; **~ de l'utérus** cervix

**colère** [kɔlɛr] nf anger; **une ~** a fit of anger; **être en ~ (contre qn)** to be angry (with sb); **mettre qn en ~** to make sb angry; **se mettre en ~ contre qn** to get angry with sb; **se mettre en ~** to get angry; **coléreux, -euse, colérique** adj quick-tempered, irascible

**colin** [kɔlɛ̃] nm hake

**colique** [kɔlik] nf diarrhoea

**colis** [kɔli] nm parcel

**collaborer** [kɔ(l)labɔre] /1/ vi to collaborate; **~ à** to collaborate on; (revue) to contribute to

**collant, e** [kɔlɑ̃, -ɑ̃t] adj sticky; (robe etc) clinging, skintight; (péj) clinging ⊳ nm (bas) tights pl; (de danseur) leotard

**colle** [kɔl] nf glue; (à papiers peints) (wallpaper) paste; (devinette) teaser, riddle; (Scol: fam) detention

**collecte** [kɔlɛkt] nf collection; **collectif, -ive** adj collective; (visite, billet etc) collective ⊳ nm cpd

**collection** [kɔlɛksjɔ̃] nf collection; (Édition) series; **collectionner** /1/ vt (tableaux, timbres) to

collect; **collectionneur, -euse**
[kɔlɛksjɔnœʀ, -øz] *nm/f* collector
**collectivité** [kɔlɛktivite] *nf* group;
**les ~s locales** local authorities
**collège** [kɔlɛʒ] *nm* (*école*) (secondary)
school; (*assemblée*) body; **collégien,**
**ne** *nm/f* secondary school pupil
(*BRIT*), high school student (*US*)
**collègue** [kɔ(l)lɛg] *nm/f* colleague
**coller** [kɔle] /1/ *vt* (*papier, timbre*)
to stick (on); (*affiche*) to stick up;
(*enveloppe*) to stick down; (*morceaux*)
to stick *ou* glue together; (*Inform*) to
paste; (*fam: mettre, fourrer*) to stick,
shove; (*Scol: retenir*) to keep in ▷ *vi*
(*être collant*) to be sticky; (*adhérer*) to
stick; **~ à** to stick to; **être collé à un**
**examen** (*fam*) to fail an exam
**collier** [kɔlje] *nm* (*bijou*) necklace; (*de*
*chien, Tech*) collar
**colline** [kɔlin] *nf* hill
**collision** [kɔlizjɔ̃] *nf* collision, crash;
**entrer en ~ (avec)** to collide (with)
**collyre** [kɔliʀ] *nm* eye lotion
**colombe** [kɔlɔ̃b] *nf* dove
**Colombie** [kɔlɔ̃bi] *nf*: **la ~** Colombia
**colonie** [kɔlɔni] *nf* colony; **~ (de**
**vacances)** holiday camp (*for children*)
**colonne** [kɔlɔn] *nf* column; **se**
**mettre en ~ par deux/quatre** to
get into twos/fours; **~ (vertébrale)**
spine, spinal column
**colorant** [kɔlɔʀɑ̃] *nm* colouring
**colorer** [kɔlɔʀe] /1/ *vt* to colour
**colorier** [kɔlɔʀje] /7/ *vt* to colour (in)
**coloris** [kɔlɔʀi] *nm* colour, shade
**colza** [kɔlza] *nm* rape(seed)
**coma** [kɔma] *nm* coma; **être dans le**
**~** to be in a coma

**~ de temps** how long; **~ coûte/**
**pèse ceci?** how much does this cost/
weigh?; **on est le ~ aujourd'hui?**
(*fam*) what's the date today?
**combinaison** [kɔ̃binɛzɔ̃] *nf*
combination; (*astuce*) scheme; (*de*
*femme*) slip; (*de plongée*) wetsuit; (*bleu*
*de travail*) boilersuit (*BRIT*), coveralls
*pl* (*US*)
**combiné** [kɔ̃bine] *nm* (*aussi:*
**~ téléphonique**) receiver
**comble** [kɔ̃bl] *adj* (*salle*) packed
(full) ▷ *nm* (*du bonheur, plaisir*) height;
**combles** *nmpl* (*Constr*) attic *sg*, loft *sg*;
**c'est le ~!** that beats everything!
**combler** [kɔ̃ble] /1/ *vt* (*trou*) to fill in;
(*besoin, lacune*) to fill; (*déficit*) to make
good; (*satisfaire*) fulfil
**comédie** [kɔmedi] *nf* comedy; (*fig*)
playacting *no pl*; **faire une ~** (*fig*) to
make a fuss; **~ musicale** musical;
**comédien, ne** *nm/f* actor/actress
**comestible** [kɔmɛstibl] *adj* edible
**comique** [kɔmik] *adj* (*drôle*) comical;
(*Théât*) comic ▷ *nm* (*artiste*) comic,
comedian
**commandant** [kɔmɑ̃dɑ̃] *nm* (*gén*)
commander, commandant; (*Navig*)
captain
**commande** [kɔmɑ̃d] *nf* (*Comm*)
order; **commandes** *nfpl* (*Aviat etc*)
controls; **sur ~** to order; **commander**
/1/ *vt* (*Comm*) to order; (*diriger,*
*ordonner*) to command; **commander**
**à qn de faire** to command *ou* order
sb to do

 **MOT-CLÉ**

**comme** [kɔm] *prép* 1 (*comparaison*)
like; **tout comme son père** just like
his father; **fort comme un bœuf** as
strong as an ox; **joli comme tout**
ever so pretty
2 (*manière*) like; **faites-le comme ça**
do it like this, do it this way; **comme**
**ci, comme ça** so-so, middling
3 (*en tant que*) as a; **donner comme**

**combat** [kɔ̃ba] *nm* fight; fighting
*no pl*; **~ de boxe** boxing match;
**combattant** *nm*: **ancien**
**combattant** war veteran;
**combattre** /41/ *vt* to fight; (*épidémie,*
*ignorance*) to combat, fight against
**combien** [kɔ̃bjɛ̃] *adv* (*quantité*) how
much; (*nombre*) how many; **~ de**
how much; (*nombre*) how many;

prix to give as a prize; **travailler comme secrétaire** to work as a secretary

4: **comme il faut** adv properly

▶ conj 1 (ainsi que) as; **elle écrit comme elle parle** she writes as she talks; **comme moi** as I is

2 (au moment où, alors que) as; **il est parti comme j'arrivais** he left as I arrived

3 (parce que, puisque) as; **comme il était en retard, il …** as he was late, he …

▶ adv: **comme c'est fort/c'est bon!** he's so strong/it's so good!

**commencement** [kɔmɑ̃smɑ̃] nm beginning, start

**commencer** [kɔmɑ̃se] /3/ vt, vi to begin, start; **~ à** ou **de faire** to begin ou start doing

**comment** [kɔmɑ̃] adv how; **~?** (que dites-vous?) (I beg your) pardon?; **et ~!** and how!

**commentaire** [kɔmɑ̃tɛʀ] nm comment; remark; **~ (de texte)** commentary

**commerçant, e** [kɔmɛʀsɑ̃, -ɑ̃t] nm/f shopkeeper, trader

**commerce** [kɔmɛʀs] nm (activité) trade, commerce; (boutique) business; **~ électronique** e-commerce; **~ équitable** fair trade; **commercial, e, -aux** adj commercial, trading; (péj) commercial; **commercialiser** /1/ vt to market

**commettre** [kɔmɛtʀ] /56/ vt to commit

**commissaire** [kɔmisɛʀ] nm (de police) ≈ (police) superintendent; **~ aux comptes** (Admin) auditor; **commissariat** nm police station

**commission** [kɔmisjɔ̃] nf (comité, pourcentage) commission; (message) message; (course) errand; **commissions** nfpl (achats) shopping sg

**commode** [kɔmɔd] adj (pratique) convenient, handy; (facile) easy; (personne) **pas ~** awkward (to deal with) ▶ nf chest of drawers

**commun, e** [kɔmœ̃, -yn] adj common; (pièce) communal, shared; (réunion, effort) joint ▶ nf (Admin) commune, ≈ district (: urbaine) ≈ borough; **communs** nmpl (bâtiments) outbuildings; **cela sort du ~** it's out of the ordinary; **le ~ des mortels** the common run of people; **en ~ (faire)** jointly; **mettre en ~** to pool, share; **d'un ~ accord** of one accord

**communauté** [kɔmynote] nf community

**commune** [kɔmyn] adj f, nf voir **commun**

**communication** [kɔmynikasjɔ̃] nf communication

**communier** [kɔmynje] /7/ vi (Rel) to receive communion

**communion** [kɔmynjɔ̃] nf communion

**communiquer** [kɔmynike] /1/ vt (nouvelle, dossier) to pass on, convey; (peur etc) to communicate ▶ vi to communicate; **se ~ à** (se propager) to spread to

**communisme** [kɔmynism] nm communism; **communiste** adj, nm/f communist

**commutateur** [kɔmytatœʀ] nm (Élec) (change-over) switch, commutator

**compact, e** [kɔ̃pakt] adj (dense) dense; (appareil) compact

**compagne** [kɔ̃paɲ] nf companion

**compagnie** [kɔ̃paɲi] nf (firme, Mil) company; **tenir ~ à qn** to keep sb company; **fausser ~ à qn** to give sb the slip, slip ou sneak away from sb; **~ aérienne** airline (company)

**compagnon** [kɔ̃paɲɔ̃] nm companion

**comparable** [kɔ̃paʀabl] adj: **~ (à)** comparable (to)

**comparaison** [kɔ̃paʀɛzɔ̃] nf comparison

**comparer** [kɔ̃paʀe] /1/ vt to compare; **~ qch/qn à** ou **et** (pour choisir) to compare sth/sb with ou and; (pour établir une similitude) to compare sth/sb to ou and

**compartiment** [kɔ̃paʀtimɑ̃] nm compartment

**compas** [kɔ̃pa] nm (Géom) (pair of) compasses pl; (Navig) compass

**compatible** [kɔ̃patibl] adj compatible

**compatriote** [kɔ̃patʀijɔt] nm/f compatriot

**compensation** [kɔ̃pɑ̃sasjɔ̃] nf compensation

**compenser** [kɔ̃pɑ̃se] /1/ vt to compensate for, make up for

**compétence** [kɔ̃petɑ̃s] nf competence

**compétent, e** [kɔ̃petɑ̃, -ɑ̃t] adj (apte) competent, capable

**compétition** [kɔ̃petisjɔ̃] nf (gén) competition; (Sport: épreuve) event; **la ~ automobile** motor racing

**complément** [kɔ̃plemɑ̃] nm complement; (reste) remainder; **~ d'information** (Admin) supplementary ou further information; **complémentaire** adj complementary; (additionnel) supplementary

**complet, ète** [kɔ̃plɛ, -ɛt] adj complete; (plein: hôtel etc) full ▷ nm (aussi: **~-veston**) suit; **pain ~** wholemeal bread; **complètement** /6/ vt (porter à la quantité voulue) to complete; (augmenter: connaissances, études) to complement, supplement; (: garde-robe) to add to

**complexe** [kɔ̃plɛks] adj complex ▷ nm: **~ hospitalier/industriel** hospital/industrial complex; **complexé, e** adj mixed-up, hung-up

**complication** [kɔ̃plikasjɔ̃] nf complexity, intricacy; (difficulté, ennui)

complication; **complications** nfpl (Méd) complications

**complice** [kɔ̃plis] nm accomplice

**compliment** [kɔ̃plimɑ̃] nm (louange) compliment; **compliments** nmpl (félicitations) congratulations

**compliqué, e** [kɔ̃plike] adj complicated, complex; (personne) complicated

**comportement** [kɔ̃pɔʀtəmɑ̃] nm behaviour

**comporter** [kɔ̃pɔʀte] /1/ vt (consister en) to consist of, comprise; (être équipé de) to have; **se comporter** vi to behave

**composer** [kɔ̃poze] /1/ vt (musique, texte) to compose; (mélange, équipe) to make up; (faire partie de) to make up, form ▷ vi (transiger) to come to terms; **se ~ de** to be composed of, be made up of; **~ un numéro** (au téléphone) to dial a number; **compositeur, -trice** nm/f (Mus) composer; **composition** nf composition; (Scol) test

**composter** [kɔ̃pɔste] /1/ vt (billet) to punch

● COMPOSTER
●
● In France you have to punch your
● ticket on the platform to validate it
● before getting onto the train.

**compote** [kɔ̃pɔt] nf stewed fruit no pl; **~ de pommes** stewed apples

**compréhensible** [kɔ̃pʀeɑ̃sibl] adj comprehensible; (attitude) understandable

**compréhensif, -ive** [kɔ̃pʀeɑ̃sif, -iv] adj understanding

⚠ Attention à ne pas traduire *compréhensif* par comprehensive.

**comprendre** [kɔ̃pʀɑ̃dʀ] /58/ vt to understand; (se composer de) to comprise, consist of

**compresse** [kɔ̃pʀɛs] nf compress

**comprimé** [kɔ̃pʀime] nm tablet

**compris, e** [kɔ̃pʀi, -iz] *pp de* **comprendre** ▷ *adj (inclus)* included; **~ entre** *(situé)* contained between; **la maison ~e/non ~e, y/non ~ la maison** including/excluding the house; **100 euros tout ~** 100 euros all inclusive *ou* all-in

**comptabilité** [kɔ̃tabilite] *nf (activité, technique)* accounting, accountancy; accounts *pl*, books *pl*; *(service)* accounts office *ou* department

**comptable** [kɔ̃tabl] *nm/f* accountant

**comptant** [kɔ̃tɑ̃] *adv*: **payer ~** to pay cash; **acheter ~** to buy for cash

**compte** [kɔ̃t] *nm (total, montant)* count, (right) number; *(bancaire, facture)* account; **comptes** *nmpl* accounts, books; *(fig)* explanation *sg*; **en fin de ~** all things considered; **s'en tirer à bon ~** to get off lightly; **pour le ~ de** on behalf of; **pour son propre ~** to work for one's own benefit; **travailler à son ~** to work for oneself; **régler un ~** *(s'acquitter de qch)* to settle an account; *(se venger)* to get one's own back; **rendre des ~s à qn** *(fig)* to be answerable to sb; **tenir ~ de qch** to take sth into account; **~ courant (CC)** current account; **~ à rebours** countdown; *(de film, livre)* review; *voir aussi* **rendre**; **compte-gouttes** *nm inv* dropper

**compter** [kɔ̃te] /1/ *vt* to count; *(facturer)* to charge for; *(avoir à son actif, comporter)* to have; *(prévoir)* to allow, reckon; *(penser, espérer)*: **~ réussir/revenir** to expect to succeed/return ▷ *vi* to count; *(être économe)* to economize; *(figurer)*: **~ parmi** to be *ou* rank among; **~ sur** to count (up)on; **~ avec qch/qn** to reckon with *ou* take account of sth/sb; **sans ~ que** besides which

**compteur** [kɔ̃tœʀ] *nm* meter; **~ de vitesse** speedometer

**comptine** [kɔ̃tin] *nf* nursery rhyme

**comptoir** [kɔ̃twaʀ] *nm (de magasin)* counter; *(de café)* counter, bar

**con, ne** [kɔ̃, kɔn] *adj (fam!)* bloody *(BRIT!)* ou damned stupid

**concentrer** [kɔ̃sɑ̃tʀe] /1/ *vt* to concentrate; **se concentrer** *vi* to concentrate

**concerner** [kɔ̃sɛʀne] /1/ *vt* to concern; **en ce qui me concerne** as far as I am concerned

**concert** [kɔ̃sɛʀ] *nm* concert; **de ~** *(décider)* unanimously

**concessionnaire** [kɔ̃sesjɔnɛʀ] *nm/f* agent, dealer

**concevoir** [kɔ̃s(ə)vwaʀ] /28/ *vt (idée, projet)* to conceive (of); *(comprendre)* to understand; *(enfant)* to conceive; **maison bien/mal conçue** well-/badly-designed *ou* -planned house

**concierge** [kɔ̃sjɛʀʒ] *nm/f* caretaker

**concis, e** [kɔ̃si, -iz] *adj* concise

**conclure** [kɔ̃klyʀ] /35/ *vt* to conclude; *(complices)* conclusion

**conçois** [kɔ̃swa] *vb voir* **concevoir**

**concombre** [kɔ̃kɔ̃bʀ] *nm* cucumber

**concours** [kɔ̃kuʀ] *nm* competition; *(Scol)* competitive examination; *(assistance)* aid, help; **~ de circonstances** combination of circumstances; **~ hippique** horse show; *voir* **'hors-concours'**

**concret, -ète** [kɔ̃kʀe, -ɛt] *adj* concrete

**conçu, e** [kɔ̃sy] *pp de* **concevoir**

**concubinage** [kɔ̃kybinaʒ] *nm (Jur)* cohabitation

**concurrence** [kɔ̃kyʀɑ̃s] *nf* competition; **jusqu'à ~ de** up to; **faire ~ à** to be in competition with

**concurrent, e** [kɔ̃kyʀɑ̃, -ɑ̃t] *nm/f (Sport, Écon etc)* competitor; *(Scol)* candidate

**condamner** [kɔ̃dane] /1/ *vt (blâmer)* to condemn; *(Jur)* to sentence; *(porte, ouverture)* to fill in, block up; **~ qn à deux ans de prison** to sentence sb to two years' imprisonment

**condensation** [kɔ̃dɑ̃sasjɔ̃] nf condensation

**condition** [kɔ̃disjɔ̃] nf condition; **conditions** nfpl (tarif, prix) terms; (circonstances) conditions; **sans ~** unconditionally; **à ~ de** ou **que** provided that; **conditionnel, le** nm conditional (tense)

**conditionnement** [kɔ̃disjɔnmɑ̃] nm (emballage) packaging

**condoléances** [kɔ̃dɔleɑ̃s] nfpl condolences

**conducteur, -trice** [kɔ̃dyktœr, -tris] nm/f driver ▷ nm (Élec etc) conductor

**conduire** [kɔ̃dɥir] /38/ vt to drive; (délégation, troupeau) to lead; **se conduire** vi to behave; **~ vers/à** to lead towards/to; **~ qn quelque part** to take sb somewhere; to drive sb somewhere

**conduite** [kɔ̃dɥit] nf (comportement) behaviour; (d'eau, de gaz) pipe; **sous la ~ de** led by

**confection** [kɔ̃fɛksjɔ̃] nf (fabrication) making; (Couture): **la ~** the clothing industry

**conférence** [kɔ̃ferɑ̃s] nf (exposé) lecture; (pourparlers) conference; **~ de presse** press conference

**confesser** [kɔ̃fese] /1/ vt to confess; **confession** nf confession; (culte: catholique etc) denomination

**confetti** [kɔ̃feti] nm confetti no pl

**confiance** [kɔ̃fjɑ̃s] nf (en l'honnêteté de qn) confidence, trust; (en la valeur de qch) faith; **avoir ~ en** to have confidence ou faith in, trust; **faire ~ à** to trust; **mettre qn en ~** to win sb's trust; **~ en soi** self-confidence; voir **question**

**confiant, e** [kɔ̃fjɑ̃, -ɑ̃t] adj confident; trusting

**confidence** [kɔ̃fidɑ̃s] nf confidence; **confidentiel, le** adj confidential

**confier** [kɔ̃fje] /7/ vt: **~ à qn** (objet en dépôt, travail etc) to entrust to sb; (secret, pensée) to confide to sb; **se ~ à qn** to confide in sb

**confirmation** [kɔ̃firmasjɔ̃] nf confirmation

**confirmer** [kɔ̃firme] /1/ vt to confirm

**confiserie** [kɔ̃fizri] nf (magasin) confectioner's ou sweet shop; **confiseries** nfpl (bonbons) confectionery sg

**confisquer** [kɔ̃fiske] /1/ vt to confiscate

**confit, e** [kɔ̃fi, -it] adj: **fruits ~s** crystallized fruits ▷ nm: **~ d'oie** potted goose

**confiture** [kɔ̃fityr] nf jam

**conflit** [kɔ̃fli] nm conflict

**confondre** [kɔ̃fɔ̃dr] /41/ vt (jumeaux, faits) to confuse, mix up; (témoin, menteur) to confound; **se confondre** vi to merge; **se ~ en excuses** to offer profuse apologies

**conforme** [kɔ̃fɔrm] adj: **~ à** (en accord avec: loi, règle) in accordance with; **conformément** adv: **conformément à** in accordance with; **conformer** /1/ vt: **se conformer à** to conform to

**confort** [kɔ̃fɔr] nm comfort; **tout ~** (Comm) with all mod cons (BRIT) ou modern conveniences; **confortable** adj comfortable

**confronter** [kɔ̃frɔ̃te] /1/ vt to confront

**confus, e** [kɔ̃fy, -yz] adj (vague) confused; (embarrassé) embarrassed; **confusion** nf (voir confus) confusion; embarrassment; (voir confondre) confusion; mixing up

**congé** [kɔ̃ʒe] nm (vacances) holiday; **en ~** on holiday; **semaine/jour de ~** week/day off; **prendre ~ de qn** to take one's leave of sb; **donner son ~ à** to hand ou give in one's notice to; **~ de maladie** sick leave; **~ de maternité** maternity leave; **~s payés** paid holiday ou leave

**congédier** [kɔ̃ʒedje] /7/ vt to dismiss

**congélateur** [kɔ̃ʒelatœr] nm freezer

**congeler** [kɔ̃ʒ(ə)le] /5/ vt to freeze;
**les produits congelés** frozen foods;
**se congeler** vi to freeze

**congestion** [kɔ̃ʒɛstjɔ̃] nf congestion

**Congo** [kɔ̃go] nm: **le ~** the Congo

**congrès** [kɔ̃gʀɛ] nm congress

**conifère** [kɔnifɛʀ] nm conifer

**conjoint, e** [kɔ̃ʒwɛ̃, -wɛ̃t] adj joint
▷ nm/f spouse

**conjonctivite** [kɔ̃ʒɔ̃ktivit] nf
conjunctivitis

**conjoncture** [kɔ̃ʒɔ̃ktyʀ]
nf circumstances pl; **la ~
(économique)** the economic
climate ou situation

**conjugaison** [kɔ̃ʒygɛzɔ̃] nf (Ling)
conjugation

**connaissance** [kɔnɛsɑ̃s] nf (savoir)
knowledge no pl; (personne connue)
acquaintance; **être sans ~** to be
unconscious; **perdre/reprendre
~** to lose/regain consciousness; **à
ma/sa ~** to (the best of) my/his
knowledge; **faire ~ avec qn ou la ~
de qn** to meet sb

**connaisseur, -euse** [kɔnɛsœʀ, -øz]
nm/f connoisseur

**connaître** [kɔnɛtʀ] /57/ vt to know;
(éprouver) to experience; (avoir: succès)
to have; to enjoy; **~ de nom/vue** to
know by name/sight; **ils se sont
connus à Genève** they (first) met
in Geneva; **s'y ~ en qch** to know
about sth

**connecter** [kɔnɛkte] /1/ vt to
connect; **se ~ à Internet** to log onto
the Internet

**connerie** [kɔnʀi] nf (fam) (bloody)
stupid (BRIT) ou damn-fool (US) thing
to do ou say

**connexion** [kɔnɛksjɔ̃] nf connection

**connu, e** [kɔny] adj (célèbre) well-
known

**conquérir** [kɔ̃keʀiʀ] /21/ vt to
conquer; **conquête** nf conquest

**consacrer** [kɔ̃sakʀe] /1/ vt (Rel) to
consecrate; **~ qch à** (employer) to
devote ou dedicate sth to sth; **se ~ à**

**qch/faire** to dedicate ou devote o.s.
to sth/to doing

**conscience** [kɔ̃sjɑ̃s] nf conscience;
**avoir/prendre ~ de** to be/become
aware of; **perdre/reprendre ~** to
lose/regain consciousness; **avoir
bonne/mauvaise ~** to have a clear/
guilty conscience; **consciencieux,
-euse** adj conscientious; **conscient, e**
adj conscious

**consécutif, -ive** [kɔ̃sekytif, -iv] adj
consecutive; **~ à** following upon

**conseil** [kɔ̃sɛj] nm (avis) piece of
advice; (assemblée) council; **donner
un ~ ou des ~s à qn** to give sb (a
piece of) advice; **prendre ~ (auprès
de qn)** to take advice (from sb);
**~ d'administration (CA)** board
(of directors); **~ général** regional
council; **le ~ des ministres ≈** the
Cabinet; **~ municipal (CM)** town
council

**conseiller¹** [kɔ̃seje] vt (personne)
to advise; (méthode, action) to
recommend, advise; **~ à qn de faire
qch** to advise sb to do sth

**conseiller², -ière** [kɔ̃seje, -ɛʀ]
nm/f adviser; **~ d'orientation** (Scol)
careers adviser (BRIT), guidance
counselor (US)

**consentement** [kɔ̃sɑ̃tmɑ̃] nm
consent

**consentir** [kɔ̃sɑ̃tiʀ] /16/ vt: **~ (à
qch/faire)** to agree ou consent (to
sth/to doing)

**conséquence** [kɔ̃sekɑ̃s] nf
consequence; **en ~** (donc)
consequently; (de façon appropriée)
accordingly; **conséquent, e** adj
logical, rational; (fam: important)
substantial; **par conséquent**
consequently

**conservateur, -trice** [kɔ̃sɛʀvatœʀ,
-tʀis] nm/f (Pol) conservative; (de
musée) curator ▷ nm (pour aliments)
preservative

**conservatoire** [kɔ̃sɛʀvatwaʀ] nm
academy

**conserve** [kɔ̃sɛʀv] *nf* (*gén pl*) canned *ou* tinned (BRIT) food; **en ~** canned, tinned (BRIT)

**conserver** [kɔ̃sɛʀve] /1/ *vt* (*faculté*) to retain, keep; (*amis, livres*) to keep; (*préserver, Culin*) to preserve

**considérable** [kɔ̃sideʀabl] *adj* considerable, significant, extensive

**considération** [kɔ̃sideʀasjɔ̃] *nf* consideration; (*estime*) esteem

**considérer** [kɔ̃sideʀe] /6/ *vt* to consider; **~ qch comme** to regard sth as

**consigne** [kɔ̃siɲ] *nf* (*de gare*) left luggage (office) (BRIT), checkroom (US); (*ordre, instruction*) instructions *pl*; **~ automatique** left-luggage locker

**consister** [kɔ̃siste] /1/ *vi*: **~ en/ dans/à faire** to consist of/in/ in doing

**consoler** [kɔ̃sɔle] /1/ *vt* to console

**consommateur, -trice** [kɔ̃sɔmatœʀ, -tʀis] *nm/f* (*Écon*) consumer; (*dans un café*) customer

**consommation** [kɔ̃sɔmasjɔ̃] *nf* (*Écon*) consumption; (*boisson*) drink; **de ~** (*biens, société*) consumer *cpd*

**consommer** [kɔ̃sɔme] /1/ *vt* (*personne*) to eat ou drink, consume; (*voiture, usine, poêle*) to use, consume; (*Jur: mariage*) to consummate ▷ *vi* (*dans un café*) to (have a) drink

**consonne** [kɔ̃sɔn] *nf* consonant

**constamment** [kɔ̃stamã] *adv* constantly

**constant, e** [kɔ̃stɑ̃, -ɑ̃t] *adj* constant; (*personne*) steadfast

**constat** [kɔ̃sta] *nm* (*de police*) report; **(à l'amiable)** (*jointly agreed*) statement *for insurance purposes*; **~ d'échec** acknowledgement of failure

**constatation** [kɔ̃statasjɔ̃] *nf* (*remarque*) observation

**constater** [kɔ̃state] /1/ *vt* (*remarquer*) to note; (*Admin, Jur: attester*) to certify

**consterner** [kɔ̃stɛʀne] /1/ *vt* to dismay

**constipé, e** [kɔ̃stipe] *adj* constipated

**constitué, e** [kɔ̃stitɥe] *adj*: **~ de** made up ou composed of

**constituer** [kɔ̃stitɥe] /1/ *vt* (*comité, équipe*) to set up; (*dossier, collection*) to put together; (*éléments, parties: composer*) to make up, constitute; (: *représenter, être*) to constitute; **se ~ prisonnier** to give o.s. up

**constructeur** [kɔ̃stʀyktœʀ] *nm/f* manufacturer, builder

**constructif, -ive** [kɔ̃stʀyktif, -iv] *adj* constructive

**construction** [kɔ̃stʀyksjɔ̃] *nf* construction, building

**construire** [kɔ̃stʀɥiʀ] /38/ *vt* to build, construct

**consul** [kɔ̃syl] *nm* consul; **consulat** *nm* consulate

**consultant, e** *adj, nm* consultant

**consultation** [kɔ̃syltasjɔ̃] *nf* consultation; **heures de ~** (*Méd*) surgery (BRIT) ou office (US) hours

**consulter** [kɔ̃sylte] /1/ *vt* to consult ▷ *vi* (*médecin*) to hold surgery (BRIT), be in (the office) (US)

**contact** [kɔ̃takt] *nm* contact; **au ~ de** (*air, peau*) on contact with; (*gens*) through contact with; **mettre/ couper le ~** (*Auto*) to switch on/off the ignition; **entrer en ~** to come into contact; **prendre ~ avec** to get in touch ou contact with; **contacter** /1/ *vt* to contact, get in touch with

**contagieux, -euse** [kɔ̃taʒjø, -øz] *adj* infectious; (*par le contact*) contagious

**contaminer** [kɔ̃tamine] /1/ *vt* to contaminate

**conte** [kɔ̃t] *nm* tale; **~ de fées** fairy tale

**contempler** [kɔ̃tɑ̃ple] /1/ *vt* to contemplate, gaze at

**contemporain, e** [kɔ̃tɑ̃pɔʀɛ̃, -ɛn] *adj, nm/f* contemporary

**contenir** [kɔ̃t(ə)niʀ] /22/ *vt* to contain; (*avoir une capacité de*) to hold

**content, e** [kɔ̃tɑ̃, -ɑ̃t] *adj* pleased, glad; **~ de** pleased with; **contenter** /1/ *vt* to satisfy, please; **se contenter de** to content o.s. with

**contenu, e** [kɔ̃t(ə)ny] *nm (d'un bol)* contents *pl; (d'un texte)* content

**conter** [kɔ̃te] /1/ *vt* to recount, relate

**conteste** [kɔ̃tɛst]: **sans ~** *adv* unquestionably, indisputably; **contester** /1/ *vt* to question ▷ *vi (Pol, gén)* to rebel (against established authority)

**contexte** [kɔ̃tɛkst] *nm* context

**continent** [kɔ̃tinɑ̃] *nm* continent

**continu, e** [kɔ̃tiny] *adj* continuous; **faire la journée ~e** to work without taking a full lunch break; **(courant) ~** direct current, DC

**continuel, le** [kɔ̃tinɥɛl] *adj (qui se répète)* constant, continual; *(continu)* continuous

**continuer** [kɔ̃tinɥe] /1/ *vt (travail, voyage etc)* to continue (with), carry on (with), go on with; *(prolonger: alignement, rue)* to continue ▷ *vi (pluie, vie, bruit)* to continue, go on; **~ à ou de faire** to go on ou continue doing

**contourner** [kɔ̃turne] /1/ *vt* to bypass, walk ou drive round; *(difficulté)* to get round

**contraceptif, -ive** [kɔ̃trasɛptif, -iv] *adj, nm* contraceptive; **contraception** *nf* contraception

**contracté, e** [kɔ̃trakte] *adj* tense

**contracter** [kɔ̃trakte] /1/ *vt (muscle etc)* to tense, contract; *(maladie, dette, obligation)* to contract; *(assurance)* to take out; **se contracter** *vi (métal, muscles)* to contract

**contractuel, le** [kɔ̃traktɥɛl] *nm/f (agent)* traffic warden

**contradiction** [kɔ̃tradiksjɔ̃] *nf* contradiction; **contradictoire** *adj* contradictory, conflicting

**contraignant, e** [kɔ̃trɛɲɑ̃, -ɑ̃t] *adj* restricting

**contraindre** [kɔ̃trɛ̃dr] /52/ *vt*: **~ qn à faire** to force ou compel sb to do

**contrainte, e** *pp de* **contraindre** ▷ *nf* constraint

**contraire** [kɔ̃trɛr] *adj, nm* opposite; **~ à** contrary to; **au ~** on the contrary

**contrarier** [kɔ̃trarje] /7/ *vt (personne)* to annoy; *(projets)* to thwart, frustrate; **contrariété** *nf* annoyance

**contraste** [kɔ̃trast] *nm* contrast

**contrat** [kɔ̃tra] *nm* contract

**contravention** [kɔ̃travɑ̃sjɔ̃] *nf* parking ticket

**contre** [kɔ̃tr] *prép* against; *(en échange)* for; **par ~** on the other hand

**contrebande** [kɔ̃trəbɑ̃d] *nf (trafic)* contraband, smuggling; *(marchandise)* contraband, smuggled goods *pl;* **faire la ~ de** to smuggle

**contrebas** [kɔ̃trəba]: **en ~** *adv* (down) below

**contrebasse** [kɔ̃trəbas] *nf (double)* bass

**contre: contrecoup** *nm* repercussions *pl;* **contredire** /37/ *vt (personne)* to contradict; *(témoignage, assertion, faits)* to refute

**contrefaçon** [kɔ̃trəfasɔ̃] *nf* forgery

**contre: contre-indication** *nf (Méd)* contra-indication; **"contre-indication en cas d'eczéma"** "should not be used by people with eczema"; **contre-indiqué, e** *adj (Méd)* contraindicated; *(déconseillé)* unadvisable, ill-advised

**contremaître** [kɔ̃trəmɛtr] *nm* foreman

**contre-plaqué** [kɔ̃trəplake] *nm* plywood

**contresens** [kɔ̃trəsɑ̃s] *nm (erreur)* misinterpretation; *(mauvaise traduction)* mistranslation; **à ~** the wrong way

**contretemps** [kɔ̃trətɑ̃] *nm* hitch; **à ~** *(fig)* at an inopportune moment

**contribuer** [kɔ̃tribɥe] /1/: **~ à** *vt* to contribute towards; **contribution** *nf* contribution;

**mettre à contribution** to call upon; **contributions directes/indirectes** direct/indirect taxation

**contrôle** [kɔ̃trol] nm checking no pl, check; monitoring; (test) test, examination; **perdre le ~ de son véhicule** to lose control of one's vehicle; **~ continu** (Scol) continuous assessment; **~ d'identité** identity check

**contrôler** [kɔ̃trole] /1/ vt (vérifier) to check; (surveiller: opérations) to supervise; (: prix) to monitor, control; (maîtriser, Comm: firme) to control; **contrôleur, -euse** nm/f (de train) (ticket) inspector; (de bus) (bus) conductor/tress

**controversé, e** [kɔ̃trɔvɛrse] adj (personnage, question) controversial

**contusion** [kɔ̃tyzjɔ̃] nf bruise, contusion

**convaincre** [kɔ̃vɛ̃kr] /42/ vt: **~ qn (de qch)** to convince sb (of sth); **~ qn (de faire)** to persuade sb (to do)

**convalescence** [kɔ̃valesɑ̃s] nf convalescence

**convenable** [kɔ̃vnabl] adj suitable; (assez bon) decent

**convenir** [kɔ̃vnir] /22/ vi to be suitable; **~ à** to suit; **~ de** (bien-fondé de qch) to admit (to), acknowledge; (date, somme etc) to agree upon; **~ que** (admettre) to admit that; **~ de faire qch** to agree to do sth

**convention** [kɔ̃vɑ̃sjɔ̃] nf convention; **conventions** nfpl (convenances) convention sg; **~ collective** (Écon) collective agreement; **conventionné, e** adj (Admin) applying charges laid down by the state

**convenu, e** [kɔ̃vny] pp de **convenir** ▷ adj agreed

**conversation** [kɔ̃vɛrsasjɔ̃] nf conversation

**convertir** [kɔ̃vɛrtir] /2/ vt: **~ qn (à)** to convert sb (to); **~ qch en** to convert sth into; **se ~ (à)** to be converted (to)

**conviction** [kɔ̃viksjɔ̃] nf conviction

**convienne** etc [kɔ̃vjɛn] vb voir **convenir**

**convivial, e** [kɔ̃vivjal] adj (Inform) user-friendly

**convocation** [kɔ̃vɔkasjɔ̃] nf (document) notification to attend; (Jur) summons sg

**convoquer** [kɔ̃vɔke] /1/ vt (assemblée) to convene; (subordonné, témoin) to summon; (candidat) to ask to attend

**coopération** [kɔɔperasjɔ̃] nf co-operation; (Admin): **la C~** ≈ Voluntary Service Overseas (BRIT) or the Peace Corps (US: done as alternative to military service)

**coopérer** [kɔɔpere] /6/ vi: **~ (à)** to co-operate (in)

**coordonné, e** [kɔɔrdɔne] adj coordinated; **coordonnées** nfpl (détails personnels) address, phone number, schedule etc

**coordonner** [kɔɔrdɔne] /1/ vt to coordinate

**copain, copine** nm/f pal; (petit ami) boyfriend; (petite amie) girlfriend

**copie** [kɔpi] nf copy; (Scol) script, paper; **copier** /7/ vt, vi to copy; **copier coller** (Inform) copy and paste; **copier sur** to copy from; **copieur** nm (photo)copier

**copieux, -euse** [kɔpjø, -øz] adj copious

**copine** [kɔpin] nf voir **copain**

**coq** [kɔk] nm cockerel

**coque** [kɔk] nf (de noix, mollusque) shell; (de bateau) hull; **à la ~** (Culin) (soft-)boiled

**coquelicot** [kɔklikо] nm poppy

**coqueluche** [kɔklyʃ] nf whooping-cough

**coquet, te** [kɔkɛ, -ɛt] adj appearance-conscious; (logement) smart, charming

**coquetier** [kɔk(ə)tje] nm egg-cup

**coquillage** [kɔkijaʒ] nm (mollusque) shellfish inv; (coquille) shell

**coquille** [kɔkij] *nf* shell; (*Typo*) misprint; **~ St Jacques** scallop

**coquin, e** [kɔkɛ̃, in] *adj* mischievous, roguish; (*polisson*) naughty

**cor** [kɔʀ] *nm* (*Mus*) horn; (*Méd*): **~ (au pied)** corn

**corail, -aux** [kɔʀaj, o] *nm* coral *no pl*

**Coran** [kɔʀɑ̃] *nm*: **le ~** the Koran

**corbeau, x** [kɔʀbo] *nm* crow

**corbeille** [kɔʀbɛj] *nf* basket; (*Inform*) recycle bin; **~ à papier** waste paper basket *ou* bin

**corde** [kɔʀd] *nf* rope; (*de violon, raquette, d'arc*) string; **usé jusqu'à la ~** threadbare; **~ à linge** washing *ou* clothes line; **~ à sauter** skipping rope; **~s vocales** vocal cords

**cordée** [kɔʀde] *nf* (*d'alpinistes*) rope, roped party

**cordialement** [kɔʀdjalmɑ̃] *adv* (*formule épistolaire*) (kind) regards

**cordon** [kɔʀdɔ̃] *nm* cord, string; **~ sanitaire/de police** sanitary/ police cordon; **~ ombilical** umbilical cord

**cordonnerie** [kɔʀdɔnʀi] *nf* shoe repairer's *ou* mender's (shop); **cordonnier** [kɔʀdɔnje] *nm* shoe repairer *ou* mender

**Corée** [kɔʀe] *nf*: **la ~ du Sud/du Nord** South/North Korea

**coriace** [kɔʀjas] *adj* tough

**corne** [kɔʀn] *nf* horn; (*de cerf*) antler

**cornée** [kɔʀne] *nf* cornea

**corneille** [kɔʀnɛj] *nf* crow

**cornemuse** [kɔʀnəmyz] *nf* bagpipes *pl*

**cornet** [kɔʀnɛ] *nm* (*paper*) cone; (*de glace*) cornet, cone

**corniche** [kɔʀniʃ] *nf* (*route*) coast road

**cornichon** [kɔʀniʃɔ̃] *nm* gherkin

**Cornouailles** [kɔʀnwaj] *fpl* Cornwall

**corporel, le** [kɔʀpɔʀɛl] *adj* bodily; (*punition*) corporal

**corps** [kɔʀ] *nm* body; **à ~ perdu** headlong; **prendre ~** to take shape; **le ~ électoral** the electorate; **le ~ enseignant** the teaching profession

**correct, e** [kɔʀɛkt] *adj* correct; **correcteur, -trice** *nm/f* (*Scol*) examiner; **correction** *nf* (*voir corriger*) correction; (*voir correct*) correctness; (*coups*) thrashing

**correspondance** [kɔʀɛspɔ̃dɑ̃s] *nf* correspondence; (*de train, d'avion*) connection; **cours par ~** correspondence course; **vente par ~** mail-order business

**correspondant, e** [kɔʀɛspɔ̃dɑ̃, -ɑ̃t] *nm/f* correspondent; (*Tél*) person phoning (*ou* being phoned)

**correspondre** [kɔʀɛspɔ̃dʀ] /41/ *vi* to correspond, tally; **~ à** to correspond to; **~ avec qn** to correspond with sb

**corrida** [kɔʀida] *nf* bullfight

**corridor** [kɔʀidɔʀ] *nm* corridor

**corrigé** [kɔʀiʒe] *nm* (*Scol: d'exercice*) correct version

**corriger** [kɔʀiʒe] /3/ *vt* (*devoir*) to correct; (*punir*) to thrash; **~ qn de** (*défaut*) to cure sb of

**corrompre** [kɔʀɔ̃pʀ] /41/ *vt* to corrupt; (*acheter: témoin etc*) to bribe

**corruption** [kɔʀypsjɔ̃] *nf* corruption; (*de témoins*) bribery

**corse** [kɔʀs] *adj* Corsican ▷ *nm/f*: **C~** Corsican ▷ *nf*: **la C~** Corsica

**corsé, e** [kɔʀse] *adj* (*café etc*) full-flavoured (*BRIT*) *ou* -flavored (*US*); (*sauce*) spicy; (*problème*) tough

**cortège** [kɔʀtɛʒ] *nm* procession

**cortisone** [kɔʀtizɔn] *nf* cortisone

**corvée** [kɔʀve] *nf* chore, drudgery *no pl*

**cosmétique** [kɔsmetik] *nm* beauty care product

**cosmopolite** [kɔsmɔpɔlit] *adj* cosmopolitan

**costaud, e** [kɔsto, -od] *adj* strong, sturdy

**costume** [kɔstym] *nm* (*d'homme*) suit; (*de théâtre*) costume; **costumé, e** *adj* dressed up

**cote** [kɔt] *nf* (*en Bourse etc*) quotation; **~ d'alerte** danger *ou* flood level; **~ de popularité** popularity rating

**côte** [kot] *nf* (*rivage*) coast(line); (*pente*) hill; (*Anat*) rib; (*d'un tricot, tissu*) rib, ribbing *no pl*; **~ à ~** side by side; **la C~ (d'Azur)** the (French) Riviera

**côté** [kote] *nm* (*gén*) side; (*direction*) way, direction; **de chaque ~** on each side of; **de tous les ~s** from all directions; **de quel ~ est-il parti?** which way ou in which direction did he go?; **de ce/de l'autre ~** this/ the other way; **du ~ de** (*provenance*) from; (*direction*) towards; **du ~ de Lyon** (*proximité*) near Lyons; **de ~** (*regarder*) sideways; **mettre de ~** to put aside, put on one side; **mettre de l'argent de ~** to save some money; **à ~** (*right*) nearby; (*voisins*) next door; **à ~ de** beside; next to; (*fig*) in comparison to; **être aux ~s de** to be by the side of

**Côte d'Ivoire** [kotdivwaʀ] *nf*: **la ~** Côte d'Ivoire, the Ivory Coast

**côtelette** [kotlɛt] *nf* chop

**côtier, -ière** [kotje, -jɛʀ] *adj* coastal

**cotisation** [kotizasjɔ̃] *nf* subscription, dues *pl*; (*pour une pension*) contributions *pl*

**cotiser** [kotize] /1/ *vi*: **~ (à)** to pay contributions (to); **se cotiser** *vi* to club together

**coton** [kotɔ̃] *nm* cotton; **~ hydrophile** cotton wool (*BRIT*), absorbent cotton (*US*)

**Coton-Tige®** [kotɔ̃tiʒ] *nm* cotton bud

**cou** [ku] *nm* neck

**couchant** [kuʃɑ̃] *adj*: **soleil ~** setting sun

**couche** [kuʃ] *nf* layer; (*de peinture, vernis*) coat; (*de bébé*) nappy (*BRIT*), diaper (*US*); **~s sociales** social levels ou strata

**couché, e** [kuʃe] /1/ *vt* (*personne*) *adj* lying down; (*au lit*) in bed

**coucher** [kuʃe] /1/ *vt* (*personne*) to put to bed (: *loger*) to put up; (*objet*) to lay ou its side; ▷ *vi* to sleep, spend the night; **~ avec qn** to sleep with sb; **se coucher** *vi* (*pour dormir*) to go to bed; (*pour se reposer*)

to lie down; (*soleil*) to set; **~ de soleil** sunset

**couchette** [kuʃɛt] *nf* couchette; (*pour voyageur, sur bateau*) berth

**coucou** [kuku] *nm* cuckoo

**coude** [kud] *nm* (*Anat*) elbow; (*de tuyau, de la route*) bend; **~ à ~** shoulder to shoulder, side by side

**coudre** [kudʀ] /48/ *vt* (*bouton*) to sew on ▷ *vi* to sew

**couette** [kwɛt] *nf* duvet; **couettes** *nfpl* (*cheveux*) bunches

**couffin** [kufɛ̃] *nm* Moses basket

**couler** [kule] /1/ *vi* to flow, run; (*fuir: stylo, récipient*) to leak; (: *nez*) to run; (*sombrer: bateau*) to sink ▷ *vt* (*cloche, sculpture*) to cast; (*bateau*) to sink; (*faire échouer: personne*) to bring down, ruin

**couleur** [kulœʀ] *nf* colour (*BRIT*), color (*US*); (*Cartes*) suit; **en ~s** (*film*) in colo(u)r; **télévision en ~s** colo(u)r television; **de ~** (*homme, femme: vieilli*) colo(u)red

**couleuvre** [kulœvʀ] *nf* grass snake

**coulisse** [kulis] *nf* (*Tech*) runner; **coulisses** *nfpl* (*Théât*) wings; (*fig*): **dans les ~s** behind the scenes

**couloir** [kulwaʀ] *nm* corridor, passage; (*d'avion*) aisle; (*de bus*) gangway; **~ aérien** air corridor ou lane; **~ de navigation** shipping lane

**coup** [ku] *nm* (*heurt, choc*) knock; (*affectif*) blow, shock; (*agressif*) blow; (*avec arme à feu*) shot; (*de l'horloge*) stroke; (*Sport: golf*) stroke; (: *tennis*) shot; (*fam: fois*) time; **~ de coude/ genou** nudge (with the elbow)/with the knee; **donner un ~ de balai** to give the floor a sweep; **être dans le/ hors du ~** to be/not to be in it; (*à la mode*) to be hip ou trendy; **du ~** as a result; **d'un seul ~** (*subitement*) suddenly; (*à la fois*) at one go; **du premier ~** first time ou go; **du même ~** at the same time; **à ~ sûr** definitely, without fail; **après ~** afterwards; **~ sur ~** in quick succession; **sur le ~**

outright; **sous le ~ de** (*surprise etc*) under the influence of; **à tous les ~s** every time; **tenir le ~** to hold out; **~ de chance** stroke of luck; **~ de couteau** stab (of a knife); **~ d'envoi** kick-off; **~ d'essai** first attempt; **~ d'état** coup d'état; **~ de feu** shot; **~ de filet** (*Police*) haul; **~ de foudre** (*fig*) love at first sight; **~ franc** free kick; **~ de frein** (sharp) braking *no pl*; **~ de grâce** coup de grâce; **~ de main: donner un ~ de main à qn** to give sb a (helping) hand; **~ d'œil** glance; **~ de pied** kick; **~ de poing** punch; **~ de soleil** sunburn *no pl*; **~ de sonnette** ring of the bell; **~ de téléphone** phone call; **~ de tête** (*fig*) (sudden) impulse; **~ de théâtre** (*fig*) dramatic turn of events; **~ de tonnerre** clap of thunder; **~ de vent** gust of wind; **en ~ de vent** (*rapidement*) in a tearing hurry

**coupable** [kupabl] *adj* guilty � *nm/f* (*gén*) culprit; (*Jur*) guilty party

**coupe** [kup] *nf* (*verre*) goblet; (*à fruits*) dish; (*Sport*) cup; (*de cheveux, de vêtement*) cut; (*graphique, plan*) (cross) section

**couper** [kupe] /1/ *vt* to cut; (*retrancher*) to cut (out); (*route, courant*) to cut off; (*appétit*) to take away; (*vin, cidre: à table*) to dilute (with water) ⊳ *vi* to cut; (*prendre un raccourci*) to take a short-cut; **se couper** vi (*se blesser*) to cut o.s.; **~ la parole à qn** to cut sb short; **nous avons été coupés** we've been cut off

**couple** [kupl] *nm* couple

**couplet** [kuplɛ] *nm* verse

**coupole** [kupɔl] *nf* dome

**coupon** [kupɔ̃] *nm* (*ticket*) coupon; (*de tissu*) remnant

**coupure** [kupyr] *nf* cut; (*billet de banque*) note; (*de journal*) cutting; **~ de courant** power cut

**cour** [kur] *nf* (*de ferme, jardin*) (court) yard; (*d'immeuble*) back yard; (*Jur,*

*royale*) court; **faire la ~ à qn** to court sb; **~ d'assises** court of assizes; **~ de récréation** playground

**courage** [kuraʒ] *nm* courage, bravery; **courageux, -euse** *adj* brave, courageous

**couramment** [kuramɑ̃] *adv* commonly; (*parler*) fluently

**courant, e** [kurɑ̃, ɑ̃t] *adj* (*fréquent*) common; (*Comm, gén: normal*) standard; (*en cours*) current ⊳ *nm* current; (*fig*) movement; (: *d'opinion*) trend; **être au ~ (de)** (*fait, nouvelle*) to know (about); **mettre qn au ~ (de)** to tell sb (about); (*nouveau travail etc*) to teach sb the basics (of); **se tenir au ~ (de)** (*techniques etc*) to keep o.s. up-to-date (on); **dans le ~ de** (*pendant*) in the course of; **le 10 ~** (*Comm*) the 10th inst.; **~ d'air** draught; **~ électrique** (electric) current, power

**courbature** [kurbatyr] *nf* ache

**courbe** [kurb] *adj* curved ⊳ *nf* curve

**coureur, -euse** [kurœr, -øz] *nm/f* (*Sport*) runner (*ou* driver); (*péj*) womaniser/manhunter

**courge** [kurʒ] *nf* (*Culin*) marrow; **courgette** *nf* courgette (BRIT), zucchini (US)

**courir** [kurir] /11/ *vi* to run ⊳ *vt* (*Sport: épreuve*) to compete in; (: *risque*) to run; (: *danger*) to face; **~ les cafés/bals** to do the rounds of the cafés/dances; **le bruit court que** the rumour is going round that

**couronne** [kurɔn] *nf* crown; (*de fleurs*) wreath, circlet

**courons** [kurɔ̃] *vb voir* **courir**

**courriel** [kurjɛl] *nm* email

**courrier** [kurje] *nm* mail, post; (*lettres à écrire*) letters *pl*; **est-ce que j'ai du ~?** are there any letters for me?; **~ électronique** email

⚠ Attention à ne pas traduire *courrier* par le mot anglais *courier*.

**courroie** [kurwa] *nf* strap; (*Tech*) belt

**courrons** *etc* [kurɔ̃] *vb voir* **courir**

**cours** [kur] *nm* (*leçon*) class (*: particulier*) lesson; (*série de leçons*) course; (*écoulement*) flow; (*Comm: de devises*) rate; (*de denrées*) price; **donner libre ~ à** to give free expression to; **avoir ~** (*Scol*) to have a class *ou* lecture; **en ~** (*année*) current; (*travaux*) in progress; **au ~ de** in the course of, during; **le ~ du change** the exchange rate; **~ d'eau** waterway; **~ du soir** night school

**course** [kurs] *nf* running; (*Sport: épreuve*) race; (*d'un taxi, autocar*) journey, trip; (*petite mission*) errand; **courses** *nfpl* (*achats*) shopping *sg*; **faire les** *ou* **ses ~s** to go shopping

**court, e** [kur, kurt] *adj* short ▷ *adv* short ▷ *nm:* **~ de (tennis)** (tennis) court; **à ~ de** short of; **prendre qn de ~** to catch sb unawares; **court-circuit** *nm* short-circuit

**courtoisie** [kurtwazi] *nf* courtesy

**couru, e** [kury] *pp de* **courir**

**cousais** *etc* [kuze] *vb voir* **coudre**

**couscous** [kuskus] *nm* couscous

**cousin, e** [kuzɛ̃, -in] *nm/f* cousin

**coussin** [kusɛ̃] *nm* cushion

**cousu, e** [kuzy] *pp de* **coudre**

**coût** [ku] *nm* cost; **le ~ de la vie** the cost of living

**couteau, x** [kuto] *nm* knife

**coûter** [kute] /1/ *vt* to cost ▷ *vi* to cost; **~ cher** to be expensive; **combien ça coûte?** how much is it?, what does it cost?; **coûte que coûte** at all costs; **coûteux, -euse** *adj* costly, expensive

**coutume** [kutym] *nf* custom

**couture** [kutyr] *nf* sewing; (*profession*) dress-making; (*points*) seam; **couturier** *nm* fashion designer; **couturière** *nf* dressmaker

**couvent** [kuvā] *nm* (*de sœurs*) convent; (*de frères*) monastery

**couver** [kuve] /1/ *vt* to hatch; (*maladie*) to be sickening for ▷ *vi* (*feu*) to smoulder; (*révolte*) to be brewing

**couvercle** [kuvɛrkl] *nm* lid; (*de bombe aérosol etc, qui se visse*) cap, top

**couvert, e** [kuvɛr, -ɛrt] *pp de* **couvrir** ▷ *adj* (*ciel*) overcast ▷ *nm* place setting; (*place à table*) place; **couverts** *nmpl* (*ustensiles*) cutlery *sg*; **~ de** covered with ou in; **mettre le ~** to lay the table

**couverture** [kuvɛrtyr] *nf* blanket; (*de livre, fig, Assurances*) cover; (*Presse*) coverage

**couvre-lit** [kuvrəli] *nm* bedspread

**couvrir** [kuvrir] /18/ *vt* to cover; **se couvrir** (*ciel*) to cloud over; (*s'habiller*) to cover up; (*se coiffer*) to put on one's hat

**cow-boy** [kɔbɔj] *nm* cowboy

**crabe** [krab] *nm* crab

**cracher** [kraʃe] /1/ *vi* to spit ▷ *vt* to spit out

**crachin** [kraʃɛ̃] *nm* drizzle

**craie** [krɛ] *nf* chalk

**craindre** [krɛ̃dr] /52/ *vt* to fear, be afraid of; (*être sensible à: chaleur, froid*) to be easily damaged by

**crainte** [krɛ̃t] *nf* fear; **de ~ de** que for fear of/that; **craintif, -ive** *adj* timid

**crampe** [krɑ̃p] *nf* cramp; **j'ai une ~ à la jambe** I've got cramp in my leg

**cramponner** [krɑ̃pɔne] /1/: **se cramponner** *vi*: **se ~ (à)** to hang ou cling on to

**cran** [krɑ̃] *nm* (*entaille*) notch; (*de courroie*) hole; (*courage*) guts *pl*

**crâne** [krɑn] *nm* skull

**crapaud** [krapo] *nm* toad

**craquement** [krakmɑ̃] *nm* crack, snap; (*du plancher*) creak, creaking *no pl*

**craquer** [krake] /1/ *vi* (*bois, plancher*) to creak; (*fil, branche*) to snap; (*couture*) to come apart; (*fig: accusé*) to break down, fall apart ▷ *vt:* **~ une allumette** to strike a match; **j'ai craqué** (*fam*) I couldn't resist it

**crasse** [kras] *nf* grime, filth; **crasseux, -euse** *adj* filthy

**cravache** [kʁavaʃ] *nf* (riding) crop

**cravate** [kʁavat] *nf* tie

**crawl** [kʁol] *nm* crawl; **dos ~é** backstroke

**crayon** [kʁejɔ̃] *nm* pencil; **~ à bille** ball-point pen; **~ de couleur** crayon; **crayon-feutre** (*pl* **crayons-feutres**) *nm* felt(-tip) pen

**création** [kʁeasjɔ̃] *nf* creation

**crèche** [kʁɛʃ] *nf* (*de Noël*) crib; (*garderie*) crèche, day nursery

**crédit** [kʁedi] *nm* (*gén*) credit; **crédits** *nmpl* funds; **acheter à ~** to buy on credit ou on easy terms; **faire ~ à qn** to give sb credit; **créditer** /1/ *vt*: **créditer un compte (de)** to credit an account (with)

**créer** [kʁee] /1/ *vt* to create

**crémaillère** [kʁemajɛʁ] *nf*: **pendre la ~** to have a house-warming party

**crème** [kʁɛm] *nf* cream; (*entremets*) cream dessert ▷ *adj inv* cream; **un (café) ~** ≈ a white coffee; **~ anglaise** (egg) custard; **~ chantilly** whipped cream; **~ à raser** shaving cream; **~ solaire** sun cream

**créneau, x** [kʁeno] *nm* (*de fortification*) crenel(le); (*fig, aussi Comm*) gap, slot; (*Auto*): **faire un ~** to reverse into a parking space (*between cars alongside the kerb*)

**crêpe** [kʁɛp] *nf* (*galette*) pancake ▷ *nm* (*tissu*) crêpe; **crêperie** *nf* pancake shop ou restaurant

**crépuscule** [kʁepyskyl] *nm* twilight, dusk

**cresson** [kʁesɔ̃] *nm* watercress

**creuser** [kʁøze] /1/ *vt* (*trou, tunnel*) to dig; (*sol*) to dig a hole in; (*fig*) to go (deeply) into; **ça creuse** that gives you a real appetite; **se ~ (la cervelle)** to rack one's brains

**creux, -euse** [kʁø, -øz] *adj* hollow ▷ *nm* hollow; **heures creuses** slack periods; (*électricité, téléphone*) off-peak periods; **avoir un ~** (*fam*) to be hungry

**crevaison** [kʁəvɛzɔ̃] *nf* puncture

**crevé, e** [kʁəve] *adj* (*fam: fatigué*) shattered (BRIT), exhausted

**crever** [kʁəve] /5/ *vt* (*tambour, ballon*) to burst ▷ *vi* (*pneu*) to burst; (*automobiliste*) to have a puncture (BRIT) ou a flat (tire) (US); (*fam*) to die

**crevette** [kʁəvɛt] *nf*: **~ (rose)** prawn; **~ grise** shrimp

**cri** [kʁi] *nm* cry, shout; (*d'animal: spécifique*) cry, call; **c'est le dernier ~** (*fig*) it's the latest fashion

**criard, e** [kʁijaʁ, -aʁd] *adj* (*couleur*) garish, loud; (*voix*) yelling

**cric** [kʁik] *nm* (*Auto*) jack

**crier** [kʁije] /7/ *vi* (*pour appeler*) to shout, cry (out); (*de peur, de douleur etc*) to scream, yell ▷ *vt* (*ordre, injure*) to shout (out), yell (out)

**crime** [kʁim] *nm* crime; (*meurtre*) murder; **criminel, le** *nm/f* criminal; murderer

**crin** [kʁɛ̃] *nm* (*de cheval*) hair *no pl*

**crinière** [kʁinjɛʁ] *nf* mane

**crique** [kʁik] *nf* creek, inlet

**criquet** [kʁikɛ] *nm* grasshopper

**crise** [kʁiz] *nf* crisis (*pl* crises); (*Méd*) attack (: *d'épilepsie*) fit; **~ cardiaque** heart attack; **avoir une ~ de foie** to have really bad indigestion; **piquer une ~ de nerfs** to go hysterical

**cristal, -aux** [kʁistal, -o] *nm* crystal

**critère** [kʁitɛʁ] *nm* criterion (*pl* criteria)

**critiquable** [kʁitikabl] *adj* open to criticism

**critique** [kʁitik] *adj* critical ▷ *nm/f* (*de théâtre, musique*) critic ▷ *nf* criticism; (*Théât etc article*) review

**critiquer** [kʁitike] /1/ *vt* (*dénigrer*) to criticize; (*évaluer, juger*) to assess, examine (critically)

**croate** [kʁoat] *adj* Croatian ▷ *nm* (*Ling*) Croat, Croatian ▷ *nm/f*: **C~** Croat, Croatian

**Croatie** [kʁoasi] *nf*: **la ~** Croatia

**crochet** [kʁoʃɛ] *nm* hook; (*détour*) detour; (*Tricot: aiguille*) crochet hook; (: *technique*) crochet; **vivre aux ~s de qn** to live ou sponge off sb

**crocodile** [kʀɔkɔdil] nm crocodile

**croire** [kʀwaʀ] /44/ vt to believe; **se ~ fort** to believe one is strong; **~ que** to believe ou think that; **~ à, ~ en** to believe in

**croisade** [kʀwazad] nf crusade

**croisement** [kʀwazmɑ̃] nm (carrefour) crossroads sg; (Bio) crossing (: résultat) crossbreed

**croiser** [kʀwaze] /1/ vt (personne, voiture) to pass; (route) to cross, cut across; (Bio) to cross; **se croiser** vi (personnes, véhicules) to pass each other; (routes) to cross; (regards) to meet; **se ~ les bras** (fig) to fold one's arms, to twiddle one's thumbs

**croisière** [kʀwazjɛʀ] nf cruise

**croissance** [kʀwasɑ̃s] nf growth

**croissant, e** [kʀwasɑ̃, -ɑ̃t] adj growing ▷ nm (à manger) croissant; (motif) crescent

**croître** [kʀwatʀ] /55/ vi to grow

**croix** [kʀwa] nf cross; **la Croix Rouge** the Red Cross

**croque-madame** [kʀɔkmadam] nm inv toasted cheese sandwich with a fried egg on top

**croque-monsieur** [kʀɔkməsjø] nm inv toasted ham and cheese sandwich

**croquer** [kʀɔke] /1/ vt (manger) to crunch (: fruit) to munch; (dessiner) to sketch; **chocolat à ~** plain dessert chocolate

**croquis** [kʀɔki] nm sketch

**crotte** [kʀɔt] nf droppings pl; **crottin** [kʀɔtɛ̃] nm dung, manure; (fromage) (small round) cheese (made of goat's milk)

**croustillant, e** [kʀustijɑ̃, -ɑ̃t] adj crisp

**croûte** [kʀut] nf crust; (du fromage) rind; (Méd) scab; **en ~** (Culin) in pastry

**croûton** [kʀutɔ̃] nm (Culin) crouton; (bout de pain) crust, heel

**croyant, e** [kʀwajɑ̃, -ɑ̃t] nm/f believer

**CRS** sigle fpl (= Compagnies républicaines de sécurité) state security police force ▷ sigle m member of the CRS

**cru, e** [kʀy] pp de **croire** ▷ adj (non cuit) raw; (lumière, couleur) harsh; (paroles, langage) crude ▷ nm (vignoble) vineyard; (vin) wine; **un grand ~** a great vintage; **jambon ~** Parma ham

**crû** [kʀy] pp de **croître**

**cruauté** [kʀyote] nf cruelty

**cruche** [kʀyʃ] nf pitcher, (earthenware) jug

**crucifix** [kʀysifi] nm crucifix

**crudité** [kʀydite] nf crudeness no pl; **crudités** nfpl (Culin) selection of raw vegetables

**crue** [kʀy] nf (inondation) flood; voir aussi **cru**

**cruel, le** [kʀyɛl] adj cruel

**crus, crûs** etc [kʀy] vb voir **croire**; **croître**

**crustacés** [kʀystase] nmpl shellfish

**Cuba** [kyba] nf Cuba; **cubain, e** adj Cuban ▷ nm/f: **Cubain, e** Cuban

**cube** [kyb] nm cube; (jouet) brick; **mètre ~** cubic metre; **2 au ~ = 8** 2 cubed is 8

**cueillette** [kœjɛt] nf picking; (quantité) crop, harvest

**cueillir** [kœjiʀ] /12/ vt (fruits, fleurs) to pick, gather; (fig) to catch

**cuiller, cuillère** [kɥijɛʀ] nf spoon; **~ à café** coffee spoon; (Culin) = teaspoonful; **~ à soupe** soup spoon; (Culin) = tablespoonful; **cuillerée** nf spoonful

**cuir** [kɥiʀ] nm leather; (avant tannage) hide; **~ chevelu** scalp

**cuire** [kɥiʀ] /38/ vt: (aliments) to cook; (au four) to bake ▷ vi to cook; **bien cuit** (viande) well done; **trop cuit** overdone

**cuisine** [kɥizin] nf (pièce) kitchen; (art culinaire) cookery, cooking; (nourriture) cooking, food; **faire la ~** to cook; **cuisiné, e** adj: **plat cuisiné** ready-made meal ou dish; **cuisiner** /1/ vt to cook; (fam) to grill ▷ vi to cook; **cuisinier, -ière** nm/f cook ▷ nf (poêle) cooker

**cuisse** [kɥis] nf (Culin) thigh; (Culin) leg

**cuisson** [kɥisɔ̃] nf cooking
**cuit, e** [kɥi, -it] pp de **cuire**
**cuivre** [kɥivʀ] nm copper; **les ~s**
(Mus) the brass
**cul** [ky] (fam!) arse !
**culminant, e** [kylminɑ̃, -ɑ̃t] adj:
**point ~** highest point
**culot** [kylo] (fam) nm (effronterie) cheek
**culotte** [kylɔt] nf (de femme) panties
pl, knickers pl (BRIT)
**culte** [kylt] nm (religion) religion;
(hommage, vénération) worship;
(protestant) service
**cultivateur, -trice** [kyltivatœʀ,
-tʀis] nm/f farmer
**cultivé, e** [kyltive] adj (personne)
cultured, cultivated
**cultiver** [kyltive] /1/ vt to cultivate;
(légumes) to grow, cultivate
**culture** [kyltyʀ] nf cultivation;
(connaissances etc) culture; **les ~s
intensives** intensive farming;
**~ OGM** GM crop; **~ physique** physical
training; **culturel, le** adj cultural
**cumin** [kymɛ̃] nm cumin
**cure** [kyʀ] nf (Méd) course of
treatment; **~ d'amaigrissement**
slimming course; **~ de repos** rest
cure
**curé** [kyʀe] nm parish priest
**cure-dent** [kyʀdɑ̃] nm toothpick
**curieux, -euse** [kyʀjø, -øz] adj
(étrange) strange, curious; (indiscret)
curious, inquisitive ▷ nmpl (badauds)
onlookers; **curiosité** nf curiosity;
(site) unusual feature ou sight
**curriculum vitae** [kyʀikylɔmvite]
nm inv curriculum vitae
**curseur** [kyʀsœʀ] nm (Inform) cursor;
(de règle) slide; (de fermeture-éclair)
slider
**cutané, e** [kytane] adj skin cpd
**cuve** [kyv] nf vat; (à mazout etc) tank
**cuvée** [kyve] nf vintage
**cuvette** [kyvɛt] nf (récipient) bowl,
basin; (Géo) basin
**CV** sigle m (Auto): = **cheval (vapeur)**;
(Admin) = **curriculum vitae**

**cybercafé** [sibɛʀkafe] nm Internet
café
**cyberespace** [sibɛʀespas] nm
cyberspace
**cybernaute** [sibɛʀnot] nm/f
Internet user
**cyclable** [siklabl] adj: **piste ~**
cycle track
**cycle** [sikl] nm cycle; **cyclisme**
[siklism] nm cycling; **cycliste**
[siklist] nm/f cyclist ▷ adj cycle cpd;
**coureur cycliste** racing cyclist
**cyclomoteur** [siklomɔtœʀ] nm
moped
**cyclone** [siklon] nm hurricane
**cygne** [siɲ] nm swan
**cylindre** [silɛ̃dʀ] nm cylinder;
**cylindrée** nf (Auto) (cubic) capacity;
**une (voiture de) grosse cylindrée** a
big-engined car
**cymbale** [sɛ̃bal] nf cymbal
**cynique** [sinik] adj cynical
**cystite** [sistit] nf cystitis

# d

**d'** prép, art voir **de**

**dactylo** [daktilo] nf (aussi: **~graphe**) typist; (aussi: **~graphie**) typing

**dada** [dada] nm hobby-horse

**daim** [dɛ̃] nm (fallow) deer inv; (cuir suédé) suede

**daltonien, ne** [daltɔnjɛ̃, -ɛn] adj colour-blind

**dame** [dam] nf lady; (Cartes, Échecs) queen; **dames** nfpl (jeu) draughts sg (BRIT), checkers sg (US)

**Danemark** [danmark] nm: **le ~** Denmark

**danger** [dɑ̃ʒe] nm danger; **mettre en ~ (personne)** to put in danger; (projet, carrière) to jeopardize; **être en ~ (personne)** to be in danger; **être en ~ de mort** to be in peril of one's life; **être hors de ~** to be out of danger; **dangereux, -euse** adj dangerous

**danois, e** [danwa, -waz] adj Danish ▷ nm (Ling) Danish ▷ nm/f: **D~, e** Dane

---

⬤ **MOT-CLÉ**

**dans** [dɑ̃] prép 1 (position) in; (: à l'intérieur de) inside; **c'est dans le tiroir/le salon** it's in the drawer/lounge; **dans la boîte** in ou inside the box; **marcher dans la ville/la rue** to walk about the town/along the street; **je l'ai lu dans le journal** I read it in the newspaper
2 (direction) into; **elle a couru dans le salon** she ran into the lounge; **monter dans une voiture/le bus** to get into a car/on to the bus
3 (provenance) out of, from; **je l'ai pris dans le tiroir/salon** I took it out of ou from the drawer/lounge; **boire dans un verre** to drink out of ou from a glass
4 (temps) in; **dans deux mois** in two months, in two months' time
5 (approximation) about; **dans les 20 euros** about 20 euros

---

**danse** [dɑ̃s] nf: **la ~** dancing; (classique) (ballet) dancing; **une ~** a dance; **danser** /1/ vi, vt to dance; **danseur, -euse** nm/f ballet dancer; (au bal etc) dancer (: cavalier) partner

**date** [dat] nf date; **de longue ~** longstanding; **~ de naissance** date of birth; **~ limite** deadline; **dater** /1/ vt, vi to date; **dater de** to date from; **à dater de** (à partir de)

**datte** [dat] nf date

**dauphin** [dofɛ̃] nm (Zool) dolphin

**davantage** [davɑ̃taʒ] adv more; (plus longtemps) longer; **~ de** more

---

⬤ **MOT-CLÉ**

**de, d'** [də, d] (de + le = **du**, de + les = **des**) prép 1 (appartenance) of; **le toit de la maison** the roof of the house; **la voiture d'Elisabeth/de mes parents** Elisabeth's/my parents' car
2 (provenance) from; **il vient de Londres** he comes from London; **elle**

**est sortie du cinéma** she came out of the cinema

3 *(moyen)* with; **je l'ai fait de mes propres mains** I did it with my own two hands

4 *(caractérisation, mesure)*: **un mur de brique/bureau d'acajou** a brick wall/mahogany desk; **un billet de 10 euros** a 10 euro note; **une pièce de 2 m de large** ou **large de 2 m** a room 2 m wide, a 2m-wide room; **un bébé de 10 mois** a 10-month-old baby; **12 mois de crédit/travail** 12 months' credit/work; **elle est payée 20 euros de l'heure** she's paid 20 euros an hour ou per hour; **augmenter de 10 euros** to increase by 10 euros

5 *(rapport)* from; **de quatre à six** from four to six

6 *(cause)*: **mourir de faim** to die of hunger; **rouge de colère** red with fury

7 *(vb +de +infin)* to; **il m'a dit de rester** he told me to stay

► *art* 1 *(phrases affirmatives)* some *(souvent omis)*: **du vin, de l'eau, des pommes** (some) wine, (some) water, (some) apples; **des enfants sont venus** some children came; **pendant des mois** for months

2 *(phrases interrogatives et négatives)* any; **a-t-il du vin?** has he got any wine?; **il n'a pas de pommes/d'enfants** he hasn't (got) any apples/children, he has no apples/children

**dé** [de] *nm (à jouer)* die ou dice; *(aussi:* **dé à coudre***)* thimble

**déballer** [debale] /1/ *vt* to unpack

**débarcadère** [debaʀkadɛʀ] *nm* wharf

**débardeur** [debaʀdœʀ] *nm (pour femme)* vest top; *(pour homme)* sleeveless top

**débarquer** [debaʀke] /1/ *vt* to unload, land ▷ *vi* to disembark; *(fig)* to turn up

**débarras** [debaʀɑ] *nm (pièce)* lumber room; *(placard)* junk cupboard; **bon ~!** good riddance!; **débarrasser** qn *de* *vt*

to clear ▷ *vi (enlever le couvert)* to clear away; **se débarrasser de** *vt* to get rid of; **débarrasser de** *vt (vêtements, paquets)* to relieve sb of

**débat** [deba] *nm* discussion, debate; **se débattre** *vi* to struggle

**débit** [debi] *nm (d'un liquide, fleuve)* (rate of) flow; *(d'un magasin)* turnover (of goods); *(élocution)* delivery; *(bancaire)* debit; **~ de boissons** drinking establishment; **~ de tabac** tobacconist's (shop)

**déblayer** [debleje] /8/ *vt* to clear

**débloquer** [debbke] /1/ *vt (frein, fonds)* to release; *(prix, crédits)* to free ▷ *vi (fam)* to talk rubbish

**déboîter** [debwate] /1/ *vt (Auto)* to pull out; **se ~ le genou** *etc* to dislocate one's knee *etc*

**débordé, e** [debɔʀde] *adj*: **être ~ de** *(travail, demandes)* to be snowed under with

**déborder** [debɔʀde] /1/ *vi* to overflow; *(lait etc)* to boil over; **~ (de)** **qch** *(dépasser)* to extend beyond sth; **~ de** *(joie, zèle)* to be brimming over with ou bursting with

**débouché** [debuʃe] *nm (pour vendre)* outlet; *(perspective d'emploi)* opening

**déboucher** [debuʃe] /1/ *vt (évier, tuyau etc)* to unblock; *(bouteille)* to uncork ▷ *vi*: **~ de** to emerge from; **~ sur** *(études)* to lead on to

**debout** [dəbu] *adv*: **être ~** *(personne)* to be standing, stand; *(levé, éveillé)* to be up (and about); **se mettre ~** to get up (on one's feet); **se tenir ~** to stand; **~! stand up!**; *(du lit)* get up!; **cette histoire ne tient pas ~** this story doesn't hold water

**déboutonner** [debutɔne] /1/ *vt* to undo, unbutton

**débraillé, e** [debʀɑje] *adj* slovenly, untidy

**débrancher** [debʀɑ̃ʃe] /1/ *vt (appareil électrique)* to unplug; *(téléphone, courant électrique)* to disconnect

**débrayage** [debʀɛjaʒ] nm (Auto) clutch; **débrayer** /8/ vi (Auto) to declutch; (cesser le travail) to stop work

**débris** [debʀi] nm fragment ▷ nmpl: **des ~ de verre** bits of glass

**débrouillard, e** [debʀujaʀ, -aʀd] adj smart, resourceful

**débrouiller** [debʀuje] /1/ vt to disentangle, untangle; **se débrouiller** vi to manage; **débrouillez-vous** you'll have to sort things out yourself

**début** [deby] nm beginning, start; **débuts** nmpl (de carrière) début sg; **~ juin** in early June; **débutant, e** nm/f beginner, novice; **débuter** /1/ vi to begin, start; (faire ses débuts) to start out

**décaféiné, e** [dekafeine] adj decaffeinated

**décalage** [dekalaʒ] nm gap; **~ horaire** time difference (between time zones), time-lag

**décaler** [dekale] /1/ vt to shift forward ou back

**décapotable** [dekapɔtabl] adj convertible

**décapsuleur** [dekapsylœʀ] nm bottle-opener

**décédé, e** [desede] adj deceased

**décéder** [desede] /6/ vi to die

**décembre** [desɑ̃bʀ] nm December

**décennie** [deseni] nf decade

**décent, e** [desɑ̃, -ɑ̃t] adj decent

**déception** [desɛpsjɔ̃] nf disappointment

**décès** [desɛ] nm death

**décevoir** [des(ə)vwaʀ] /28/ vt to disappoint

**décharge** [deʃaʀʒ] nf (dépôt d'ordures) rubbish tip ou dump; (électrique) electrical discharge; **décharger** /3/ vt (marchandise, véhicule) to unload; (faire feu) to discharge, fire; **décharger qn de** (responsabilité) to relieve sb of, release sb from

**déchausser** [deʃose] /1/ vt (skis) to take off; **se déchausser** vi to take

off one's shoes; (dent) to come ou work loose

**déchet** [deʃɛ] nm (de bois, tissu etc) scrap; **déchets** nmpl (ordures) refuse sg, rubbish sg; **~s nucléaires** nuclear waste

**déchiffrer** [deʃifʀe] /1/ vt to decipher

**déchirant, e** [deʃiʀɑ̃, -ɑ̃t] adj heart-rending

**déchirement** [deʃiʀmɑ̃] nm (chagrin) heartache, heartbreak; (gén pl: conflit) rift, split

**déchirer** [deʃiʀe] /1/ vt to tear; (mettre en morceaux) to tear up; (arracher) to tear out; (fig) to tear apart; **se déchirer** vi to tear, rip; **se ~ un muscle/tendon** to tear a muscle/tendon

**déchirure** [deʃiʀyʀ] nf (accroc) tear, rip; **~ musculaire** torn muscle

**décidé, e** [deside] adj (personne, air) determined; **c'est ~** it's decided; **décidément** adv really

**décider** [deside] /1/ vt: **~ qch** to decide on sth; **~ de faire/que** to decide to do/that; **~ qn (à faire qch)** to persuade ou induce sb (to do sth); **se ~ à faire** to decide ou make up one's mind to do; **se ~ pour qch** to decide on ou in favour of sth

**décimal, e, -aux** [desimal, -o] adj decimal

**décimètre** [desimɛtʀ] nm decimetre

**décisif, -ive** [desizif, -iv] adj decisive

**décision** [desizjɔ̃] nf decision

**déclaration** [deklaʀasjɔ̃] nf declaration; (discours: Pol etc) statement; **~ (d'impôts)** ≈ tax return; **~ de revenus** statement of income; **faire une ~ de vol** to report a theft

**déclarer** [deklaʀe] /1/ vt to declare; (décès, naissance) to register; **se déclarer** vi (feu, maladie) to break out

**déclencher** [deklɑ̃ʃe] /1/ vt (mécanisme etc) to release; (sonnerie) to set off; (attaque, grève) to launch; (provoquer) to trigger off; **se déclencher** vi (sonnerie) to go off

**d**

**décliner** [dekline] /1/ vi to decline
▷ vt (invitation) to decline; (nom,
adresse) to state

**décoiffer** [dekwafe] /1/ vt: ~ **qn**
to mess up sb's hair; **je suis toute
décoiffée** my hair is in a real mess

**déçois** etc [deswa] vb voir **décevoir**

**décollage** [dekɔlaʒ] nm (Aviat, Écon)
takeoff

**décoller** [dekɔle] /1/ vt to unstick ▷ vi
(avion) to take off; **se décoller** vi to
come unstuck

**décolleté, e** [dekɔlte] adj low-cut
▷ nm low neck(line); (plongeant)
cleavage

**décolorer** [dekɔlɔʀe] /1/: **se
décolorer** vi to fade; **se faire ~ les
cheveux** to have one's hair bleached

**décommander** [dekɔmɑ̃de] /1/
vt to cancel; **se décommander** vi
to cancel

**déconcerter** [dekɔ̃sɛʀte] /1/ vt to
disconcert, confound

**décongeler** [dekɔ̃ʒ(ə)le] /5/ vt to
thaw (out)

**déconner** [dekɔne] /1/ vi (fam!)
to talk (a load of) rubbish (BRIT) or
garbage (US)

**déconseiller** [dekɔ̃seje] /1/ vt: ~ **qch
(à qn)** to advise (sb) against sth;
**c'est déconseillé** it's not advised ou
advisable

**décontracté, e** [dekɔ̃tʀakte] adj
relaxed, laid-back (fam)

**décontracter** [dekɔ̃tʀakte] /1/: **se
décontracter** vi to relax

**décor** [dekɔʀ] nm décor; (paysage)
scenery; **décorateur, -trice** nm/f
(interior) decorator; **décoration**
nf decoration; **décorer** /1/ vt to
decorate

**décortiquer** [dekɔʀtike] /1/ vt to
shell; (fig: texte) to dissect

**découdre** /48/: **se découdre** vi to
come unstitched

**découper** [dekupe] /1/ vt (papier,
tissu etc) to cut up; (volaille, viande) to
carve; (manche, article) to cut out

**décourager** [dekuʀaʒe] /3/ vt to
discourage; **se décourager** vi to lose
heart, become discouraged

**décousu, e** [dekuzy] adj unstitched;
(fig) disjointed, disconnected

**découvert, e** [dekuvɛʀ, -ɛʀt] adj
(tête) bare, uncovered; (lieu) open,
exposed ▷ nm (bancaire) overdraft
▷ nf discovery; **faire la ~ de** to
discover

**découvrir** [dekuvʀiʀ] /18/ vt to
discover; (enlever ce qui couvre ou
protège) to uncover; (montrer, dévoiler)
to reveal; **se découvrir** (chapeau)
to take off one's hat; (se déshabiller)
to take something off; (ciel) to clear

**décrire** [dekʀiʀ] /39/ vt to describe

**décrocher** [dekʀɔʃe] /1/ vt (dépendre)
to take down; (téléphone) to take
off the hook; (: pour répondre): ~ **(le
téléphone)** to pick up ou lift the
receiver; (fig: contrat etc) to get, land
▷ vi (fam: abandonner) to drop out;
(: cesser d'écouter) to switch off

**déçu, e** [desy] pp de **décevoir**

**dédaigner** [dedeɲe] /1/ vt to
despise, scorn; (négliger) to disregard,
spurn; **dédaigneux, -euse** adj
scornful, disdainful; **dédain** nm
scorn, disdain

**dedans** [dədɑ̃] adv inside; (pas en
plein air) indoors, inside ▷ nm inside;
**au ~** inside

**dédicacer** [dedikase] /3/ vt: ~ **(à qn)**
to sign (for sb), autograph (for sb)

**dédier** [dedje] /7/ vt: ~ **à** to dedicate
to

**dédommagement** [dedɔmaʒmɑ̃]
nm compensation

**dédommager** [dedɔmaʒe] /3/ vt:
~ **qn (de)** to compensate sb (for)

**dédouaner** [dedwane] /1/ vt to clear
through customs

**déduire** [dedɥiʀ] /38/ vt: ~ **qch (de)**
(ôter) to deduct sth (from); (conclure)
to deduce ou infer sth (from)

**défaillance** [defajɑ̃s] nf (syncope)
blackout; (fatigue) (sudden) weakness

no pl; (technique) fault, failure; **~ cardiaque** heart failure

**défaire** [defɛʀ] /60/ vt (installation, échafaudage) to take down, dismantle; (paquet etc, nœud, vêtement) to undo; **se défaire** vi to come undone; **se ~ de** to get rid of

**défait, e** [defɛ, -ɛt] adj (visage) haggard, ravaged ▷ nf defeat

**défaut** [defo] nm (moral) fault, failing, defect; (d'étoffe, métal) fault, flaw; (manque, carence): **~ de** shortage of; **prendre qn en ~** to catch sb out; **faire ~** (manquer) to be lacking; **à ~ de** for lack ou want of

**défavorable** [defavɔʀabl] adj unfavourable (BRIT), unfavorable (US)

**défavoriser** [defavɔʀize] /1/ vt to put at a disadvantage

**défectueux, -euse** [defɛktɥø, -øz] adj faulty, defective

**défendre** [defɑ̃dʀ] /41/ vt to defend; (interdire) to forbid; **se défendre** vi to defend o.s.; **~ à qn qch/de faire** to forbid sb sth/to do; **il peut se ~** (fig) he can hold his own; **se ~ de/ contre** (se protéger) to protect o.s. from/against; **se ~ de** (se garder de) to refrain from

**défense** [defɑ̃s] nf defence; (d'éléphant etc) tusk; **ministre de la ~** Minister of Defence (BRIT), Defence Secretary; **"~ de fumer/cracher"** "no smoking/spitting"

**déficit** [defisit] nm (Comm) deficit

**défier** [defje] /7/ vt (provoquer) to challenge; (fig) to defy; **~ qn de faire** to challenge ou defy sb to do

**défigurer** [defigyʀe] /1/ vt to disfigure

**défilé** [defile] nm (Géo) (narrow) gorge ou pass; (soldats) parade; (manifestants) procession, march

**défiler** [defile] /1/ vi (troupes) to march past; (sportifs) to parade; to

(manifestants) to march; (visiteurs) to pour, stream; **faire ~ un document** (Inform) to scroll a document; **se défiler** vi: **il s'est défilé** (fam) he wriggled out of it

**définir** [definiʀ] /2/ vt to define

**définitif, -ive** [definitif, -iv] adj (final) final, definitive; (pour longtemps) permanent, definitive; (sans appel) definite ▷ nf: **en définitive** eventually; (somme toute) when all is said and done; **définitivement** adv permanently

**déformer** [defɔʀme] /1/ vt to put out of shape; (pensée, fait) to distort; **se déformer** vi to lose its shape

**défouler** [defule] /1/: **se défouler** vi to unwind, let off steam

**défunt, e** [defœ̃, -œ̃t] adj: **son ~ père** his late father ▷ nm/f deceased

**dégagé, e** [degaʒe] adj (route, ciel) clear; **sur un ton ~** casually

**dégager** [degaʒe] /3/ vt (exhaler) to give off; (délivrer) to free, extricate; (désencombrer) to clear; (isoler, mettre en valeur) to bring out; **se dégager** vi (passage, ciel) to clear; **~ qn de** (engagement, parole etc) to release ou free sb from

**dégâts** [dega] nmpl damage sg; **faire des ~** to damage

**dégel** [deʒɛl] nm thaw; **dégeler** /5/ vt to thaw (out)

**dégivrer** [deʒivʀe] /1/ vt (frigo) to defrost; (vitres) to de-ice

**dégonflé, e** [degɔ̃fle] adj (pneu) flat

**dégonfler** [degɔ̃fle] /1/ vt (pneu, ballon) to let down, deflate; **se dégonfler** vi (fam) to chicken out

**dégouliner** [deguline] /1/ vi to trickle, drip

**dégourdi, e** [deguʀdi] adj smart, resourceful

**dégourdir** [deguʀdiʀ] /2/ vt: **se ~ (les jambes)** to stretch one's legs

**dégoût** [degu] nm disgust, distaste; **dégoûtant, e** adj disgusting; **dégoûté, e** adj disgusted; **dégoûté**

**de** sick of; **dégoûter** /1/ vt to disgust; **dégoûter qn de qch** to put sb off sth

**dégrader** [degrade] /1/ vt (*Mil: officier*) to degrade; (*abîmer*) to damage, deface; **se dégrader** vi (*relations, situation*) to deteriorate

**degré** [dəgre] nm degree

**dégressif, -ive** [degresif, -iv] adj on a decreasing scale

**dégringoler** [degrɛ̃gɔle] /1/ vi to tumble (down)

**déguisement** [degizmɑ̃] nm (*pour s'amuser*) fancy dress

**déguiser** [degize] /1/: **se déguiser (en)** vi (*se costumer*) to dress up (as); (*pour tromper*) to disguise o.s. (as)

**dégustation** [degystasjɔ̃] nf (*de fromages etc*) sampling; **~ de vin(s)** wine-tasting

**déguster** [degyste] /1/ vt (*vins*) to taste; (*fromages etc*) to sample; (*savourer*) to enjoy

**dehors** [dəɔr] adv outside; (*en plein air*) outdoors ▷ nm outside ▷ nmpl (*apparences*) appearances; **mettre** ou **jeter ~** to throw out; **au ~** outside; **au ~ de** outside; **en ~** apart from

**déjà** [deʒa] adv already; (*auparavant*) before, already

**déjeuner** [deʒœne] /1/ vi to (have) lunch; (*le matin*) to have breakfast ▷ nm lunch

**delà** [dəla] adv: **en ~ (de), au ~ (de)** beyond

**délacer** [delase] /3/ vt (*chaussures*) to undo, unlace

**délai** [delɛ] nm (*attente*) waiting period; (*sursis*) extension (of time); (*temps accordé*) time limit; **sans ~** without delay; **dans les ~s** within the time limit

**délaisser** [delese] /1/ vt to abandon, desert

**délasser** [delɑse] /1/ vt to relax; **se délasser** vi to relax

**délavé, e** [delave] adj faded

**délayer** [deleje] /8/ vt (*Culin*) to mix (with water *etc*); (*peinture*) to thin down

**delco®** [dɛlko] nm (*Auto*) distributor

**délégué, e** [delege] nm/f representative

**déléguer** [delege] /6/ vt to delegate

**délibéré, e** [delibere] adj (*conscient*) deliberate

**délicat, e** [delika, -at] adj delicate; (*plein de tact*) tactful; (*attentionné*) thoughtful; **délicatement** adv delicately; (*avec douceur*) gently

**délice** [delis] nm delight

**délicieux, -euse** [delisjø, -øz] adj (*au goût*) delicious; (*sensation, impression*) delightful

**délimiter** [delimite] /1/ vt (*terrain*) to delimit, demarcate

**délinquant, e** [delɛ̃kɑ̃, -ɑ̃t] adj, nm/f delinquent

**délirer** [delire] /1/ vi to be delirious; **tu délires!** (*fam*) you're crazy!

**délit** [deli] nm (*criminal*) offence

**délivrer** [delivre] /1/ vt (*prisonnier*) to (set) free, release; (*passeport, certificat*) to issue

**deltaplane®** [dɛltaplan] nm hang-glider

**déluge** [delyʒ] nm (*biblique*) Flood; (*grosse pluie*) downpour

**demain** [d(ə)mɛ̃] adv tomorrow; **~ matin/soir** tomorrow morning/ evening

**demande** [d(ə)mɑ̃d] nf (*requête*) request; (*revendication*) demand; (*formulaire*) application; (*Écon*): **la ~** demand; **"~s d'emploi"** "situations wanted"

**demandé, e** [d(ə)mɑ̃de] adj (*article etc*): **très ~** (very) much in demand

**demander** [d(ə)mɑ̃de] /1/ vt to ask for; (*date, heure, chemin*) to ask; (*requérir, nécessiter*) to require, demand; **~ qch à qn** to ask sb for sth; **~ à qn de faire** to ask sb to do; **se ~ si/pourquoi** *etc* to wonder if/why *etc*; **je ne demande pas mieux** I'm asking nothing more; **demandeur, -euse** nm/f: **demandeur d'asile**

asylum-seeker; **demandeur d'emploi** job-seeker

**démangeaison** [demɑ̃ʒɛzɔ̃] nf itching; **avoir des ~s** to be itching

**démanger** [demɑ̃ʒe] /3/ vi to itch

**démaquillant** [demakijɑ̃] nm make-up remover

**démaquiller** [demakije] /1/ vt: **se démaquiller** to remove one's make-up

**démarche** [demaʀʃ] nf (allure) gait, walk; (intervention) step; (fig: intellectuelle) thought processes pl; **faire les ~s nécessaires (pour obtenir qch)** to take the necessary steps (to obtain sth)

**démarrage** [demaʀaʒ] nm start

**démarrer** [demaʀe] /1/ vi (conducteur) to start (up); (véhicule) to move off; (travaux, affaire) to get moving; **démarreur** nm (Auto) starter

**démêlant, e** [demelɑ̃, -ɑ̃t] adj: **crème ~e** (hair) conditioner ▷ nm conditioner

**démêler** [demele] /1/ vt to untangle; **démêlés** nmpl problems

**déménagement** [demenaʒmɑ̃] nm move; **entreprise/camion de ~** removal (BRIT) ou moving (US) firm/van

**déménager** [demenaʒe] /3/ vt (meubles) to (re)move ▷ vi to move (house); **déménageur** nm removal man

**démerder** [demɛʀde] /1/: **se démerder** vi (fam!) to bloody well manage for o.s.

**démettre** [demɛtʀ] /56/ vt: **~ qn de** (fonction, poste) to dismiss sb from; **se ~ l'épaule** etc to dislocate one's shoulder etc

**demeurer** [d(ə)mœʀe] /1/ vi (habiter) to live; (rester) to remain

**demi, e** [dəmi] adj half; **et ~: trois heures/bouteilles et ~es** three and a half hours/bottles ▷ nm (bière: = 0.25 litre) ≈ half-pint; **il est 2 heures et ~e** it's half past 2; **il est midi et ~** it's

half past 12; **à ~** half-; **à la ~e** (heure) on the half-hour; **demi-douzaine** nf half-dozen, half a dozen; **demi-finale** nf semifinal; **demi-frère** nm half-brother; **demi-heure** nf: **une demi-heure** a half-hour, half an hour; **demi-journée** nf half-day, half a day; **demi-litre** nm half-litre (BRIT), half-liter (US), half a litre ou liter; **demi-livre** nf half-pound, half a pound; **demi-pension** nf half-board; **demi-pensionnaire** nf/f: **être demi-pensionnaire** to take school lunches

**démis, e** adj (épaule etc) dislocated

**demi-sœur** [dəmisœʀ] nf half-sister

**démission** [demisjɔ̃] nf resignation; **donner sa ~** to give ou hand in one's notice; **démissionner** /1/ vi to resign

**demi-tarif** [dəmitaʀif] nm half-price; (Transports) half-fare; **voyager à ~** to travel half-fare

**demi-tour** [dəmituʀ] nm about-turn; **faire ~** to turn (and go) back

**démocratie** [demɔkʀasi] nf democracy; **démocratique** adj democratic

**démodé, e** [demɔde] adj old-fashioned

**demoiselle** [d(ə)mwazɛl] nf (jeune fille) young lady; (célibataire) single lady, maiden lady; **~ d'honneur** bridesmaid

**démolir** [demɔliʀ] /2/ vt to demolish

**démon** [demɔ̃] nm (enfant turbulent) devil, demon; **le D~** the Devil

**démonstration** [demɔ̃stʀasjɔ̃] nf demonstration

**démonter** [demɔ̃te] /1/ vt (machine etc) to take down, dismantle; **se démonter** vi (meuble) to be dismantled, to be taken to pieces; (personne) to lose countenance

**démontrer** [demɔ̃tʀe] /1/ vt to demonstrate

**démouler** [demule] /1/ vt to turn out

**démuni, e** [demyni] adj (sans argent) impoverished; **~ de** without

**dénicher** [denife] /1/ vt (fam: objet) to unearth; (: restaurant etc) to discover

**dénier** [denje] /7/ vt to deny

**dénivellation** [denivelasjɔ̃] nf (pente) ramp

**dénombrer** [denɔ̃bʀe] /1/ vt to count

**dénomination** [denɔminasjɔ̃] nf designation, appellation

**dénoncer** [denɔ̃se] /3/ vt to denounce; **se dénoncer** to give o.s. up, come forward

**dénouement** [denumɑ̃] nm outcome

**dénouer** [denwe] /1/ vt to unknot, undo

**denrée** [dɑ̃ʀe] nf (aussi: **~ alimentaire**) food(stuff)

**dense** [dɑ̃s] adj dense; **densité** nf density

**dent** [dɑ̃] nf tooth; **~ de lait/sagesse** milk/wisdom tooth; **dentaire** adj dental; **cabinet dentaire** dental surgery

**dentelle** [dɑ̃tɛl] nf lace no pl

**dentier** [dɑ̃tje] nm denture

**dentifrice** [dɑ̃tifʀis] nm: **(pâte) ~** toothpaste

**dentiste** nm/f dentist

**dentition** [dɑ̃tisjɔ̃] nf teeth pl

**dénué, e** [denɥe] adj: **~ de** devoid of

**déodorant** [deɔdɔʀɑ̃] nm deodorant

**déontologie** [deɔ̃tɔlɔʒi] nf (professional) code of practice

**dépannage** [depanaʒ] nm: **service/ camion de ~** (Auto) breakdown service/truck

**dépanner** [depane] /1/ vt (voiture, télévision) to fix, repair; (fig) to bail out, help out; **dépanneuse** nf breakdown lorry (BRIT), tow truck (US)

**dépareillé, e** [depaʀeje] adj (collection, service) incomplete; (gant, volume, objet) odd

**départ** [depaʀ] nm departure; (Sport) start; **au ~** at the start; **la veille de son ~** the day before he leaves/left

**département** [depaʀtəmɑ̃] nm department

**● DÉPARTEMENTS**
●
● France is divided into 96
● administrative units called
● *départements*. These local
● government divisions are headed
● by a state-appointed 'préfet',
● and administered by an elected
● 'Conseil général'. *Départements* are
● usually named after prominent
● geographical features such as
● rivers or mountain ranges.

**dépassé, e** [depase] adj superseded, outmoded; (fig) out of one's depth

**dépasser** [depase] /1/ vt (véhicule, concurrent) to overtake; (endroit) to pass, go past; (somme, limite) to exceed; (fig: en beauté etc) to surpass, outshine ▷ vi (jupon) to show; **se dépasser** to excel o.s.

**dépaysé, e** [depeize] adj disoriented

**dépaysement** [depeizmɑ̃] nm change of scenery

**dépêcher** [depefe] /1/: **se dépêcher** vi to hurry

**dépendance** [depɑ̃dɑ̃s] nf dependence no pl; (bâtiment) outbuilding

**dépendre** [depɑ̃dʀ] /41/ vt: **~ de** vt to depend on, to be dependent on; **ça dépend** it depends

**dépens** [depɑ̃] nmpl: **aux ~ de** at the expense of

**dépense** [depɑ̃s] nf spending no pl, expense, expenditure no pl; **dépenser** /1/ vt to spend; (fig) to expend, use up; **se dépenser** vi to exert o.s.

**dépeupler** [depœple] /1/: **se dépeupler** vi to become depopulated

**dépilatoire** [depilatwaʀ] adj: **crème ~** hair-removing ou depilatory cream

**dépister** [depiste] /1/ vt to detect; (voleur) to track down

**dépit** [depi] *nm* vexation, frustration; **en ~ de** in spite of; **en ~ du bon sens** contrary to all good sense; **dépité, e** *adj* vexed, frustrated

**déplacé, e** [deplase] *adj* (*propos*) out of place, uncalled-for

**déplacement** [deplasmɑ̃] *nm* (*voyage*) trip, travelling *no pl*; **en ~** away (on a trip)

**déplacer** [deplase] /3/ *vt* (*table, voiture*) to move, shift; **se déplacer** *vi* to move; (*voyager*) to travel; **se ~ une vertèbre** to slip a disc

**déplaire** [deplɛʀ] /54/ *vi*: **ceci me déplaît** I don't like this, I dislike this; **se ~ quelque part** to dislike it *ou* be unhappy somewhere; **déplaisant, e** *adj* disagreeable

**dépliant** [deplijɑ̃] *nm* leaflet

**déplier** [deplije] /7/ *vt* to unfold

**déposer** [depoze] /1/ *vt* (*gén: mettre, poser*) to lay down, put down; (à *la banque, à la consigne*) to deposit; (*passager*) to drop (off), set down; (*roi*) to depose; (*marque*) to register; (*plainte*) to lodge; **se déposer** *vi* to settle; **dépositaire** *nm/f* (*Comm*) agent; **déposition** *nf* statement

**dépôt** [depo] *nm* (à *la banque, sédiment*) deposit; (*entrepôt, réserve*) warehouse, store

**dépourvu, e** [depuʀvy] *adj*: **~ de** lacking in, without; **prendre qn au ~** to catch sb unawares

**dépression** *nf* depression; **~ (nerveuse)** (nervous) breakdown

**déprimant, e** [deprimɑ̃, -ɑ̃t] *adj* depressing

**déprimer** [deprime] /1/ *vt* to depress

○ MOT-CLÉ

**depuis** [dəpɥi] *prép* **1** (*point de départ dans le temps*) since; **il habite Paris depuis 1983/l'an dernier** he has been living in Paris since 1983/last year; **depuis quand?** since when?;

**depuis quand le connaissez-vous?** how long have you known him? **2** (*temps écoulé*) for; **il habite Paris depuis cinq ans** he has been living in Paris for five years; **je le connais depuis trois ans** I've known him for three years

**3** (*lieu*): **il a plu depuis Metz** it's been raining since Metz; **elle a téléphoné depuis Valence** she rang from Valence

**4** (*quantité, rang*) from; **depuis les plus petits jusqu'aux plus grands** from the youngest to the oldest

▸ *adv* (*temps*) since (then); **je ne lui ai pas parlé depuis** I haven't spoken to him since (then); **depuis que** *conj* (ever) since; **depuis qu'il m'a dit ça** (ever) since he said that to me

**député, e** [depyte] *nm/f* (*Pol*) ≈ Member of Parliament (*BRIT*), ≈ Congressman/woman (*US*)

**dérangement** [deʀɑ̃ʒmɑ̃] *nm* (*gêne, déplacement*) trouble; (*gastrique etc*) disorder; **en ~** (*téléphone*) out of order

**déranger** [deʀɑ̃ʒe] /3/ *vt* (*personne*) to trouble, bother; (*projets*) to disrupt, upset; (*objets, vêtements*) to disarrange; **se déranger** *vi*: **surtout ne vous dérangez pas pour moi** please don't put yourself out on my account; **est-ce que cela vous dérange si ...?** do you mind if ...?

**déraper** [deʀape] /1/ *vi* (*voiture*) to skid; (*personne, semelles, couteau*) to slip

**dérégler** [deʀegle] /6/ *vt* (*mécanisme*) to put out of order; (*estomac*) to upset

**dérisoire** [deʀizwaʀ] *adj* derisory

**dérive** [deʀiv] *nf*: **aller à la ~** (*Navig, fig*) to drift

**dérivé, e** [deʀive] *nm* (*Tech*) by-product

**dermatologue** [dɛʀmatɔlɔg] *nm/f* dermatologist

**dernier, -ière** [dɛʀnje, -jɛʀ] *adj* last; (*le plus récent: gén avant n*) latest, last; **lundi/le mois ~** last Monday/month; **le ~ cri** the last word (in fashion); **en ~** last; **ce ~, cette dernière** the latter; **dernièrement** adv recently

**dérogation** [deʀɔgasjɔ̃] nf (special) dispensation

**dérouiller** [deʀuje] /1/ vt: **se ~ les jambes** to stretch one's legs (fig)

**déroulement** [deʀulmɑ̃] nm (d'une opération etc) progress

**dérouler** [deʀule] /1/ vt (ficelle) to unwind; **se dérouler** vi (avoir lieu) to take place; (se passer) to go; **tout s'est déroulé comme prévu** everything went as planned

**dérouter** [deʀute] /1/ vt (avion, train) to reroute, divert; (étonner) to disconcert, throw (out)

**derrière** [deʀjɛʀ] adv, prép behind ▷ nm (d'une maison) back; (postérieur) behind, bottom; **les pattes de ~** the back legs, the hind legs; **par ~** from behind; (fig) behind one's back

**des** [de] art voir **de**

**dès** [de] prép from; **~ que** as soon as; **~ son retour** as soon as he was (ou is) back

**désaccord** [dezakɔʀ] nm disagreement

**désagréable** [dezagʀeabl] adj unpleasant

**désagrément** [dezagʀemɑ̃] nm annoyance, trouble no pl

**désaltérer** [dezalteʀe] /6/ vt: **se désaltérer** to quench one's thirst

**désapprobateur, -trice** [dezapʀɔbatœʀ, -tʀis] adj disapproving

**désapprouver** [dezapʀuve] /1/ vt to disapprove of

**désarmant, e** [dezaʀmɑ̃, -ɑ̃t] adj disarming

**désastre** [dezastʀ] nm disaster; **désastreux, -euse** adj disastrous

**désavantage** [dezavɑ̃taʒ] nm disadvantage; **désavantager** /3/ vt to put at a disadvantage

**descendre** [desɑ̃dʀ] /41/ vt (escalier, montagne) to go (ou come) down; (valise, paquet) to take ou get down; (étagère etc) to lower; (fam: abattre) to shoot down ▷ vi to go (ou come) down; (passager: s'arrêter) to get out, alight; **~ à pied/en voiture** to walk/drive down; **~ de** (famille) to be descended from; **~ du train** to get out ou off the train; **~ d'un arbre** to climb down from a tree; **~ de cheval** to dismount; **~ à l'hôtel** to stay at a hotel

**descente** [desɑ̃t] nf descent, going down; (chemin) way down; (Ski) downhill (race); **au milieu de la ~** halfway down; **~ de lit** bedside rug; **~ (de police)** (police) raid

**description** [deskʀipsjɔ̃] nf description

**déséquilibre** [dezekilibʀ] nm (position): **être en ~** to be unsteady; (fig: des forces, du budget) imbalance

**désert, e** [dezɛʀ, -ɛʀt] adj deserted ▷ nm desert; **désertique** adj desert cpd

**désespéré, e** [dezɛspeʀe] adj desperate

**désespérer** [dezɛspeʀe] /6/ vi: **~ de** to despair of; **désespoir** nm despair; **en désespoir de cause** in desperation

**déshabiller** [dezabije] /1/ vt to undress; **se déshabiller** vi to undress (o.s.)

**déshydraté, e** [dezidʀate] adj dehydrated

**désigner** [dezine] /1/ vt (montrer) to point out, indicate; (dénommer) to denote; (candidat etc) to name

**désinfectant, e** [dezɛ̃fɛktɑ̃, -ɑ̃t] adj, nm disinfectant

**désinfecter** [dezɛ̃fɛkte] /1/ vt to disinfect

**désintéressé, e** [dezɛ̃teʀese] adj disinterested, unselfish

**désintéresser** [dezɛ̃teʀese] /1/ vt: **se désintéresser (de)** to lose interest (in)

**désintoxication** [dezɛ̃tɔksikasjɔ̃]
nf: **faire une cure de ~** to have ou
undergo treatment for alcoholism (ou
drug addiction)

**désinvolte** [dezɛ̃vɔlt] adj casual,
off-hand

**désir** [deziʀ] nm wish; (fort, sensuel)
desire; **désirer** /1/ vt to want, wish
for; (sexuellement) to desire; **je désire
... (**formule de politesse) I would like ...

**désister** [deziste] /1/: **se désister** vi
to stand down, withdraw

**désobéir** [dezɔbeiʀ] /2/ vi:
**~ (à qn/qch)** to disobey (sb/sth);
**désobéissant, e** adj disobedient

**désodorisant** [dezɔdɔʀizɑ̃] nm air
freshener, deodorant

**désolé, e** [dezɔle] adj (paysage)
desolate; **je suis ~** I'm sorry

**désordonné, e** [dezɔʀdɔne] adj
untidy

**désordre** [dezɔʀdʀ] nm
disorder(liness), untidiness; (anarchie)
disorder; **en ~** in a mess, untidy

**désormais** [dezɔʀmɛ] adv from
now on

**desquels, desquelles** [dekɛl]
voir **lequel**

**dessécher** [deseʃe] /6/: **se
dessécher** vi to dry out

**desserrer** [deseʀe] /1/ vt to loosen;
(frein) to release

**dessert** [desɛʀ] nm dessert, pudding

**desservir** [desɛʀviʀ] /14/ vt (ville,
quartier) to serve; (débarrasser): **~ (la
table)** to clear the table

**dessin** [desɛ̃] nm (œuvre, art) drawing;
(motif) pattern, design; **~ animé**
cartoon (film); **~ humoristique**
cartoon; **dessinateur, -trice**
nm/f drawer; (de bandes dessinées)
cartoonist; (industriel) draughtsman
(BRIT), draftsman (US); **dessiner**
/1/ vt to draw; (concevoir) to design; **se
dessiner** vi (forme) to be outlined; (fig:
solution) to emerge

**dessous** [d(ə)su] adv underneath,
beneath ▷ nm underside; **les voisins**

**du ~** the downstairs neighbours
▷ nmpl (sous-vêtements) underwear
sg; **en ~** underneath; below; **par ~**
underneath; below; **avoir le ~** to get
the worst of it; **dessous-de-plat** nm
inv tablemat

**dessus** [d(ə)sy] adv on top;
(collé, écrit) on it ▷ nm top; **les
voisins/l'appartement du ~** the
upstairs neighbours/flat; **en ~** above;
**par ~** adv over it; prép over; **au-~**
above; **avoir/prendre le ~** to have/
get the upper hand; **sens ~ dessous**
upside down; **dessus-de-lit** nm inv
bedspread

**destin** [destɛ̃] nm fate; (avenir) destiny

**destinataire** [dɛstinatɛʀ] nm/f
(Postes) addressee; (d'un colis)
consignee

**destination** [dɛstinasjɔ̃] nf (lieu)
destination; (usage) purpose; **à ~ de**
bound for; travelling to

**destiner** [dɛstine] /1/ vt: **~ qch à qn**
(envisager de donner) to intend sb to
have sth; (adresser) to intend sth for
sb; **se ~ à l'enseignement** to intend
to become a teacher; **être destiné à**
(usage) to be intended ou meant for

**détachant** [detaʃɑ̃] nm stain remover

**détacher** [detaʃe] /1/ vt (enlever)
to detach, remove; (délier) to untie;
(Admin): **~ qn (auprès de ou à)**
to post sb (to); **se détacher** vi
(se séparer) to come off; (page) to
come out; (se défaire) to come
undone; **se ~ sur** to stand out
against; **se ~ de** (se désintéresser) to
grow away from

**détail** [detaj] nm detail; (Comm): **le
~** retail; **au ~** (Comm) separately; **en ~** in
detail; **détaillant, e** nm/f retailer; (d')
**détaillé, e** adj (récit, plan, explications)
detailed; (facture) itemized; **détailler**
/1/ vt (expliquer) to explain in detail

**détecter** [detɛkte] /1/ vt to detect

**détective** [detɛktiv] nm detective;
**~ (privé)** private detective ou
investigator

**déteindre** [detɛ̃dʀ] /52/ vi to fade; (au lavage) to run; **~ sur** (vêtement) to run into; (fig) to rub off on

**détendre** [detɑ̃dʀ] /41/ vt (personne, atmosphère, corps, esprit) to relax; **se détendre** vi (ressort) to lose its tension; (personne) to relax

**détenir** [det(ə)niʀ] /22/ vt (fortune, objet, secret) to be in possession of; (prisonnier) to detain; (record) to hold; **~ le pouvoir** to be in power

**détente** [detɑ̃t] nf relaxation

**détention** [detɑ̃sjɔ̃] nf (de fortune, objet, secret) possession; (captivité) detention; **~ préventive** (pre-trial) custody

**détenu, e** [det(ə)ny] pp de **détenir**
▷ nm/f prisoner

**détergent** [detɛʀʒɑ̃] nm detergent

**détériorer** [deteʀjɔʀe] /1/ vt to damage; **se détériorer** vi to deteriorate

**déterminé, e** [detɛʀmine] adj (résolu) determined; (précis) specific, definite

**déterminer** [detɛʀmine] /1/ vt (fixer) to determine; **~ qn à faire** to decide sb to do; **se ~ à faire** to make up one's mind to do

**détester** [detɛste] /1/ vt to hate, detest

**détour** [detuʀ] nm detour; (tournant) bend, curve; **ça vaut le ~** it's worth the trip; **sans ~** (fig) plainly

**détourné, e** [detuʀne] adj (sentier, chemin, moyen) roundabout

**détourner** [detuʀne] /1/ vt to divert; (par la force) to hijack; (yeux, tête) to turn away; (de l'argent) to embezzle; **se détourner** vi to turn away

**détraquer** [detʀake] /1/ vt to put out of order; (estomac) to upset; **se détraquer** vi to go wrong

**détriment** [detʀimɑ̃] nm: **au ~ de** to the detriment of

**détroit** [detʀwa] nm strait

**détruire** [detʀɥiʀ] /38/ vt to destroy

**dette** [dɛt] nf debt

**DEUG** [døg] sigle m = **Diplôme d'études universitaires générales**

● **DEUG**
●
● French students sit their DEUG
● ('diplôme d'études universitaires
● générales') after two years at
● university. They can then choose to
● leave university altogether, or go
● on to study for their 'licence'. The
● certificate specifies the student's
● major subject and may be awarded
● with distinction.

**deuil** [dœj] nm (perte) bereavement; (période) mourning; **prendre le/être en ~** to go into/be in mourning

**deux** [dø] num two; **les ~** both; **ses ~ mains** both his hands, his two hands; **~ fois** twice; **deuxième** num second; **deuxièmement** adv secondly; **deux-pièces** nm inv (tailleur) two-piece (suit); (de bain) two-piece (swimsuit); (appartement) two-roomed flat (BRIT) ou apartment (US); **deux-points** nm inv colon sg; **deux-roues** nm inv two-wheeled vehicle

**devais** etc [dəvɛ] vb voir **devoir**

**dévaluation** [devalɥasjɔ̃] nf devaluation

**devancer** [dəvɑ̃se] /3/ vt to get ahead of; (arriver avant) to arrive before; (prévenir) to anticipate

**devant** [d(ə)vɑ̃] adv in front; (à distance: en avant) ahead ▷ prép in front of; (en avant) ahead of; (avec mouvement: passer) past; (fig) before, in front of (: vu) in view of ▷ nm front; **prendre les ~s** to make the first move; **les pattes de ~** the front legs, the forelegs; **par ~** (boutonner) at the front; (entrer) the front way; **aller au-~** de qn to go out to meet sb; **aller au-~ de** (désirs de qn) to anticipate

**devanture** [d(ə)vɑ̃tyʀ] nf (étalage) display; (vitrine) (shop) window

**développement** [dev(ə)lɔpmã]
nm development; **pays en voie de
~** developing countries; **~ durable**
sustainable development
**développer** [dev(ə)lɔpe] /1/ vt to
develop; **se développer** vi to develop
**devenir** [dəv(ə)niʀ] /22/ vi to
become; **que sont-ils devenus?**
what has become of them?
**devez** [dəve] vb voir **devoir**
**déviation** [devjasjɔ̃] nf (Auto)
diversion (BRIT), detour (US)
**devienne** etc [dəvjɛn] vb voir **devenir**
**deviner** [d(ə)vine] /1/ vt to guess;
(apercevoir) to distinguish; **devinette**
nf riddle
**devis** [d(ə)vi] nm estimate, quotation
**devise** [dəviz] nf (formule) motto,
watchword; **devises** nfpl (argent)
currency sg
**dévisser** [devise] /1/ vt to unscrew,
undo; **se dévisser** vi to come
unscrewed
**devoir** [d(ə)vwaʀ] /28/ nm duty;
(Scol) homework no pl (: en classe)
exercise ▷ vt (argent, respect): **~ qch
(à qn)** to owe (sb) sth; **combien
est-ce que je vous dois?** how
much do I owe you?; **il doit le faire**
(obligation) he has to do it, he must
do it; **cela devait arriver un jour**
it was bound to happen; **il doit
partir demain** (intention) he is due
to leave tomorrow; **il doit être tard**
(probabilité) it must be late
**dévorer** [devɔʀe] /1/ vt to devour;
(feu, soucis) to consume; **~ qn/qch
des yeux** ou **du regard** (convoitise) to
eye sb/sth greedily
**dévoué, e** [devwe] adj devoted
**dévouer** [devwe] /1/: **se dévouer** vi
(se sacrifier): **se ~ (pour)** to sacrifice
o.s. (for); (se consacrer): **se ~ à** to
devote ou dedicate o.s. to
**devrai** etc [dəvʀe] vb voir **devoir**
**dézipper** [dezipe] /1/ vt to unzip
**diabète** [djabɛt] nm diabetes sg;
**diabétique** nm/f diabetic

**diable** [djabl] nm devil
**diabolo** [djabɔlo] nm (boisson)
lemonade and fruit cordial
**diagnostic** [djagnɔstik] nm
diagnosis sg; **diagnostiquer** /1/ vt
to diagnose
**diagonal, e, -aux** [djagɔnal, -o]
adj, nf diagonal; **en ~** diagonally
**diagramme** [djagʀam] nm chart,
graph
**dialecte** [djalɛkt] nm dialect
**dialogue** [djalɔg] nm dialogue
**diamant** [djamã] nm diamond
**diamètre** [djamɛtʀ] nm diameter
**diapo** [djapo], **diapositive**
[djapozitiv] nf transparency, slide
**diarrhée** [djaʀe] nf diarrhoea
**dictateur** [diktatœʀ] nm dictator;
**dictature** [diktatyʀ] nf dictatorship
**dictée** [dikte] nf dictation
**dicter** [dikte] /1/ vt to dictate
**dictionnaire** [diksjɔnɛʀ] nm
dictionary
**dièse** [djɛz] nm sharp
**diesel** [djezɛl] nm, adj inv diesel
**diète** [djɛt] nf (jeûne) starvation
diet; (régime) diet; **diététique** adj:
**magasin diététique** health food
shop (BRIT) ou store (US)
**dieu, x** [djø] nm god; **D~** God; **mon
D~!** good heavens!
**différemment** [difeʀamã] adv
differently
**différence** [difeʀɑ̃s] nf difference; **à
la ~ de** unlike; **différencier** /7/ vt to
differentiate
**différent, e** [difeʀɑ̃, -ɑ̃t] adj
(dissemblable) different; **~ de** different
from; **~s objets** ou various
objects
**différer** [difeʀe] /6/ vt to postpone,
put off ▷ vi: **~ (de)** to differ (from)
**difficile** [difisil] adj difficult;
(exigeant) hard to please;
**difficilement** adv with difficulty
**difficulté** [difikylte] nf difficulty;
**en ~** (bateau, alpiniste) in trouble ou
difficulties

**diffuser** [difyze] /1/ vt (chaleur, bruit, lumière) to diffuse; (émission, musique) to broadcast; (nouvelle, idée) to circulate; (Comm) to distribute

**digérer** [diʒeʀe] /6/ vt to digest; (fig: accepter) to stomach, put up with; **digestif, -ive** nm (after-dinner) liqueur; **digestion** nf digestion

**digne** [diɲ] adj dignified; ~ **de** worthy of; ~ **de foi** trustworthy; **dignité** nf dignity

**digue** [dig] nf dike, dyke

**dilemme** [dilɛm] nm dilemma

**diligence** [diliʒɑ̃s] nf stagecoach

**diluer** [dilɥe] /1/ vt to dilute

**dimanche** [dimɑ̃ʃ] nm Sunday

**dimension** [dimɑ̃sjɔ̃] nf (grandeur) size; (dimensions) dimensions

**diminuer** [diminɥe] /1/ vt to reduce, decrease; (ardeur etc) to lessen; (dénigrer) to belittle ▷ vi to decrease, diminish; **diminutif** nm (surnom) pet name

**dinde** [dɛ̃d] nf turkey

**dindon** [dɛ̃dɔ̃] nm turkey

**dîner** [dine] /1/ vi to have dinner ▷ nm dinner

**dingue** [dɛ̃g] adj (fam) crazy

**dinosaure** [dinozoʀ] nm dinosaur

**diplomate** [diplɔmat] adj diplomatic ▷ nm diplomat; (fig) diplomatist; **diplomatie** nf diplomacy

**diplôme** [diplom] nm diploma certificate; **avoir des ~s** to have qualifications; **diplômé, e** adj qualified

**dire** [diʀ] /37/ vt to say; (secret, mensonge) to tell; **se dire** (à soi-même) to say to oneself ▷ nm: **au ~ de** according to; ~ **qch à qn** to tell sb sth; ~ **à qn qu'il fasse** ou **de faire** to tell sb to do; **on dit que** they say that; **on dirait que** it looks (ou sounds etc) as though; **que dites-vous de** (penser) what do you think of; **si cela lui dit** if he fancies it; **dis donc!, dites donc!** (pour attirer l'attention)

hey!; (au fait) by the way; **ceci** ou **cela dit** that being said; **ça ne se dit pas** (impoli) you shouldn't say that; (pas en usage) you don't say that

**direct, e** [diʀɛkt] adj direct ▷ nm: **en** ~ (émission) live; **directement** adv directly

**directeur, -trice** [diʀɛktœʀ, -tʀis] nm/f (d'entreprise) director; (de service) manager/eress; (d'école) head(teacher) (BRIT), principal (US)

**direction** [diʀɛksjɔ̃] nf (d'entreprise) management; (Auto) steering; (sens) direction; **"toutes ~s"** "all routes"

**dirent** [diʀ] vb voir **dire**

**dirigeant, e** [diʀiʒɑ̃, -ɑ̃t] adj (classes) ruling ▷ nm/f (d'un parti etc) leader

**diriger** [diʀiʒe] /3/ vt (entreprise) to manage, run; (véhicule) to steer; (orchestre) to conduct; (recherches, travaux) to supervise; (arme): ~ **sur** to point ou level ou aim at; **se diriger** vi (s'orienter) to find one's way; ~ **son regard sur** to look in the direction of; **se** ~ **vers** ou **sur** to make ou head for

**dis** [di] vb voir **dire**

**discerner** [disɛʀne] /1/ vt to discern, make out

**discipline** [disiplin] nf discipline; **discipliner** /1/ vt to discipline

**discontinu, e** [diskɔ̃tiny] adj intermittent

**discontinuer** [diskɔ̃tinɥe] /1/ vi: **sans** ~ without stopping, without a break

**discothèque** [diskɔtɛk] nf (boîte de nuit) disco(thèque)

**discours** [diskuʀ] nm speech

**discret, -ète** [diskʀɛ, -ɛt] adj discreet; (fig: maquillage, robe) unobtrusive; **discrétion** nf discretion; **à discrétion** as much as one wants

**discrimination** nf discrimination; **sans** ~ indiscriminately

**discussion** [diskysjɔ̃] nf discussion

**discutable** [diskytabl] adj debatable

**discuter** [diskyte] /1/ vt (contester)
to question, dispute; (débattre: prix)
to discuss ▷ vi to talk; (protester) to
argue; **~ de** to discuss

**dise** etc [diz] vb voir **dire**

**disjoncteur** [dis3ɔ̃ktœʀ] nm (Élec)
circuit breaker

**disloquer** [disloke] /1/ vt **se disloquer**
vi (parti, empire) to break up; (meuble)
to come apart; **se ~ l'épaule** to
dislocate one's shoulder

**disons** etc [dizɔ̃] vb voir **dire**

**disparaître** [dispaʀɛtʀ] /57/ vi to
disappear; (se perdre: traditions etc)
to die out; (personne: mourir) to die;
**faire ~** (objet, tache, trace) to remove;
(personne, douleur) to get rid of

**disparition** [dispaʀisjɔ̃] nf
disappearance; **espèce en voie de ~**
endangered species

**disparu, e** [dispaʀy] nm/f missing
person; **être porté ~** to be reported
missing

**dispensaire** [dispɑ̃sɛʀ] nm
community clinic

**dispenser** [dispɑ̃se] /1/ vt: **~ qn de**
to exempt sb from

**disperser** [dispɛʀse] /1/ vt to
scatter; **se disperser** vi to scatter

**disponible** [disponibl] adj available

**disposé, e** [dispoze] adj: **bien/mal**
**~** (humeur) in a good/bad mood; **~ à**
(prêt à) willing ou prepared to

**disposer** [dispoze] /1/ vt to arrange
▷ vi: **vous pouvez ~** you may leave;
**~ de** to have (at one's disposal);
**se ~ à faire** to prepare to do, be
about to do

**dispositif** [dispozitif] nm device;
(fig) system, plan of action

**disposition** [dispozisjɔ̃] nf
(arrangement) arrangement, layout;
(humeur) mood; **prendre ses ~s** to
make arrangements; **avoir des ~s**
**pour la musique** etc to have a special
aptitude for music etc; **à la ~ de qn** at
sb's disposal; **je suis à votre ~** I am at
your service

**disproportionné, e**
[dispʀopɔʀsjɔne] adj disproportionate,
out of all proportion

**dispute** [dispyt] nf quarrel,
argument; **disputer** /1/ vt (match) to
play; (combat) to fight; **se disputer**
vi to quarrel

**disqualifier** [diskalifje] /7/ vt to
disqualify

**disque** [disk] nm (Mus) record; (forme,
pièce) disc; (Sport) discus; **~ compact**
compact disc; **~ dur** hard disc;
**disquette** nf floppy (disk), diskette

**dissertation** [disɛʀtasjɔ̃] nf (Scol)
essay

**dissimuler** [disimyle] /1/ vt to
conceal

**dissipé, e** [disipe] adj (indiscipliné)
unruly

**dissolvant** [disɔlvɑ̃] nm nail polish
remover

**dissuader** [disɥade] /1/ vt: **~ qn de**
**faire/de qch** to dissuade sb from
doing/from sth

**distance** [distɑ̃s] nf distance; (fig:
écart) gap; **à ~** at ou from a distance;
**distancer** /3/ vt to outdistance

**distant, e** [distɑ̃, -ɑ̃t] adj (réservé)
distant; **~ de** (lieu) far away ou a long
way from

**distillerie** [distilʀi] nf distillery

**distinct, e** [distɛ̃(kt), distɛ̃kt]
adj distinct; **distinctement**
[distɛ̃ktəmɑ̃] adv distinctly;
**distinctif, -ive** adj distinctive

**distingué, e** [distɛ̃ge] adj
distinguished

**distinguer** [distɛ̃ge] /1/ vt to
distinguish; **se distinguer** vi: **se**
**~ (de)** to distinguish o.s. ou be
distinguished (from)

**distraction** [distʀaksjɔ̃] nf (manque
d'attention) absent-mindedness;
(passe-temps) distraction,
entertainment

**distraire** [distʀɛʀ] /50/ vt (déranger)
to distract; (divertir) to entertain,
divert; **se distraire** vi to amuse ou

enjoy o.s.; **distrait, e** [distrɛ, -ɛt] pp
de **distraire** ⊳ adj absent-minded
**distrayant, e** [distrɛjɑ̃, -ɑ̃t] adj
entertaining
**distribuer** [distribɥe] /1/ vt to
distribute; to hand out; (Cartes)
to deal (out); (courrier) to deliver;
**distributeur** nm (Auto, Comm)
distributor; (automatique) (vending)
machine; **distributeur de billets**
cash dispenser
**dit, e** [di, dit] pp de **dire** ⊳ adj (fixé): **le
jour** ~ the arranged day; (surnommé):
**X, ~ Pierrot** X, known as ou called
Pierrot
**dites** [dit] vb voir **dire**
**divan** [divɑ̃] nm divan
**divers, es** [divɛʁ, -ɛʁs] adj (varié)
diverse, varied; (différent) different,
various; **~es personnes** various ou
several people
**diversité** [divɛʁsite] nf diversity,
variety
**divertir** [divɛʁtiʁ] /2/: **se
divertir** vi to amuse ou enjoy o.s.;
**divertissement** nm entertainment
**diviser** [divize] /1/ vt to divide;
**division** nf division
**divorce** [divɔʁs] nm divorce;
**divorcé, e** nm/f divorcee; **divorcer**
/3/ vi to get a divorce, get divorced;
**divorcer de** ou **d'avec qn** to
divorce sb
**divulguer** [divylge] /1/ vt to disclose
**dix** [di, dis, diz] num ten; **dix-huit**
num eighteen; **dix-huitième** num
eighteenth; **dixième** num tenth; **dix-
neuf** num nineteen; **dix-neuvième**
num nineteenth; **dix-sept** num
seventeen; **dix-septième** num
seventeenth
**dizaine** [dizɛn] nf: **une ~ (de)** about
ten, ten or so
**do** [do] nm (note) C; (en chantant la
gamme) do(h)
**docile** [dɔsil] adj docile
**dock** [dɔk] nm dock; **docker** nm
docker

**docteur, e** [dɔktœʁ] nm/f
doctor; **doctorat** nm: **doctorat
(d'Université)** ≈ doctorate
**doctrine** [dɔktʁin] nf doctrine
**document** [dɔkymɑ̃] nm
document; **documentaire** adj, nm
documentary; **documentation**
nf documentation, literature;
**documenter** /1/ vt: **se documenter
(sur)** to gather information ou
material (on ou about)
**dodo** [dodo] nm: **aller faire ~** to go to
beddy-byes
**dogue** [dɔg] nm mastiff
**doigt** [dwa] nm finger; **à deux ~s de**
within an ace (BRIT) ou an inch of;
**un ~ de lait/whisky** a drop of milk/
whisky; **~ de pied** toe
**doit** etc [dwa] vb voir **devoir**
**dollar** [dɔlaʁ] nm dollar
**domaine** [dɔmɛn] nm estate,
property; (fig) domain, field
**domestique** [dɔmɛstik] adj
domestic ⊳ nm/f servant, domestic
**domicile** [dɔmisil] nm home, place
of residence; **à ~** at home; **livrer à
~** to deliver; **domicilié, e** adj: **être
domicilié à** to have one's home
in ou at
**dominant, e** [dɔminɑ̃, -ɑ̃t] adj
(opinion) predominant
**dominer** [dɔmine] /1/ vt to
dominate; to master; (sujet) to
(surpasser) to outclass, surpass;
(surplomber) to tower above,
dominate ⊳ vi to be in the dominant
position; **se dominer** vi to control o.s.
**domino** [dɔmino] nm domino;
**dominos** nmpl (jeu) dominoes (sg)
**dommage** [dɔmaʒ] nm: **~s (dégâts,
pertes)** damage no pl; **c'est ~ de
faire/que** it's a shame ou pity to do/
that; **quel ~!, c'est ~!** what a pity
ou shame!
**dompter** [dɔ̃(p)te] /1/ vt to tame;
**dompteur, -euse** nm/f trainer
**DOM-ROM** [dɔmʁɔm] sigle
m(pl) (= Département(s) et Régions/

*Territoire(s) d'outre-mer* French overseas departments and regions

**don** [dɔ̃] *nm* gift; (*charité*) donation; **avoir des ~s pour** to have a gift *ou* talent for; **elle a le ~ de m'énerver** she's got a knack of getting on my nerves

**donc** [dɔ̃k] *conj* therefore, so; (*après une digression*) so, then

**dongle** [dɔ̃ɡl] *nm* dongle

**donné, e** [dɔne] *adj* (*convenu: lieu, heure*) given; (*pas cher*) very cheap; **données** *nfpl* data; **c'est ~** it's a gift; **étant ~ que ...** given that ...

**donner** [dɔne] /1/ *vt* to give; (*vieux habits etc*) to give away; (*spectacle*) to put on; **~ qch à qn** to give sb sth; **~ sur** (*fenêtre, chambre*) to look (out) onto; **ça donne soif/faim** it makes you (feel) thirsty/hungry; **se ~ à fond** (*à son travail*) to give one's all (to one's work); **se ~ du mal** *ou* **de la peine** (*pour faire qch*) to go to a lot of trouble (to do sth); **s'en ~ à cœur joie** (*fam*) to have a great time (of it)

> ### MOT-CLÉ

**dont** [dɔ̃] *pron relatif* **1** (*appartenance: objets*) whose, of which; (: *êtres animés*) whose; **la maison dont le toit est rouge** the house the roof of which is red, the house whose roof is red; **l'homme dont je connais la sœur** the man whose sister I know **2** (*parmi lesquel(le)s*): **deux livres, dont l'un est ...** two books, one of which is ...; **il y avait plusieurs personnes, dont Gabrielle** there were several people, among them Gabrielle; **10 blessés, dont 2 grièvement** 10 injured, among them 2 seriously **3** (*complément d'adjectif, de verbe*): **le fils dont il est si fier** the son he's so proud of; **le pays dont il est originaire** the country he's from; **ce**

**dont je parle** what I'm talking about; **la façon dont il l'a fait** the way (in which) he did it

**dopage** [dɔpaʒ] *nm* (*Sport*) drug use; (*de cheval*) doping

**doré, e** [dɔre] *adj* golden; (*avec dorure*) gilt, gilded

**dorénavant** [dɔrenavɑ̃] *adv* henceforth

**dorer** [dɔre] /1/ *vt* to gild; (*faire*) **~** (*Culin*) to brown

**dorloter** [dɔrlɔte] /1/ *vt* to pamper

**dormir** [dɔrmir] /16/ *vi* to sleep; (*être endormi*) to be asleep

**dortoir** [dɔrtwar] *nm* dormitory

**dos** [do] *nm* back; (*de livre*) spine; **"voir au ~"** "see over"; **de ~** from the back

**dosage** [dozaʒ] *nm* mixture

**dose** [doz] *nf* dose; doser /1/ *vt* to measure out; **il faut savoir doser ses efforts** you have to be able to pace yourself

**dossier** [dosje] *nm* (*renseignements, fichier*) file; (*de chaise*) back; (*Presse*) feature; (*Inform*) folder; **un ~ scolaire** a school report

**douane** [dwan] *nf* customs *pl*; **douanier, -ière** *adj* customs *cpd* ⊳ *nm* customs officer

**double** [dubl] *adj, adv* double ⊳ *nm* (*autre exemplaire*) duplicate, copy; (*sosie*) double; (*Tennis*) doubles *sg*; (*2 fois plus*): **le ~ (de)** twice as much (*ou* many) (as); **en ~ (exemplaire)** in duplicate; **faire ~ emploi** to be redundant; **double-cliquer** /1/ *vi* (*Inform*) to double-click

**doubler** [duble] /1/ *vt vi* (*multiplier par 2*) to double; (*vêtement*) to line; (*dépasser*) to overtake, pass; (*film*) to dub; (*acteur*) to stand in for ⊳ *vi* to double

**doublure** [dublyr] *nf* lining; (*Ciné*) stand-in

**douce** [dus] *adj f voir* **doux**; **douceâtre** *adj* sickly sweet;

**doucement** *adv* gently; *(lentement)* slowly; **douceur** *nf* softness; *(de climat)* mildness; *(de quelqu'un)* gentleness

**douche** [duʃ] *nf* shower; **prendre une ~** to take a shower; **doucher** /ʃ/: **se doucher** *vi* to have *ou* take a shower

**doué, e** [dwe] *adj* gifted, talented; **être ~ pour** to have a gift for

**douille** [duj] *nf* (*Élec*) socket

**douillet, te** [dujɛ, -ɛt] *adj* cosy; *(péj: à la douleur)* soft

**douleur** [dulœʀ] *nf* pain; *(chagrin)* grief, distress; **douloureux, -euse** *adj* painful

**doute** [dut] *nm* doubt; **sans ~** no doubt; *(probablement)* probably; **sans nul *ou* aucun ~** without (a) doubt; **douter** /ʃ/ *vt* to doubt; **douter de** *(allié, sincérité de qn)* to have (one's) doubts about, doubt; *(résultat, réussite)* to be doubtful of; **douter que** to doubt whether *ou* if; **se douter de qch/que** to suspect sth/that; **je m'en doutais** I suspected as much; **douteux, -euse** *adj (incertain)* doubtful; *(péj)* dubious-looking

**Douvres** [duvʀ] *n* Dover

**doux, douce** [du, dus] *adj* soft; *(sucré, agréable)* sweet; *(peu fort: moutarde etc)*, *clément: climat)* mild; *(pas brusque)* gentle

**douzaine** [duzɛn] *nf* (12) dozen; *(environ 12)*: **une ~ (de)** a dozen or so

**douze** [duz] *num* twelve; **douzième** *num* twelfth

**dragée** [dʀaʒe] *nf* sugared almond

**draguer** [dʀage] /1/ *vt (rivière)* to dredge; *(fam)* to try and pick up

**dramatique** [dʀamatik] *adj* dramatic; *(tragique)* tragic ⊳ *nf (TV)* (television) drama

**drame** [dʀam] *nm* drama

**drap** [dʀa] *nm (de lit)* sheet; *(tissu)* woollen fabric

**drapeau, x** [dʀapo] *nm* flag

**drap-housse** [dʀaus] *nm* fitted sheet

**dresser** [dʀese] /1/ *vt (mettre vertical, monter)* to put up, erect; *(liste, bilan, contrat)* to draw up; *(animal)* to train; **se dresser** *vi (falaise, obstacle)* to stand; *(personne)* to draw o.s. up; **~ l'oreille** to prick up one's ears; **~ qn contre qn d'autre** to set sb against sb else

**drogue** [dʀɔg] *nf* drug; **la ~** drugs *pl*; **drogué, e** *nm/f* drug addict; **droguer** /1/ *vt (victime)* to drug; **se droguer** *vi (aux stupéfiants)* to take drugs; *(péj: de médicaments)* to dose o.s. up; **droguerie** *nf* ≈ hardware shop *(BRIT) ou* store *(US)*; **droguiste** *nm* ≈ keeper *(ou* owner) of a hardware shop *ou* store

**droit, e** [dʀwa, dʀwat] *adj (non courbe)* straight; *(vertical)* upright, straight; *(fig: loyal, franc)* upright, straight(forward); *(opposé à gauche)* right, right-hand ⊳ *adv* straight ou on ⊳ *nm (prérogative)* right; *(taxe)* tax; *(: d'inscription)* fee; *(lois, branche)*: **le ~** law ⊳ *nf (Pol)* right (wing); **avoir le ~ de** to be allowed to; **avoir ~ à** to be entitled to; **être dans son ~** to be within one's rights; **à ~e** on the right; *(direction)* (to the) right; **~s d'auteur** royalties; **~s d'inscription** enrolment *ou* registration fees; **droitier, -ière** *adj* right-handed

**drôle** [dʀol] *adj (amusant)* funny, amusing; *(bizarre)* funny, peculiar; **un ~ de …** *(bizarre)* a strange *ou* funny …; *(intensif)* an incredible …, a terrific …

**dromadaire** [dʀɔmadɛʀ] *nm* dromedary

**du** [dy] *art voir* **de**

**dû, due** [dy] *pp de* **devoir** ⊳ *adj (somme)* owing, owed; *(causé par)*: **dû à** due to ⊳ *nm* due

**dune** [dyn] *nf* dune

**duplex** [dyplɛks] *nm (appartement)* split-level apartment, duplex

**duquel** [dykɛl] *voir* **lequel**

**dur, e** [dyR] adj (pierre, siège, travail, problème) hard; (lumière, voix, climat) harsh; (sévère) hard, harsh; (cruel) hard(-hearted); (porte, col) stiff; (viande) tough ▷ adv hard ▷ nm (fam: meneur) tough nut; **~ d'oreille** hard of hearing

**durant** [dyRɑ̃] prép (au cours de) during; (pendant) for; **des mois ~** for months

**durcir** [dyRsiR] /2/ vt, vi to harden; **se durcir** vi to harden

**durée** [dyRe] nf length; (d'une pile etc) life; **de courte ~** (séjour, répit) brief

**durement** [dyRmɑ̃] adv harshly

**durer** [dyRe] /1/ vi to last

**dureté** [dyRte] nf hardness; harshness; stiffness; toughness

**durit®** [dyRit] nf (car radiator) hose

**DVD** sigle m (= digital versatile disc) DVD

**dynamique** [dinamik] adj dynamic; **dynamisme** nm dynamism

**dynamo** [dinamo] nf dynamo

**dyslexie** [disleksi] nf dyslexia, word blindness

# e

**eau, x** [o] nf water ▷ nfpl (Méd) waters; **prendre l'~** to leak, let in water; **tomber à l'~** (fig) to fall through; **~ de Cologne** eau de Cologne; **~ courante** running water; **~ douce** fresh water; **~ gazeuse** sparkling (mineral) water; **~ de Javel** bleach; **~ minérale** mineral water; **~ plate** still water; **~ salée** salt water; **~ de toilette** toilet water; **eau-de-vie** nf brandy

**ébène** [ebɛn] nf ebony; **ébéniste** [ebenist] nm cabinetmaker

**éblouir** [ebluiR] /2/ vt to dazzle

**éboueur** [ebwœR] nm dustman (BRIT), garbage man (US)

**ébouillanter** [ebujɑ̃te] /1/ vt to scald; (Culin) to blanch

**éboulement** [ebulmɑ̃] nm rock fall

**ébranler** [ebrɑ̃le] /1/ vt to shake; (rendre instable) to weaken; **s'ébranler** vi (partir) to move off

**ébullition** [ebylisjɔ̃] nf boiling point; **en ~** boiling

**écaille** [ekaj] *nf* (*de poisson*) scale; (*matière*) tortoiseshell; **écailler** /1/ *vt* (*poisson*) to scale; **s'écailler** *vi* to flake ou peel (off)

**écart** [ekar] *nm* gap; **à l'~** out of the way; **à l'~ de** away from; **faire un ~** (*voiture*) to swerve

**écarté, e** [ekarte] *adj* (*lieu*) out-of-the-way, remote; (*ouvert*): **les jambes ~es** legs apart; **les bras ~s** arms outstretched

**écarter** [ekarte] /1/ *vt* (*séparer*) to move apart, separate; (*éloigner*) to push back, move away; (*ouvrir: bras, jambes*) to spread, open; (: *rideau*) to draw (back); (*éliminer: candidat, possibilité*) to dismiss; **s'écarter** *vi* to part; (*personne*) to move away; **s'~ de** to wander from

**échafaudage** [eʃafodaʒ] *nm* scaffolding

**échalote** [eʃalɔt] *nf* shallot

**échange** [eʃɑ̃ʒ] *nm* exchange; **en ~ de** in exchange ou return for; **échanger** /3/ *vt*: **échanger qch (contre)** to exchange sth (for)

**échantillon** [eʃɑ̃tijɔ̃] *nm* sample

**échapper** [eʃape] /1/: **~ à** *vt* (*gardien*) to escape (from); (*punition, péril*) to escape; **~ à qn** (*détail, sens*) to escape sb; (*objet qu'on tient*) to slip out of sb's hands; **laisser ~** (*cri etc*) to let out; **l'~ belle** to have a narrow escape

**écharde** [eʃard] *nf* splinter (of wood)

**écharpe** [eʃarp] *nf* scarf; **avoir le bras en ~** to have one's arm in a sling

**échauffer** [eʃofe] /1/ *vt* (*métal, moteur*) to overheat; **s'échauffer** *vi* (*Sport*) to warm up; (*discussion*) to become heated

**échéance** [eʃeɑ̃s] *nf* (*d'un paiement: date*) settlement date; (*fig*) deadline; **à brève/longue ~** in the short/long term

**échéant** [eʃeɑ̃]: **le cas ~** *adv* if the case arises

**échec** [eʃɛk] *nm* failure; (*Échecs*): **~ et mat/au roi** checkmate/check;

**échecs** *nmpl* (*jeu*) chess *sg*; **tenir en ~** to hold in check

**échelle** [eʃɛl] *nf* ladder; (*fig, d'une carte*) scale

**échelon** [eʃ(ə)lɔ̃] *nm* (*d'échelle*) rung; (*Admin*) grade; **échelonner** /1/ *vt* to space out, spread out

**échiquier** [eʃikje] *nm* chessboard

**écho** [eko] *nm* echo; **échographie** *nf*: **passer une échographie** to have a scan

**échouer** [eʃwe] /1/ *vi* to fail; **s'échouer** *vi* to run aground

**éclabousser** [eklabuse] /1/ *vt* to splash

**éclair** [eklɛr] *nm* (*d'orage*) flash of lightning, lightning no pl; (*gâteau*) éclair

**éclairage** [eklɛraʒ] *nm* lighting

**éclaircie** [eklɛrsi] *nf* bright ou sunny interval

**éclaircir** [eklɛrsir] /2/ *vt* to lighten; (*fig: mystère*) to clear up; (*point*) to clarify; **s'éclaircir** *vi* (*ciel*) to brighten up; **s'~ la voix** to clear one's throat; **éclaircissement** *nm* clarification

**éclairer** [eklɛre] /1/ *vt* (*lieu*) to light (up); (*personne: avec une lampe de poche etc*) to light the way for; (*fig: rendre compréhensible*) to shed light on ▷ *vi*: **~ mal/bien** to give a poor/good light; **s'~ à la bougie/à l'électricité** to use candlelight/have electric lighting

**éclat** [ekla] *nm* (*de bombe, de verre*) fragment; (*du soleil, d'une couleur etc*) brightness, brilliance; (*d'une cérémonie*) splendour; (*scandale*): **faire un ~** to cause a commotion; **~ de rire** burst ou roar of laughter; **~ de voix** shout

**éclatant, e** [eklatɑ̃, -ɑ̃t] *adj* brilliant

**éclater** [eklate] /1/ *vi* (*pneu*) to burst; (*bombe*) to explode; (*guerre, épidémie*) to break out; (*groupe, parti*) to break up; **~ de rire/en sanglots** to burst out laughing/sobbing

**écluse** [eklyz] *nf* lock

**écœurant, e** [ekœrɑ̃, -ɑ̃t] *adj* sickening; (*gâteau etc*) sickly

**écœurer** [ekœʀe] vt: **~ qn** (nourriture) to make sb feel sick; (fig: conduite, personne) to disgust sb

**école** [ekɔl] nf school; **aller à l'~** to go to school; **~ maternelle** nursery school; **~ primaire** primary (BRIT) ou grade (US) school; **~ secondaire** secondary (BRIT) ou high (US) school; **écolier, -ière** nm/f schoolboy/girl

**écologie** [ekɔlɔʒi] nf ecology; **écologique** adj environment-friendly; **écologiste** nm/f ecologist

**économe** [ekɔnɔm] adj thrifty ▷ nm/f (de lycée etc) bursar (BRIT), treasurer (US)

**économie** [ekɔnɔmi] nf economy; (gain: d'argent, de temps etc) saving; (science) economics sg; **économies** nfpl (pécule) savings; **économique** adj (avantageux) economical; (Écon) economic; **économiser** /1/ vt, vi to save

**écorce** [ekɔʀs] nf bark; (de fruit) peel

**écorcher** [ekɔʀʃe] /1/ vt: **s'~ le genou** etc to scrape ou graze one's knee etc; **écorchure** nf graze

**écossais, e** [ekɔsɛ, -ɛz] adj Scottish ▷ nm/f: **É~, e** Scot

**Écosse** [ekɔs] nf: **l'~** Scotland

**écotaxe** [ekɔtaks] nf green tax

**écouter** [ekute] /1/ vt to listen to; **s'écouter** (malade) to be a bit of a hypochondriac; **si je m'écoutais** if I followed my instincts; **écouteur** nm (Tél) receiver; **écouteurs** nmpl (casque) headphones, headset sg

**écran** [ekʀɑ̃] nm screen; **le petit ~** television; **~ tactile** touchscreen; **~ total** sunblock

**écrasant, e** [ekʀazɑ̃, -ɑ̃t] adj overwhelming

**écraser** [ekʀaze] /1/ vt to crush; (piéton) to run over; **s'~ (au sol)** vi to crash; **s'~ contre** to crash into

**écrémé, e** [ekʀeme] adj (lait) skimmed

**écrevisse** [ekʀəvis] nf crayfish inv

**écrire** [ekʀiʀ] /39/ vt, vi to write; **s'écrire** vi to write to one another;

ça s'écrit comment? how is it spelt?; **écrit** nm (examen) written paper; **par écrit** in writing

**écriteau, x** [ekʀito] nm notice, sign

**écriture** [ekʀityʀ] nf writing; **écritures** (Comm) accounts, books; **l'É~ (sainte), les É~s** the Scriptures

**écrivain** [ekʀivɛ̃] nm writer

**écrou** [ekʀu] nm nut

**écrouler** [ekʀule] /1/: **s'écrouler** vi to collapse

**écru, e** [ekʀy] adj off-white, écru

**écume** [ekym] nf foam

**écureuil** [ekyʀœj] nm squirrel

**écurie** [ekyʀi] nf stable

**eczéma** [egzema] nm eczema

**EDF** sigle f (= Électricité de France) national electricity company

**Édimbourg** [edɛ̃buʀ] n Edinburgh

**éditer** [edite] /1/ vt (publier) to publish; (annoter) to edit; **éditeur, -trice** nm/f publisher; **édition** f edition; **l'édition** publishing

**édredon** [edʀedɔ̃] nm eiderdown

**éducateur, -trice** [edykatœʀ, -tʀis] nm/f teacher; (en école spécialisée) instructor

**éducatif, -ive** [edykatif, -iv] adj educational

**éducation** [edykasjɔ̃] nf education; (familiale) upbringing; (manières) (good) manners pl

**édulcorant** [edylkɔʀɑ̃] nm sweetener

**éduquer** [edyke] /1/ vt to educate; (élever) to bring up

**effacer** [efase] /3/ vt to erase, rub out; **s'effacer** vi (inscription etc) to wear off; (pour laisser passer) to step aside

**effarant, e** [efaʀɑ̃, -ɑ̃t] adj alarming

**effectif, -ive** [efɛktif, -iv] adj real ▷ nm (Scol) total number of pupils; (Comm) manpower sg; **effectivement** adv (réellement) actually, really; (en effet) indeed

**effectuer** [efɛktɥe] /1/ vt (opération, mission) to carry out; (déplacement, trajet) to make

**effervescent, e** [efɛʁvesɑ̃, -ɑ̃t] *adj* effervescent

**effet** [efɛ] *nm* effect; (*impression*) impression; **effets** *nmpl* (*vêtements etc*) things; **faire ~** (*médicament*) to take effect; **faire de l'~** (*impressionner*) to make an impression; **faire bon/ mauvais ~ sur qn** to make a good/ bad impression on sb; **en ~** indeed; **~ de serre** greenhouse effect

**efficace** [efikas] *adj* (*personne*) efficient; (*action, médicament*) effective; **efficacité** *nf* efficiency; effectiveness

**effondrer** [efɔ̃dʁe] /1/: **s'effondrer** *vi* to collapse

**efforcer** [efɔʁse] /3/: **s'efforcer de** *vt*: **s'~ de faire** to try hard to do

**effort** [efɔʁ] *nm* effort

**effrayant, e** [efʁejɑ̃, -ɑ̃t] *adj* frightening

**effrayer** [efʁeje] /8/ *vt* to frighten, scare; **s'effrayer (de)** to be frightened or scared (by)

**effréné, e** [efʁene] *adj* wild

**effronté, e** [efʁɔ̃te] *adj* insolent

**effroyable** [efʁwajabl] *adj* horrifying, appalling

**égal, e, -aux** [egal, -o] *adj* equal; (*constant: vitesse*) steady ▷ *nm/f* equal; **être ~ à** (*prix, nombre*) to be equal to; **ça m'est ~** it's all the same to me, I don't mind; **sans ~** matchless, unequalled; **d'~ à ~** as equals; **également** *adv* equally; (*aussi*) too, as well; **égaler** /1/ *vt* to equal; **égaliser** /1/ *vt* (*sol, salaires*) to level (out); (*chances*) to equalize ▷ *vi* (*Sport*) to equalize; **égalité** *nf* equality; **être à égalité (de points)** to be level

**égard** [egaʁ] *nm*: **égards** *nmpl* consideration *sg*; **à cet ~** in this respect; **par ~ pour** out of consideration for; **à l'~ de** towards

**égarer** [egaʁe] /1/ *vt* to mislay; **s'égarer** *vi* to get lost, lose one's way; (*objet*) to go astray

**églefin** [eɡləfɛ̃] *nm* haddock

**église** [egliz] *nf* church; **aller à l'~** to go to church

**égoïsme** [egɔism] *nm* selfishness

**égoïste** [egɔist] *adj* selfish

**égout** [egu] *nm* sewer

**égoutter** [egute] /1/ *vi* to drip; **s'égoutter** *vi* to drip; **égouttoir** *nm* draining board; (*mobile*) draining rack

**égratignure** [egʁatiɲyʁ] *nf* scratch

**Égypte** [eʒipt] *nf*: **l'~** Egypt; **égyptien, ne** *adj* Egyptian ▷ *nm/f*: **Égyptien, ne** Egyptian

**eh** [e] *excl* hey!; **eh bien** well

**élaborer** [elabɔʁe] /1/ *vt* to elaborate; (*projet, stratégie*) to work out; (*rapport*) to draft

**élan** [elɑ̃] *nm* (*Zool*) elk, moose; (*Sport*) run up; (*fig: de tendresse etc*) surge; **prendre son ~/de l'~** to take a run up/gather speed

**élancer** [elɑ̃se] /3/: **s'élancer** *vi* to dash, hurl o.s.

**élargir** [elaʁʒiʁ] /2/ *vt* to widen; **s'élargir** *vi* to widen; (*vêtement*) to stretch

**élastique** [elastik] *adj* elastic ▷ *nm* (*de bureau*) rubber band; (*pour la couture*) elastic *no pl*

**élection** [elɛksjɔ̃] *nf* election

**électricien, ne** [elɛktʁisjɛ̃, -ɛn] *nm/f* electrician

**électricité** [elɛktʁisite] *nf* electricity; **allumer/éteindre l'~** to put on/off the light

**électrique** [elɛktʁik] *adj* electric(al)

**électrocuter** [elɛktʁɔkyte] /1/ *vt* to electrocute

**électroménager** [elɛktʁomenaʒe] *adj*: **appareils ~s** domestic (electrical) appliances ▷ *nm*: **l'~** household appliances

**électronique** [elɛktʁɔnik] *adj* electronic ▷ *nf* electronics *sg*

**élégance** [elegɑ̃s] *nf* elegance

**élégant, e** [elegɑ̃, -ɑ̃t] *adj* elegant

**élément** [elemɑ̃] *nm* element; (*pièce*) component, part; (*fig*) elementary; **élémentaire** *adj* elementary

**éléphant** [elefɑ̃] *nm* elephant

**élevage** [el(ə)vaʒ] *nm* breeding; (*de bovins*) cattle breeding *ou* rearing; **truite d'~** farmed trout

**élevé, e** [el(ə)ve] *adj* high; **bien/mal ~** well-/ill-mannered

**élève** [elɛv] *nm/f* pupil

**élever** [el(ə)ve] /5/ *vt* (*enfant*) to bring up, raise; (*bétail, volaille*) to breed; (*hausser: taux, niveau*) to raise; (*édifier: monument*) to put up, erect; **s'~élever** *vi* (*avion, alpiniste*) to go up; (*niveau, température, aussi*) to rise; **s'~ à** (*frais, dégâts*) to amount to, add up to; **s'~ contre** to rise up against; **~ la voix** to raise one's voice; **éleveur, -euse** *nm/f* stock breeder

**éliminatoire** [eliminatwaʀ] *nf* (*Sport*) heat

**éliminer** [elimine] /1/ *vt* to eliminate

**élire** [eliʀ] /43/ *vt* to elect

**elle** [ɛl] *pron* (*sujet*) she; (: *chose*) it; (*complément*) her; it; **~s** (*sujet*) they; (*complément*) them; **~-même** herself; itself; **~s-mêmes** themselves; *voir* **il**

**éloigné, e** [elwaɲe] *adj* distant, far-off; (*parent*) distant

**éloigner** [elwaɲe] /1/ *vt* (*échéance*) to put off, postpone; (*soupçons, danger*) to ward off; **~ qch (de)** to move *ou* take sth away (from); **s'éloigner (de)** (*personne*) to go away (from); (*véhicule*) to move away (from); (*affectivement*) to become estranged (from); **~ qn (de)** to take sb away *ou* remove sb (from)

**élu, e** [ely] *pp de* **élire** ▷ *nm/f* (*Pol*) elected representative

**Élysée** [elize] *nm*: **(le palais de) l'~** the Élysée palace

**émail, -aux** [emaj, -o] *nm* enamel

**e-mail** [imɛl] *nm* email; **envoyer qch par ~** to email sth

**émanciper** [emɑ̃sipe] /1/: **s'émanciper** *vi* (*fig*) to become emancipated *ou* liberated

**emballage** [ɑ̃balaʒ] *nm* (*papier*) wrapping; (*carton*) packaging

**emballer** [ɑ̃bale] /1/ *vt* to wrap (up); (*dans un carton*) to pack (up); (*fig: fam*) to thrill (to bits); **s'emballer** *vi* (*moteur*) to race; (*cheval*) to bolt; (*fig: personne*) to get carried away

**embarcadère** [ɑ̃baʀkadɛʀ] *nm* landing stage (BRIT), pier

**embarquement** [ɑ̃baʀkəmɑ̃] *nm* embarkation; (*de marchandises*) loading; (*de passagers*) boarding

**embarquer** [ɑ̃baʀke] /1/ *vt* (*personne*) to embark; (*marchandises*) to load; (*fam*) to cart off ▷ *vi* (*passager*) to board; **s'embarquer** *vi* to board; **s'~ dans** (*affaire, aventure*) to embark upon

**embarras** [ɑ̃baʀa] *nm* (*confusion*) embarrassment; **être dans l'~** to be in a predicament *ou* an awkward position; **vous n'avez que l'~ du choix** the only problem is choosing

**embarrassant, e** [ɑ̃baʀasɑ̃, -ɑ̃t] *adj* embarrassing

**embarrasser** [ɑ̃baʀase] /1/ *vt* (*encombrer*) to clutter (up); (*gêner*) to hinder, hamper; to put in an awkward position; **s'embarrasser de** to burden o.s. with

**embaucher** [ɑ̃boʃe] /1/ *vt* to take on, hire

**embêtant, e** [ɑ̃bɛtɑ̃, -ɑ̃t] *adj* annoying

**embêter** [ɑ̃bete] /1/ *vt* to bother; **s'embêter** *vi* (*s'ennuyer*) to be bored

**emblée** [ɑ̃ble]: **d'~** *adv* straightaway

**embouchure** [ɑ̃buʃyʀ] *nf* (*Géo*) mouth

**embourber** [ɑ̃buʀbe] /1/: **s'embourber** *vi* to get stuck in the mud

**embouteillage** [ɑ̃butejaʒ] *nm* traffic jam, (traffic) holdup (BRIT)

# embranchement | 92

**embranchement** [ābRāʃmā] nm
(routier) junction
**embrasser** [ābRase] /1/ vt to kiss;
(sujet, période) to embrace, encompass
**embrayage** [ābReʒaʒ] nm clutch
**embrouiller** [ābRuje] /1/ vt (fils) to
tangle (up); (fiches, idées, personne) to
muddle up; **s'embrouiller** vi to get
in a muddle
**embruns** [ābRœ̃] nmpl sea spray sg
**embué, e** [ābɥe] adj misted up
**émeraude** [em(ə)Rod] nf emerald
**émerger** [emɛRʒe] /3/ vi to emerge;
(faire saillie, aussi fig) to stand out
**émeri** [em(ə)Ri] nm: **toile** ou **papier**
**~** emery paper
**émerveiller** [emɛRveje] /1/ vt to
fill with wonder; **s'émerveiller de**
to marvel at
**émettre** [emɛtR] /56/ vt (son, lumière)
to give out, emit; (message etc: Radio)
to transmit; (billet, timbre, emprunt,
chèque) to issue; (hypothèse, avis) to
voice, put forward ▷ vi to broadcast
**émeus** etc [emø] vb voir **émouvoir**
**émeute** [emøt] nf riot
**émigrer** [emigRe] /1/ vi to emigrate
**émincer** [emɛ̃se] /3/ vt to slice thinly
**émission** [emisjɔ̃] nf (voir
émettre) emission; (d'un message)
transmission; (de billet, timbre,
emprunt, chèque) issue; (Radio, TV)
programme, broadcast
**emmêler** [āmele] /1/ vt to tangle
(up); (fig) to muddle up; **s'emmêler** vi
to get into a tangle
**emménager** [āmenaʒe] /3/ vi to
move in; **~ dans** to move into
**emmener** [ām(ə)ne] /5/ vt to take
(with one); (comme otage, capture) to
take away; **~ qn au cinéma** to take
sb to the cinema
**emmerder** [āmɛRde] /1/ (!) vt to
bug, bother; **s'emmerder** vi to be
bored stiff
**émoticone** [emoticon] nm smiley
**émotif, -ive** [emotif, -iv] adj emotional
**émotion** [emosjɔ̃] nf emotion

**émouvoir** [emuvwaR] /27/ vt to
move; **s'émouvoir** vi to be moved;
to be roused
**empaqueter** [āpakte] /4/ vt to
pack up
**emparer** [āpaRe] /1/: **s'emparer de**
vt (objet) to seize, grab; (comme otage,
Mil) to seize; (peur etc) to take hold of
**empêchement** [āpɛʃmā] nm
(unexpected) obstacle, hitch
**empêcher** [āpeʃe] /1/ vt to prevent;
**~ qn de faire** to prevent ou stop sb
(from) doing; **il n'empêche que**
nevertheless; **il n'a pas pu s'~ de rire**
he couldn't help laughing
**empereur** [āpRœR] nm emperor
**empiffrer** [āpifRe] /1/: **s'empiffrer** vi
(péj) to stuff o.s.
**empiler** [āpile] /1/ vt to pile (up)
**empire** [āpiR] nm empire; (fig)
influence
**empirer** [āpiRe] /1/ vi to worsen,
deteriorate
**emplacement** [āplasmā] nm site
**emploi** [āplwa] nm use; (poste) job,
situation; (Comm, Écon) employment;
**mode d'~** directions for use; **~ du
temps** timetable, schedule
**employé, e** [āplwaje] nm/f
employee; **~ de bureau/banque**
office/bank employee ou clerk
**employer** [āplwaje] /8/ vt to use;
(ouvrier, main-d'œuvre) to employ; **s'~
à qch/à faire** to apply ou devote o.s.
to sth/to doing; **employeur, -euse**
nm/f employer
**empoigner** [āpwaɲe] /1/ vt to grab
**empoisonner** [āpwazɔne] /1/ vt to
poison; (empester: air, pièce) to stink
out; (fam): **~ qn** to drive sb mad
**emporter** [āpɔRte] /1/ vt to take
(with one); (en dérobant ou enlevant,
emmener: blessés, voyageurs) to take
away; (entraîner) to carry away ou
along; (rivière, vent) to carry away;
**s'emporter** vi (de colère) to fly into a
rage; **l'~ (sur)** to get the upper hand
(of); **plats à ~** take-away meals

**empreint, e** [ɑ̃prɛ̃, -ɛ̃t] *adj*: **~ de** marked with ▷ *nf* (*de pied, main*) print; **~e (digitale)** fingerprint; **~e écologique** carbon footprint

**empressé, e** [ɑ̃prese] *adj* attentive

**empresser** [ɑ̃prese] /1/: **s'empresser** *vi*: **s'~ auprès de qn** to surround sb with attentions; **s'~ de faire** to hasten to do

**emprisonner** [ɑ̃prizɔne] /1/ *vt* to imprison

**emprunt** [ɑ̃prɛ̃] *nm* loan (*from debtor's point of view*)

**emprunter** [ɑ̃prɛ̃te] /1/ *vt* to borrow; (*itinéraire*) to take, follow

**ému, e** [emy] *pp de* **émouvoir** ▷ *adj* (*gratitude*) touched; (*compassion*) moved

**MOT-CLÉ**

**en** [ɑ̃] *prép* **1** (*endroit, pays*) in; (: *direction*) to; **habiter en France/ville** to live in France/town; **aller en France/ville** to go to France/town

**2** (*moment, temps*) in; **en été/juin** in summer/June; **en 3 jours/20 ans** in 3 days/20 years

**3** (*moyen*) by; **en avion/taxi** by plane/taxi

**4** (*composition*) made of; **c'est en verre/coton/laine** it's (made of) glass/cotton/wool; **un collier en argent** a silver necklace

**5** (*description, état*): **une femme (habillée) en rouge** a woman (dressed) in red; **peindre qch en rouge** to paint sth red; **en T/étoile** T-/star-shaped; **en chemise/chaussettes** in one's shirt sleeves/socks; **en soldat** as a soldier; **cassé en plusieurs morceaux** broken into several pieces; **en réparation** being repaired, under repair; **en vacances** on holiday; **en deuil** in mourning; **le même en plus grand** the same but *ou* only bigger

**6** (*avec gérondif*) while; on; **en dormant** while sleeping, as one

sleeps; **en sortant** on going out, as he *etc* went out; **sortir en courant** to run out

**7**: **en tant que**: **je te parle en ami** I'm talking to you as a friend

▷ *pron* **1** (*indéfini*): **j'en ai/veux** I have/want some; **en as-tu?** have you got any?; **je n'en veux pas** I don't want any; **j'en ai deux** I've got two; **combien y en a-t-il?** how many (of them) are there?; **j'en ai assez** I've got enough (of it *ou* them); (*j'en ai marre*) I've had enough

**2** (*provenance*) from there; **j'en viens** I've come from there

**3** (*cause*): **il en est malade/perd le sommeil** he is ill/can't sleep because of it

**4** (*complément de nom, d'adjectif, de verbe*): **j'en connais les dangers** I know its *ou* the dangers; **j'en suis fier/ai besoin** I am proud of it/need it

**encadrer** [ɑ̃kadre] /1/ *vt* (*tableau, image*) to frame; (*fig: entourer*) to surround; (*personnel, soldats etc*) to train

**encaisser** [ɑ̃kese] /1/ *vt* (*chèque*) to cash; (*argent*) to collect; (*fig: coup, défaite*) to take

**en-cas** [ɑ̃ka] *nm inv* snack

**enceinte** [ɑ̃sɛ̃t] *adj f*: **~ (de six mois)** (six months) pregnant ▷ *nf* (*mur*) wall; (*espace*) enclosure; **~ (acoustique)** speaker

**encens** [ɑ̃sɑ̃] *nm* incense

**encercler** [ɑ̃sɛʀkle] /1/ *vt* to surround

**enchaîner** [ɑ̃ʃene] /1/ *vt* to chain up; (*mouvements, séquences*) to link (together) ▷ *vi* to carry on

**enchanté, e** [ɑ̃ʃɑ̃te] *adj* (*ravi*) delighted; (*ensorcelé*) enchanted; **~ (de faire votre connaissance)** pleased to meet you

**enchère** [ɑ̃ʃɛʀ] *nf* bid; **mettre/ vendre aux ~s** to put up for (sale by)/ sell by auction

**enclencher** [āklāʃe] /1/ vt
(*mécanisme*) to engage; **s'enclencher**
vi to engage

**encombrant, e** [ākɔ̃brā, -āt] adj
cumbersome, bulky

**encombrement** [ākɔ̃brəmā] nm:
**être pris dans un ~** to be stuck in a
traffic jam

**encombrer** [ākɔ̃bre] /1/ vt to clutter
(up); (*gêner*) to hamper; **s'encombrer
de** (*bagages etc*) to load ou burden
o.s. with

**MOT-CLÉ**

**encore** [ākɔʀ] adv 1 (*continuation*)
still; **il y travaille encore** he's still
working on it; **pas encore** not yet
2 (*de nouveau*) again; **j'irai encore
demain** I'll go again tomorrow;
**encore une fois** (once) again
3 (*en plus*) more; **encore un peu de
viande?** a little more meat?; **encore
deux jours** two more days
4 (*intensif*) even, still; **encore plus
fort/mieux** even louder/better,
louder/better still; **quoi encore?**
what now?
5 (*restriction*) even so ou then, only;
**encore pourrais-je le faire si ...**
even so, I might be able to do it if ...; **si
encore** if only

**encourager** [ākuʀaʒe] /3/ vt to
encourage; **~ qn à faire qch** to
encourage sb to do sth

**encourir** [ākuʀiʀ] /11/ vt to incur

**encre** [ākʀ] nf ink; **~ de Chine**
Indian ink

**encyclopédie** [āsiklɔpedi] nf
encyclopaedia

**endetter** [ādete] /1/: **s'endetter** vi to
get into debt

**endive** [ādiv] nf chicory no pl

**endormi, e** [ādɔʀmi] adj asleep

**endormir** [ādɔʀmiʀ] /16/ vt to put
to sleep; (*chaleur etc*) to send to sleep;
(*Méd: dent, nerf*) to anaesthetize; (fig:

*soupçons*) to allay; **s'endormir** vi to
fall asleep, go to sleep

**endroit** [ādʀwa] nm place; (*opposé à
l'envers*) right side; **à l'~** (*vêtement*) the
right way out; (*objet posé*) the right
way round

**endurance** [ādyʀās] nf endurance

**endurant, e** [ādyʀā, -āt] adj tough,
hardy

**endurcir** [ādyʀsiʀ] /2/: **s'endurcir**
vi (*physiquement*) to become tougher;
(*moralement*) to become hardened

**endurer** [ādyʀe] /1/ vt to endure,
bear

**énergétique** [eneʀʒetik] adj
(*aliment*) energizing

**énergie** [eneʀʒi] nf (*Physique*) energy;
(*Tech*) power; (*morale*) vigour, spirit;
**énergique** adj energetic; vigorous;
(*mesures*) drastic, stringent

**énervant, e** [eneʀvā, -āt] adj
irritating, annoying

**énerver** [eneʀve] /1/ vt to irritate,
annoy; **s'énerver** vi to get excited,
get worked up

**enfance** [āfās] nf childhood

**enfant** [āfā] nm/f child; **enfantin, e**
adj childlike; (*langage*) children's cpd

**enfer** [āfeʀ] nm hell

**enfermer** [āfeʀme] /1/ vt to shut up;
(*à clef, interner*) to lock up; **s'enfermer**
to shut o.s. away

**enfiler** [āfile] /1/ vt (*vêtement*) to
slip on; (*perles*) to string; (*aiguille*) to
thread; **~ un tee-shirt** to slip into
a T-shirt

**enfin** [āfɛ̃] adv at last; (*en énumérant*)
lastly; (*de restriction, résignation*) still;
(*pour conclure*) in a word; (*somme
toute*) after all

**enflammer** [āflame] /1/:
**s'enflammer** vi to catch fire; (*Méd*) to
become inflamed

**enflé, e** [āfle] adj swollen

**enfler** [āfle] /1/ vi to swell (up)

**enfoncer** [āfɔ̃se] /3/ vt (*clou*) to drive
in; (*faire pénétrer*): **~ qch dans** to push
(ou drive) sth into; (*forcer: porte*) to

break open; **s'enfoncer** vi to sink; **s'~ dans** to sink into; (forêt, ville) to disappear into

**enfouir** [ɑ̃fwiR] /2/ vt (dans le sol) to bury; (dans un tiroir etc) to tuck away

**enfuir** [ɑ̃fɥiR] /17/: **s'enfuir** vi to run away ou off

**engagement** [ɑ̃gaʒmɑ̃] nm commitment; **sans ~** without obligation

**engager** [ɑ̃gaʒe] /3/ vt (embaucher) to take on; (: artiste) to engage; (commencer) to start; (lier) to bind, commit; (impliquer, entraîner) to involve; (investir) to invest, lay out; (introduire, clé) to insert; (inciter): **~ qn à faire** to urge sb to do; **s'engager** vi (Mil) to enlist; (promettre) to commit o.s.; (débuter: conversation etc) to start (up); **s'~ à faire** to undertake to do; **s'~ dans** (rue, passage) to turn into; (fig: affaire, discussion) to enter into, embark on

**engelures** [ɑ̃ʒlyR] nfpl chilblains

**engin** [ɑ̃ʒɛ̃] nm machine; (outil) instrument; (Auto) vehicle; (Aviat) aircraft inv

⚠ Attention à ne pas traduire engin par le mot anglais engine.

**engloutir** [ɑ̃glutiR] /2/ vt to swallow up

**engouement** [ɑ̃gumɑ̃] nm (sudden) passion

**engouffrer** [ɑ̃gufRe] /1/ vt to swallow up, devour; **s'engouffrer dans** to rush into

**engourdir** [ɑ̃guRdiR] /2/ vt to numb; (fig) to dull, blunt; **s'engourdir** vi to go numb

**engrais** [ɑ̃gRɛ] nm manure; **~ (chimique)** (chemical) fertilizer

**engraisser** [ɑ̃gRese] /1/ vt to fatten (up)

**engrenage** [ɑ̃gRənaʒ] nm gears pl, gearing; (fig) chain

**engueuler** [ɑ̃gœle] /1/ vt (fam) to bawl at ou out

**enhardir** [ɑ̃aRdiR] /2/: **s'enhardir** vi to grow bolder

**énigme** [enigm] nf riddle

**enivrer** [ɑ̃nivRe] /1/: **s'enivrer** vi to get drunk

**enjamber** [ɑ̃ʒɑ̃be] /1/ vt to stride over

**enjeu, x** [ɑ̃ʒø] nm stakes pl

**enjoué, e** [ɑ̃ʒwe] adj playful

**enlaidir** [ɑ̃lediR] /2/ vt to make ugly ▷ vi to become ugly

**enlèvement** [ɑ̃lɛvmɑ̃] nm (rapt) abduction, kidnapping

**enlever** [ɑ̃l(ə)ve] /5/ vt (ôter: gén) to remove; (: vêtement, lunettes) to take off; (emporter: ordures etc) to collect; (kidnapper) to abduct, kidnap; (obtenir: prix, contrat) to win; (prendre): **~ qch à qn** to take sth (away) from sb

**enliser** [ɑ̃lize] /1/: **s'enliser** vi to sink, get stuck

**enneigé, e** [ɑ̃neʒe] adj snowy

**ennemi, e** [ɛnmi] adj hostile; (Mil) enemy cpd ▷ nm/f enemy

**ennui** [ɑ̃nɥi] nm (lassitude) boredom; (difficulté) trouble no pl; **avoir des ~s** to have problems; **ennuyer** /8/ vt to bother; (lasser) to bore; **s'ennuyer** vi to be bored; **si cela ne vous ennuie pas** if it's no trouble to you; **ennuyeux, -euse** adj boring, tedious; (agaçant) annoying

**énorme** [enɔRm] adj enormous, huge; **énormément** adv enormously; **énormément de neige/gens** an enormous amount of snow/number of people

**enquête** [ɑ̃kɛt] nf (de journaliste, de police) investigation; (judiciaire, administrative) inquiry; (sondage d'opinion) survey; **enquêter** /1/ vi to investigate; **enquêter (sur)** to do a survey (on)

**enragé, e** [ɑ̃Raʒe] adj (Méd) rabid, with rabies; (fig) fanatical

**enrageant, e** [ɑ̃Raʒɑ̃, -ɑ̃t] adj infuriating

**enrager** [ɑ̃Raʒe] /3/ vi to be furious

**enregistrement** [ɑ̃R(ə)ʒistRəmɑ̃] nm recording; **~ des bagages** baggage check-in enregistrer | 96

**enregistrer** [ɑ̃ʀ(ə)ʒistʀe] /1/ vt (Mus)
to record; (fig: mémoriser) to make a
mental note of; (bagages: à l'aéroport)
to check in

**enrhumer** [ɑ̃ʀyme] /1/: **s'enrhumer**
vi to catch a cold

**enrichir** [ɑ̃ʀiʃiʀ] /2/ vt to make
rich(er); (fig) to enrich; **s'enrichir** vi
to get rich(er)

**enrouer** [ɑ̃ʀwe] /1/: **s'enrouer** vi to
go hoarse

**enrouler** [ɑ̃ʀule] /1/ vt (fil, corde)
to wind (up); **s'enrouler** to coil up;
**~ qch autour de** to wind sth (a)round

**enseignant, e** [ɑ̃seɲɑ̃, -ɑ̃t] nm/f
teacher

**enseignement** [ɑ̃seɲ(ə)mɑ̃] nm
teaching; (Admin) education

**enseigner** [ɑ̃seɲe] /1/ vt, vi to teach;
**~ qch à qn/à qn que** to teach sb
sth/sb that

**ensemble** [ɑ̃sɑ̃bl] adv together
▷ nm (assemblage) set; (vêtements)
outfit; (unité, harmonie) unity; **l'~ du/
de la** (totalité) the whole ou entire;
**impression/idée d'~** overall ou
general impression/idea; **dans l'~** (en
gros) on the whole

**ensoleillé, e** [ɑ̃soleje] adj sunny

**ensuite** [ɑ̃sɥit] adv then, next; (plus
tard) afterwards, later

**entamer** [ɑ̃tame] /1/ vt (pain,
bouteille) to start; (hostilités,
pourparlers) to open

**entasser** [ɑ̃tase] /1/ vt (empiler)
to pile up, heap up; **s'entasser** vi
(s'amonceler) to pile up; **s'~ dans** to
cram into

**entendre** [ɑ̃tɑ̃dʀ] /41/ vt to hear;
(comprendre) to understand;
(vouloir dire) to mean; **s'entendre**
vi (sympathiser) to get on; (se mettre
d'accord) to agree; **j'ai entendu dire
que** I've heard (it said) that; **~ parler
de** to hear of

**entendu, e** [ɑ̃tɑ̃dy] adj (réglé) agreed;
(au courant: air) knowing; **(c'est) ~** all
right, agreed; **bien ~** of course

**entente** [ɑ̃tɑ̃t] nf understanding;
(accord, traité) agreement; **à double ~**
(sens) with a double meaning

**enterrement** [ɑ̃tɛʀmɑ̃] nm
(cérémonie) funeral, burial

**enterrer** [ɑ̃teʀe] /1/ vt to bury

**entêtant, e** [ɑ̃tetɑ̃, -ɑ̃t] adj heady

**en-tête** [ɑ̃tɛt] nm heading; **papier à
~** headed notepaper

**entêté, e** [ɑ̃tete] adj stubborn

**entêter** [ɑ̃tete] /1/: **s'~
(à faire)** to persist (in doing)

**enthousiasme** [ɑ̃tuzjasm] nm
enthusiasm; **enthousiasmer**
/1/ vt to fill with enthusiasm;
**s'enthousiasmer (pour qch)**
to get enthusiastic (about sth);
**enthousiaste** adj enthusiastic

**entier, -ière** [ɑ̃tje, -jɛʀ] adj whole;
(total, complet: satisfaction etc)
complete; (fig: caractère) unbending
▷ nm (Math) whole; **en ~** totally; **lait
~** full-cream milk; **entièrement** adv
entirely, wholly

**entonnoir** [ɑ̃tɔnwaʀ] nm funnel

**entorse** [ɑ̃tɔʀs] nf (Méd) sprain;
(fig): **à la loi/au règlement**
infringement of the law/rule

**entourage** [ɑ̃tuʀaʒ] nm circle;
(famille) family (circle); (ce qui enclôt)
surround

**entourer** [ɑ̃tuʀe] /1/ vt to surround;
(apporter son soutien à) to rally round;
**~ de** to surround with; **s'entourer de**
to surround o.s. with

**entracte** [ɑ̃tʀakt] nm interval

**entraide** [ɑ̃tʀɛd] nf mutual aid ou
assistance

**entrain** [ɑ̃tʀɛ̃] nm spirit; **avec ~**
energetically; **faire qch sans ~** to
do sth half-heartedly ou without
enthusiasm

**entraînement** [ɑ̃tʀɛnmɑ̃] nm
training

**entraîner** [ɑ̃tʀene] /1/ vt (charrier)
to carry ou drag along; (Tech) to drive;
(emmener: personne) to take (off);
(mener à l'assaut, influencer) to lead;

(Sport) to train; (impliquer) to entail; **~ qn à faire** (inciter) to lead sb to do; **s'entraîner** vi (Sport) to train; **s'~ à qch/à faire** to train o.s. for sth/to do; **entraîneur** nm/f (Sport) coach, trainer ▷ nm (Hippisme) trainer

**entre** [ɑ̃tʀ] prép between; (parmi) among(st); **l'un d'~ eux/nous** one of them/us; **~ autres (choses)** among other things; **ils se battent ~ eux** they are fighting among(st) themselves; **entrecôte** nf entrecôte ou rib steak

**entrée** [ɑ̃tʀe] nf entrance; (accès: au cinéma etc) admission; (billet) (admission) ticket; (Culin) first course

**entre: entrefilet** nm (article) paragraph, short report; **entremets** nm (cream) dessert

**entrepôt** [ɑ̃tʀəpo] nm warehouse

**entreprendre** [ɑ̃tʀəpʀɑ̃dʀ] /58/ vt (se lancer dans) to undertake; (commencer) to begin ou start (upon)

**entrepreneur, -euse** [ɑ̃tʀəpʀənœʀ, -øz] nm/f: **~ (en bâtiment)** (building) contractor

**entrepris, e** [ɑ̃tʀəpʀi, -iz] pp de **entreprendre** ▷ nf (société) firm, business; (action) undertaking, venture

**entrer** [ɑ̃tʀe] /1/ vi to go (ou come) in, enter ▷ vt (Inform) to input, enter; **~ dans** (gén) to enter; (pièce) to go (ou come) into, enter; (club) to join; (heurter) to run into; **(faire) ~ qch dans** to get sth into; **~ à l'hôpital** to go into hospital; **faire ~** (visiteur) to show in

**entre-temps** [ɑ̃tʀətɑ̃] adv meanwhile

**entretenir** [ɑ̃tʀət(ə)niʀ] /22/ vt to maintain; (famille, maîtresse) to support, keep; **~ qn (de)** to speak to sb (about)

**entretien** [ɑ̃tʀətjɛ̃] nm maintenance; (discussion) discussion, talk; (pour un emploi) interview

**entrevoir** [ɑ̃tʀəvwaʀ] /30/ vt (à peine) to make out; (brièvement) to catch a glimpse of

**entrevu, e** [ɑ̃tʀəvy] pp de **entrevoir** ▷ nf (audience) interview

**entrouvert, e** [ɑ̃tʀuvɛʀ, -ɛʀt] adj half-open

**énumérer** [enymeʀe] /6/ vt to list

**envahir** [ɑ̃vaiʀ] /2/ vt to invade; (inquiétude, peur) to come over; **envahissant, e** adj (péj: personne) intrusive

**enveloppe** [ɑ̃v(ə)lɔp] nf (de lettre) envelope; (crédits) budget; **envelopper** /1/ vt to wrap; (fig) to envelop, shroud

**enverrai** etc [ɑ̃veʀe] vb voir **envoyer**

**envers** [ɑ̃vɛʀ] prép towards, to ▷ nm other side; (d'une étoffe) wrong side; **à l'~** (verticalement) upside down; (pull) back to front; (vêtement) inside out

**envie** [ɑ̃vi] nf (sentiment) envy; (souhait) desire, wish; **avoir ~ de** to feel like; (désir plus fort) to want; **avoir ~ de faire** to feel like doing; to want to do; **avoir ~ que** to wish that; **cette glace me fait ~** I fancy some of that ice cream; **envier** /7/ vt to envy; **envieux, -euse** adj envious

**environ** [ɑ̃viʀɔ̃] adv: **~ 3 h/2 km** (around) about 3 o'clock/2 km; voir aussi **environs**

**environnant, e** [ɑ̃viʀɔnɑ̃, -ɑ̃t] adj surrounding

**environnement** [ɑ̃viʀɔnmɑ̃] nm environment

**environs** [ɑ̃viʀɔ̃] nmpl surroundings; **aux ~ de** around

**envisager** [ɑ̃vizaʒe] /3/ vt to contemplate; (avoir en vue) to envisage; **~ de faire** to consider doing

**envoler** [ɑ̃vɔle] /1/: **s'envoler** vi (oiseau) to fly away ou off; (avion) to take off; (papier, feuille) to blow away; (fig) to vanish (into thin air)

**envoyé, e** [ɑ̃vwaje] nm/f (Pol) envoy; (Presse) correspondent; **~ spécial** special correspondent

**envoyer** [ɑ̃vwaje] /8/ vt to send; (lancer) to hurl, throw; **~ chercher**

to send for; **~ promener qn** (fam) to send sb packing

**éolien, ne** [eɔljɛ̃, -ɛn] adj wind ▷ nf wind turbine

**épagneul, e** [epaɲœl] nm/f spaniel

**épais, se** [epɛ, -ɛs] adj thick; **épaisseur** nf thickness

**épanouir** [epanwiʀ] /2/: **s'épanouir** vi (fleur) to bloom, open out; (visage) to light up; (se développer) to blossom (out)

**épargne** [epaʀɲ] nf saving

**épargner** [epaʀɲe] /1/ vt to save; (ne pas tuer ou endommager) to spare ▷ vi to save; **~ qch à qn** to spare sb sth

**éparpiller** [epaʀpije] /1/ vt to scatter; **s'éparpiller** vi to scatter; (fig) to dissipate one's efforts

**épatant, e** [epatɑ̃, -ɑ̃t] adj (fam) super

**épater** [epate] /1/ vt (fam) to amaze; (: impressionner) to impress

**épaule** [epol] nf shoulder

**épave** [epav] nf wreck

**épée** [epe] nf sword

**épeler** [ep(ə)le] /4/ vt to spell

**éperon** [epʀɔ̃] nm spur

**épervier** [epeʀvje] nm sparrowhawk

**épi** [epi] nm (de blé, d'orge) ear; (de maïs) cob

**épice** [epis] nf spice

**épicé, e** [epise] adj spicy

**épicer** [epise] /3/ vt to spice

**épicerie** [episʀi] nf grocer's shop; (denrées) groceries pl; **~ fine** delicatessen (shop); **épicier, -ière** nm/f grocer

**épidémie** [epidemi] nf epidemic

**épiderme** [epidɛʀm] nm skin

**épier** [epje] /7/ vt to spy on, watch closely

**épilepsie** [epilɛpsi] nf epilepsy

**épiler** [epile] /1/ vt (jambes) to remove the hair from; (sourcils) to pluck

**épinards** [epinaʀ] nmpl spinach sg

**épine** [epin] nf thorn, prickle; (d'oursin etc) spine

**épingle** [epɛ̃gl] nf pin; **~ de nourrice** ou **de sûreté** ou **double** safety pin

**épisode** [epizɔd] nm episode; **film/roman à ~s** serial; **épisodique** adj occasional

**épluche-légumes** [eplyʃlegym] nm inv potato peeler

**éplucher** [eplyʃe] /1/ vt (fruit, légumes) to peel; (comptes, dossier) to go over with a fine-tooth comb; **épluchures** nfpl peelings

**éponge** [epɔ̃ʒ] nf sponge; **éponger** /3/ vt (liquide) to mop ou sponge up; (surface) to sponge; (fig: déficit) to soak up

**époque** [epɔk] nf (de l'histoire) age, era; (de l'année, la vie) time; **d'~** (meuble) period cpd

**épouse** [epuz] nf wife; **épouser** /1/ vt to marry

**épousseter** [epuste] /4/ vt to dust

**épouvantable** [epuvɑ̃tabl] adj appalling, dreadful

**épouvantail** [epuvɑ̃taj] nm scarecrow

**épouvante** [epuvɑ̃t] nf terror; **film d'~** horror film; **épouvanter** /1/ vt to terrify

**époux** [epu] nm husband ▷ nmpl: **les ~** the (married) couple

**épreuve** [epʀœv] nf (d'examen) test; (malheur, difficulté) trial, ordeal; (Photo) print; (Typo) proof; (Sport) event; **à toute ~** unfailing; **mettre à l'~** to put to the test

**éprouver** [epʀuve] /1/ vt (tester) to test; to afflict, distress; (ressentir) to experience

**EPS** sigle f(= Éducation physique et sportive) ≈ PE

**épuisé, e** [epɥize] adj exhausted; (livre) out of print; **épuisement** nm exhaustion

**épuiser** [epɥize] /1/ vt (fatiguer) to exhaust, wear ou tire out; (stock, sujet) to exhaust; **s'épuiser** vi to wear ou tire o.s. out, exhaust o.s.

**épuisette** [epɥizɛt] nf shrimping net

**équateur** [ekwatœʀ] nm equator; **(la république de) l'É~** Ecuador

**équation** [ekwasjɔ̃] nf equation

**équerre** [ekɛʀ] nf (à dessin) (set) square

**équilibre** [ekilibʀ] nm balance;
**garder/perdre l'~** to keep/lose one's
balance; **être en ~** to be balanced;
**équilibré, e** adj well-balanced;
**équilibrer** /1/ vt to balance;
**s'équilibrer** vi to balance

**équipage** [ekipaʒ] nm crew

**équipe** [ekip] nf team; **travailler en
~** to work as a team

**équipé, e** [ekipe] adj: **bien/mal ~**
well-/poorly-equipped

**équipement** [ekipmɑ̃] nm
equipment

**équiper** [ekipe] /1/ vt to equip; **~ qn/
qch de** to equip sb/sth with

**équipier, -ière** [ekipje, -jɛʀ] nm/f
team member

**équitation** [ekitasjɔ̃] nf (horse-)
riding; **faire de l'~** to go (horse-)riding

**équivalent, e** [ekivalɑ̃, -ɑ̃t] adj, nm
equivalent

**équivaloir** [ekivalwaʀ] /29/: **~ à** vt
to be equivalent to

**érable** [eʀabl] nm maple

**érafler** [eʀafle] /1/ vt to scratch;
**éraflure** nf scratch

**ère** [ɛʀ] nf era; **en l'an 1050 de notre
~** in the year 1050 A.D.

**érection** [eʀɛksjɔ̃] nf erection

**éroder** [eʀɔde] /1/ vt to erode

**érotique** [eʀɔtik] adj erotic

**errer** [eʀe] /1/ vi to wander

**erreur** [eʀœʀ] nf mistake, error; **~
par** by mistake; **faire ~** to be mistaken

**éruption** [eʀypsjɔ̃] nf eruption;
(boutons) rash

**es** [ɛ] vb voir **être**

**ès** [ɛs] prép: **licencié ès lettres/
sciences** Bachelor of Arts/Science

**ESB** sigle f (= encéphalopathie
spongiforme bovine) BSE

**escabeau, x** [ɛskabo] nm (tabouret)
stool; (échelle) stepladder

**escalade** [ɛskalad] nf climbing no
pl; (Pol etc) escalation; **escalader** /1/
vt to climb

**escale** [ɛskal] nf (Navig: durée) call;
(: port) port of call; (Aviat) stop(over);
**faire ~ à** (Navig) to put in at; (Aviat)
to stop over at; **vol sans ~** nonstop
flight

**escalier** [ɛskalje] nm stairs pl;
**dans l'~** ou **les ~s** on the stairs;
**~ mécanique** ou **roulant** escalator

**escapade** [ɛskapad] nf: **faire une
~** to go on a jaunt; (s'enfuir) to run
away ou off

**escargot** [ɛskaʀgo] nm snail

**escarpé, e** [ɛskaʀpe] adj steep

**esclavage** [ɛsklavaʒ] nm slavery

**esclave** [ɛsklav] nm/f slave

**escompte** [ɛskɔ̃t] nm discount

**escrime** [ɛskʀim] nf fencing

**escroc** [ɛskʀo] nm swindler, con-
man; **escroquer** /1/ vt: **escroquer
qn (de qch)/qch à qn** to swindle
sb (out of sth)/sth out of sb;
**escroquerie**
[ɛskʀɔki] nf swindle

**espace** [ɛspas] nm space; **espacer**
/3/ vt to space out; **s'espacer** vi
(visites etc) to become less frequent

**espadon** [ɛspadɔ̃] nm swordfish inv

**espadrille** [ɛspadʀij] nf rope-soled
sandal

**Espagne** [ɛspaɲ] nf: **l'~** Spain;
**espagnol, e** adj Spanish ▷ nm
(Ling) Spanish ▷ nm/f: **Espagnol, e**
Spaniard

**espèce** [ɛspɛs] nf (Bio, Bot, Zool)
species inv; (gén: sorte) sort, kind,
type; (péj): **~ de maladroit/de
brute!** you clumsy oaf/you brute!;
**espèces** nfpl (Comm) cash sg; **payer
en ~s** to pay (in) cash

**espérance** [ɛspeʀɑ̃s] nf hope; **~ de
vie** life expectancy

**espérer** [ɛspeʀe] /6/ vt to hope for;
**j'espère (bien)** I hope so; **~ que/
faire** to hope that/to do

**espiègle** [ɛspjɛgl] adj mischievous

**espion, ne** [ɛspjɔ̃, -ɔn] nm/f spy;
**espionnage** nm espionage, spying;
**espionner** /1/ vt to spy (up)on

**espoir** [ɛspwaʀ] nm hope; **dans l'~ de/que** in the hope of/that; **reprendre ~** not to lose hope

**esprit** [ɛspʀi] nm (pensée, intellect) mind; (humour, ironie) wit; (mentalité, d'une loi etc, fantôme etc) spirit; **faire de l'~** to try to be witty; **reprendre ses ~s** to come to; **perdre l'~** to lose one's mind

**esquimau, de, x** [ɛskimo, -od] adj Eskimo ▷ nm: **E~®** (glace) ice lolly (BRIT), popsicle (US) ▷ nm/f: **E~, de** Eskimo

**essai** [esɛ] nm (tentative) attempt, try; (de produit) testing; (Rugby) try; (Littérature) essay; **à l'~** on a trial basis; **mettre à l'~** to put to the test

**essaim** [esɛ̃] nm swarm

**essayer** [eseje] /8/ vt to try; (vêtement, chaussures) to try (on); (méthode, voiture) to try (out) ▷ vi to try; **~ de faire** to try ou attempt to do

**essence** [esɑ̃s] nf (de voiture) petrol (BRIT), gas(oline) (US); (extrait de plante) essence; (espèce: d'arbre) species inv

**essentiel, le** [esɑ̃sjɛl] adj essential; **c'est l'~** (ce qui importe) that's the main thing; **l'~ de** the main part of

**essieu, x** [esjø] nm axle

**essor** [esɔʀ] nm (de l'économie etc) rapid expansion

**essorer** [esɔʀe] /1/ vt (en tordant) to wring (out); (par la force centrifuge) to spin-dry; **essoreuse** nf spin-dryer

**essouffler** [esufle] /1/: **s'essouffler** vi to get out of breath

**essuie-glace** [esɥiɡlas] nm windscreen (BRIT) ou windshield (US) wiper

**essuyer** [esɥije] /8/ vt to wipe; (fig: subir) to suffer; **s'essuyer** (après le bain) to dry o.s.; **~ la vaisselle** to dry up

**est** [e] voir **être** ▷ nm [ɛst]: **l'~** the east ▷ adj inv [ɛst] east; (région) east(ern); **à l'~** in the east; (direction) to the east, east(wards); **à l'~ de** to the east of

**est-ce que** [ɛskə] adv: **~ c'est cher/c'était bon?** is it expensive/ was it good?; **quand est-ce qu'il part?** when does he leave?, when is he leaving?; voir aussi **que**

**esthéticienne** [ɛstetisjɛn] nf beautician

**esthétique** [ɛstetik] adj attractive

**estimation** [ɛstimasjɔ̃] nf valuation; (chiffre) estimate

**estime** [ɛstim] nf esteem, regard; **estimer** /1/ vt (respecter) to esteem; (expertiser: bijou) to value; (évaluer: coût etc) to assess, estimate; (penser): **estimer que/être** to consider that/o.s. to be

**estival, e, -aux** [ɛstival, -o] adj summer cpd

**estivant, e** [ɛstivɑ̃, -ɑ̃t] nm/f (summer) holiday-maker

**estomac** [ɛstɔma] nm stomach

**estragon** [ɛstʀaɡɔ̃] nm tarragon

**estuaire** [ɛstɥɛʀ] nm estuary

**et** [e] conj and; **et lui?** what about him?; **et alors?** so what?

**étable** [etabl] nf cowshed

**établi** [etabli] nm (work)bench

**établir** [etabliʀ] /2/ vt (papiers d'identité, facture) to make out; (liste, programme) to draw up; (gouvernement, artisan etc) to set up; (réputation, usage, fait, culpabilité, relations) to establish; **s'établir** vi to be established; **s'~ (à son compte)** to set up in business; **s'~ à/près de** to settle in/near

**établissement** [etablismɑ̃] nm (entreprise, institution) establishment; **~ scolaire** school, educational establishment

**étage** [etaʒ] nm (d'immeuble) storey, floor; **au 2ème ~** on the 2nd (BRIT) ou 3rd (US) floor; **à l'~** upstairs; **c'est à quel ~?** what floor is it on?

**étagère** [etaʒɛʀ] nf (rayon) shelf; (meuble) shelves pl

**étai** [etɛ] nm stay, prop

**étain** [etɛ̃] nm pewter no pl

**étais** *etc* [etɛ] *vb voir* **être**

**étaler** [etale] /1/ *vt* (carte, nappe) to spread (out); (peinture, liquide) to spread; (échelonner: paiements, dates, vacances) to spread, stagger; (marchandises, richesses, connaissances) to display; **s'étaler** *vi* (liquide) to spread out; (fam) to fall flat on one's face; **s'~ sur** (paiements etc) to be spread over

**étalon** [etalɔ̃] *nm* (cheval) stallion

**étanche** [etɑ̃ʃ] *adj* (récipient) watertight; (montre, vêtement) waterproof

**étang** [etɑ̃] *nm* pond

**étant** [etɑ̃] *vb voir* **être**; **donné**

**étape** [etap] *nf* (lieu d'arrivée) stopping place; (: Cyclisme) staging point

**état** [eta] *nm* (Pol, condition) state; **en bon/mauvais ~** in good/poor condition; **en ~ (de marche)** in (working) order; **remettre en ~** to repair; **hors d'~** out of order; **être en ~/hors d'~ de faire** to be in a state/in no fit state to do; **être dans tous ses ~s** to be in a state; **faire ~ de** (alléguer) to put forward; **l'É~** the State; **~ civil** civil status; **~ des lieux** inventory of fixtures; **États-Unis** *nmpl*: **les États-Unis (d'Amérique)** the United States (of America)

**et cætera, et cetera, etc.** [ɛtsetera] *adv* etc

**été** [ete] *pp de* **être** ▷ *nm* summer

**éteindre** [etɛ̃dʀ] /52/ *vt* (lampe, lumière, radio, chauffage) to turn ou switch off; (cigarette, incendie, bougie) to put out, extinguish; **s'éteindre** *vi* (feu, lumière) to go out; (mourir) to pass away; **éteint, e** *adj* (fig) lacklustre, dull; (volcan) extinct

**étendre** [etɑ̃dʀ] /41/ *vt* (pâte, liquide) to spread; (carte etc) to spread out; (lessive, linge) to hang up ou out; (bras, jambes) to stretch out; (fig: agrandir) to extend; **s'étendre** *vi* (augmenter, se propager) to spread; (terrain, forêt

etc): **s'~ jusqu'à/de ... à** to stretch as far as/from ... to; **s'~ sur** (se coucher) to lie down (on); (fig: expliquer) to elaborate ou enlarge (upon)

**étendu, e** [etɑ̃dy] *adj* extensive

**éternel, le** [etɛʀnɛl] *adj* eternal

**éternité** [etɛʀnite] *nf* eternity; **ça a duré une ~** it lasted for ages

**éternuement** [etɛʀnymɑ̃] *nm* sneeze

**éternuer** [etɛʀnɥe] /1/ *vi* to sneeze

**Éthiopie** [etjɔpi] *nf*: **l'~** Ethiopia

**étiez** [etje] *vb voir* **être**

**étinceler** [etɛ̃s(ə)le] /4/ *vi* to sparkle

**étincelle** [etɛ̃sɛl] *nf* spark

**étiquette** [etikɛt] *nf* label; (protocole): **l'~** etiquette

**étirer** [etiʀe] /1/ *vt* to stretch out; **s'étirer** *vi* (personne) to stretch; (convoi, route): **s'~ sur** to stretch out over

**étoile** [etwal] *nf* star; **à la belle ~** (out) in the open; **~ filante** shooting star; **~ de mer** starfish; **étoilé, e** *adj* starry

**étonnant, e** [etɔnɑ̃, -ɑ̃t] *adj* surprising

**étonnement** [etɔnmɑ̃] *nm* surprise, amazing

**étonner** [etɔne] /1/ *vt* to surprise, amaze; **s'étonner que/de** to be surprised that/at; **cela m'~ait (que)** (j'en doute) I'd be (very) surprised if

**étouffer** [etufe] /1/ *vt* to suffocate; (bruit) to muffle; (scandale) to hush up ▷ *vi* to suffocate; **s'étouffer** *vi* (en mangeant etc) to choke; **on étouffe** it's stifling

**étourderie** [etuʀdəʀi] *nf* (caractère) absent-mindedness *no pl*; (faute) thoughtless blunder

**étourdi, e** [etuʀdi] *adj* (distrait) scatterbrained, heedless

**étourdir** [etuʀdiʀ] /2/ *vt* (assommer) to stun, daze; (griser) to make dizzy ou giddy; **étourdissement** *nm* dizzy spell

**étrange** [etrɑ̃ʒ] *adj* strange

**étranger, -ère** [etrɑ̃ʒe, -ɛr] *adj*
foreign; (*pas de la famille, non familier*)
strange ▷ *nm/f* foreigner; stranger
▷ *nm*: **à l'~** abroad

**étrangler** [etrɑ̃gle] /1/ *vt* to
strangle; **s'étrangler** *vi* (*en mangeant
etc*) to choke

 **MOT-CLÉ**

**être** [ɛtr] /61/ *nm* being; **être
humain** human being
▷ *vb copule* 1 (*état, description*) to
be; **il est instituteur** he is *ou* he's
a teacher; **vous êtes grand/
intelligent/fatigué** you are *ou* you're
tall/clever/tired
2 (*+à: appartenir*) to be; **le livre est
à Paul** the book is Paul's *ou* belongs
to Paul; **c'est à moi/eux** it is *ou* it's
mine/theirs
3 (*+de: provenance*): **il est de Paris** he
is from Paris; (*+appartenance*): **il est
des nôtres** he is one of us
4 (*date*): **nous sommes le 10 janvier**
it's the 10th of January (today)
▷ *vi* to be; **je ne serai pas ici demain**
I won't be here tomorrow
▷ *vb aux* 1 to have; to be; **il est arrivé/
allé** to have arrived/gone; **il est
parti** he has left, he has gone
2 (*forme passive*) to be; **être fait par**
to be made by; **il a été promu** he has
been promoted
3 (*+à +inf, obligation, but*): **c'est à
réparer** it needs repairing; **c'est
à essayer** it should be tried; **il est
à espérer que ...** it is *ou* it's to be
hoped that ...
▷ *vb impers* 1 : **il est** (*+ adj*) it is; **il est
impossible de le faire** it's impossible
to do it
2 : **il est** (*heure, date*): **il est 10 heures**
it is *ou* it's 10 o'clock
3 (*emphatique*): **c'est moi** it's me;
**c'est à lui de le faire** it's up to him
to do it

**étrennes** [etrɛn] *nfpl* ≈ Christmas
box *sg*

**étrier** [etrije] *nm* stirrup

**étroit, e** [etrwa, -wat] *adj*
narrow; (*vêtement*) tight; (*fig: liens,
collaboration*) close; **à l'~** cramped;
**~ d'esprit** narrow-minded

**étude** [etyd] *nf* studying; (*ouvrage,
rapport*) study; (*Scol: salle de travail*)
study room; **études** *nfpl* (*Scol*)
studies; **être à l'~** (*projet etc*) to be
under consideration; **faire des ~s
(de droit/médecine)** to study (law/
medicine)

**étudiant, e** [etydjɑ̃, -ɑ̃t] *nm/f* student

**étudier** [etydje] /7/ *vt, vi* to study

**étui** [etɥi] *nm* case

**eu, eue** [y] *pp de* avoir

**euh** [ø] *excl* er

**euro** [øro] *nm* euro

**Europe** [ørɔp] *nf*: **l'~** Europe;
**européen, ne** *adj* European ▷ *nm/f*:
**Européen, ne** European

**eus** *etc* [y] *vb voir* avoir

**eux** [ø] *pron* (*sujet*) they; (*objet*) them

**évacuer** [evakɥe] /1/ *vt* to evacuate

**évader** [evade] /1/: **s'évader** *vi* to
escape

**évaluer** [evalɥe] /1/ *vt* (*expertiser*)
to assess, evaluate; (*juger
approximativement*) to estimate

**évangile** [evɑ̃ʒil] *nm* gospel; **É-**
Gospel

**évanouir** [evanwir] /2/: **s'évanouir**
*vi* to faint; (*disparaître*) to vanish,
disappear; **évanouissement** *nm*
(*syncope*) fainting fit

**évaporer** [evapɔre] /1/: **s'évaporer**
*vi* to evaporate

**évasion** [evazjõ] *nf* escape

**éveillé, e** [eveje] *adj* awake; (*vif*)
alert, sharp; **éveiller** /1/ *vt* to (a)
waken; (*soupçons etc*) to arouse;
**s'éveiller** *vi* to (a)waken; (*fig*) to be
aroused

**événement** [evenmɑ̃] *nm* event

**éventail** [evɑ̃taj] *nm* fan; (*choix*)
range

**éventualité** [evɑ̃tɥalite] *nf*
eventuality; possibility; **dans l'~ de**
in the event of

**éventuel, le** [evɑ̃tɥɛl] *adj* possible

Attention à ne pas traduire
*éventuel* par *eventual*.

**éventuellement** [evɑ̃tɥɛlmɑ̃] *adv*
possibly

Attention à ne pas traduire
*éventuellement* par *eventually*.

**évêque** [evɛk] *nm* bishop

**évidemment** [evidamɑ̃] *adv*
(*bien sûr*) of course; (*certainement*)
obviously

**évidence** [evidɑ̃s] *nf* obviousness;
(*fait*) obvious fact; **de toute ~** quite
obviously ou evidently; **être en ~** to
be clearly visible; **mettre en ~** (*fait*)
to highlight; (*objet*) to show up,
evident; **ce n'est pas évident** it's not
as simple as all that

**évier** [evje] *nm* (kitchen) sink

**éviter** [evite] /1/ *vt* to avoid; **~ de
faire/que qch ne se passe** to avoid
doing/sth happening; **~ qch à qn** to
spare sb sth

**évoluer** [evɔlɥe] /1/ *vi* (*enfant,
maladie*) to develop; (*situation,
moralement*) to evolve, develop; (*aller
et venir*) to move about; **évolution** *nf*
development; evolution

**évoquer** [evɔke] /1/ *vt* to call to
mind, evoke; (*mentionner*) to mention

**ex-** [ɛks] *préfixe* ex-; **son ~mari** her ex-
husband; **son ~femme** his ex-wife

**exact, e** [ɛgza(kt), ɛgzakt] *adj* exact;
(*correct*) correct; (*ponctuel*) on time;
**l'heure ~e** the right ou exact time;
**exactement** *adv* exactly

**ex aequo** [ɛgzeko] *adj* equally placed;
**arriver ~** to finish neck and neck

**exagéré, e** [ɛgzaʒere] *adj* (*prix etc*)
excessive

**exagérer** [ɛgzaʒere] /6/ *vt* to
exaggerate ▷ *vi* (*abuser*) to go too far;
(*déformer les faits*) to exaggerate

**examen** [ɛgzamɛ̃] *nm* examination;
(*Scol*) exam, examination; **à l'~** under

consideration; **~ médical** (medical)
examination; (*analyse*) test

**examinateur, -trice**
[ɛgzaminatœʀ, -tʀis] *nm/f* examiner

**examiner** [ɛgzamine] /1/ *vt* to
examine

**exaspérant, e** [ɛgzasperɑ̃, -ɑ̃t] *adj*
exasperating

**exaspérer** [ɛgzaspere] /6/ *vt* to
exasperate

**exaucer** [ɛgzose] /3/ *vt* (*vœu*) to grant

**excéder** [ɛksede] /6/ *vt* (*dépasser*) to
exceed; (*agacer*) to exasperate

**excellent, e** [ɛksɛlɑ̃, -ɑ̃t] *adj*
excellent

**excentrique** [ɛksɑ̃tʀik] *adj*
eccentric

**excepté, e** [ɛksɛpte] *adj, prép*: **les
élèves ~s, ~ les élèves** except for ou
apart from the pupils

**exception** [ɛksɛpsjɔ̃] *nf* exception;
**à l'~ de** except for, with the
exception of; **d'~** (*mesure, loi*) special,
exceptional; **exceptionnel, le** *adj*
exceptional; **exceptionnellement**
*adv* exceptionally

**excès** [ɛksɛ] *nm* surplus ▷ *nmpl*
excesses; **faire des ~** to overindulge;
**~ de vitesse** speeding *no pl*; **excessif,
-ive** *adj* excessive

**excitant, e** [ɛksitɑ̃, -ɑ̃t] *adj* exciting
▷ *nm* stimulant; **excitation** *nf* (*état*)
excitement

**exciter** [ɛksite] /1/ *vt* to excite; (*café
etc*) to stimulate; **s'exciter** *vi* to get
excited

**exclamer** [ɛksklame] /1/:
**s'exclamer** *vi* to exclaim

**exclu, e** [ɛkskly] *adj*: **il est/n'est pas
~ que ...** it's out of the question/not
impossible that ...

**exclure** [ɛksklyʀ] /35/ *vt* (*faire sortir*)
to expel; (*ne pas compter*) to exclude,
leave out; (*rendre impossible*) to
exclude, rule out; **exclusif, -ive** *adj*
exclusive; **exclusion** *nf* expulsion; **à
l'exclusion de** with the exclusion ou
exception of; **exclusivité** *nf* (*Comm*)

## excursion | 104

exclusive rights; *pl*: **film passant en exclusivité à** film showing only at

**excursion** [ɛkskyʁsjɔ̃] *nf* (*en autocar*) excursion, trip; (*à pied*) walk, hike

**excuse** [ɛkskyz] *nf* excuse; **excuses** *nfpl* (*regret*) apology *sg*, apologies; **excuser** /1/ *vt* to excuse; **s'excuser (de)** to apologize (for); **"excusez-moi"** "I'm sorry"; (*pour attirer l'attention*) "excuse me"

**exécuter** [ɛgzekyte] /1/ *vt* (*prisonnier*) to execute; (*tâche etc*) to execute, carry out; (*Mus: jouer*) to perform, execute; **s'exécuter** *vi* to comply

**exemplaire** [ɛgzɑ̃plɛʁ] *nm* copy

**exemple** [ɛgzɑ̃pl] *nm* example; **par ~** for instance, for example; **donner l'~** to set an example

**exercer** [ɛgzɛʁse] /3/ *vt* (*pratiquer*) to exercise, practise; (*influence, contrôle, pression*) to exert; (*former*) to exercise, train; **s'exercer** *vi* (*médecin*) to be in practice; (*sportif, musicien*) to practise

**exercice** [ɛgzɛʁsis] *nm* exercise

**exhiber** [ɛgzibe] /1/ *vt* (*montrer: papiers, certificat*) to present, produce; (*péj*) to display, flaunt; **s'exhiber** *vi* to parade; (*exhibitionniste*) to expose o.s.; **exhibitionniste** *nm/f* exhibitionist

**exigeant, e** [ɛgziʒɑ̃, -ɑ̃t] *adj* demanding; (*péj*) hard to please

**exiger** [ɛgziʒe] /3/ *vt* to demand, require

**exil** [ɛgzil] *nm* exile; **exiler** /1/ *vt* to exile; **s'exiler** *vi* to go into exile

**existence** [ɛgzistɑ̃s] *nf* existence

**exister** [ɛgziste] /1/ *vi* to exist; **il existe un/des** there is a/are (some)

**exorbitant, e** [ɛgzɔʁbitɑ̃, -ɑ̃t] *adj* exorbitant

**exotique** [ɛgzɔtik] *adj* exotic; **yaourt aux fruits ~s** tropical fruit yoghurt

**expédier** [ɛkspedje] /7/ *vt* (*lettre, paquet*) to send; (*troupes, renfort*) to dispatch; (*péj: travail etc*) to dispose of, dispatch; **expéditeur, -trice**

*nm/f* sender; **expédition** *nf* sending; (*scientifique, sportive, Mil*) expedition

**expérience** [ɛkspeʁjɑ̃s] *nf* (*de la vie, des choses*) experience; (*scientifique*) experiment

**expérimenté, e** [ɛkspeʁimɑ̃te] *adj* experienced

**expérimenter** [ɛkspeʁimɑ̃te] /1/ *vt* to test out, experiment with

**expert, e** [ɛkspɛʁ, -ɛʁt] *adj* ⊳ *nm* expert; **~ en assurances** insurance valuer; **expert-comptable** *nm* ≈ chartered (*BRIT*) ou certified public (*US*) accountant

**expirer** [ɛkspiʁe] /1/ *vi* (*prendre fin, lit: mourir*) to expire; (*respirer*) to breathe out

**explication** [ɛksplikasjɔ̃] *nf* explanation; (*discussion*) discussion; (*dispute*) argument

**explicite** [ɛksplisit] *adj* explicit

**expliquer** [ɛksplike] /1/ *vt* to explain; **s'expliquer** to explain o.s.; **s'~ avec qn** (*discuter*) to explain o.s. to sb

**exploit** [ɛksplwa] *nm* exploit, feat; **exploitant** *nm/f*: **exploitant (agricole)** farmer; **exploitation** *nf* exploitation; (*d'une entreprise*) running; **exploitation agricole** farming concern; **exploiter** /1/ *vt* (*personne, don*) to exploit; (*entreprise, ferme*) to run, operate; (*mine*) to exploit, work

**explorer** [ɛksplɔʁe] /1/ *vt* to explore

**exploser** [ɛksploze] /1/ *vi* to explode, blow up; (*engin explosif*) to go off; (*personne: de colère*) to explode; **explosif, -ive** *adj*, *nm* explosive; **explosion** *nf* explosion; **explosion de joie/colère** outburst of joy/rage

**exportateur, -trice** [ɛkspɔʁtatœʁ, -tʁis] *adj* export *cpd*, exporting ⊳ *nm* exporter

**exportation** [ɛkspɔʁtasjɔ̃] *nf* (*action*) exportation; (*produit*) export

**exporter** [ɛkspɔʁte] /1/ *vt* to export

**exposant** [ɛkspozɑ̃] *nm* exhibitor

**exposé, e** [ɛkspoze] *nm* talk ▷ *adj:*
**~ au sud** facing south

**exposer** [ɛkspoze] /1/ *vt*
(*marchandise*) to display; (*peinture*) to
exhibit, show; (*parler de*) to explain,
set out; (*mettre en danger, orienter,
Photo*) to expose; **s'exposer à** (*soleil,
danger*) to expose o.s. to; **exposition**
*nf* (*manifestation*) exhibition; (*Photo*)
exposure

**exprès[1]** [ɛksprɛ] *adv* (*délibérément*)
on purpose; (*spécialement*) specially;
**faire ~ de faire qch** to do sth on
purpose

**exprès[2], -esse** [ɛksprɛs] *adj inv*
(*Postes: lettre, colis*) express

**express** [ɛksprɛs] *adj, nm:* **(café) ~**
espresso; **(train) ~** fast train

**expressif, -ive** [ɛksprɛsif, -iv] *adj*
expressive

**expression** [ɛksprɛsjɔ̃] *nf*
expression

**exprimer** [ɛksprime] /1/ *vt*
(*sentiment, idée*) to express; (*jus,
liquide*) to press out; **s'exprimer** *vi*
(*personne*) to express o.s.

**expulser** [ɛkspylse] /1/ *vt* to expel;
(*locataire*) to evict; (*Football*) to
send off

**exquis, e** [ɛkski, -iz] *adj* exquisite

**extasier** [ɛkstazje] /7/ : **s'extasier** *vi*:
**s'~ sur** to go into raptures over

**exténuer** [ɛkstenɥe] /1/ *vt* to
exhaust

**extérieur, e** [ɛksterjœr] *adj* (*porte,
mur etc*) outer, outside; (*commerce,
politique*) foreign; (*influences, pressions*)
external; (*apparent: calme, gaieté etc*)
outer ▷ *nm* (*d'une maison, d'un récipient
etc*) outside, exterior; (*apparence*)
exterior; **à l'~** outside; (*à l'étranger*)
abroad

**externat** [ɛksterna] *nm* day school

**externe** [ɛkstern] *adj* external, outer
▷ *nm/f* (*Méd*) non-resident medical
student, extern (*us*); (*Scol*) day pupil

**extincteur** [ɛkstɛ̃ktœr] *nm* (*fire*)
extinguisher

**extinction** [ɛkstɛ̃ksjɔ̃] *nf:* **~ de voix**
loss of voice

**extra** [ɛkstra] *adj inv* first-rate; (*fam*)
fantastic ▷ *nm inv* extra help

**extraire** [ɛkstrɛr] /50/ *vt* to extract;
**~ qch de** to extract sth from; **extrait**
*nm* extract; **extrait de naissance**
birth certificate

**extraordinaire** [ɛkstraɔrdinɛr] *adj* extraordinary; (*Pol, Admin:
mesures etc*) special

**extravagant, e** [ɛkstravagɑ̃, -ɑ̃t]
*adj* extravagant

**extraverti, e** [ɛkstraverti] *adj*
extrovert

**extrême** [ɛkstrɛm] *adj, nm* extreme;
**d'un ~ à l'autre** from one extreme
to another; **extrêmement** *adv*
extremely; **Extrême-Orient** *nm:*
**l'Extrême-Orient** the Far East

**extrémité** [ɛkstremite] *nf*
end; (*situation*) straits *pl*, plight;
(*geste désespéré*) extreme action;
**extrémités** *nfpl* (*pieds et mains*)
extremities

**exubérant, e** [ɛgzyberɑ̃, -ɑ̃t] *adj*
exuberant

# f

**F** abr (= franc) fr.; (appartement): **un F2/F3** a 2-/3-roomed flat (BRIT) ou apartment (US)

**fa** [fa] nm inv (Mus) F; (en chantant la gamme) fa

**fabricant, e** [fabrikɑ̃, -ɑ̃t] nm/f manufacturer

**fabrication** [fabrikasjɔ̃] nf manufacture

**fabrique** [fabrik] nf factory; **fabriquer** [fabrike] /1/ vt to make; (industriellement) to manufacture; (fam) **qu'est-ce qu'il fabrique?** what is he up to?

**fac** [fak] nf (fam: Scol) (= faculté) Uni (BRIT fam), ≈ college (US)

**façade** [fasad] nf front, façade

**face** [fas] nf face; (fig: aspect) side ▷ adj: **le côté** heads; **en ~ de** opposite; (fig) in front of; **de ~** face on; **~ à** facing; (fig) faced with, in the face of; **faire ~ à** to face; **~ à ~** adv facing each other; **face-à-face** nm inv encounter

**fâché, e** [faʃe] adj angry; (désolé) sorry

**fâcher** [faʃe] /1/ vt to anger; **se fâcher** vi to get angry; **se ~ avec** (se brouiller) to fall out with

**facile** [fasil] adj easy; (caractère) easy-going; **facilement** adv easily; **facilité** nf easiness; (disposition, don) aptitude; **facilités** nfpl (possibilités) facilities; (Comm) terms; **faciliter** /1/ vt to make easier

**façon** [fasɔ̃] nf (manière) way; (d'une robe etc) making-up; cut; **façons** nfpl (péj) fuss sg; **sans ~** adv without fuss; **non merci, sans ~** no thanks, honestly; **de ~ à** so as to; **de ~ à ce que** so that; **de toute ~** anyway, in any case

**facteur, -trice** [faktœʀ, -tʀis] nm/f postman/woman (BRIT), mailman/woman (US) ▷ nm (Math, gén: élément) factor

**facture** [faktyʀ] nf (à payer: gén) bill; (: Comm) invoice

**facultatif, -ive** [fakyltatif, -iv] adj optional

**faculté** [fakylte] nf (intellectuelle, d'université) faculty; (pouvoir, possibilité) power

**fade** [fad] adj insipid

**faible** [fɛbl] adj weak; (voix, lumière, vent) faint; (rendement, intensité, revenu etc) low ▷ nm (pour quelqu'un) weakness, soft spot; **faiblesse** nf weakness; **faiblir** [feblir] /2/ vi to weaken; (lumière) to dim; (vent) to drop

**faïence** [fajɑ̃s] nf earthenware no pl

**faillir** [fajiʀ] /1/ vi: **j'ai failli tomber/lui dire** I almost ou nearly fell/told him

**faillite** [fajit] nf bankruptcy; **faire ~** to go bankrupt

**faim** [fɛ̃] nf hunger; **avoir ~** to be hungry; **rester sur sa ~** (aussi fig) to be left wanting more

**fainéant, e** [feneɑ̃, -ɑ̃t] nm/f idler, loafer

## MOT-CLÉ

**faire** [fɛʀ] /60/ vt 1 (*fabriquer, être l'auteur de*) to make; **faire du vin/ une offre/un film** to make wine/ an offer/a film; **faire du bruit** to make a noise

2 (*effectuer: travail, opération*) to do; **que faites-vous?** (*quel métier etc*) what do you do?; (*quelle activité: au moment de la question*) what are you doing?; **faire la lessive/le ménage** to do the washing/the housework

3 (*études*) to do; (*sport, musique*) to play; **faire du droit/du français** to do law/French; **faire du rugby/ piano** to play rugby/the piano

4 (*visiter*) **faire les magasins** to go shopping; **faire l'Europe** to tour ou do Europe

5 (*distance*) **faire du 50 (à l'heure)** to do 50 (km an hour); **nous avons fait 1000 km en 2 jours** we did ou covered 1000 km in 2 days

6 (*simuler*) **faire le malade/ l'ignorant** to act the invalid/the fool

7 (*transformer, avoir un effet sur*) **faire de qn un frustré/avocat** to make sb frustrated/a lawyer; **ça ne me fait rien** (*m'est égal*) I don't care ou mind; (*me laisse froid*) it has no effect on me; **ça ne fait rien** it doesn't matter; **faire que** (*impliquer*) to mean that

8 (*calculs, prix, mesures*) **deux et deux font quatre** two and two are ou make four; **ça fait 10 m/15 euros** it's 10 m/15 euros; **je vous le fais 10 euros** I'll let you have it for 10 euros; **je fais du 40** I take a size 40

9 **qu'a-t-il fait de sa valise/de sa sœur?** what has he done with his case/his sister?

10 **ne faire que: il ne fait que critiquer** (*sans cesse*) all he (ever) does is criticize; (*seulement*) he's only criticizing

11 (*dire*) to say; **vraiment?** fit-il really? he said

12 (*maladie*) to have; **faire du diabète/de la tension** to have diabetes sg/high blood pressure

▶ vi 1 (*agir, s'y prendre*) to act, do; **il faut faire vite** we (ou you *etc*) must act quickly; **comment a-t-il fait pour?** how did he manage to?; **faites comme chez vous** make yourself at home

2 (*paraître*) to look; **faire vieux/ démodé** to look old/old-fashioned; **ça fait bien** it looks good

3 (*remplaçant un autre verbe*) to do; **ne le casse pas comme je l'ai fait** don't break it as I did; **je peux le voir?** — **faites!** can I see it? — please do!

▶ vb impers 1 **il fait beau** the weather is fine *etc*; *voir aussi* **froid; jour** *etc*

2 (*temps écoulé, durée*) **ça fait deux ans qu'il est parti** it's two years since he left; **ça fait deux ans qu'il y est** he's been there for two years

▶ vb aux 1 **faire** (+*infinitif*: *action directe*) to make; **faire tomber/ bouger qch** to make sth fall/ move; **faire démarrer un moteur/ chauffer de l'eau** to start up an engine/heat some water; **cela fait dormir** it makes you sleep; **faire travailler les enfants** to make the children work ou get the children to work; **il m'a fait traverser la rue** he helped me to cross the road

2 **faire** (+*infinitif*: *indirectement, par un intermédiaire*) **faire réparer qch** to get ou have sth repaired; **faire punir les enfants** to have the children punished

**se faire** vri 1 (*vin, fromage*) to mature

2 (*être convenable*) **cela se fait beaucoup/ne se fait pas** it's done a lot/not done

3 (+*nom ou pron*) **se faire une jupe** to make o.s. a skirt; **se faire des amis** to make friends; **se faire du souci** to worry; **il ne s'en fait pas** he doesn't worry

**4** (+*adj*: *devenir*): **se faire vieux** to be getting old; (: *délibérément*): **se faire beau** to do o.s. up

**5**: **se faire à** (*s'habituer*) to get used to; **je n'arrive pas à me faire à la nourriture/au climat** I can't get used to the food/climate

**6** (: +*infinitif*): **se faire examiner la vue/opérer** to have one's eyes tested/have an operation; **il va se faire tuer/punir** he's going to get himself killed/get (himself) punished; **il s'est fait aider** to have somebody to help him; **il s'est fait aider par Simon** he got Simon to help him; **se faire faire un vêtement** to get a garment made for o.s.

**7** (*impersonnel*): **comment se fait-il/faisait-il que?** how is it/was it that?

**faire-part** [fɛʀpaʀ] *nm inv* announcement (*of birth, marriage etc*)

**faisan, e** [fəzɑ̃, -an] *nm/f* pheasant

**faisons** *etc* [fəzɔ̃] *vb voir* **faire**

**fait**[1] [fɛ] *nm* (*événement*) event, occurrence; (*réalité, donnée*) fact; **être au** ~ **(de)** to be informed (of); **au** ~ (*à propos*) by the way; **en venir au** ~ to get to the point; **du** ~ **de ceci/qu'il a menti** because of *ou* on account of this/his having lied; **de ce** ~ for this reason; **en** ~ in fact; **prendre qn sur le** ~ to catch sb in the act; ~ **divers** (*short*) news item

**fait**[2], **e** [fɛ, fɛt] *adj* (*mûr: fromage, melon*) ripe; **c'est bien** ~ **(pour lui** *ou* **eux** *etc*) it serves him (*ou* them *etc*) right

**faites** [fɛt] *vb voir* **faire**

**falaise** [falɛz] *nf* cliff

**falloir** [falwaʀ] /29/ *vb impers*: **il faut faire les lits** we (*ou* you *etc*) have to *ou* must make the beds; **il faut que je fasse les lits** I have to *ou* must make the beds; **il a fallu qu'il parte** he had to leave; **il faudrait**

**qu'elle rentre** she should come *ou* go back, she ought to come *ou* go back; **il faut faire attention** you have to be careful; **il me faudrait 100 euros** I would need 100 euros; **il vous faut tourner à gauche après l'église** you have to turn left past the church; **nous avons ce qu'il (nous) faut** we have what we need; **il ne fallait pas** you shouldn't have (done); **s'en falloir vi**: **il s'en est fallu de 10 euros/5 minutes** we (*ou* they *etc*) were 10 euros short/5 minutes late (*ou* early); **il s'en faut de beaucoup qu'il soit** ... he is far from being ...; **il s'en est fallu de peu que cela n'arrive** it very nearly happened; **comme il faut** *adj* proper; *adv* properly

**famé, e** [fame] *adj*: **mal** ~ disreputable, of ill repute

**fameux, -euse** [famø, -øz] *adj* (*illustre*) famous; (*bon: repas, plat etc*) first-rate, first-class; (*intensif*): **un** ~ **problème** *etc* a real problem *etc*

**familial, e, -aux** [familjal, -o] *adj* family *cpd*

**familiarité** [familjaʀite] *nf* familiarity

**familier, -ière** [familje, -jɛʀ] *adj* (*connu, impertinent*) familiar; (*atmosphère*) informal, friendly; (*Ling*) informal, colloquial ▷ *nm* regular (*visitor*)

**famille** [famij] *nf* family; **il a de la** ~ **à Paris** he has relatives in Paris

**famine** [famin] *nf* famine

**fana** [fana] *adj, nm/f* (*fam*) = **fanatique**

**fanatique** [fanatik] *adj*: ~ **(de)** fanatical (about) ▷ *nm/f* fanatic

**faner** [fane] /1/: **se faner** *vi* to fade

**fanfare** [fɑ̃faʀ] *nf* (*orchestre*) brass band; (*musique*) fanfare

**fantaisie** [fɑ̃tezi] *nf* (*spontanéité*) fancy, imagination; (*caprice*) whim ▷ *adj*: **bijou (de)** ~ (piece) of costume jewellery (BRIT) *ou* jewelry (US)

**fantasme** [fɑ̃tasm] *nm* fantasy

**fantastique** [fɑ̃tastik] *adj* fantastic

**fantôme** [fɑ̃tom] *nm* ghost, phantom

**faon** [fɑ̃] *nm* fawn (deer)

**FAQ** *sigle f* (= foire aux questions) FAQ *pl*

**farce** [fars] *nf* (viande) stuffing; (blague) (practical) joke; (Théât) farce; **farcir** /2/ *vt* (viande) to stuff

**farder** [farde] /1/: **se farder** *vi* to make o.s. up

**farine** [farin] *nf* flour

**farouche** [faruʃ] *adj* shy, timid

**fart** [far(t)] *nm* (ski) wax

**fascination** [fasinasjɔ̃] *nf* fascination

**fasciner** [fasine] /1/ *vt* to fascinate

**fascisme** [faʃism] *nm* fascism

**fasse** *etc* [fas] *vb voir* **faire**

**fastidieux, -euse** [fastidjø, -øz] *adj* tedious, tiresome

**fatal, e** [fatal] *adj* fatal; (inévitable) inevitable; **fatalité** *nf* (destin) fate; (coïncidence) fateful coincidence

**fatidique** [fatidik] *adj* fateful

**fatigant, e** [fatigɑ̃, -ɑ̃t] *adj* tiring; (agaçant) tiresome

**fatigue** [fatig] *nf* tiredness, fatigue; **fatigué, e** *adj* tired; **fatiguer** /1/ *vt* to tire, make tired; (fig: agacer) to annoy ▷ *vi* (moteur) to labour, strain; **se fatiguer** to get tired

**fauché, e** [foʃe] *adj* (fam) broke

**faucher** [foʃe] /1/ *vt* (herbe) to cut; (champs, blés) to reap; (véhicule) to mow down; (fam: voler) to pinch

**faucon** [fokɔ̃] *nm* falcon, hawk

**faudra** *etc* [fodra] *vb voir* **falloir**

**faufiler** [fofile] /1/: **se faufiler** *vi*: **se ~ dans** to edge one's way into; **se ~ parmi/entre** to thread one's way among/between

**faune** [fon] *nf* (Zool) wildlife, fauna

**fausse** [fos] *adj f voir* **faux²**;

**faussement** *adv* (accuser) wrongly, wrongfully; (croire) falsely

**fausser** [fose] /1/ *vt* (objet) to bend, buckle; (fig) to distort; **~ compagnie à qn** to give sb the slip

**faut** [fo] *vb voir* **falloir**

**faute** [fot] *nf* (erreur) mistake, error; (péché, manquement) misdemeanour; (Football etc) offence; (Tennis) fault; **c'est de sa/ma ~** it's his/my fault; **être en ~** to be in the wrong; **~ de** (temps, argent) for ou through lack of; **sans ~** without fail; **~ de frappe** typing error; **~ professionnelle** professional misconduct *no pl*

**fauteuil** [fotœj] *nm* armchair; **~ d'orchestre** seat in the front stalls (BRIT) ou the orchestra (US); **~ roulant** wheelchair

**fautif, -ive** [fotif, -iv] *adj* (incorrect) incorrect, inaccurate; (responsable) at fault, in the wrong; **il se sentait ~** he felt guilty

**fauve** [fov] *nm* wildcat ▷ *adj* (couleur) fawn

**faux¹** [fo] *nf* scythe

**faux², fausse** [fo, fos] *adj* (inexact) wrong; (piano, voix) out of tune; (billet) fake, forged; (sournois, apparence) false ▷ *adv* (Mus) out of tune ▷ *nm* (copie) fake, forgery; **faire ~ bond à qn** to let sb down; **~ frais** *nm pl* extras, incidental expenses; **~ mouvement** awkward movement; **faire un ~ pas** to trip; (fig) to make a faux pas; **~ témoignage** (délit) perjury; **fausse alerte** false alarm; **fausse couche** miscarriage; **fausse note** wrong note; **faux-filet** *nm* sirloin

**faveur** [favœr] *nf* favour; **traitement de ~** preferential treatment; **en ~ de** in favour of

**favorable** [favɔrabl] *adj* favo(u)rable

**favori, te** [favɔri, -it] *adj, nm/f* favo(u)rite

**favoriser** [favɔrize] /1/ *vt* to favour

**fax** [faks] *nm* fax

**fécond, e** [fekɔ̃, -ɔ̃d] *adj* fertile; **féconder** /1/ *vt* to fertilize

**féculent** [fekylɑ̃] *nm* starchy food

**fédéral, e, -aux** [federal, -o] *adj* federal

**fée** [fe] *nf* fairy

**feignant, e** [fɛɲɑ̃, -ɑ̃t] *nm/f*
= **fainéant**

**feindre** [fɛ̃dʀ] /52/ *vt* to feign; **~ de faire** to pretend to do

**fêler** [fele] /1/ *vt* to crack

**félicitations** [felisitasjɔ̃] *nfpl*
congratulations

**féliciter** [felisite] /1/ *vt*: **~ qn (de)** to congratulate sb (on)

**félin, e** [felɛ̃, -in] *nm* (big) cat

**femelle** [fəmɛl] *adj, nf* female

**féminin, e** [feminɛ̃, -in] *adj*
feminine; (*sexe*) female; (*équipe, vêtements etc*) women's ▷ *nm* (Ling) feminine; **féministe** *adj* feminist

**femme** [fam] *nf* woman; (*épouse*) wife; **~ de chambre** chambermaid; **~ au foyer** housewife; **~ de ménage** cleaning lady

**fémur** [femyʀ] *nm* femur, thighbone

**fendre** [fɑ̃dʀ] /41/ *vt* (*couper en deux*) to split; (*fissurer*) to crack; (*traverser*) to cut through; **se fendre** *vi* to crack

**fenêtre** [f(ə)nɛtʀ] *nf* window

**fenouil** [fənuj] *nm* fennel

**fente** [fɑ̃t] *nf* (*fissure*) crack; (*de boîte à lettres etc*) slit

**fer** [fɛʀ] *nm* iron; **~ à cheval** horseshoe; **~ forgé** wrought iron; **~ à friser** curling tongs; **~ (à repasser)** iron

**ferai** *etc* [fəʀe] *vb voir* **faire**

**fer-blanc** [fɛʀblɑ̃] *nm* tin(plate)

**férié, e** [feʀje] *adj*: **jour ~** public holiday

**ferions** *etc* [fəʀjɔ̃] *vb voir* **faire**

**ferme** [fɛʀm] *adj* firm ▷ *adv* (*travailler etc*) hard ▷ *nf* (*exploitation*) farm; (*maison*) farmhouse

**fermé, e** [fɛʀme] *adj* closed, shut; (*gaz, eau etc*) off; (*fig: milieu*) exclusive

**fermenter** [fɛʀmɑ̃te] /1/ *vi* to ferment

**fermer** [fɛʀme] /1/ *vt* to close, shut; (*cesser l'exploitation de*) to close down, shut down; (*eau, lumière, électricité, robinet*) to turn off; (*aéroport, route*) to close ▷ *vi* to close, shut; (*magasin: définitivement*) to close down, shut

down; **se fermer** *vi* to close, shut; **~ à clef** to lock

**fermeté** [fɛʀməte] *nf* firmness

**fermeture** [fɛʀmətyʀ] *nf* closing; (*dispositif*) catch; **heure de ~** closing time; **~ éclair®** *ou* **à glissière** zip (fastener) (BRIT), zipper (US)

**fermier, ière** [fɛʀmje, -jɛʀ] *nm/f* farmer

**féroce** [feʀɔs] *adj* ferocious, fierce

**ferons** *etc* [fəʀɔ̃] *vb voir* **faire**

**ferrer** [feʀe] /1/ *vt* (*cheval*) to shoe

**ferroviaire** [feʀɔvjɛʀ] *adj* rail *cpd*, railway *cpd* (BRIT), railroad *cpd* (US)

**ferry(-boat)** [feʀe(bot)] *nm* ferry

**fertile** [fɛʀtil] *adj* fertile; **~ en incidents** eventful, packed with incidents

**fervent, e** [fɛʀvɑ̃, -ɑ̃t] *adj* fervent

**fesse** [fɛs] *nf* buttock; **fessée** *nf* spanking

**festin** [fɛstɛ̃] *nm* feast

**festival** [fɛstival] *nm* festival

**festivités** [fɛstivite] *nfpl* festivities

**fêtard, e** [fɛtaʀ, -aʀd] (*fam*) *nm/f* (*péj*) high liver, merrymaker

**fête** [fɛt] *nf* (*religieuse*) feast; (*publique*) holiday; (*réception*) party; (*kermesse*) fair; (*du nom*) feast day, name day; **faire la ~** to live it up; **faire ~ à qn** to give sb a warm welcome; **les ~s (de fin d'année)** the festive season; **la salle/le comité des ~s** the village hall/festival committee; **la ~ des Mères/Pères** Mother's/Father's Day; **~ foraine** (fun)fair; **la ~ de la musique** *see note* **"fête de la musique"**; **fêter** /1/ *vt* to celebrate; (*personne*) to have a celebration for

- **FÊTE DE LA MUSIQUE**

- The *Fête de la Musique* is a music
- festival which has taken place
- every year since 1981. On 21 June
- throughout France local musicians
- perform free of charge in parks,
- streets and squares.

**feu, x** [fø] nm (gén) fire; (signal lumineux) light; (de cuisinière) ring; **feux** nmpl (Auto) (traffic) lights; **au ~!** (incendie) fire!; **à ~ doux/vif** over a slow/brisk heat; **à petit ~** (Culin) over a gentle heat; (fig) slowly; **faire ~** to fire; **ne pas faire long ~** not to last long; **prendre ~** to catch fire; **mettre le ~ à** to set fire to; **faire du ~** to make a fire; **avez-vous du ~?** (pour cigarette) have you (got) a light?; **~ rouge/vert/orange** red/green/amber (BRIT) ou yellow (US) light; **~ arrière** rear light; **~ d'artifice** firework; (spectacle) fireworks pl; **~x de brouillard** fog lights ou lamps; **~x de croisement** dipped (BRIT) ou dimmed (US) headlights; **~x de position** sidelights; **~x de route** (Auto) headlights (on full (BRIT) ou high (US) beam)

**feuillage** [fœjaʒ] nm foliage, leaves pl

**feuille** [fœj] nf (d'arbre) leaf; **~ (de papier)** sheet (of paper); **~ de calcul** spreadsheet; **~ d'impôts** tax form; **~ de maladie** medical expenses claim form; **~ de paye** pay slip

**feuillet** [fœjɛ] nm leaf

**feuilleté, e** [fœjte] adj: **pâte ~** flaky pastry

**feuilleter** [fœjte] /4/ vt (livre) to leaf through

**feuilleton** [fœjtɔ̃] nm serial

**feutre** [føtʀ] nm felt; (chapeau) felt hat; (stylo) felt-tip(ped pen); **feutré, e** adj (pas, voix, atmosphère) muffled

**fève** [fɛv] nf broad bean

**février** [fevʀije] nm February

**fiable** [fjabl] adj reliable

**fiançailles** [fjɑ̃saj] nfpl engagement sg

**fiancé, e** [fjɑ̃se] nm/f fiancé (fiancée) ▷ adj: **être ~ (à)** to be engaged (to)

**fibre** [fibʀ] nf fibre; **~ de verre** fibreglass

**ficeler** [fis(ə)le] /4/ vt to tie up

**ficelle** [fisɛl] nf string no pl; (morceau) piece ou length of string

**fiche** [fiʃ] nf (carte) (index) card; (formulaire) form; (Élec) plug; **~ de paye** pay slip

**ficher** [fiʃe] /1/ vt (dans un fichier) to file; (: Police) to put on file; (fam: faire) to do; (: donner) to give; (fam: mettre) to stick ou shove; **fiche(-moi) le camp** (fam) clear off!; **fiche-moi la paix** (fam) leave me alone; **se ~ de** (fam: rire de) to make fun of; (: être indifférent à) not to care about

**fichier** [fiʃje] nm file; **~ joint** (Inform) attachment

**fichu, e** [fiʃy] pp de **ficher** ▷ adj (fam: fini, inutilisable) bust, done for; (: intensif) wretched, darned ▷ nm (foulard) (head)scarf; **mal ~** feeling lousy

**fictif, -ive** [fiktif, -iv] adj fictitious

**fiction** [fiksjɔ̃] nf fiction; (fait imaginé) invention

**fidèle** [fidɛl] adj: **~ (à)** faithful (to) ▷ nm/f (Rel): **les ~s** (à l'église) the congregation; **fidélité** nf (d'un conjoint) fidelity, faithfulness; (d'un ami, client) loyalty

**fier¹** [fje]: **se ~ à** vt to trust

**fier², fière** [fjɛʀ] adj proud; **~ de** proud of; **fierté** nf pride

**fièvre** [fjɛvʀ] nf fever; **avoir de la ~/39 de ~** to have a high temperature/a temperature of 39° C; **fiévreux, -euse** adj feverish

**figer** [fiʒe] /3/: **se figer** vi to congeal; (fig) to freeze

**fignoler** [fiɲɔle] /1/ vt to put the finishing touches to

**figue** [fig] nf fig; **figuier** nm fig tree

**figurant, e** [figyrɑ̃, -ɑ̃t] nm/f (Théât) walk-on; (Ciné) extra

**figure** [figyr] nf (visage) face; (image, tracé, forme, personnage) figure; (illustration) picture, diagram

**figuré, e** [figyre] adj (sens) figurative

**figurer** [figyre] /1/ vi to appear ▷ vt to represent; **se ~ que** to imagine that

**fil** [fil] nm (brin, fig: d'une histoire) thread; (d'un couteau) edge; **au ~ des**

**années** with the passing of the years; **au ~ de l'eau** with the stream *ou* current; **coup de ~** (*fam*) phone call; **donner/recevoir un coup de ~** to make/get a phone call; **~ électrique** electric wire; **~ de fer** wire; **~ de fer barbelé** barbed wire

**file** [fil] *nf* line; (*Auto*) lane; **~ (d'attente)** queue (BRIT), line (US); **à la ~ (d'affilée)** in succession; **à la** *ou* **en ~ indienne** in single file

**filer** [file] /1/ *vt* (*tissu, toile, verre*) to spin; (*prendre en filature*) to shadow, tail; (*fam: donner*): **~ qch à qn** to slip sb sth ▷ *vi* (*bas, maille, liquide, pâte*) to run; (*aller vite*) to fly past *ou* by; (*fam: partir*) to make off; **~ doux** to behave o.s.

**filet** [file] *nm* net; (*Culin*) fillet; (*d'eau, de sang*) trickle; **~ (à provisions)** string bag

**filial, e, -aux** [filjal, -o] *adj* filial ▷ *nf* (*Comm*) subsidiary

**filière** [filjɛʀ] *nf* (*carrière*) path; **suivre la ~** to work one's way up (through the hierarchy)

**fille** [fij] *nf* girl; (*opposé à fils*) daughter; **vieille ~** old maid; **fillette** *nf* (little) girl

**filleul, e** [fijœl] *nm/f* godchild, godson (goddaughter)

**film** [film] *nm* (*pour photo*) (roll of) film; (*œuvre*) film, picture, movie

**fils** [fis] *nm* son; **~ à papa** (*péj*) daddy's boy

**filtre** [filtʀ] *nm* filter; **filtrer** /1/ *vt* to filter; (*fig: candidats, visiteurs*) to screen

**fin¹** [fɛ̃] *nf* end; **fins** *nfpl* (*but*) ends; **~ mai** at the end of May; **prendre ~** to come to an end; **mettre ~ à** to put an end to; **à la ~** in the end, eventually; **en ~ de compte** in the end; **sans ~** endless

**fin², e** [fɛ̃, fin] *adj* (*papier, couche, fil*) thin; (*cheveux, poudre, pointe, visage*) fine; (*taille*) neat, slim; (*esprit, remarque*) subtle ▷ *adv* (*moudre,*

*couper*) finely; **~ prêt/soûl** quite ready/drunk; **avoir la vue/l'ouïe ~e** to have keen eyesight/hearing; **or/ linge/vin ~** fine gold/linen/wine; **~es herbes** mixed herbs

**final, e** [final] *adj, nf* final ▷ *nm* (*Mus*) finale; **quarts de ~** quarter finals; **finalement** *adv* finally, in the end; (*après tout*) after all

**finance** [finɑ̃s] *nf* finance; **finances** *nfpl* (*situation financière*) finances; (*activités financières*) finance *sg*; **moyennant ~** for a fee *ou* consideration; **financer** /3/ *vt* to finance; **financier, -ière** *adj* financial

**finesse** [finɛs] *nf* thinness; (*raffinement*) fineness; (*subtilité*) subtlety

**fini, e** [fini] *adj* finished; (*Math*) finite ▷ *nm* (*d'un objet manufacturé*) finish

**finir** [finiʀ] /2/ *vt* to finish ▷ *vi* to finish, end; **~ de faire** to finish doing; (*cesser*) to stop doing; **~ par faire** to end *ou* finish up doing; **il finit par m'agacer** he's beginning to get on my nerves; **en ~ avec** to be *ou* have done with; **il va mal ~** he will come to a bad end

**finition** [finisjɔ̃] *nf* (*résultat*) finish

**finlandais, e** [fɛ̃lɑ̃dɛ, -ɛz] *adj* Finnish ▷ *nm/f*: **F~, e** Finn

**Finlande** [fɛ̃lɑ̃d] *nf*: **la ~** Finland

**finnois, e** [finwa, -waz] *adj* Finnish ▷ *nm* (*Ling*) Finnish

**fioul** [fjul] *nm* fuel oil

**firme** [fiʀm] *nf* firm

**fis** [fi] *vb voir* **faire**

**fisc** [fisk] *nm* tax authorities *pl*; **fiscal, e, -aux** *adj* tax *cpd*, fiscal; **fiscalité** *nf* tax system

**fissure** [fisyʀ] *nf* crack; **fissurer** /1/ *vt* to crack; **se fissurer** *vi* to crack

**fit** [fi] *vb voir* **faire**

**fixation** [fiksasjɔ̃] *nf* (*attache*) fastening; (*Psych*) fixation

**fixe** [fiks] *adj* fixed; (*emploi*) steady, regular ▷ *nm* (*salaire*) basic salary; (*téléphone*) landline; **à heure ~** at a set time; **menu à prix ~** set menu

**fixé, e** [fikse] *adj*: **être ~ (sur)** (*savoir à quoi s'en tenir*) to have made up one's mind (about)

**fixer** [fikse] */vt* (*attacher*): **~ qch (à/sur)** to fix ou fasten sth (to/onto); (*déterminer*) to fix, set; (*poser son regard sur*) to stare at; **se fixer** (*s'établir*) to settle down; **se ~ sur** (*attention*) to focus on

**flacon** [flakɔ̃] *nm* bottle

**flageolet** [flaʒɔlɛ] *nm* (*Culin*) dwarf kidney bean

**flagrant, e** [flagrɑ̃, -ɑ̃t] *adj* flagrant, blatant; **en ~ délit** in the act

**flair** [flɛʀ] *nm* sense of smell; (*fig*) intuition; **flairer** */vt* (*humer*) to sniff (at); (*détecter*) to scent

**flamand, e** [flamɑ̃, -ɑ̃d] *adj* Flemish ▷ *nm* (*Ling*) Flemish ▷ *nm/f*: **F~, e** Fleming

**flamant** [flamɑ̃] *nm* flamingo

**flambant** [flɑ̃bɑ̃] *adv*: **~ neuf** brand new

**flambé, e** [flɑ̃be] *adj* (*Culin*) flambé

**flambée** [flɑ̃be] *nf* blaze; **~ des prix** (sudden) shooting up of prices

**flamber** [flɑ̃be] */vi* to blaze (up)

**flamboyer** [flɑ̃bwaje] /8/ *vi* to blaze (up)

**flamme** [flɑm] *nf* flame; (*fig*) fire, fervour; **en ~s** on fire, ablaze

**flan** [flɑ̃] *nm* (*Culin*) custard tart ou pie

**flanc** [flɑ̃] *nm* side; (*Mil*) flank

**flancher** [flɑ̃ʃe] */vi* to fail, pack up

**flanelle** [flanɛl] *nf* flannel

**flâner** [flɑne] */vi* to stroll

**flanquer** [flɑ̃ke] */vt* to flank; (*fam: mettre*) to chuck, shove; **~ par terre/à la porte** (*jeter*) to fling to the ground/chuck out

**flaque** [flak] *nf* (*d'eau*) puddle; (*d'huile, de sang etc*) pool

**flash** [flaʃ] (*pl* **flashes**) *nm* (*Photo*) flash; **~ (d'information)** newsflash

**flatter** [flate] */vt* to flatter; **se ~ de qch** to pride o.s. on sth; **flatteur, -euse** *adj* flattering

**flèche** [flɛʃ] *nf* arrow; (*de clocher*) spire; **monter en ~** (*fig*) to soar, rocket; **partir en ~** to be off like a shot; **fléchette** *nf* dart

**flétrir** [fletʀiʀ] /2/: **se flétrir** *vi* to wither

**fleur** [flœʀ] *nf* flower; (*d'un arbre*) blossom; **être en ~** (*arbre*) to be in blossom; **tissu à ~s** flowered ou flowery fabric

**fleuri, e** [flœʀi] *adj* (*jardin*) in flower ou bloom; (*style, tissu, papier*) flowery; (*teint*) glowing

**fleurir** [flœʀiʀ] /2/ *vi* (*rose*) to flower; (*arbre*) to blossom; (*fig*) to flourish ▷ *vt* (*tombe*) to put flowers on; (*chambre*) to decorate with flowers

**fleuriste** [flœʀist] *nm/f* florist

**fleuve** [flœv] *nm* river

**flexible** [flɛksibl] *adj* flexible

**flic** [flik] *nm* (*fam: péj*) cop

**flipper** [flipœʀ] *nm* pinball (machine)

**flirter** [flœʀte] */vi* to flirt

**flocon** [flɔkɔ̃] *nm* flake

**flore** [flɔʀ] *nf* flora

**florissant, e** [flɔʀisɑ̃, -ɑ̃t] *adj* (*économie*) flourishing

**flot** [flo] *nm* flood, stream; **flots** *nmpl* (*de la mer*) waves; **être à ~** (*Navig*) to be afloat; **entrer à ~s** to stream ou pour in

**flottant, e** [flɔtɑ̃, -ɑ̃t] *adj* (*vêtement*) loose(-fitting)

**flotte** [flɔt] *nf* (*Navig*) fleet; (*fam: eau*) water; (*: pluie*) rain

**flotter** [flɔte] */vi* to float; (*nuage, odeur*) to drift; (*drapeau*) to fly; (*vêtements*) to hang loose ▷ *vb impers* (*fam: pleuvoir*): **il flotte** it's raining; **faire ~** to float; **flotteur** *nm* float

**flou, e** [flu] *adj* fuzzy, blurred; (*fig*) woolly (*BRIT*), vague

**fluide** [flɥid] *adj* fluid; (*circulation etc*) flowing freely ▷ *nm* fluid

**fluor** [flyɔʀ] *nm*: **dentifrice au ~** fluoride toothpaste

**fluorescent, e** [flyɔʀesɑ̃, -ɑ̃t] *adj* fluorescent

**flûte** [flyt] *nf (aussi:* **~ traversière**) flute; *(verre)* flute glass; *(pain) (thin)* baguette; **~!** drat it!; **~ (à bec)** recorder

**flux** [fly] *nm* incoming tide; *(écoulement)* flow; **le ~ et le re~** the ebb and flow

**foc** [fɔk] *nm* jib

**foi** [fwa] *nf* faith; **digne de ~** reliable; **être de bonne/mauvaise ~** to be in good faith/not to be in good faith

**foie** [fwa] *nm* liver; **crise de ~** stomach upset

**foin** [fwɛ̃] *nm* hay; **faire du ~** *(fam)* to kick up a row

**foire** [fwaʀ] *nf* fair; *(fête foraine)* (fun)fair; **~ aux questions** *(Internet)* frequently asked questions; **faire la ~** to whoop it up; **~ (exposition)** trade fair

**fois** [fwa] *nf* time; **une/deux ~** once/ twice; **deux ~ deux** twice two; **une ~** *(passé)* once; *(futur)* sometime; **une (bonne) ~ pour toutes** once and for all; **une ~ que c'est fait** once it's done; **des ~** *(parfois)* sometimes; **à la ~ *(ensemble)*** (all) at once

**fol** [fɔl] *adj m voir* **fou**

**folie** [fɔli] *nf (d'une décision, d'un acte)* madness, folly; *(état)* madness, insanity; **la ~ des grandeurs** delusions of grandeur; **faire des ~s** *(en dépenses)* to be extravagant

**folklorique** [fɔlklɔʀik] *adj* folk *cpd*; *(fam)* weird

**folle** [fɔl] *adj f, nf voir* **fou**; **follement** *adv (très)* madly, wildly

**foncé, e** [fɔ̃se] *adj* dark

**foncer** [fɔ̃se] /3/ *vi* to go darker; *(fam: aller vite)* to tear ou belt along; **~ sur** to charge at

**fonction** [fɔ̃ksjɔ̃] *nf* function; *(emploi, poste)* post, position; **fonctions** *nfpl (professionnelles)* duties; **voiture de ~** company car; **en ~ de** *(par rapport à)* according to; **faire ~ de** to serve as; **la ~ publique** the state ou civil *(BRIT)* service; **fonctionnaire** *nm/f*

state employee ou official; *(dans l'administration)* ≈ civil servant; **fonctionner** /1/ *vi* to work, function

**fond** [fɔ̃] *nm voir aussi* **fonds**; *(d'un récipient, trou)* bottom; *(d'une salle, scène)* back; *(d'un tableau, décor)* background; *(opposé à la forme)* content; *(Sport):* **le ~** long distance (running); **au ~ de** at the bottom of; at the back of; **à ~ *(connaître, soutenir)*** thoroughly; *(appuyer, visser)* right down ou home; **à ~ (de train)** *(fam)* full tilt; **dans le ~, au ~ *(en somme)*** basically, really; **de ~ en comble** from top to bottom; **~ de teint** foundation

**fondamental, e, -aux** [fɔ̃damɑ̃tal, -o] *adj* fundamental

**fondant, e** [fɔ̃dɑ̃, -ɑ̃t] *adj (neige)* melting; *(poire)* that melts in the mouth

**fondation** [fɔ̃dasjɔ̃] *nf* founding; *(établissement)* foundation; **fondations** *nfpl (d'une maison)* foundations

**fondé, e** [fɔ̃de] *adj (accusation etc)* well-founded; **être ~ à croire** to have grounds for believing ou good reason to believe

**fondement** [fɔ̃dmɑ̃] *nm:* **sans ~** *(rumeur etc)* groundless, unfounded

**fonder** [fɔ̃de] /1/ *vt* to found; *(fig):* **~ qch sur** to base sth on; **se ~ sur** *(personne)* to base o.s. on

**fonderie** [fɔ̃dʀi] *nf* smelting works *sg*

**fondre** [fɔ̃dʀ] /41/ *vt (aussi:* **faire ~**) to melt; *(dans l'eau)* to dissolve; *(fig: mélanger)* to merge, blend ▷ *vi (à la chaleur)* to melt; to dissolve; *(fig)* to melt away; *(se précipiter):* **~ sur** to swoop down on; **~ en larmes** to dissolve into tears

**fonds** [fɔ̃] *nm (Comm):* **~ (de commerce)** business ▷ *nmpl (argent)* funds

**fondu, e** [fɔ̃dy] *adj (beurre, neige)* melted; *(métal)* molten ▷ *nf (Culin)* fondue

**font** [fɔ̃] vb voir **faire**

**fontaine** [fɔ̃tɛn] nf fountain; (source) spring

**fonte** [fɔ̃t] nf melting; (métal) cast iron; **la ~ des neiges** the (spring) thaw

**foot** [fut], **football** [futbol] nm football, soccer; **footballeur, -euse** nm/f footballer (BRIT), football ou soccer player

**footing** [futiŋ] nm jogging; **faire du ~** to go jogging

**forain, e** [fɔrɛ̃, -ɛn] adj fairground cpd ▷ nm (marchand) stallholder; (acteur etc) fairground entertainer

**forçat** [fɔrsa] nm convict

**force** [fɔrs] nf strength; (Physique, Mécanique) force; **forces** nfpl (physiques) strength sg; (Mil) forces; **à ~ de faire** by dint of doing; **de ~** forcibly, by force; **dans la ~ de l'âge** in the prime of life; **les ~s de l'ordre** the police

**forcé, e** [fɔrse] adj forced; **c'est ~!** it's inevitable!; **forcément** adv inevitably; **pas forcément** not necessarily

**forcer** [fɔrse] /3/ vt to force; (moteur, voix) to strain ▷ vi (Sport) to overtax o.s.; **se ~ à faire qch** to force o.s. to do sth; **~ la dose/l'allure** to overdo it/increase the pace

**forestier, -ière** [fɔrɛstje, -jɛr] adj forest cpd

**forêt** [fɔrɛ] nf forest

**forfait** [fɔrfɛ] nm (Comm) all-in deal ou price; **déclarer ~** to withdraw; **forfaitaire** adj inclusive

**forge** [fɔrʒ] nf forge, smithy; **forgeron** nm (black)smith

**formaliser** [fɔrmalize] /1/: **se formaliser** vi: **se ~ (de)** to take offence (at)

**formalité** [fɔrmalite] nf formality; **simple ~** mere formality

**format** [fɔrma] nm size; **formater** /1/ vt (disque) to format

**formation** [fɔrmasjɔ̃] nf forming; training; **la ~ permanente** ou

**continue** continuing education; **la ~ professionnelle** vocational training

**forme** [fɔrm] nf (gén) form; (d'un objet) shape, form; **formes** nfpl (bonnes manières) proprieties; (d'une femme) figure sg; **en ~ de poire** pear-shaped, in the shape of a pear; **être en (bonne ou pleine) ~** (Sport etc) to be on form; **en bonne et due ~** in due form

**formel, le** [fɔrmɛl] adj (preuve, décision) definite, positive; **formellement** adv (interdit) strictly; (absolument) positively

**former** [fɔrme] /1/ vt to form; (éduquer) to train; **se former** vi to form

**formidable** [fɔrmidabl] adj tremendous

**formulaire** [fɔrmylɛr] nm form

**formule** [fɔrmyl] nf (gén) formula; (expression) phrase; **~ de politesse** polite phrase; (en fin de lettre) letter ending

**fort, e** [fɔr, fɔrt] adj strong; (intensité, rendement) high, great; (corpulent) large; (doué): **être ~ (en)** to be good (at) ▷ adv (serrer, frapper) hard; (sonner) loud(ly); (beaucoup) greatly, very much; (très) very ▷ nm (édifice) fort; (point fort) strong point, forte; **~e tête** rebel; **forteresse** nf fortress

**fortifiant** [fɔrtifjɑ̃] nm tonic

**fortune** [fɔrtyn] nf fortune; **faire ~** to make one's fortune; **de ~** makeshift; **fortuné, e** adj wealthy

**forum** [fɔrɔm] nm forum; **~ de discussion** (Internet) message board

**fosse** [fos] nf (grand trou) pit; (tombe) grave

**fossé** [fose] nm ditch; (fig) gulf, gap

**fossette** [fosɛt] nf dimple

**fossile** [fosil] nm fossil ▷ adj fossilized, fossil cpd

**fou (fol), folle** [fu, fɔl] adj mad; (déréglé etc) wild, erratic; (fam: extrême, très grand) terrific, tremendous ▷ nm/f madman/woman ▷ nm (du *roi)* jester; **être ~ de** to be mad *ou* crazy about; **avoir le ~ rire** to have the giggles

**foudre** [fudʀ] *nf*: **la ~** lightning

**foudroyant, e** [fudʀwajɑ̃, -ɑ̃t] *adj (progrès)* lightning *cpd*; *(succès)* stunning; *(maladie, poison)* violent

**fouet** [fwɛ] *nm* whip; *(Culin)* whisk; **de plein ~** *adv (se heurter)* head on; **fouetter** */vt* to whip; *(crème)* to whisk

**fougère** [fuʒɛʀ] *nf* fern

**fougue** [fug] *nf* ardour, spirit; **fougueux, -euse** *adj* fiery

**fouille** [fuj] *nf* search; **fouilles** *nfpl (archéologiques)* excavations; **fouiller** */vt* to search; *(creuser)* to dig ⊳ *vi*: **fouiller dans/parmi** to rummage in/ among; **fouillis** *nm* jumble, muddle

**foulard** [fulaʀ] *nm* scarf

**foule** [ful] *nf* crowd; **la ~** crowds *pl*; **une ~ de** masses of

**foulée** [fule] *nf* stride

**fouler** [fule] */vt* to press; *(sol)* to tread upon; **se ~ la cheville** to sprain one's ankle; **ne pas se ~** not to overexert o.s.; **il ne se foule pas** he doesn't put himself out; **foulure** *nf* sprain

**four** [fuʀ] *nm* oven; *(de potier)* kiln; *(Théât: échec)* flop

**fourche** [fuʀʃ] *nf* pitchfork

**fourchette** [fuʀʃɛt] *nf* fork; *(Statistique)* bracket, margin

**fourgon** [fuʀgɔ̃] *nm* van; *(Rail)* wag(g)on; **fourgonnette** *nf* (delivery) van

**fourmi** [fuʀmi] *nf* ant; **avoir des ~s dans les jambes/mains** to have pins and needles in one's legs/hands; **fourmilière** *nf* ant-hill; **fourmiller** */vi* to swarm

**fourneau, x** [fuʀno] *nm* stove

**fourni, e** [fuʀni] *adj (barbe, cheveux)* thick; *(magasin)*: **bien ~ (en)** well stocked with

**fournir** [fuʀniʀ] */2/ vt* to supply; *(preuve, exemple)* to provide, supply; *(effort)* to put in; **~ qch à qn** to

supply sth to sb, supply *ou* provide sb with sth; **fournisseur, -euse** *nm/f* supplier; **fournisseur d'accès à Internet** (Internet) service provider, ISP; **fourniture** *nf* supply(ing); **fournitures scolaires** school stationery

**fourrage** [fuʀaʒ] *nm* fodder

**fourré, e** [fuʀe] *adj (bonbon, chocolat)* filled; *(manteau, botte)* fur-lined ⊳ *nm* thicket

**fourrer** [fuʀe] */1/ vt (fam)* to stick, shove; **se ~ dans/sous** to get into/ under

**fourrière** [fuʀjɛʀ] *nf* pound

**fourrure** [fuʀyʀ] *nf* fur; *(pelage)* coat

**foutre** [futʀ] */vt (fam!)* = **ficher**; **foutu, e** *adj (fam!)* = **fichu**

**foyer** [fwaje] *nm (de cheminée)* hearth; *(famille)* family; *(domicile)* home; *(local de réunion)* (social) club; *(résidence)* hostel; *(salon)* foyer; **lunettes à double ~** bi-focal glasses

**fracassant, e** [fʀakasɑ̃, -ɑ̃t] *adj (succès)* staggering

**fraction** [fʀaksjɔ̃] *nf* fraction

**fracturation** [fʀaktyʀasjɔ̃] *nf*: **~ hydraulique** fracking

**fracture** [fʀaktyʀ] *nf* fracture; **~ du crâne** fractured skull; **fracturer** */vt (coffre, serrure)* to break open; *(os, membre)* to fracture; **se fracturer le crâne** to fracture one's skull

**fragile** [fʀaʒil] *adj* fragile, delicate; *(fig)* frail; **fragilité** *nf* fragility

**fragment** [fʀagmɑ̃] *nm (d'un objet)* fragment, piece

**fraîche** [fʀɛʃ] *adj f voir* **frais**; **fraîcheur** *nf* coolness; *(d'un aliment)* freshness; *voir* **frais**; **fraîchir** */2/ vi* to get cooler; *(vent)* to freshen

**frais, fraîche** [fʀɛ, fʀɛʃ] *adj (air, eau, accueil)* cool; *(petit pois, œufs, nouvelles, couleur, troupes)* fresh ⊳ *adv (récemment)* newly, fresh(ly) ⊳ *nm*: **mettre au ~** to put in a cool place; **prendre le ~** to take a breath of cool air ⊳ *nmpl (débours)* expenses; *(Comm)* costs; **il fait ~** it's cool; **servir ~** serve chilled; **faire des ~** to go to a lot of expense; **~ généraux** overheads; **~ de scolarité** school fees (BRIT), tuition (US)

**fraise** [fʀɛz] nf strawberry; **~ des bois** wild strawberry

**framboise** [fʀɑ̃bwaz] nf raspberry

**franc, franche** [fʀɑ̃, fʀɑ̃ʃ] adj (personne) frank, straightforward; (visage) open; (net: refus, couleur) clear; (: coupure) clean; (intensif) downright ▷ nm franc

**français, e** [fʀɑ̃sɛ, -ɛz] adj French ▷ nm (Ling) French ▷ nm/f: **F~, e** Frenchman/woman

**France** [fʀɑ̃s] nf: **la ~** France; **~ 2, ~ 3** public-sector television channels

● **FRANCE TÉLÉVISION**

● France 2 and France 3 are public-
● sector television channels. France
● 2 is a national general interest and
● entertainment channel; France
● 3 provides regional news and
● information as well as programmes
● for the national network.

**franche** [fʀɑ̃ʃ] adj f voir **franc**; **franchement** adv frankly; clearly; (nettement) definitely; (tout à fait) downright

**franchir** [fʀɑ̃ʃiʀ] /2/ vt (obstacle) to clear, get over; (seuil, ligne, rivière) to cross; (distance) to cover

**franchise** [fʀɑ̃ʃiz] nf frankness; (douanière) exemption; (Assurances) excess

**franc-maçon** [fʀɑ̃masɔ̃] nm Freemason

**franco** [fʀɑ̃ko] adv (Comm): **~ (de port)** postage paid

**francophone** [fʀɑ̃kɔfɔn] adj French-speaking

**franc-parler** [fʀɑ̃paʀle] nm inv outspokenness; **avoir son ~** to speak one's mind

**frange** [fʀɑ̃ʒ] nf fringe

**frangipane** [fʀɑ̃ʒipan] nf almond paste

**frappant, e** [fʀapɑ̃, -ɑ̃t] adj striking

**frappé, e** [fʀape] adj iced

**frapper** [fʀape] /1/ vt to hit, strike; (étonner) to strike; **~ dans ses mains** to clap one's hands; **frappé de stupeur** dumbfounded

**fraternel, le** [fʀatɛʀnɛl] adj brotherly, fraternal; **fraternité** nf brotherhood

**fraude** [fʀod] nf fraud; (Scol) cheating; **passer qch en ~** to smuggle sth in (ou out); **~ fiscale** tax evasion

**frayeur** [fʀejœʀ] nf fright

**fredonner** [fʀədɔne] /1/ vt to hum

**freezer** [fʀizœʀ] nm freezing compartment

**frein** [fʀɛ̃] nm brake; **mettre un ~ à** (fig) to put a brake on, check; **~ à main** handbrake; **freiner** /1/ vi to brake ▷ vt (progrès etc) to check

**frêle** [fʀɛl] adj frail, fragile

**frelon** [fʀəlɔ̃] nm hornet

**frémir** [fʀemiʀ] /2/ vi (de froid, de peur) to shudder; (de colère) to shake; (de joie, feuillage) to quiver

**frêne** [fʀɛn] nm ash (tree)

**fréquemment** [fʀekamɑ̃] adv frequently

**fréquent, e** [fʀekɑ̃, -ɑ̃t] adj frequent

**fréquentation** [fʀekɑ̃tasjɔ̃] nf frequenting; **fréquentations** nfpl (relations) company sg; **avoir de mauvaises ~s** to be in with the wrong crowd, keep bad company

**fréquenté, e** [fʀekɑ̃te] adj: **très ~** (very) busy; **mal ~** patronized by disreputable elements

**fréquenter** [fʀekɑ̃te] /1/ vt (lieu) to frequent; (personne) to see; **se fréquenter** to see a lot of each other

**frère** [fʀɛʀ] nm brother

**fresque** [fʀɛsk] nf (Art) fresco

**fret** [fʀɛ(t)] nm freight

**friand, e** [fʀijɑ̃, -ɑ̃d] *adj*: **~ de** very fond of ▷ *nm*: **~ au fromage** cheese puff

**friandise** [fʀijɑ̃diz] *nf* sweet

**fric** [fʀik] *nm (fam)* cash, bread

**friche** [fʀiʃ]: **en ~** *adj, adv* (lying) fallow

**friction** [fʀiksjɔ̃] *nf* rub, rub-down; (*Tech, fig*) friction

**frigidaire®** [fʀiʒidɛʀ] *nm* refrigerator

**frigo** [fʀigo] *nm* fridge

**frigorifique** [fʀigɔʀifik] *adj* refrigerating

**frileux, -euse** [fʀilø, -øz] *adj* sensitive to (the) cold

**frimer** [fʀime] /1/ *vi (fam)* to show off

**fringale** [fʀɛ̃gal] *nf (fam)*: **avoir la ~** to be ravenous

**fringues** [fʀɛ̃g] *nfpl (fam)* clothes

**fripé, e** [fʀipe] *adj* crumpled

**frire** [fʀiʀ] *vt* to fry ▷ *vi* to fry

**frisé, e** [fʀize] *adj (cheveux)* curly; (*personne*) curly-haired

**frisson** [fʀisɔ̃] *nm (de froid)* shiver; (*de peur*) shudder; **frissonner** /1/ *vi* (*de fièvre, froid*) to shiver; (*d'horreur*) to shudder

**frit, e** [fʀi, fʀit] *pp de* **frire** ▷ *nf*: **(pommes) ~es** chips (BRIT), French fries; **friteuse** *nf* deep fryer, chip pan (BRIT); **friture** *nf* (*huile*) (deep) fat; (*plat*): **friture (de poissons)** fried fish

**froid, e** [fʀwa, fʀwad] *adj* ▷ *nm* cold; **il fait ~** it's cold; **avoir ~** to be cold; **prendre ~** to catch a chill ou cold; **être en ~ avec** to be on bad terms with; **froidement** *adv (accueillir)* coldly; (*décider*) coolly

**froisser** [fʀwase] /1/ *vt* to crumple (up), crease; (*fig*) to hurt, offend; **se froisser** *vi* to crumple, crease; (*personne*) to take offence (BRIT) *ou* offense (US); **se ~ un muscle** to strain a muscle

**frôler** [fʀole] /1/ *vt* to brush against; (*projectile*) to skim past; (*fig*) to come

very close to, come within a hair's breadth of

**fromage** [fʀɔmaʒ] *nm* cheese; **~ blanc** soft white cheese

**froment** [fʀɔmɑ̃] *nm* wheat

**froncer** [fʀɔ̃se] /3/ *vt* to gather; **~ les sourcils** to frown

**front** [fʀɔ̃] *nm* forehead, brow; (*Mil, Météorologie, Pol*) front; **de ~** (*se heurter*) head-on; (*rouler*) together (2 or 3 abreast); (*simultanément*) at once; **faire ~ à** to face up to

**frontalier, -ière** [fʀɔ̃talje, -jɛʀ] *adj* border *cpd*, frontier *cpd* ▷ **(travailleurs) ~s** commuters from across the border

**frontière** [fʀɔ̃tjɛʀ] *nf* frontier, border

**frotter** [fʀɔte] /1/ *vi* to rub, scrape ▷ *vt* to rub; (*pommes de terre, plancher*) to scrub; **~ une allumette** to strike a match

**fruit** [fʀɥi] *nm* fruit *no pl*; **~s de mer** seafood(s); **~s secs** dried fruit *sg*; **fruité, e** [fʀɥite] *adj* fruity; **fruitier, -ière** [fʀɥitje, -jɛʀ] *adj*: **arbre fruitier** fruit tree

**frustrer** [fʀystʀe] /1/ *vt* to frustrate

**fuel(-oil)** [fjul(ɔjl)] *nm* fuel oil; (*pour chauffer*) heating oil

**fugace** [fygas] *adj* fleeting

**fugitif, -ive** [fyʒitif, -iv] *adj* (*lueur, amour*) fleeting ▷ *nm/f* fugitive

**fugue** [fyg] *nf*: **faire une ~** to run away, abscond

**fuir** [fɥiʀ] /17/ *vt* to flee from; (*éviter*) to shun ▷ *vi* to run away; (*gaz, robinet*) to leak

**fuite** [fɥit] *nf* flight; (*divulgation*) leak; **être en ~** to be on the run; **mettre en ~** to put to flight

**fulgurant, e** [fylgyʀɑ̃, -ɑ̃t] *adj* lightning *cpd*, dazzling

**fumé, e** [fyme] *adj (Culin)* smoked; (*verre*) tinted ▷ *nf* smoke

**fumer** [fyme] /1/ *vi* to smoke; (*liquide*) to steam ▷ *vt* to smoke

**fûmes** [fym] *vb voir* **être**

**fumeur, -euse** [fymœʀ, -øz] *nm/f* smoker

**fumier** [fymje] *nm* manure

**funérailles** [fyneʀɑj] *nfpl* funeral *sg*

**fur** [fyʀ]: **au ~ et à mesure** *adv* as one goes along; **au ~ et à mesure que** as

**furet** [fyʀɛ] *nm* ferret

**fureter** [fyʀ(ə)te] /5/ *vi (péj)* to nose about

**fureur** [fyʀœʀ] *nf* fury; **être en ~** to be infuriated; **faire ~** to be all the rage

**furie** [fyʀi] *nf* fury; *(femme)* shrew, vixen; **en ~** *(mer)* raging; **furieux, -euse** *adj* furious

**furoncle** [fyʀɔ̃kl] *nm* boil

**furtif, -ive** [fyʀtif, -iv] *adj* furtive

**fus** [fy] *vb voir* **être**

**fusain** [fyzɛ̃] *nm (Art)* charcoal

**fuseau, x** [fyzo] *nm (pantalon)* (ski-)pants *pl*; *(pour filer)* spindle; **~ horaire** time zone

**fusée** [fyze] *nf* rocket

**fusible** [fyzibl] *nm (Élec: fil)* fuse wire; *(: fiche)* fuse

**fusil** [fyzi] *nm (de guerre, à canon rayé)* rifle, gun; *(de chasse, à canon lisse)* shotgun, gun; **fusillade** *nf* gunfire *no pl*, shooting *no pl*; **fusiller** /1/ *vt* to shoot; **fusiller qn du regard** to look daggers at sb

**fusionner** [fyzjɔne] /1/ *vi* to merge

**fût** [fy] *vb voir* **être** ▷ *nm (tonneau)* barrel, cask

**futé, e** [fyte] *adj* crafty; **Bison ~®** TV and radio traffic monitoring service

**futile** [fytil] *adj* futile; *(frivole)* frivolous

**futur, e** [fytyʀ] *adj, nm* future

**fuyard, e** [fɥijaʀ, -aʀd] *nm/f* runaway

**g**

**Gabon** [ɡabɔ̃] *nm*: **le ~** Gabon

**gâcher** [ɡɑʃe] /1/ *vt (gâter)* to spoil; *(gaspiller)* to waste; **gâchis** *nm* waste *no pl*

**gaffe** [ɡaf] *nf* blunder; **faire ~** *(fam)* to watch out

**gage** [ɡaʒ] *nm (dans un jeu)* forfeit; *(fig: de fidélité)* token; **gages** *nmpl (salaire)* wages; **mettre en ~** to pawn

**gagnant, e** [ɡaɲɑ̃, -ɑ̃t] *adj*: **billet/numéro ~** winning ticket/number ▷ *nm/f* winner

**gagne-pain** [ɡaɲpɛ̃] *nm inv* job

**gagner** [ɡaɲe] /1/ *vt* to win; *(somme d'argent, revenu)* to earn; *(aller vers, atteindre)* to reach; *(s'emparer de)* to overcome; *(envahir)* to spread to ▷ *vi* to win; *(fig)* to gain; **~ du temps/de la place** to gain time/save space; **~ sa vie** to earn one's living

**gai, e** [ɡe] *adj* cheerful; *(un peu ivre)* merry; **gaiement** *adv* cheerfully;

**gaieté** nf cheerfulness; **de gaieté de cœur** with a light heart

**gain** [gɛ̃] nm (revenu) earnings pl; (bénéfice: gén sur) profits pl

**gala** [gala] nm official reception; **soirée de ~** gala evening

**galant, e** [galɑ̃, -ɑ̃t] adj (courtois) courteous, gentlemanly; (entreprenant) flirtatious, gallant; (scène, rendez-vous) romantic

**galerie** [galʀi] nf gallery; (Théât) circle; (de voiture) roof rack; (fig: spectateurs) audience; **~ marchande** shopping mall; **~ de peinture** (private) art gallery

**galet** [galɛ] nm pebble

**galette** [galɛt] nf flat pastry cake; **la ~ des Rois** cake traditionally eaten on Twelfth Night

- **GALETTE DES ROIS**
-
- A galette des Rois is a cake eaten
- on Twelfth Night containing a
- figurine. The person who finds it
- is the king (or queen) and gets a
- paper crown. They then choose
- someone else to be their queen
- (or king).

**galipette** [galipɛt] nf somersault

**Galles** [gal] nfpl: **le pays de ~** Wales; **gallois, e** adj Welsh ▷ nm (Ling) Welsh ▷ nm/f: **Gallois, e** Welshman(-woman)

**galocher** [galɔʃe] (fam) vt to French kiss

**galon** [galɔ̃] nm (Mil) stripe; (décoratif) piece of braid

**galop** [galo] nm gallop; **galoper** /1/ vi to gallop

**gambader** [gɑ̃bade] /1/ vi (animal, enfant) to leap about

**gamin, e** [gamɛ̃, -in] nm/f kid ▷ adj mischievous

**gamme** [gam] nf (Mus) scale; (fig) range

**gang** [gɑ̃g] nm (de criminels) gang

**gant** [gɑ̃] nm glove; **~ de toilette** (face) flannel (BRIT), face cloth

**garage** [gaʀaʒ] nm garage; **garagiste** nm/f garage owner; (mécanicien) garage mechanic

**garantie** [gaʀɑ̃ti] nf guarantee; **(bon de) ~** guarantee ou warranty slip

**garantir** [gaʀɑ̃tiʀ] /2/ vt to guarantee; **je vous garantis que** I can assure you that

**garçon** [gaʀsɔ̃] nm boy; (aussi: **~ de café**) waiter; **vieux ~** (célibataire) bachelor; **~ de courses** messenger

**garde** [gaʀd] nm (de prisonnier) guard; (de domaine etc) warden; (soldat, sentinelle) guardsman ▷ nf (de soldats) guard; **de ~** on duty; **monter la ~** to stand guard; **mettre en ~** to warn; **prendre ~ (à)** to be careful (of); **~ champêtre** nm rural policeman; **~ du corps** nm bodyguard; **~ à vue** nf (Jur) ≈ police custody; **garde-boue** nm inv mudguard; **garde-chasse** nm gamekeeper

**garder** [gaʀde] /1/ vt (conserver) to keep; (surveiller: immeuble, lieu, prisonnier) to guard; (: immeuble, lieu, prisonnier) to guard; **se garder** vi (aliment: se conserver) to keep; **se ~ de faire** to be careful not to do; **~ le lit/la chambre** to stay in bed/indoors; **pêche/chasse gardée** private fishing/hunting (ground)

**garderie** [gaʀdəʀi] nf day nursery, crèche

**garde-robe** [gaʀdəʀɔb] nf wardrobe

**gardien, ne** [gaʀdjɛ̃, -ɛn] nm/f (garde) guard; (de prison) warder; (de domaine, réserve) warden; (de musée etc) attendant; (de phare, cimetière) keeper; (d'immeuble) caretaker; (fig) guardian; **~ de but** goalkeeper; **~ de nuit** night watchman; **~ de la paix** policeman

**gare** [gaʀ] nf (railway) station ▷ excl: **~ à …** mind …!; **~ à toi!** watch out!; **~ routière** bus station

**garer** [gaʀe] /1/ vt to park; **se garer** vi to park

**garni, e** [gaʀni] adj (plat) served with vegetables (and chips, pasta or rice)

**garniture** [garnityr] nf (Culin) vegetables pl; **~ de frein** brake lining

**gars** [ga] nm guy

**Gascogne** [gaskɔɲ] nf: **la ~** Gascony; **le golfe de ~** the Bay of Biscay

**gas-oil** [gazɔjl] nm diesel oil

**gaspiller** [gaspije] /1/ vt to waste

**gastronome** [gastrɔnɔm] nm/f gourmet; **gastronomique** adj gastronomic

**gâteau, x** [gato] nm cake; **~ sec** biscuit

**gâter** [gate] /1/ vt to spoil; **se gâter** vi (dent, fruit) to go bad; (temps, situation) to change for the worse

**gâteux, -euse** [gatø, -øz] adj senile

**gauche** [goʃ] adj left, left-hand; (maladroit) awkward, clumsy ▷ nf (Pol) left (wing); **le bras ~** the left arm; **le côté ~** the left-hand side; **à ~** on the left; (direction) to the left; **gaucher, -ère** [goʃe, -ɛr] adj left-handed; **gauchiste** nm/f leftist

**gaufre** [gofr] nf waffle

**gaufrette** [gofrɛt] nf wafer

**gaulois, e** [golwa, -waz] adj Gallic ▷ nm/f: **G~, e** Gaul

**gaz** [gaz] nm inv gas; **ça sent le ~** I can smell gas, there's a smell of gas; **ne vous gênez pas!** don't mind me!

**gaze** [gaz] nf gauze

**gazette** [gazɛt] nf news sheet

**gazeux, -euse** [gazø, -øz] adj (eau) sparkling; (boisson) fizzy

**gazoduc** [gazodyk] nm gas pipeline

**gazon** [gazɔ̃] nm (herbe) grass; (pelouse) lawn

**géant, e** [ʒeɑ̃, -ɑ̃t] adj gigantic; (Comm) giant-size ▷ nm/f giant

**geindre** [ʒɛ̃dr] /52/ vi to groan, moan

**gel** [ʒɛl] nm frost; **~ douche** shower gel

**gélatine** [ʒelatin] nf gelatine

**gelé, e** [ʒəle] adj frozen ▷ nf jelly; (gel) frost

**geler** [ʒ(ə)le] /5/ vt, vi to freeze; **il gèle** it's freezing

**gélule** [ʒelyl] nf (Méd) capsule

**Gémeaux** [ʒemo] nmpl: **les ~** Gemini

**gémir** [ʒemir] /2/ vi to groan, moan

**gênant, e** [ʒɛnɑ̃, -ɑ̃t] adj (objet) in the way; (histoire, personne) embarrassing

**gencive** [ʒɑ̃siv] nf gum

**gendarme** [ʒɑ̃darm] nm gendarme; **gendarmerie** nf military police force in countryside and small towns; their police station or barracks

**gendre** [ʒɑ̃dr] nm son-in-law

**gêné, e** [ʒene] adj embarrassed

**gêner** [ʒene] /1/ vt (incommoder) to bother; (encombrer) to be in the way of; (embarrasser): **~ qn** to make sb feel ill-at-ease; **se gêner** to put o.s. out; **ne vous gênez pas!** don't mind me!

**général, e, -aux** [ʒeneral, -o] adj, nm general; **en ~** usually, in general; **généralement** adv generally; **généraliser** /1/ vt, vi to generalize; **se généraliser** vi to become widespread; **généraliste** nm/f general practitioner, GP

**génération** [ʒenerasjɔ̃] nf generation

**généreux, -euse** [ʒenerø, -øz] adj generous

**générique** [ʒenerik] nm (Ciné, TV) credits pl

**générosité** [ʒenerozite] nf generosity

**genêt** [ʒ(ə)nɛ] nm (Bot) broom no pl

**génétique** [ʒenetik] adj genetic

**Genève** [ʒ(ə)nɛv] n Geneva

**génial, e, -aux** [ʒenjal, -o] adj of genius; (fam: formidable) fantastic, brilliant

**génie** [ʒeni] nm genius; (Mil): **le ~** ≈ the Engineers pl; **~ civil** civil engineering

**genièvre** [ʒənjɛvr] nm juniper (tree)

**génisse** [ʒenis] nf heifer

**génital, e, -aux** [ʒenital, -o] adj genital; **les parties ~es** the genitals

**génois, e** [ʒenwa, -waz] adj Genoese ▷ nf (gâteau) = sponge cake

**génome** [ʒenom] nm genome

**genou, x** [ʒ(ə)nu] nm knee; **à ~x** on one's knees; **se mettre à ~x** to kneel down

**genre** [ʒɑ̃r] nm kind, type, sort;
(Ling) gender; **avoir bon ~** to look
a nice sort; **avoir mauvais ~** to be
coarse-looking; **ce n'est pas son ~**
it's not like him

**gens** [ʒɑ̃] nmpl (f in some phrases)
people pl

**gentil, le** [ʒɑ̃ti, -ij] adj kind; (enfant:
sage) good; (sympathique: endroit
etc) nice; **gentillesse** nf kindness;
**gentiment** adv kindly

**géographie** [ʒeɔgrafi] nf geography

**géologie** [ʒeɔlɔʒi] nf geology

**géomètre** [ʒeɔmɛtr] nm:
**(arpenteur-)~** (land) surveyor

**géométrie** [ʒeɔmetri] nf geometry;
**géométrique** adj geometric

**géranium** [ʒeranjɔm] nm geranium

**gérant, e** [ʒerɑ̃, -ɑ̃t] nm/f manager/
manageress; **~ d'immeuble**
managing agent

**gerbe** [ʒɛrb] nf (de fleurs, d'eau) spray;
(de blé) sheaf

**gercé, e** [ʒɛrse] adj chapped

**gerçure** [ʒɛrsyr] nf crack

**gérer** [ʒere] /6/ vt to manage

**germain, e** [ʒɛrmɛ̃, -ɛn] adj: **cousin
~** first cousin

**germe** [ʒɛrm] nm germ; **germer** /1/
vi to sprout; (semence) to germinate

**geste** [ʒɛst] nm gesture

**gestion** [ʒɛstjɔ̃] nf management

**Ghana** [gana] nm: **le ~** Ghana

**gibier** [ʒibje] nm (animaux) game

**gicler** [ʒikle] /1/ vi to spurt, squirt

**gifle** [ʒifl] nf slap (in the face); **gifler**
/1/ vt to slap (in the face)

**gigantesque** [ʒigɑ̃tɛsk] adj gigantic

**gigot** [ʒigo] nm leg (of mutton ou
lamb)

**gigoter** [ʒigɔte] /1/ vi to wriggle
(about)

**gilet** [ʒile] nm waistcoat; (pull)
cardigan; **~ de sauvetage** life jacket

**gin** [dʒin] nm gin; **~-tonic** gin and
tonic

**gingembre** [ʒɛ̃ʒɑ̃br] nm ginger

**girafe** [ʒiraf] nf giraffe

**giratoire** [ʒiratwar] adj: **sens ~**
roundabout

**girofle** [ʒirɔfl] nm: **clou de ~** clove

**girouette** [ʒirwɛt] nf weather vane
ou cock

**gitan, e** [ʒitɑ̃, -an] nm/f gipsy

**gîte** [ʒit] nm (maison) home; (abri)
shelter; **~ (rural)** (country) holiday
cottage ou apartment, gîte (self-
catering accommodation in the country)

**givre** [ʒivr] nm (hoar) frost; **givré, e**
adj covered in frost; (fam: fou) nuts;
**citron givré/orange givrée** lemon/
orange sorbet (served in fruit skin)

**glace** [glas] nf ice; (crème glacée) ice
cream; (miroir) mirror; (de voiture)
window

**glacé, e** [glase] adj (mains, vent, pluie)
freezing; (lac) frozen; (boisson) iced

**glacer** [glase] /3/ vt to freeze; (gâteau)
to ice ; **~ qn** (intimider) to chill sb; (fig)
to make sb's blood run cold

**glacial, e** [glasjal] adj icy

**glacier** [glasje] nm (Géo) glacier;
(marchand) ice-cream maker

**glacière** [glasjɛr] nf icebox

**glaçon** [glasɔ̃] nm icicle; (pour boisson)
ice cube

**glaïeul** [glajœl] nm gladiola

**glaise** [glɛz] nf clay

**gland** [glɑ̃] nm acorn; (décoration)
tassel

**glande** [glɑ̃d] nf gland

**glissade** [glisad] nf (par jeu) slide;
(chute) slip; **faire des ~s** to slide

**glissant, e** [glisɑ̃, -ɑ̃t] adj slippery

**glissement** [glismɑ̃] nm: **~ de
terrain** landslide

**glisser** [glise] /1/ vi (avancer) to glide
ou slide along; (coulisser, tomber) to
slide; (déraper) to slip; (être glissant)
to be slippery ▷ vt to slip; **se ~ dans/
entre** to slip into/between

**global, e, -aux** [glɔbal, -o] adj
overall

**globe** [glɔb] nm globe

**globule** [glɔbyl] nm (du sang):
**~ blanc/rouge** white/red corpuscle

**gloire** [glwaʀ] nf glory

**glousser** [gluse] /1/ vi to cluck; (rire) to chuckle

**glouton, ne** [glutɔ̃, -ɔn] adj gluttonous

**gluant, e** [glyɑ̃, -ɑ̃t] adj sticky, gummy

**glucose** [glykoz] nm glucose

**glycine** [glisin] nf wisteria

**GO** sigle fpl (= grandes ondes) LW

**goal** [gol] nm goalkeeper

**gobelet** [gɔblɛ] nm (en métal) tumbler; (en plastique) beaker; (à dés) cup

**goéland** [gɔelɑ̃] nm (sea)gull

**goélette** [gɔelɛt] nf schooner

**goinfre** [gwɛ̃fʀ] nm glutton

**golf** [gɔlf] nm golf; (terrain) golf course; **~ miniature** crazy ou miniature golf

**golfe** [gɔlf] nm gulf; (petit) bay

**gomme** [gɔm] nf (à effacer) rubber (BRIT), eraser; **gommer** /1/ vt to rub out (BRIT), erase

**gonflé, e** [gɔ̃fle] adj swollen; **il est ~** (fam: courageux) he's got some nerve; (: impertinent) he's got a nerve

**gonfler** [gɔ̃fle] /1/ vt (pneu, ballon) to inflate, blow up; (nombre, importance) to inflate ▷ vi to swell (up); (Culin: pâte) to rise

**gonzesse** [gɔ̃zɛs] nf (fam) chick, bird (BRIT)

**googler** [guɡle] /1/ vt to google

**gorge** [gɔʀʒ] nf (Anat) throat; (Géo) gorge

**gorgé, e** [gɔʀʒe] adj: **~ de** filled with ▷ nf (petite) sip; (grande) gulp

**gorille** [gɔʀij] nm gorilla; (fam) bodyguard

**gosse** [gɔs] nm/f kid

**goudron** [gudʀɔ̃] nm tar; **goudronner** /1/ vt to tar(mac) (BRIT), asphalt (us)

**gouffre** [gufʀ] nm abyss, gulf

**goulot** [gulo] nm neck; **boire au ~** to drink from the bottle

**goulu, e** [guly] adj greedy

**gourde** [guʀd] nf (récipient) flask; (fam) (clumsy) clot ou oaf ▷ adj oafish

**gourdin** [guʀdɛ̃] nm club, bludgeon

**gourmand, e** [guʀmɑ̃, -ɑ̃d] adj greedy; **gourmandise** nf greed; (bonbon) sweet

**gousse** [gus] nf: **~ d'ail** clove of garlic

**goût** [gu] nm taste; **de bon ~** tasteful; **de mauvais ~** tasteless; **avoir bon/ mauvais ~** to taste nice/nasty; **prendre ~ à** to develop a taste ou a liking for

**goûter** [gute] /1/ vt (essayer) to taste; (apprécier) to enjoy ▷ vi to have (afternoon) tea ▷ nm (afternoon) tea; **je peux ~?** can I have a taste?

**goutte** [gut] nf drop; (Méd) gout; (alcool) nip (BRIT), drop (us); **tomber à ~** to drip; **goutte-à-goutte** nm inv (Méd) drip

**gouttière** [gutjɛʀ] nf gutter

**gouvernail** [guvɛʀnaj] nm rudder; (barre) helm, tiller

**gouvernement** [guvɛʀnəmɑ̃] nm government

**gouverner** [guvɛʀne] /1/ vt to govern

**grâce** [gʀɑs] nf (charme, Rel) grace; (faveur) favour; (Jur) pardon; **faire ~ à qn de qch** to spare sb sth; **demander ~** to beg for mercy; **à ~** thanks to; **gracieux, -euse** adj graceful

**grade** [gʀad] nm rank; **monter en ~** to be promoted

**gradin** [gʀadɛ̃] nm tier; (de stade) step; **gradins** nmpl (de stade) terracing no pl

**gradué, e** [gʀadɥe] adj: **verre ~** measuring jug

**graduel, le** [gʀadɥɛl] adj gradual

**graduer** [gʀadɥe] /1/ vt (effort etc) to increase gradually; (règle, verre) to graduate

**graffiti** [gʀafiti] nmpl graffiti

**grain** [gʀɛ̃] nm (gén) grain; (Navig) squall; **~ de beauté** beauty spot; **~ de café** coffee bean; **~ de poivre** peppercorn

g

**graine** [gʀɛn] nf seed

**graissage** [gʀɛsaʒ] nm lubrication, greasing

**graisse** [gʀɛs] nf fat; (*lubrifiant*) grease; **graisser** /1/ vt to lubricate, grease; (*tacher*) to make greasy; **graisseux, -euse** adj greasy

**grammaire** [gʀamɛʀ] nf grammar

**gramme** [gʀam] nm gramme

**grand, e** [gʀã, gʀãd] adj (haut) tall; (gros, vaste, large) big, large; (long) long; (plus âgé) big; (adulte) grown-up; (important, brillant) great ▷ adv: **~ ouvert** wide open; **au ~ air** in the open (air); **les ~s blessés/brûlés** the severely injured/burned; **~ ensemble** housing scheme; **~ magasin** department store; **~e personne** grown-up; **~e surface** hypermarket; **~es écoles** prestige university-level colleges with competitive entrance examinations; **~es lignes** (Rail) main lines; **~es vacances** summer holidays (BRIT) ou vacation (US); **grand-chose** nm/f inv: **pas grand-chose** not much; **Grande-Bretagne** nf: **la Grande-Bretagne** (Great) Britain; **grandeur** nf (dimension) size; **grandeur nature** life-size; **grandiose** adj imposing; **grandir** /2/ vi to grow; ▷ vt: **grandir qn** (vêtement, chaussure) to make sb look taller; **grand-mère** nf grandmother; **grand-peine: à grand-peine** adv with (great) difficulty; **grand-père** nm grandfather; **grands-parents** nmpl grandparents

**grange** [gʀãʒ] nf barn

**granit** [gʀanit] nm granite

**graphique** [gʀafik] adj graphic ▷ nm graph

**grappe** [gʀap] nf cluster; **~ de raisin** bunch of grapes

**gras, se** [gʀɑ, gʀɑs] adj (viande, soupe) fatty; (personne) fat; (surface, main, cheveux) greasy; (plaisanterie) coarse; (Typo) bold ▷ nm (Culin) fat; **faire la ~se matinée** to have a lie-in

(BRIT), sleep late; **grassement** adv: **grassement payé** handsomely paid

**gratifiant, e** [gʀatifjã, -ãt] adj gratifying, rewarding

**gratin** [gʀatɛ̃] nm (Culin) cheese- (ou crumb-)topped dish (: croûte) topping; **tout le ~ parisien** all the best people of Paris; **gratiné** (Culin) au gratin

**gratis** [gʀatis] adv free

**gratitude** [gʀatityd] nf gratitude

**gratte-ciel** [gʀatsjɛl] nm inv skyscraper

**gratter** [gʀate] /1/ vt (frotter) to scrape; (avec un ongle) to scratch; (enlever: avec un outil) to scrape off; (: avec un ongle) to scratch off ▷ vi (irriter) to be scratchy; (démanger) to itch; **se gratter** to scratch o.s.

**gratuit, e** [gʀatɥi, -ɥit] adj (entrée) free; (fig) gratuitous

**grave** [gʀav] adj (maladie, accident) serious, bad; (sujet, problème) serious, grave; (personne, air) grave, solemn; (voix, son) deep, low-pitched; **gravement** adv seriously; (parler, regarder) gravely

**graver** [gʀave] /1/ vt (plaque, nom) to engrave; (CD, DVD) to burn

**graveur** [gʀavœʀ] nm engraver; **~ de CD/DVD** CD/DVD burner or writer

**gravier** [gʀavje] nm (loose) gravel no pl; **gravillons** nmpl gravel sg

**gravir** [gʀaviʀ] /2/ vt to climb (up)

**gravité** [gʀavite] nf (de maladie, d'accident) seriousness; (de sujet, problème) seriousness

**graviter** [gʀavite] /1/ vi to revolve

**gravure** [gʀavyʀ] nf engraving, (reproduction) print

**gré** [gʀe] nm: **à son ~** to his liking; **contre le ~ de qn** against sb's will; **de son (plein) ~** of one's own free will; **de ~ ou de force** whether one likes it or not; **de bon ~** willingly; **bon ~ mal ~** like it or not; **savoir (bien) ~ à qn de qch** to be (most) grateful to sb for sth

**grec, grecque** [gʀɛk] adj Greek; (classique: vase etc) Grecian ▷ nm (Ling) Greek ▷ nm/f: **Grec, Grecque** Greek

**Grèce** [gʀɛs] nf: **la ~** Greece

**greffe** [gʀɛf] nf (Bot, Méd: de tissu) graft; (Méd: d'organe) transplant; **greffer/1/** vt (Bot, Méd: tissu) to graft; (Méd: organe) to transplant

**grêle** [gʀɛl] adj (very) thin ▷ nf hail; **grêler/1/** vb impers: **il grêle** it's hailing; **grêlon** nm hailstone

**grelot** [gʀ əlo] nm little bell

**grelotter** [gʀ əlɔte] /1/ vi to shiver

**grenade** [gʀ ənad] nf (explosive) grenade; (Bot) pomegranate; **grenadine** nf grenadine

**grenier** [gʀ ənje] nm attic; (de ferme) loft

**grenouille** [gʀ ənuj] nf frog

**grès** [gʀɛ] nm sandstone; (poterie) stoneware

**grève** [gʀɛv] nf (d'ouvriers) strike; (plage) shore; **se mettre en/faire ~** to go on/be on strike; **~ de la faim** hunger strike; **~ sauvage** wildcat strike

**gréviste** [gʀevist] nm/f striker

**grièvement** [gʀijɛvmɑ̃] adv seriously

**griffe** [gʀif] nf claw; (fig: d'un couturier, parfumeur) label; **griffer/1/** vt to scratch

**grignoter** [gʀiɲɔte] /1/ vt (personne) to nibble at; (souris) to gnaw at ▷ vi to nibble

**gril** [gʀil] nm steak ou grill pan; **grillade** nf grill

**grillage** [gʀijaʒ] nm (treillis) wire netting; (clôture) wire fencing

**grille** [gʀij] nf (portail) (metal) gate; (clôture) railings pl; (d'égout) (metal) grate; grid

**grille-pain** [gʀijpɛ̃] nm inv toaster

**griller** [gʀije] /1/ vt (aussi: **faire ~**) (pain) to toast; (viande) to grill ou broil; (châtaignes) to roast; (fig: ampoule etc) to burn out; **~ un feu rouge** to jump the lights

**grillon** [gʀijɔ̃] nm cricket

**grimace** [gʀimas] nf grimace; (pour faire rire): **faire des ~s** to pull ou make faces

**grimper** [gʀɛ̃pe] /1/ vi, vt to climb

**grincer** [gʀɛ̃se] /3/ vi (porte, roue) to grate; (plancher) to creak; **~ des dents** to grind one's teeth

**grincheux, -euse** [gʀɛ̃ʃø, -øz] adj grumpy

**grippe** [gʀip] nf flu, influenza; **~ A** swine flu; **~ aviaire** bird flu; **grippé, e** adj: **être grippé** to have (the) flu

**gris, e** [gʀi, gʀiz] adj grey; (ivre) tipsy

**grisaille** [gʀizaj] nf greyness, dullness

**griser** [gʀize] /1/ vt to intoxicate

**grive** [gʀiv] nf thrush

**Groenland** [gʀɔɛnlɑ̃d] nm: **le ~** Greenland

**grogner** [gʀɔɲe] /1/ vi to growl; (fig) to grumble; **grognon, ne** adj grumpy

**grommeler** [gʀɔmle] /4/ vi to mutter to o.s.

**gronder** [gʀɔ̃de] /1/ vi to rumble; (fig: révolte) to be brewing ▷ vt to scold; **se faire ~** to get a telling-off

**gros, se** [gʀo, gʀos] adj big, large; (obèse) fat; (travaux, dégâts) extensive; (large) thick; (rhume, averse) heavy ▷ adv: **risquer/gagner ~** to risk/win a lot ▷ nm/f fat man/woman ▷ nm (Comm): **le ~** the wholesale business; **prix de ~** wholesale price; **par ~ temps/~ mer** in rough weather/heavy seas; **le ~ de** the bulk of; **en ~** roughly; (Comm) wholesale; **~ lot** jackpot; **~ mot** swearword; **~ plan** (Photo) close-up; **~ sel** cooking salt; **~ titre** headline; **~se caisse** big drum

**groseille** [gʀozɛj] nf: **~ (rouge)/ (blanche)** red/white currant; **~ à maquereau** gooseberry

**grosse** [gʀos] adj f voir **gros**; **grossesse** nf pregnancy; **grosseur** nf size; (tumeur) lump

**grossier, -ière** [gʀosje, -jɛʀ] adj coarse; (insolent) rude; (dessin) rough; (travail) roughly done; (imitation, instrument) crude; (évident: erreur) gross; **grossièrement** adv (vulgairement) coarsely; (sommairement) roughly; crudely; (en gros) roughly; **grossièreté** nf rudeness; (mot): **dire des grossièretés** to use coarse language

**grossir** [gʀosiʀ] /2/ vi (personne) to put on weight ▷ vt (exagérer) to exaggerate; (au microscope) to magnify; (vêtement): ~ **qn** to make sb look fatter

**grossiste** [gʀosist] nm/f wholesaler

**grotesque** [gʀotɛsk] adj (extravagant) grotesque; (ridicule) ludicrous

**grotte** [gʀot] nf cave

**groupe** [gʀup] nm group; ~ **de parole** support group; ~ **sanguin** blood group; ~ **scolaire** school complex; **grouper** /1/ vt to group; **se grouper** vi to get together

**grue** [gʀy] nf crane

**GSM** [ʒeɛsɛm] nm, adj GSM

**guenon** [gənɔ̃] nf female monkey

**guépard** [gepaʀ] nm cheetah

**guêpe** [gɛp] nf wasp

**guère** [gɛʀ] adv (avec adjectif, adverbe): **ne ... ~** hardly; (avec verbe: pas beaucoup): **ne ... ~** (tournure négative) much; (pas souvent) hardly ever; (tournure négative) (very) long; **il n'y a ~ que/de** there's hardly anybody (ou anything) but/hardly any; **ce n'est ~ difficile** it's hardly difficult; **nous n'avons ~ de temps** we have hardly any time

**guérilla** [geʀija] nf guerrilla warfare

**guérillero** [geʀijeʀo] nm guerrilla

**guérir** [geʀiʀ] /2/ vt (personne, maladie) to cure; (membre, plaie) to heal ▷ vi (personne, malade) to recover, be cured; (maladie) to be cured; (plaie, chagrin, blessure) to heal; **guérison** nf (de malade) curing; (de membre, plaie) healing; (de malade) recovery; **guérisseur, -euse** nm/f healer

**guerre** [gɛʀ] nf war; **en** ~ at war; **faire la** ~ **à** to wage war against; ~ **civile/mondiale** civil/world war; **guerrier, -ière** adj warlike ▷ nm/f warrior

**guet** [gɛ] nm: **faire le** ~ to be on the watch ou look-out; **guet-apens** [gɛtapɑ̃] nm ambush; **guetter** /1/ vt (épier) to watch (intently); (attendre) to watch (out) for; (: pour surprendre) to be lying in wait for

**gueule** [gœl] nf (d'animal) mouth; (fam: visage) mug; (: bouche) gob (!), mouth; **ta** ~! (fam) shut up!; **avoir la** ~ **de bois** (fam) to have a hangover; be hung over; **gueuler** /1/ vi to bawl

**gui** [gi] nm mistletoe

**guichet** [giʃɛ] nm (de bureau, banque) counter; **les** ~**s** (à la gare, au théâtre) the ticket office

**guide** [gid] nm (personne) guide; (livre) guide(book) ▷ nf (fille scout) (girl) guide; **guider** /1/ vt to guide

**guidon** [gidɔ̃] nm handlebars pl

**guignol** [giɲɔl] nm ≈ Punch and Judy show; (fig) clown

**guillemets** [gijmɛ] nmpl: **entre** ~ in inverted commas ou quotation marks

**guindé, e** [gɛ̃de] adj (personne, air) stiff, starchy; (style) stilted

**Guinée** [gine] nf: **la République de**) ~ (the Republic of) Guinea

**guirlande** [giʀlɑ̃d] nf (fleurs) garland; ~ **de Noël** tinsel no pl

**guise** [giz] nf: **à votre** ~ as you wish ou please; **en** ~ **de** by way of

**guitare** [gitaʀ] nf guitar

**Guyane** [gɥijan] nf: **la** ~ **(française)** (French) Guiana

**gym** [ʒim] nf (exercices) gym; **gymnase** nm gym(nasium); **gymnaste** nm/f gymnast; **gymnastique** nf gymnastics sg; (au réveil etc) keep-fit exercises pl

**gynécologie** [ʒinekolɔʒi] nf gynaecology; **gynécologique** adj gynaecological; **gynécologue** nm/f gynaecologist

# h

**habile** [abil] *adj* skilful; (*malin*) clever;
**habileté** [abilte] *nf* skill, skilfulness;
cleverness
**habillé, e** [abije] *adj* dressed; (*chic*)
dressy
**habiller** [abije] /1/ *vt* to dress; (*fournir
en vêtements*) to clothe; (*couvrir*) to
cover; **s'habiller** *vi* to dress (o.s.);
(*se déguiser, mettre des vêtements chic*)
to dress up
**habit** [abi] *nm* outfit; **habits** *nmpl*
(*vêtements*) clothes; **~ (de soirée)**
evening dress; (*pour homme*) tails *pl*
**habitant, e** [abitã, -ãt] *nm/f*
inhabitant; (*d'une maison*) occupant;
**loger chez l'~** to stay with the locals
**habitation** [abitasjõ] *nf* house; **~s
à loyer modéré (HLM)** ≈ council flats
**habiter** [abite] /1/ *vt* to live in ▷ *vi*:
**~ à/dans** to live in *ou* at/in
**habitude** [abityd] *nf* habit; **avoir l'~
de faire** to be in the habit of doing;
(*expérience*) to be used to doing;

**avoir l'~ des enfants** to be used to
children; **d'~** usually; **comme d'~**
as usual
**habitué, e** [abitɥe] *nm/f* (*de maison*)
regular visitor; (*client*) regular
(customer)
**habituel, le** [abitɥɛl] *adj* usual
**habituer** [abitɥe] /1/ *vt*: **~ qn à** to
get sb used to; **s'habituer à** to get
used to
**'hache** ['aʃ] *nf* axe
**'hacher** ['aʃe] /1/ *vt* (*viande*) to
mince; (*persil*) to chop; **'hachis** *nm*
mince *no pl*; **hachis Parmentier** ≈
shepherd's pie
**'haie** ['ɛ] *nf* hedge; (*Sport*) hurdle
**'haillons** ['ajõ] *nmpl* rags
**'haine** ['ɛn] *nf* hatred
**'haïr** ['aiʀ] /10/ *vt* to detest, hate
**'hâlé, e** ['ale] *adj* (sun)tanned,
sunburnt
**haleine** [alɛn] *nf* breath; **hors d'~**
out of breath; **tenir en ~** (*attention*)
to hold spellbound; (*en attente*) to
keep in suspense; **de longue ~**
long-term
**'haleter** ['alte] /5/ *vi* to pant
**'hall** ['ol] *nm* hall
**'halle** ['al] *nf* (covered) market; **'halles**
*nfpl* (*d'une grande ville*) central food
market *sg*
**hallucination** [alysinasjõ] *nf*
hallucination
**'halte** ['alt] *nf* stop, break; (*escale*)
stopping place ▷ *excl* stop!; **faire
~** to stop
**haltère** [altɛʀ] *nm* dumbbell,
barbell; **(poids et) ~s** (*activité*)
weightlifting *sg*; **haltérophilie** *nf*
weightlifting
**'hamac** ['amak] *nm* hammock
**'hamburger** ['ãbuʀgœʀ] *nm*
hamburger
**'hameau, x** ['amo] *nm* hamlet
**hameçon** [amsõ] *nm* (fish) hook
**'hamster** ['amstɛʀ] *nm* hamster
**'hanche** ['ãʃ] *nf* hip
**'hand-ball** ['ãdbal] *nm* handball

**'handicapé, e** [ɑ̃dikape] *adj*
disabled, handicapped ▷ *nm/f*
handicapped person; **~ mental/
physique** mentally/physically
handicapped person; **~ moteur**
person with a movement disorder

**'hangar** [ɑ̃gaʀ] *nm* shed; (*Aviat*)
hangar

**'hanneton** [antɔ̃] *nm* cockchafer

**'hanter** [ɑ̃te] /1/ *vt* to haunt

**'hantise** [ɑ̃tiz] *nf* obsessive fear

**'harceler** [aʀsəle] /5/ *vt* to harass; **~
qn de questions** to plague sb with
questions

**'hardi, e** [aʀdi] *adj* bold, daring

**'hareng** [aʀɑ̃] *nm* herring; **~ saur**
kipper, smoked herring

**'hargne** [aʀɲ] *nf* aggressivity,
aggressiveness; **'hargneux, -euse**
*adj* aggressive

**'haricot** [aʀiko] *nm* bean; **~ blanc/
rouge** haricot/kidney bean; **~ vert**
French (*BRIT*) *ou* green bean

**harmonica** [aʀmɔnika] *nm* mouth
organ

**harmonie** [aʀmɔni] *nf* harmony;
**harmonieux, -euse** *adj* harmonious;
(*couleurs, couple*) well-matched

**'harpe** [aʀp] *nf* harp

**'hasard** [azaʀ] *nm*: **le ~** chance, fate;
**un ~** a coincidence; **au ~** (*sans but*)
aimlessly; (*à l'aveuglette*) at random;
**par ~** by chance; **en espérant
trouver ce qu'on cherche**) on the off
chance; (*en cas de besoin*) just in case

**'hâte** ['ɑt] *nf* haste; **à la ~** hurriedly,
hastily; **en ~** posthaste, with all
possible speed; **avoir ~ de** to be
eager *ou* anxious to; **'hâter** /1/ *vt* to
hasten; **se 'hâter** to hurry; **'hâtif,
-ive** *adj* (*travail*) hurried; (*décision*)
hasty

**'hausse** ['os] *nf* rise, increase; **être en
~** to be going up; **'hausser** /1/ *vt* to
raise; **hausser les épaules** to shrug
(one's shoulders)

**'haut, e** ['o, 'ot] *adj* high; (*grand*) tall
▷ *adv* high ▷ *nm* top (part); **de 3 m de**

~ 3 m high, 3 m in height; **en ~ lieu**
in high places; **à e ~ voix, (tout) ~**
aloud, out loud; **des ~s et des bas**
ups and downs; **du ~ de** from the top
of; **de ~ en bas** from top to bottom;
**plus ~** higher up, further up; (*dans
un texte*) above; (*parler*) louder; **en ~**
(*être/aller*) at (*ou* to) the top; (*dans une
maison*) upstairs; **en ~ de** at the top
of; **~ débit** broadband

**'hautain, e** [otɛ̃, -ɛn] *adj* haughty

**'hautbois** [obwa] *nm* oboe

**'hauteur** [otœʀ] *nf* height; **à la ~
de** (*sur la même ligne*) level with; (*fig:
tâche, situation*) equal to; **à la ~** (*fig*)
up to it

**'haut-parleur** [oparlœʀ] *nm* (loud)
speaker

**Hawaï** [awai] *n* Hawaii; **les îles ~** the
Hawaiian Islands

**'Haye** ['ɛ] *n*: **La ~'** the Hague

**hebdomadaire** [ɛbdɔmadɛʀ] *adj*,
*nm* weekly

**hébergement** [ebɛʀʒəmɑ̃] *nm*
accommodation

**héberger** [ebɛʀʒe] /3/ *vt* (*touristes*) to
accommodate, lodge; (*amis*) to put
up; (*réfugiés*) to take in

**hébergeur** [ebɛʀʒœʀ] *nm* (*Internet*)
host

**hébreu, x** [ebʀø] *adj m, nm* Hebrew

**Hébrides** [ebʀid] *nf*: **les ~** the
Hebrides

**hectare** [ɛktaʀ] *nm* hectare

**'hein** ['ɛ̃] *excl* eh?

**'hélas** ['elas] *excl* alas! ▷ *adv*
unfortunately

**'héler** [ele] /6/ *vt* to hail

**hélice** [elis] *nf* propeller

**hélicoptère** [elikɔptɛʀ] *nm*
helicopter

**helvétique** [ɛlvetik] *adj* Swiss

**hématome** [ematom] *nm*

**hémisphère** [emisfɛʀ] *nm*: **~ nord/
sud** northern/southern hemisphere

**hémorragie** [emɔraʒi] *nf* bleeding
*no pl*, haemorrhage

**hémorroïdes** [emɔʀɔid] *nfpl* piles, haemorrhoids

**hennir** ['eniʀ] /2/ *vi* to neigh, whinny

**hépatite** [epatit] *nf* hepatitis

**herbe** [ɛʀb] *nf* grass; (*Culin, Méd*) herb; **~ de Provence** mixed herbs; **en ~** unripe; (*fig*) budding; **herbicide** *nm* weed-killer; **herboriste** *nm/f* herbalist

**héréditaire** [eʀediteʀ] *adj* hereditary

**hérisson** ['eʀisɔ̃] *nm* hedgehog

**héritage** [eʀitaʒ] *nm* inheritance; (*coutumes, système*) heritage; legacy

**hériter** [eʀite] /1/ *vi*: **~ de qch** (**de qn**) to inherit sth (from sb); **héritier, -ière** *nm/f* heir/heiress

**hermétique** [ɛʀmetik] *adj* airtight; (*à l'eau*) watertight; (*fig: écrivain, style*) abstruse; (*: visage*) impenetrable

**hermine** [ɛʀmin] *nf* ermine

**hernie** ['ɛʀni] *nf* hernia

**héroïne** [eʀɔin] *nf* heroine; (*drogue*) heroin

**héroïque** [eʀɔik] *adj* heroic

**héron** ['eʀɔ̃] *nm* heron

**héros** ['eʀo] *nm* hero

**hésitant, e** [ezitɑ̃, -ɑ̃t] *adj* hesitant

**hésitation** [ezitasjɔ̃] *nf* hesitation

**hésiter** [ezite] /1/ *vi*: **~ (à faire)** to hesitate (to do)

**hétérosexuel, le** [eteʀɔsɛkɥɛl] *adj* heterosexual

**hêtre** ['ɛtʀ] *nm* beech

**heure** [œʀ] *nf* hour; (*Scol*) period; (*moment, moment fixé*) time; **c'est l'~** it's time; **quelle ~ est-il?** what time is it?; **2 ~s (du matin)** 2 o'clock (in the morning); **être à l'~** to be on time; (*montre*) to be right; **mettre à l'~** to set right; **à toute ~** at any time; **24 ~s sur 24** round the clock, 24 hours a day; **24 ~s qu'il est** at this time of day; (*fig*) now; **à l'~ actuelle** at the present time; **sur l'~** at once; **à une ~ avancée (de la nuit)** at a late hour (of the night); **de bonne ~** early; **~ de pointe** rush hour; (*téléphone*) peak period; **~s de bureau** office hours; **~s supplémentaires** overtime *sg*

**heureusement** [œʀøzmɑ̃] *adv* (*par bonheur*) fortunately, luckily

**heureux, -euse** [œʀø, -øz] *adj* happy; (*chanceux*) lucky, fortunate

**heurt** ['œʀ] *nm* (*choc*) collision

**heurter** ['œʀte] /1/ *vt* (*mur*) to strike, hit; (*personne*) to collide with

**hexagone** [ɛgzagɔn] *nm* hexagon; **l'H~** (*la France*) France (*because of its roughly hexagonal shape*)

**hiberner** [ibɛʀne] /1/ *vi* to hibernate

**hibou, x** ['ibu] *nm* owl

**hideux, -euse** ['idø, -øz] *adj* hideous

**hier** [jɛʀ] *adv* yesterday; **~ matin/soir/midi** yesterday morning/evening/lunchtime; **toute la journée d'~** all day yesterday; **toute la matinée d'~** all yesterday morning

**hiérarchie** [jeʀaʀʃi] *nf* hierarchy

**hindou, e** [ɛ̃du] *adj* Hindu ▷ *nm/f*: **H~, e** Hindu; (*Indien*) Indian

**hippique** [ipik] *adj* equestrian, horse *cpd*; **un club ~** a riding centre; **un concours ~** a horse show; **hippisme** [ipism] *nm* (horse-)riding

**hippodrome** [ipɔdʀom] *nm* racecourse

**hippopotame** [ipɔpɔtam] *nm* hippopotamus

**hirondelle** [iʀɔ̃dɛl] *nf* swallow

**hisser** ['ise] /1/ *vt* to hoist, haul up

**histoire** [istwaʀ] *nf* (*science, événements*) history; (*anecdote, récit, mensonge*) story; (*affaire*) business *no pl*; (*chichis: gén pl*) fuss *no pl*; **histoires** *nfpl* (*ennuis*) trouble *sg*; **~ géo** humanities *pl*; **historique** *adj* historical; (*important*) historic ▷ *nm*: **faire l'historique de** to give the background to

**hit-parade** ['itpaʀad] *nm*: **le ~** the charts

**hiver** [ivɛʀ] *nm* winter; **hivernal, e, -aux** *adj* winter *cpd*; (*comme en hiver*) wintry; **hiverner** /1/ *vi* to winter

**HLM** sigle m ou f (= habitations à
loyer modéré) low-rent, state-owned
housing; **un(e) ~** = a council flat
(ou house)

'**hobby** [ɔbi] nm hobby

'**hocher** [ɔʃe] /1/ vt: **~ la tête** to nod;
(signe négatif ou dubitatif) to shake
one's head

'**hockey** [ɔkɛ] nm: **~ (sur glace/
gazon)** (ice/field) hockey

'**hold-up** [ɔldœp] nm inv hold-up

'**hollandais, e** [ɔlɑ̃dɛ, -ɛz] adj Dutch
▷ nm (Ling) Dutch ▷ nm/f: **H~, e**
Dutchman/woman

'**Hollande** [ɔlɑ̃d] nf: **la ~** Holland

'**homard** [ɔmar] nm lobster

**homéopathique** [ɔmeɔpatik] adj
homoeopathic

**homicide** [ɔmisid] nm murder;
**~ involontaire** manslaughter

**hommage** [ɔmaʒ] nm tribute;
**rendre ~ à** to pay tribute to

**homme** [ɔm] nm man; **~ d'affaires**
businessman; **~ d'État** statesman;
**~ de main** hired man; **~ de paille**
stooge; **~ politique** politician; **l'~ de
la rue** the man in the street

**homogène** adj homogeneous

**homologue** nm/f counterpart

**homologué, e** adj (Sport) ratified;
(tarif) authorized

**homonyme** nm (Ling) homonym;
(d'une personne) namesake

'**hormis** [ɔrmi] prép save

**horoparental, e, -aux**
[ɔmoparɑ̃tal, o] adj (famille) same-sex

**homosexuel, le** adj homosexual

'**Hong-Kong** [ɔ̃gkɔ̃g] n Hong Kong

'**Hongrie** [ɔ̃gri] nf: **la ~** Hungary,
'**hongrois, e** adj Hungarian ▷ nm
(Ling) Hungarian ▷ nm/f: **Hongrois,
e** Hungarian

**honnête** [ɔnɛt] adj (intègre)
honest; (juste, satisfaisant) fair;
**honnêtement** adv honestly;
**honnêteté** nf honesty

**honneur** [ɔnœr] nm (mérite): **l'~
lui revient** the credit is
his; **en l'~ de** (personne) in honour of;

(événement) on the occasion of; **faire
~ à** (engagements) to honour; (famille,
professeur) to be a credit to; (fig: repas
etc) to do justice to

**honorable** [ɔnɔrabl] adj worthy,
honourable; (suffisant) decent

**honoraire** [ɔnɔrɛr] adj honorary;
**honoraires** nmpl fees; **professeur ~**
professor emeritus

**honorer** [ɔnɔre] /1/ vt to honour;
(estimer) to hold in high regard; (faire
honneur à) to do credit to

'**honte** [ɔ̃t] nf shame; **avoir ~ de** to be
ashamed of; **faire ~ à qn** to make sb
(feel) ashamed; **honteux, -euse** adj
ashamed; (conduite, acte) shameful,
disgraceful

**hôpital, -aux** [ɔpital, -o] nm
hospital; **où est l'~ le plus proche?**
where is the nearest hospital?

'**hoquet** [ɔkɛ] nm: **avoir le ~** to have
(the) hiccups

**horaire** [ɔrɛr] adj hourly ▷ nm
timetable, schedule; **horaires** nmpl
(heures de travail) hours; **~ flexible**
ou **mobile** ou **à la carte** ou **souple**
flex(i)time

**horizon** [ɔrizɔ̃] nm horizon

**horizontal, e, -aux** adj horizontal

**horloge** [ɔrlɔʒ] nf clock; **l'~ parlante**
the speaking clock; **horloger, -ère**
nm/f watchmaker; clockmaker

'**hormis** [ɔrmi] prép save

**horoscope** [ɔrɔskɔp] nm horoscope

**horreur** [ɔrœr] nf horror; **quelle
~!** how awful!; **avoir ~ de** to loathe
ou detest; **horrible** adj horrible;
**horrifier** /7/ vt to horrify

'**hors** [ɔr] prép: **~ de** out of; **~
pair** outstanding; **~ de propos**
inopportune; **~ service (HS), ~
d'usage** out of service; **être ~ de soi**
to be beside o.s.; '**hors-bord** nm inv
speedboat (with outboard motor);
'**hors-d'œuvre** nm inv hors d'œuvre;
'**hors-la-loi** nm inv outlaw; '**hors-
taxe** adj duty-free

**hortensia** [ɔrtɑ̃sja] nm hydrangea

**hospice** [ɔspis] nm (de vieillards) home

**hospitalier, -ière** [ɔspitalje, -jɛʀ] adj (accueillant) hospitable; (Méd: service, centre) hospital cpd

**hospitaliser** [ɔspitalize] /1/ vt to take (ou send) to hospital, hospitalize

**hospitalité** [ɔspitalite] nf hospitality

**hostie** [ɔsti] nf host

**hostile** [ɔstil] adj hostile; **hostilité** nf hostility

**hôte** [ot] nm (maître de maison) host ▷ nm/f (invité) guest

**hôtel** [otɛl] nm hotel; **aller à l'~** to stay in a hotel; **~ (particulier)** (private) mansion; **~ de ville** town hall; see note "**hôtels**"; **hôtellerie** [otɛlʀi] nf hotel business

**HÔTELS**

There are six categories of hotel in France, from zero ('non classé') to four stars and luxury four stars ('quatre étoiles luxe'). Prices include VAT but not breakfast. In some towns, guests pay a small additional tourist tax, the 'taxe de séjour'.

**hôtesse** [otɛs] nf hostess; **~ de l'air** flight attendant

**'houblon** [ublɔ̃] nm (Bot) hop; (pour la bière) hops pl

**'houille** [uj] nf coal; **~ blanche** hydroelectric power

**'houle** [ul] nf swell; **houleux, -euse** adj stormy

**'hourra** ['uʀa] excl hurrah!

**'housse** ['us] nf cover

**'houx** [u] nm holly

**hovercraft** [ovɛʀkʀaft] nm hovercraft

**'hublot** [yblo] nm porthole

**'huche** ['yʃ] nf: **huche à pain** bread bin

**'huer** ['ɥe] /1/ vt to boo

**huile** [ɥil] nf oil

**huissier** [ɥisje] nm usher; (Jur) ≈ bailiff

**'huit** ['ɥi(t)] num eight; **samedi en ~** a week on Saturday; **dans ~ jours** in a week('s time); **'huitaine** [ɥiten] nf: **une huitaine de jours** a week or so; **'huitième** num eighth

**huître** [ɥitʀ] nf oyster

**humain, e** [ymɛ̃, -ɛn] adj human; (compatissant) humane ▷ nm human (being); **humanitaire** adj humanitarian; **humanité** nf humanity

**humble** [œbl] adj humble

**'humer** ['yme] /1/ vt (parfum) to inhale; (pour sentir) to smell

**humeur** [ymœʀ] nf mood; **de bonne/mauvaise ~** in a good/ bad mood

**humide** [ymid] adj damp; (main, yeux) moist; (climat, chaleur) humid; (saison, route) wet

**humilier** [ymilje] /7/ vt to humiliate

**humilité** [ymilite] nf humility, humbleness

**humoristique** [ymɔʀistik] adj humorous

**humour** [ymuʀ] nm humour; **avoir de l'~** to have a sense of humour; **~ noir** sick humour

**'huppé, e** ['ype] adj (fam) posh

**'hurlement** ['yʀləmɑ̃] nm howling no pl, howl; yelling no pl, yell

**'hurler** ['yʀle] /1/ vi to howl, yell

**'hutte** ['yt] nf hut

**hydratant, e** [idʀatɑ̃, -ɑ̃t] adj (crème) moisturizing

**hydraulique** [idʀolik] adj hydraulic

**hydravion** [idʀavjɔ̃] nm seaplane

**hydrogène** [idʀɔʒɛn] nm hydrogen

**hydroglisseur** [idʀɔglisœʀ] nm hydroplane

**hyène** [jɛn] nf hyena

**hygiène** [iʒjɛn] nf hygiene

**hygiénique** [iʒenik] adj hygienic

**hymne** [imn] nm hymn

**hyperlien** [ipɛʀljɛ̃] nm hyperlink

**hypermarché** [ipɛʀmaʀʃe] *nm*
hypermarket
**hypermétrope** [ipɛʀmetʀɔp] *adj*
long-sighted
**hypertension** [ipɛʀtɑ̃sjɔ̃] *nf* high
blood pressure
**hypnose** [ipnoz] *nf* hypnosis;
**hypnotiser** /1/ *vt* to hypnotize
**hypocrisie** [ipɔkʀizi] *nf* hypocrisy;
**hypocrite** *adj* hypocritical
**hypothèque** [ipɔtɛk] *nf* mortgage
**hypothèse** [ipɔtɛz] *nf* hypothesis
**hystérique** [isteʀik] *adj* hysterical

**iceberg** [isbɛʀg] *nm* iceberg
**ici** [isi] *adv* here; **jusqu'~** as far as this;
(*temporel*) until now; **d'~ là** by then;
**d'~ demain** by tomorrow; in the
meantime; **d'~ peu** before long
**icône** [ikon] *nf* icon
**idéal, e, -aux** [ideal, -o] *adj* ideal
▷ *nm* ideal; **idéaliste** *adj* idealistic
▷ *nm/f* idealist
**idée** [ide] *nf* idea; **se faire des ~s** to
imagine things, get ideas into one's
head; **avoir dans l'~ que** to have an
idea that; **~s noires** black *ou* dark
thoughts; **~s reçues** accepted ideas
*ou* wisdom
**identifier** [idãtifje] /7/ *vt* to identify;
**s'identifier** *vi*: **s'~ avec** *ou* **à qn/qch**
(*héros etc*) to identify with sb/sth
**identique** [idãtik] *adj*: **~ (à)**
identical (to)
**identité** [idãtite] *nf* identity
**idiot, e** [idjo, idjɔt] *adj* idiotic
▷ *nm/f* idiot

**idole** [idɔl] *nf* idol

**if** [if] *nm* yew

**ignoble** [iɲɔbl] *adj* vile

**ignorant, e** [iɲɔʀɑ̃, -ɑ̃t] *adj* ignorant; **~ de** ignorant of, not aware of

**ignorer** [iɲɔʀe] /1/ *vt* not to know; (*personne*) to ignore

**il** [il] *pron* he; (*animal, chose, en tournure impersonnelle*) it; **il neige** it's snowing; **Pierre est-il arrivé?** has Pierre arrived?; **il a gagné** he won; *voir aussi* **avoir**

**île** [il] *nf* island; **l'~ Maurice** Mauritius; **les ~s anglo-normandes** the Channel Islands; **les ~s Britanniques** the British Isles

**illégal, e, -aux** [ilegal, -o] *adj* illegal

**illimité, e** [ilimite] *adj* unlimited

**illisible** [ilizibl] *adj* illegible; (*roman*) unreadable

**illogique** [ilɔʒik] *adj* illogical

**illuminer** [ilymine] /1/ *vt* to light up; (*monument, rue: pour une fête*) to illuminate; (: *au moyen de projecteurs*) floodlight

**illusion** [ilyzjɔ̃] *nf* illusion; **se faire des ~s** to delude o.s.; **faire ~** to delude ou fool people

**illustration** [ilystʀasjɔ̃] *nf* illustration

**illustré, e** [ilystʀe] *adj* illustrated ▷ *nm* comic

**illustrer** [ilystʀe] /1/ *vt* to illustrate; **s'illustrer** to become famous, win fame

**ils** [il] *pron* they

**image** [imaʒ] *nf* (*gén*) picture; (*comparaison, ressemblance*) image; **~ de marque** brand image; (*d'une personne*) (public) image; **imagé, e** *adj* (*texte*) full of imagery; (*langage*) colourful

**imaginaire** [imaʒinɛʀ] *adj* imaginary

**imagination** [imaʒinasjɔ̃] *nf* imagination; **avoir de l'~** to be imaginative

**imaginer** [imaʒine] /1/ *vt* to imagine; (*inventer: expédient, mesure*) to devise, think up; **s'imaginer** *vt* (*se figurer: scène etc*) to imagine, picture; **s'~ que** to imagine that

**imam** [imam] *nm* imam

**imbécile** [ɛ̃besil] *adj* idiotic ▷ *nm/f* idiot

**imbu, e** [ɛ̃by] *adj*: **~ de** full of

**imitateur, -trice** [imitatœʀ, -tʀis] *nm/f* (*gén*) imitator; (*Music-Hall*) impersonator

**imitation** [imitasjɔ̃] *nf* imitation; (*de personalité*) impersonation

**imiter** [imite] /1/ *vt* to imitate; (*contrefaçon*) to forge; (*ressembler à*) to look like

**immangeable** [ɛ̃mɑ̃ʒabl] *adj* inedible

**immatriculation** [imatʀikylasjɔ̃] *nf* registration

### IMMATRICULATION

The last two numbers on vehicle licence plates used to show which 'département' of France the vehicle was registered in. For example, a car registered in Paris had the number 75 on its licence plates. In 2009, a new alphanumeric system was introduced, in which the 'département' number no longer features. Displaying this number to the right of the plate is now optional.

**immatriculer** [imatʀikyle] /1/ *vt* to register; **faire/se faire ~** to register

**immédiat, e** [imedja, -at] *adj* immediate ▷ *nm*: **dans l'~** for the time being; **immédiatement** *adv* immediately

**immense** [imɑ̃s] *adj* immense

**immerger** [imɛʀʒe] /3/ *vt* to immerse, submerge

**immeuble** [imœbl] *nm* building; **~ locatif** block of rented flats

**immigration** [imigʀasjɔ̃] *nf* immigration

**immigré, e** [imigʀe] *nm/f*
immigrant
**imminent, e** [iminɑ̃, -ɑ̃t] *adj*
imminent
**immobile** [imɔbil] *adj* still,
motionless
**immobilier, -ière** [imɔbilje,
-jɛʀ] *adj* property *cpd* ▷ *nm*: **l'~** the
property *ou* the real estate business
**immobiliser** [imɔbilize] /1/ *vt* (*gén*)
to immobilize; (*circulation, véhicule,
affaires*) to bring to a standstill;
**s'immobiliser** (*personne*) to stand
still; (*machine, véhicule*) to come to a
halt *ou* a standstill
**immoral, e, -aux** [imɔʀal, -o] *adj*
immoral
**immortel, le** [imɔʀtɛl] *adj* immortal
**immunisé, e** [im(m)ynize] *adj*: **~**
**contre** immune to
**immunité** [imynite] *nf* immunity
**impact** [ɛ̃pakt] *nm* impact
**impair, e** [ɛ̃pɛʀ] *adj* odd ▷ *nm* faux
pas, blunder
**impardonnable** [ɛ̃paʀdɔnabl] *adj*
unpardonable, unforgivable
**imparfait, e** [ɛ̃paʀfɛ, -ɛt] *adj*
imperfect
**impartial, e, -aux** [ɛ̃paʀsjal, -o] *adj*
impartial, unbiased
**impasse** [ɛ̃pas] *nf* dead-end, cul-de-
sac; (*fig*) deadlock
**impassible** [ɛ̃pasibl] *adj* impassive
**impatience** [ɛ̃pasjɑ̃s] *nf* impatience
**impatient, e** [ɛ̃pasjɑ̃, -ɑ̃t] *adj*
impatient; **impatienter** /1/:
**s'impatienter** *vi* to get impatient
**impeccable** [ɛ̃pekabl] *adj* faultless;
(*propre*) spotlessly clean; (*fam*)
smashing
**impensable** [ɛ̃pɑ̃sabl] *adj* (*événement
hypothétique*) unthinkable; (*événement
qui a eu lieu*) unbelievable
**impératif, -ive** [ɛ̃peʀatif, -iv] *adj*
imperative ▷ *nm* (*Ling*) imperative;
**impératifs** *nmpl* (*exigences: d'une
fonction, d'une charge*) requirements;
(: *de la mode*) demands

**impératrice** [ɛ̃peʀatʀis] *nf* empress
**imperceptible** [ɛ̃pɛʀsɛptibl] *adj*
imperceptible
**impérial, e, -aux** [ɛ̃peʀjal, -o] *adj*
imperial
**impérieux, -euse** [ɛ̃peʀjø, -øz] *adj*
(*caractère, ton*) imperious; (*obligation,
besoin*) pressing, urgent
**impérissable** [ɛ̃peʀisabl] *adj*
undying
**imperméable** [ɛ̃pɛʀmeabl] *adj*
waterproof; (*fig*): **~ à** impervious to
▷ *nm* raincoat
**impertinent, e** [ɛ̃pɛʀtinɑ̃, -ɑ̃t] *adj*
impertinent
**impitoyable** [ɛ̃pitwajabl] *adj*
pitiless, merciless
**implanter** [ɛ̃plɑ̃te] /1/: **s'implanter**
**dans** *vi* to be established in
**impliquer** [ɛ̃plike] /1/ *vt* to imply;
**~ qn (dans)** to implicate sb (in)
**impoli, e** [ɛ̃pɔli] *adj* impolite, rude
**impopulaire** [ɛ̃pɔpylɛʀ] *adj*
unpopular
**importance** [ɛ̃pɔʀtɑ̃s] *nf*
importance; (*de somme*) size; **sans ~**
unimportant
**important, e** [ɛ̃pɔʀtɑ̃, -ɑ̃t] *adj*
important; (*en quantité: somme,
retard*) considerable, sizeable;
(: *gamme, dégâts*) extensive; (*péj: airs,
ton*) self-important ▷ *nm*: **l'~** the
important thing
**importateur, -trice** [ɛ̃pɔʀtatœʀ,
-tʀis] *nm/f* importer
**importation** [ɛ̃pɔʀtasjɔ̃] *nf* (*produit*)
import
**importer** [ɛ̃pɔʀte] /1/ *vt* (*Comm*)
to import; (*maladies, plantes*) to
introduce ▷ *vi* (*être important*) to
matter; **il importe qu'il fasse** it is
important that he should do; **peu
m'importe** (*je n'ai pas de préférence*)
I don't mind; (*je m'en moque*) I don't
care; **peu importe (que)** it doesn't
matter (if); *voir aussi* **n'importe**
**importun, e** [ɛ̃pɔʀtœ̃, -yn] *adj*
irksome, importunate; (*arrivée, visite*)

inopportune, ill-timed ▷ *nm* intruder;
**importuner** /1/ *vt* to bother
**imposant, e** [ɛ̃pozɑ̃, -ɑ̃t] *adj*
imposing
**imposer** [ɛ̃poze] /1/ *vt* (*taxer*) to
tax; **~ qch à qn** to impose sth on
sb; **s'imposer** (*être nécessaire*) to be
imperative; **en ~ à** to impress; **s'~
comme** to emerge as; **s'~ par** to win
recognition through
**impossible** [ɛ̃pɔsibl] *adj* impossible;
**il m'est ~ de le faire** it is impossible
for me to do it, I can't possibly do
it; **faire l'~ (pour que)** to do one's
utmost (so that)
**imposteur** [ɛ̃pɔstœʀ] *nm* impostor
**impôt** [ɛ̃po] *nm* tax; **~ sur le chiffre
d'affaires** corporation (BRIT) ou
corporate (US) tax; **~ foncier** land
tax; **~ sur le revenu** income tax;
**~s locaux** rates, local taxes (US), ≈
council tax (BRIT)
**impotent, e** [ɛ̃pɔtɑ̃, -ɑ̃t] *adj*
disabled
**impraticable** [ɛ̃pʀatikabl] *adj*
(*projet*) impracticable, unworkable;
(*piste*) impassable
**imprécis, e** [ɛ̃pʀesi, -iz] *adj*
imprecise
**imprégner** [ɛ̃pʀeɲe] /6/ *vt*: **~ de**
(*tissu, tampon*) to soak ou impregnate
(with); (*lieu, air*) to fill (with);
**s'imprégner de** (*fig*) to absorb
**imprenable** [ɛ̃pʀənabl] *adj*
(*forteresse*) impregnable; **vue ~**
unimpeded outlook
**impression** [ɛ̃pʀesjɔ̃] *nf*
impression; (*d'un ouvrage, tissu*)
printing; **faire bonne/mauvaise
~** to make a good/bad impression;
**impressionnant, e** *adj* (*imposant*)
impressive; (*bouleversant*) upsetting;
**impressionner** /1/ *vt* (*frapper*) to
impress; (*troubler*) to upset
**imprévisible** [ɛ̃pʀevizibl] *adj*
unforeseeable
**imprévu, e** [ɛ̃pʀevy] *adj* unforeseen,
unexpected ▷ *nm* (*incident*)

unexpected incident; **des vacances
pleines d'~** holidays full of surprises;
**en cas d'~** if anything unexpected
happens; **sauf ~** unless anything
unexpected crops up
**imprimante** [ɛ̃pʀimɑ̃t] *nf* printer;
**~ à laser** laser printer
**imprimé** [ɛ̃pʀime] *nm* (*formulaire*)
printed form; (*Postes*) printed matter
*no pl*; (*tissu*) printed fabric; **un ~ à
fleurs/pois** (*tissu*) a floral/polka-
dot print
**imprimer** [ɛ̃pʀime] /1/ *vt* to print;
(*publier*) to publish; **imprimerie** *nf*
printing; (*établissement*) printing
works *sg*; **imprimeur** *nm* printer
**impropre** [ɛ̃pʀɔpʀ] *adj*
inappropriate; **~ à** unsuitable for
**improviser** [ɛ̃pʀɔvize] /1/ *vt, vi* to
improvize
**improviste** [ɛ̃pʀɔvist]: **à l'~** *adv*
unexpectedly, without warning
**imprudence** [ɛ̃pʀydɑ̃s] *nf* (*d'une
personne, d'une action*) carelessness *no
pl*; (*d'une remarque*) imprudence *no pl*;
**commettre une ~** to do something
foolish
**imprudent, e** [ɛ̃pʀydɑ̃, -ɑ̃t] *adj*
(*conducteur, geste, action*) careless;
(*remarque*) unwise, imprudent;
(*projet*) foolhardy
**impuissant, e** [ɛ̃pɥisɑ̃, -ɑ̃t] *adj*
helpless; (*sans effet*) ineffectual;
(*sexuellement*) impotent
**impulsif, -ive** [ɛ̃pylsif, -iv] *adj*
impulsive
**impulsion** [ɛ̃pylsjɔ̃] *nf* (*Élec, instinct*)
impulse; (*élan, influence*) impetus
**inabordable** [inabɔʀdabl] *adj* (*cher*)
prohibitive
**inacceptable** [inakseptabl] *adj*
unacceptable
**inaccessible** [inaksesibl] *adj*
inaccessible; **~ à** impervious to
**inachevé, e** [inaʃve] *adj* unfinished
**inactif, -ive** [inaktif, -iv] *adj*
inactive; (*remède*) ineffective; (*Bourse:
marché*) slack

**inadapté, e** [inadapte] *adj (Psych)* maladjusted; **~ à** not adapted to, unsuited to

**inadéquat, e** [inadekwa, -wat] *adj* inadequate

**inadmissible** [inadmisibl] *adj* inadmissible

**inadvertance** [inadvɛʀtɑ̃s] : **par ~** *adv* inadvertently

**inanimé, e** [inanime] *adj (matière)* inanimate; *(évanoui)* unconscious; *(sans vie)* lifeless

**inanition** [inanisjɔ̃] *nf*: **tomber d'~** to faint with hunger and exhaustion)

**inaperçu, e** [inapɛʀsy] *adj*: **passer ~** to go unnoticed

**inapte** [inapt] *adj*: **~ à** incapable of; *(Mil)* unfit for

**inattendu, e** [inatɑ̃dy] *adj* unexpected

**inattentif, -ive** [inatɑ̃tif, -iv] *adj* inattentive; **~ à** *(dangers, détails)* heedless of; **inattention** *nf* inattention; **faute d'inattention** careless mistake

**inaugurer** [inogyʀe] /1/ *vt (monument)* to unveil; *(exposition, usine)* to open; *(fig)* to inaugurate

**inavouable** [inavwabl] *adj (bénéfices)* undisclosable; *(honteux)* shameful

**incalculable** [ɛ̃kalkylabl] *adj* incalculable

**incapable** [ɛ̃kapabl] *adj* incapable; **~ de faire** incapable of doing; *(empêché)* unable to do

**incapacité** [ɛ̃kapasite] *nf (incompétence)* incapability; *(impossibilité)* incapacity; **être dans l'~ de faire** to be unable to do

**incarcérer** [ɛ̃kaʀseʀe] /6/ *vt* to incarcerate, imprison

**incassable** [ɛ̃kasabl] *adj* unbreakable

**incendie** [ɛ̃sɑ̃di] *nm* fire; **~ criminel** arson *no pl*; **~ de forêt** forest fire; **incendier** /7/ *vt (mettre le feu à)* to set fire to, set alight; *(brûler complètement)* to burn down

**incertain, e** [ɛ̃sɛʀtɛ̃, -ɛn] *adj* uncertain; *(temps)* unsettled; *(imprécis: contours)* indistinct, blurred; **incertitude** *nf* uncertainty

**incessamment** [ɛ̃sesamɑ̃] *adv* very shortly

**incident** [ɛ̃sidɑ̃] *nm* incident; **~ de parcours** minor hitch *ou* setback; **~ technique** technical difficulties *pl*

**incinérer** [ɛ̃sineʀe] /6/ *vt (ordures)* to incinerate; *(mort)* to cremate

**incisif, -ive** [ɛ̃sizif, -iv] *adj* incisive ▷ *nf* incisor

**inciter** [ɛ̃site] /1/ *vt*: **~ qn à (faire) qch** to prompt *ou* encourage sb to do sth; *(à la révolte etc)* to incite sb to do sth

**incivilité** [ɛ̃sivilite] *nf (grossièreté)* incivility; **incivilités** *nfpl* antisocial behaviour *sg*

**inclinable** [ɛ̃klinabl] *adj*: **siège à dossier ~** reclining seat

**inclination** [ɛ̃klinasjɔ̃] *nf (penchant)* inclination

**incliner** [ɛ̃kline] /1/ *vt (bouteille)* to tilt ▷ *vi*: **~ à qch/à faire** to incline towards sth/doing; **s'incliner** *vi (route)* to slope; **~ (devant)** to bow (before)

**inclure** [ɛ̃klyʀ] /35/ *vt* to include; *(joindre à un envoi)* to enclose

**inclus, e** [ɛ̃kly, -yz] *pp de* **inclure** ▷ *adj* included; *(joint à un envoi)* enclosed; *(compris: frais, dépense)* included; **jusqu'au 10 mars ~** until 10th March inclusive

**incognito** [ɛ̃kɔɲito] *adv* incognito ▷ *nm*: **garder l'~** to remain incognito

**incohérent, e** [ɛ̃kɔeʀɑ̃, -ɑ̃t] *adj (comportement)* inconsistent; *(geste, langage, texte)* incoherent

**incollable** [ɛ̃kɔlabl] *adj (riz)* that does not stick; *(fam)*: **il est ~** he's got all the answers

**incolore** [ɛ̃kɔlɔʀ] *adj* colourless

**incommoder** [ɛ̃kɔmɔde] /1/ *vt*: **~ qn** *(chaleur, odeur)* to bother *ou* inconvenience sb

**incomparable** [ɛ̃kɔ̃paʀabl] *adj*
incomparable

**incompatible** [ɛ̃kɔ̃patibl] *adj*
incompatible

**incompétent, e** [ɛ̃kɔ̃petɑ̃, -ɑ̃t] *adj*
incompetent

**incomplet, -ète** [ɛ̃kɔ̃plɛ, -ɛt] *adj*
incomplete

**incompréhensible** [ɛ̃kɔ̃pʀeɑ̃sibl]
*adj* incomprehensible

**incompris, e** [ɛ̃kɔ̃pʀi, -iz] *adj*
misunderstood

**inconcevable** [ɛ̃kɔ̃svabl] *adj*
inconceivable

**inconfortable** [ɛ̃kɔ̃fɔʀtabl] *adj*
uncomfortable

**incongru, e** [ɛ̃kɔ̃gʀy] *adj* unseemly

**inconnu, e** [ɛ̃kɔny] *adj* unknown
▷ *nm/f* stranger ▷ *nm:* **l'~** the
unknown ▷ *nf* unknown factor

**inconsciemment** [ɛ̃kɔ̃sjamɑ̃] *adv*
unconsciously

**inconscient, e** [ɛ̃kɔ̃sjɑ̃, -ɑ̃t] *adj*
unconscious; (*irréfléchi*) thoughtless,
reckless; (*sentiment*) subconscious
▷ *nm* (*Psych*): **l'~** the unconscious;
**~ de** unaware of

**inconsidéré, e** [ɛ̃kɔ̃sideʀe] *adj*
ill-considered

**inconsistant, e** [ɛ̃kɔ̃sistɑ̃, -ɑ̃t] *adj*
flimsy, weak

**inconsolable** [ɛ̃kɔ̃sɔlabl] *adj*
inconsolable

**incontestable** [ɛ̃kɔ̃tɛstabl] *adj*
indisputable

**incontinent, e** [ɛ̃kɔ̃tinɑ̃, -ɑ̃t] *adj*
incontinent

**incontournable** [ɛ̃kɔ̃tuʀnabl] *adj*
unavoidable

**incontrôlable** [ɛ̃kɔ̃tʀolabl]
*adj* unverifiable; (*irrépressible*)
uncontrollable

**inconvénient** [ɛ̃kɔ̃venjɑ̃] *nm*
disadvantage, drawback; **si vous
n'y voyez pas d'~** if you have no
objections

**incorporer** [ɛ̃kɔʀpɔʀe] /1/ *vt:* **~ (à)**
to mix in (with); **~ (dans)** (*paragraphe*

*etc*) to incorporate (in); (*Mil: appeler*)
to recruit (into); **il a très bien su s'~
à notre groupe** he was very easily
incorporated into our group

**incorrect, e** [ɛ̃kɔʀɛkt] *adj* (*impropre,
inconvenant*) improper; (*défectueux*)
faulty; (*inexact*) incorrect; (*impoli*)
impolite; (*déloyal*) underhand

**incorrigible** [ɛ̃kɔʀiʒibl] *adj*
incorrigible

**incrédule** [ɛ̃kʀedyl] *adj* incredulous;
(*Rel*) unbelieving

**incroyable** [ɛ̃kʀwajabl] *adj* incredible

**incruster** [ɛ̃kʀyste] /1/ *vt:*
**s'incruster** *vi* (*invité*) to take root;
**~ qch dans/qch de** (*Art*) to inlay sth
into/sth with

**inculpé, e** [ɛ̃kylpe] *nm/f* accused

**inculper** [ɛ̃kylpe] /1/ *vt:* **~ (de)** to
charge (with)

**inculquer** [ɛ̃kylke] /1/ *vt:* **~ qch à** to
inculcate sth in, instil sth into

**Inde** [ɛ̃d] *nf:* **l'~** India

**indécent, e** [ɛ̃desɑ̃, -ɑ̃t] *adj* indecent

**indécis, e** [ɛ̃desi, -iz] *adj* (*par nature*)
indecisive; (*perplexe*) undecided

**indéfendable** [ɛ̃defɑ̃dabl] *adj*
indefensible

**indéfini, e** [ɛ̃defini] *adj* (*imprécis,
incertain*) undefined; (*illimité, Ling*)
indefinite; **indéfiniment** *adv*
indefinitely; **indéfinissable** *adj*
indefinable

**indélébile** [ɛ̃delebil] *adj* indelible

**indélicat, e** [ɛ̃delika, -at] *adj* tactless

**indemne** [ɛ̃dɛmn] *adj* unharmed;
**indemniser** /1/ *vt:* **indemniser qn
(de)** to compensate sb (for)

**indemnité** [ɛ̃dɛmnite] *nf*
(*dédommagement*) compensation
*no pl*; (*allocation*) allowance; **~ de
licenciement** redundancy payment

**indépendamment** [ɛ̃depɑ̃damɑ̃]
*adv* independently; **~ de** (*abstraction
faite de*) irrespective of; (*en plus de*)
over and above

**indépendance** [ɛ̃depɑ̃dɑ̃s] *nf*
independence

**indépendant, e** [ɛ̃depɑ̃dɑ̃, -ɑ̃t] *adj*
independent; **~ de** independent of;
**travailleur ~** self-employed worker

**indescriptible** [ɛ̃deskʀiptibl] *adj*
indescribable

**indésirable** [ɛ̃deziʀabl] *adj*
undesirable

**indestructible** [ɛ̃destʀyktibl] *adj*
indestructible

**indéterminé, e** [ɛ̃detɛʀmine] *adj*
(*date, cause, nature*) unspecified;
(*forme, longueur, quantité*)
indeterminate

**index** [ɛ̃dɛks] *nm* (*doigt*) index finger;
(*d'un livre etc*) index; **mettre à l'~** to
blacklist

**indicateur** [ɛ̃dikatœʀ] *nm* (*Police*)
informer; (*Tech*) gauge; indicator
▷ *adj:* **poteau ~** signpost; **~ des
chemins de fer** railway timetable;
**~ de rues** street directory

**indicatif, -ive** [ɛ̃dikatif, -iv] *adj:* **à
titre ~** for (your) information ▷ *nm*
(*Ling*) indicative; (*d'une émission*)
theme *ou* signature tune; (*Tél*) dialling
code (*BRIT*), area code (*US*); **quel est
l'~ de ...** what's the code for ...?

**indication** [ɛ̃dikasjɔ̃] *nf* indication;
(*renseignement*) information *no
pl*; **indications** *nfpl* (*directives*)
instructions

**indice** [ɛ̃dis] *nm* (*marque, signe*)
indication, sign; (*Police: lors d'une
enquête*) clue; (*Jur: présomption*)
piece of evidence; (*Science, Écon,
Tech*) index; **~ de protection** (*sun
protection*) factor

**indicible** [ɛ̃disibl] *adj* inexpressible

**indien, ne** [ɛ̃djɛ̃, -ɛn] *adj* Indian
▷ *nm/f:* **I~, ne** Indian

**indifféremment** [ɛ̃difeʀamɑ̃] *adv*
(*sans distinction*) equally

**indifférence** [ɛ̃difeʀɑ̃s] *nf* indifference

**indifférent, e** [ɛ̃difeʀɑ̃, -ɑ̃t] *adj*
(*peu intéressé*) indifferent; **ça m'est
~ (que ...)** it doesn't matter to me
(whether ...); **elle m'est ~e** I am
indifferent to her

**indigène** [ɛ̃diʒɛn] *adj* native,
indigenous; (*de la région*) local ▷ *nm/f*
native

**indigeste** [ɛ̃diʒɛst] *adj* indigestible

**indigestion** [ɛ̃diʒɛstjɔ̃] *nf*
indigestion *no pl*; **avoir une ~** to have
indigestion

**indigne** [ɛ̃diɲ] *adj:* **~ (de)** unworthy
(of)

**indigner** [ɛ̃diɲe] /1/ *vt;* **s'indigner
(de/contre)** to be (*ou* become)
indignant (at)

**indiqué, e** [ɛ̃dike] *adj* (*date, lieu*)
given; (*adéquat*) appropriate;
(*conseillé*) advisable

**indiquer** [ɛ̃dike] /1/ *vt:* **~ qch/qn
à qn** to point sth/sb out to sb; (*faire
connaître: médecin, lieu, restaurant*)
to tell sb of sth/sb; (*pendule, aiguille*)
to show; (*étiquette, plan*) to show,
indicate; (*renseigner sur*) to point
out, tell; (*déterminer: date, lieu*) to
give, state; (*dénoter*) to indicate,
point to; **pourriez-vous m'~ les
toilettes/l'heure?** could you direct
me to the toilets/tell me the time?

**indiscipliné, e** [ɛ̃disipline] *adj*
undisciplined

**indiscret, -ète** [ɛ̃diskʀɛ, -ɛt] *adj*
indiscreet

**indiscutable** [ɛ̃diskytabl] *adj*
indisputable

**indispensable** [ɛ̃dispɑ̃sabl] *adj*
indispensable, essential

**indisposé, e** [ɛ̃dispoze] *adj*
indisposed

**indistinct, e** [ɛ̃distɛ̃, -ɛ̃kt] *adj*
indistinct; **indistinctement** *adv*
(*voir, prononcer*) indistinctly; (*sans
distinction*) indiscriminately

**individu** [ɛ̃dividy] *nm* individual;
**individuel, le** *adj* (*gén*) individual;
(*opinion, livret, avantages*)
personal; **chambre individuelle**
single room; **maison individuelle**
detached house; **propriété
individuelle** personal *ou* private
property

**indolore** [ɛ̃dɔlɔʀ] *adj* painless

**Indonésie** [ɛ̃dɔnezi] *nf* : **l'~** Indonesia

**indu, e** [ɛ̃dy] *adj* : **à une heure ~** at some ungodly hour

**indulgent, e** [ɛ̃dylʒɑ̃, -ɑ̃t] *adj* (*parent, regard*) indulgent; (*juge, examinateur*) lenient

**industrialisé, e** [ɛ̃dystʀijalize] *adj* industrialized

**industrie** [ɛ̃dystʀi] *nf* industry; **industriel, le** *adj* industrial ▷ *nm* industrialist

**inébranlable** [inebʀɑ̃labl] *adj* (*masse, colonne*) solid; (*personne, certitude, foi*) unwavering

**inédit, e** [inedi, -it] *adj* (*correspondance etc*) (hitherto) unpublished; (*spectacle, moyen*) novel, original; (*film*) unreleased

**inefficace** [inefikas] *adj* (*remède, moyen*) ineffective; (*machine, employé*) inefficient

**inégal, e, -aux** [inegal, -o] *adj* unequal; (*irrégulier*) uneven; **inégalable** *adj* matchless; **inégalé, e** *adj* (*record*) unequalled; (*beauté*) unrivalled; **inégalité** *nf* inequality

**inépuisable** [inepɥizabl] *adj* inexhaustible

**inerte** [inɛʀt] *adj* (*immobile*) lifeless; (*apathique*) passive

**inespéré, e** [inɛspere] *adj* unhoped-for, unexpected

**inestimable** [inɛstimabl] *adj* priceless; (*fig: bienfait*) invaluable

**inévitable** [inevitabl] *adj* unavoidable; (*fatal, habituel*) inevitable

**inexact, e** [inɛgzakt] *adj* inaccurate

**inexcusable** [inɛkskyzabl] *adj* unforgivable

**inexplicable** [inɛksplikabl] *adj* inexplicable

**in extremis** [inɛkstremis] *adv* at the last minute ▷ *adj* last-minute

**infaillible** [ɛ̃fajibl] *adj* infallible

**infarctus** [ɛ̃faʀktys] *nm* : **~ (du myocarde)** coronary (thrombosis)

**infatigable** [ɛ̃fatigabl] *adj* tireless

**infect, e** [ɛ̃fɛkt] *adj* revolting; (*repas, vin*) revolting, foul; (*personne*) revolting; (*temps*) foul

**infecter** [ɛ̃fɛkte] /1/ *vt* (*atmosphère, eau*) to contaminate; (*Méd*) to infect; **s'infecter** to become infected *ou* septic; **infection** *nf* infection; (*puanteur*) stench

**inférieur, e** [ɛ̃feʀjœʀ] *adj* lower; (*en qualité, intelligence*) inferior ▷ *nm/f* inferior; **~ à** (*somme, quantité*) less *ou* smaller than; (*moins bon que*) inferior to

**infernal, e, -aux** [ɛ̃fɛʀnal, -o] *adj* (*insupportable: chaleur, rythme*) infernal; (*: enfant*) horrid; (*méchanceté, complot*) diabolical

**infidèle** [ɛ̃fidɛl] *adj* unfaithful

**infiltrer** [ɛ̃filtre] /1/ : **s'infiltrer** *vi* : **s'~ dans** to penetrate into; (*liquide*) to seep into; (*fig: noyauter*) to infiltrate

**infime** [ɛ̃fim] *adj* minute, tiny

**infini, e** [ɛ̃fini] *adj* infinite ▷ *nm* infinity; **à l'~** endlessly; **infiniment** *adv* infinitely; **infinité** *nf* : **une infinité de** an infinite number of

**infinitif, -ive** [ɛ̃finitif, -iv] *nm* infinitive

**infirme** [ɛ̃fiʀm] *adj* disabled ▷ *nm/f* disabled person

**infirmerie** [ɛ̃fiʀməʀi] *nf* sick bay

**infirmier, -ière** [ɛ̃fiʀmje, -jɛʀ] *nm/f* nurse; **infirmière chef** sister

**infirmité** [ɛ̃fiʀmite] *nf* disability

**inflammable** [ɛ̃flamabl] *adj* (in)flammable

**inflation** [ɛ̃flasjɔ̃] *nf* inflation

**influençable** [ɛ̃flɥɑ̃sabl] *adj* easily influenced

**influence** [ɛ̃flɥɑ̃s] *nf* influence; **influencer** /3/ *vt* to influence; **influent, e** *adj* influential

**informaticien, ne** [ɛ̃fɔʀmatisjɛ̃, -ɛn] *nm/f* computer scientist

**information** [ɛ̃fɔʀmasjɔ̃] *nf* (*renseignement*) piece of information; (*Presse, TV: nouvelle*) item of news; (diffusion de renseignements, Inform) information; (Jur) inquiry, investigation; **informations** nfpl (TV) news sg

**informatique** [ɛ̃fɔʀmatik] nf (technique) data processing; (science) computer science ▷ adj computer cpd; **informatiser** /1/ vt to computerize

**informer** [ɛ̃fɔʀme] /1/ vt: ~ **qn (de)** to inform sb (of); **s'informer (sur)** to inform o.s. (about); **s'~ (de qch/ si)** to inquire ou find out (about sth/ whether ou if)

**infos** [ɛ̃fo] nfpl (= informations) news

**infraction** [ɛ̃fʀaksjɔ̃] nf offence; ~ **à** violation ou breach of; **être en** ~ to be in breach of the law

**infranchissable** [ɛ̃fʀɑ̃ʃisabl] adj impassable; (fig) insuperable

**infrarouge** [ɛ̃fʀaʀuʒ] adj infrared

**infrastructure** [ɛ̃fʀastʀyktyʀ] nf (Aviat, Mil) ground installations pl; (Écon: touristique etc) facilities pl

**infuser** [ɛ̃fyze] /1/ vt (thé) to brew; (tisane) to infuse ▷ vi to brew; to infuse; **infusion** nf (tisane) herb tea

**ingénier** [ɛ̃ʒenje] /7/: **s'~ à faire** to strive to do

**ingénierie** [ɛ̃ʒeniʀi] nf engineering

**ingénieur** [ɛ̃ʒenjœʀ] nm engineer; ~ **du son** sound engineer

**ingénieux, -euse** [ɛ̃ʒenjø, -øz] adj ingenious, clever

**ingrat, e** [ɛ̃gʀa, -at] adj (personne) ungrateful; (travail, sujet) thankless; (visage) unprepossessing

**ingrédient** [ɛ̃gʀedjɑ̃] nm ingredient

**inhabité, e** [inabite] adj uninhabited

**inhabituel, le** [inabituɛl] adj unusual

**inhibition** [inibisjɔ̃] nf inhibition

**inhumain, e** [inymɛ̃, -ɛn] adj inhuman

**inimaginable** [inimaʒinabl] adj unimaginable

**ininterrompu, e** [inɛ̃teʀɔ̃py] adj (file, série) unbroken; (flot, vacarme)

uninterrupted, non-stop; (effort) unremitting, continuous; (suite, ligne) unbroken

**initial, e, -aux** [inisjal, -o] adj initial; **initiales** nfpl initials

**initiation** [inisjasjɔ̃] nf: ~ **à** introduction to

**initiative** [inisjativ] nf initiative

**initier** [inisje] /7/ vt: ~ **qn à** to initiate sb into; (faire découvrir: art, jeu) to introduce sb to

**injecter** [ɛ̃ʒekte] /1/ vt to inject; **injection** nf injection; **à injection** (Auto) fuel injection cpd

**injure** [ɛ̃ʒyʀ] nf insult, abuse no pl; **injurier** /7/ vt to insult, abuse; **injurieux, -euse** adj abusive, insulting

**injuste** [ɛ̃ʒyst] adj unjust, unfair; **injustice** [ɛ̃ʒystis] nf injustice

**inlassable** [ɛ̃lasabl] adj tireless

**inné, e** [ine] adj innate, inborn

**innocent, e** [inɔsɑ̃, -ɑ̃t] adj innocent; **innocenter** /1/ vt to clear, prove innocent

**innombrable** [inɔ̃bʀabl] adj innumerable

**innover** [inɔve] /1/ vi: ~ **en matière d'art** to break new ground in the field of art

**inoccupé, e** [inɔkype] adj unoccupied

**inodore** [inɔdɔʀ] adj (gaz) odourless; (fleur) scentless

**inoffensif, -ive** [inɔfɑ̃sif, -iv] adj harmless, innocuous

**inondation** [inɔ̃dasjɔ̃] nf flood

**inonder** [inɔ̃de] /1/ vt to flood; ~ **de** to flood ou swamp with

**inopportun, e** [inɔpɔʀtœ̃, -yn] adj ill-timed, untimely

**inoubliable** [inubliabl] adj unforgettable

**inouï, e** [inwi] adj unheard-of, extraordinary

**inox** [inɔks] nm stainless (steel)

**inquiet, -ète** [ɛ̃kjɛ, -ɛt] adj anxious; **inquiétant, e** adj worrying, disturbing; **inquiéter** /6/ *vt* to worry; **s'inquiéter** to worry; **s'inquiéter de** to worry about; (*s'enquérir de*) to inquire about; **inquiétude** *nf* anxiety

**insaisissable** [ɛ̃sezizablə] *adj* (*fugitif, ennemi*) elusive; (*différence, nuance*) imperceptible

**insalubre** [ɛ̃salybʀ] *adj* insalubrious

**insatisfait, e** [ɛ̃satisfɛ, -ɛt] *adj* (*non comblé*) unsatisfied; (*mécontent*) dissatisfied

**inscription** [ɛ̃skʀipsjɔ̃] *nf* inscription; (*à une institution*) enrolment

**inscrire** [ɛ̃skʀiʀ] /39/ *vt* (*marquer: sur son calepin etc*) to note ou write down; (*: sur un mur, une affiche etc*) to write up; (*: dans la pierre, le métal*) to inscribe; (*mettre: sur une liste, un budget etc*) to put down; **~ qn à** (*club, école etc*) to enrol sb at; **s'inscrire** (*pour une excursion etc*) to put one's name down; **s'~ (à)** (*club, parti*) to join; (*université*) to register ou enrol (at); (*examen, concours*) to register ou enter (for)

**insecte** [ɛ̃sɛkt] *nm* insect; **insecticide** *nm* insecticide

**insensé, e** [ɛ̃sɑ̃se] *adj* mad

**insensible** [ɛ̃sɑ̃siblə] *adj* (*nerf, membre*) numb; (*dur, indifférent*) insensitive

**inséparable** [ɛ̃sepaʀablə] *adj*: **~ (de)** inseparable (from) ▷ *nmpl*: **~s** (*oiseaux*) lovebirds

**insigne** [ɛ̃siɲ] *nm* (*d'un parti, club*) badge ▷ *adj* distinguished; **insignes** *nmpl* (*d'une fonction*) insignia *pl*

**insignifiant, e** [ɛ̃siɲifjɑ̃, -ɑ̃t] *adj* insignificant, trivial

**insinuer** [ɛ̃sinɥe] /1/ *vt* to insinuate; **s'insinuer dans** (*fig*) to worm one's way into

**insipide** [ɛ̃sipid] *adj* insipid

**insister** [ɛ̃siste] /1/ *vi* to insist; (*s'obstiner*) to keep on; **~ sur** (*détail, note*) to stress

**insolation** [ɛ̃sɔlasjɔ̃] *nf* (*Méd*) sunstroke *no pl*

**insolent, e** [ɛ̃sɔlɑ̃, -ɑ̃t] *adj* insolent

**insolite** [ɛ̃sɔlit] *adj* strange, unusual

**insomnie** [ɛ̃sɔmni] *nf* insomnia *no pl*; **avoir des ~s** to sleep badly

**insouciant, e** [ɛ̃susjɑ̃, -ɑ̃t] *adj* carefree; **~ du danger** heedless of (the) danger

**insoupçonnable** [ɛ̃supsɔnablə] *adj* unsuspected; (*personne*) above suspicion

**insoupçonné, e** [ɛ̃supsɔne] *adj* unsuspected

**insoutenable** [ɛ̃sutnablə] *adj* (*argument*) untenable; (*chaleur*) unbearable

**inspecter** [ɛ̃spɛkte] /1/ *vt* to inspect; **inspecteur, -trice** *nm/f* inspector; **inspecteur d'Académie** (*regional*) director of education; **inspecteur des finances** ≈ tax inspector (*BRIT*), ≈ Internal Revenue Service agent (*US*); **inspecteur (de police)** (police) inspector; **inspection** *nf* inspection

**inspirer** [ɛ̃spiʀe] /1/ *vt* (*gén*) to inspire ▷ *vi* (*aspirer*) to breathe in; **s'inspirer de** to be inspired by

**instable** [ɛ̃stablə] *adj* (*meuble, équilibre*) unsteady; (*population, temps*) unsettled; (*paix, régime, caractère*) unstable

**installation** [ɛ̃stalasjɔ̃] *nf* (*mise en place*) installation; **installations** *nfpl* installations; (*industrielles*) plant *sg*; (*de sport, dans un camping*) facilities; **l'~ électrique** wiring

**installer** [ɛ̃stale] /1/ *vt* to put; (*meuble*) to put in; (*rideau, étagère, tente*) to put up; (*appartement*) to fit out; **s'installer** (*s'établir: artisan, dentiste etc*) to set o.s. up; (*emménager*) to settle in; (*sur un siège, à un emplacement*) to settle (down); (*fig: maladie, grève*) to take a firm hold ou grip; **s'~ à l'hôtel/chez qn** to move into a hotel/in with sb

**instance** [ɛ̃stɑ̃s] *nf* (*Admin: autorité*) authority; **affaire en ~** matter pending; **être en ~ de divorce** to be awaiting a divorce

**instant** [ɛ̃stɑ̃] nm moment, instant; **dans un ~** in a moment; **à l'~** this instant; **je l'ai vu à l'~** I've just this minute seen him, I saw him a moment ago; **pour l'~** for the moment, for the time being

**instantané, e** [ɛ̃stɑ̃tane] adj (lait, café) instant; (explosion, mort) instantaneous ▷ nm snapshot

**instar** [ɛ̃staʀ]: **à l'~ de** prép following the example of, like

**instaurer** [ɛ̃stɔʀe] /1/ vt to institute; (couvre-feu) to impose; **s'instaurer** vi (collaboration, paix etc) to be established; (doute) to set in

**instinct** [ɛ̃stɛ̃] nm instinct; **instinctivement** adv instinctively

**instituer** [ɛ̃stitɥe] /1/ vt to establish

**institut** [ɛ̃stity] nm institute; **~ de beauté** beauty salon; **I~ universitaire de technologie (IUT)** ≈ Institute of technology

**instituteur, -trice** [ɛ̃stitytœʀ, -tʀis] nm/f (primary (BRIT) ou grade (us) school) teacher

**institution** [ɛ̃stitysjɔ̃] nf institution; (collège) private school; **institutions** nfpl (structures politiques et sociales) institutions

**instructif, -ive** [ɛ̃stʀyktif, -iv] adj instructive

**instruction** [ɛ̃stʀyksjɔ̃] nf (enseignement, savoir) education; (Jur) (preliminary) investigation and hearing; **instructions** nfpl (mode d'emploi) instructions; **~ civique** civics sg

**instruire** [ɛ̃stʀɥiʀ] /38/ vt (élèves) to teach; (recrues) to train; (Jur: affaire) to conduct the investigation for; **s'instruire** to educate o.s.; **instruit, e** adj educated

**instrument** [ɛ̃stʀymɑ̃] nm instrument; **~ à cordes/vent** stringed/wind instrument; **~ de mesure** measuring instrument; **~ de musique** musical instrument; **~ de travail** (working) tool

**insu** [ɛ̃sy] nm: **à l'~ de qn** without sb knowing

**insuffisant, e** [ɛ̃syfizɑ̃, -ɑ̃t] adj (en quantité) insufficient; (en qualité) inadequate; (sur une copie) poor

**insulaire** [ɛ̃sylɛʀ] adj island cpd; (attitude) insular

**insuline** [ɛ̃sylin] nf insulin

**insulte** [ɛ̃sylt] nf insult; **insulter** /1/ vt to insult

**insupportable** [ɛ̃sypɔʀtabl] adj unbearable

**insurmontable** [ɛ̃syʀmɔ̃tabl] adj (difficulté) insuperable; (aversion) unconquerable

**intact, e** [ɛ̃takt] adj intact

**intarissable** [ɛ̃taʀisabl] adj inexhaustible

**intégral, e, -aux** [ɛ̃tegʀal, -o] adj complete; **texte ~** unabridged version; **bronzage ~** all-over suntan; **intégralement** adv in full; **intégralité** nf whole (ou full) amount; **dans son intégralité** in its entirety; **intégrant, e** adj: **faire partie intégrante de** to be an integral part of

**intègre** [ɛ̃tegʀ] adj upright

**intégrer** [ɛ̃tegʀe] /6/: **s'intégrer** vr: **s'~ à** ou **dans** to become integrated into; **bien s'~** to fit in

**intégrisme** [ɛ̃tegʀism] nm fundamentalism

**intellectuel, le** [ɛ̃telɛktɥel] adj, nm/f intellectual; (péj) highbrow

**intelligence** [ɛ̃teliʒɑ̃s] nf intelligence; (compréhension): **l'~ de** the understanding of; (complicité): **regard d'~** glance of complicity; (accord): **vivre en bonne ~ avec qn** to be on good terms with sb

**intelligent, e** [ɛ̃teliʒɑ̃, -ɑ̃t] adj intelligent

**intelligible** [ɛ̃teliʒibl] adj intelligible

**intempéries** [ɛ̃tɑ̃peʀi] nfpl bad weather sg

**intenable** [ɛ̃tnabl] adj unbearable

**intendant, e** [ɛ̃tɑ̃dɑ̃, -ɑ̃t] nm/f (Mil) quartermaster; (Scol) bursar

# 143 | interphone

**intense** [ɛ̃tɑ̃s] *adj* intense; **intensif, -ive** *adj* intensive; **cours intensif** crash course

**intenter** [ɛ̃tɑ̃te] /1/ *vt*: **~ un procès contre** *ou* **à qn** to start proceedings against sb

**intention** [ɛ̃tɑ̃sjɔ̃] *nf* intention; (*Jur*) intent; **avoir l'~ de faire** to intend to do; **à l'~ de** for; (*renseignement*) for the benefit of; information of; (*film, ouvrage*) aimed at; **à cette ~** with this aim in view; **intentionné, e** *adj*: **bien intentionné** well-meaning *ou* ill-intentioned; **mal intentionné** ill-intentioned

**interactif, -ive** [ɛ̃teraktif, -iv] *adj* (*aussi Inform*) interactive

**intercepter** [ɛ̃tɛrsɛpte] /1/ *vt* to intercept; (*lumière, chaleur*) to cut off

**interchangeable** [ɛ̃tɛrʃɑ̃ʒabl] *adj* interchangeable

**interdiction** [ɛ̃tɛrdiksjɔ̃] *nf* ban; **~ de fumer** no smoking

**interdire** [ɛ̃tɛrdir] /37/ *vt* to forbid; (*Admin*) to ban, prohibit; (: *journal, livre*) to ban; **~ à qn de faire** to forbid sb to do; (*empêchement*) to prevent ou preclude sb from doing

**interdit, e** [ɛ̃tɛrdi, -it] *pp de* **interdire** ⊳ *adj* (*stupéfait*) taken aback; **film ~ aux moins de 18/12 ans** ≈ 18-/12A-rated film; **stationnement ~** no parking

**intéressant, e** [ɛ̃teresɑ̃, -ɑ̃t] *adj* interesting; (*avantageux*) attractive

**intéressé, e** [ɛ̃terese] *adj* (*parties*) involved, concerned; (*amitié, motifs*) self-interested

**intéresser** [ɛ̃terese] /1/ *vt* (*captiver*) to interest; (*toucher*) to be of interest ou concern to; (*Admin: concerner*) to affect, concern; **s'intéresser à** *vi* to take an interest in

**intérêt** [ɛ̃terɛ] *nm* interest; (*égoïsme*) self-interest; **tu as ~ à accepter** it's in your interest to accept; **tu as ~ à te dépêcher** you'd better hurry

**intérieur, e** [ɛ̃terjœr] *adj* (*mur, escalier, poche*) inside; (*commerce, politique*) domestic; (*cour, calme, vie*) inner; (*navigation*) inland ⊳ *nm* (*d'une maison, d'un récipient etc*) inside; (*d'un pays, aussi décor, mobilier*) interior; **l'I~** (the Department of the Interior, ≈ the Home Office (*BRIT*)) inside; **intérieurement** *adv* inwardly

**intérim** [ɛ̃terim] *nm* interim period; **assurer l'~ (de)** to deputize (for); **président par ~** interim president; **faire de l'~** to temp

**intérimaire** [ɛ̃terimɛr] *adj* (*directeur, ministre*) acting; (*secrétaire, personnel*) temporary ⊳ *nm/f* (*secrétaire etc*) temporary, temp (*BRIT*)

**interlocuteur, -trice** [ɛ̃tɛrlɔkytœr, -tris] *nm/f* speaker; **son ~** the person he ou she was speaking to

**intermédiaire** [ɛ̃tɛrmedjɛr] *adj* intermediate; (*solution*) temporary ⊳ *nm/f* intermediary; (*Comm*) middleman; **sans ~** directly; **par l'~ de** through

**interminable** [ɛ̃tɛrminabl] *adj* never-ending

**intermittence** [ɛ̃tɛrmitɑ̃s] *nf*: **par ~** intermittently, sporadically

**internat** [ɛ̃terna] *nm* boarding school

**international, e, -aux** [ɛ̃tɛrnasjɔnal, -o] *adj, nm/f* international

**internaute** [ɛ̃tɛrnot] *nm/f* Internet user

**interne** [ɛ̃tɛrn] *adj* internal ⊳ *nm/f* (*Scol*) boarder; (*Méd*) houseman

**Internet** [ɛ̃tɛrnɛt] *nm*: **l'~** the Internet

**interpeller** [ɛ̃tɛrpele] /1/ *vt* (*appeler*) to call out to; (*apostropher*) to shout at; (*Police*) to take in for questioning; (*Pol*) to question; (*concerner*) to concern

**interphone** [ɛ̃tɛrfɔn] *nm* intercom; (*d'immeuble*) entry phone

interposer [ɛ̃tɛrpoze] /1/ vt;
s'interposer to intervene; par
personnes interposées through a
third party

interprète [ɛ̃tɛrprɛt] nm/f
interpreter; (porte-parole) spokesman

interpréter [ɛ̃tɛrprete] /6/ vt to
interpret; (jouer) to play; (chanter)
to sing

interrogatif, -ive [ɛ̃tɛrɔgatif, -iv]
adj (Ling) interrogative

interrogation [ɛ̃tɛrɔgasjɔ̃] nf
question; (Scol) (written ou oral) test

interrogatoire [ɛ̃tɛrɔgatwar] nm
(Police) questioning no pl; (Jur, aussi fig)
cross-examination

interroger [ɛ̃tɛrɔʒe] /3/ vt to
question; (Inform) to search; (Scol)
to test

interrompre [ɛ̃tɛrɔ̃pr] /41/ vt (gén)
to interrupt; (négociations) to break
off; (match) to stop; s'interrompre to
break off; interrupteur nm switch;
interruption nf interruption; (pause)
break; sans interruption without a
break; interruption volontaire de
grossesse abortion

intersection [ɛ̃tɛrsɛksjɔ̃] nf
intersection

intervalle [ɛ̃tɛrval] nm (espace)
space; (de temps) interval; dans l'~ in
the meantime; à deux jours d'~ two
days apart

intervenir [ɛ̃tɛrvənir] /22/ vi (gén)
to intervene; ~ auprès de/en faveur
de qn to intervene with/on behalf
of sb; intervention nf intervention;
(discours) speech; intervention
(chirurgicale) operation

interview [ɛ̃tɛrvju] nf interview

intestin, e [ɛ̃tɛstɛ̃, in] adj internal
▷ nm intestine

intime [ɛ̃tim] adj intimate; (vie,
journal) private; (convictions) inmost;
(dîner, cérémonie) quiet ▷ nm/f close
friend; un journal ~ a diary

intimider [ɛ̃timide] /1/ vt to
intimidate

intimité [ɛ̃timite] nf: dans l'~ in
private; (sans formalités) with only a
few friends, quietly

intolérable [ɛ̃tɔlerabl] adj
intolerable

intox [ɛ̃tɔks] (fam) nf brainwashing

intoxication [ɛ̃tɔksikasjɔ̃] nf: ~
alimentaire food poisoning

intoxiquer [ɛ̃tɔksike] /1/ vt to
poison; (fig) to brainwash

intraitable [ɛ̃tretabl] adj inflexible,
uncompromising

intransigeant, e [ɛ̃trɑ̃ziʒɑ̃, -ɑ̃t] adj
intransigent

intrépide [ɛ̃trepid] adj dauntless

intrigue [ɛ̃trig] nf (scénario) plot;
intriguer /1/ vt to puzzle, intrigue

introduction [ɛ̃trɔdyksjɔ̃] nf
introduction

introduire [ɛ̃trɔdɥir] /38/ vt to
introduce; (visiteur) to show in;
(aiguille, clef): ~ qch dans to insert
ou introduce sth into; s'introduire vi
(techniques, usages) to be introduced;
s'~ dans to gain entry into; (dans un
groupe) to get o.s. accepted into

introuvable [ɛ̃truvabl] adj
which cannot be found; (Comm)
unobtainable

intrus, e [ɛ̃try, -yz] nm/f intruder

intuition [ɛ̃tɥisjɔ̃] nf intuition

inusable [inyzabl] adj hard-wearing

inutile [inytil] adj useless; (superflu)
unnecessary; inutilement adv
needlessly; inutilisable adj unusable

invalide [ɛ̃valid] adj disabled ▷ nm/f:
~ de guerre disabled ex-serviceman

invariable [ɛ̃varjabl] adj invariable

invasion [ɛ̃vazjɔ̃] nf invasion

inventaire [ɛ̃vɑ̃tɛr] nm inventory;
(Comm: liste) stocklist; (: opération)
stocktaking no pl

inventer [ɛ̃vɑ̃te] /1/ vt to invent;
(subterfuge) to devise, invent;
(histoire, excuse) to make up, invent;
inventeur, -trice nm/f inventor;
inventif, -ive adj inventive;
invention nf invention

**inverse** [ɛ̃vɛʀs] adj opposite ▷ nm inverse; **l'~** the opposite; **dans l'ordre ~** in the reverse order; **dans le sens ~ des aiguilles d'une montre** anti-clockwise; **en sens ~** in (ou from) the opposite direction; **inversement** adv conversely; **inverser** /1/ vt to reverse, invert; (*Élec*) to reverse

**investir** [ɛ̃vɛstiʀ] /2/ vt to invest; **~ qn de** (d'une fonction, d'un pouvoir) to vest ou invest sb with; **s'investir** vi (*Psych*) to involve o.s.; **s'~ dans** to put a lot into; **investissement** nm investment

**invisible** [ɛ̃vizibl] adj invisible

**invitation** [ɛ̃vitasjɔ̃] nf invitation

**invité, e** [ɛ̃vite] nm/f guest

**inviter** [ɛ̃vite] /1/ vt to invite; **~ qn à faire qch** to invite sb to do sth

**invivable** [ɛ̃vivabl] adj unbearable

**involontaire** [ɛ̃vɔlɔ̃tɛʀ] adj (mouvement) involuntary; (insulte) unintentional; (complice) unwitting

**invoquer** [ɛ̃vɔke] /1/ vt (Dieu, muse) to call upon, invoke; (prétexte) to put forward (as an excuse); (loi, texte) to refer to

**invraisemblable** [ɛ̃vʀɛsɑ̃blabl] adj (fait, nouvelle) unlikely, improbable; (bizarre) incredible

**iode** [jɔd] nm iodine

**irai** etc [iʀe] vb voir **aller**

**Irak** [iʀak] nm: **l'~** Iraq ou Irak; **irakien, ne** adj Iraqi ▷ nm/f: **Irakien, ne** Iraqi

**Iran** [iʀɑ̃] nm: **l'~** Iran; **iranien, ne** adj Iranian ▷ nm/f: **Iranien, ne** Iranian

**irions** etc [iʀjɔ̃] vb voir **aller**

**iris** [iʀis] nm iris

**irlandais, e** [iʀlɑ̃dɛ, -ɛz] adj Irish ▷ nm/f: **I~, e** Irishman/woman

**Irlande** [iʀlɑ̃d] nf: **l'~** Ireland; **la République d'~** the Irish Republic; **~ du Nord** Northern Ireland; **la mer d'~** the Irish Sea

**ironie** [iʀɔni] nf irony; **ironique** adj ironical; **ironiser** /1/ vi to be ironical

**irons** etc [iʀɔ̃] vb voir **aller**

**irradier** [iʀadje] /7/ vt to irradiate

**irraisonné, e** [iʀɛzɔne] adj irrational

**irrationnel, le** [iʀasjɔnɛl] adj irrational

**irréalisable** [iʀealizabl] adj unrealizable; (projet) impracticable

**irrécupérable** [iʀekypeʀabl] adj beyond repair; (personne) beyond redemption ou recall

**irréel, le** [iʀeɛl] adj unreal

**irréfléchi, e** [iʀefleʃi] adj thoughtless

**irrégularité** [iʀegylaʀite] nf irregularity; (de travail, d'effort, de qualité) unevenness no pl

**irrégulier, -ière** [iʀegylje, -jɛʀ] adj (inégal; (travail, effort, qualité) uneven; (élève, athlète) erratic

**irrémédiable** [iʀemedjabl] adj irreparable

**irremplaçable** [iʀɑ̃plasabl] adj irreplaceable

**irréparable** [iʀepaʀabl] adj beyond repair; (fig) irreparable

**irréprochable** [iʀepʀɔʃabl] adj irreproachable, beyond reproach; (tenue, toilette) impeccable

**irrésistible** [iʀezistibl] adj irresistible; (preuve, logique) compelling; (amusant) hilarious

**irrésolu, e** [iʀezɔly] adj irresolute

**irrespectueux, -euse** [iʀɛspɛktɥø, -øz] adj disrespectful

**irresponsable** [iʀɛspɔ̃sabl] adj irresponsible

**irriguer** [iʀige] /1/ vt to irrigate

**irritable** [iʀitabl] adj irritable

**irriter** [iʀite] /1/ vt to irritate

**irruption** [iʀypsjɔ̃] nf: **faire ~ chez qn** to burst in on sb

**Islam** [islam] nm: **l'~** Islam; **islamique** adj Islamic; **islamophobie** nf Islamophobia

**Islande** [islɑ̃d] nf: **l'~** Iceland

**isolant, e** [izɔla, -ɑ̃t] adj insulating; (insonorisant) soundproofing

**isolation** [izɔlasjɔ̃] nf insulation; **~ acoustique** soundproofing

**isolé, e** [izɔle] *adj* isolated; *(contre le froid)* insulated

**isoler** [izɔle] /1/ *vt* to isolate; *(prisonnier)* to put in solitary confinement; *(ville)* to cut off, isolate; *(contre le froid)* to insulate; **s'isoler** *vi* to isolate o.s.

**Israël** [israɛl] *nm*: **l'~** Israel; **israélien, ne** *adj* Israeli ⊳ *nm/f*: **Israélien, ne** Israeli; **israélite** *adj* Jewish ⊳ *nm/f*: **Israélite** Jew/Jewess

**issu, e** [isy] *adj*: **~ de** *(né de)* descended from; *(résultant de)* stemming from ⊳ *nf (ouverture, sortie)* exit; *(solution)* way out, solution; *(dénouement)* outcome; **à l'~e de** at the conclusion *ou* close of; **voie sans ~e** dead end; **~ de secours** emergency exit

**Italie** [itali] *nf*: **l'~** Italy; **italien, ne** *adj* Italian ⊳ *nm (Ling)* Italian ⊳ *nm/f*: **Italien, ne** Italian

**italique** [italik] *nm*: **en ~(s)** in italics

**itinéraire** [itinerɛr] *nm* itinerary, route; **~ bis** alternative route

**IUT** *sigle m* = **Institut universitaire de technologie**

**IVG** *sigle f* (= *interruption volontaire de grossesse*) abortion

**ivoire** [ivwar] *nm* ivory

**ivre** [ivr] *adj* drunk; **~ de** *(colère)* wild with; **ivrogne** *nm/f* drunkard

# J

**j'** [ʒ] *pron voir* **je**

**jacinthe** [ʒasɛ̃t] *nf* hyacinth

**jadis** [ʒadis] *adv* formerly

**jaillir** [ʒajir] /2/ *vi (liquide)* to spurt out; *(cris, réponses)* to burst out

**jais** [ʒɛ] *nm* jet; **(d'un noir) de ~** jet-black

**jalousie** [ʒaluzi] *nf* jealousy; *(store)* (venetian) blind

**jaloux, -ouse** [ʒalu, -uz] *adj* jealous; **être ~ de qn/qch** to be jealous of sb/sth

**jamaïquain, e** [ʒamaikɛ̃, -ɛn] *adj* Jamaican ⊳ *nm/f*: **J~, e** Jamaican

**Jamaïque** [ʒamaik] *nf*: **la ~** Jamaica

**jamais** [ʒamɛ] *adv* never; *(sans négation)* ever; **ne ... ~** never; **si ... ~** if ever ...; **je ne suis ~ allé en Espagne** I've never been to Spain

**jambe** [ʒɑ̃b] *nf* leg

**jambon** [ʒɑ̃bɔ̃] *nm* ham

**jante** [ʒɑ̃t] *nf (wheel)* rim

**janvier** [ʒɑ̃vje] *nm* January

**Japon** [ʒapɔ̃] *nm*: **le ~** Japan; **japonais, e** *adj* Japanese ▷ *nm (Ling)* Japanese ▷ *nm/f*: **Japonais, e** Japanese

**jardin** [ʒaʀdɛ̃] *nm* garden; **~ d'enfants** nursery school; **jardinage** *nm* gardening; **jardiner** /1/ *vi* to garden; **jardinier, -ière** *nm/f* gardener ▷ *nf (de fenêtre)* window box; **jardinière (de légumes)** *(Culin)* mixed vegetables

**jargon** [ʒaʀgɔ̃] *nm (charabia)* gibberish; *(publicitaire, scientifique etc)* jargon

**jarret** [ʒaʀɛ] *nm* back of knee; *(Culin)* knuckle, shin

**jauge** [ʒoʒ] *nf (instrument)* gauge; **~ (de niveau) d'huile** *(Auto)* dipstick

**jaune** [ʒon] *adj, nm* yellow ▷ *adv (fam)*: **rire ~** to laugh on the other side of one's face; **~ d'œuf** *(egg)* yolk; **jaunir** /2/ *vi, vt* to turn yellow; **jaunisse** *nf* jaundice

**Javel** [ʒavɛl] *nf voir* **eau**

**javelot** [ʒavlo] *nm* javelin

**J.-C.** *sigle m* = **Jésus-Christ**

**je, j'** [ʒə, ʒ] *pron* I

**jean** [dʒin] *nm* jeans *pl*

**Jésus-Christ** [ʒezykʀi(st)] *n* Jesus Christ; **600 avant/après ~** 600 B.C./A.D.

**jet** [ʒɛ] *nm (lancer: action)* throwing *no pl*; (: *résultat)* throw; *(jaillissement: d'eaux)* jet; (: *de sang)* spurt; **~ d'eau** spray

**jetable** [ʒətabl] *adj* disposable

**jetée** [ʒəte] *nf* jetty; *(grande)* pier

**jeter** [ʒəte] /4/ *vt (gén)* to throw; *(se défaire de)* to throw away ou out; **~ qch à qn** to throw sth to sb; *(de façon agressive)* to throw sth at sb; **~ un coup d'œil (à)** to take a look (at); **~ un sort à qn** to cast a spell on sb; **se ~ sur** to throw o.s. onto; **se ~ dans** *(fleuve)* to flow into

**jeton** [ʒətɔ̃] *nm (au jeu)* counter

**jette** *etc* [ʒɛt] *vb voir* **jeter**

**jeu, x** [ʒø] *nm (divertissement, Tech:* *d'une pièce)* play; *(Tennis: partie,*

Football *etc*: façon de jouer) game; *(Théât etc)* acting; *(série d'objets, jouet)* set; *(Cartes)* hand; *(au casino)*: **le ~** gambling; **en ~** at stake; **remettre en ~** to throw in; **entrer/mettre en ~** to come/bring into play; **~ de cartes** pack of cards; **~ d'échecs** chess set; **~ de hasard** game of chance; **~ de mots** pun; **~ de société** board game; **~ télévisé** television quiz; **~ vidéo** video game

**jeudi** [ʒødi] *nm* Thursday

**jeun** [ʒɛ̃]: **à ~** *adv* on an empty stomach; **être à ~** to have eaten nothing; **rester à ~** not to eat anything

**jeune** [ʒœn] *adj* young; **les ~s** young people; **~ fille** girl; **~ homme** young man; **~s gens** young people

**jeûne** [ʒøn] *nm* fast

**jeunesse** [ʒœnɛs] *nf* youth; *(aspect)* youthfulness

**joaillier, -ière** [ʒɔaje, -jɛʀ] *nm/f* jeweller

**jogging** [dʒɔgin] *nm* jogging; *(survêtement)* tracksuit; **faire du ~** to go jogging

**joie** [ʒwa] *nf* joy

**joindre** [ʒwɛ̃dʀ] /49/ *vt* to join; *(contacter)* to contact, get in touch with; **~ qch à** *(à une lettre)* to enclose sth with; **~ un fichier à un mail** *(Inform)* to attach a file to an email; **se ~ à qn** to join sb; **se ~ à qch** to join in sth

**joint, e** [ʒwɛ̃, -ɛt] *adj*: **~ (à)** *(lettre, paquet)* attached (to), enclosed (with) ▷ *nm* joint; *(ligne)* join; **pièce ~e** *(de lettre)* enclosure; *(de mail)* attachment; **~ de culasse** cylinder head gasket

**joli, e** [ʒɔli] *adj* pretty, attractive; **une ~e somme/situation** a nice little sum/situation; **c'est du ~!** *(ironique)* that's very nice!; **tout ça, c'est bien ~ mais ...** that's all very well but ...

**jonc** [ʒɔ̃] *nm* (bul)rush

**jonction** [ʒɔ̃ksjɔ̃] *nf* junction

**jongleur, -euse** [ʒɔ̃glœʀ, -øz] nm/f juggler

**jonquille** [ʒɔ̃kij] nf daffodil

**Jordanie** [ʒɔʀdani] nf: **la ~** Jordan

**joue** [ʒu] nf cheek

**jouer** [ʒwe] /1/ vt to play; (somme d'argent, réputation) to stake, wager; (simuler: sentiment) to affect, feign ▷ vi to play; (Théât, Ciné) to act; (au casino) to gamble; (bois, porte: se voiler) to warp; (clef, pièce: avoir du jeu) to be loose; **~ sur** (miser) to gamble on; **~ de** (Mus) to play; **~ à** (jeu, sport, roulette) to play; **~ un tour à qn** to play a trick on sb; **~ la comédie** to put on an act; **~ serré** to play a close game; **à toi/nous de ~** it's your/our go ou turn; **bien joué!** well done!; **on joue Hamlet au théâtre X** Hamlet is on at the X theatre

**jouet** [ʒwe] nm toy; **être le ~ de** (illusion etc) to be the victim of

**joueur, -euse** [ʒwœʀ, -øz] nm/f player; **être beau/mauvais ~** to be a good/bad loser

**jouir** [ʒwiʀ] /2/ vi (sexe: fam) to come ▷ vt: **~ de** to enjoy

**jour** [ʒuʀ] nm day, (opposé à la nuit) day, daytime; (clarté) daylight; (fig: aspect, ouverture) opening; **sous un ~ favorable/nouveau** in a favourable/new light; **de ~** (crème, service) day cpd; **travailler de ~** to work during the day; **voyager de ~** to travel by day; **au ~ le ~** from day to day; **de nos ~s** these days; **du ~ au lendemain** overnight; **il fait ~** it's daylight; **au grand ~** (fig) in the open; **mettre au ~** to disclose; **mettre à ~** to bring up to date; **donner le ~ à** to give birth to; **voir le ~** to be born; **~ férié** public holiday; **le ~ J** D-day; **~ ouvrable** working day

**journal, -aux** [ʒuʀnal, -o] nm (news)paper; (personnel) journal; (intime) diary; **~ de bord** log; **~ parlé/télévisé** radio/television news sg

**journalier, -ière** [ʒuʀnalje, -jɛʀ] adj daily; (banal) everyday

**journalisme** [ʒuʀnalism] nm journalism; **journaliste** nm/f journalist

**journée** [ʒuʀne] nf day; **la ~ continue** the 9 to 5 working day (with short lunch break)

**joyau, x** [ʒwajo] nm gem, jewel

**joyeux, -euse** [ʒwajø, -øz] adj joyful, merry; **~ Noël!** Merry ou Happy Christmas!; **~ anniversaire!** many happy returns!

**jubiler** [ʒybile] /1/ vi to be jubilant, exult

**judas** [ʒyda] nm (trou) spy-hole

**judiciaire** [ʒydisjɛʀ] adj judicial

**judicieux, -euse** [ʒydisjø, -øz] adj judicious

**judo** [ʒydo] nm judo

**juge** [ʒyʒ] nm judge; **~ d'instruction** examining (BRIT) ou committing (US) magistrate; **~ de paix** justice of the peace

**jugé** [ʒyʒe]: **au ~** adv by guesswork

**jugement** [ʒyʒmã] nm judgment; (Jur: au pénal) sentence; (: au civil) decision

**juger** [ʒyʒe] /3/ vt to judge; (estimer) to consider; **~ qn/qch satisfaisant** to consider sb/sth (to be) satisfactory; **~ bon de faire** to consider it a good idea to do

**juif, -ive** [ʒɥif, -iv] adj Jewish ▷ nm/f: **J~, -ive** Jew/Jewess ou Jewish woman

**juillet** [ʒɥijɛ] nm July

● LE 14 JUILLET

● Le 14 juillet is a national holiday in
● France and commemorates the
● storming of the Bastille during the
● French Revolution. Throughout
● the country there are celebrations,
● which feature parades, music,
● dancing and firework displays. In
● Paris a military parade along the
● Champs-Élysées is attended by the
● President.

**juin** [ʒɥɛ̃] nm June
**jumeau, -elle, x** [ʒymo, -ɛl] adj, nm/f twin
**jumeler** [ʒymle] /4/ vt to twin
**jumelle** [ʒymɛl] adj f, nf voir **jumeau**
**jument** [ʒymɑ̃] nf mare
**jungle** [ʒɔ̃gl] nf jungle
**jupe** [ʒyp] nf skirt
**jupon** [ʒypɔ̃] nm waist slip ou petticoat
**juré, e** [ʒyre] nm/f juror ▷ adj: **ennemi ~** sworn ou avowed enemy
**jurer** [ʒyre] /1/ vt (obéissance etc) to swear, vow ▷ vi (dire des jurons) to swear, curse; (dissoner): **~ (avec)** to clash (with); **~ de faire/que** to swear ou vow to do/that; **~ de qch** (s'en porter garant) to swear to sth
**juridique** [ʒyridik] adj legal
**juron** [ʒyrɔ̃] nm curse, swearword
**jury** [ʒyri] nm jury; (Art, Sport) panel of judges; (Scol) board (of examiners), jury
**jus** [ʒy] nm juice; (de viande) gravy, (meat) juice; **~ de fruits** fruit juice
**jusque** [ʒysk]: **jusqu'à** prép (endroit) as far as, (up) to; (moment) until, till; (limite) up to; **~ sur/dans** up to; (y compris) even on/in; **jusqu'à ce que** until; **jusqu'à présent** ou **maintenant** so far; **jusqu'où?** how far?
**justaucorps** [ʒystokɔr] nm inv leotard
**juste** [ʒyst] adj (équitable) just, fair; (légitime) just; (exact, vrai) right; (pertinent) apt; (étroit) tight; (insuffisant) on the short side ▷ adv right; (chanter) in tune; (seulement) just; **~ assez/au-dessus** just enough/above; **pouvoir tout ~ faire** to be only just able to do; **au ~** exactly; **le ~ milieu** the happy medium; **c'était ~** it was a close thing; **justement** adv justly; (précisément) just, precisely; **justesse** nf (précision) accuracy; (d'une remarque) aptness; (d'une opinion) soundness; **de justesse** only just

**justice** [ʒystis] nf (équité) fairness, justice; (Admin) justice; **rendre ~ à qn** to do sb justice
**justificatif, -ive** [ʒystifikatif, -iv] adj (document etc) supporting; **pièce justificative** written proof
**justifier** [ʒystifje] /7/ vt to justify; **~ de** to prove
**juteux, -euse** [ʒytø, -øz] adj juicy
**juvénile** [ʒyvenil] adj youthful

**j**

**kit** [kit] *nm* kit; **~ piéton** *ou* **mains libres** hands-free kit; **en ~** in kit form
**kiwi** [kiwi] *nm* kiwi
**klaxon** [klaksɔn] *nm* horn; **klaxonner** /1/ *vi, vt* to hoot (BRIT), honk (one's horn) (US)
**km** *abr* (= *kilomètre*) km
**km/h** *abr* (= *kilomètres/heure*) km/h, kph
**K.-O.** *adj inv* shattered, knackered
**Kosovo** [kɔsɔvo] *nm*: **le ~** Kosovo
**Koweit, Kuweit** [kɔwɛt] *nm*: **le ~** Kuwait
**k-way**® [kawɛ] *nm* (lightweight nylon) cagoule
**kyste** [kist] *nm* cyst

**K** [kɑ] *nm inv* K
**kaki** [kaki] *adj inv* khaki
**kangourou** [kãguʁu] *nm* kangaroo
**karaté** [kaʁate] *nm* karate
**kascher** [kaʃɛʁ] *adj inv* kosher
**kayak** [kajak] *nm* kayak; **faire du ~** to go kayaking
**képi** [kepi] *nm* kepi
**kermesse** [kɛʁmɛs] *nf* bazaar, (charity) fête; village fair
**kidnapper** [kidnape] /1/ *vt* to kidnap
**kilo** [kilo] *nm* kilo; **kilogramme** *nm* kilogramme; **kilométrage** *nm* number of kilometres travelled, ≈ mileage; **kilomètre** *nm* kilometre; **kilométrique** *adj* (*distance*) in kilometres
**kinésithérapeute** [kineziteʁapøt] *nm/f* physiotherapist
**kiosque** [kjɔsk] *nm* kiosk, stall
**kir** [kiʁ] *nm* kir (*white wine with blackcurrant liqueur*)

**l'** [l] *art déf voir* **le**

**la** [la] *art déf voir* **le** ▷ *nm* (Mus) A; (*en chantant la gamme*) la

**là** [la] *adv* there; (*ici*) here; (*dans le temps*) then; **elle n'est pas là** she isn't here; **c'est là que** this is where; **là où** where; **de là** (*fig*) hence; **par là** (*fig*) that way; *voir aussi* **-ci**; **celui**; **là-bas** *adv* there

**labo** [labo] *nm* (= *laboratoire*) lab

**laboratoire** [labɔRatwaR] *nm* laboratory; **~ de langues/d'analyses** language-/(medical) analysis laboratory

**laborieux, -euse** [labɔRjø, -øz] *adj* (*tâche*) laborious

**labourer** /1/ *vt* to plough

**labyrinthe** [labiRɛ̃t] *nm* labyrinth, maze

**lac** [lak] *nm* lake

**lacet** [lasɛ] *nm* (*de chaussure*) lace; (*de route*) sharp bend; (*piège*) snare

**lâche** [laʃ] *adj* (*poltron*) cowardly; (*desserré*) loose, slack ▷ *nm/f* coward

**lâcher** [laʃe] /1/ *vt* to let go of; (*ce qui tombe, abandonner*) to drop; (*oiseau, animal: libérer*) to release, set free; (*fig: mot, remarque*) to let slip, come out with ▷ *vi* (*freins*) to fail; **~ les amarres** (Navig) to cast off (the moorings); **~ prise** to let go

**lacrymogène** [lakRimɔʒɛn] *adj*: **grenade/gaz ~** tear gas grenade/tear gas

**lacune** [lakyn] *nf* gap

**là-dedans** [ladədɑ̃] *adv* inside (there), in it; (*fig*) in that

**là-dessous** [ladsu] *adv* underneath, under there; (*fig*) behind that

**là-dessus** [ladsy] *adv* on there; (*fig: sur ces mots*) at that point; (: *à ce sujet*) about that

**ladite** [ladit] *adj f voir* **ledit**

**lagune** [lagyn] *nf* lagoon

**là-haut** [lao] *adv* up there

**laid, e** [lɛ, lɛd] *adj* ugly; **laideur** *nf* ugliness *no pl*

**lainage** [lɛnaʒ] *nm* (*vêtement*) woollen garment; (*étoffe*) woollen material

**laine** [lɛn] *nf* wool

**laïque** [laik] *adj* lay, civil; (Scol) state cpd (as opposed to private and Roman Catholic) ▷ *nm/f* layman(-woman)

**laisse** [lɛs] *nf* (*de chien*) lead, leash; **tenir en ~** to keep on a lead ou leash

**laisser** [lese] /1/ *vt* to leave ▷ *vb aux*: **~ qn faire** to let sb do; **se ~ aller** to let o.s. go; **laisse-toi faire** let me (ou him) do it; **laisser-aller** *nm* carelessness, slovenliness; **laissez-passer** *nm inv* pass

**lait** [lɛ] *nm* milk; **frère/sœur de ~** foster brother/sister; **~ écrémé/entier/concentré/condensé** skimmed/full-fat/condensed/evaporated milk; **laitage** *nm* dairy product; **laiterie** *nf* dairy; **laitier, -ière** *adj* dairy cpd ▷ *nm/f* milkman(-woman)

**laiton** [lɛtɔ̃] *nm* brass

**laitue** [lety] *nf* lettuce

**lambeau, x** [lɑ̃bo] *nm* scrap; **en ~x** in tatters, tattered

**lame** [lam] *nf* blade; (*vague*) wave; (*lamelle*) strip; **~ de fond** ground swell *no pl*; **~ de rasoir** razor blade; **lamelle** *nf* small blade

**lamentable** [lamɑ̃tabl] *adj* appalling

**lamenter** [lamɑ̃te] /1/: **se lamenter** *vi*: **se ~ (sur)** to moan (over)

**lampadaire** [lɑ̃padɛʀ] *nm* (*de salon*) standard lamp; (*dans la rue*) street lamp

**lampe** [lɑ̃p] *nf* lamp; (*Tech*) valve; **~ à pétrole** oil lamp; **~ à bronzer** sunlamp; **~ de poche** torch (BRIT), flashlight (US); **~ halogène** halogen lamp

**lance** [lɑ̃s] *nf* spear; **~ d'incendie** fire hose

**lancée** [lɑ̃se] *nf*: **être/continuer sur sa ~** to be under way/keep going

**lancement** [lɑ̃smɑ̃] *nm* launching *no pl*

**lance-pierres** [lɑ̃spjɛʀ] *nm inv* catapult

**lancer** [lɑ̃se] /3/ *nm* (*Sport*) throwing *no pl*, throw ▷ *vt* to throw; (*émettre, projeter*) to throw out, send out; (*produit, fusée, bateau, artiste*) to launch; (*injure*) to hurl, fling; **se lancer** *vi* (*prendre de l'élan*) to build up speed; (*se précipiter*): **se ~ sur** *ou* **contre** to rush at; **~ du poids** putting the shot; **~ qch à qn** to throw sth to sb; (*de façon agressive*) to throw sth at sb; **~ un cri** *ou* **un appel** to shout *ou* call out; **se ~ dans** (*discussion*) to launch into; (*aventure*) to embark on

**landau** [lɑ̃do] *nm* pram (BRIT), baby carriage (US)

**lande** [lɑ̃d] *nf* moor

**langage** [lɑ̃ɡaʒ] *nm* language

**langouste** [lɑ̃ɡust] *nf* crayfish *inv*; **langoustine** *nf* Dublin Bay prawn

**langue** [lɑ̃ɡ] *nf* (*Anat, Culin*) tongue; (*Ling*) language; **tirer la ~ (à)** to stick out one's tongue (at); **de ~ française** French-speaking; **~ maternelle**

native language, mother tongue; **~s vivantes** modern languages

**langueur** [lɑ̃ɡœʀ] *nf* languidness

**languir** [lɑ̃ɡiʀ] /2/ *vi* to languish; (*conversation*) to flag; **faire ~ qn** to keep sb waiting

**lanière** [lanjɛʀ] *nf* (*de fouet*) lash; (*de valise, bretelle*) strap

**lanterne** [lɑ̃tɛʀn] *nf* (*portable*) lantern; (*électrique*) light, lamp; (*de voiture*) (side)light

**laper** [lape] /1/ *vt* to lap up

**lapidaire** [lapidɛʀ] *adj* (*fig*) terse

**lapin** [lapɛ̃] *nm* rabbit; (*peau*) rabbitskin; (*fourrure*) cony; **poser un ~ à qn** to stand sb up

**Laponie** [laponi] *nf*: **la ~** Lapland

**laps** [laps] *nm*: **~ de temps** space of time, time *no pl*

**laque** [lak] *nf* (*vernis*) lacquer; (*pour cheveux*) hair spray

**laquelle** [lakɛl] *pron voir* **lequel**

**larcin** [laʀsɛ̃] *nm* theft

**lard** [laʀ] *nm* (*graisse*) fat; (*bacon*) (streaky) bacon

**lardon** [laʀdɔ̃] *nm* piece of chopped bacon

**large** [laʀʒ] *adj* wide; broad; (*fig*) generous ▷ *adv*: **calculer/voir ~** to allow extra/think big ▷ *nm* (*largeur*): **5 m de ~** 5 m wide *ou* in width; (*mer*): **le ~** the open sea; **au ~ de** off; **~ d'esprit** broad-minded; **largement** *adv* widely; (*de loin*) greatly; (*amplement, au minimum*) easily; (*donner etc*) generously; **c'est largement suffisant** that's ample; **largesse** *nf* generosity; **largesses** *nfpl* (*dons*) liberalities; **largeur** *nf* (*qu'on mesure*) width; (*impression visuelle*) wideness, width; (*d'esprit*) broadness

**larguer** [laʀɡe] /1/ *vt* to drop; **~ les amarres** to cast off (the moorings)

**larme** [laʀm] *nf* tear; (*fig*): **une ~ de** a drop of; **en ~s** in tears; **larmoyer** /8/ *vi* (*yeux*) to water; (*se plaindre*) to whimper

**larvé, e** [larve] adj (fig) latent

**laryngite** [larɛ̃ʒit] nf laryngitis

**las, lasse** [lɑ, lɑs] adj weary

**laser** [lazɛr] nm: **(rayon)** ~ laser (beam); **chaîne** ou **platine** ~ compact disc (player); **disque** ~ compact disc

**lasse** [lɑs] adj f voir **las**

**lasser** [lɑse] /1/ vt to weary, tire

**latéral, e, -aux** [lateral, -o] adj side cpd, lateral

**latin, e** [latɛ̃, -in] adj Latin ▷ nm (Ling) Latin ▷ nm/f: **L~, e** Latin

**latitude** [latityd] nf latitude

**lauréat, e** [lɔrea, -at] nm/f winner

**laurier** [lɔrje] nm (Bot) laurel; (Culin) bay leaves pl

**lavable** [lavabl] adj washable

**lavabo** [lavabo] nm washbasin; **lavabos** nmpl toilet sg

**lavage** [lavaʒ] nm washing no pl, wash; ~ **de cerveau** brainwashing no pl

**lavande** [lavɑ̃d] nf lavender

**lave** [lav] nf lava no pl

**lave-linge** [lavlɛ̃ʒ] nm inv washing machine

**laver** [lave] /1/ vt to wash; (tache) to wash off; **se laver** vi to have a wash, wash; **se ~ les mains/dents** to wash one's hands/clean one's teeth; ~ **la vaisselle/le linge** to wash the dishes/clothes; ~ **qn de** (accusation) to clear sb of; **laverie** nf: **laverie (automatique)** Launderette® (BRIT), Laundromat® (US); **lavette** nf dish cloth; (fam) drip; **laveur, -euse** nm/f cleaner; **lave-vaisselle** nm inv dishwasher; **lavoir** nm wash house; (évier) sink

**laxatif, -ive** [laksatif, -iv] adj, nm laxative

**layette** [lɛjɛt] nf layette

○ **MOT-CLÉ**

**le, la, l'** [lə, la, l] (pl **les**) art déf 1 the; **le livre/la pomme/l'arbre**

the book/the apple/the tree; **les étudiants** the students

2 (noms abstraits): **le courage/ l'amour/la jeunesse** courage/ love/youth

3 (indiquant la possession): **se casser la jambe** etc to break one's leg etc; **levez la main** put your hand up; **avoir les yeux gris/le nez rouge** to have grey eyes/a red nose

4 (temps): **le matin/soir** in the morning/evening; mornings/ evenings; **le jeudi** etc (d'habitude) on Thursdays etc; (ce jeudi-là etc) on (the) Thursday

5 (distribution, évaluation) a, an; **trois euros le mètre/kilo** three euros a ou per metre/kilo; **le tiers/quart de** a third/quarter of

▷ pron 1 (personne: mâle) him; (: femelle) her; (: pluriel) them; **je le/ la/les vois** I can see him/her/them

2 (animal, chose: singulier) it; (: pluriel) them; **je le (ou la) vois** I can see it; **je les vois** I can see them

3 (remplaçant une phrase): **je ne le savais pas** I didn't know (about it); **il était riche et ne l'est plus** he was once rich but no longer is

**lécher** [leʃe] /6/ vt to lick; (laper: lait, eau) to lick ou lap up; **se ~ les doigts/lèvres** to lick one's fingers/ lips; **lèche-vitrines** nm inv: **faire du lèche-vitrines** to go window-shopping

**leçon** [ləsɔ̃] nf lesson; **faire la ~ à** (fig) to give a lecture to; ~**s de conduite** driving lessons; ~**s particulières** private lessons ou tuition sg (BRIT)

**lecteur, -trice** [lɛktœr, -tris] nm/f reader; (d'université) (foreign language) assistant ▷ nm (Tech): ~ **de cassettes** cassette player; ~ **de disquette(s)** disk drive; ~ **de CD/DVD** CD/DVD player; ~ **MP3** MP3 player

**lecture** [lɛktyr] nf reading

Attention à ne pas traduire *lecture* par le mot anglais *lecture*.

**ledit, ladite** [ləd̃it, ladit] (*mpl* **lesdits**, *fpl* **lesdites**) *adj* the aforesaid

**légal, e, -aux** [legal, -o] *adj* legal; **légaliser** /1/ *vt* to legalize; **légalité** *nf* legality

**légendaire** [leʒɑ̃dɛʀ] *adj* legendary

**légende** [leʒɑ̃d] *nf* (*mythe*) legend; (*de carte, plan*) key; (*de dessin*) caption

**léger, -ère** [leʒe, -ɛʀ] *adj* light; (*bruit, retard*) slight; (*imperceptible*) thoughtless; (*volage*) free and easy; **à la légère** (*parler, agir*) rashly, thoughtlessly; **légèrement** *adv* (*s'habiller, bouger*) lightly; **légèrement plus grand** slightly bigger; **manger légèrement** to eat a light meal; **légèreté** *nf* lightness; (*d'une remarque*) flippancy

**législatif, -ive** [leʒislatif, -iv] *adj* legislative; **législatives** *nfpl* general election *sg*

**légitime** [leʒitim] *adj* (*Jur*) lawful, legitimate; (*fig*) rightful, legitimate; **en état de ~ défense** in self-defence

**legs** [leg] *nm* legacy

**léguer** [lege] /6/ *vt*: **~ qch à qn** (*Jur*) to bequeath sth to sb

**légume** [legym] *nm* vegetable; **~s verts** green vegetables; **~s secs** pulses

**lendemain** [lɑ̃dmɛ̃] *nm*: **le ~** the next *ou* following day; **le ~ matin/ soir** the next *ou* following morning/ evening; **le ~ de** the day after

**lent, e** [lɑ̃, lɑ̃t] *adj* slow; **lentement** *adv* slowly; **lenteur** *nf* slowness *no pl*

**lentille** [lɑ̃tij] *nf* (*Optique*) lens *sg*; (*Bot*) lentil; **~s de contact** contact lenses

**léopard** [leɔpaʀ] *nm* leopard

**lèpre** [lɛpʀ] *nf* leprosy

○ **MOT-CLÉ**

**lequel, laquelle** [ləkɛl, lakɛl] (*mpl* **lesquels**, *fpl* **lesquelles**) (*à + lequel* = **auquel**, *de + lequel* = **duquel** *etc*)

*pron* **1** (*interrogatif*) which, which one; **lequel des deux?** which one?

**2** (*relatif: personne: sujet*) who; (: *objet, après préposition*) whom; (: *chose*) which

▸ *adj*: **auquel cas** in which case

**les** [le] *art déf, pron voir* **le**

**lesbienne** [lɛsbjɛn] *nf* lesbian

**lesdits, lesdites** [ledi, ledit] *adj pl voir* **ledit**

**léser** [leze] /6/ *vt* to wrong

**lésiner** [lezine] /1/ *vi*: **ne pas ~ sur les moyens** (*pour mariage etc*) to push the boat out

**lésion** [lezjɔ̃] *nf* lesion, damage *no pl*

**lessive** [lesiv] *nf* (*poudre*) washing powder; (*linge*) washing *no pl*, wash; **lessiver** /1/ *vt* to wash; (*fam: fatiguer*) to tire out, exhaust

**lest** [lɛst] *nm* ballast

**leste** [lɛst] *adj* sprightly, nimble

**lettre** [lɛtʀ] *nf* letter; **lettres** (*étude, culture*) literature *sg*; (*Scol*) arts (subjects); **à la ~** literally; **en toutes ~s** in full; **~ piégée** letter bomb

**leucémie** [løsemi] *nf* leukaemia

○ **MOT-CLÉ**

**leur** [lœʀ] *adj poss* their; **leur maison** their house; **leurs amis** their friends

▸ *pron* **1** (*objet indirect*) (to) them; **je leur ai dit la vérité** I told them the truth; **je le leur ai donné** I gave it to them, I gave them it

**2** (*possessif*): **le (la) leur, les leurs** theirs

**levain** [ləvɛ̃] *nm* leaven

**levé, e** [ləve] *adj*: **être ~** to be up; **levée** *nf* (*Postes*) collection

**lever** [ləve] /5/ *vt* (*vitre, bras etc*) to raise; (*soulever de terre, supprimer: interdiction, siège*) to lift; (*impôts, armée*) to levy ▸ *vi* to rise ▸ *nm*: **au ~** on getting up; **se lever** *vi* to get up; (*soleil*) to rise; (*jour*) to break;

(brouillard) to lift; **ça va se ~** (temps) it's going to clear up; **~ du jour** daybreak; **~ de soleil** sunrise

**levier** [ləvje] *nm* lever

**lèvre** [lɛvʀ] *nf* lip

**lévrier** [levʀije] *nm* greyhound

**levure** [ləvyʀ] *nf* yeast; **~ chimique** baking powder

**lexique** [lɛksik] *nm* vocabulary, lexicon; (*glossaire*) vocabulary

**lézard** [lezaʀ] *nm* lizard

**lézarde** [lezaʀd] *nf* crack

**liaison** [ljɛzɔ̃] *nf* (*rapport*) connection; (*Rail, Aviat etc*) link; (*amoureuse*) affair; (*Culin, Phonétique*) liaison; **entrer/être en ~ avec** to get/be in contact with

**liane** [ljan] *nf* creeper

**liasse** [ljas] *nf* wad, bundle

**Liban** [libɑ̃] *nm*: **le ~** (the) Lebanon

**libeller** [libele] /1/ *vt* (*chèque, mandat*): **~ (au nom de)** to make out (to); (*lettre*) to word

**libellule** [libelyl] *nf* dragonfly

**libéral, e, -aux** [liberal, -o] *adj, nm/f* liberal; **les professions ~es** liberal professions

**libérer** [libere] /6/ *vt* (*délivrer*) to free, liberate (*Psych*) to liberate; (*relâcher: prisonnier*) to discharge, release; (*gaz, cran d'arrêt*) to release; **se libérer** *vi* (*de rendez-vous*) to get out of previous engagements

**liberté** [libɛʀte] *nf* freedom; (*loisir*) free time; (*privautés*) **liberties**; **mettre/être en ~** to set/ be free; **en ~ provisoire/surveillée/ conditionnelle** on bail/probation/ parole

**libraire** [libʀɛʀ] *nm/f* bookseller

**librairie** [libʀeʀi] *nf* bookshop

Attention à ne pas traduire *librairie* par *library*.

**libre** [libʀ] *adj* free; (*route*) clear; (*place etc*) free; (*ligne*) not engaged; (*Scol*) non-state; **~ de qch/de faire** free from sth/to do; **~ arbitre** free will; **libre-échange** *nm* free trade; **libre-service** *nm inv* self-service store

**Libye** [libi] *nf*: **la ~** Libya

**licence** [lisɑ̃s] *nf* (*permis*) permit; (*diplôme*) (first) degree; (*liberté*) liberty; **licencié, e** *nm/f* (*Scol*): **licencié ès lettres/en droit** ≈ Bachelor of Arts/Law

**licenciement** [lisɑ̃simɑ̃] *nm* redundancy

**licencier** [lisɑ̃sje] /7/ *vt* (*renvoyer*) to dismiss; (*débaucher*) to make redundant

**licite** [lisit] *adj* lawful

**lie** [li] *nf* dregs *pl*, sediment

**lié, e** [lje] *adj*: **très ~ avec** very friendly with *ou* close to

**Liechtenstein** [liʃtɛnʃtajn] *nm*: **le ~** Liechtenstein

**liège** [ljɛʒ] *nm* cork

**lien** [ljɛ̃] *nm* (*corde, fig: affectif, culturel*) bond; (*rapport*) link, connection; **~ de parenté** family tie; **~ hypertexte** hyperlink

**lier** [lje] /7/ *vt* (*attacher*) to tie up; (*joindre*) to link up; (*fig: unir, engager*) to bind; **~ conversation (avec)** to strike up a conversation (with); **~ connaissance avec** to get to know

**lierre** [ljɛʀ] *nm* ivy

**lieu, x** [ljø] *nm* place; **lieux** *nmpl* (*locaux*) premises; (*endroit: d'un accident etc*) scene *sg*; **arriver/être sur les ~x** to arrive/be on the scene; **en premier ~** in the first place; **en dernier ~** lastly; **avoir ~** to take place; **tenir ~ de** to serve as; **donner ~ à** to give rise to; **au ~ de** instead of; **~ commun** commonplace; **lieu-dit** (*pl* **lieux-dits**) *nm* locality

**lieutenant** [ljøtnɑ̃] *nm* lieutenant

**lièvre** [ljɛvʀ] *nm* hare

**ligament** [ligamɑ̃] *nm* ligament

**ligne** [liɲ] *nf* (*gén*) line; (*Transports: liaison*) service; (*: trajet*) route; (*silhouette*) figure; **garder la ~** to keep one's figure; **en ~** (*Inform*) online; **entrer en ~ de compte** to be taken into account; **~ fixe** (*Tél*) landline

**ligné** | 156

**ligné, e** [liɲe] adj: **papier ~** ruled paper ▷ nf line, lineage

**ligoter** [ligɔte] /1/ vt to tie up

**ligue** [lig] nf league

**lilas** [lila] nm lilac

**limace** [limas] nf slug

**limande** [limɑ̃d] nf dab

**lime** [lim] nf file: **~ à ongles** nail file; **limer** /1/ vt to file

**limitation** [limitasjɔ̃] nf: **~ de vitesse** speed limit

**limite** [limit] nf (de terrain) boundary; (partie ou point extrême) limit; **à la ~** (au pire) if the worst (ou came) to the worst; **vitesse/charge ~** maximum speed/load; **cas ~** borderline case; **date ~** deadline; **date ~ de vente/consommation** sell-by/best-before date; **limiter** /1/ vt (restreindre) to limit, restrict; (délimiter) to border; **limitrophe** adj border cpd

**limoger** [limɔʒe] /3/ vt to dismiss

**limon** [limɔ̃] nm silt

**limonade** [limɔnad] nf lemonade

**lin** [lɛ̃] nm (tissu, toile) linen

**linceul** [lɛ̃sœl] nm shroud

**linge** [lɛ̃ʒ] nm (serviettes etc) linen; (aussi: **~ de corps**) underwear; (lessive) washing; **lingerie** nf lingerie, underwear

**lingot** [lɛ̃go] nm ingot

**linguistique** [lɛ̃gɥistik] adj linguistic ▷ nf linguistics sg

**lion, ne** [ljɔ̃, ljɔn] nm/f lion (lioness); (signe) **le L~** Leo; **lionceau, x** nm lion cub

**liqueur** [likœʁ] nf liqueur

**liquidation** [likidasjɔ̃] nf (vente) sale, liquidation; (Comm) clearance (sale)

**liquide** [likid] adj liquid ▷ nm liquid; (Comm) en ready money ou cash; **je n'ai pas de ~** I haven't got any cash; **liquider** /1/ vt to liquidate; (Comm: articles) to clear, sell off

**lire** [liʁ] /43/ nf (monnaie) lira ▷ vt, vi to read

**lis** vb [li] voir **lire** ▷ nm [lis] = **lys**

**Lisbonne** [lizbɔn] n Lisbon

**liseuse** [lizøz] nf e-reader

**lisible** [lizibl] adj legible

**lisière** [lizjɛʁ] nf (de forêt) edge

**lisons** [lizɔ̃] vb voir **lire**

**lisse** [lis] adj smooth

**lisseur** [lisœʁ] nm straighteners

**liste** [list] nf list; **faire la ~ de** to list; **~ électorale** electoral roll; **~ de mariage** wedding (present) list; **listing** nm (Inform) printout

**lit** [li] nm bed; **petit ~, ~ à une place** single bed; **grand ~, ~ à deux places** double bed; **faire son ~** to make one's bed; **aller/se mettre au ~** to go to/get into bed; **~ de camp** camp bed; **~ d'enfant** cot (BRIT), crib (US)

**literie** [litʁi] nf bedding, bedclothes pl

**litige** [litiʒ] nm dispute

**litre** [litʁ] nm litre

**littéraire** [liteʁɛʁ] adj literary ▷ nm/f arts student; **elle est très ~** she's very literary

**littéral, e, -aux** [liteʁal, -o] adj literal

**littérature** [liteʁatyʁ] nf literature

**littoral, e, -aux** [litɔʁal, -o] nm coast

**livide** [livid] adj livid, pallid

**livraison** [livʁɛzɔ̃] nf delivery

**livre** [livʁ] nm book ▷ nf (poids, monnaie) pound; **~ numérique** e-book; **~ de poche** paperback

**livré, e** [livʁe] adj: **~ à soi-même** left to oneself ou one's own devices

**livrer** [livʁe] /1/ vt (Comm) to deliver; (otage, coupable) to hand over; (secret, information) to give away; **se ~ à** (se rendre) to give o.s. up to; (faire: pratiques, actes) to indulge in; (enquête) to carry out

**livret** [livʁɛ] nm booklet; (d'opéra) libretto; **~ de caisse d'épargne** (savings) bank-book; **~ de famille** (official) family record book; **~ scolaire** (school) report book

**livreur, -euse** [livʀœʀ, -øz] nm/f
delivery boy ou man/girl ou woman

**local, e, -aux** [lɔkal, -o] adj local
▷ nm (salle) premises pl ▷ nmpl
premises; **localité** nf locality

**locataire** [lɔkatɛʀ] nm/f tenant; (de
chambre) lodger

**location** [lɔkasjɔ̃] nf (par le locataire)
renting; (par le propriétaire) renting
out, letting; (bureau) booking office;
**"~ de voitures"** "car hire (BRIT) ou
rental (US)"; **habiter en ~** to live in
rented accommodation; **prendre
une ~ (pour les vacances)** to rent a
house etc (for the holidays)

⚠ Attention à ne pas traduire
location par le mot anglais location.

**locomotive** [lɔkɔmɔtiv] nf
locomotive, engine

**locution** [lɔkysjɔ̃] nf phrase

**loge** [lɔʒ] nf (Théât: d'artiste) dressing
room; (: de spectateurs) box; (de
concierge, franc-maçon) lodge

**logement** [lɔʒmɑ̃] nm flat (BRIT),
apartment (US); accommodation no
pl (BRIT), accommodations pl (US);
(Pol, Admin): **le ~** housing

**loger** [lɔʒe] /3/ vt to live; **se loger** vr: **trouver à
se ~** to find accommodation; **se ~
dans** (balle, flèche) to lodge itself in;
**être logé, nourri** to have board and
lodging; **logeur, -euse** nm/f
landlord (landlady)

**logiciel** [lɔʒisjɛl] nm piece of
software

**logique** [lɔʒik] adj logical ▷ nf logic

**logo** [lɔgo] nm logo

**loi** [lwa] nf law; **faire la ~** to lay down
the law

**loin** [lwɛ̃] adv far; (dans le temps: futur)
a long way off; (: passé) a long time
ago; **plus ~** further; **~ de** far from;
**~ d'ici** a long way from here; **au ~**
far off; **de ~** from a distance; (fig: de
beaucoup) by far

**lointain, e** [lwɛ̃tɛ̃, -ɛn] adj faraway,
distant; (dans le futur, passé) distant;

(cause, parent) remote, distant ▷ nm:
**dans le ~** in the distance

**loir** [lwaʀ] nm dormouse

**Loire** [lwaʀ] nf: **la ~** the Loire

**loisir** [lwaziʀ] nm: **heures de ~**
spare time; **loisirs** nmpl (temps libre)
leisure sg; (activités) leisure activities;
**avoir le ~ de faire** to have the time
ou the opportunity to do; **(tout) à ~**
at leisure

**londonien, ne** [lɔ̃dɔnjɛ̃, -ɛn] adj
London cpd, of London ▷ nm/f: **L~,
ne** Londoner

**Londres** [lɔ̃dʀ] n London

**long, longue** [lɔ̃, lɔ̃g] adj long ▷ adv:
**en savoir ~** to know a great deal
▷ nm: **de 3 m de ~** 3 m long, 3 m in
length; **ne pas faire ~ feu** not to last
long; **(tout) le ~ de** (all) along; **tout
au ~ de** (année, vie) throughout; **de
~ en large** (marcher) to and fro, up
and down

**longer** [lɔ̃ʒe] /3/ vt to go (ou walk
ou drive) along(side); (mur, route)
to border

**longiligne** [lɔ̃ʒiliɲ] adj long-limbed

**longitude** [lɔ̃ʒityd] nf longitude

**longtemps** [lɔ̃tɑ̃] adv (for) a long
time, (for) long; **avant ~** before
long; **pour/pendant ~** for a long
time; **mettre à faire** to take a long
time to do; **il en a pour ~** he'll be a
long time

**longue** [lɔ̃g] adj f voir **long** ▷ nf: **à
la ~** in the end; **longuement** adv
(longtemps) for a long time; (en détail)
at length

**longueur** [lɔ̃gœʀ] nf length;
**longueurs** nfpl (fig: d'un film etc)
tedious parts; **en ~** lengthwise; **tirer
en ~** to drag on; **à ~ de journée** all
day long

**loquet** [lɔkɛ] nm latch

**lorgner** [lɔʀɲe] /1/ vt to eye; (fig) to
have one's eye on

**lors** [lɔʀ] prép: **~ de** (au moment de)
at the time of; (pendant) during;
**~ même que** even though

**lorsque** [lɔʀsk] *conj* when, as

**losange** [lɔzɑ̃ʒ] *nm* diamond shape

**lot** [lo] *nm (part)* share; *(de loterie)* prize; *(fig: destin)* fate, lot; *(Comm, Inform)* batch; **le gros ~** the jackpot

**loterie** [lɔtʀi] *nf* lottery

**lotion** [losjɔ̃] *nf* lotion; **~ après rasage** after-shave (lotion)

**lotissement** [lɔtismɑ̃] *nm* housing development; *(parcelle)* (building) plot, lot

**loto** [loto] *nm* lotto

**lotte** [lɔt] *nf* monkfish

**louange** [lwɑ̃ʒ] *nf*: **à la ~** in praise of; **louanges** *nfpl* praise sg

**loubar(d)** [lubaʀ] *nm (fam)* lout

**louche** [luʃ] *adj* shady, fishy, dubious ▷ *nf* ladle; **loucher** /1/ *vi* to squint

**louer** [lwe] /1/ *vt (maison: propriétaire)* to let, rent (out); *(: locataire)* to rent; *(voiture etc: entreprise)* to hire out *(BRIT)*, rent (out); *(: locataire)* to hire *(BRIT)*, rent; *(réserver)* to book; *(faire l'éloge de)* to praise; **"à ~"** "to let" *(BRIT)*, "for rent" *(US)*

**loup** [lu] *nm* wolf; **jeune ~** young go-getter

**loupe** [lup] *nf* magnifying glass; **à la ~** in minute detail

**louper** [lupe] /1/ *vt (fam: manquer)* to miss; *(examen)* to flunk

**lourd, e** [luʀ, luʀd] *adj* heavy; *(chaleur, temps)* sultry; **~ de** *(menaces)* charged with; *(conséquences)* fraught with; **lourdaud, e** *adj* clumsy; **lourdement** *adv* heavily

**loutre** [lutʀ] *nf* otter

**louveteau, x** [luvto] *nm* wolf-cub; *(scout)* cub (scout)

**louvoyer** [luvwaje] /8/ *vi (fig)* to hedge, evade the issue

**loyal, e, -aux** [lwajal, -o] *adj (fidèle)* loyal, faithful; *(fair-play)* fair; **loyauté** *nf* loyalty, faithfulness; fairness

**loyer** [lwaje] *nm* rent

**lu, e** [ly] *pp de* **lire**

**lubie** [lybi] *nf* whim, craze

**lubrifiant** [lybʀifjɑ̃] *nm* lubricant

**lubrifier** [lybʀifje] /7/ *vt* to lubricate

**lubrique** [lybʀik] *adj* lecherous

**lucarne** [lykaʀn] *nf* skylight

**lucide** [lysid] *adj* lucid; *(accidenté)* conscious

**lucratif, -ive** [lykʀatif, -iv] *adj* lucrative; profitable; **à but non ~** non profit-making

**lueur** [lɥœʀ] *nf (chatoyante)* glimmer *no pl*; *(pâle)* (faint) light; *(fig)* glimmer, gleam

**luge** [lyʒ] *nf* sledge *(BRIT)*, sled *(US)*

**lugubre** [lygybʀ] *adj* gloomy; dismal

---

 **MOT-CLÉ**

**lui** [lɥi] *pron* **1** *(objet indirect: mâle)* (to) him; *(: femelle)* (to) her; *(: chose, animal)* (to) it; **je lui ai parlé** I have spoken to him *(ou* to her); **il lui a offert un cadeau** he gave him *(ou* her) a present

**2** *(après préposition, comparatif: personne)* him; *(: chose)* it; **elle est contente de lui** she is pleased with him; **je la connais mieux que lui** I know her better than he does; I know her better than him; **cette voiture est à lui** this car belongs to him, this is HIS car; **c'est à lui de jouer** it's his turn *ou* go

**3** *(sujet, forme emphatique)* he; **lui, il est à Paris** HE is in Paris, it's in Paris that HE is; **c'est lui qui l'a fait** HE did it

**4** *(objet, forme emphatique)* him; **c'est lui que j'attends** I'm waiting for HIM

**5**: **lui-même** himself; itself

**luire** [lɥiʀ] /38/ *vi* to shine; *(reflets chauds, cuivrés)* to glow

**lumière** [lymjɛʀ] *nf* light; **mettre en ~** *(fig)* to highlight; **~ du jour/soleil** day/sunlight

**luminaire** [lyminɛʀ] *nm* lamp, light

**lumineux, -euse** [lyminø, -øz] *adj* luminous; *(éclairé)* illuminated; *(ciel, journée, couleur)* bright; *(rayon etc)* of light, light *cpd*; *(fig: regard)* radiant

**lunatique** [lynatik] *adj* whimsical, temperamental

**lundi** [lœdi] *nm* Monday; **on est ~** it's Monday; **le(s) ~(s)** on Mondays; **à ~!** see you (on) Monday!; **~ de Pâques** Easter Monday

**lune** [lyn] *nf* moon; **~ de miel** honeymoon

**lunette** [lynɛt] *nf*: **~s** glasses, spectacles; *(protectrices)* goggles; **~ arrière** *(Auto)* rear window; **~s noires** dark glasses; **~s de soleil** sunglasses

**lustre** [lystʀ] *nm (de plafond)* chandelier; *(fig: éclat)* lustre; **lustrer** /1/ *vt*: **lustrer qch** to make sth shine

**luth** [lyt] *nm* lute

**lutin** [lytɛ̃] *nm* imp, goblin

**lutte** [lyt] *nf (conflit)* struggle; *(Sport)*: **la ~** wrestling; **lutter** /1/ *vi* to fight, struggle

**luxe** [lyks] *nm* luxury; **de ~** luxury *cpd*

**Luxembourg** [lyksɑ̃buʀ] *nm*: **le ~** Luxembourg

**luxer** [lykse] /1/ *vt*: **se ~ l'épaule** to dislocate one's shoulder

**luxueux, -euse** [lyksɥø, -øz] *adj* luxurious

**lycée** [lise] *nm* (state) secondary *(BRIT)* ou high *(US)* school; **lycéen, ne** *nm/f* secondary school pupil

**Lyon** [ljɔ̃] *n* Lyons

**lyophilisé, e** [ljɔfilize] *adj (café)* freeze-dried

**lyrique** [liʀik] *adj* lyrical; *(Opéra)* lyric; **artiste ~** opera singer

**lys** [lis] *nm* lily

**M** *abr* = **Monsieur**

**m'** [m] *pron voir* **me**

**ma** [ma] *adj poss voir* **mon**

**macaron** [makaʀɔ̃] *nm (gâteau)* macaroon; *(insigne)* (round) badge

**macaroni(s)** [makaʀɔni] *nm (pl)* macaroni *sg*; **~ au gratin** macaroni cheese *(BRIT)*, macaroni and cheese *(US)*

**Macédoine** [masedwan] *nf* Macedonia

**macédoine** [masedwan] *nf*: **~ de fruits** fruit salad; **~ de légumes** mixed vegetables *pl*

**macérer** [maseʀe] /6/ *vi, vt* to macerate; *(dans du vinaigre)* to pickle

**mâcher** [maʃe] /1/ *vt* to chew; **ne pas ~ ses mots** not to mince one's words

**machin** [maʃɛ̃] *nm (fam)* thingamajig; *(personne)*: **M~(e)** what's-his-*(ou* her)-name

**machinal, e, -aux** [maʃinal, -o] adj mechanical, automatic

**machination** [maʃinasjɔ̃] nf frame-up

**machine** [maʃin] nf machine; (locomotive) engine; **~ à laver/ coudre/tricoter** washing/sewing/ knitting machine; **~ à sous** fruit machine

**mâchoire** [maʃwar] nf jaw

**mâchonner** [maʃɔne] /1/ vt to chew (at)

**maçon** [masɔ̃] nm bricklayer; (constructeur) builder; **maçonnerie** nf (murs) brickwork; (: de pierre) masonry, stonework

**Madagascar** [madagaskar] nf Madagascar

**Madame** [madam] (pl **Mesdames**) nf: **~ X** Mrs X; **occupez-vous de ~/Monsieur/Mademoiselle** please serve this lady/gentleman/ (young) lady; **bonjour ~/ Monsieur/Mademoiselle** good morning; (ton déférent) good morning Madam/Sir/Madam; (le nom est connu) good morning Mrs X/Mr X/Miss X; **~/Monsieur/ Mademoiselle!** (pour appeler) excuse me!; **~/Monsieur/ Mademoiselle** (sur lettre) Dear Madam/Sir/Madam; **chère ~/cher Monsieur/chère Mademoiselle** Dear Mrs X/Mr X/Miss X; **Mesdames** Ladies; **mesdames, mesdemoiselles, messieurs** ladies and gentlemen

**madeleine** [madlɛn] nf madeleine, ≈ sponge finger cake

**Mademoiselle** [madmwazɛl] (pl **Mesdemoiselles**) nf Miss; voir aussi **Madame**

**Madère** [madɛr] nf Madeira ▷ nm: **madère** Madeira (wine)

**Madrid** [madrid] n Madrid

**magasin** [magazɛ̃] nm (boutique) shop; (entrepôt) warehouse; **en ~** (Comm) in stock

○ **MAGASINS**
○
○ French shops are usually open from
○ 9am to noon and from 2pm to 7pm.
○ Most shops are closed on Sunday
○ and some do not open on Monday.
○ In bigger towns and shopping
○ centres, most shops are open
○ throughout the day.

**magazine** [magazin] nm magazine

**Maghreb** [magrɛb] nm: **le ~** North(-West) Africa; **maghrébin, e** adj North African ▷ nm/f: **Maghrébin, e** North African

**magicien, ne** [maʒisjɛ̃, -ɛn] nm/f magician

**magie** [maʒi] nf magic; **magique** adj magic; (fig) magical

**magistral, e, -aux** [maʒistral, -o] adj (œuvre, adresse) masterly; (ton) authoritative; **cours ~** lecture

**magistrat** [maʒistra] nm magistrate

**magnétique** [maɲetik] adj magnetic

**magnétophone** [maɲetɔfɔn] nm tape recorder; **~ à cassettes** cassette recorder

**magnétoscope** [maɲetɔskɔp] nm: **~ (à cassette)** video (recorder)

**magnifique** [maɲifik] adj magnificent

**magret** [magrɛ] nm: **~ de canard** duck breast

**mai** [mɛ] nm May; voir aussi **juillet**

○ **LE PREMIER MAI**
○
○ Le premier mai is a public holiday in
○ France and commemorates the
○ trades union demonstrations in
○ the United States in 1886 when
○ workers demanded the right
○ to an eight-hour working day.
○ Sprigs of lily of the valley are
○ traditionally exchanged. Le 8
○ mai is also a public holiday and

commemorates the surrender of the German army to Eisenhower on 7 May, 1945. It is marked by parades of ex-servicemen and ex-servicewomen in most towns. The social upheavals of May and June 1968, with their student demonstrations, workers' strikes and general rioting, are usually referred to as 'les événements de mai 68'. De Gaulle's Government survived, but reforms in education and a move towards decentralization ensued.

**maigre** [mɛgʀ] *adj* (very) thin, skinny; (viande) lean; (fromage) low-fat; (végétation) thin, sparse; (fig) poor, meagre, skimpy; **jours ~s** days of abstinence, fish days; **maigreur** *nf* thinness; **maigrir** /2/ *vi* to get thinner, lose weight; **maigrir de 2 kilos** to lose 2 kilos

**mail** [mɛl] *nm* email

**maille** [maj] *nf* stitch; **~ à l'endroit/à l'envers** plain/purl stitch

**maillet** [majɛ] *nm* mallet

**maillon** [majɔ̃] *nm* link

**maillot** [majo] *nm* (aussi: **~ de corps**) vest; (de sportif) jersey; **~ de bain** swimming ou bathing (BRIT) costume, swimsuit; (d'homme) (swimming ou bathing (BRIT) trunks *pl*

**main** [mɛ̃] *nf* hand; **à la ~** (tenir, avoir) in one's hand; (faire, tricoter etc) by hand; **se donner la ~** to hold hands; **donner** ou **tendre la ~ à qn** to hold out one's hand to sb; **se serrer la ~** to shake hands; **serrer la ~ à qn** to shake hands with sb; **la ~** to ou at hand; **haut les ~s!** hands up!; **attaque à ~ armée** armed attack; **à remettre en ~s propres** to be delivered personally; **mettre la dernière ~ à** to put the finishing touches to; **se faire/perdre la ~** to get one's hand in/lose one's touch;

**avoir qch bien en ~** to have got the hang of sth; **main-d'œuvre** *nf* manpower, labour; **mainmise** *nf* (fig): **avoir la mainmise sur** to have a grip ou stranglehold on

**mains-libres** [mɛ̃libʀ] *adj inv* (téléphone, kit) hands-free

**maint, e** [mɛ̃, mɛ̃t] *adj* many a; **~s** many; **à ~es reprises** time and (time) again

**maintenant** [mɛ̃tnɑ̃] *adv* now; (actuellement) nowadays

**maintenir** [mɛ̃tniʀ] /22/ *vt* (retenir, soutenir) to support; (contenir: foule etc) to keep in check; (conserver) to maintain; **se maintenir** *vi* (prix) to keep steady; (préjugé) to persist

**maintien** [mɛ̃tjɛ̃] *nm* maintaining; (attitude) bearing

**maire** [mɛʀ] *nm* mayor; **mairie** *nf* (bâtiment) town hall; (administration) town council

**mais** [mɛ] *conj* but; **~ non!** of course not!; **~ enfin** but after all; (indignation) look here!

**maïs** [mais] *nm* maize (BRIT), corn (US)

**maison** [mɛzɔ̃] *nf* house; (chez-soi) home; (Comm) firm ▷ *adj inv* (Culin) home-made; (Comm) in-house, own; **à la ~** at home; (direction) home; **~ close** brothel; **~ des jeunes** youth club; **~ mère** parent company; **~ de passe** = **maison close**; **~ de repos** convalescent home; **~ de retraite** old people's home; **~ de santé** mental home

**maître, -esse** [mɛtʀ, mɛtʀɛs] *nm/f* master (mistress); (Scol) teacher, schoolmaster/-mistress ▷ *nm* (peintre etc) master; (titre): **M~ (M^e)** Maître (term of address for lawyers etc) ▷ *adj* (principal, essentiel) main; **être ~ de** (soi-même, situation) to be in control of; **une maîtresse femme** a forceful woman; **~ chanteur** blackmailer; **~/maîtresse d'école** schoolmaster/-mistress; **~ d'hôtel**

(*domestique*) butler; (*d'hôtel*) head
waiter; **~ nageur** lifeguard;
**maîtresse de maison** hostess;
(*ménagère*) housewife

**maîtrise** [mɛtʁiz] *nf* (*aussi*: **~ de
soi**) self-control, self-possession;
(*habileté*) skill, mastery; (*suprématie*)
mastery, command; (*diplôme*) ≈
master's degree; **maîtriser** /1/ *vt*
(*cheval, incendie*) to (bring under)
control; (*sujet*) to master; (*émotion*)
to control, master; **se maîtriser** to
control o.s.

**majestueux, -euse** [maʒɛstɥø,
-øz] *adj* majestic

**majeur, e** [maʒœʁ] *adj* (*important*)
major; (*Jur*) of age ▷ *nm* (*doigt*) middle
finger; **en ~e partie** for the most
part; **la ~e partie de** most of

**majorer** [maʒɔʁe] /1/ *vt* to increase

**majoritaire** [maʒɔʁitɛʁ] *adj*
majority *cpd*

**majorité** [maʒɔʁite] *nf* (*gén*)
majority; (*parti*) party in power; **en
~** (*composé etc*) mainly; **avoir la ~** to
have the majority

**majuscule** [maʒyskyl] *adj, nf*:
**(lettre) ~** capital (letter)

**mal** (*pl* **maux**) [mal, mo] *nm* (*opposé
au bien*) evil; (*tort, dommage*) harm;
(*douleur physique*) pain, ache;
(*maladie*) illness, sickness *no pl* ▷ *adv*
badly ▷ *adj*: **être ~ (à l'aise)** to be
uncomfortable; **être ~ avec qn** to be
on bad terms with sb; **il a ~ compris**
he misunderstood; **se sentir** *ou* **se
trouver ~** to feel ill *ou* unwell; **dire/
penser du ~ de** to speak/think ill
of; **avoir du ~ à faire qch** to have
trouble doing sth; **se donner du
~ pour faire qch** to go to a lot of
trouble to do sth; **ne voir aucun ~ à**
to see no harm in, see nothing wrong
in; **faire du ~ à qn** to hurt sb; **se
faire ~** to hurt o.s.; **ça fait ~** it hurts;
**j'ai ~ au dos** my back aches; **avoir
~ à la tête/à la gorge** to have a
headache/a sore throat; **avoir ~ aux

**dents/à l'oreille** to have toothache/
earache; **avoir le ~ du pays** to be
homesick; **~ de mer** seasickness; **~
en point** in a bad state; *voir aussi*
**cœur**

**malade** [malad] *adj* ill, sick; (*poitrine,
jambe*) bad; (*plante*) diseased ▷ *nm/f*
invalid, sick person; (*à l'hôpital etc*)
patient; **tomber ~** to fall ill; **être ~
du cœur** to have heart trouble *ou* a
bad heart; **~ mental** mentally sick
*ou* ill person; **maladie** *nf* (*spécifique*)
disease, illness; (*mauvaise santé*)
illness, sickness; **maladif, -ive** *adj*
sickly; (*curiosité, besoin*) pathological

**maladresse** [maladʁɛs] *nf*
clumsiness *no pl*; (*gaffe*) blunder

**maladroit, e** [maladʁwa, -wat]
*adj* clumsy

**malaise** [malɛz] *nm* (*Méd*) feeling of
faintness; (*fig*) uneasiness, malaise;
**avoir un ~** to feel faint *ou* dizzy

**Malaisie** [malɛzi] *nf*: **la ~** Malaysia

**malaria** [malaʁja] *nf* malaria

**malaxer** [malakse] /1/ *vt* (*pétrir*) to
knead; (*mêler*) to mix

**malbouffe** [malbuf] *nf* (*fam*): **la ~**
junk food

**malchance** [malʃɑ̃s] *nf* misfortune,
ill luck *no pl*; **par ~** unfortunately;
**malchanceux, -euse** *adj* unlucky

**mâle** [mɑl] *adj* (*Élec, Tech*) male; (*viril:
voix, traits*) manly ▷ *nm* male

**malédiction** [malediksjɔ̃] *nf* curse

**mal: malentendant, e** *nm/f*: **les
malentendants** the hard of hearing;
**malentendu** *nm* misunderstanding;
**il y a eu un malentendu** there's been
a misunderstanding; **malfaçon** *nf*
fault; **malfaisant, e** *adj* evil, harmful;
**malfaiteur** *nm* lawbreaker, criminal;
(*voleur*) burglar, thief; **malfamé, e** *adj*
disreputable

**malgache** [malgaʃ] *adj* Malagasy,
Madagascan ▷ *nm* (*Ling*) Malagasy
▷ *nm/f*: **M~** Malagasy,
Madagascan

**malgré** [malgʁe] *prép* in spite of,
despite; **~ tout** in spite of everything

**malheur** [malœʀ] nm (situation) adversity, misfortune; (événement) misfortune (: plus fort) disaster, tragedy; **faire un ~** to be a smash hit; **malheureusement** adv unfortunately; **malheureux, -euse** adj (triste) unhappy, miserable; (infortuné, regrettable) unfortunate; (malchanceux) unlucky; (insignifiant) wretched ▷ nm/f poor soul

**malhonnête** [malɔnɛt] adj dishonest; **malhonnêteté** nf dishonesty

**malice** [malis] nf mischievousness; (méchanceté): **par ~** out of malice ou spite; **sans ~** guileless; **malicieux, -euse** adj mischievous

    Attention à ne pas traduire malicieux par malicious.

**malin, -igne** [malɛ̃, -iɲ] adj (futé) (f gén **maligne**) smart, shrewd; (Méd) malignant

**malingre** [malɛ̃gʀ] adj puny

**malle** [mal] nf trunk; **mallette** nf (small) suitcase; (pour documents) attaché case

**malmener** [malmǝne] /5/ vt to manhandle; (fig) to give a rough ride to

**malodorant, e** [malɔdɔʀɑ̃, -ɑ̃t] adj foul-smelling

**malpoli, e** [malpɔli] adj impolite

**malsain, e** [malsɛ̃, -ɛn] adj unhealthy

**malt** [malt] nm malt

**Malte** [malt] nf Malta

**maltraiter** [maltʀete] /1/ vt to manhandle, ill-treat

**malveillance** [malvejɑ̃s] nf (animosité) ill will; (intention de nuire) malevolence

**malversation** [malvɛʀsasjɔ̃] nf embezzlement

**maman** [mamɑ̃] nf mum(my)

**mamelle** [mamɛl] nf teat

**mamelon** [mamlɔ̃] nm (Anat) nipple

**mamie** [mami] nf (fam) granny

**mammifère** [mamifɛʀ] nm mammal

**mammouth** [mamut] nm mammoth

**manche** [mɑ̃ʃ] nf (de vêtement) sleeve; (d'un jeu, tournoi) round; (Géo): **la M~** the (English) Channel ▷ nm (d'outil, casserole) handle; (de pelle, pioche etc) shaft; **à ~s courtes/ longues** short-/long-sleeved; **~ à balai** broomstick; (Aviat, Inform) joystick nm inv

**manchette** [mɑ̃ʃɛt] nf (de chemise) cuff; (coup) forearm blow; (titre) headline

**manchot** [mɑ̃ʃo] nm one-armed man; armless man; (Zool) penguin

**mandarine** [mɑ̃daʀin] nf mandarin (orange), tangerine

**mandat** [mɑ̃da] nm (postal) postal ou money order; (d'un député etc) mandate; (procuration) power of attorney, proxy; (Police) warrant; **~ d'arrêt** warrant for arrest; **~ de perquisition** search warrant; **mandataire** nm/f (représentant, délégué) representative; (Jur) proxy

**manège** [manɛʒ] nm riding school; (à la foire) roundabout (BRIT), merry- go-round; (fig) game, ploy

**manette** [manɛt] nf lever, tap; **~ de jeu** joystick

**mangeable** [mɑ̃ʒabl] adj edible, eatable

**mangeoire** [mɑ̃ʒwaʀ] nf trough, manger

**manger** [mɑ̃ʒe] /3/ vt to eat; (ronger: rouille etc) to eat into ou away ▷ vi to eat; **donner à ~ à** (enfant) to feed

**mangue** [mɑ̃g] nf mango

**maniable** [manjabl] adj (outil) handy; (voiture, voilier) easy to handle

**maniaque** [manjak] adj finicky, fussy ▷ nm/f (méticuleux) fusspot; (fou) maniac

**manie** [mani] nf mania; (tic) odd habit; **avoir la ~ de** to be obsessive about

**manier** [manje] /7/ vt to handle

**maniéré, e** [manjeʀe] adj affected

**manière** [manjɛʀ] *nf (façon)* way, manner; **manières** *nfpl (attitude)* manners; *(chichis)* fuss *sg*; **de ~ à** so as to; **de cette ~** in this way ou manner; **d'une ~ générale** generally speaking, as a general rule; **de toute ~** in any case; **d'une certaine ~** in a (certain) way

**manifestant, e** [manifɛstɑ̃, -ɑ̃t] *nm/f* demonstrator

**manifestation** [manifɛstasjɔ̃] *nf (de joie, mécontentement)* expression, demonstration; *(symptôme)* outward sign; *(fête etc)* event; *(Pol)* demonstration

**manifeste** [manifɛst] *adj* obvious, evident ▷ *nm* manifesto; **manifester** /1/ *vt (volonté, intentions)* to show, indicate; *(joie, peur)* to express, show ▷ *vi* to demonstrate; **se manifester** *vi (émotion)* to show ou express itself; *(difficultés)* to arise; *(symptômes)* to appear

**manigancer** [manigɑ̃se] /3/ *vt* to plot

**manipulation** [manipylasjɔ̃] *nf* handling; *(Pol, génétique)* manipulation

**manipuler** [manipyle] /1/ *vt* to handle; *(fig)* to manipulate

**manivelle** [manivɛl] *nf* crank

**mannequin** [mankɛ̃] *nm (Couture)* dummy; *(Mode)* model

**manœuvre** [manœvʀ] *nf (gén)* manoeuvre (BRIT), maneuver (US) ▷ *nm* labourer; **manœuvrer** /1/ *vt* to manoeuvre (BRIT), maneuver (US); *(levier, machine)* to operate ▷ *vi* to manoeuvre ou maneuver

**manoir** [manwaʀ] *nm* manor ou country house

**manque** [mɑ̃k] *nm (insuffisance, vide)* emptiness, gap; *(Méd)* withdrawal; **~ de** lack of; **être en état de ~** to suffer withdrawal symptoms

**manqué** [mɑ̃ke] *adj* failed; **garçon ~** tomboy

**manquer** [mɑ̃ke] /1/ *vi (faire défaut)* to be lacking; *(être absent)* to be

missing; *(échouer)* to fail ▷ *vt* to miss ▷ *vb impers*: **il (nous) manque encore 10 euros** we are still 10 euros short; **il manque des pages (au livre)** there are some pages missing ou some pages are missing (from the book); **~ à qn** *(absent etc)*: **il/cela me manque** I miss him/that; **~ à** *(règles etc)* to be in breach of, fail to observe; **~ de** to lack; **ne pas ~ de faire: je ne manquerai pas de le lui dire** I'll be sure to tell him; **il a manqué (de) se tuer** he very nearly got killed

**mansarde** [mɑ̃saʀd] *nf* attic; **mansardé, e** *adj*: **chambre mansardée** attic room

**manteau, x** [mɑ̃to] *nm* coat

**manucure** [manykyʀ] *nf* manicurist

**manuel, le** [manɥɛl] *adj* manual ▷ *nm (ouvrage)* manual, handbook

**manufacture** [manyfaktyʀ] *nf* factory; **manufacturé, e** *adj* manufactured

**manuscrit, e** [manyskʀi, -it] *adj* handwritten ▷ *nm* manuscript

**manutention** [manytɑ̃sjɔ̃] *nf* (Comm) handling

**mappemonde** [mapmɔ̃d] *nf (plane)* map of the world; *(sphère)* globe

**maquereau, x** [makʀo] *nm (Zool)* mackerel *inv*; *(fam)* pimp

**maquette** [makɛt] *nf (d'un décor, bâtiment, véhicule)* (scale) model

**maquillage** [makijaʒ] *nm* making up; *(produits)* make-up

**maquiller** [makije] /1/ *vt (personne, visage)* to make up; *(truquer: passeport, statistique)* to fake; (: *voiture volée)* to do over *(respray etc)*; **se maquiller** *vi* to make o.s. up

**maquis** [maki] *nm (Géo)* scrub; *(Mil)* maquis, underground fighting *no pl*

**maraîcher, -ère** [maʀeʃe, maʀeʃɛʀ] *adj*: **cultures maraîchères** market gardening *sg* ▷ *nm/f* market gardener

**marais** [maʀe] *nm* marsh, swamp

**marasme** [maʀasm] *nm* stagnation, sluggishness

**marathon** [maʀatɔ̃] nm marathon

**marbre** [maʀbʀ] nm marble

**marc** [maʀ] nm (de raisin, pommes) marc

**marchand, e** [maʀʃɑ̃, -ɑ̃d] nm/f shopkeeper, tradesman/-woman; (au marché) stallholder; **~ de charbon/vins** coal/wine merchant ▷ adj: **prix/valeur ~(e)** market price/value; **~/e de fruits** fruiterer (BRIT), fruit seller (US); **~/e de journaux** newsagent; **~/e de légumes** greengrocer (BRIT), produce dealer (US); **~/e de poisson** fishmonger (BRIT), fish seller (US); **marchander** /1/ vi to bargain, haggle; **marchandise** [maʀʃɑ̃diz] nf goods pl, merchandise no pl

**marche** [maʀʃ] nf (d'escalier) step; (activité) walking; (promenade, trajet, allure) walk; (démarche) walk, gait; (Mil, Mus) march; (fonctionnement) running; (des événements) course; **dans le sens de la ~** (Rail) facing the engine; **en ~** (monter etc) while the vehicle is moving ou in motion; **mettre en ~** to start; **se mettre en ~** (personne) to get moving; (machine) to start; **être en état de ~** to be in working order; **~ arrière** reverse (gear); **faire ~ arrière** to reverse; (fig) to backtrack, back-pedal; **~ à suivre** (correct) procedure

**marché** [maʀʃe] nm market; (transaction) bargain, deal; **faire du ~ noir** to buy and sell on the black market; **~ aux puces** flea market

**marcher** [maʀʃe] /1/ vi to walk; (Mil) to march; (aller: voiture, train, affaires) to go; (prospérer) to go; (fonctionner) to work, run; (fam: consentir) to go along, agree; (: croire naïvement) to be taken in; **faire ~ qn** (pour rire) to pull sb's leg; (pour tromper) to lead sb up the garden path; **marcheur, -euse** nm/f walker

**mardi** [maʀdi] nm Tuesday; **M~ gras** Shrove Tuesday

**mare** [maʀ] nf pond; (flaque) pool

**marécage** [maʀekaʒ] nm marsh, swamp; **marécageux, -euse** adj marshy

**maréchal, -aux** [maʀeʃal, -o] nm marshal

**marée** [maʀe] nf tide; (poissons) fresh (sea) fish; **~ haute/basse** high/low tide; **~ noire** oil slick

**marelle** [maʀɛl] nf: **(jouer à) la ~** (to play) hopscotch

**margarine** [maʀgaʀin] nf margarine

**marge** [maʀʒ] nf margin; **en ~ de** (fig) on the fringe of; **~ bénéficiaire** profit margin

**marginal, e, -aux** [maʀʒinal, -o] nm/f (original) eccentric; (déshérité) dropout

**marguerite** [maʀgəʀit] nf marguerite, (oxeye) daisy; (d'imprimante) daisy-wheel

**mari** [maʀi] nm husband

**mariage** [maʀjaʒ] nm marriage; (noce) wedding; **~ civil/religieux** registry office (BRIT) ou civil/church wedding

**marié, e** [maʀje] adj married ▷ nm/f (bride)groom/bride; **les ~s** the bride and groom; **les (jeunes) ~s** the newly-weds

**marier** [maʀje] /7/ vt to marry; (fig) to blend; **se ~ (avec)** to marry, get married (to)

**marin, e** [maʀɛ̃, -in] adj sea cpd, marine ▷ nm sailor ▷ nf navy; **~e marchande** merchant navy

**marine** [maʀin] adj f voir **marin** ▷ adj inv navy (blue) ▷ nm (Mil) marine

**mariner** [maʀine] /1/ vt to marinate

**marionnette** [maʀjɔnɛt] nf puppet

**maritalement** [maʀitalmɑ̃] adv: **vivre ~** to live together (as husband and wife)

**maritime** [maʀitim] adj sea cpd, maritime

**mark** [maʀk] nm mark

**marmelade** [maʀmǝlad] *nf* stewed fruit, compote; **~ d'oranges** (orange) marmalade

**marmite** [maʀmit] *nf* (cooking-)pot

**marmonner** [maʀmɔne] /1/ *vt, vi* to mumble, mutter

**marmotter** [maʀmɔte] /1/ *vt* to mumble

**Maroc** [maʀɔk] *nm*: **le ~** Morocco; **marocain, e** [maʀɔkɛ̃, -ɛn] *adj* Moroccan ▷ *nm/f*: **Marocain, e** Moroccan

**maroquinerie** [maʀɔkinʀi] *nf* (commerce) leather shop; (articles) fine leather goods pl

**marquant, e** [maʀkɑ̃, -ɑ̃t] *adj* outstanding

**marque** [maʀk] *nf* mark; (Comm: de nourriture) brand; (: de voiture, produits manufacturés) make; (: de disques) label; **de ~** high-class; (personnage, hôte) distinguished; **~ déposée** registered trademark; **~ de fabrique** trademark; **une grande ~ de vin** a well-known brand of wine

**marquer** [maʀke] /1/ *vt* to mark; (inscrire) to write down; (bétail) to brand; (Sport: but etc) to score; (: joueur) to mark; (accentuer: taille etc) to emphasize; (manifester: refus, intérêt) to show ▷ *vi* (événement, personnalité) to stand out, be outstanding; (Sport) to score; **~ les points** to keep the score

**marqueterie** [maʀkǝtʀi] *nf* inlaid work, marquetry

**marquis, e** [maʀki, -iz] *nm/f* marquis ou marquess (marchioness)

**marraine** [maʀɛn] *nf* godmother

**marrant, e** [maʀɑ̃, -ɑ̃t] *adj* (fam) funny

**marre** [maʀ] *adv* (fam): **en avoir ~ de** to be fed up with

**marrer** [maʀe] /1/: **se marrer** *vi* (fam) to have a (good) laugh

**marron, ne** [maʀɔ̃, -ɔn] *nm* (fruit) chestnut ▷ *adj inv* brown ▷ *adj* (péj)

crooked; **~s glacés** marrons glacés; **marronnier** *nm* chestnut (tree)

**mars** [maʀs] *nm* March

**Marseille** [maʀsɛj] *n* Marseilles

**marteau, x** [maʀto] *nm* hammer; **être ~** (fam) to be nuts; **marteau-piqueur** *nm* pneumatic drill

**marteler** [maʀtǝle] /5/ *vt* to hammer

**martien, ne** [maʀsjɛ̃, -ɛn] *adj* Martian, of ou from Mars

**martyr, e** [maʀtiʀ] *nm/f* martyr ▷ *adj* martyred; **enfants ~s** battered children; **martyre** *nm* martyrdom; (fig: sens affaibli) agony, torture; **martyriser** /1/ *vt* (Rel) to martyr; (fig) to bully (: enfant) to batter

**marxiste** [maʀksist] *adj, nm/f* Marxist

**mascara** [maskaʀa] *nm* mascara

**masculin, e** [maskylɛ̃, -in] *adj* masculine; (sexe, population) male; (équipe, vêtements) men's; (viril) manly ▷ *nm* masculine

**masochiste** [mazɔʃist] *adj* masochistic

**masque** [mask] *nm* mask; **~ de beauté** face pack; **~ de plongée** diving mask; **masquer** /1/ *vt* (cacher: porte, goût) to hide, conceal; (dissimuler: vérité, projet) to mask, obscure

**massacre** [masakʀ] *nm* massacre, slaughter; **massacrer** /1/ *vt* to massacre, slaughter; (texte etc) to murder

**massage** [masaʒ] *nm* massage

**masse** [mas] *nf* mass; (Élec) earth; (maillet) sledgehammer; **une ~ de** (fam) masses ou loads of; **la ~** (péj) the masses pl; **~s** *pl*: **en ~** (adv: en bloc) in bulk; (en foule) en masse; (adj: exécutions, production) mass cpd

**masser** [mase] /1/ *vt* (assembler: gens) to gather; (pétrir) to massage; **se masser** *vi* (foule) to gather; **masseur, -euse** *nm/f* masseur (-euse)

**massif, -ive** [masif, -iv] *adj* (porte) solid, massive; (visage) heavy, large;

(*bois, or*) solid; (*dose*) massive; (*déportations etc*) mass cpd ▷ nm (*montagneux*) massif; (*de fleurs*) clump, bank; **le M~ Central** the Massif Central

**massue** [masy] nf club, bludgeon

**mastic** [mastik] nm (*pour vitres*) putty; (*pour fentes*) filler

**mastiquer** [mastike] /1/ vt (*aliment*) to chew, masticate

**mat, e** [mat] adj (*couleur, métal*) mat(t); (*bruit, son*) dull ▷ adj inv (*Échecs*): **être ~** to be checkmate

**mât** [mɑ] nm (*Navig*) mast; (*poteau*) pole, post

**match** [matʃ] nm match; **faire ~ nul** to draw; **~ aller** first leg; **~ retour** second leg, return match

**matelas** [matla] nm mattress; **~ pneumatique** air bed ou mattress

**matelot** [matlo] nm sailor, seaman

**mater** [mate] /1/ vt (*personne*) to bring to heel, subdue; (*révolte*) to put down

**matérialiser** [materjalize] /1/: **se matérialiser** vi to materialize

**matérialiste** [materjalist] adj materialistic

**matériau, x** [materjo] nm material; **matériaux** nmpl material(s)

**matériel, le** [materjɛl] adj material ▷ nm equipment no pl; (*de camping etc*) gear no pl; (*Inform*) hardware

**maternel, le** [matɛrnɛl] adj (*amour, geste*) motherly, maternal; (*grand-père, oncle*) maternal ▷ nf (*aussi*: **école maternelle**) (state) nursery school

**maternité** [matɛrnite] nf (*établissement*) maternity hospital; (*état de mère*) motherhood, maternity; (*grossesse*) pregnancy; **congé de ~** maternity leave

**mathématique** [matematik] adj mathematical; **mathématiques** nfpl mathematics sg

**maths** [mat] nfpl maths

**matière** [matjɛr] nf matter; (*Comm, Tech*) material; matter no pl; (*fig: d'un*

*livre etc*) subject matter, material; (*Scol*) subject; **en ~ de** as regards; **~s grasses** fat (content) sg; **~s premières** raw materials

**Matignon** [matiɲɔ̃] nm: **(l'hôtel) ~** the French Prime Minister's residence

**matin** [matɛ̃] nm, adv morning; **le ~** (*pendant le matin*) in the morning; **demain/hier/dimanche ~** tomorrow/yesterday/Sunday morning; **tous les ~s** every morning; **du ~ au soir** from morning till night; **une heure du ~** one o'clock in the morning; **de grand** ou **bon ~** early in the morning;

**matinal, e, -aux** [matinal, -o] adj (*toilette, gymnastique*) morning cpd; **être matinal** (*personne*) to be up early; (*habituellement*) to be an early riser; **matinée** nf morning; (*spectacle*) matinée

**matou** [matu] nm tom(cat)

**matraque** [matrak] nf (*de policier*) truncheon (BRIT), billy (US)

**matricule** [matrikyl] nm (*Mil*) regimental number; (*Admin*) reference number

**matrimonial, e, -aux** [matrimɔnjal, -o] adj marital, marriage cpd

**maudit, e** [modi, -it] adj (*fam: satané*) blasted, confounded

**maugréer** [mogree] /1/ vi to grumble

**maussade** [mosad] adj sullen; (*ciel, temps*) gloomy

**mauvais, e** [move, -ez] adj bad; (*méchant, malveillant*) malicious, spiteful; (*faux*): **le ~ numéro** the wrong number ▷ adv: **il fait ~** the weather is bad; **sentir ~** to have a nasty smell, smell bad ou nasty; **la mer est ~e** the sea is rough; **~e plaisanterie** nasty trick; **~ joueur** bad loser; **~e herbe** weed; **~e langue** gossip, scandalmonger (BRIT)

**mauve** [mov] adj mauve

**maux** [mo] nmpl voir **mal**

**maximum** [maksimɔm] *adj, nm*
maximum; **au ~** (*le plus possible*) as
much as one can; (*tout au plus*) at the
(very) most ou maximum; **faire le ~**
to do one's level best

**mayonnaise** [majɔnɛz] *nf*
mayonnaise

**mazout** [mazut] *nm* (fuel) oil

**me, m'** [mə, m] *pron* (*direct: téléphoner,
attendre etc*) me; (*indirect: parler, donner
etc*) (to) me; (*réfléchi*) myself

**mec** [mɛk] *nm* (*fam*) guy, bloke (BRIT)

**mécanicien, ne** [mekanisjɛ̃,
-ɛn] *nm/f* mechanic; (*Rail*) (train ou
engine) driver

**mécanique** [mekanik] *adj*
mechanical ▷ *nf* (*science*) mechanics
*sg*; (*mécanisme*) mechanism; **ennui ~**
engine trouble *no pl*

**mécanisme** [mekanism] *nm*
mechanism

**méchamment** [meʃamɑ̃] *adv*
nastily, maliciously; spitefully

**méchanceté** [meʃɑ̃ste] *nf* nastiness,
maliciousness; **dire des ~s à qn** to
say spiteful things to sb

**méchant, e** [meʃɑ̃, -ɑ̃t] *adj* nasty,
malicious, spiteful; (*enfant: pas sage*)
naughty; (*animal*) vicious

**mèche** [mɛʃ] *nf* (*de lampe, bougie*)
wick; (*d'un explosif*) fuse; (*de cheveux*)
lock; **se faire faire des ~s** to have
highlights put in one's hair; **de ~ avec**
in league with

**méchoui** [meʃwi] *nm* whole sheep
barbecue

**méconnaissable** [mekɔnɛsabl] *adj*
unrecognizable

**méconnaître** [mekɔnɛtʀ] /57/
*vt* (*ignorer*) to be unaware of;
(*mésestimer*) to misjudge

**mécontent, e** [mekɔ̃tɑ̃, -ɑ̃t]
*adj*: **~ (de)** discontented ou
dissatisfied ou displeased
(with); (*contrarié*) annoyed
(at); **mécontentement** *nm*
dissatisfaction, discontent,
displeasure; (*irritation*) annoyance

**Mecque** [mɛk] *nf*: **la ~** Mecca

**médaille** [medaj] *nf* medal

**médaillon** [medajɔ̃] *nm* (*bijou*) locket

**médecin** [medsɛ̃] *nm* doctor

**médecine** [medsin] *nf* medicine

**média** [medja] *nmpl*: **les ~**
the media; **médiatique** *adj* media *cpd*

**médical, e, -aux** [medikal, -o] *adj*
medical; **passer une visite ~e** to
have a medical

**médicament** [medikamɑ̃] *nm*
medicine, drug

**médiéval, e, -aux** [medjeval, -o]
*adj* medieval

**médiocre** [medjɔkʀ] *adj* mediocre,
poor

**méditer** [medite] /1/ *vi* to meditate

**Méditerranée** [mediteʀane]
*nf*: **la (mer) ~** the Mediterranean
(Sea); **méditerranéen, ne**
▷ *adj* Mediterranean ▷ *nm/f*:
**Méditerranéen, ne** Mediterranean

**méduse** [medyz] *nf* jellyfish

**méfait** [mefɛ] *nm* (*faute*)
misdemeanour, wrongdoing;
**méfaits** *nmpl* (*ravages*) ravages,
damage *sg*

**méfiance** [mefjɑ̃s] *nf* mistrust,
distrust

**méfiant, e** [mefjɑ̃, -ɑ̃t] *adj*
mistrustful, distrustful

**méfier** [mefje] /7/: **se méfier** *vi* to be
wary; (*faire attention*) to be careful; **se
~ de** to mistrust, distrust, be wary of

**méga-octet** [megaɔktɛ] *nm*
megabyte

**mégarde** [megaʀd] *nf*: **par ~**
(*accidentellement*) accidentally; (*par
erreur*) by mistake

**mégère** [meʒɛʀ] *nf* shrew

**mégot** [mego] *nm* cigarette end
ou butt

**meilleur, e** [mejœʀ] *adj, adv* better
▷ *nm*: **le ~** the best; **le ~ des deux**
the better of the two; **il fait ~ qu'hier**
it's better weather than yesterday;
**~ marché** cheaper

**mél** [mɛl] *nm* email

**mélancolie** [melɑ̃kɔli] *nf* melancholy, gloom; **mélancolique** *adj* melancholy

**mélange** [melɑ̃ʒ] *nm* mixture; **mélanger** /3/ *vt* to mix; (*vins, couleurs*) to blend; (*mettre en désordre, confondre*) to mix up, muddle (up)

**mêlée** [mele] *nf* mêlée, scramble; (*Rugby*) scrum(mage)

**mêler** [mele] /1/ *vt* (*substances, odeurs, races*) to mix; (*embrouiller*) to muddle (up), mix up; **se mêler** *vi* to mix; **se ~ à** (*personne*) to join; (*s'associer à*) to mix with; **se ~ de** (*personne*) to meddle with, interfere in; **mêle-toi de tes affaires!** mind your own business!

**mélodie** [melɔdi] *nf* melody; **mélodieux, -euse** *adj* melodious

**melon** [mǝlɔ̃] *nm* (*Bot*) (honeydew) melon; (*aussi*: **chapeau ~**) bowler (hat)

**membre** [mɑ̃br] *nm* (*Anat*) limb; (*personne, pays, élément*) member ⊳ *adj* member *cpd*

**mémé** [meme] *nf* (*fam*) granny

### ○ MOT-CLÉ

**même** [mɛm] *adj* **1** (*avant le nom*) same; **en même temps** at the same time; **ils ont les mêmes goûts** they have the same *ou* similar tastes
**2** (*après le nom, renforcement*): **il est la loyauté même** he is loyalty itself; **ce sont ses paroles/celles-là même** they are his very words/the very ones
▷ *pron*: **le (la) même** the same one
▷ *adv* **1** (*renforcement*): **il n'a même pas pleuré** he didn't even cry; **même lui l'a dit** even HE said it; **ici même** at this very place; **même si** even if
**2**: **à même: à même la bouteille** straight from the bottle; **à même la peau** next to the skin; **être à même de faire** to be in a position to do, be able to do
**3**: **de même** likewise; **faire de même** to do likewise *ou* the same; **lui de même** so does (*ou* did *ou* is) he; **de même que** just as; **il en va de même pour** the same goes for

**mémoire** [memwar] *nf* memory ▷ *nm* (*Scol*) dissertation; paper; **à la ~ de** to the memory of; **de ~** from memory; **~ morte** read-only memory, ROM; **~ vive** random access memory, RAM

**mémoires** [memwar] *nmpl* memoirs

**mémorable** [memɔrabl] *adj* memorable

**menace** [mǝnas] *nf* threat; **menacer** /3/ *vt* to threaten

**ménage** [menaʒ] *nm* (*travail*) housework; (*couple*) (married) couple; (*famille, Admin*) household; **faire le ~** to do the housework; **ménagement** *nm* care and attention

**ménager**[1] [menaʒe] *vt* (*traiter avec mesure*) to handle with tact; (*utiliser*) to use sparingly; (*prendre soin de*) to take (great) care of, look after; (*organiser*) to arrange

**ménager**[2], **-ère** *adj* household *cpd*, domestic ▷ *nf* housewife

**mendiant, e** [mɑ̃djɑ̃, -ɑ̃t] *nm/f* beggar

**mendier** [mɑ̃dje] /7/ *vi* to beg ▷ *vt* to beg (for)

**mener** [mǝne] /5/ *vt* to lead; (*enquête*) to conduct; (*affaires*) to manage ▷ *vi*: **~ à/dans** (*emmener*) to take to/into; **~ qch à bonne fin** *ou* **à terme** *ou* **à bien** to see sth through (to a successful conclusion), complete sth successfully

**meneur, -euse** [mǝnœr, -øz] *nm/f* leader; (*péj*) ringleader

**méningite** [menɛ̃ʒit] *nf* meningitis *no pl*

**ménopause** [menopoz] *nf* menopause

**menotte** [mǝnɔt] *nf* (*langage enfantin*) handie; **menottes** *nfpl* handcuffs

**mensonge** [mɑ̃sɔ̃ʒ] nm: **le ~** lying no pl; **un ~** a lie; **mensonger, -ère** adj false

**mensualité** [mɑ̃sɥalite] nf (somme payée) monthly payment

**mensuel, le** [mɑ̃sɥɛl] adj monthly

**mensurations** [mɑ̃syrasjɔ̃] nfpl measurements

**mental, e, -aux** [mɑ̃tal, -o] adj mental; **mentalité** nf mentality

**menteur, -euse** [mɑ̃tœʀ, -øz] nm/f liar

**menthe** [mɑ̃t] nf mint

**mention** [mɑ̃sjɔ̃] nf (note) note, comment; **~ (très) bien/ passable** (very) good/satisfactory pass; **"rayer la ~ inutile"** "delete as appropriate"; **mentionner** /1/ vt to mention

**mentir** [mɑ̃tiʀ] /16/ vi to lie

**menton** [mɑ̃tɔ̃] nm chin

**menu, e** [məny] adj (mince) slim, slight; (frais, difficulté) minor ▷ adv (couper, hacher) very fine ▷ nm menu; **~ touristique** popular ou tourist menu

**menuiserie** [mənɥizʀi] nf (travail) joinery, carpentry; (d'amateur) woodwork; **menuisier** nm joiner, carpenter

**méprendre** [mepʀɑ̃dʀ] /58/: **se méprendre** vi: **se ~ sur** to be mistaken about

**mépris, e** [mepʀi, -iz] pp de **méprendre** ▷ nm (dédain) contempt, scorn; **au ~ de** regardless of, in defiance of; **méprisable** adj contemptible, despicable; **méprisant, e** adj scornful; **méprise** nf mistake, error; **mépriser** /1/ vt to scorn, despise; (gloire, danger) to scorn, spurn

**mer** [mɛʀ] nf sea; (marée) tide; **en ~** at sea; **en haute** ou **pleine ~** off shore, on the open sea; **la ~ Morte** the Dead Sea; **la ~ Noire** the Black Sea; **la ~ du Nord** the North Sea; **la ~ Rouge** the Red Sea

**mercenaire** [mɛʀsənɛʀ] nm mercenary, hired soldier

**mercerie** [mɛʀsəʀi] nf (boutique) haberdasher's (shop) (BRIT), notions store (US)

**merci** [mɛʀsi] excl thank you ▷ nf: **à la ~ de qn/qch** at sb's mercy/the mercy of sth; **~ beaucoup** thank you very much; **~ de** ou **pour** thank you for; **sans ~** merciless; mercilessly

**mercredi** [mɛʀkʀədi] nm Wednesday; **~ des Cendres** Ash Wednesday; voir aussi **lundi**

**mercure** [mɛʀkyʀ] nm mercury

**merde** [mɛʀd] (!) nf shit (!) ▷ excl (bloody) hell (!)

**mère** [mɛʀ] nf mother ▷ adj inv mother cpd; **~ célibataire** single parent, unmarried mother; **~ de famille** housewife, mother

**merguez** [mɛʀgɛz] nf spicy North African sausage

**méridional, e, -aux** [meʀidjɔnal, -o] adj southern ▷ nm/f Southerner

**meringue** [məʀɛ̃g] nf meringue

**mérite** [meʀit] nm merit; **avoir du ~ (à faire qch)** to deserve credit (for doing sth); **mériter** /1/ vt to deserve

**merle** [mɛʀl] nm blackbird

**merveille** [mɛʀvɛj] nf marvel, wonder; **faire** ou **faire des ~s** to work wonders; **à ~** perfectly, wonderfully; **merveilleux, -euse** adj marvellous, wonderful

**mes** [me] adj poss voir **mon**

**mésange** [mezɑ̃ʒ] nf tit (mouse)

**mésaventure** [mezavɑ̃tyʀ] nf misadventure, misfortune

**Mesdames** [medam] nfpl voir **Madame**

**Mesdemoiselles** [medmwazɛl] nfpl voir **Mademoiselle**

**mesquin, e** [mɛskɛ̃, -in] adj mean, petty; **mesquinerie** nf meanness no pl; (procédé) mean trick

**message** [mesaʒ] nm message; **~ SMS** text message; **messager, -ère** nm/f messenger; **messagerie** nf

(*Internet*): **messagerie électronique** email; **messagerie instantanée** instant messenger; **messagerie vocale** voice mail

**messe** [mɛs] *nf* mass; **aller à la ~** to go to mass

**Messieurs** [mesjø] *nmpl voir* **Monsieur**

**mesure** [məzyʀ] *nf* (*évaluation, dimension*) measurement; (*étalon, récipient, contenu*) measure; (*Mus: cadence*) time, tempo; (: *division*) bar; (*retenue*) moderation; (*disposition*) measure, step; **sur ~** (*costume*) made-to-measure; **dans la ~ où** insofar as, inasmuch as; **dans une certaine ~** to some *ou* a certain extent; **à ~ que** as; **être en ~ de** to be in a position to

**mesurer** [məzyʀe] /1/ *vt* to measure; (*juger*) to weigh up, assess; (*modérer: ses paroles etc*) to moderate

**métal, -aux** [metal, -o] *nm* metal; **métallique** *adj* metallic

**météo** [meteo] *nf* (*bulletin*) (weather) forecast

**météorologie** [meteɔʀɔlɔʒi] *nf* meteorology

**méthode** [metɔd] *nf* method; (*livre, ouvrage*) manual, tutor

**méticuleux, -euse** [metikylø, -øz] *adj* meticulous

**métier** [metje] *nm* (*profession: gén*) job; (: *manuel*) trade; (: *artisanal*) craft; (*technique, expérience*) (acquired) skill *ou* technique; (*aussi*: **~ à tisser**) (weaving) loom

**métis, se** [metis] *adj, nm/f* half-caste, half-breed

**métrage** [metʀaʒ] *nm*: **long/ moyen/court ~** feature *ou* full-length/medium-length/short film

**mètre** [mɛtʀ] *nm* (*unité*) metre; (*règle*) (metre) rule; (*ruban*) tape measure; **métrique** *adj* metric

**métro** [metʀo] *nm* underground (BRIT), subway (US)

**métropole** [metʀɔpɔl] *nf* (*capitale*) metropolis; (*pays*) home country

**mets** [mɛ] *nm* dish

**metteur** [mɛtœʀ] *nm*: **~ en scène** (*Théât*) producer; (*Ciné*) director

**MOT-CLÉ**

**mettre** [mɛtʀ] /56/ *vt* 1 (*placer*) to put; **mettre en bouteille/en sac** to bottle/put in bags *ou* sacks
2 (*vêtements*): **mettre** to put on; (: *porter*) to wear; **mets ton gilet** put your cardigan on; **je ne mets plus mon manteau** I no longer wear my coat
3 (*faire fonctionner: chauffage, électricité*) to put on; (: *réveil, minuteur*) to set; (*installer: gaz, eau*) to put in, lay on; **mettre en marche** to start up
4 (*consacrer*): **mettre du temps/ deux heures à faire qch** to take time/two hours to do sth; **y mettre du sien** to pull one's weight
5 (*noter, écrire*) to say, put (down); **qu'est-ce qu'il a mis sur la carte?** what did he say *ou* write on the card?; **mettez au pluriel ...** put ... into the plural
6 (*supposer*): **mettons que ...** let's suppose *ou* say that ...
**se mettre** *vr*1 (*se placer*): **vous pouvez vous mettre là** you can sit (*ou* stand) there; **où ça se met?** where does it go?; **se mettre au lit** to get into bed; **se mettre au piano** to sit down at the piano; **se mettre de l'encre sur les doigts** to get ink on one's fingers
2 (*s'habiller*): **se mettre en maillot de bain** to get into *ou* put on a swimsuit; **n'avoir rien à se mettre** to have nothing to wear
3: **se mettre à** to begin, start; **se mettre à faire** to begin *ou* start doing *ou* to do; **se mettre au piano** to start learning the piano; **se mettre au régime** to go on a diet; **se mettre au travail/à l'étude** to get down to work/one's studies

**meuble** [mœbl] nm piece of furniture; (ameublement) furniture no pl; **meublé** nm furnished flat (BRIT) ou apartment (US); **meubler** /1/ vt to furnish; **se meubler** to furnish one's house

**meuf** [mœf] nf (fam) woman

**meugler** [møgle] /1/ vi to low, moo

**meule** [møl] nf (à broyer) millstone; (de foin, blé) stack; (de fromage) round

**meunier, -ière** [mønje, -jɛʀ] nm miller ▷ nf miller's wife

**meurs** etc [mœʀ] vb voir **mourir**

**meurtre** [mœʀtʀ] nm murder; **meurtrier, -ière** adj (arme, épidémie, combat) deadly; (fureur, instincts) murderous ▷ nm/f murderer(-ess)

**meurtrir** [mœʀtʀiʀ] /2/ vt to bruise; (fig) to wound

**meus** etc [mœ] vb voir **mouvoir**

**meute** [møt] nf pack

**mexicain, e** [mɛksikɛ̃, -ɛn] adj Mexican ▷ nm/f: **M~, e** Mexican

**Mexico** [mɛksiko] n Mexico City

**Mexique** [mɛksik] nm: **le ~** Mexico

**mi** [mi] nm (Mus) E; (en chantant la gamme) mi

**mi...** [mi] préfixe half(-), mid-; **à la mi-janvier** in mid-January; **à mi-jambes/-corps** (up ou down) to the knees/waist; **à mi-hauteur/-pente** halfway up (ou down)/up (ou down) the hill

**miauler** [mjole] /1/ vi to miaow

**miche** [miʃ] nf round ou cob loaf

**mi-chemin** [miʃmɛ̃]: **à ~** adv halfway, midway

**mi-clos, e** [miklo, -kloz] adj half-closed

**micro** [mikʀo] nm mike, microphone; (Inform) micro

**microbe** [mikʀɔb] nm germ, microbe

**micro: micro-onde** nf: **four à micro-ondes** microwave oven; **micro-ordinateur** nm microcomputer; **microscope** nm microscope; **microscopique** adj microscopic

**midi** [midi] nm midday, noon; (moment du déjeuner) lunchtime; (sud) south; **le M~** the South (of France), the Midi; **à ~** at 12 (o'clock) ou midday ou noon

**mie** [mi] nf inside (of the loaf)

**miel** [mjɛl] nm honey; **mielleux, -euse** adj (personne) sugary, syrupy

**mien, ne** [mjɛ̃, mjɛn] pron: **le (la) ~(ne), les ~s** mine; **les ~s** my family

**miette** [mjɛt] nf (de pain, gâteau) crumb; (fig: de la conversation etc) scrap; **en ~s** in pieces ou bits

## MOT-CLÉ

**mieux** [mjø] adv 1 (d'une meilleure façon): **mieux (que)** better (than); **elle travaille/mange mieux** she works/eats better; **aimer mieux** to prefer; **elle va mieux** she is better; **de mieux en mieux** better and better

2 (de la meilleure façon) best; **ce que je sais le mieux** what I know best; **les livres les mieux faits** the best made books

▷ adj inv 1 (plus à l'aise, en meilleure forme) better; **se sentir mieux** to feel better

2 (plus satisfaisant) better; **c'est mieux ainsi** it's better like this; **c'est le mieux des deux** it's the better of the two; **le/la mieux, les mieux** the best; **demandez-lui, c'est le mieux** ask him, it's the best thing

3 (plus joli) better-looking; **il est mieux que son frère** (plus beau) he's better-looking than his brother; (plus gentil) he's nicer than his brother; **il est mieux sans moustache** he looks better without a moustache

4: **au mieux** at best; **au mieux avec** on the best of terms with; **pour le mieux** for the best

▷ nm 1 (progrès) improvement

2: **de mon/ton mieux** as best I/you can (ou could); **faire de son mieux** to do one's best

**mignon, ne** [miɲɔ̃, -ɔn] *adj* sweet, cute

**migraine** [migʀɛn] *nf* headache; (*Méd*) migraine

**mijoter** [miʒɔte] /1/ *vt* to simmer; (*préparer avec soin*) to cook lovingly; (*affaire, projet*) to plot, cook up ▷ *vi* to simmer

**milieu, x** [miljø] *nm* (*centre*) middle; (*aussi: juste* ~) happy medium; (*Bio, Géo*) environment; (*entourage social*) milieu; (*familial*) background; (*pègre*): **le** ~ the underworld; **au** ~ **de** in the middle of; **au beau** *ou* **en plein** ~ **(de)** right in the middle (of)

**militaire** [militɛʀ] *adj* military, army *cpd* ▷ *nm* serviceman

**militant, e** [militɑ̃, -ɑ̃t] *adj, nm/f* militant

**militer** [milite] /1/ *vi* to be a militant

**mille** [mil] *num* a *ou* one thousand ▷ *nm* (*mesure*): ~ **(marin)** nautical mile; **mettre dans le** ~ (*fig*) to be bang on (target); **millefeuille** *nm* cream *ou* vanilla slice; **millénaire** *nm* thousand-year-old; (*fig*) ancient; **mille-pattes** *nm inv* centipede

**millet** [mijɛ] *nm* millet

**milliard** [miljaʀ] *nm* milliard, thousand million (*Brit*), billion (*us*); **milliardaire** *nm/f* multimillionaire (*Brit*), billionaire (*us*)

**millier** [milje] *nm* thousand; **un** ~ **(de)** a thousand or so, about a thousand; **par** ~**s** in (their) thousands, by the thousand

**milligramme** [miligʀam] *nm* milligramme

**millimètre** [milimɛtʀ] *nm* millimetre

**million** [miljɔ̃] *nm* million; **deux** ~**s de** two million; **millionnaire** *nm/f* millionaire

**mime** [mim] *nm/f* (*acteur*) mime(r) ▷ *nm* (*art*) mime; **mimer** /1/ *vt* to mime; (*singer*) to mimic, take off

**minable** [minabl] *adj* (*personne*) shabby(-looking); (*travail*) pathetic

**mince** [mɛ̃s] *adj* thin; (*personne, taille*) slim, slender; (*fig: profit, connaissances*) weak ▷ *excl*: ~ **(alors)!** darn it!; **minceur** *nf* thinness; (*d'une personne*) slimness, slenderness; **mincir** /2/ *vi* to get slimmer *ou* thinner

**mine** [min] *nf* (*physionomie*) expression, look; (*extérieur*) exterior, appearance; (*de crayon*) lead; (*gisement, exploitation, explosif*) mine; **avoir bonne** ~ (*personne*) to look well; (*ironique*) to look an utter idiot; **avoir mauvaise** ~ to look unwell; **faire** ~ **de faire** to make a pretence of doing; ~ **de rien** although you wouldn't think so

**miner** [mine] /1/ *vt* (*saper*) to undermine, erode; (*Mil*) to mine

**minerai** [minʀɛ] *nm* ore

**minéral, e, -aux** [mineral, -o] *adj* mineral

**minéralogique** [mineralɔʒik] *adj*: **plaque** ~ number (*Brit*) *ou* license (*us*) plate; **numéro** ~ registration (*Brit*) *ou* license (*us*) number

**minet, te** [minɛ, -ɛt] *nm/f* (*chat*) pussy-cat; (*péj*) young trendy

**mineur, e** [minœʀ] *adj* minor ▷ *nm/f* (*Jur*) minor ▷ *nm* (*travailleur*) miner

**miniature** [minjatyʀ] *adj, nf* miniature

**minibus** [minibys] *nm* minibus

**minier, -ière** [minje, -jɛʀ] *adj* mining

**mini-jupe** [miniʒyp] *nf* mini-skirt

**minime** [minim] *adj* minor, minimal

**minimiser** [minimize] /1/ *vt* to minimize; (*fig*) to play down

**minimum** [minimɔm] *adj, nm* minimum; **au** ~ at the very least

**ministère** [ministɛʀ] *nm* (*cabinet*) government; (*département*) ministry; (*Rel*) ministry

**ministre** [ministʀ] *nm* minister (*Brit*), secretary; (*Rel*) minister; ~ **d'État** senior minister *ou* secretary

**Minitel®** [minitɛl] *nm* videotext terminal and service

**minoritaire** [minɔʀitɛʀ] *adj* minority *cpd*

**minorité** [minɔʀite] *nf* minority; **être en ~** to be in the *ou* a minority

**minuit** [minɥi] *nm* midnight

**minuscule** [minyskyl] *adj* minute, tiny ⊳ *nf*: **(lettre)** ~ small letter

**minute** [minyt] *nf* minute; **à la ~** (just) this instant; (*passé*) there and then; **minuter** /1/ *vt* to time; **minuterie** *nf* time switch

**minutieux, -euse** [minysjø, -øz] *adj* (*personne*) meticulous; (*travail*) requiring painstaking attention to detail

**mirabelle** [miʀabɛl] *nf* (cherry) plum

**miracle** [miʀakl] *nm* miracle

**mirage** [miʀaʒ] *nm* mirage

**mire** [miʀ] *nf*: **point de ~** (*fig*) focal point

**miroir** [miʀwaʀ] *nm* mirror

**miroiter** [miʀwate] /1/ *vi* to sparkle, shimmer; **faire ~ qch à qn** to paint sth in glowing colours for sb, dangle sth in front of sb's eyes

**mis, e** [mi, miz] *pp de* **mettre** ⊳ *adj*: **bien ~** well dressed ⊳ *nf* (*argent: au jeu*) stake; (*tenue*) clothing; attire; **être de ~e** to be acceptable *ou* in season; **~e de fonds** capital outlay; **~e à jour** update; **~e en plis** set; **~e au point** (*fig*) clarification; **~e en scène** production

**miser** [mize] /1/ *vt* (*enjeu*) to stake, bet; **~ sur** (*cheval, numéro*) to bet on; (*fig*) to bank *ou* count on

**misérable** [mizeʀabl] *adj* (*lamentable, malheureux*) pitiful, wretched; (*pauvre*) poverty-stricken; (*insignifiant, mesquin*) miserable ⊳ *nm/f* wretch

**misère** [mizɛʀ] *nf* (extreme) poverty, destitution; **misères** *nfpl* (*malheurs*) woes, miseries; (*ennuis*) little troubles; **salaire de ~** starvation wage

**missile** [misil] *nm* missile

**mission** [misjɔ̃] *nf* mission; **partir en ~** (*Admin, Pol*) to go on an assignment; **missionnaire** *nm/f* missionary

**mité, e** [mite] *adj* moth-eaten

**mi-temps** [mitɑ̃] *nf inv* (*Sport: période*) half; (: *pause*) half-time; **à ~** part-time

**miteux, -euse** [mitø, -øz] *adj* seedy

**mitigé, e** [mitiʒe] *adj* (*sentiments*) mixed

**mitoyen, ne** [mitwajɛ̃, -ɛn] *adj* (*mur*) common, party *cpd*; **maisons ~nes** semi-detached houses; (*plus de deux*) terraced (BRIT) *ou* row (US) houses

**mitrailler** [mitʀaje] /1/ *vt* to machine-gun; (*fig: photographier*) to snap away at; **~ qn de** to pelt *ou* bombard sb with; **mitraillette** *nf* submachine gun; **mitrailleuse** *nf* machine gun

**mi-voix** [mivwa]: **à ~** *adv* in a low *ou* hushed voice

**mixage** [miksaʒ] *nm* (*Ciné*) (sound) mixing

**mixer** [miksœʀ] *nm* (food) mixer

**mixte** [mikst] *adj* (*gén*) mixed; (*Scol*) mixed, coeducational; **cuisinière ~** combined gas and electric cooker

**mixture** [mikstyʀ] *nf* mixture; (*fig*) concoction

**Mlle** (*pl* **Mlles**) *abr* = **Mademoiselle**

**MM** *abr* = **Messieurs**

**Mme** (*pl* **Mmes**) *abr* = **Madame**

**mobile** [mɔbil] *adj* mobile; (*pièce de machine*) moving ⊳ *nm* (*motif*) motive; (*œuvre d'art*) mobile; **(téléphone) ~** mobile (phone)

**mobilier, -ière** [mɔbilje, -jɛʀ] *nm* furniture

**mobiliser** [mɔbilize] /1/ *vt* to mobilize

**mobylette** [mɔbilɛt] *nf* moped

**mocassin** [mɔkasɛ̃] *nm* moccasin

**moche** [mɔʃ] *adj* (*fam*: laid) ugly; (*mauvais, méprisable*) rotten

**modalité** [mɔdalite] *nf* form, mode

**mode** [mɔd] *nf* fashion ⊳ *nm* (*manière*) form, mode; (*Ling*) mood; (*Inform,*

*Mus*) mode; **à la ~** fashionable, in fashion; **~ d'emploi** directions *pl* (for use); **~ de paiement** method of payment; **~ de vie** way of life

**modèle** [mɔdɛl] *adj* & *nm* model; (*qui pose: de peintre*) sitter; **~ déposé** registered design; **~ réduit** small-scale model; **modeler** /5/ *vt* to model

**modem** [mɔdɛm] *nm* modem

**modéré, e** [mɔdere] *adj*, *nm/f* moderate

**modérer** [mɔdere] /6/ *vt* to moderate; **se modérer** *vi* to restrain o.s

**moderne** [mɔdɛrn] *adj* modern ▷ *nm* (Art) modern style; (*ameublement*) modern furniture; **moderniser** /1/ *vt* to modernize

**modeste** [mɔdɛst] *adj* modest; **modestie** *nf* modesty

**modifier** [mɔdifje] /7/ *vt* to modify, alter; **se modifier** *vi* to alter

**modique** [mɔdik] *adj* modest

**module** [mɔdyl] *nm* module

**moelle** [mwal] *nf* marrow

**moelleux, -euse** [mwalø, -øz] *adj* soft; (*gâteau*) light and moist

**mœurs** [mœr] *nfpl* (*conduite*) morals; (*manières*) manners; (*pratiques sociales*) habits

**moi** [mwa] *pron nm*; (*emphatique*): **~, je ...** for my part, I ...; I myself ...; **c'est ~ qui l'ai fait** I did it, it was me who did it; **apporte-le-~** bring it to me; **à ~** mine; (*dans un jeu*) my turn; **moi-même** *pron* myself; (*emphatique*) I myself

**moindre** [mwɛ̃dr] *adj* lesser; lower; **le (la) ~, les ~s** the least; the slightest; **c'est la ~ des choses** it's nothing at all

**moine** [mwan] *nm* monk, friar

**moineau, x** [mwano] *nm* sparrow

○ **MOT-CLÉ**

**moins** [mwɛ̃] *adv* **1** (*comparatif*): **moins (que)** less (than); **moins**

grand que less tall than, not as tall as; **il a trois ans de moins que moi** he's three years younger than me; **moins je travaille, mieux je me porte** the less I work, the better I feel

**2** (*superlatif*): **le moins** (the) least; **c'est ce que j'aime le moins** it's what I like (the) least; **le (la) moins doué(e)** the least gifted; **au moins, du moins** at least; **pour le moins** at the very least

**3**: **moins de** (*quantité*) less (than); (*nombre*) fewer (than); **moins de sable/d'eau** less sand/water; **moins de livres/gens** fewer books/people; **moins de deux ans** less than two years; **moins de midi** not yet midday

**4**: **de moins, en moins: 100 euros/3 jours de moins** 100 euros/3 days less; **trois livres en moins** three books fewer; three books too few; **de l'argent en moins** less money; **le soleil en moins** but for the sun, minus the sun; **de moins en moins** less and less

**5**: **à moins de, à moins que** unless; **à moins de faire** unless we do (*ou* he does *etc*); **à moins que tu ne fasses** unless you do; **à moins d'un accident** barring any accident

▷ *prép*: **quatre moins deux** four minus two; **dix heures moins cinq** five to ten; **il fait moins cinq** it's five (degrees) below (freezing), it's minus five; **il est moins cinq** it's five to

**mois** [mwa] *nm* month

**moisi** [mwazi] *nm* mould, mildew; **odeur de ~** musty smell; **moisir** /2/ *vi* to go mouldy; **moisissure** *nf* mould *no pl*

**moisson** [mwasɔ̃] *nf* harvest; **moissonner** /1/ *vt* to harvest, reap; **moissonneuse** *nf* (*machine*) harvester

**moite** [mwat] *adj* sweaty, sticky

**moitié** [mwatje] *nf* half; **la ~** half; **la ~ de** half (of); **la ~ du temps/des gens** half the time/the people; **à la ~ de** halfway through; **à ~** half *(avant le verbe)*, half– *(avant l'adjectif)*; **à ~ prix** (at) half price

**molaire** [mɔlɛʀ] *nf* molar

**molester** [mɔlɛste] /1/ *vt* to manhandle, maul (about)

**molle** [mɔl] *adj f voir* **mou**; **mollement** *adv (péj: travailler)* sluggishly; *(protester)* feebly

**mollet** [mɔlɛ] *nm* calf ▷ *adj m*: **œuf ~** soft-boiled egg

**molletonné, e** [mɔltɔne] *adj* fleece-lined

**mollir** [mɔliʀ] /2/ *vi (personne)* to relent; *(substance)* to go soft

**mollusque** [mɔlysk] *nm* mollusc

**môme** [mom] *nm/f (fam: enfant)* brat

**moment** [mɔmɑ̃] *nm* moment; **ce n'est pas le ~** this is not the right time; **au même ~** at the same time; *(instant)* at the same moment; **pour un bon ~** for a good while; **pour le ~** for the moment, for the time being; **au ~ de** at the time of; **au ~ où** as; **à tout ~** at any time *ou* moment; *(continuellement)* constantly, continually; **en ce ~** at the moment; *(aujourd'hui)* at present; **sur le ~** at the time; **par ~s** now and then, at times; **d'un ~ à l'autre** any time (now); **du ~ où** *ou* **que** seeing that, since; **momentané, e** *adj* temporary, momentary; **momentanément** *adv* for a while

**momie** [mɔmi] *nf* mummy

**mon, ma** *(pl* **mes)** [mɔ̃, ma, me] *adj poss* my

**Monaco** [mɔnako] *nm*: **le ~** Monaco

**monarchie** [mɔnaʀʃi] *nf* monarchy

**monastère** [mɔnastɛʀ] *nm* monastery

**mondain, e** [mɔ̃dɛ̃, -ɛn] *adj (soirée, vie)* society *cpd*

**monde** [mɔ̃d] *nm* world; **le ~** *(personnes mondaines)* (high) society; **il**

**y a du ~** *(beaucoup de gens)* there are a lot of people; *(quelques personnes)* there are some people; **beaucoup/peu de ~** many/few people; **mettre au ~** to bring into the world; **pas le moins du ~** not in the least; **mondial, e, -aux** *adj (population)* world *cpd*; *(influence)* world-wide; **mondialement** *adv* throughout the world; **mondialisation** *nf* globalization

**monégasque** [mɔnegask] *adj* Monegasque, of *ou* from Monaco ▷ *nm/f*: **M~** Monegasque

**monétaire** [mɔnetɛʀ] *adj* monetary

**moniteur, -trice** [mɔnitœʀ, -tʀis] *nm/f (Sport)* instructor (instructress); *(de colonie de vacances)* supervisor ▷ *nm (écran)* monitor

**monnaie** [mɔnɛ] *nf (Écon: moyen d'échange)* currency; *(petites pièces)*: **avoir de la ~** to have (some) change; **faire de la ~** to get (some) change; **avoir/faire la ~ de 20 euros** to have change of/get change for 20 euros; **rendre à qn la ~ (sur 20 euros)** to give sb the change (from *ou* out of 20 euros)

**monologue** [mɔnɔlɔg] *nm* monologue, soliloquy; **monologuer** /1/ *vi* to soliloquize

**monopole** [mɔnɔpɔl] *nm* monopoly

**monotone** [mɔnɔtɔn] *adj* monotonous

**Monsieur** *(pl* **Messieurs)** [məsjø, mesjø] *nm (titre)* Mr; **un/le monsieur** *(homme quelconque)* a/the gentleman; **~, ...** *(en tête de lettre)* Dear Sir, ...; *voir aussi* **Madame**

**monstre** [mɔ̃stʀ] *nm* monster ▷ *adj (fam: effet, publicité)* massive; **un travail ~** a fantastic amount of work; **monstrueux, -euse** *adj* monstrous

**mont** [mɔ̃] *nm*: **par ~s et par vaux** up hill and down dale; **le M~ Blanc** Mont Blanc

**montage** [mɔ̃taʒ] *nm (d'une machine etc)* assembly; *(Photo)* photomontage; *(Ciné)* editing

**montagnard, e** [mɔ̃taɲaʀ, -aʀd] *adj* mountain *cpd* ▷ *nm/f* mountain-dweller

**montagne** [mɔ̃taɲ] *nf (cime)* mountain; *(région):* **la ~** the mountains *pl; (de fenêtre)* **~s russes** big dipper *sg*, switchback *sg;* **montagneux, -euse** *adj* mountainous; *(basse montagne)* hilly

**montant, e** [mɔ̃tɑ̃, -ɑ̃t] *adj* rising; *(robe, corsage)* high-necked ▷ *nm (somme, total)* (sum) total, total amount; *(de fenêtre)* upright; *(de lit)* post

**monte-charge** [mɔ̃tʃaʀʒ] *nm inv* goods lift, hoist

**montée** [mɔ̃te] *nf* rise; *(escalade)* climb; *(côte)* hill; **au milieu de la ~** halfway up

**monter** [mɔ̃te] /1/ *vt (escalier, côte)* to go up *(ou* come) up; *(valise, paquet)* to take *(ou* bring) up; *(étagère)* to raise; *(tente, échafaudage)* to put up; *(machine)* to assemble; *(Ciné)* to edit; *(Théât)* to put on, stage; *(société, coup etc)* to set up ▷ *vi* to go up *(ou* come) up; *(chemin, niveau, température, voix, prix)* to go up, rise; *(passager)* to get on; **~ à cheval** *(faire du cheval)* to ride (a horse); **~ sur** to climb up onto; **~ sur** *ou* **à un arbre/une échelle** to climb (up) a tree/ladder; **~ à** *(frais etc)* to add up to, come to

**montgolfière** [mɔ̃ɡɔlfjɛʀ] *nf* hot-air balloon

**montre** [mɔ̃tʀ] *nf* watch; **contre la ~** *(Sport)* against the clock

**Montréal** [mɔ̃ʀeal] *n* Montreal

**montrer** [mɔ̃tʀe] /1/ *vt* to show; **~ qch à qn** to show sb sth

**monture** [mɔ̃tyʀ] *nf (bête)* mount; *(d'une bague)* setting; *(de lunettes)* frame

**monument** [mɔnymɑ̃] *nm* monument; **~ aux morts** war memorial

**moquer** [mɔke] /1/: **se ~ de** *vt* to make fun of, laugh at; *(fam: se*

*désintéresser de)* not to care about; *(tromper):* **se ~ de qn** to take sb for a ride

**moquette** [mɔkɛt] *nf* fitted carpet

**moqueur, -euse** [mɔkœʀ, -øz] *adj* mocking

**moral, e, -aux** [mɔʀal, -o] *adj* moral ▷ *nf* morale ▷ *nm (conduite)* morals *pl (règles); (valeurs)* moral standards *pl,* morality; *(d'une fable etc)* moral; **faire la ~ à** to lecture, preach at; **moralité** *nf* morality; *(conclusion, enseignement)* moral

**morceau, x** [mɔʀso] *nm* piece, bit; *(d'une œuvre)* passage, extract; *(Mus)* piece; *(Culin: de viande)* cut; *(: de sucre)* lump; **mettre en ~x** to pull to pieces *ou* bits; **manger un ~** to have a bite (to eat)

**morceler** [mɔʀsəle] /4/ *vt* to break up, divide up

**mordant, e** [mɔʀdɑ̃, -ɑ̃t] *adj (ton, remarque)* scathing, cutting; *(froid)* biting ▷ *nm (fougue)* bite, punch

**mordiller** [mɔʀdije] /1/ *vt* to nibble at, chew at

**mordre** [mɔʀdʀ] /41/ *vt* to bite ▷ *vi (poisson)* to bite; **~ sur** *(fig)* to go over into, overlap into; **~ à l'hameçon** to bite, rise to the bait

**mordu, e** [mɔʀdy] *nm/f* enthusiast; **un ~ du jazz/de la voile** a jazz/ sailing fanatic *ou* buff

**morfondre** [mɔʀfɔ̃dʀ] /41/: **se morfondre** *vi* to mope

**morgue** [mɔʀɡ] *nf (arrogance)* haughtiness; *(lieu: de la police)* morgue; *(: à l'hôpital)* mortuary

**morne** [mɔʀn] *adj* dismal, dreary

**morose** [mɔʀoz] *adj* sullen, morose

**mors** [mɔʀ] *nm* bit

**morse** [mɔʀs] *nm (Zool)* walrus; *(Tél)* Morse (code)

**morsure** [mɔʀsyʀ] *nf* bite

**mort¹** [mɔʀ] *nf* death

**mort², e** [mɔʀ, mɔʀt] *pp de* **mourir** ▷ *adj* dead ▷ *nm/f (défunt)* dead man/woman; *(victime):* **il y a eu plusieurs**

**~s** several people were killed; **~ de peur/fatigue** frightened to death/dead tired

**mortalité** [mɔʀtalite] *nf* mortality, death rate

**mortel, le** [mɔʀtɛl] *adj (poison etc)* deadly, lethal; *(accident, blessure)* fatal; *(silence, ennemi)* deadly; *(danger, frayeur, péché)* mortal; *(ennui, soirée)* deadly *(boring)*

**mort-né, e** [mɔʀne] *adj (enfant)* stillborn

**mortuaire** [mɔʀtɥeʀ] *adj:* **avis ~s** death announcements

**morue** [mɔʀy] *nf (Zool)* cod *inv*

**mosaïque** [mɔzaik] *nf* mosaic

**Moscou** [mɔsku] *n* Moscow

**mosquée** [mɔske] *nf* mosque

**mot** [mo] *nm* word; *(message)* line, note; **~ à ~** word for word; **~ de passe** password; **~s croisés** crossword (puzzle) *sg*

**motard** [mɔtaʀ] *nm* biker; *(policier)* motorcycle cop

**mot-dièse** [mo] *nm (Inform: Twitter)* hashtag

**motel** [mɔtɛl] *nm* motel

**moteur, -trice** [mɔtœʀ, -tʀis] *adj (Anat, Physiol)* motor; *(Tech)* driving; *(Auto):* **à 4 roues motrices** 4-wheel drive ▷ *nm* engine, motor; **à ~** power-driven, motor *cpd*; **~ de recherche** search engine

**motif** [mɔtif] *nm (cause)* motive; *(décoratif)* design, pattern, motif; **sans ~** groundless

**motivation** [mɔtivasjɔ̃] *nf* motivation

**motiver** [mɔtive] /1/ *vt (justifier)* to justify, account for; *(Admin, Jur, Psych)* to motivate

**moto** [mɔto] *nf* (motor)bike; **motocycliste** *nm/f* motorcyclist

**motorisé, e** [mɔtɔʀize] *adj (personne)* having one's own transport

**motrice** [mɔtʀis] *adj f voir* **moteur**

**motte** [mɔt] *nf:* **~ de terre** lump of earth, clod (of earth); **~ de beurre** lump of butter

**mou (mol), molle** [mu, mɔl] *adj* soft; *(personne)* sluggish; *(résistance, protestations)* feeble ▷ *nm:* **avoir du ~** to be slack

**mouche** [muʃ] *nf* fly

**moucher** [muʃe] /1/: **se moucher** *vi* to blow one's nose

**moucheron** [muʃʀɔ̃] *nm* midge

**mouchoir** [muʃwaʀ] *nm* handkerchief, hanky; **~ en papier** tissue, paper hanky

**moudre** [mudʀ] /47/ *vt* to grind

**moue** [mu] *nf* pout; **faire la ~** to pout; *(fig)* to pull a face

**mouette** [mwɛt] *nf* (sea)gull

**moufle** [mufl] *nf (gant)* mitt(en)

**mouillé, e** [muje] *adj* wet

**mouiller** [muje] /1/ *vt (humecter)* to wet, moisten; *(tremper):* **~ qn/qch** to make sb/sth wet ▷ *vi (Navig)* to lie *ou* be at anchor; **se mouiller** to get wet; *(fam: prendre des risques)* to commit o.s

**moulant, e** [mulã, -ãt] *adj* figure-hugging

**moule** [mul] *nf* mussel ▷ *nm (Culin)* mould; **~ à gâteau** *nm* cake tin (BRIT) *ou* pan (US)

**mouler** [mule] /1/ *vt (vêtement)* to hug, fit closely round

**moulin** [mulɛ̃] *nm* mill; **~ à café** coffee mill; **~ à eau** watermill; **~ à légumes** (vegetable) shredder; **~ à paroles** *(fig)* chatterbox; **~ à poivre** pepper mill; **~ à vent** windmill

**moulinet** [mulinɛ] *nm (de canne à pêche)* reel; *(mouvement):* **faire des ~s avec qch** to whirl sth around

**moulinette®** [mulinɛt] *nf* (vegetable) shredder

**moulu, e** [muly] *pp de* **moudre**

**mourant, e** [muʀã, -ãt] *adj* dying

**mourir** [muʀiʀ] /1/ *vi* to die; *(civilisation)* to die out; **~ de froid/faim/vieillesse** to die of exposure/hunger/old age; **~ de faim/d'ennui** *(fig)* to be starving/be bored to death; **~ d'envie de faire** to be dying to do

**mousse** [mus] *nf* (Bot) moss; (de savon) lather; (écume: sur eau, bière) froth, foam; (Culin) mousse ▷ *nm* (Navig) ship's boy; **à raser** shaving foam

**mousseline** [muslin] *nf* muslin; **pommes ~** creamed potatoes

**mousser** [muse] /1/ *vi* (bière, détergent) to foam; (savon) to lather; **mousseux, -euse** *adj* frothy ▷ *nm*: **(vin) mousseux** sparkling wine

**mousson** [musɔ̃] *nf* monsoon

**moustache** [mustaʃ] *nf* moustache; **moustaches** *nfpl* (d'animal) whiskers *pl*; **moustachu, e** *adj* with a moustache

**moustiquaire** [mustikɛʀ] *nf* mosquito net

**moustique** [mustik] *nm* mosquito

**moutarde** [mutaʀd] *nf* mustard

**mouton** [mutɔ̃] *nm* sheep *inv*; (peau) sheepskin; (Culin) mutton

**mouvement** [muvmɑ̃] *nm* movement; (geste) gesture; **avoir un bon ~** to make a nice gesture; **en ~** in motion; on the move; **mouvementé, e** *adj* (vie, poursuite) eventful; (réunion) turbulent

**mouvoir** [muvwaʀ] /27/: **se mouvoir** *vi* to move

**moyen, ne** [mwajɛ̃, -ɛn] *adj* average; (tailles, prix) medium; (de grandeur moyenne) medium-sized ▷ *nm* (façon) means *sg*, way ▷ *nf* average; (Statistique) mean; (Scol: à l'examen) pass mark; **moyens** *nmpl* (capacités) means; **très ~** (résultats) pretty poor; **je n'en ai pas les ~s** I can't afford it; **au ~ de** by means of; **par tous les ~s** by every possible means, every possible way; **par ses propres ~s** all by oneself; **~ âge** Middle Ages; **~ de transport** means of transport; **~ne age** average age; **~ne entreprise** (Comm) medium-sized firm

**moyennant** [mwajɛnɑ̃] *prép* (somme) for; (service, conditions) in return for; (travail, effort) with

**Moyen-Orient** [mwajɛnɔʀjɑ̃] *nm*: **le ~** the Middle East

**moyeu, x** [mwajø] *nm* hub

**MST** *sigle f* (= maladie sexuellement transmissible) STD

**mû, mue** [my] *pp de* **mouvoir**

**muer** [mɥe] /1/ *vi* (oiseau, mammifère) to moult; (serpent) to slough (its skin); (jeune garçon): **il mue** his voice is breaking

**muet, te** [mɥe, -ɛt] *adj* dumb; (fig): **~ d'admiration** etc speechless with admiration etc; (Ciné) silent ▷ *nm/f* mute

**mufle** [myfl] *nm* muzzle; (goujat) boor

**mugir** [myʒiʀ] /2/ *vi* (bœuf) to bellow; (vache) to low; (fig) to howl

**muguet** [mygɛ] *nm* lily of the valley

**mule** [myl] *nf* (Zool) (she-)mule

**mulet** [mylɛ] *nm* (Zool) (he-)mule; (poisson) mullet

**multinational, e, -aux** [myltinasjɔnal, -o] *adj, nf* multinational

**multiple** [myltipl] *adj* multiple, numerous; (varié) many, manifold; **multiplication** *nf* multiplication; **multiplier** /7/ *vt* to multiply; **se multiplier** *vi* to multiply

**municipal, e, -aux** [mynisipal, -o] *adj* (élections, stade) municipal; (conseil) town *cpd*; **piscine/ bibliothèque ~e** public swimming pool/library; **municipalité** *nf* (corps municipal) town council; (commune) municipality

**munir** [myniʀ] /2/ *vt*: **~ qn/qch de** to equip sb/sth with; **se ~ de** to provide o.s. with

**munitions** [mynisjɔ̃] *nfpl* ammunition *sg*

**mur** [myʀ] *nm* wall; **~ (payant)** (Inform) paywall; **~ du son** sound barrier

**mûr, e** [myʀ] *adj* ripe; (personne) mature

**muraille** [myʀaj] *nf* (high) wall

**mural, e, -aux** [myʀal, -o] *adj* wall *cpd* ▷ *nm* (Art) mural

**mûre** [myʀ] nf blackberry

**muret** [myʀɛ] nm low wall

**mûrir** [myʀiʀ] /2/ vi (fruit, blé) to ripen; (abcès, furoncle) to come to a head; (fig: idée, personne) to mature ▷ vt (personne) to (make) mature; (pensée, projet) to nurture

**murmure** [myʀmyʀ] nm murmur; **murmurer** /1/ vi to murmur

**muscade** [myskad] nf (aussi: **noix (de) ~**) nutmeg

**muscat** [myska] nm (raisin) muscat grape; (vin) muscatel (wine)

**muscle** [myskl] nm muscle; **musclé, e** adj muscular; (fig) strong-arm cpd

**museau, x** [myzo] nm muzzle; (Culin) brawn

**musée** [myze] nm museum; (de peinture) art gallery

**museler** [myzle] /4/ vt to muzzle; **muselière** nf muzzle

**musette** [myzɛt] nf (sac) lunch bag

**musical, e, -aux** [myzikal, -o] adj musical

**music-hall** [myzikol] nm (salle) variety theatre; (genre) variety

**musicien, ne** [myzisjɛ̃, -ɛn] adj musical ▷ nm/f musician

**musique** [myzik] nf music

**musulman, e** [myzylmɑ̃, -an] adj, nm/f Moslem, Muslim

**mutation** [mytasjɔ̃] nf (Admin) transfer

**muter** [myte] /1/ vt to transfer, move

**mutilé, e** [mytile] nm/f disabled person (through loss of limbs)

**mutiler** [mytile] /1/ vt to mutilate, maim

**mutin, e** [mytɛ̃, -in] adj (enfant, air, ton) mischievous, impish ▷ nm/f (Mil, Navig) mutineer; **mutinerie** nf mutiny

**mutisme** [mytism] nm silence

**mutuel, le** [mytɥɛl] adj mutual ▷ nf mutual benefit society

**myope** [mjɔp] adj short-sighted

**myosotis** [mjɔzɔtis] nm forget-me-not

**myrtille** [miʀtij] nf blueberry

**mystère** [mistɛʀ] nm mystery; **mystérieux, -euse** adj mysterious

**mystifier** [mistifje] /7/ vt to fool

**mythe** [mit] nm myth

**mythologie** [mitɔlɔʒi] nf mythology

# n

**n'** [n] adv voir **ne**

**nacre** [nakʀ] nf mother-of-pearl

**nage** [naʒ] nf swimming; (manière) style of swimming, stroke; **traverser/s'éloigner à la ~** to swim across/away; **en ~** bathed in sweat; **nageoire** nf fin; **nager** /3/ vi to swim; **nageur, -euse** nm/f swimmer

**naïf, -ïve** [naif, naiv] adj naïve

**nain, e** [nɛ̃, nɛn] nm/f dwarf

**naissance** [nesɑ̃s] nf birth; **donner ~ à** to give birth to; (fig) to give rise to; **lieu de ~** place of birth

**naître** [nɛtʀ] /59/ vi to be born; (conflit, complications): **~ de** to arise from, be born out of; **je suis né en 1960** I was born in 1960; **faire ~** (fig) to give rise to, arouse

**naïveté** [naivte] nf naivety

**nana** [nana] nf (fam: fille) bird (BRIT), chick

**nappe** [nap] nf tablecloth; (de pétrole, gaz) layer; **napperon** nm table-mat

**narguer** [naʀge] /1/ vt to taunt

**narine** [naʀin] nf nostril

**natal, e** [natal] adj native; **natalité** nf birth rate

**natation** [natasjɔ̃] nf swimming

**natif, -ive** [natif, -iv] adj native

**nation** [nasjɔ̃] nf nation; **national, e, -aux** adj national ▷ nf: **(route) nationale** ≈ A road (BRIT), ≈ state highway (US); **nationaliser** /1/ vt to nationalize; **nationalisme** nm nationalism; **nationalité** nf nationality

**natte** [nat] nf (tapis) mat; (cheveux) plait

**naturaliser** [natyʀalize] /1/ vt to naturalize

**nature** [natyʀ] nf nature ▷ adj, adv (Culin) plain, without seasoning or sweetening; (café, thé) black; without sugar; (yaourt) natural; **payer en ~** to pay in kind; **~ morte** still-life; **naturel, le** adj natural ▷ nm naturalness; (caractère) disposition, nature; **naturellement** adv naturally; (bien sûr) of course

**naufrage** [nofʀaʒ] nm (ship)wreck; **faire ~** to be shipwrecked

**nausée** [noze] nf nausea; **avoir la ~** to feel sick

**nautique** [notik] adj nautical, water cpd; **sports ~s** water sports

**naval, e** [naval] adj naval; (industrie) shipbuilding

**navet** [navɛ] nm turnip; (péj: film) third-rate film

**navette** [navɛt] nf shuttle; **faire la ~ (entre)** to go to and fro (between)

**navigateur** [navigatœʀ] nm (Navig) seafarer; (Inform) browser

**navigation** [navigasjɔ̃] nf navigation, sailing

**naviguer** [navige] /1/ vi to navigate, sail; **~ sur Internet** to browse the Internet

**navire** [naviʀ] nm ship

**navrer** [navʀe] /1/ vt to upset, distress; **je suis navré (de/de faire/que)** I'm so sorry (for/for doing/that)

**ne, n'** [nə, n] adv voir **pas¹**; **plus²**; **jamais** etc; (sans valeur négative, non traduit): **c'est plus loin que je ne le croyais** it's further than I thought

**né, e** [ne] pp de **naître**; **né en 1960** born in 1960; **née Scott** née Scott

**néanmoins** [neɑ̃mwɛ̃] adv nevertheless

**néant** [neɑ̃] nm nothingness; **réduire à ~** to bring to nought; (espoir) to dash

**nécessaire** [neseseʀ] adj necessary ▷ nm necessary; (sac) kit; **faire le ~** to do the necessary; **~ de couture** sewing kit; **~ de toilette** toilet bag; **nécessité** nf necessity; **nécessiter** /1/ vt to require

**nectar** [nɛktaʀ] nm nectar

**néerlandais, e** [neeʀlɑ̃dɛ, -ɛz] adj Dutch

**nef** [nɛf] nf (d'église) nave

**néfaste** [nefast] adj (nuisible) harmful; (funeste) ill-fated

**négatif, -ive** [negatif, -iv] adj negative ▷ nm (Photo) negative

**négligé, e** [negliʒe] adj (en désordre) slovenly ▷ nm (tenue) negligee

**négligeable** [negliʒabl] adj negligible

**négligent, e** [negliʒɑ̃, -ɑ̃t] adj careless; negligent

**négliger** [negliʒe] /3/ vt (épouse, jardin) to neglect; (tenue) to be careless about; (avis, précautions) to disregard; **~ de faire** to fail to do, not bother to do

**négociant, e** [negɔsjɑ̃, -jɑ̃t] nm/f merchant

**négociation** [negɔsjasjɔ̃] nf negotiation

**négocier** [negɔsje] /7/ vi, vt to negotiate

**nègre** [nɛgʀ] nm (péj) Negro; (écrivain) ghost writer

**neige** [nɛʒ] nf snow; **neiger** /3/ vi to snow

**nénuphar** [nenyfaʀ] nm water-lily

**néon** [neɔ̃] nm neon

**néo-zélandais, e** [neozelɑ̃dɛ, -ɛz] adj New Zealand cpd ▷ nm/f: **N~, e** New Zealander

**Népal** [nepal] nm: **le ~** Nepal

**nerf** [nɛʀ] nm nerve; **être** ou **vivre sur les ~s** to live on one's nerves; **nerveux, -euse** adj nervous; (irritable) touchy, nervy; (voiture) nippy, responsive; **nervosité** nf excitability, tenseness

**n'est-ce pas** [nɛspa] adv isn't it?, won't you? etc (selon le verbe qui précède)

**net, nette** [nɛt] adj (sans équivoque, distinct) clear; (amélioration, différence) marked, distinct; (propre) neat, clean; (Comm: prix, salaire, poids) net ▷ adv (refuser) flatly ▷ nm: **mettre au ~** to copy out; **s'arrêter ~** to stop dead; **nettement** adv clearly; (incontestablement) decidedly; **netteté** nf clearness

**nettoyage** [netwajaʒ] nm cleaning; **~ à sec** dry cleaning

**nettoyer** [netwaje] /8/ vt to clean

**neuf¹** [nœf] num nine

**neuf², neuve** [nœf, nœv] adj new; **remettre à ~** to do up (as good as new), refurbish; **quoi de ~?** what's new?

**neutre** [nøtʀ] adj (Ling) neuter

**neuve** [nœv] adj f voir **neuf²**

**neuvième** [nœvjɛm] num ninth

**neveu, x** [nəvø] nm nephew

**New York** [njujɔʀk] n New York

**nez** [ne] nm nose; **avoir du ~** to have flair; **~ à ~ avec** face to face with

**ni** [ni] conj: **ni ... ni** neither ... nor; **je n'aime ni les lentilles ni les épinards** I like neither lentils nor spinach; **il n'a dit ni oui ni non** he didn't say either yes or no; **elles ne sont venues ni l'une ni l'autre** neither of them came; **il n'a rien vu ni entendu** he didn't see or hear anything

**niche** [niʃ] nf (du chien) kennel; (de mur) recess, niche; **nicher** /1/ vi to nest

**nid** [ni] nm nest; **~ de poule** pothole

**nièce** [njɛs] nf niece

**nier** [nje] /7/ vt to deny

**Nil** [nil] nm: **le ~** the Nile

**n'importe** [nɛ̃pɔʀt] adv: **~ qui/ quoi/où** anybody/anything/ anywhere; **~ quand** any time; **~ quel/quelle** any; **~ lequel/laquelle** any (one); **~ comment** (sans soin) carelessly

**niveau, x** [nivo] nm level; (des élèves, études) standard; **~ de vie** standard of living

**niveler** [nivle] /4/ vt to level

**noble** [nɔbl] adj noble; **noblesse** nf nobility; (d'une action etc) nobleness

**noce** [nɔs] nf wedding; (gens) wedding party (ou guests pl); **faire la ~** (fam) to be on a binge; **~s d'or/d'argent/de diamant** golden/ silver/diamond wedding

**nocif, -ive** [nɔsif, -iv] adj harmful

**nocturne** [nɔktyʀn] adj nocturnal ▷ nf late opening

**Noël** [nɔɛl] nm Christmas

**nœud** [nø] nm knot; (ruban) bow; **~ papillon** bow tie

**noir, e** [nwaʀ] adj black; (obscur, sombre) dark ▷ nm/f black man/ woman ▷ nm: **dans le ~** in the dark ▷ nf (Mus) crotchet (BRIT), quarter note (US); **travailler au ~** to work on the side; **noircir** /2/ vt, vi to blacken

**noisette** [nwazɛt] nf hazelnut

**noix** [nwa] nf walnut; (Culin): **une ~ de beurre** a knob of butter; **à la ~** (fam) worthless; **~ de cajou** cashew nut; **~ de coco** coconut; **~ muscade** nutmeg

**nom** [nɔ̃] nm name; (Ling) noun; **~ de famille** surname; **~ de jeune fille** maiden name; **~ d'utilisateur** username

**nomade** [nɔmad] nm/f nomad

**nombre** [nɔ̃bʀ] nm number; **venir en ~** to come in large numbers; **depuis ~ d'années** for many years; **au ~ de mes amis** among

my friends; **nombreux, -euse** adj many, numerous; (avec nom sg: foule etc) large; **peu nombreux** few; **de nombreux cas** many cases

**nombril** [nɔ̃bʀi(l)] nm navel

**nommer** [nɔme] /1/ vt to name; (élire) to appoint, nominate; **se nommer vr: il se nomme Pascal** his name's Pascal, he's called Pascal

**non** [nɔ̃] adv (réponse) no; (suivi d'un adjectif, adverbe) not; **Paul est venu, ~?** Paul came, didn't he?; **~ pas que** not that; **moi ~ plus** neither do I, I don't either; **je pense que ~** I don't think so; **~ alcoolisé** non-alcoholic

**nonchalant, e** [nɔ̃ʃalɑ̃, -ɑ̃t] adj nonchalant

**non-fumeur, -euse** [nɔ̃fymœʀ, -øz] nm/f non-smoker

**non-sens** [nɔ̃sɑ̃s] nm absurdity

**nord** [nɔʀ] nm North ▷ adj northern; **au ~** (situation) in the north; (direction) to the north; **au ~ de** to the north of; **nord-africain, e** adj North-African ▷ nm/f: **Nord-Africain, e** North African; **nord-est** nm North-East; **nord-ouest** nm North-West

**normal, e, -aux** [nɔʀmal, -o] adj normal ▷ nf: **la ~e** the norm, the average; **c'est tout à fait ~** it's perfectly natural; **vous trouvez ça ~?** does it seem right to you?; **normalement** adv (en général) normally

**normand, e** [nɔʀmɑ̃, -ɑ̃d] adj Norman ▷ nm/f: **N~, e** (de Normandie) Norman

**Normandie** [nɔʀmɑ̃di] nf: **la ~** Normandy

**norme** [nɔʀm] nf norm; (Tech) standard

**Norvège** [nɔʀvɛʒ] nf: **la ~** Norway; **norvégien, ne** adj Norwegian ▷ nm (Ling) Norwegian ▷ nm/f: **Norvégien, ne** Norwegian

**nos** [no] adj poss voir **notre**

**nostalgie** [nɔstalʒi] nf nostalgia; **nostalgique** adj nostalgic

**n**

**notable** [nɔtabl] *adj* notable, noteworthy; (*marqué*) noticeable, marked ▷ *nm* prominent citizen

**notaire** [nɔtɛʀ] *nm* solicitor

**notamment** [nɔtamɑ̃] *adv* in particular, among others

**note** [nɔt] *nf* (*écrite, Mus*) note; (*Scol*) mark (BRIT), grade; (*facture*) bill; **~ de service** memorandum

**noter** [nɔte] /1/ *vt* (*écrire*) to write down; (*remarquer*) to note, notice; (*devoir*) to mark, give a grade to

**notice** [nɔtis] *nf* summary, short article; (*brochure*): **~ explicative** explanatory leaflet, instruction booklet

**notifier** [nɔtifje] /7/ *vt*: **~ qch à qn** to notify sb of sth, notify sth to sb

**notion** [nɔsjɔ̃] *nf* notion, idea

**notoire** [nɔtwaʀ] *adj* widely known; (*en mal*) notorious

**notre** (*pl* **nos**) [nɔtʀ(ə), no] *adj poss* our

**nôtre** [nɔtʀ] *adj* ours ▷ *pron*: **le/la ~** ours; **les ~s** ours; (*alliés etc*) our own people; **soyez des ~s** join us

**nouer** [nwe] /1/ *vt* to tie, knot; (*fig*: *alliance etc*) to strike up

**noueux, -euse** [nwø, -øz] *adj* gnarled

**nourrice** [nuʀis] *nf* = child-minder

**nourrir** [nuʀiʀ] /2/ *vt* to feed; (*fig*: *espoir*) to harbour, nurse; **nourrissant, e** *adj* nutritious; **nourrisson** *nm* (*unweaned*) infant; **nourriture** *nf* food

**nous** [nu] *pron* (*sujet*) we; (*objet*) us; **nous-mêmes** *pron* ourselves

**nouveau (nouvel), -elle, x** [nuvo, -ɛl] *adj new* ▷ *nm/f* new pupil (*ou* employee) ▷ *nm*: **il y a du ~** there's something new ▷ *nf* (*pièce de news sg*; (*Littérature*) short story; **nouvelles** *nfpl* (*Presse, TV*) news; **de ~, à ~** = again; **je suis sans nouvelles de lui** I haven't heard from him; **Nouvel An** New Year; **~ venu, nouvelle venue** newcomer; **-x mariés** newly-weds; **nouveau-né, e** *nm/f* newborn

(*baby*); **nouveauté** *nf* novelty; (*chose nouvelle*) something new

**nouvelle:** Nouvelle-Calédonie [nuvelkaledɔni] *nf*: **la Nouvelle-Calédonie** New Caledonia; **Nouvelle-Zélande** [nuvelzelɑ̃d] *nf*: **la Nouvelle-Zélande** New Zealand

**novembre** [nɔvɑ̃bʀ] *nm* November; *voir aussi* **juillet**

> LE 11 NOVEMBRE
>
> Le 11 *novembre* is a public holiday
> in France and commemorates
> the signing of the armistice, near
> Compiègne, at the end of the First
> World War.

**noyade** [nwajad] *nf* drowning *no pl*

**noyau, x** [nwajo] *nm* (*de fruit*) stone; (*Bio, Physique*) nucleus; (*fig*: *centre*) core

**noyer** [nwaje] /8/ *nm* walnut (tree); (*bois*) walnut ▷ *vt* to drown; (*moteur*) to flood; **se noyer** to be drowned, drown; (*suicide*) to drown o.s.

**nu, e** [ny] *adj* naked; (*membres*) naked, bare; (*chambre, fil, plaine*) bare ▷ *nm* (*Art*) nude; **tout nu** stark naked; **se mettre nu** to strip

**nuage** [nɥaʒ] *nm* (*aussi Inform*) cloud; **informatique en ~** cloud computing; **nuageux, -euse** *adj* cloudy

**nuance** [nɥɑ̃s] *nf* (*de couleur, sens*) shade; **il y a une ~ (entre)** there's a slight difference (between); **nuancer** /3/ *vt* (*pensée, opinion*) to qualify

**nucléaire** [nykleɛʀ] *adj* nuclear ▷ *nm*: **le ~** nuclear power

**nudiste** [nydist] *nm/f* nudist

**nuée** [nɥe] *nf*: **une ~ de** a cloud *ou* host *ou* swarm of

**nuire** [nɥiʀ] /38/ *vi* to be harmful; **~ à** to harm, do damage to; **nuisible** [nɥizibl] *adj* harmful; (*animal*) **nuisible** pest

**nuit** [nɥi] *nf* night; **il fait ~** it's dark; **cette ~** (*hier*) last night; (*aujourd'hui*)

tonight; **de ~** (vol, service) night cpd;
**~ blanche** sleepless night
**nul, nulle** [nyl] adj (aucun) no;
(minime) nil, non-existent; (non
valable) null; (péj) useless, hopeless
▷ pron none, no one; **résultat ~,**
**match ~: nulle part** nowhere;
**nullement** adv by no means
**numérique** [nymeʀik] adj
numerical; (affichage, son, télévision)
digital
**numéro** [nymeʀo] nm number;
(spectacle) act, turn; (Presse) issue,
number; **~ de téléphone** (tele)phone
number; **~ vert** ≈ Freefone® number
(BRIT), ≈ toll-free number (US);
**numéroter** /1/ vt to number
**nuque** [nyk] nf nape of the neck
**nu-tête** [nytɛt] adj inv bareheaded
**nutritif, -ive** [nytʀitif, -iv] adj
(besoins, valeur) nutritional; (aliment)
nutritious, nourishing
**nylon** [nilɔ̃] nm nylon

# O

**oasis** [ɔazis] nm ou f oasis
**obéir** [ɔbeiʀ] /2/ vi to obey; **~ à** to
obey; **obéissance** nf obedience;
**obéissant, e** adj obedient
**obèse** [ɔbɛz] adj obese; **obésité** nf
obesity
**objecter** [ɔbʒɛkte] /1/ vt: **~ (à qn)**
**que** to object (to sb) that; **objecteur**
nm: **objecteur de conscience**
conscientious objector
**objectif, -ive** [ɔbʒɛktif, -iv] adj
objective ▷ nm (Optique, Photo) lens
sg; (Mil, fig) objective
**objection** [ɔbʒɛksjɔ̃] nf objection
**objectivité** [ɔbʒɛktivite] nf
objectivity
**objet** [ɔbʒɛ] nm object; (d'une
discussion, recherche) subject; **être**
ou **faire l'~ de** (discussion) to be the
subject of; (soins) to be given ou
shown; **sans ~** purposeless; (sans
fondement) groundless; **~ d'art** objet
d'art; **~s personnels** personal items;

**~s trouvés** lost property sg (BRIT), lost-and-found sg (US); **~s de valeur** valuables

**obligation** [ɔbligasjɔ̃] nf obligation; (Comm) bond, debenture; **obligatoire** adj compulsory, obligatory; **obligatoirement** adv necessarily; (fam: sans aucun doute) inevitably

**obliger** [ɔbliʒe] /3/ vt (contraindre): **~ qn à faire** to force ou oblige sb to do; **je suis bien obligé (de le faire)** I have to (do it)

**oblique** [ɔblik] adj oblique; **en ~** diagonally

**oblitérer** [ɔblitere] /6/ vt (timbre-poste) to cancel

**obnubiler** [ɔbnybile] /1/ vt to obsess

**obscène** [ɔpsɛn] adj obscene

**obscur, e** [ɔpskyr] adj dark; (raisons) obscure; **obscurcir** /2/ vt to darken; (fig) to obscure; **s'obscurcir** vi to grow dark; **obscurité** nf darkness; **dans l'obscurité** in the dark, in darkness

**obsédé, e** [ɔpsede] nm/f fanatic; **~(e) sexuel(le)** sex maniac

**obséder** [ɔpsede] /6/ vt to obsess, haunt

**obsèques** [ɔpsɛk] nfpl funeral sg

**observateur, -trice** [ɔpsɛrvatœr, -tris] adj observant, perceptive ▷ nm/f observer

**observation** [ɔpsɛrvasjɔ̃] nf observation; (d'un règlement etc) observance; (reproche) reproof; **en ~** (Méd) under observation

**observatoire** [ɔpsɛrvatwar] nm observatory

**observer** [ɔpsɛrve] /1/ vt (regarder) to observe, watch; (scientifiquement, aussi: règlement, jeûne etc) to observe; (surveiller) to watch; (remarquer) to observe, notice; **faire ~ qch à qn** (dire) to point out sth to sb

**obsession** [ɔpsesjɔ̃] nf obsession

**obstacle** [ɔpstakl] nm obstacle; (Équitation) jump, hurdle; **faire ~ à**

(projet) to hinder, put obstacles in the path of

**obstiné, e** [ɔpstine] adj obstinate

**obstiner** [ɔpstine] /1/: **s'obstiner** vi to insist, dig one's heels in; **s'~ à faire** to persist (obstinately) in doing

**obstruer** [ɔpstrye] /1/ vt to block, obstruct

**obtenir** [ɔptənir] /22/ vt to obtain, get; (résultat) to achieve, obtain; **~ de pouvoir faire** to obtain permission to do

**obturateur** [ɔptyratœr] nm (Photo) shutter

**obus** [ɔby] nm shell

**occasion** [ɔkazjɔ̃] nf (aubaine, possibilité) opportunity; (circonstance) occasion; (Comm: article non neuf) secondhand buy; (: acquisition avantageuse) bargain; **à plusieurs ~s** on several occasions; **à l'~** sometimes, on occasions; **d'~** secondhand; **occasionnel, le** adj occasional

**occasionner** [ɔkazjɔne] /1/ vt to cause

**occident** [ɔksidɑ̃] nm: **l'O~** the West; **occidental, e, -aux** adj western; (Pol) Western ▷ nm/f Westerner

**occupation** [ɔkypasjɔ̃] nf occupation

**occupé, e** [ɔkype] adj (Mil, Pol) occupied; (personne) busy; (place, sièges) taken; (toilettes) engaged; **la ligne est ~e** the line's engaged (BRIT) ou busy (US)

**occuper** [ɔkype] /1/ vt to occupy; (poste, fonction) to hold; **s'~ (à qch)** to occupy o.s. ou keep o.s. busy (with sth); **s'~ de** (être responsable de) to be in charge of; (se charger de: affaire) to take charge of, deal with; (: clients etc) to attend to

**occurrence** [ɔkyrɑ̃s] nf: **en l'~** in this case

**océan** [ɔseɑ̃] nm ocean

**octet** [ɔktɛ] nm byte

**octobre** [ɔktɔbr] nm October

**oculiste** [ɔkylist] nm/f eye specialist

**odeur** [ɔdœʀ] nf smell

**odieux, -euse** [ɔdjø, -øz] adj hateful

**odorant, e** [ɔdɔʀɑ̃, -ɑ̃t] adj sweet-smelling, fragrant

**odorat** [ɔdɔʀa] nm (sense of) smell

**œil** [œj] (pl **yeux**) nm eye; **avoir un ~ poché** ou **au beurre noir** to have a black eye; **à l'~** (fam) for free; **à l'~ nu** with the naked eye; **fermer les yeux (sur)** (fig) to turn a blind eye to; **les yeux fermés** (aussi fig) with one's eyes shut; **ouvrir l'~** (fig) to keep one's eyes open ou an eye out

**œillères** [œjɛʀ] nfpl blinkers (BRIT), blinders (US)

**œillet** [œjɛ] nm (Bot) carnation

**œuf** [œf] nm egg; **~ à la coque/dur/ mollet** boiled/hard-boiled/soft-boiled egg; **~ au plat/poché** fried/poached egg; **~s brouillés** scrambled eggs; **~ de Pâques** Easter egg

**œuvre** [œvʀ] nf (tâche) task, undertaking; (ouvrage achevé, livre, tableau etc) work; (ensemble de la production artistique) works pl ▷ nm (Constr): **le gros ~** the shell; **mettre en ~** (moyens) to make use of; **~ d'art** work of art; **~s de bienfaisance** charitable works

**offense** [ɔfɑ̃s] nf insult; **offenser** /1/ vt to offend, hurt; **s'offenser de** vi to take offence (BRIT) ou offense (US) at

**offert, e** [ɔfɛʀ, -ɛʀt] pp de **offrir**

**office** [ɔfis] nm (agence) bureau, agency; (Rel) service ▷ nm ou f (pièce) pantry; **faire ~ de** to act as; **d'~** automatically; **~ du tourisme** tourist office

**officiel, le** [ɔfisjɛl] adj, nm/f official

**officier** [ɔfisje] /7/ nm officer

**officieux, -euse** [ɔfisjø, -øz] adj unofficial

**offrande** [ɔfʀɑ̃d] nf offering

**offre** [ɔfʀ] nf offer; (aux enchères) bid; (Admin: soumission) tender; (Écon): **l'~ et la demande** supply and demand; **~ d'emploi** job advertised;

**"~s d'emploi"** "situations vacant";
**~ publique d'achat (OPA)** takeover bid

**offrir** [ɔfʀiʀ] /18/ vt: **~ (à qn)** to offer (to sb); (faire cadeau) to give (to sb); **s'offrir**, vt (vacances, voiture) to treat o.s. to; **~ (à qn) de faire qch** to offer to do sth (for sb); **~ à boire à qn** (chez soi) to offer sb a drink; **je vous offre un verre** I'll buy you a drink

**OGM** sigle m (= organisme génétiquement modifié) GMO

**oie** [wa] nf (Zool) goose

**oignon** [ɔɲɔ̃] nm onion; (de tulipe etc) bulb

**oiseau, x** [wazo] nm bird; **~ de proie** bird of prey

**oisif, -ive** [wazif, -iv] adj idle

**oléoduc** [ɔleɔdyk] nm (oil) pipeline

**olive** [ɔliv] nf (Bot) olive; **olivier** nm olive (tree)

**OLP** sigle f (= Organisation de libération de la Palestine) PLO

**olympique** [ɔlɛ̃pik] adj Olympic

**ombragé, e** [ɔ̃bʀaʒe] adj shaded, shady

**ombre** [ɔ̃bʀ] nf (espace non ensoleillé) shade; (ombre portée, tache) shadow; **à l'~** in the shade; **dans l'~** (fig) in the dark; **~ à paupières** eye shadow

**omelette** [ɔmlɛt] nf omelette; **~ norvégienne** baked Alaska

**omettre** [ɔmɛtʀ] /56/ vt to omit, leave out

**omoplate** [ɔmɔplat] nf shoulder blade

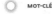

**MOT-CLÉ**

**on** [ɔ̃] pron **1** (indéterminé) you, one; **on peut le faire ainsi** you ou one can do it like this, it can be done like this **2** (quelqu'un): **on les a attaqués** they were attacked; **on vous demande au téléphone** there's a phone call for you, you're wanted on the phone **3** (nous) we; **on va y aller demain** we're going tomorrow

**o**

4 (les gens) they; **autrefois, on croyait ...** they used to believe ..
5: **on ne peut plus** adv: **on ne peut plus stupide** as stupid as can be

**oncle** [ɔ̃kl] nm uncle

**onctueux, -euse** [ɔ̃ktɥø, -øz] adj creamy; smooth

**onde** [ɔ̃d] nf wave; **~s courtes (OC)** short wave sg; **~s moyennes (OM)** medium wave sg; **grandes ~s (GO), ~s longues (OL)** long wave sg

**ondée** [ɔ̃de] nf shower

**on-dit** [ɔ̃di] nm inv rumour

**onduler** [ɔ̃dyle] /1/ vi to undulate; (cheveux) to wave

**onéreux, -euse** [ɔneʀø, -øz] adj costly

**ongle** [ɔ̃gl] nm nail

**ont** [ɔ̃] vb voir **avoir**

**ONU** sigle f (= Organisation des Nations unies) UN(O)

**onze** [ɔ̃z] num eleven; **onzième** num eleventh

**OPA** sigle f = **offre publique d'achat**

**opaque** [ɔpak] adj opaque

**opéra** [ɔpeʀa] nm opera; (édifice) opera house

**opérateur, -trice** [ɔpeʀatœʀ, -tʀis] nm/f operator; **~ (de prise de vues)** cameraman

**opération** [ɔpeʀasjɔ̃] nf operation; (Comm) dealing

**opératoire** [ɔpeʀatwaʀ] adj (choc etc) post-operative

**opérer** [ɔpeʀe] /6/ vt (Méd) to operate on; (faire, exécuter) to carry out, make ▷ vi (remède: faire effet) to act, work; (Méd) to operate; **s'opérer** vi (avoir lieu) to occur, take place; **se faire ~** to have an operation

**opérette** [ɔpeʀet] nf operetta, light opera

**opinion** [ɔpinjɔ̃] nf opinion; **l'~ (publique)** public opinion

**opportun, e** [ɔpɔʀtœ̃, -yn] adj timely, opportune; **opportuniste** [ɔpɔʀtynist] nm/f opportunist

**opposant, e** [ɔpozɑ̃, -ɑ̃t] nm/f opponent

**opposé, e** [ɔpoze] adj (direction, rive) opposite; (faction) opposing; (opinions, intérêts) conflicting; (contre): **~ à** opposed to, against ▷ nm: **l'~** the other ou opposite side (ou direction); (contraire) the opposite; **à l'~** (fig) on the other hand; **à l'~ de** (fig) contrary to, unlike

**opposer** [ɔpoze] /1/ vt (personnes, armées, équipes) to oppose; (couleurs, termes, tons) to contrast; **~ qch à** (comme obstacle, défense) to set sth against; (comme objection) to put sth forward against; **s'opposer** vi (équipes) to confront each other; (opinions) to conflict; (couleurs, styles) to contrast; **s'~ à** (interdire, empêcher) to oppose

**opposition** [ɔpozisjɔ̃] nf opposition; **par ~ à** as opposed to; **entrer en ~ avec** to come into conflict with; **faire ~ à un chèque** to stop a cheque

**oppressant, e** [ɔpʀesɑ̃, -ɑ̃t] adj oppressive

**oppresser** [ɔpʀese] /1/ vt to oppress; **oppression** nf oppression

**opprimer** [ɔpʀime] /1/ vt to oppress

**opter** [ɔpte] /1/ vi: **~ pour** to opt for; **~ entre** to choose between

**opticien, ne** [ɔptisjɛ̃, -ɛn] nm/f optician

**optimisme** [ɔptimism] nm optimism; **optimiste** [ɔptimist] adj optimistic ▷ nm/f optimist

**option** [ɔpsjɔ̃] nf option; **matière à ~** (Scol) optional subject

**optique** [ɔptik] adj (nerf) optic; (verres) optical ▷ nf (fig: manière de voir) perspective

**or** [ɔʀ] nm gold now, but; **en or** gold cpd; **une affaire en or** a real bargain; **il croyait gagner or il a perdu** he was sure he would win and yet he lost

**orage** [ɔʀaʒ] nm (thunder)storm; **orageux, -euse** adj stormy

**oral, e, -aux** [ɔʀal, -o] adj oral; (Méd):
**par voie ~e** orally ▷ nm oral

**orange** [ɔʀɑ̃ʒ] adj inv, nf orange;
**orangé, e** adj orangey, orange-
coloured; **orangeade** nf orangeade;
**oranger** nm orange tree

**orateur** [ɔʀatœʀ] nm speaker

**orbite** [ɔʀbit] nf (Anat) (eye-)socket;
(Physique) orbit

**Orcades** [ɔʀkad] nfpl: **les ~** the
Orkneys, the Orkney Islands

**orchestre** [ɔʀkɛstʀ] nm orchestra;
(de jazz, danse) band; (places) stalls pl
(BRIT), orchestra (US)

**orchidée** [ɔʀkide] nf orchid

**ordinaire** [ɔʀdinɛʀ] adj ordinary;
(modèle, qualité) standard; (péj:
commun) common ▷ nm ordinary;
(menus) everyday fare ▷ nf (essence)
≈ two-star (petrol) (BRIT) = regular
(gas) (US); **d'~** usually, normally;
**comme à l'~** as usual

**ordinateur** [ɔʀdinatœʀ] nm
computer; **~ individuel** ou
**personnel** personal computer;
**~ portable** laptop (computer)

**ordonnance** [ɔʀdɔnɑ̃s] nf (Méd)
prescription; (Mil) orderly, batman
(BRIT)

**ordonné, e** [ɔʀdɔne] adj tidy, orderly

**ordonner** [ɔʀdɔne] /1/ vt (agencer) to
organize, arrange; (donner un ordre):
**~ à qn de faire** to order sb to do; (Rel)
to ordain; (Méd) to prescribe

**ordre** [ɔʀdʀ] nm order; (propreté et
soin) orderliness, tidiness; **à l'~ de**
payable to; (nature): **d'~ pratique** of
a practical nature; **ordres** nmpl (Rel)
holy orders; **mettre en ~** to tidy (up),
put in order; **par ~ alphabétique/
d'importance** in alphabetical order/
in order of importance; **être aux
~s de qn/sous les ~s de qn** to be at
sb's disposal/under sb's command;
**jusqu'à nouvel ~** until further notice;
**de premier ~** first-rate; **~ du jour**
(d'une réunion) agenda; **à l'~ du jour**
(fig) topical; **~ public** law and order

**ordure** [ɔʀdyʀ] nf filth no pl; **ordures**
nfpl (balayures, déchets) rubbish sg,
refuse sg; **~s ménagères** household
refuse

**oreille** [ɔʀɛj] nf ear; **avoir de l'~** to
have a good ear (for music)

**oreiller** [ɔʀeje] nm pillow

**oreillons** [ɔʀejɔ̃] nmpl mumps sg

**ores** [ɔʀ]: **d'~ et déjà** adv already

**orfèvre** [ɔʀfɛvʀ(ə)] nf
goldsmith's (ou silversmith's) trade;
(ouvrage) (silver ou gold) plate

**organe** [ɔʀgan] nm organ; (porte-
parole) representative, mouthpiece

**organigramme** [ɔʀganigʀam] nm
(hiérarchique, structure) organization
chart; (des opérations) flow chart

**organique** [ɔʀganik] adj organic

**organisateur, -trice**
[ɔʀganizatœʀ, -tʀis] nm/f organizer

**organisation** [ɔʀganizasjɔ̃] nf
organization; **O~ des Nations
unies (ONU)** United Nations
(Organization) (UN(O))

**organiser** [ɔʀganize] /1/ vt to
organize; (mettre sur pied: service
etc) to set up; **s'organiser** to get
organized

**organisme** [ɔʀganism] nm (Bio)
organism; (corps humain) body;
(Admin, Pol etc) body

**organiste** [ɔʀganist] nm/f organist

**orgasme** [ɔʀgasm] nm orgasm, climax

**orge** [ɔʀʒ] nf barley

**orgue** [ɔʀg] nm organ

**orgueil** [ɔʀgœj] nm pride;
**orgueilleux, -euse** adj proud

**oriental, e, -aux** [ɔʀjɑ̃tal, -o] adj
(langue, produit) oriental; (frontière)
eastern

**orientation** [ɔʀjɑ̃tasjɔ̃] nf (de
recherches) orientation; (d'une maison
etc) aspect; (d'un journal) leanings pl;
**avoir le sens de l'~** to have a (good)
sense of direction; **~ professionnelle**
careers advisory service

**orienté, e** [ɔʀjɑ̃te] adj (fig: article,
journal) slanted; **bien/mal ~**

(*appartement*) well/badly positioned;
**~ au sud** facing south, with a
southern aspect

**orienter** [ɔʀjɑ̃te] /1/ vt (*tourner:
antenne*) to orientate, turn; (: *voyageur,
touriste, recherches*) to direct; (*fig:
élève*) to orientate; **s'orienter**
(*se repérer*) to find one's bearings; **s'~
vers** (*fig*) to turn towards

**origan** [ɔʀigɑ̃] nm oregano

**originaire** [ɔʀiʒinɛʀ] adj: **être ~ de**
to be a native of

**original, e, -aux** [ɔʀiʒinal, -o] adj
original; (*bizarre*) eccentric ▷ nm/f
eccentric ▷ nm (*document etc*, Art)
original

**origine** [ɔʀiʒin] nf origin; **origines**
nfpl (*d'une personne*) origins; **d'~**
(*pays*) of origin; (*pneus etc*) original;
**d'~ française** French origin; **à l'~**
originally; **originel, le** adj original

**orme** [ɔʀm] nm elm

**ornement** [ɔʀnəmɑ̃] nm ornament

**orner** [ɔʀne] /1/ vt to decorate,
adorn

**ornière** [ɔʀnjɛʀ] nf rut

**orphelin, e** [ɔʀfəlɛ̃, -in] adj
orphan(ed) ▷ nm/f orphan; **~ de
père/mère** fatherless/motherless;
**orphelinat** nm orphanage

**orteil** [ɔʀtɛj] nm toe; **gros ~** big toe

**orthographe** [ɔʀtɔgʀaf] nf spelling

**ortie** [ɔʀti] nf (stinging) nettle

**os** [ɔs] nm bone; **os à moelle**
marrowbone

**osciller** [ɔsile] /1/ vi (*au vent etc*)
to rock; (*fig*): **~ entre** to waver ou
fluctuate between

**osé, e** [oze] adj daring, bold

**oseille** [ozɛj] nf sorrel

**oser** [oze] /1/ vi, vt to dare; **~ faire** to
dare (to) do

**osier** [ozje] nm willow; **d'~, en ~**
wicker(work) cpd

**osseux, -euse** [ɔsø, -øz] adj bony;
(*tissu, maladie, greffe*) bone cpd

**otage** [ɔtaʒ] nm hostage; **prendre
qn comme ~** to take sb hostage

**OTAN** sigle f (= *Organisation du traité de
l'Atlantique Nord*) NATO

**otarie** [ɔtaʀi] nf sea-lion

**ôter** [ote] /1/ vt to remove; (*soustraire*)
to take away; **~ qch à qn** to take sth
(away) from sb; **~ qch de** to remove
sth from

**otite** [ɔtit] nf ear infection

**ou** [u] conj or; **ou ... ou** either ... or;
**ou bien** or (else)

○ **MOT-CLÉ**

**où** [u] pron relatif **1** (*position, situation*)
where, that (*souvent omis*); **la
chambre où il était** the room (that)
he was in, the room where he was; **la
ville où je l'ai rencontré** the town
where I met him; **la pièce d'où il
est sorti** the room he came out of;
**le village d'où je viens** the village
I come from; **les villes par où il est
passé** the towns he went through
**2** (*temps, état*) that (*souvent omis*); **le
jour où il est parti** the day (that) he
left; **au prix où c'est** at the price it is
▶ adv **1** (*interrogation*) where; **où est-
il/va-t-il?** where is he/is he going?;
**par où?** which way?; **d'où vient
que ...?** how come ...?
**2** (*position*) where; **je sais où il est**
I know where he is; **où que l'on aille**
wherever you go

**ouate** [wat] nf cotton wool (BRIT),
cotton (US)

**oubli** [ubli] nm (*acte*): **l'~ de**
forgetting; (*trou de mémoire*) lapse
of memory; (*négligence*) omission,
oversight; **tomber dans l'~** to sink
into oblivion

**oublier** [ublije] /7/ vt to forget; (*ne pas
voir: erreurs etc*) to miss; (*laisser quelque
part: chapeau etc*) to leave behind

**ouest** [wɛst] nm west ▷ adj inv west;
(*région*) western; **à l'~** in the west;
(*direction*) (to the) west, westwards;
**à l'~ de** (to the) west of

**ouf** [uf] *excl* phew!

**oui** [wi] *adv* yes

**oui-dire** ['widiʀ] : **par ~** *adv* by hearsay

**ouïe** [wi] *nf* hearing; **ouïes** *nfpl* (*de poisson*) gills

**ouragan** [uʀagɑ̃] *nm* hurricane

**ourlet** [uʀlɛ] *nm* hem

**ours** [uʀs] *nm* bear; **~ brun/blanc** brown/polar bear; **~ (en peluche)** teddy (bear)

**oursin** [uʀsɛ̃] *nm* sea urchin

**ourson** [uʀsɔ̃] *nm* (bear-)cub

**ouste** [ust] *excl* hop it!

**outil** [uti] *nm* tool; **outiller** /1/ *vt* to equip

**outrage** [utʀaʒ] *nm* insult; **~ à la pudeur** indecent behaviour *no pl*

**outrance** [utʀɑ̃s] : **à ~** *adv* excessively, to excess

**outre** [utʀ] *prép* besides ▷ *adv*: **passer ~ à** to disregard, take no notice of; **en ~** besides, moreover; **~ mesure** to excess; (*manger, boire*) immoderately; **outre-Atlantique** *adv* across the Atlantic; **outre-mer** *adv* overseas

**ouvert, e** [uvɛʀ, -ɛʀt] *pp de* **ouvrir** ▷ *adj* open; (*robinet, gaz etc*) on; **ouvertement** *adv* openly; **ouverture** *nf* opening; (*Mus*) overture; **ouverture d'esprit** open-mindedness; **heures d'ouverture** (*Comm*) opening hours

**ouvrable** [uvʀabl] *adj*: **jour ~** working day, weekday

**ouvrage** [uvʀaʒ] *nm* (*tâche, de tricot etc*) work *no pl*; (*texte, livre*) work

**ouvre-boîte(s)** [uvʀəbwat] *nm inv* tin (BRIT) ou can opener

**ouvre-bouteille(s)** [uvʀəbutɛj] *nm inv* bottle-opener

**ouvreuse** [uvʀøz] *nf* usherette

**ouvrier, -ière** [uvʀije, -jɛʀ] *nm/f* worker ▷ *adj* working-class; (*problèmes, conflit*) industrial; (*mouvement*) labour *cpd*; **classe ouvrière** working class

**ouvrir** [uvʀiʀ] /18/ *vt* (*gén*) to open; (*brèche, passage*) to open up; (*commencer l'exploitation de, créer*) to open (up); (*eau, électricité, chauffage, robinet*) to turn on; (*Méd: abcès*) to open up, cut open ▷ *vi* to open; to open up; **s'ouvrir** *vi* to open; **s'~ à qn (de qch)** to open one's heart to sb (about sth); **~ l'appétit à qn** to whet sb's appetite

**ovaire** [ovɛʀ] *nm* ovary

**ovale** [oval] *adj* oval

**OVNI** [ovni] *sigle m* (= *objet volant non identifié*) UFO

**oxyder** [ɔkside] /1/: **s'oxyder** *vi* to become oxidized

**oxygéné, e** [ɔksiʒene] *adj*: **eau ~e** hydrogen peroxide

**oxygène** [ɔksiʒɛn] *nm* oxygen

**ozone** [ozon] *nm* ozone; **trou dans la couche d'~** hole in the ozone layer

**o**

# P

**pacifique** [pasifik] *adj* peaceful ▷ *nm*: **le P~, l'océan P~** the Pacific (Ocean)

**pack** [pak] *nm* pack

**pacotille** [pakɔtij] *nf* cheap junk *pl*

**PACS** *sigle m* (= *pacte civil de solidarité*) ≈ civil partnership; **pacser** /1/: **se pacser** *vi* to form a civil partnership

**pacte** [pakt] *nm* pact, treaty

**pagaille** [pagaj] *nf* mess, shambles *sg*

**page** [paʒ] *nf* page ▷ *nm* (*garçon*) (boy); **à la ~** (*fig*) up-to-date; **~ d'accueil** (*Inform*) home page; **~ Web** (*Inform*) web page

**païen, ne** [pajɛ̃, -ɛn] *adj, nm/f* pagan, heathen

**paillasson** [pajasɔ̃] *nm* doormat

**paille** [paj] *nf* straw

**pain** [pɛ̃] *nm* (*substance*) bread; (*unité*) loaf (of bread); (*morceau*): **~ de cire** *etc* bar of wax *etc*; **~ bis/complet** brown/wholemeal (*BRIT*) *ou* wholewheat (*us*) bread; **~ d'épice** ≈ gingerbread; **~ grillé** toast; **~ de**

**mie** sandwich loaf; **~ au chocolat** pain au chocolat; **~ aux raisins** currant pastry

**pair, e** [pɛR] *adj* (*nombre*) even ▷ *nm* peer; **aller de ~ (avec)** to go hand in hand *ou* together (with); **jeune fille au ~** au pair girl; **paire** *nf* pair

**paisible** [pezibl] *adj* peaceful, quiet

**paix** [pɛ] *nf* peace; **faire la ~ avec** to make peace with; **fiche-lui la ~!** (*fam*) leave him alone!

**Pakistan** [pakistɑ̃] *nm*: **le ~** Pakistan

**palais** [palɛ] *nm* palace; (*Anat*) palate

**pâle** [pɑl] *adj* pale; **bleu ~** pale blue

**Palestine** [palɛstin] *nf*: **la ~** Palestine

**palette** [palɛt] *nf* (*de peintre*) palette; (*de produits*) range

**pâleur** [pɑlœR] *nf* paleness

**palier** [palje] *nm* (*d'escalier*) landing; (*fig*) level, plateau; **par ~s** in stages

**pâlir** [palir] /2/ *vi* to turn *ou* go pale; (*couleur*) to fade

**pallier** [palje] /7/ *vt*: **~ à** to offset, make up for

**palme** [palm] *nf* (*de plongeur*) flipper; **palmé, e** [palme] *adj* (*pattes*) webbed

**palmier** [palmje] *nm* palm tree; (*gâteau*) heart-shaped biscuit made of flaky pastry

**pâlot, te** [pɑlo, -ɔt] *adj* pale, peaky

**palourde** [palurd] *nf* clam

**palper** [palpe] /1/ *vt* to feel, finger

**palpitant, e** [palpitɑ̃, -ɑ̃t] *adj* thrilling

**palpiter** [palpite] /1/ *vi* (*cœur, pouls*) to beat (: *plus fort*) to pound, throb

**paludisme** [palydism] *nm* malaria

**pamphlet** [pɑ̃flɛ] *nm* lampoon, satirical tract

**pamplemousse** [pɑ̃pləmus] *nm* grapefruit

**pan** [pɑ̃] *nm* section, piece ▷ *excl* bang!

**panache** [panaʃ] *nm* plume; (*fig*) spirit, panache

**panaché, e** [panaʃe] *nm* (*bière*) shandy; **glace ~e** mixed ice cream

**pancarte** [pɑ̃kaʁt] nf sign, notice
**pancréas** [pɑ̃kʁeɑs] nm pancreas
**pandémie** [pɑ̃demi] nf pandemic
**pané, e** [pane] adj fried in breadcrumbs
**panier** [panje] nm basket; **mettre au ~** to chuck away; **~ à provisions** shopping basket; **panier-repas** nm packed lunch
**panique** [panik] adj panicky ⊳ nf panic; **paniquer** /1/ vi to panic
**panne** [pan] nf breakdown; **être/tomber en ~** to have broken down/break down; **être en ~ d'essence** ou **en ~ sèche** to have run out of petrol (BRIT) ou gas (US); **~ d'électricité** ou **de courant** power ou electrical failure
**panneau, x** [pano] nm (écriteau) sign, notice; **~ d'affichage** notice (BRIT) ou bulletin (US) board; **~ indicateur** signpost; **~ de signalisation** roadsign
**panoplie** [panɔpli] nf (jouet) outfit; (d'armes) display; (fig) array
**panorama** [panɔʁama] nm panorama
**panse** [pɑ̃s] nf paunch
**pansement** [pɑ̃smɑ̃] nm dressing, bandage; **~ adhésif** sticking plaster
**pantacourt** [pɑ̃takuʁ] nm cropped trousers pl
**pantalon** [pɑ̃talɔ̃] nm trousers pl (BRIT), pants pl (US), pair of trousers ou pants; **~ de ski** ski pants pl
**panthère** [pɑ̃tɛʁ] nf panther
**pantin** [pɑ̃tɛ̃] nm puppet
**pantoufle** [pɑ̃tufl] nf slipper
**paon** [pɑ̃] nm peacock
**papa** [papa] nm dad(dy)
**pape** [pap] nm pope
**paperasse** [papʁas] nf (péj) bumf no pl, papers pl; **paperasserie** nf (péj) red tape no pl; paperwork no pl
**papeterie** [papetʁi] nf (magasin) stationer's (shop) (BRIT)
**papi** [papi] nm (fam) granddad
**papier** [papje] nm paper; (article) article; **papiers** nmpl (aussi: **~s**

**d'identité**) (identity) papers; **~ (d') aluminium** aluminium (BRIT) ou aluminum (US) foil, tinfoil; **~ calque** tracing paper; **~ hygiénique** ou **(de) toilette** toilet paper; **~ journal** newspaper; **~ à lettres** writing paper, notepaper; **~ peint** wallpaper; **~ de verre** sandpaper
**papillon** [papijɔ̃] nm butterfly; (fam: contravention) (parking) ticket; **~ de nuit** moth
**papillote** [papijɔt] nf: **en ~** cooked in tinfoil
**papoter** [papɔte] /1/ vi to chatter
**paquebot** [pakbo] nm liner
**pâquerette** [pakʁɛt] nf daisy
**Pâques** [pɑk] nm, nfpl Easter

**paquet** [pakɛ] nm packet; (colis) parcel; (fig: tas): **~ de** pile ou heap of; **paquet-cadeau** nm gift-wrapped parcel
**par** [paʁ] prép by; **finir** etc **~** to end etc with; **~ amour** out of love; **passer ~ Lyon/la côte** to go via ou through Lyons/along by the coast; **~ la fenêtre** (jeter, regarder) out of the window; **trois ~ jour/personne** three a ou per day/head; **deux ~ deux** in twos; **~ ici** this way; (dans le coin) round here; **~-ci, ~-là** here and there; **~ temps de pluie** in wet weather
**parabolique** [paʁabɔlik] adj: **antenne ~** satellite dish
**parachute** [paʁaʃyt] nm parachute; **parachutiste** [paʁaʃytist] nm/f parachutist; (Mil) paratrooper
**parade** [paʁad] nf (spectacle, défilé) parade; (Escrime, Boxe) parry

**paradis** [paradi] nm heaven, paradise
**paradoxe** [paradɔks] nm paradox
**paraffine** [parafin] nf paraffin
**parages** [paraʒ] nmpl: **dans les ~
(de)** in the area ou vicinity (of)
**paragraphe** [paragraf] nm
paragraph
**paraître** [parɛtʀ] /57/ vb copule to
seem, look, appear ▷ vi to appear;
(être visible) to show; (Presse, Édition)
to be published, come out, appear
▷ vb impers: **il paraît que** it seems ou
appears that
**parallèle** [paralel] adj parallel; (police,
marché) unofficial ▷ nm (comparaison):
**faire un ~ entre** to draw a parallel
between ▷ nf parallel (line)
**paralyser** [paralize] /1/ vt to
paralyze
**paramédical, e, -aux**
[paramedikal, -o] adj: **personnel
~** paramedics pl, paramedical
workers pl
**paraphrase** [parafraz] nf
paraphrase
**parapluie** [paraplɥi] nm umbrella
**parasite** [parazit] nm parasite;
**parasites** nmpl (Tél) interference sg
**parasol** [parasɔl] nm parasol,
sunshade
**paratonnerre** [paratɔnɛr] nm
lightning conductor
**parc** [park] nm (public) park, gardens
pl; (de château etc) grounds pl;
(d'enfant) playpen; **~ d'attractions**
amusement park; **~ éolien** wind
farm; **~ de stationnement** car park;
**~ à thème** theme park
**parcelle** [parsel] nf fragment, scrap;
(de terrain) plot, parcel
**parce que** [parskə] conj because
**parchemin** [parʃəmɛ̃] nm
parchment
**parc(o)mètre** [park(ɔ)mɛtr] nm
parking meter
**parcourir** [parkurir] /11/ vt (trajet,
distance) to cover; (article, livre) to
skim ou glance through; (lieu) to go

all over, travel up and down; (frisson,
vibration) to run through
**parcours** [parkur] nm (trajet)
journey; (itinéraire) route
**par-dessous** [pardəsu] prép, adv
under(neath)
**pardessus** [pardəsy] nm overcoat
**par-dessus** [pardəsy] prép over
(the top of) ▷ adv over (the top); **~ le
marché** on top of it all; **~ tout** above
all; **en avoir ~ la tête** to have had
enough
**par-devant** [pardəvɑ̃] adv (passer)
round the front
**pardon** [pardɔ̃] nm forgiveness no
pl ▷ excl (I'm) sorry; (pour interpeller
etc) excuse me; **demander ~ à qn
(de)** to apologize to sb (for); **je vous
demande ~** I'm sorry; (pour interpeller)
excuse me; **pardonner** /1/ vt to
forgive; **pardonner qch à qn** to
forgive sb for sth
**pare:** **pare-brise** nm inv windscreen
(BRIT), windshield (US); **pare-chocs**
nm inv bumper; **pare-feu** nm inv
(de foyer) fireguard; (Inform) firewall
▷ adj inv
**pareil, le** [parɛj] adj (identique) the
same, alike; (similaire) similar; (tel):
**un courage/livre** such courage/a
book, courage/a book like this; **de ~s
livres** such books; **faire ~** to do the
same (thing); **~ à** the same as; similar
to; **sans ~** unparalleled, unequalled
**parent, e** [parɑ̃, -ɑ̃t] nm/f: **un/une
~/e** a relative ou relation; **parents**
nmpl (père et mère) parents; **parenté**
nf (lien) relationship
**parenthèse** [parɑ̃tɛz] nf
(ponctuation) bracket, parenthesis;
(digression) parenthesis, digression;
**entre ~s** in brackets; (fig) incidentally
**paresse** [pares] nf laziness;
**paresseux, -euse** adj lazy
**parfait, e** [parfɛ, -ɛt] adj perfect
▷ nm (Ling) perfect (tense);
**parfaitement** adv perfectly ▷ excl
(most) certainly

**parfois** [paʁfwa] *adv* sometimes

**parfum** [paʁfœ̃] *nm* (*produit*) perfume, scent; (*odeur: de fleur*) scent, fragrance; (*goût*) flavour; **parfumé, e** *adj* (*fleur, fruit*) fragrant; (*femme*) perfumed; **parfumé au café** coffee-flavoured (BRIT) ou -flavored (US); **parfumer** /1/ *vt* (*odeur, bouquet*) to perfume; (*crème, gâteau*) to flavour; **parfumerie** *nf* (*produits*) perfumes; (*boutique*) perfume shop (BRIT) ou store (US)

**pari** [paʁi] *nm* bet; **parier** /7/ *vt* to bet

**Paris** [paʁi] *n* Paris; **parisien, ne** *adj* Parisian; (*Géo, Admin*) Paris *cpd* ▷ *nm/f*: **Parisien, ne** Parisian

**parité** [paʁite] *nf*: **~ hommes-femmes** (Pol) balanced representation of men and women

**parjure** [paʁʒyʁ] *nm* perjury

**parking** [paʁkiŋ] *nm* (*lieu*) car park (BRIT), parking lot (US)

Attention à ne pas traduire *parking* par le mot anglais *parking*.

**parlant, e** [paʁlɑ̃, -ɑ̃t] *adj* (*comparaison, preuve*) eloquent; (*Ciné*) talking

**parlement** [paʁləmɑ̃] *nm* parliament; **parlementaire** *adj* parliamentary ▷ *nm/f* ≈ Member of Parliament (BRIT) ou Congress (US)

**parler** [paʁle] /1/ *vi* to speak, talk; (*avouer*) to talk; **~ (à qn) de** to talk ou speak (to sb) about; **~ le/en français** to speak French/in French; **~ affaires** to talk business; **sans ~ de** (*fig*) not to mention, to say nothing of; **tu parles!** (*bien sûr*) you bet!

**parloir** [paʁlwaʁ] *nm* (*d'une prison, d'un hôpital*) visiting room

**parmi** [paʁmi] *prép* among(st)

**paroi** [paʁwa] *nf* wall; (*cloison*) partition

**paroisse** [paʁwas] *nf* parish

**parole** [paʁɔl] *nf* (*mot, promesse*) word; (*faculté*): **la ~** speech; **paroles** *nfpl* (Mus) words, lyrics; **tenir ~** to

keep one's word; **prendre la ~** to speak; **demander la ~** to ask for permission to speak; **je le crois sur ~** I'll take his word for it

**parquet** [paʁkɛ] *nm* (*parquet*) floor; (*Jur*) public prosecutor's office; **le ~ (général)** the Bench

**parrain** [paʁɛ̃] *nm* godfather; **parrainer** /1/ *vt* (*nouvel adhérent*) to sponsor

**pars** [paʁ] *vb voir* **partir**

**parsemer** [paʁsəme] /5/ *vt* (*feuilles, papiers*) to be scattered over; **~ qch de** to scatter sth with

**part** [paʁ] *nf* (*qui revient à qn*) share; (*fraction, partie*) part; **prendre ~ à** (*débat etc*) to take part in; (*soucis, douleur de qn*) to share in; **faire ~ de qch à qn** to announce sth to sb, inform sb of sth; **pour ma ~** as for me, as far as I'm concerned; **à ~ entière** full; **de la ~ de** (*au nom de*) on behalf of; (*donné par*) from; **de toute(s) ~(s)** from all sides ou quarters; **de ~ et d'autre** on both sides, on either side; **d'une ~ ... d'autre ~** on the one hand ... on the other hand; **d'autre ~** (*de plus*) moreover; **à ~** *adv* separately; (*de côté*) aside; *prép* apart from, except for; **faire la ~ des choses** to make allowances

**partage** [paʁtaʒ] *nm* sharing (out) *no pl*, share-out; dividing up

**partager** [paʁtaʒe] /3/ *vt* to share; (*distribuer, répartir*) to share (out); (*morceler, diviser*) to divide (up); **se partager** *vt* (*héritage etc*) to share between themselves (ou ourselves *etc*)

**partenaire** [paʁtənɛʁ] *nm/f* partner

**parterre** [paʁtɛʁ] *nm* (*de fleurs*) (flower) bed; (*Théât*) stalls *pl*

**parti** [paʁti] *nm* (Pol) party; (*décision*) course of action; (*personne à marier*) match; **tirer ~ de** to take advantage of, turn to good account; **prendre ~ (pour/contre)** to take sides ou a stand (for/against); **~ pris** bias

**partial, e, -aux** [parsjal, -o] *adj*
biased, partial

**participant, e** [partisipɑ̃, -ɑ̃t] *nm/f*
participant; (*à un concours*) entrant

**participation** [partisipasjɔ̃]
*nf* participation; (*financière*)
contribution

**participer** [partisipe] /1/: **~ à** *vt*
(*course, réunion*) to take part in; (*frais
etc*) to contribute to; (*chagrin, succès
de qn*) to share (in)

**particularité** [partikylarite] *nf*
(*distinctive*) characteristic

**particulier, -ière** [partikylje, -jɛR]
*adj* (*personnel, privé*) private; (*étrange*)
peculiar, odd; (*spécial*) special,
particular; (*spécifique*) particular ▷ *nm*
(*individu*: Admin) private individual;
**~ à** peculiar to; **en ~** (*surtout*) in
particular, particularly; (*en privé*)
in private; **particulièrement** *adv*
particularly

**partie** [parti] *nf* (*gén*) part; (*Jur etc*:
*protagonistes*) party; (*de cartes, tennis
etc*) game; **une ~ de campagne/de
pêche** an outing in the country/a
fishing party ou trip; **en ~** partly, in
part; **faire ~ de** (*chose*) to be part of;
**prendre qn à ~** to take sb to task;
**en grande ~** largely, in the main;
**~ civile** (*Jur*) party claiming damages in
a criminal case

**partiel, le** [parsjɛl] *adj* partial ▷ *nm*
(*Scol*) class exam

**partir** [partiR] /16/ *vi* to go;
(*quitter*) to go, leave; (*tache*) to go;
come out; **~ de** (*lieu*) (*quitter*) to leave;
(*commencer à*) to start from; **~ pour/à**
(*lieu, pays etc*) to leave for/go off to;
**à ~ de** from

**partisan, e** [partizɑ̃, -an] *nm/f*
partisan; **être ~ de qch/faire** to
be in favour (BRIT) ou favor (US) of
sth/doing

**partition** [partisjɔ̃] *nf* (*Mus*) score

**partout** [partu] *adv* everywhere;
**~ où il allait** everywhere ou wherever
he went

**paru** [paRy] *pp de* **paraître**

**parution** [paRysjɔ̃] *nf* publication

**parvenir** [parvəniR] /22/: **~ à** *vt*
(*atteindre*) to reach; (*réussir*): **~ à faire**
to manage to do, succeed in doing;
**faire ~ qch à qn** to have sth sent to sb

 **MOT-CLÉ**

**pas¹** [pɑ] *adv* **1** (*en corrélation avec
ne, non etc*) not; **il ne pleure pas**
(*habituellement*) he does not ou
doesn't cry; (*maintenant*) he's not ou
isn't crying; **il n'a pas pleuré/ne
pleurera pas** he did not ou didn't/
will not ou won't cry; **ils n'ont pas de
voiture/d'enfants** they haven't got
a car/any children; **il m'a dit de ne
pas le faire** he told me not to do it;
**non pas que ...** not that ..
**2** (*employé sans ne etc*): **pas moi**
not me, I don't (ou can't etc); **elle
travaille, (mais) lui pas** ou **pas lui**
she works but he doesn't ou does
not; **une pomme pas mûre** an
apple which isn't ripe; **pas du tout**
not at all; **pas de sucre, merci** no
sugar, thanks; **ceci est à vous ou
pas?** is this yours or not?, is this yours
or isn't it?
**3**: **pas mal** (*joli: personne, maison*) not
bad; **pas mal fait** not badly done ou
made; **comment ça va? — pas mal**
how are things? — not bad; **pas mal
de** quite a lot of

**pas²** [pɑ] *nm* (*enjambée, Danse*) step;
(*bruit*) (foot)step; (*trace*) footprint;
(*allure, mesure*) pace; **~ à ~** step
by step; **au ~** at a walking pace;
**marcher à grands ~** to stride along;
**à ~ de loup** stealthily; **faire les cent
~** to pace up and down; **faire les
premiers ~** to make the first move;
**sur le ~ de la porte** on the doorstep

**passage** [pɑsaʒ] *nm* (*fait de passer*):
*voir* **passer**; (*lieu, prix de la traversée,
extrait de livre etc*) passage; (*chemin*)

way; **de ~** (*touristes*) passing through; **~ clouté** pedestrian crossing; **'~ interdit"** "no entry"; **~ à niveau** level (BRIT) *ou* grade (US) crossing; **~ souterrain** subway (BRIT), underpass

**passager, -ère** [pasaʒe, -ɛʀ] *adj* passing ▷ *nm/f* passenger

**passant, e** [pasɑ̃, -ɑ̃t] *adj* (*rue*, *endroit*) busy ▷ *nm/f* passer-by; **remarquer qch en ~** to notice sth in passing

**passe** [pas] *nf* (*Sport*) pass; (*Navig*) channel; **être en ~ de faire** to be on the way to doing; **être dans une mauvaise ~** to be going through a bad patch

**passé, e** [pase] *adj* (*événement*, *temps*) past; (*dernier: semaine etc*) last; (*couleur, tapisserie*) faded ▷ *prép* after ▷ *nm* past; (*Ling*) past (tense); **~ de mode** out of fashion; **~ composé** perfect (tense); **~ simple** past historic

**passe-partout** [paspaʀtu] *nm inv* master *ou* skeleton key ▷ *adj inv* all-purpose

**passeport** [paspɔʀ] *nm* passport

**passer** [pase] /1/ *vi* (*se rendre, aller*) to go; (*voiture, piétons: défiler*) to go (by); (*facteur, laitier etc*) to come, call; (*pour rendre visite*) to call *ou* drop in; (*film, émission*) to be on; (*temps, jours*) to pass, go by; (*couleur, papier*) to fade; (*mode*) to die out; (*douleur*) to pass, to go away; (*Scol*): **~ dans la classe supérieure** to go up (to the next class) ▷ *vt* (*frontière, rivière etc*) to cross; (*douane*) to go through; (*examen*) to sit, take; (*visite médicale etc*) to have; (*journée, temps*) to spend; **~ qch à qn** (*prêter*) to lend sb sth; (*lettre, message*) to pass sth on to sb; (*tolérer*) to let sb get away with sth; (*enfiler: vêtement*) to slip on; (*film, disque*) to show, put on; (*disque*) to play, put on; (*commande*) to place; (*marché,

*accord*) to agree on; **se passer** *vi* (*avoir lieu: scène, action*) to take place; (*se dérouler: entretien etc*) to go; (*arriver*): **que s'est-il passé?** what happened?; (*s'écouler: semaine etc*) to pass, go by; **se ~ de** to go *ou* do without; **~ par** to go through; **~ avant qch/qn** (*fig*) to come before sth/sb; **un coup de fil à qn** (*fam*) to give sb a ring; **laisser ~** (*air, lumière, personne*) to let through; (*occasion*) to let slip, miss; (*erreur*) to overlook; **~ à la radio/télévision** to be on the radio *ou* television; **~ à table** to sit down to eat; **~ au salon** to go through to *ou* into the sitting room; **~ son tour** to miss one's turn; **~ la seconde** (*Auto*) to change into second; **~ le balai/l'aspirateur** to sweep up/hoover; **je vous passe M. Dupont** (*je vous mets en communication avec lui*) I'm putting you through to Mr Dupont; (*je lui passe l'appareil*) here is Mr Dupont, I'll hand you over to Mr Dupont

**passerelle** [pasʀɛl] *nf* footbridge; (*de navire, avion*) gangway

**passe-temps** [pastɑ̃] *nm inv* pastime

**passif, -ive** [pasif, -iv] *adj* passive

**passion** [pasjɔ̃] *nf* passion; **passionnant, e** *adj* fascinating; **passionné, e** *adj* (*personne, tempérament*) passionate; (*description, récit*) impassioned; **être passionné de** *ou* **pour qch** to have a passion for sth; **passionner** /1/ *vt* (*personne*) to fascinate, grip

**passoire** [paswaʀ] *nf* sieve; (*à légumes*) colander; (*à thé*) strainer

**pastèque** [pastɛk] *nf* watermelon

**pasteur** [pastœʀ] *nm* (*protestant*) minister, pastor

**pastille** [pastij] *nf* (*à sucer*) lozenge, pastille

**patate** [patat] *nf* spud; **~ douce** sweet potato

**patauger** [patoʒe] /3/ *vi* to splash about

**pâte** | 198

**pâte** [pat] *nf* (*à tarte*) pastry; (*à pain*) dough; (*à frire*) batter; **pâtes** *nfpl* (*macaroni etc*) pasta *sg*; **~ d'amandes** almond paste, marzipan; **~ brisée** shortcrust (BRIT) *ou* pie crust (US) pastry; **~ à choux/feuilletée** choux/ puff *ou* flaky (BRIT) pastry; **~ de fruits** crystallized fruit *no pl*; **~ à modeler** modelling clay, Plasticine® (BRIT)

**pâté** [pate] *nm* (*charcuterie*) pâté; (*tache*) ink blot; (*de sable*) sandpie; **~ (en croûte)** ≈ meat pie; **~ de maisons** block (of houses)

**pâtée** [pate] *nf* mash, feed

**patente** [patãt] *nf* (Comm) trading licence (BRIT) *ou* license (US)

**paternel, le** [patɛrnɛl] *adj* (*amour, soins*) fatherly; (*ligne, autorité*) paternal

**pâteux, -euse** [patø, -øz] *adj* pasty; **avoir la bouche** *ou* **langue pâteuse** to have a furred (BRIT) *ou* coated tongue

**pathétique** [patetik] *adj* moving

**patience** [pasjãs] *nf* patience

**patient, e** [pasjã, -ãt] *adj, nm/f* patient; **patienter** /1/ *vi* to wait

**patin** [patɛ̃] *nm* skate; (*sport*) skating; **~s (à glace)** (ice) skates; **~s à roulettes** roller skates

**patinage** [patinaʒ] *nm* skating

**patiner** [patine] /1/ *vi* to skate; (*roue, voiture*) to spin; **se patiner** *vi* (*meuble, cuir*) to acquire a sheen; **patineur, -euse** *nm/f* skater; **patinoire** *nf* skating rink, (ice) rink

**pâtir** [patir] /2/: **~ de** *vt* to suffer because of

**pâtisserie** [patisri] *nf* (*boutique*) cake shop; (*à la maison*) pastry- *ou* cake-making, baking; **pâtisseries** *nfpl* (*gâteaux*) pastries, cakes; **pâtissier, -ière** *nm/f* pastrycook

**patois** [patwa] *nm* dialect, patois

**patrie** [patri] *nf* homeland

**patrimoine** [patrimwan] *nm* (*culture*) heritage

**patriotique** [patrijɔtik] *adj* patriotic

**patron, ne** [patrõ, -ɔn] *nm/f* boss; (*Rel*) patron saint ▷ *nm* (Couture) pattern; **patronat** *nm* employers *pl*; **patronner** /1/ *vt* to sponsor, support

**patrouille** [patruj] *nf* patrol

**patte** [pat] *nf* (*jambe*) leg; (*pied: de chien, chat*) paw; (: *d'oiseau*) foot

**pâturage** [patyraʒ] *nm* pasture

**paume** [pom] *nf* palm

**paumé, e** [pome] *nm/f* (*fam*) drop-out

**paupière** [popjɛr] *nf* eyelid

**pause** [poz] *nf* (*arrêt*) break; (*en parlant, Mus*) pause; **~ de midi** lunch break

**pauvre** [povr] *adj* poor; **les ~s** the poor; **pauvreté** *nf* (*état*) poverty

**pavé, e** [pave] *adj* (*cour*) paved; (*rue*) cobbled ▷ *nm* (*bloc*) paving stone; cobblestone

**pavillon** [pavijõ] *nm* (*de banlieue*) small (detached) house; pavilion; (*Navig*) flag

**payant, e** [pɛjã, -ãt] *adj* (*spectateurs etc*) paying; (*fig: entreprise*) profitable; (*effort*) which pays off; **c'est ~** you have to pay, there is a charge

**paye** [pɛj] *nf* pay, wages *pl*

**payer** [peje] /8/ *vt* (*créancier, employé, loyer*) to pay; (*achat, réparations, faute*) to pay for ▷ *vi* to pay; (*métier*) to be well-paid; (*effort, tactique etc*) to pay off; **il me l'a fait ~ 10 euros** he charged me 10 euros for it; **~ qch à qn** to buy sth for sb, buy sb sth; **se ~ la tête de qn** to take the mickey out of sb (BRIT)

**pays** [pei] nm country; (région) region; **du ~** local

**paysage** [peizaʒ] nm landscape

**paysan, ne** [peizɑ̃, -an] nm/f farmer; (péj) peasant ▷ adj (rural) country cpd; (agricole) farming

**Pays-Bas** [peiba] nmpl: **les ~** the Netherlands

**PC** sigle m (Inform: = personal computer) PC; = **permis de construire**; (= prêt conventionné) type of loan for house purchase

**PDA** sigle m (= personal digital assistant) PDA

**PDG** sigle m = **président directeur général**

**péage** [peaʒ] nm toll; (endroit) tollgate

**peau, x** [po] nf skin; **gants de ~** leather gloves; **être bien/mal dans sa ~** to be at ease/ill-at-ease; **~ de chamois** (chiffon) chamois leather, shammy

**péché** [peʃe] nm sin

**pêche** [pɛʃ] nf (sport, activité) fishing; (poissons pêchés) catch; (fruit) peach; **~ à la ligne** (en rivière) angling

**pécher** [peʃe] /6/ vi (Rel) to sin

**pêcher** [peʃe] /1/ vi to go fishing ▷ vt (attraper) to catch; (chercher) to fish for ▷ nm peach tree

**pêcheur, -eresse** [peʃœR, peʃRɛs] nm/f sinner

**pêcheur** [peʃœR] nm voir **pêcher** fisherman; (à la ligne) angler

**pédagogie** [pedagɔʒi] nf educational methods pl, pedagogy; **pédagogique** adj educational

**pédale** [pedal] nf pedal

**pédalo** [pedalo] nm pedal-boat

**pédant, e** [pedɑ̃, -ɑ̃t] adj (péj) pedantic ▷ nm/f pedant

**pédestre** [pedɛstR] adj: **randonnée ~** ramble, hike; **sentier ~** pedestrian footpath

**pédiatre** [pedjatR] nm/f paediatrician, child specialist

**pédicure** [pedikyR] nm/f chiropodist

**pègre** [pɛgR] nf underworld

**peigne** [pɛɲ] nm comb; **peigner** /1/ vt to comb (the hair of); **se peigner** vi to comb one's hair; **peignoir** nm dressing gown; **peignoir de bain** bathrobe

**peindre** [pɛ̃dR] /52/ vt to paint; (fig) to portray, depict

**peine** [pɛn] nf (affliction) sorrow, sadness no pl; (mal, effort) trouble no pl, effort; (difficulté) difficulty; (Jur) sentence; **faire de la ~ à qn** to distress or upset sb; **prendre la ~ de faire** to go to the trouble of doing; **se donner la ~ de** to make an effort; **ce n'est pas la ~ de faire** there's no point in doing, it's not worth doing; **avoir de la ~** to be sad; **à ~** scarcely, barely; **à ~ ... que** hardly ... than, no sooner ... than; **~ capitale** capital punishment; **~ de mort** death sentence ou penalty; **peiner** /1/ vi to work hard; to struggle; (moteur, voiture) to labour (BRIT), labor (US) ▷ vt to grieve, sadden

**peintre** [pɛ̃tR] nm painter; **~ en bâtiment** painter and decorator

**peinture** [pɛ̃tyR] nf painting; (couche de couleur, couleur) paint; (surfaces peintes: aussi: **~s**) paintwork; **"~ fraîche"** "wet paint"

**péjoratif, -ive** [peʒɔRatif, -iv] adj pejorative, derogatory

**Pékin** [pekɛ̃] n Beijing

**pêle-mêle** [pɛlmɛl] adv higgledy-piggledy

**peler** [pale] /5/ vt, vi to peel

**pèlerin** [pɛlRɛ̃] nm pilgrim

**pèlerinage** [pɛlRinaʒ] nm pilgrimage

**pelle** [pɛl] nf shovel; (d'enfant, de terrassier) spade

**pellicule** [pelikyl] nf film; **pellicules** nfpl (Méd) dandruff sg

**pelote** [pəlɔt] nf (de fil, laine) ball; **~ basque** pelota

**peloton** [pəlɔtɔ̃] nm group; squad; (Sport) pack

**pelotonner** [pəlɔtɔne] /1/: **se pelotonner** vi to curl (o.s.) up

P

**pelouse** [pəluz] nf lawn

**peluche** [pəlyʃ] nf: **animal en ~** soft toy, fluffy animal; **chien/lapin en ~** fluffy dog/rabbit

**pelure** [pəlyʀ] nf peeling, peel no pl

**pénal, e, -aux** [penal, -o] adj penal; **pénalité** nf penalty

**penchant** [pɑ̃ʃɑ̃] nm: **un ~ à faire/à qch** a tendency to do/to sth; **un ~ pour qch** a liking ou fondness for sth

**pencher** [pɑ̃ʃe] /1/ vi to tilt, to lean over ▷ vt to tilt; **se pencher** vi to lean over; (se baisser) to bend down; **se ~ sur** (fig: problème) to look into; **~ pour** to be inclined to favour (BRIT) ou favor (US)

**pendant, e** [pɑ̃dɑ̃, -ɑ̃t] adj hanging (out) ▷ prép (au cours de) during; (indiquant la durée) for; **~ que** while

**pendentif** [pɑ̃dɑ̃tif] nm pendant

**penderie** [pɑ̃dʀi] nf wardrobe

**pendre** [pɑ̃dʀ] /41/ vt, vi to hang; **se ~ (à)** (se suicider) to hang o.s. (on); **~ qch à** (mur) to hang sth (up) on; (plafond) to hang sth (up) from

**pendule** [pɑ̃dyl] nf clock ▷ nm pendulum

**pénétrer** [penetʀe] /6/ vi to come ou get in ▷ vt to penetrate; **~ dans** to enter

**pénible** [penibl] adj (astreignant) hard; (affligeant) painful; (personne, caractère) tiresome; **péniblement** adv with difficulty

**péniche** [peniʃ] nf barge

**pénicilline** [penisilin] nf penicillin

**péninsule** [penɛ̃syl] nf peninsula

**pénis** [penis] nm penis

**pénitence** [penitɑ̃s] nf (repentir) penitence; (peine) penance; **pénitencier** nm penitentiary (US)

**pénombre** [penɔ̃bʀ] nf (faible clarté) half-light; (obscurité) darkness

**pensée** [pɑ̃se] nf thought; (démarche, doctrine) thinking no pl; (Bot) pansy; **en ~** in one's mind

**penser** [pɑ̃se] /1/ vi to think ▷ vt to think; **~ à** (prévoir) to think of; (ami,

vacances) to think of ou about; **~ faire qch** to be thinking of doing sth, intend to do sth; **faire ~ à** to remind one of; **pensif, -ive** adj pensive, thoughtful

**pension** [pɑ̃sjɔ̃] nf (allocation) pension; (prix du logement) board and lodging, bed and board; (école) boarding school; **~ alimentaire** (de divorcée) maintenance allowance; alimony; **~ complète** full board; **~ de famille** boarding house, guesthouse; **pensionnaire** nm/f (Scol) boarder; **pensionnat** nm boarding school

**pente** [pɑ̃t] nf slope; **en ~** sloping

**Pentecôte** [pɑ̃tkot] nf: **la ~** Whitsun (BRIT), Pentecost

**pénurie** [penyʀi] nf shortage

**pépé** [pepe] nm (fam) grandad

**pépin** [pepɛ̃] nm (Bot: graine) pip; (fam: ennui) snag, hitch

**pépinière** [pepinjɛʀ] nf nursery

**perçant, e** [pɛʀsɑ̃, -ɑ̃t] adj (vue, regard, yeux) sharp; (cri, voix) piercing, shrill

**perce-neige** [pɛʀsənɛʒ] nm ou f inv snowdrop

**percepteur, -trice** [pɛʀseptœʀ, -tʀis] nm/f tax collector

**perception** [pɛʀsɛpsjɔ̃] nf perception; (bureau) tax (collector's) office

**percer** [pɛʀse] /3/ vt to pierce; (ouverture etc) to make; (mystère, énigme) to penetrate ▷ vi to break through; **perceuse** nf drill

**percevoir** [pɛʀsəvwaʀ] /28/ vt (distinguer) to perceive, detect; (taxe, impôt) to collect; (revenu, indemnité) to receive

**perche** [pɛʀʃ] nf (bâton) pole

**percher** [pɛʀʃe] /1/ vt, vi to perch; **se percher** vi to perch; **perchoir** nm perch

**perçois** etc [pɛʀswa] vb voir **percevoir**

**perçu, e** [pɛʀsy] pp de **percevoir**

**percussion** [pɛʀkysjɔ̃] nf percussion

**percuter** [pɛʀkyte] /1/ vt to strike; (véhicule) to crash into

**perdant, e** [pɛʀdɑ̃, -ɑ̃t] nm/f loser

**perdre** [pɛʀdʀ] /41/ vt to lose; (gaspiller: temps, argent) to waste; (personne: moralement etc) to ruin ▷ vi to lose; (sur une vente etc) to lose out; **se perdre** vi (s'égarer) to get lost, lose one's way; (se gâter) to go to waste; **je me suis perdu** (et je le suis encore) I'm lost; (et je ne le suis plus) I got lost

**perdrix** [pɛʀdʀi] nf partridge

**perdu, e** [pɛʀdy] pp de **perdre** ▷ adj (isolé) out-of-the-way; (Comm: emballage) non-returnable; (malade): **il est ~** there's no hope left for him; **à vos moments ~s** in your spare time

**père** [pɛʀ] nm father; **~ de famille** father; **le ~ Noël** Father Christmas

**perfection** [pɛʀfɛksjɔ̃] nf perfection; **à la ~** to perfection; **perfectionné, e** adj sophisticated; **perfectionner** /1/ vt to improve, perfect; **se perfectionner en anglais** to improve one's English

**perforer** [pɛʀfɔʀe] /1/ vt (ticket, bande, carte) to punch

**performant, e** [pɛʀfɔʀmɑ̃, -ɑ̃t] adj: **très ~** high-performance cpd

**perfusion** [pɛʀfyzjɔ̃] nf: **faire une ~ à qn** to put sb on a drip

**péril** [peʀil] nm peril

**périmé, e** [peʀime] adj (Admin) out-of-date, expired

**périmètre** [peʀimɛtʀ] nm perimeter

**période** [peʀjɔd] nf period; **périodique** adj periodic ▷ nm periodical; **garniture** ou **serviette périodique** sanitary towel (BRIT) ou napkin (US)

**périphérique** [peʀifeʀik] adj (quartiers) outlying ▷ nm (Auto): **(boulevard) ~** ring road (BRIT), beltway (US)

**périr** [peʀiʀ] /2/ vi to die, perish

**périssable** [peʀisabl] adj perishable

**perle** [pɛʀl] nf pearl; (de plastique, métal, sueur) bead

**permanence** [pɛʀmanɑ̃s] nf permanence; (local) (duty) office; **assurer une ~** (service public, bureaux) to operate ou maintain a basic service; **être de ~** to be on call ou duty; **en ~** continuously

**permanent, e** [pɛʀmanɑ̃, -ɑ̃t] adj permanent; (spectacle) continuous ▷ nf perm

**perméable** [pɛʀmeabl] adj (terrain) permeable; **~ à** (fig) receptive ou open to

**permettre** [pɛʀmɛtʀ] /56/ vt to allow, permit; **~ à qn de faire/qch** to allow sb to do/sth; **se ~ de faire qch** to take the liberty of doing sth

**permis** [pɛʀmi] nm permit, licence; **~ (de conduire)** (driving) licence (BRIT), (driver's) license (US); **~ de construire** planning permission (BRIT), building permit (US); **~ de séjour** residence permit; **~ de travail** work permit

**permission** [pɛʀmisjɔ̃] nf permission; (Mil) leave; **en ~** on leave; **avoir la ~ de faire** to have permission to do

**Pérou** [peʀu] nm: **le ~** Peru

**perpétuel, le** [pɛʀpetɥɛl] adj perpetual; **perpétuité** nf: **à perpétuité** for life; **être condamné à perpétuité** to be sentenced to life imprisonment

**perplexe** [pɛʀplɛks] adj perplexed, puzzled

**perquisitionner** [pɛʀkizisjɔne] /1/ vi to carry out a search

**perron** [peʀɔ̃] nm steps pl (in front of mansion etc)

**perroquet** [pɛʀɔkɛ] nm parrot

**perruche** [pɛʀyʃ] nf budgerigar (BRIT), budgie (BRIT), parakeet (US)

**perruque** [pɛʀyk] nf wig

**persécuter** [pɛʀsekyte] /1/ vt to persecute

**persévérer** [pɛʀseveʀe] /6/ vi to persevere

**persil** [pɛʀsi] nm parsley

# Persique | 202

**Persique** [pɛʀsik] *adj*: **le golfe ~** the (Persian) Gulf

**persistant, e** [pɛʀsistɑ̃, -ɑ̃t] *adj* persistent

**persister** [pɛʀsiste] /1/ *vi* to persist; **~ à faire qch** to persist in doing sth

**personnage** [pɛʀsɔnaʒ] *nm* (notable) personality; (individu) character, individual; (de roman, film) character; (Peinture) figure

**personnalité** [pɛʀsɔnalite] *nf* personality; (personnage) prominent figure

**personne** [pɛʀsɔn] *nf* person ▷ *pron* nobody, no one; (avec négation en anglais) anybody, anyone; **~ âgée** elderly person; **personnel, le** *adj* personal; (égoïste) selfish ▷ *nm* personnel; **personnellement** *adv* personally

**perspective** [pɛʀspɛktiv] *nf* (Art) perspective; (vue, coup d'œil) view; (point de vue) viewpoint, view; (chose escomptée, envisagée) prospect; **en ~** in prospect

**perspicace** [pɛʀspikas] *adj* clear-sighted, gifted with (ou showing) insight; **perspicacité** *nf* insight

**persuader** [pɛʀsɥade] /1/ *vt*: **~ qn (de/de faire)** to persuade sb (of/to do); **persuasif, -ive** *adj* persuasive

**perte** [pɛʀt] *nf* loss; (de temps) waste; (fig: morale) ruin; **à ~ de vue** as far as the eye can (ou could) see; **~s blanches** (vaginal) discharge *sg*

**pertinent, e** [pɛʀtinɑ̃, -ɑ̃t] *adj* apt, relevant

**perturbation** [pɛʀtyʀbasjɔ̃] *nf*: **~ (atmosphérique)** atmospheric disturbance

**perturber** [pɛʀtyʀbe] /1/ *vt* to disrupt; (Psych) to perturb, disturb

**pervers, e** [pɛʀvɛʀ, -ɛʀs] *adj* perverted

**pervertir** [pɛʀvɛʀtiʀ] /2/ *vt* to pervert

**pesant, e** [pəzɑ̃, -ɑ̃t] *adj* heavy; (fig: présence) burdensome

**pèse-personne** [pɛzpɛʀsɔn] *nm* (bathroom) scales *pl*

**peser** [pəze] /5/ *vt* to weigh ▷ *vi* to be heavy; (fig: avoir de l'importance) to carry weight

**pessimiste** [pesimist] *adj* pessimistic ▷ *nm/f* pessimist

**peste** [pɛst] *nf* plague

**pétale** [petal] *nm* petal

**pétanque** [petɑ̃k] *nf* type of bowls

⦿ **PÉTANQUE**

⦿ Pétanque is a version of the game
⦿ of 'boules', played on a variety of
⦿ hard surfaces. Standing with their
⦿ feet together, players throw steel
⦿ bowls at a wooden jack. Pétanque
⦿ originated in the South of France
⦿ and is still very much associated
⦿ with that area.

**pétard** [petaʀ] *nm* banger (BRIT), firecracker

**péter** [pete] /6/ *vi* (fam: casser, sauter) to bust; (fam!) to fart (!)

**pétillant, e** [petijɑ̃, -ɑ̃t] *adj* (eau) sparkling

**pétiller** [petije] /1/ *vi* (flamme, bois) to crackle; (mousse, champagne) to bubble; (yeux) to sparkle

**petit, e** [p(ə)ti, -it] *adj* small; (avec nuance affective) little; (voyage) short, little; (bruit etc) faint, slight ▷ *nm/f* (petit enfant) little one, child; **petits** *nmpl* (d'un animal) young *pl*; **faire des ~s** to have kittens (ou puppies etc); **la classe des ~s** the infant class; **les tout--s** toddlers; **~ à ~** bit by bit, gradually; **~(e) ami(e)** boyfriend/girlfriend; **les ~es annonces** the small ads; **~ déjeuner** breakfast; **~ four** petit four; **~ pain** (bread) roll; **~s pois** garden peas; **petite-fille** *nf* granddaughter; **petit-fils** *nm* grandson

**pétition** [petisjɔ̃] *nf* petition

**petits-enfants** [p(ə)tizɑ̃fɑ̃] *nmpl* grandchildren

**pétrin** [petʀɛ̃] nm (fig): **dans le ~** in a jam ou fix

**pétrir** [petʀiʀ] /2/ vt to knead

**pétrole** [petʀɔl] nm oil; (pour lampe, réchaud etc) paraffin; **pétrolier, -ière** nm oil tanker

> Attention à ne pas traduire pétrole par le mot anglais petrol.

○ **MOT-CLÉ**

**peu** [pø] adv 1 (modifiant verbe, adjectif, adverbe): **il boit peu** he doesn't drink (very) much; **il est peu bavard** he's not very talkative; **peu avant/après** shortly before/afterwards
2 (modifiant nom): **peu de**: **peu de gens/d'arbres** few ou not (very) many people/trees; **il a peu d'espoir** he hasn't (got) much hope, he has little hope; **pour peu de temps** for (only) a short while
3: **peu à peu** little by little; **à peu près** just about, more or less; **à peu près 10 kg/10 euros** approximately 10 kg/10 euros
▸ nm 1: **le peu de gens qui** the few people who; **le peu de sable qui** what little sand, the little sand which
2: **un peu** a little; **un petit peu** a little bit; **un peu d'espoir** a little hope; **elle est un peu bavarde** she's rather talkative; **un peu plus de** slightly more than; **un peu moins de** slightly less than; (avec pluriel) slightly fewer than
▸ pron: **peu le savent** few know (it); **de peu** (only) just

**peuple** [pœpl] nm people; **peupler** /1/ vt (pays, région) to populate; (étang) to stock; (hommes, poissons) to inhabit

**peuplier** [pøplije] nm poplar (tree)

**peur** [pœʀ] nf fear; **avoir ~ (de/de faire/que)** to be frightened ou afraid (of/of doing/that); **faire ~ à** to frighten; **de ~ de/que** for fear of/

that; **peureux, -euse** adj fearful, timorous

**peut** [pø] vb voir **pouvoir**

**peut-être** [pøtɛtʀ] adv perhaps, maybe; **~ que** perhaps, maybe; **~ bien qu'il fera/est** he may well do/be

**phare** [faʀ] nm (en mer) lighthouse; (de véhicule) headlight

**pharmacie** [faʀmasi] nf (magasin) chemist's (BRIT), pharmacy; (armoire) medicine chest ou cupboard; **pharmacien, ne** nm/f pharmacist (BRIT)

**phénomène** [fenɔmɛn] nm phenomenon

**philosophe** [filɔzɔf] nm/f philosopher ▷ adj philosophical

**philosophie** [filɔzɔfi] nf philosophy

**phobie** [fɔbi] nf phobia

**phoque** [fɔk] nm seal

**phosphorescent, e** [fɔsfɔʀesɑ̃, -ɑ̃t] adj luminous

**photo** [fɔto] nf photo; **prendre en ~** to take a photo of; **aimer la/faire de la ~** to like taking/take photos; **~ d'identité** passport photo; **photocopie** nf photocopy; **photocopier** /7/ vt to photocopy; **photocopieur** [fɔtɔkɔpjœʀ] nm, **photocopieuse** [fɔtɔkɔpjøz] nf (photo)copier

**photo: photographe** nm/f photographer; **photographie** nf (procédé, technique) photography; (cliché) photograph; **photographier** /7/ vt to photograph

**phrase** [fʀɑz] nf sentence

**physicien, ne** [fizisjɛ̃, -ɛn] nm/f physicist

**physique** [fizik] adj physical ▷ nm physique ▷ nf physics sg; **au ~** physically; **physiquement** adv physically

**pianiste** [pjanist] nm/f pianist

**piano** [pjano] nm piano; **pianoter** /1/ vi to tinkle away (at the piano)

**pic** [pik] nm (instrument) pick(axe); (montagne) peak; (Zool) woodpecker;

**à ~** vertically; *(fig: tomber, arriver)* just at the right time

**pichet** [piʃɛ] *nm* jug

**picorer** [pikɔʀe] /1/ *vt* to peck

**pie** [pi] *nf* magpie

**pièce** [pjɛs] *nf* *(d'un logement)* room; *(Théât)* play; *(de mécanisme, machine)* part; *(de monnaie)* coin; *(document)* document; *(de drap, fragment, d'une collection)* piece; **deux euros ~** two euros each; **vendre à la ~** to sell separately *ou* individually; **travailler/payer à la ~** to do piecework/pay piece rate; **un maillot une ~** a one-piece swimsuit; **un deux-~ cuisine** a two-room(ed) flat (BRIT) *ou* apartment (US) with kitchen; **~ à conviction** exhibit; **~ d'eau** ornamental lake *ou* pond; **~ d'identité: avez-vous une ~ d'identité?** have you got any (means of) identification?; **~ jointe** *(Inform)* attachment; **~ montée** tiered cake; **~ de rechange** spare (part); **~s détachées** spares, (spare) parts; **~s justificatives** supporting documents

**pied** [pje] *nm* foot; *(de table)* leg; *(de lampe)* base; **~s nus** barefoot; **à ~** on foot; **au ~ de la lettre** literally; **avoir ~** to be able to touch the bottom, not to be out of one's depth; **avoir le ~ marin** to be a good sailor; **sur ~** *(debout, rétabli)* up and about; **mettre sur ~** *(entreprise)* to set up; **c'est le ~!** (*fam*) it's brilliant!; **mettre les ~s dans le plat** (*fam*) to put one's foot in it; **il se débrouille comme un ~** (*fam*) he's completely useless; **pied-noir** *nm* Algerian-born Frenchman

**piège** [pjɛʒ] *nm* trap; **prendre au ~** to trap; **piéger** [pjeʒe] /3, 6/ *vt (avec une bombe)* to booby-trap; **lettre/voiture piégée** letter-/car-bomb

**piercing** [pjɛʀsiŋ] *nm* piercing

**pierre** [pjɛʀ] *nf* stone; **~ tombale** tombstone; **pierreries** *nfpl* gems, precious stones

**piétiner** [pjetine] /1/ *vi (trépigner)* to stamp (one's foot); *(fig)* to be at a standstill ▷ *vt* to trample on

**piéton, ne** [pjetɔ̃, -ɔn] *nm/f* pedestrian; **piétonnier, -ière** *adj* pedestrian *cpd*

**pieu, x** [pjø] *nm* post; *(pointu)* stake

**pieuvre** [pjœvʀ] *nf* octopus

**pieux, -euse** [pjø, -øz] *adj* pious

**pigeon** [piʒɔ̃] *nm* pigeon

**piger** [piʒe] /3/ *vi (fam)* to get it ▷ *vt* (*fam*) to get

**pigiste** [piʒist] *nm/f* freelance journalist *(paid by the line)*

**pignon** [piɲɔ̃] *nm (de mur)* gable

**pile** [pil] *nf (tas, pile)* pile; *(Élec)* battery ▷ *adv (net, brusquement)* dead; **à deux heures ~** at two on the dot; **jouer à ~ ou face** to toss up (for it); **~ ou face?** heads or tails?

**piler** [pile] /1/ *vt* to crush, pound

**pilier** [pilje] *nm* pillar

**piller** [pije] /1/ *vt* to pillage, plunder, loot

**pilote** [pilɔt] *nm* pilot; *(de char, voiture)* driver ▷ *adj* pilot *cpd*; **~ de chasse/d'essai/de ligne** fighter/ test/airline pilot; **~ de course** racing driver; **piloter** /1/ *vt (navire)* to pilot; *(avion)* to fly; *(automobile)* to drive

**pilule** [pilyl] *nf* pill; **prendre la ~** to be on the pill

**piment** [pimã] *nm (Bot)* pepper, capsicum; *(fig)* spice, piquancy; **~ rouge** *(Culin)* chilli; **pimenté, e** *adj* (plat) hot and spicy

**pin** [pɛ̃] *nm* pine (tree)

**pinard** [pinaʀ] *nm (fam)* (cheap) wine, plonk (BRIT)

**pince** [pɛ̃s] *nf (outil)* pliers *pl*; *(de homard, crabe)* pincer, claw; *(Couture: pli)* dart; **~ à épiler** tweezers *pl*; **~ à linge** clothes peg (BRIT) *ou* pin (US)

**pincé, e** [pɛ̃se] *adj (air)* stiff

**pinceau, x** [pɛ̃so] *nm* (paint)brush

**pincer** [pɛ̃se] /3/ *vt* to pinch; *(fam)* to nab

**pinède** [pinɛd] nf pinewood, pine forest

**pingouin** [pɛ̃gwɛ̃] nm penguin

**ping-pong** [piŋpɔ̃g] nm table tennis

**pinson** [pɛ̃sɔ̃] nm chaffinch

**pintade** [pɛ̃tad] nf guinea-fowl

**pion, ne** [pjɔ̃, pjɔn] nm/f (Scol: péj) student paid to supervise schoolchildren ▷ nm (Échecs) pawn; (Dames) piece

**pionnier** [pjɔnje] nm pioneer

**pipe** [pip] nf pipe; **fumer la ou une ~** to smoke a pipe

**piquant, e** [pikɑ̃, -ɑ̃t] adj (barbe, rosier etc) prickly; (saveur, sauce) pungent; (fig: détail) titillating; (: mordant, caustique) biting ▷ nm (épine) thorn, prickle; (fig) spiciness, spice

**pique** [pik] nf pike; (fig): **envoyer** ou **lancer des ~s à qn** to make cutting remarks to sb ▷ nm (Cartes) spades pl

**pique-nique** [piknik] nm picnic; **pique-niquer** /1/ vi to (have a) picnic

**piquer** [pike] /1/ vt (percer) to prick; (Méd) to give an injection to; (: animal blessé etc) to put to sleep; (insecte, fumée, ortie) to sting; (moustique) to bite; (froid) to bite; (intérêt etc) to arouse; (fam: voler) to pinch ▷ vi (oiseau, avion) to go into a dive

**piquet** [pike] nm (pieu) post, stake; (de tente) peg

**piqûre** [pikyʀ] nf (d'épingle) prick; (d'ortie) sting; (de moustique) bite; (Méd) injection, shot (US); **faire une ~ à qn** to give sb an injection

**pirate** [piʀat] adj nm pirate; **~ de l'air** hijacker

**pire** [piʀ] adj worse; (superlatif): **le (la) ~ ...** the worst ... ▷ nm: **le ~ (de)** the worst (of); **au ~** at the (very) worst

**pis** [pi] nm (de vache) udder ▷ adj, adv worse; **de mal en ~** from bad to worse

**piscine** [pisin] nf (swimming) pool; **~ couverte** indoor (swimming) pool

**pissenlit** [pisɑ̃li] nm dandelion

**pistache** [pistaʃ] nf pistachio (nut)

**piste** [pist] nf (d'un animal, sentier) track, trail; (indice) lead; (de stade, de magnétophone) track; (de cirque) ring; (de danse) floor; (de patinage) rink; (de ski) run; (Aviat) runway; **~ cyclable** cycle track

**pistolet** [pistɔlɛ] nm (arme) pistol, gun; (à peinture) spray gun; **pistolet-mitrailleur** nm submachine gun

**piston** [pistɔ̃] nm (Tech) piston; **avoir du ~** (fam) to have friends in the right places; **pistonner** /1/ vt (candidat) to pull strings for

**piteux, -euse** [pitø, -øz] adj pitiful, sorry (avant le nom); **en ~ état** in a sorry state

**pitié** [pitje] nf pity; **il me fait ~** I feel sorry for him; **avoir ~ de** (compassion) to pity, feel sorry for; (merci) to have pity ou mercy on

**pitoyable** [pitwajabl] adj pitiful

**pittoresque** [pitɔʀɛsk] adj picturesque

**pizza** [pidza] nf pizza

**PJ** sigle f (= police judiciaire) ≈ CID (BRIT), ≈ FBI (US)

**placard** [plakaʀ] nm (armoire) cupboard; (affiche) poster, notice

**P**

**place** [plas] nf (emplacement, situation, classement) place; (de ville, village) square; (espace libre) room, space; (de parking) space; (siège: de train, cinéma, voiture) seat; (emploi) job; **en ~** (mettre) in its place; **sur ~** on the spot; **faire ~ à** to give way to; **ça prend de la ~** it takes up a lot of room ou space; **à la ~ de** in place of, instead of; **à votre ~ ...** if I were you ...; **se mettre à la ~ de qn** to put o.s. in sb's place ou in sb's shoes

**placé, e** [plase] adj: **haut ~** (fig) high-ranking; **être bien/mal ~** to be well/badly placed; (spectateur) to have a good/bad seat; **il est bien ~ pour le savoir** he is in a position to know

**placement** [plasmɑ̃] nm (Finance) investment; **agence** ou **bureau de ~** employment agency

**placer** [plase] /3/ *vt* to place; (*convive, spectateur*) to seat; (*capital, argent*) to place, invest; **se ~ au premier rang** to go up and stand (*ou* sit) in the first row

**plafond** [plafɔ̃] *nm* ceiling

**plage** [plaʒ] *nf* beach; **~ arrière** (*Auto*) parcel *ou* back shelf

**plaider** [plede] /1/ *vi* (*avocat*) to plead ▷ *vt* to plead; **~ pour** (*fig*) to speak for; **plaidoyer** *nm* (*Jur*) speech for the defence (*BRIT*) *ou* defense (*US*); (*fig*) plea

**plaie** [plɛ] *nf* wound

**plaignant, e** [plɛɲɑ̃, -ɑ̃t] *nm/f* plaintiff

**plaindre** [plɛ̃dʀ] /52/ *vt* to pity, feel sorry for; **se plaindre** *vi* (*gémir*) to moan; (*protester, rouspéter*) **se ~ (à qn) (de)** to complain (to sb) (about); **se ~ de** (*souffrir*) to complain of

**plaine** [plɛn] *nf* plain

**plain-pied** [plɛ̃pje] *adv*: **de ~ (avec)** on the same level (as)

**plaint, e** [plɛ̃, -ɛ̃t] *pp de* **plaindre** ▷ *nf* (*gémissement*) moan, groan; (*doléance*) complaint; **porter ~e** to lodge a complaint

**plaire** [plɛʀ] /54/ *vi* to be a success, be successful; **cela me plaît** I like it; **ça plaît beaucoup aux jeunes** it's very popular with young people; **se ~ quelque part** to like being somewhere; **s'il vous plaît, s'il te plaît** please

**plaisance** [plɛzɑ̃s] *nf* (*aussi*: **navigation de ~**) (pleasure) sailing, yachting

**plaisant, e** [plɛzɑ̃, -ɑ̃t] *adj* pleasant; (*histoire, anecdote*) amusing

**plaisanter** [plɛzɑ̃te] /1/ *vi* to joke; **plaisanterie** *nf* joke

**plaisir** [plɛziʀ] *nm* pleasure; **faire ~ à qn** (*délibérément*) to be nice to sb, please sb; **ça me fait ~** I'm delighted *ou* very pleased with this; **j'espère que ça te fera ~** I hope you'll like it; **pour le** *ou* **pour son** *ou* **par ~** for pleasure

**plaît** [plɛ] *vb voir* **plaire**

**plan, e** [plɑ̃, -an] *adj* flat ▷ *nm* plan; (*fig*) level, plane; (*Ciné*) shot; **au premier/second ~** in the foreground/ middle distance; **à l'arrière ~** in the background; **~ d'eau** lake

**planche** [plɑ̃ʃ] *nf* (*pièce de bois*) plank, (wooden) board; (*illustration*) plate; **~ à repasser** ironing board; **~ à roulettes** skateboard; **~ à voile** (*sport*) windsurfing

**plancher** [plɑ̃ʃe] *nm* floor; (*planches*) floorboards *pl* ▷ *vi* to work hard

**planer** [plane] /1/ *vi* to glide; (*fam: rêveur*) to have one's head in the clouds; **~ sur** (*danger*) to hang over

**planète** [planɛt] *nf* planet

**planeur** [planœʀ] *nm* glider

**planifier** [planifje] /7/ *vt* to plan

**planning** [planiŋ] *nm* programme, schedule; **~ familial** family planning

**plant** [plɑ̃] *nm* seedling, young plant

**plante** [plɑ̃t] *nf* plant;

**~ d'appartement** house *ou* pot plant; **~ du pied** sole (of the foot); **~ verte** house plant

**planter** [plɑ̃te] /1/ *vt* (*plante*) to plant; (*enfoncer*) to hammer *ou* drive in; (*tente*) to put up, pitch; (*fam: mettre*) to dump; **se planter** *vi* (*fam: se tromper*) to get it wrong; (*: ordinateur*) to crash

**plaque** [plak] *nf* plate; (*de verglas, d'eczéma*) patch; (*avec inscription*) plaque; **~ chauffante** hotplate; **~ de chocolat** bar of chocolate; **~ tournante** (*fig*) centre

**plaqué, e** [plake] *adj*: **~ or/argent** gold-/silver-plated

**plaquer** [plake] /1/ *vt* (*Rugby*) to bring down; (*fam: laisser tomber*) to drop

**plaquette** [plakɛt] *nf* (*de chocolat*) bar; (*de beurre*) packet; **~ de frein** brake pad

**plastique** [plastik] *adj* ▷ *nm* plastic ▷ *nf* plastic arts *pl*; (*d'une statue*) modelling; **plastiquer** /1/ vt to blow up

**plat, e** [pla, -at] adj flat; (style) flat, dull ▷ nm (récipient, Culin) dish; (d'un repas) course; **à ~ ventre** face down; **~ cuisiné** pre-cooked meal (ou dish); **du jour** dish of the day; **~ principal** ou **de résistance** main course

**platane** [platan] nm plane tree

**plateau, x** [plato] nm (support) tray; (Géo) plateau; (Ciné) set; **à ~ fromages** cheeseboard

**plate-bande** [platbãd] nf flower bed

**plate-forme** [platfɔʀm] nf platform; **~ de forage/pétrolière** drilling/oil rig

**platine** [platin] nm platinum ▷ nf (d'un tourne-disque) turntable; **~ laser** ou **compact-disc** compact disc (player)

**plâtre** [plɑtʀ] nm (matériau) plaster; (statue) plaster statue; (Méd) (plaster) cast; **avoir un bras dans le ~** to have an arm in plaster

**plein, e** [plɛ̃, -ɛn] adj full ▷ nm: **faire le ~ (d'essence)** to fill up (with petrol (BRIT) ou gas (US)); **à ~es mains** (ramasser) in handfuls; **à ~ temps** full-time; **en ~ air** in the open air; **en ~ soleil** in direct sunlight; **en ~ e nuit/rue** in the middle of the night/street; **en ~ jour** in broad daylight

**pleurer** [plœʀe] /1/ vi to cry; (yeux) to water ▷ vt to mourn (for); **~ sur** to lament (over), bemoan

**pleurnicher** [plœʀniʃe] /1/ vi to snivel, whine

**pleurs** [plœʀ] nmpl: **en ~** in tears

**pleut** [plø] vb voir **pleuvoir**

**pleuvoir** [pløvwaʀ] /23/ vb impers to rain ▷ vi (coups) to rain down; (critiques, invitations) to shower down; **il pleut** it's raining; **il pleut des cordes** ou **à verse** ou **à torrents** it's pouring (down), it's raining cats and dogs

**pli** [pli] nm fold; (de jupe) pleat; (de pantalon) crease

**pliant, e** [plijã, -ãt] adj folding

**plier** [plije] /7/ vt to fold; (pour ranger) to fold up; (genou, bras) to bend ▷ vi to bend; (fig) to yield; **se ~ à** to submit to

**plisser** [plise] /1/ vt (yeux) to screw up; (front) to furrow; (jupe) to put pleats in

**plomb** [plɔ̃] nm (métal) lead; (d'une cartouche) (lead) shot; (Pêche) sinker; (Élec) fuse; **sans ~** (essence) unleaded

**plomberie** [plɔ̃bʀi] nf plumbing

**plombier** [plɔ̃bje] nm plumber

**plonge** [plɔ̃ʒ] nf: **faire la ~** to be a washer-up (BRIT) ou dishwasher (person)

**plongeant, e** [plɔ̃ʒã, -ãt] adj (vue) from above; (tir, décolleté) plunging

**plongée** [plɔ̃ʒe] nf (Sport) diving no pl; (: sans scaphandre) skin diving; **~ sous-marine** diving

**plongeoir** [plɔ̃ʒwaʀ] nm diving board

**plongeon** [plɔ̃ʒɔ̃] nm dive

**plonger** [plɔ̃ʒe] /3/ vi to dive ▷ vt: **~ qch dans** to plunge sth into; **se ~ dans** (études, lecture) to bury ou immerse o.s. in; **plongeur, -euse** [plɔ̃ʒœʀ, -øz] nm/f diver

**plu** [ply] pp de **plaire**; **pleuvoir**

**pluie** [plɥi] nf rain

**plume** [plym] nf feather; (pour écrire) (pen) nib; (fig) pen

**plupart** [plypaʀ]: **la ~** pron the majority, most (of them); **la ~ des** most, the majority of; **la ~ du temps/d'entre nous** most of the time/of us; **pour la ~** for the most part, mostly

**pluriel** [plyʀjɛl] nm plural

**plus**<sup>1</sup> [ply] vb voir **plaire**

**MOT-CLÉ**

**plus**<sup>2</sup> [ply] adv **1** (forme négative): **ne ... plus** no more, no longer; **je n'ai plus d'argent** I've got no more money ou no money left; **il ne travaille plus** he's no longer working, he doesn't work any more

**2** [ply, plyz + *voyelle*] (*comparatif*) more, ...+er; (*superlatif*): **le plus** the most, the ...+est; **plus grand/intelligent (que)** bigger/more intelligent (than); **le plus grand/intelligent** the biggest/most intelligent; **tout au plus** at the very most

**3** [plys, plyz + *voyelle*] (*davantage*) more; **il travaille plus (que)** he works more (than); **plus il travaille, plus il est heureux** the more he works, the happier he is; **plus de 10 personnes/trois heures/quatre kilos** more than 10 people/three hours/four kilos; **trois heures de plus** three hours more than; **de plus** what's more, moreover; **il a trois ans de plus que moi** he's three years older than me; **trois kilos en plus** three kilos more; **en plus de** in addition to; **de plus en plus** more and more; **plus ou moins** more or less; **ni plus ni moins** no more, no less

▷ *prép* [plys]: **quatre plus deux** four plus two

**plusieurs** [plyzjœʀ] *adj*, *pron* several; **ils sont ~** there are several of them

**plus-value** [plyvaly] *nf* (*bénéfice*) capital gain

**plutôt** [plyto] *adv* rather; **je ferais ~ ceci** I'd rather ou sooner do this; **~ que (de) faire** rather than ou instead of doing

**pluvieux, -euse** [plyvjø, -øz] *adj* rainy, wet

**PME** *sigle fpl* (= *petites et moyennes entreprises*) small businesses

**PMU** *sigle m* (= *pari mutuel urbain*) (*dans un café*) betting agency

**PNB** *sigle m* (= *produit national brut*) GNP

**pneu** [pnø] *nm* tyre (BRIT), tire (US)

**pneumonie** [pnømɔni] *nf* pneumonia

**poche** [pɔʃ] *nf* pocket; (*sous les yeux*) bag, pouch; **argent de ~** pocket money

**pochette** [pɔʃɛt] *nf* (*d'aiguilles etc*) case; (*de femme*) clutch bag; (*mouchoir*) breast pocket handkerchief; **~ de disque** record sleeve

**podcast** [pɔdkast] *nm* podcast; **podcaster** /ı/ *vi* to podcast

**poêle** [pwal] *nm* stove ▷ *nf*: **~ (à frire)** frying pan

**poème** [pɔɛm] *nm* poem

**poésie** [pɔezi] *nf* (*poème*) poem; (*art*): **la ~** poetry

**poète** [pɔɛt] *nm* poet

**poids** [pwa] *nm* weight; (*Sport*) shot; **vendre au ~** to sell by weight; **perdre/prendre du ~** to lose/put on weight; **~ lourd** (*camion*) (big) lorry (BRIT), truck (US)

**poignant, e** [pwaɲɑ̃, -ɑ̃t] *adj* poignant

**poignard** [pwaɲaʀ] *nm* dagger; **poignarder** /ı/ *vt* to stab, knife

**poigne** [pwaɲ] *nf* grip; **avoir de la ~** (*fig*) to rule with a firm hand

**poignée** [pwaɲe] *nf* (*de sel etc, fig*) handful; (*de couvercle, porte*) handle; **~ de main** handshake

**poignet** [pwaɲɛ] *nm* (Anat) wrist; (*de chemise*) cuff

**poil** [pwal] *nm* (Anat) hair; (*de pinceau, brosse*) bristle; (*de tapis, tissu*) strand; (*pelage*) coat; **à ~** (*fam*) starkers; **au ~** (*fam*) hunky-dory; **poilu, e** *adj* hairy

**poinçonner** /ı/ *vt* (*bijou etc*) to hallmark; (*billet, ticket*) to punch

**poing** [pwɛ̃] *nm* fist; **coup de ~** punch

**point** [pwɛ̃] *nm* (*tache*) spot; (*de ponctuation*) full stop, period (US); (*Couture, Tricot*) stitch ▷ *adv* = **pas¹**; **faire le ~** (*fig*) to take stock (of the situation); **sur le ~ de faire** (just) about to do; **à tel ~ que** so much so that; **mettre au ~** (*mécanisme, procédé*) to develop;

(*affaire*) to settle; **à ~** (*Culin: viande*) medium; **à ~ (nommé)** just at the right time; **deux ~s** colon; **~ (de côté)** stitch (*pain*); **~ d'exclamation** exclamation mark; **~ faible** weak spot; **~ final** full stop, period (us); **~ d'interrogation** question mark; **~ mort; au ~ mort** (*Auto*) in neutral; **~ de repère** landmark; (*dans le temps*) point of reference; **~ de vente** retail outlet; **~ de vue** viewpoint; (*fig: opinion*) point of view; **~s cardinaux** cardinal points; **~s de suspension** suspension points

**pointe** [pwɛt] *nf* point; (*clou*) tack; **une ~ d'ail/d'accent** a touch ou hint of garlic/of an accent; **être à la ~ de** (*fig*) to be in the forefront of; **sur la ~ des pieds** on tiptoe; **en ~** *adj* pointed, tapered; **de ~** (*technique etc*) leading; **heures/jours de ~** = peak hours/days

**pointer** [pwɛte] /1/ *vt* (*diriger: canon, longue-vue, doigt*): **~ vers qch, ~ sur qch** to point at sth ▷ *vi* (*employé*) to clock in ou on

**pointeur, -euse** [pwɛtœʀ, -øz] *nf* timeclock ▷ *nm* (*Inform*) cursor

**pointillé** [pwɛtije] *nm* (*trait*) dotted line

**pointilleux, -euse** [pwɛtijø, -øz] *adj* particular, pernickety

**pointu, e** [pwɛty] *adj* pointed; (*voix*) shrill; (*analyse*) precise

**pointure** [pwɛtyʀ] *nf* size

**point-virgule** [pwɛ̃viʀgyl] *nm* semi-colon

**poire** [pwaʀ] *nf* pear; (*fam, péj*) mug

**poireau, x** [pwaʀo] *nm* leek

**poirier** [pwaʀje] *nm* pear tree

**pois** [pwa] *nm* (*Bot*) pea; (*sur une étoffe*) dot, spot; **à ~** (*cravate etc*) spotted, polka-dot *cpd*; **~ chiche** chickpea

**poison** [pwazɔ̃] *nm* poison

**poisseux, -euse** [pwaso, -øz] *adj* sticky

**poisson** [pwasɔ̃] *nm* fish *gén inv*; **les P~s** (*Astrologie: signe*) Pisces; **~ d'avril**

April fool; (*blague*) April fool's day trick; *see note* "**poisson d'avril**"; **~ rouge** goldfish; **poissonnerie** *nf* fishmonger's; **poissonnier, -ière** *nm/f* fishmonger (BRIT), fish merchant (US)

● **POISSON D'AVRIL**

● The traditional April Fools'
● Day prank in France involves
● attaching a cut-out paper fish,
● known as a 'poisson d'avril', to the
● back of one's victim, without being
● caught.

**poitrine** [pwatʀin] *nf* chest; (*seins*) bust, bosom; (*Culin*) breast

**poivre** [pwavʀ] *nm* pepper

**poivron** [pwavʀɔ̃] *nm* pepper, capsicum

**polaire** [pɔlɛʀ] *adj* polar

**pôle** [pol] *nm* (*Géo, Élec*) pole; **le ~ Nord/Sud** the North/South Pole

**poli, e** [pɔli] *adj* polite; (*lisse*) smooth

**police** [pɔlis] *nf* police; **~ judiciaire (PJ)** = Criminal Investigation Department (CID) (BRIT), ≈ Federal Bureau of Investigation (FBI) (US); **~ secours** ≈ emergency services *pl* (BRIT), ≈ paramedics *pl* (US); **policier, -ière** *adj* police *cpd* ▷ *nm* policeman; (*aussi:* **roman policier**) detective novel

**polir** [pɔliʀ] /2/ *vt* to polish

**politesse** [pɔlites] *nf* politeness

**politicien, ne** [pɔlitisjɛ̃, -ɛn] *nm/f* (*péj*) politician

**politique** [pɔlitik] *adj* political ▷ *nf* politics *sg*; (*principes, tactique*) policies *pl*

**politiquement** [pɔlitikmɑ̃] *adv* politically; **~ correct** politically correct

**pollen** [pɔlɛn] *nm* pollen

**polluant, e** [pɔluɑ̃, -ɑ̃t] *adj* polluting ▷ *nm* pollutant; **non ~** non-polluting

**polluer** [pɔlɥe] /1/ vt to pollute;
**pollution** nf pollution

**polo** [pɔlo] nm (tricot) polo shirt

**Pologne** [pɔlɔɲ] nf: **la ~** Poland;
**polonais, e** adj Polish ▷ nm (Ling)
Polish ▷ nm/f: **Polonais, e** Pole

**poltron, ne** [pɔltrɔ̃, -ɔn] adj
cowardly

**polycopier** [pɔlikɔpje] /7/ vt to
duplicate

**Polynésie** [pɔlinezi] nf: **la ~** Polynesia;
**la ~ française** French Polynesia

**polyvalent, e** [pɔlivalɑ̃, -ɑ̃t] adj
(rôle) varied; (salle) multi-purpose

**pommade** [pɔmad] nf ointment,
cream

**pomme** [pɔm] nf apple; **tomber
dans les ~s** (fam) to pass out;
**~ d'Adam** Adam's apple; **~ de pin**
pine ou fir cone; **~ de terre** potato; **~s
vapeur** boiled potatoes

**pommette** [pɔmɛt] nf cheekbone

**pommier** [pɔmje] nm apple tree

**pompe** [pɔ̃p] nf pump; (faste)
pomp (and ceremony); **~ à eau/
essence** water/petrol pump; **~s
funèbres** undertaker's sg, funeral
parlour sg; **pomper** /1/ vt to pump;
(aspirer) to pump up; (absorber) to
soak up

**pompeux, -euse** [pɔ̃pø, -øz] adj
pompous

**pompier** [pɔ̃pje] nm fireman

**pompiste** [pɔ̃pist] nm/f petrol (BRIT)
ou gas (US) pump attendant

**poncer** [pɔ̃se] /3/ vt to sand (down)

**ponctuation** [pɔ̃ktɥasjɔ̃] nf
punctuation

**ponctuel, le** [pɔ̃ktɥel] adj punctual

**pondéré, e** [pɔ̃dere] adj level-
headed, composed

**pondre** [pɔ̃dʀ] /41/ vt to lay

**poney** [pɔnɛ] nm pony

**pont** [pɔ̃] nm bridge; (Navig) deck;
**faire le ~** to take the extra day off;
see note **"faire le pont"**; **~ suspendu**
suspension bridge; **pont-levis** nm
drawbridge

● **FAIRE LE PONT**
●
● The expression 'faire le pont' refers
● to the practice of taking a Monday
● or Friday off to make a long
● weekend if a public holiday falls on
● a Tuesday or Thursday. The French
● commonly take an extra day off
● work to give four consecutive days'
● holiday at 'l'Ascension', 'le 14 juillet'
● and 'le 15 août'.

**pop** [pɔp] adj inv pop

**populaire** [pɔpylɛʀ] adj popular;
(manifestation) mass cpd; (milieux,
clientèle) working-class; (mot etc) used
by the lower classes (of society)

**popularité** [pɔpylaʀite] nf
popularity

**population** [pɔpylasjɔ̃] nf population

**populeux, -euse** [pɔpylø, -øz] adj
densely populated

**porc** [pɔʀ] nm pig; (Culin) pork

**porcelaine** [pɔʀsəlɛn] nf porcelain,
china; (objet) piece of china(ware)

**porc-épic** [pɔʀkepik] nm porcupine

**porche** [pɔʀʃ] nm porch

**porcherie** [pɔʀʃəʀi] nf pigsty

**pore** [pɔʀ] nm pore

**porno** [pɔʀno] adj porno ▷ nm porn

**port** [pɔʀ] nm harbour, port; (ville)
port; (de l'uniforme etc) wearing;
(pour lettre) postage; (pour colis,
aussi: posture) carriage; **~ d'arme**
(Jur) carrying of a firearm; **~ payé**
postage paid

**portable** [pɔʀtabl] adj (portatif)
portable; (téléphone) mobile
▷ nm (Inform) laptop (computer);
(téléphone) mobile (phone)

**portail** [pɔʀtaj] nm gate

**portant, e** [pɔʀtɑ̃, -ɑ̃t] adj: **bien/
mal ~** in good/poor health

**portatif, -ive** [pɔʀtatif, -iv] adj
portable

**porte** [pɔʀt] nf door; (de ville,
forteresse) gate; **mettre à la ~** to
throw out; **~ d'entrée** front door

**porté, e** [pɔʀte] *adj*: **être ~ à faire qch** to be apt to do sth; **être ~ sur qch** to be partial to sth

**porte: porte-avions** *nm inv* aircraft carrier; **porte-bagages** *nm inv* luggage rack (*ou* basket *etc*); **porte-bonheur** *nm inv* lucky charm; **porte-clefs** *nm inv* key ring; **porte-documents** *nm inv* attaché *ou* document case

**portée** [pɔʀte] *nf* (*d'une arme*) range; (*fig: importance*) impact, import; (*: capacités*) scope, capability; (*de chatte etc*) litter; (*Mus*) stave, staff; **à/hors de ~ (de)** within/out of reach (of); **à ~ de (la) main** within (arm's) reach; **à la ~ de qn** (*fig*) at sb's level, within sb's capabilities

**porte: portefeuille** *nm* wallet; **portemanteau, x** *nm* coat rack; (*cintre*) coat hanger; **porte-monnaie** *nm inv* purse; **porte-parole** *nm inv* spokesperson

**porter** [pɔʀte] /1/ *vt* to carry; (*sur soi: vêtement, barbe, bague*) to wear; (*fig: responsabilité etc*) to bear, carry; (*inscription, marque, titre, patronyme, fruits, fleurs*) to bear; (*coup*) to deal; (*attention*) to turn; (*apporter*): **~ qch quelque part/à qn** to take sth somewhere/to sb ▷ *vi* to carry; (*coup, argument*) to hit home; **se porter** *vi* (*se sentir*): **se ~ bien/mal** to be well/unwell; ▷ *vt* to concern; **se faire ~ malade** to report sick

**porteur, -euse** [pɔʀtœʀ, -øz] *nm/f* ▷ *nm* (*de bagages*) porter; (*de chèque*) bearer

**porte-voix** [pɔʀtəvwa] *nm inv* megaphone

**portier** [pɔʀtje] *nm* doorman

**portière** [pɔʀtjɛʀ] *nf* door

**portion** [pɔʀsjɔ̃] *nf* (*part*) portion, share; (*partie*) portion, section

**porto** [pɔʀto] *nm* port (wine)

**portrait** [pɔʀtʀɛ] *nm* portrait; (*photographie*) photograph; **portrait-robot** *nm* Identikit® *ou* Photo-fit® (*BRIT*) picture

**portuaire** [pɔʀtɥɛʀ] *adj* port *cpd*, harbour *cpd*

**portugais, e** [pɔʀtygɛ, -ɛz] *adj* Portuguese ▷ *nm* (*Ling*) Portuguese ▷ *nm/f*: **P~, e** Portuguese

**Portugal** [pɔʀtygal] *nm*: **le ~** Portugal

**pose** [poz] *nf* (*de moquette*) laying; (*attitude, d'un modèle*) pose; (*Photo*) exposure

**posé, e** [poze] *adj* calm

**poser** [poze] /1/ *vt* (*poser à terre*) to put down, to put; (*déposer, installer: moquette, carrelage*) to lay; (*rideaux, papier peint*) to hang; (*question*) to ask; (*principe, conditions*) to lay *ou* set down; (*problème*) to formulate; (*difficulté*) to pose ▷ *vi* (*modèle*) to pose; **se poser** *vi* (*oiseau, avion*) to land; (*question*) to arise; **~ qch (sur)** to put sth down (on); **~ qn à** to drop sb at; **~ qch sur qch/quelque part** to put sth on sth/somewhere; **~ sa candidature à un poste** to apply for a post

**positif, -ive** [pozitif, -iv] *adj* positive

**position** [pozisjɔ̃] *nf* position; **prendre ~** (*fig*) to take a stand

**posologie** [pozɔlɔʒi] *nf* dosage

**posséder** [posede] /6/ *vt* to own, possess; (*qualité, talent*) to have, possess; (*sexuellement*) to possess; **possession** *nf* ownership *no pl*; possession; **être en possession de qch** to be in possession of sth; **prendre possession de qch** to take possession of sth

**possibilité** [posibilite] *nf* possibility; **possibilités** *nfpl* potential *sg*

**possible** [posibl] *adj* possible; (*projet, entreprise*) feasible ▷ *nm*: **faire son ~** to do all one can, to do one's utmost; **le plus/moins de livres ~** as many/few books as possible; **le plus vite ~** as quickly as possible; **dès que ~** as soon as possible

**P**

**postal, e, -aux** [pɔstal, -o] *adj* postal
**poste¹** [pɔst] *nf* (*service*) post, postal
service; (*administration, bureau*)
post office; **mettre à la ~** to post;
**~ restante (PR)** poste restante
(BRIT), general delivery (US)
**poste²** [pɔst] *nm* (*fonction, Mil*)
post; (*Tél*) extension; (*de radio etc*)
set; **~ d'essence** filling station; **~
d'incendie** fire point; **~ de pilotage**
cockpit, flight deck; **~ (de police)**
police station; **~ de secours** first-
aid post
**poster** /1/ *vt* [pɔste] to post ▷ *nm*
[pɔstɛʀ] poster
**postérieur, e** [pɔsteʀjœʀ] *adj* (*date*)
later; (*partie*) back ▷ *nm* (*fam*) behind
**postuler** [pɔstyle] /1/ *vi*: **~ à ou pour
un emploi** to apply for a job
**pot** [po] *nm* (*en verre*) jar; (*en terre*)
pot; (*en plastique, carton*) carton; (*en
métal*) tin; (*fam: chance*) luck; **avoir
du ~** to be lucky; **boire ou prendre
un ~** (*fam*) to have a drink; **petit
~ (pour bébé)** (jar of) baby food;
**~ catalytique** catalytic converter;
**~ d'échappement** exhaust pipe
**potable** [pɔtabl] *adj*: **eau (non) ~**
(not) drinking water
**potage** [pɔtaʒ] *nm* soup; **potager,
-ère** *adj*: **(jardin) potager** kitchen *ou*
vegetable garden
**pot-au-feu** [pɔtofø] *nm inv* (beef)
stew
**pot-de-vin** [pɔdvɛ̃] *nm* bribe
**pote** [pɔt] *nm* (*fam*) pal
**poteau, x** [pɔto] *nm* post;
**~ indicateur** signpost
**potelé, e** [pɔtle] *adj* plump, chubby
**potentiel, le** [pɔtɑ̃sjɛl] *adj, nm*
potential
**poterie** [pɔtʀi] *nf* pottery; (*objet*)
piece of pottery
**potier, -ière** [pɔtje, -jɛʀ] *nm/f*
potter
**potiron** [pɔtiʀɔ̃] *nm* pumpkin
**pou, x** [pu] *nm* louse
**poubelle** [pubɛl] *nf* (dust)bin

**pouce** [pus] *nm* thumb
**poudre** [pudʀ] *nf* powder; (*fard*)
(face) powder; (*explosif*) gunpowder;
**en ~: café en ~** instant coffee; **lait en
~** dried *ou* powdered milk
**poudreux, -euse** [pudʀø, -øz] *adj*
dusty; (*neige*) powder *cpd*
**poudre: poudrier** [pudʀije] *nm*
(powder) compact
**pouffer** [pufe] /1/ *vi*: **~ (de rire)** to
burst out laughing
**poulailler** [pulaje] *nm* henhouse
**poulain** [pulɛ̃] *nm* foal; (*fig*) protégé
**poule** [pul] *nf* hen; (*Culin*) (boiling)
fowl; **~ mouillée** coward
**poulet** [pulɛ] *nm* chicken; (*fam*) cop
**poulie** [puli] *nf* pulley
**pouls** [pu] *nm* pulse; **prendre le ~ de
qn** to take sb's pulse
**poumon** [pumɔ̃] *nm* lung
**poupée** [pupe] *nf* doll
**pour** [puʀ] *prép* for ▷ *nm*: **le ~ et le
contre** the pros and cons; **~ faire**
(so as) to do, in order to do; **~ avoir
fait** for having done; **~ que** so that,
in order that; **fermé ~ (cause de)
travaux** closed for refurbishment *ou*
alterations; **c'est ~ ça que ...** that's
why ...; **~ quoi faire?** what for?; **~ 20
euros d'essence** 20 euros' worth
of petrol; **~ cent** per cent; **~ ce qui
est de** as for
**pourboire** [puʀbwaʀ] *nm* tip
**pourcentage** [puʀsɑ̃taʒ] *nm*
percentage
**pourchasser** [puʀʃase] /1/ *vt* to
pursue
**pourparlers** [puʀpaʀle] *nmpl* talks,
negotiations
**pourpre** [puʀpʀ] *adj* crimson
**pourquoi** [puʀkwa] *adv, conj*
why ▷ *nm inv*: **le ~ (de)** the reason
(for)
**pourrai** *etc* [puʀe] *vb voir* **pouvoir**
**pourri, e** [puʀi] *adj* rotten
**pourrir** [puʀiʀ] /2/ *vi* to rot; (*fruit*) to
go rotten *ou* bad ▷ *vt* to rot; (*fig*) to
spoil thoroughly; **pourriture** *nf* rot

**poursuite** [puʀsɥit] *nf* pursuit, chase; **poursuites** *nfpl* (*Jur*) legal proceedings

**poursuivre** [puʀsɥivʀ] /40/ *vt* to pursue, chase (after); (*obséder*) to haunt; (*Jur*) to bring proceedings against, prosecute (: *au civil*) to sue; (*but*) to strive towards; (*voyage*, *études*) to carry on with, continue; **se poursuivre** *vi* to go on, continue

**pourtant** [puʀtɑ̃] *adv* yet; **c'est ~ facile** (and) yet it's easy

**pourtour** [puʀtuʀ] *nm* perimeter

**pourvoir** [puʀvwaʀ] /25/ *vt*: **~ qch/ qn de** to equip sth/sb with ▷ *vi*: **~ à** to provide for; **pourvu, e** *adj*: **pourvu de** equipped with; **pourvu que** (*si*) provided that, so long as; (*espérons que*) let's hope (that)

**pousse** [pus] *nf* growth; (*bourgeon*) shoot

**poussée** [puse] *nf* thrust; (*d'acné*) eruption; (*fig*: *prix*) upsurge

**pousser** [puse] /1/ *vt* to push; (*émettre*: *cri etc*) to give; (*poursuivre*: *élève*) to urge on; (*poursuivre*: *études*, *discussion*) to carry on on ▷ *vi* to push; (*croître*) to grow; **se pousser** *vi* to move over; **~ qn à faire qch** (*inciter*) to urge ou press sb to do sth; **faire ~** (*plante*) to grow

**poussette** [puset] *nf* pushchair (*BRIT*), stroller (*us*)

**poussière** [pusjɛʀ] *nf* dust; **poussiéreux, -euse** *adj* dusty

**poussin** [pusɛ̃] *nm* chick

**poutre** [putʀ] *nf* beam

○ MOT-CLÉ

**pouvoir** [puvwaʀ] /33/ *nm* power; (*dirigeants*): **le pouvoir** those in power; **les pouvoirs publics** the authorities; **pouvoir d'achat** purchasing power

▷ *vb aux* 1 (*être en état de*) can, be able to; **je ne peux pas le réparer** I can't ou I am not able to repair it; **déçu de ne pas pouvoir le faire** disappointed

not to be able to do it

2 (*avoir la permission*) can, may, be allowed to; **vous pouvez aller au cinéma** you can ou may go to the pictures

3 (*probabilité*, *hypothèse*) may, might, could; **il a pu avoir un accident** he may ou might ou could have had an accident; **il aurait pu le dire!** he might ou could have said (so)!

▷ *vb impers* may, might, could; **il peut arriver que** it may ou might ou could happen that; **il pourrait pleuvoir** it might rain

▷ *vt* can, be able to; **j'ai fait tout ce que j'ai pu** I did all I could; **je n'en peux plus** (*épuisé*) I'm exhausted; (*à bout*) I can't take any more

**se pouvoir** *vi*: **il se peut que** it may ou might be that; **cela pourrait** that's quite possible

**prairie** [pʀeʀi] *nf* meadow

**praline** [pʀalin] *nf* sugared almond

**praticable** [pʀatikabl] *adj* passable; practicable

**pratiquant, e** [pʀatikɑ̃, -ɑ̃t] *nm/f* (regular) churchgoer

**pratique** [pʀatik] *nf* practice ▷ *adj* practical; **pratiquement** *adv* (*pour ainsi dire*) practically, virtually; **pratiquer** /1/ *vt* to practise; (*l'équitation*, *la pêche*) to go in for; (*le golf*, *football*) to play; (*intervention*, *opération*) to carry out

**pré** [pʀe] *nm* meadow

**préalable** [pʀealabl] *adj* preliminary; **au ~** beforehand

**préambule** [pʀeɑ̃byl] *nm* preamble; (*fig*) prelude; **sans ~** straight away

**préau, x** [pʀeo] *nm* (*d'une cour d'école*) covered playground

**préavis** [pʀeavi] *nm* notice

**précaution** [pʀekosjɔ̃] *nf* precaution; **avec ~** cautiously; **par ~** as a precaution

**précédemment** [pʀesedamɑ̃] *adv* before, previously

**précédent, e** [pʀesedɑ̃, -ɑ̃t] *adj* previous ▷ *nm* precedent; **sans ~** unprecedented; **le jour ~** the day before, the previous day

**précéder** [pʀesede] /6/ *vt* to precede

**prêcher** [pʀeʃe] /1/ *vt* to preach

**précieux, -euse** [pʀesjø, -øz] *adj* precious; *(collaborateur, conseils)* invaluable

**précipice** [pʀesipis] *nm* drop, chasm

**précipitamment** [pʀesipitamɑ̃] *adv* hurriedly, hastily

**précipitation** [pʀesipitasjɔ̃] *nf* *(hâte)* haste

**précipité, e** [pʀesipite] *adj* hurried; hasty

**précipiter** [pʀesipite] /1/ *vt* *(hâter: départ)* to hasten; **se précipiter** /1/ to speed up; **~ qn/qch du haut de** *(faire tomber)* to throw ou hurl sb/sth off ou from; **se ~ sur/vers** to rush at/towards

**précis, e** [pʀesi, -iz] *adj* precise; *(tir, mesures)* accurate, precise; **à 4 heures ~es** at 4 o'clock sharp; **précisément** *adv* precisely; **préciser** /1/ *vt* *(expliquer)* to be more specific about, clarify; *(spécifier)* to state, specify; **se préciser** *vi* to become clear(er); **précision** *nf* precision; *(détail)* point ou detail *(made clear ou to be clarified)*

**précoce** [pʀekɔs] *adj* early; *(enfant)* precocious

**préconçu, e** [pʀekɔ̃sy] *adj* preconceived

**préconiser** [pʀekɔnize] /1/ *vt* to advocate

**prédécesseur** [pʀedesesœʀ] *nm* predecessor

**prédilection** [pʀedilɛksjɔ̃] *nf*: **avoir une ~ pour** to be partial to

**prédire** [pʀediʀ] /37/ *vt* to predict

**prédominer** [pʀedɔmine] /1/ *vi* to predominate

**préface** [pʀefas] *nf* preface

**préfecture** [pʀefɛktyʀ] *nf* prefecture; **~ de police** police headquarters

**préférable** [pʀefeʀabl] *adj* preferable

**préféré, e** [pʀefeʀe] *adj, nm/f* favourite

**préférence** [pʀefeʀɑ̃s] *nf* preference; **de ~** preferably

**préférer** [pʀefeʀe] /6/ *vt*: **~ qn/qch (à)** to prefer sb/sth (to), like sb/sth better (than); **~ faire** to prefer to do; **je préférerais du thé** I would rather have tea, I'd prefer tea

**préfet** [pʀefɛ] *nm* prefect

**préhistorique** [pʀeistɔʀik] *adj* prehistoric

**préjudice** [pʀeʒydis] *nm* *(matériel)* loss; *(moral)* harm *no pl*; **porter ~ à** to harm, be detrimental to; **au ~ de** at the expense of

**préjugé** [pʀeʒyʒe] *nm* prejudice; **avoir un ~ contre** to be prejudiced against

**prélasser** [pʀelɑse] /1/: **se prélasser** *vi* to lounge

**prélèvement** [pʀelɛvmɑ̃] *nm* *(montant)* deduction; **faire un ~ de sang** to take a blood sample

**prélever** [pʀelve] /5/ *vt* *(échantillon)* to take; **~ (sur)** *(argent)* to deduct (from); *(sur son compte)* to withdraw (from)

**prématuré, e** [pʀematyʀe] *adj* premature ▷ *nm* premature baby

**premier, -ière** [pʀəmje, -jɛʀ] *adj* first; *(rang)* front; *(fig: fondamental)* basic ▷ *nf* *(Rail, Aviat etc)* first class; *(Scol)* year 12 *(BRIT)*, eleventh grade *(US)*; **de ~ ordre** first-rate; **le ~ venu** the first person to come along; **P~ Ministre** Prime Minister; **premièrement** *adv* firstly

**prémonition** [pʀemɔnisjɔ̃] *nf* premonition

**prenant, e** [pʀənɑ̃, -ɑ̃t] *adj* absorbing, engrossing

**prénatal, e** [pʀenatal] *adj* *(Méd)* antenatal

**prendre** [pʀɑ̃dʀ] /58/ *vt* to take; *(repas)* to have; *(aller chercher)* to get; (*malfaiteur, poisson*) to catch; (*passager*) to pick up; (*personnel*) to take on; (*traiter: enfant, problème*) to handle; (*voix, ton*) to put on; (*ôter*): **~ qch à** to take sth from; (*coincer*): se **~ les doigts dans** to get one's fingers caught in ▷ vi (*liquide, ciment*) to set; (*greffe, vaccin*) to take; (*feu: foyer*) to go; (*se diriger*): **~ à gauche** to turn (to the) left; **~ froid** to catch cold; **se ~ pour** to think one is; **s'en ~ à** to attack; **se ~ d'amitié/d'affection pour** to befriend/become fond of; **s'y ~** (*procéder*) to set about it

**preneur** [pʀənœʀ] *nm*: **être ~** to be willing to buy; **trouver ~** to find a buyer

**prénom** [pʀenɔ̃] *nm* first name

**préoccupation** [pʀeɔkypasjɔ̃] *nf* (*souci*) concern; (*idée fixe*) preoccupation

**préoccuper** [pʀeɔkype] /1/ *vt* (*tourmenter, tracasser*) to concern; (*absorber, obséder*) to preoccupy; **se ~ de qch** to be concerned about sth

**préparatifs** [pʀepaʀatif] *nmpl* preparations

**préparation** [pʀepaʀasjɔ̃] *nf* preparation

**préparer** [pʀepaʀe] /1/ *vt* to prepare; (*café, repas*) to make; (*examen*) to prepare for; (*voyage, tragédie*) to plan; **se préparer** *vi* (*orage, tragédie*) to brew, be in the air; **se ~ (à qch/à faire)** to prepare (o.s.) *ou* get ready (for sth/to do); **~ qch à qn** (*surprise etc*) to have sth in store for sb

**prépondérant, e** [pʀepɔ̃deʀɑ̃, -ɑ̃t] *adj* major, dominating

**préposé, e** [pʀepoze] *nm/f* employee; (*facteur*) postman/woman

**préposition** [pʀepozisjɔ̃] *nf* preposition

**près** [pʀɛ] *adv* near, close; **~ de** near (to), close to; (*environ*) nearly, almost; **de ~** closely; **à cinq kg ~** to within about five kg; **il n'est pas à 10 minutes ~** he can spare 10 minutes

**présage** [pʀezaʒ] *nm* omen

**presbyte** [pʀɛsbit] *adj* long-sighted

**presbytère** [pʀɛsbiteʀ] *nm* presbytery

**prescription** [pʀɛskʀipsjɔ̃] *nf* prescription

**prescrire** [pʀɛskʀiʀ] /39/ *vt* to prescribe

**présence** [pʀezɑ̃s] *nf* presence; (*au bureau etc*) attendance

**présent, e** [pʀezɑ̃, -ɑ̃t] *adj, nm* present; **à ~ que** now that

**présentation** [pʀezɑ̃tasjɔ̃] *nf* presentation; (*de nouveau venu*) introduction; (*allure*) appearance; **faire les ~s** to do the introductions

**présenter** [pʀezɑ̃te] /1/ *vt* to present; (*invité, candidat*) to introduce; (*félicitations, condoléances*) to offer; **~ qn à** to introduce sb to ▷ vi: **~ mal/bien** to have an unattractive/a pleasing appearance; **se présenter** *vi* (*à une élection*) to stand; (*occasion*) to arise; **se ~ à un examen** to sit an exam; **je vous présente Nadine** this is Nadine

**préservatif** [pʀezeʀvatif] *nm* condom, sheath

**préserver** [pʀezeʀve] /1/ *vt*: **~ de** (*protéger*) to protect from

**président** [pʀezidɑ̃] *nm* (*Pol*) president; (*d'une assemblée, Comm*) chairman; **~ directeur général** chairman and managing director

**présidentiel, le** [pʀezidɑ̃sjɛl] *adj* presidential; **présidentielles** *nfpl* presidential election(s)

**présider** [pʀezide] /1/ *vt* to preside over; (*dîner*) to be the guest of honour (BRIT) *ou* honor (US) at

**presqu'île** [pʀɛskil] *nf* peninsula

**pressant, e** [pʀesɑ̃, -ɑ̃t] *adj* urgent

**presse** [pʀɛs] *nf* press; (*affluence*): **heures de ~** busy times

**presque** [pʀɛsk] *adv* almost, nearly; **~ rien** hardly anything; **~ pas** hardly (at all); **~ pas de** hardly any; **personne, ou ~** next to nobody, hardly anyone

**pressé, e** [pʀese] *adj* in a hurry; (*besogne*) urgent; **orange ~e** freshly squeezed orange juice

**pressentiment** [pʀesɑ̃timɑ̃] *nm* foreboding, premonition

**pressentir** [pʀesɑ̃tiʀ] /16/ *vt* to sense

**presse-papiers** [pʀespapje] *nm inv* paperweight

**presser** [pʀese] /1/ *vt* (*fruit, éponge*) to squeeze; (*interrupteur, bouton*) to press; (*allure, affaire*) to speed up; (*inciter*): **~ qn de faire** to urge *ou* press sb to do ▶ *vi* to be urgent; **se presser** *vi* (*se hâter*) to hurry (up); **rien ne presse** there's no hurry; **se ~ contre qn** to squeeze up against sb; **le temps presse** there's not much time

**pressing** [pʀesiŋ] *nm* (*magasin*) dry-cleaner's

**pression** [pʀesjɔ̃] *nf* pressure; (*bouton*) press stud (BRIT), snap fastener (US); (*fam*: *bière*) draught beer; **faire ~ sur** to put pressure on; **sous ~** pressurized, under pressure; (*fig*) keyed up; **~ artérielle** blood pressure

**prestataire** [pʀestatɛʀ] *nm/f* person receiving benefits; **~ de services** provider of services

**prestation** [pʀestasjɔ̃] *nf* (*allocation*) benefit; (*d'une entreprise*) service provided; (*d'un joueur, artiste*) performance

**prestidigitateur, -trice** [pʀestidiʒitatœʀ, -tʀis] *nm/f* conjurer

**prestige** [pʀestiʒ] *nm* prestige; **prestigieux, -euse** *adj* prestigious

**présumer** [pʀezyme] /1/ *vt*: **~ que** to presume *ou* assume that

**prêt, e** [pʀɛ, pʀɛt] *adj* ready ▶ *nm* (*somme prêtée*) loan; **prêt-à-porter** *nm* ready-to-wear *ou* off-the-peg (BRIT) clothes *pl*

**prétendre** [pʀetɑ̃dʀ] /41/ *vt* (*affirmer*): **~ que** to claim that; **~ faire qch** (*avoir l'intention de*) to mean *ou*

intend to do sth; **prétendu, e** *adj* (*supposé*) so-called

⚠ Attention à ne pas traduire *prétendre* par *to pretend*.

**prétentieux, -euse** [pʀetɑ̃sjø, -øz] *adj* pretentious

**prétention** [pʀetɑ̃sjɔ̃] *nf* pretentiousness; (*exigence, ambition*) claim

**prêter** [pʀete] /1/ *vt*: **~ qch à qn** (*livres, argent*) to lend sth to sb; (*caractère, propos*) to attribute sth to sb

**prétexte** [pʀetɛkst] *nm* pretext, excuse; **sous aucun ~** on no account; **prétexter** [pʀetɛkste] /1/ *vt* to give as a pretext *ou* an excuse

**prêtre** [pʀɛtʀ] *nm* priest

**preuve** [pʀœv] *nf* proof; (*indice*) proof, evidence *no pl*; **faire ~ de** to show; **faire ses ~s** to prove o.s. (*ou itself*)

**prévaloir** [pʀevalwaʀ] /29/ *vi* to prevail

**prévenant, e** [pʀevnɑ̃, -ɑ̃t] *adj* thoughtful, kind

**prévenir** [pʀevniʀ] /22/ *vt* (*éviter*: *catastrophe etc*) to avoid, prevent; (*anticiper*: *désirs, besoins*) to anticipate; **~ qn (de)** (*avertir*) to warn sb (about); (*informer*) to tell *ou* inform sb (about)

**préventif, -ive** [pʀevɑ̃tif, -iv] *adj* preventive

**prévention** [pʀevɑ̃sjɔ̃] *nf* prevention; **~ routière** road safety

**prévenu, e** [pʀevny] *nm/f* (*Jur*) defendant, accused

**prévision** [pʀevizjɔ̃] *nf*: **~s** predictions; (*météorologiques, économiques*) forecast *sg*; **en ~ de** in anticipation of; **~s météorologiques** *ou* **du temps** weather forecast *sg*

**prévoir** [pʀevwaʀ] /24/ *vt* (*deviner*) to foresee; (*s'attendre à*) to expect, reckon on; (*organiser*: *voyage etc*) to plan; (*préparer, réserver*) to allow; **comme prévu** as planned; **prévoyant, e** adj gifted with (ou showing) foresight; **prévu, e** pp de **prévoir**

**prier** [prije] /7/ vi to pray ▷ vt (Dieu) to pray to; (implorer) to beg; (demander): ~ **qn de faire** to ask sb to do; **se faire** ~ to need coaxing ou persuading; **je vous en prie** (allez-y) please do; (de rien) don't mention it; **prière** nf prayer; **"prière de faire …"** "please do …"

**primaire** [primer] adj primary ▷ nm (Scol) primary education

**prime** [prim] nf (bonification) bonus; (subside) allowance; (Comm: cadeau) free gift; (Assurances, Bourse) premium ▷ adj: **de ~ abord** at first glance; **primer** /1/ vt (récompenser) to award a prize to ▷ vi to dominate

**primevère** [primver] nf primrose

**primitif, ive** [primitif, -iv] adj primitive; (original) original

**prince** [prɛ̃s] nm prince; **princesse** nf princess

**principal, e, -aux** [prɛ̃sipal, -o] adj principal, main ▷ nm (Scol head (teacher) (BRIT), principal (US); (essentiel) main thing

**principe** [prɛ̃sip] nm principle; **par ~** on principle; **en ~** (habituellement) as a rule; (théoriquement) in principle

**printemps** [prɛ̃tɑ̃] nm spring

**priorité** [prijorite] nf priority; (Auto): **à droite** right of way to vehicles coming from the right

**pris, e** [pri, priz] pp de **prendre** ▷ adj (place) taken; (journée, mains) full; (personne) busy; **avoir le nez/ la gorge ~(e)** to have a stuffy nose/a bad throat; **être ~ de peur/de fatigue/de panique** to be stricken with fear/overcome with fatigue/ panic-stricken

**prise** [priz] nf (d'une ville) capture; (Pêche, Chasse) catch; (point d'appui ou pour empoigner) hold; (Élec: fiche) plug; (: femelle) socket; **être aux ~s avec**

to be grappling with; ~ **de courant** power point; ~ **multiple** adaptor; ~ **de sang** blood test

**priser** [prize] /1/ vt (estimer) to prize, value

**prison** [prizɔ̃] nf prison; **aller/être en** ~ to go to/be in prison ou jail; **prisonnier, -ière** nm/f prisoner ▷ adj captive

**privé, e** [prive] adj private; (en punition): **tu es ~ de télé!** no TV for you! ▷ nm (Comm) private sector; **en** ~ in private

**priver** [prive] /1/ vt: ~ **qn de** to deprive sb of; **se ~ de** to go ou do without

**privilège** [privilɛʒ] nm privilege

**prix** [pri] nm price; (récompense, Scol) prize; **hors de ~** exorbitantly priced; **à aucun ~** not at any price; **à tout ~** at all costs

**probable** [prɔbabl] adj likely, probable; **probablement** adv probably

**problème** [prɔblɛm] nm problem

**procédé** [prɔsede] nm (méthode) process; (comportement) behaviour no pl

**procéder** [prɔsede] /6/ vi to proceed; (moralement) to behave; ~ **à** to carry out

**procès** [prɔsɛ] nm trial (poursuites) proceedings pl; **être en ~ avec** to be involved in a lawsuit with

**processus** [prɔsesys] nm process

**procès-verbal, -aux** [prɔsɛvɛrbal, -o] nm (de réunion) minutes pl; (aussi: **PV**): **avoir un ~** to get a parking ticket

**prochain, e** [prɔʃɛ̃, -ɛn] adj next; (proche: départ, arrivée) impending ▷ nm fellow man; **la ~e fois/semaine ~e** next time/week; **prochainement** adv soon, shortly

**proche** [prɔʃ] adj nearby; (dans le temps) imminent; (parent, ami) close; **proches** nmpl (parents) close relatives; **être ~ (de)** to be near, be close (to)

**proclamer** [pʀɔklame] /1/ vt to proclaim

**procuration** [pʀɔkyʀasjɔ̃] nf proxy

**procurer** [pʀɔkyʀe] /1/ vt (fournir): **~ qch à qn** (obtenir) to get ou obtain sth for sb; (plaisir etc) to bring ou give sb sth; **se procurer** vt to get; **procureur** nm public prosecutor

**prodige** [pʀɔdiʒ] nm marvel, wonder; (personne) prodigy; **prodiguer** /1/ vt (soins, attentions): **prodiguer qch à qn** to lavish sth on sb

**producteur, -trice** [pʀɔdyktœʀ, -tʀis] nm/f producer

**productif, -ive** [pʀɔdyktif, -iv] adj productive

**production** [pʀɔdyksjɔ̃] nf production; (rendement) output

**productivité** [pʀɔdyktivite] nf productivity

**produire** [pʀɔdɥiʀ] /38/ vt to produce; **se produire** vi (acteur) to perform, appear; (événement) to happen, occur

**produit, e** [pʀɔdɥi, -it] nm product; **~ chimique** chemical; **~ d'entretien** cleaning product; **~s agricoles** farm produce sg; **~s de beauté** beauty products, cosmetics

**prof** [pʀɔf] nm (fam) teacher

**proférer** [pʀɔfeʀe] /6/ vt to utter

**professeur** [pʀɔfesœʀ] nm/f teacher; (titulaire d'une chaire) professor; **~ (de faculté)** (university) lecturer

**profession** [pʀɔfesjɔ̃] nf (libérale) profession; (gén) occupation; **"sans ~"** "unemployed"; **professionnel, le** adj, nm/f professional

**profil** [pʀɔfil] nm profile; **de ~** in profile

**profit** [pʀɔfi] nm (avantage) benefit, advantage; (Comm, Finance) profit; **au ~ de** in aid of; **tirer ou retirer ~ de** to profit from; **profitable** adj (utile) beneficial; (lucratif) profitable; **profiter** /1/ vi: **profiter de** (situation, occasion) to take advantage of; (vacances, jeunesse etc) to make the most of

**profond, e** [pʀɔfɔ̃, -ɔ̃d] adj deep; (méditation, mépris) profound; **profondément** adv deeply; **il dort profondément** he is sound asleep; **profondeur** nf depth; **l'eau à quelle profondeur?** how deep is the water?

**programme** [pʀɔgʀam] nm programme; (Scol) syllabus, curriculum; (Inform) program; **programmer** /1/ vt (organiser, prévoir: émission) to schedule; (Inform) to program; **programmeur, -euse** nm/f (computer) programmer

**progrès** [pʀɔgʀɛ] nm progress no pl; **faire des/être en ~** to make/ be making progress; **progresser** /1/ vi to progress; **progressif, -ive** adj progressive

**proie** [pʀwa] nf prey no pl

**projecteur** [pʀɔʒɛktœʀ] nm projector; (de théâtre, cirque) spotlight

**projectile** [pʀɔʒɛktil] nm missile

**projection** [pʀɔʒɛksjɔ̃] nf projection; (séance) showing

**projet** [pʀɔʒɛ] nm plan; (ébauche) draft; **~ de loi** bill; **projeter** /4/ vt (envisager) to plan; (film, photos) to project; (ombre, lueur) to throw, cast; (jeter) to throw up (ou off ou out)

**prolétaire** [pʀɔletɛʀ] adj, nm/f proletarian

**prolongement** [pʀɔlɔ̃ʒmɑ̃] nm extension; **dans le ~ de** following on from

**prolonger** [pʀɔlɔ̃ʒe] /3/ vt (débat, séjour) to prolong; (délai, billet, rue) to extend; **se prolonger** vi to go on

**promenade** [pʀɔmnad] nf walk (ou drive ou ride); **faire une ~** to go for a walk; **une ~ (à pied)/en voiture/à vélo** a walk/drive/(bicycle) ride

**promener** [pʀɔmne] /5/ vt (personne, chien) to take out for a walk; (doigts, regard): **~ qch sur** to run sth over; **se promener** vi to go for (ou be out for) a walk

**promesse** [pʀɔmɛs] nf promise

**promettre** [pʀɔmɛtʀ] /56/ vt to
promise ▷ vi to look promising; **~ à qn
de faire** to promise sb that one will do
**promiscuité** [pʀɔmiskɥite] nf lack
of privacy
**promontoire** [pʀɔmɔ̃twaʀ] nm
headland
**promoteur, -trice** [pʀɔmɔtœʀ,
-tʀis] nm/f: **~ (immobilier)** property
developer (BRIT), real estate
promoter (US)
**promotion** [pʀɔmosjɔ̃] nf
promotion; **en ~** on (special) offer
**promouvoir** [pʀɔmuvwaʀ] /27/ vt
to promote
**prompt, e** [pʀɔ̃, pʀɔ̃t] adj swift, rapid
**prôner** [pʀone] /1/ vt (préconiser) to
advocate
**pronom** [pʀɔnɔ̃] nm pronoun
**prononcer** [pʀɔnɔ̃se] /3/ vt
to pronounce; (dire) to utter;
(discours) to deliver; **se prononcer**
vi to be pronounced; (se
décider) to reach a decision (on ou
about), give a verdict (on); **ça se
prononce comment?** how do you
pronounce this?; **prononciation** nf
pronunciation
**pronostic** [pʀɔnɔstik] nm (Méd)
prognosis; (fig: aussi: **~s**) forecast
**propagande** [pʀɔpagɑ̃d] nf
propaganda
**propager** [pʀɔpaʒe] /3/ vt to spread;
**se propager** vi to spread
**prophète, prophétesse** [pʀɔfɛt,
pʀɔfetɛs] nm/f prophet(ess)
**prophétie** [pʀɔfesi] nf prophecy
**propice** [pʀɔpis] adj favourable
**proportion** [pʀɔpɔʀsjɔ̃] nf
proportion; **toute(s) ~s gardée(s)**
making due allowance(s)
**propos** [pʀɔpo] nm (paroles) talk no
pl, remark; (intention, but) intention,
aim; (sujet): **à quel ~?** what about?;
**à ~ de** about, regarding; **à tout ~**
for no reason at all; **à ~** by the way;
(opportunément) (just) at the right
moment

**proposer** [pʀɔpoze] /1/ vt to
propose; **~ qch (à qn)/de faire**
(suggérer) to suggest sth (to sb)/
doing, propose sth (to sb)/(to do);
(offrir) to offer (sb) sth/to do; **se ~
(pour faire)** to offer one's services
(to do); **proposition** nf suggestion;
proposal; (Ling) clause
**propre** [pʀɔpʀ] adj clean; (net)
neat, tidy; (possessif) own; (sens)
literal; (particulier): **~ à** peculiar to;
(approprié): **~ à** suitable ou appropriate
for ▷ nm: **recopier au ~** to make a
fair copy of; **proprement** adv (avec
propreté) cleanly; **le village
proprement dit** the village itself;
**propreté** nf cleanliness
**propriétaire** [pʀɔpʀijetɛʀ] nm/f
owner; (pour le locataire)
landlord(-lady)
**propriété** [pʀɔpʀijete] nf (droit)
ownership; (objet, immeuble etc)
property
**propulser** [pʀɔpylse] /1/ vt to propel
**prose** [pʀoz] nf prose (style)
**prospecter** [pʀɔspɛkte] /1/ vt to
prospect; (Comm) to canvass
**prospectus** [pʀɔspɛktys] nm leaflet
**prospère** [pʀɔspɛʀ] adj prosperous;
**prospérer** /6/ vi to thrive
**prosterner** [pʀɔstɛʀne] /1/: **se
prosterner** vi to bow low, prostrate
o.s.
**prostituée** [pʀɔstitɥe] nf prostitute
**prostitution** [pʀɔstitysjɔ̃] nf
prostitution
**protecteur, -trice** [pʀɔtɛktœʀ,
-tʀis] adj protective; (air, ton: péj)
patronizing ▷ nm/f protector
**protection** [pʀɔtɛksjɔ̃] nf
protection; (d'un personnage influent:
aide) patronage
**protéger** [pʀɔteʒe] /6, 3/ vt to
protect; **se ~ de/contre** to protect
o.s. from
**protège-slip** [pʀɔtɛʒslip] nm
panty liner

**protéine** [prɔtein] nf protein
**protestant, e** [prɔtɛstɑ̃, -ɑ̃t] adj, nm/f Protestant
**protestation** [prɔtɛstasjɔ̃] nf (plainte) protest
**protester** [prɔtɛste] /1/ vi: ~ (contre) to protest (against ou about); ~ de (son innocence, sa loyauté) to protest
**prothèse** [prɔtɛz] nf: ~ dentaire denture
**protocole** [prɔtɔkɔl] nm (fig) etiquette
**proue** [pru] nf bow(s pl), prow
**prouesse** [prues] nf feat
**prouver** [pruve] /1/ vt to prove
**provenance** [prɔvnɑ̃s] nf origin; avion en ~ de plane (arriving) from
**provenir** [prɔvnir] /22/: ~ de vt to come from
**proverbe** [prɔvɛrb] nm proverb
**province** [prɔvɛ̃s] nf province
**proviseur** [prɔvizœr] nm ≈ head (teacher) (BRIT), ≈ principal (US)
**provision** [prɔvizjɔ̃] nf (réserve) stock, supply; provisions nfpl (vivres) provisions, food no pl
**provisoire** [prɔvizwar] adj temporary; provisoirement adv temporarily
**provocant, e** [prɔvɔkɑ̃, -ɑ̃t] adj provocative
**provoquer** [prɔvɔke] /1/ vt (défier) to provoke; (causer) to cause, bring about; (inciter): ~ qn à to incite sb to
**proxénète** [prɔksenɛt] nm procurer
**proximité** [prɔksimite] nf nearness, closeness; (dans le temps) imminence, closeness; à ~ near ou close to; à ~ de near (to), close to
**prudemment** [prydamɑ̃] adv carefully; wisely, sensibly
**prudence** [prydɑ̃s] nf carefulness; avec ~ carefully; par (mesure de) ~ as a precaution
**prudent, e** [prydɑ̃, -ɑ̃t] adj (pas téméraire) careful (: en général) safety-conscious; (sage, conseillé) wise, sensible; c'est plus ~ it's wiser

**prune** [pryn] nf plum
**pruneau, x** [pryno] nm prune
**prunier** [prynje] nm plum tree
**PS** sigle m = parti socialiste; (= post-scriptum) PS
**pseudonyme** [psødɔnim] nm (gén) fictitious name; (d'écrivain) pseudonym, pen name
**psychanalyse** [psikanaliz] nf psychoanalysis
**psychiatre** [psikjatr] nm/f psychiatrist; psychiatrique adj psychiatric
**psychique** [psiʃik] adj psychological
**psychologie** [psikɔlɔʒi] nf psychology; psychologique adj psychological; psychologue nm/f psychologist
**pu** [py] pp de pouvoir
**puanteur** [pɥɑ̃tœr] nf stink, stench
**pub** [pyb] nf (fam) = publicité; la ~ advertising
**public, -ique** [pyblik] adj public; (école, instruction) state cpd ▷ nm public; (assistance) audience; en ~ in public
**publicitaire** [pyblisiter] adj advertising cpd; (film, voiture) publicity cpd
**publicité** [pyblisite] nf (méthode, profession) advertising; (annonce) advertisement; (révélations) publicity
**publier** [pyblije] /7/ vt to publish
**publipostage** [pyblipostaʒ] nm (mass) mailing
**publique** [pyblik] adj f voir public
**puce** [pys] nf flea; (Inform) chip; carte à ~ smart card; (marché aux) ~s flea market sg
**pudeur** [pydœr] nf modesty; pudique adj (chaste) modest; (discret) discreet
**puer** [pɥe] /1/ (péj) vi to stink
**puéricultrice** [pɥerikyltris] nf ≈ paediatric nurse
**puéril, e** [pɥeril] adj childish
**puis** [pɥi] vb voir pouvoir ▷ adv then

**puiser** [pɥize] /1/ vt: **~ (dans)** to draw (from)

**puisque** [pɥisk] conj since

**puissance** [pɥisɑ̃s] nf power; **en ~** adj potential

**puissant, e** [pɥisɑ̃, -ɑ̃t] adj powerful

**puits** [pɥi] nm well

**pull(-over)** [pyl(ɔvœʀ)] nm sweater

**pulluler** [pylyle] /1/ vi to swarm

**pulpe** [pylp] nf pulp

**pulvériser** [pylveʀize] /1/ vt to pulverize; (liquide) to spray

**punaise** [pynɛz] nf (Zool) bug; (clou) drawing pin (BRIT), thumb tack (US)

**punch** [pɔ̃ʃ] nm (boisson) punch

**punir** [pyniʀ] /2/ vt to punish; **punition** nf punishment

**pupille** [pypij] nf (Anat) pupil ▷ nm/f (enfant) ward

**pupitre** [pypitʀ] nm (Scol) desk

**pur, e** [pyʀ] adj pure; (vin) undiluted; (whisky) neat; **en ~e perte** to no avail; **c'est de la folie ~e** it's sheer madness

**purée** [pyʀe] nf: **~ (de pommes de terre)** ≈ mashed potatoes pl; **~ de marrons** chestnut purée

**purement** [pyʀmɑ̃] adv purely

**purgatoire** [pyʀgatwaʀ] nm purgatory

**purger** [pyʀʒe] /3/ vt (Méd, Pol) to purge; (Jur: peine) to serve

**pur-sang** [pyʀsɑ̃] nm inv thoroughbred

**pus** [py] nm pus

**putain** [pytɛ̃] nf (!) whore (!)

**puzzle** [pœzl] nm jigsaw (puzzle)

**PV** sigle m = **procès-verbal**

**pyjama** [piʒama] nm pyjamas pl (BRIT), pajamas pl (US)

**pyramide** [piʀamid] nf pyramid

**Pyrénées** [piʀene] nfpl: **les ~** the Pyrenees

# q

**QI** sigle m (= quotient intellectuel) IQ

**quadragénaire** [kadʀaʒenɛʀ] nm/f man/woman in his/her forties

**quadruple** [k(w)adʀypl] nm: **le ~ de** four times as much as

**quai** [ke] nm (de port) quay; (de gare) platform; **être à ~** (navire) to be alongside

**qualification** [kalifikasjɔ̃] nf qualification

**qualifier** [kalifje] /7/ vt to qualify; **~ qch/qn de** to describe sth/sb as; **se qualifier** vi to qualify

**qualité** [kalite] nf quality

**quand** [kɑ̃] conj, adv when; **~ je serai riche** when I'm rich; **~ même** all the same; **~ même, il exagère!** really, he overdoes it!; **~ bien même** even though

**quant** [kɑ̃]: **~ à** prép (pour ce qui est de) as for, as to; (au sujet de) regarding

**quantité** [kɑ̃tite] nf quantity, amount; **une** ou **des ~(s) de** (grand nombre) a great deal of

**quarantaine** [kaʀɑ̃tɛn] *nf*
(*isolement*) quarantine; **une ~ (de)** forty or so, about forty; **avoir la ~ (âge)** to be around forty

**quarante** [kaʀɑ̃t] *num* forty

**quart** [kaʀ] *nm* (*fraction*) quarter; (*surveillance*) watch; **un ~ de vin** a quarter litre of wine; **le ~ de** a quarter of; **~ d'heure** quarter of an hour; **~s de finale** quarter finals

**quartier** [kaʀtje] *nm* (*de ville*) district, area; (*de bœuf, de la lune*) quarter; (*de fruit, fromage*) piece; **cinéma/salle de ~** local cinema/hall; **avoir ~ libre** to be free; **~ général (QG)** headquarters (HQ)

**quartz** [kwaʀts] *nm* quartz

**quasi** [kazi] *adv* almost, nearly; **quasiment** *adv* almost, (very) nearly; **quasiment jamais** hardly ever

**quatorze** [katɔʀz] *num* fourteen

**quatorzième** [katɔʀzjɛm] *num* fourteenth

**quatre** [katʀ] *num* four; **à ~ pattes** on all fours; **se mettre en ~ pour qn** to go out of one's way for sb; **~ à ~ (monter, descendre)** four at a time; **quatre-vingt-dix** *num* ninety; **quatre-vingts** *num* eighty; **quatrième** *num* fourth ▷ *nf* (*Scol*) year 9 (BRIT), eighth grade (US)

**quatuor** [kwatɥɔʀ] *nm* quartet(te)

**MOT-CLÉ**

**que** [kə] *conj* **1** (*introduisant complétive*) that; **il sait que tu es là** he knows (that) you're here; **je veux que tu acceptes** I want you to accept; **il a dit que oui** he said he would (*ou* it was *etc*)
**2** (*reprise d'autres conjonctions*) **quand il rentrera et qu'il aura mangé** when he gets back and (when) he has eaten; **si vous y allez ou que vous ...** if you go there or if you ...
**3** (*en tête de phrase, hypothèse, souhait etc*): **qu'il le veuille ou non** whether

he likes it or not; **qu'il fasse ce qu'il voudra!** let him do as he pleases!
**4** (*but*): **tenez-le qu'il ne tombe pas** hold it so (that) it doesn't fall
**5** (*après comparatif*) than, as; *voir aussi* **plus²**, **aussi**, **autant** *etc*
**6** (*seulement*): **ne ... que** only; **il ne boit que de l'eau** he only drinks water
**7** (*temps*): **il y a quatre ans qu'il est parti** it is four years since he left, he left four years ago
▷ *adv* (*exclamation*): **qu'il ou qu'est-ce qu'il est bête/court vite!** he's so silly!/he runs so fast!; **que de livres!** what a lot of books!
▷ *pron* **1** (*relatif: personne*) whom; (: *chose*) that, which; **l'homme que je vois** the man (whom) I see; **le livre que tu vois** the book (that *ou* which) you see; **un jour que j'étais ...** a day when I was ...
**2** (*interrogatif*) what; **que fais-tu?, qu'est-ce que tu fais?** what are you doing?; **qu'est-ce que c'est?** what is it?, what's that?; **que faire?** what can one do?

**Québec** [kebɛk] *nm*: **le ~** Quebec (Province)

**québécois, e** *adj* Quebec *cpd* ▷ *nm* (*Ling*) Quebec French ▷ *nm/f*: **Q~, e** Quebecois, Quebec(k)er

**MOT-CLÉ**

**quel, quelle** [kɛl] *adj* **1** (*interrogatif: personne*) who; (: *chose*) what; **quel est cet homme?** who is this man?; **quel est ce livre?** what is this book?; **quel livre/homme?** what book/man?; (*parmi un certain choix*) which book/man?; **quels acteurs préférez-vous?** which actors do you prefer?; **dans quels pays êtes-vous allé?** which *ou* what countries did you go to?
**2** (*exclamatif*): **quelle surprise/**

**coïncidence!** what a surprise/coincidence!
**3 : quel que soit le coupable** whoever is guilty; **quel que soit votre avis** whatever your opinion (may be)

**quelconque** [kɛlkɔ̃k] *adj (médiocre: repas)* indifferent, poor; *(sans attrait)* ordinary, plain; *(indéfini)*: **un ami/prétexte ~** some friend/pretext or other

○ MOT-CLÉ

**quelque** [kɛlk] *adj* **1** *(au singulier)* some; *(au pluriel)* a few, some; *(tournure interrogative)* any; **quelque espoir** some hope; **il a quelques amis** he has a few *ou* some friends; **a-t-il quelques amis?** does he have any friends?; **les quelques livres qui** the few books which; **20 kg et quelque(s)** a bit over 20 kg
**2 : quelque ... que:** **quelque livre qu'il choisisse** whatever *(ou* whichever) book he chooses
**3 : quelque chose** something; *(tournure interrogative)* anything; **quelque chose d'autre** something else; anything else; **quelque part** somewhere; anywhere; **en quelque sorte** as it were
▸ *adv* **1** *(environ)*: **quelque 100 mètres** some 100 metres
**2 : quelque peu** rather, somewhat

**quelquefois** [kɛlkəfwa] *adv* sometimes

**quelques-uns, -unes** [kɛlkəzœ̃, -yn] *pron* some, a few

**quelqu'un** [kɛlkœ̃] *pron* someone, somebody; *(+ tournure interrogative ou négative)* anyone, anybody; **~ d'autre** someone *ou* somebody else; anybody else

**qu'en dira-t-on** [kɑ̃diʀatɔ̃] *nm inv:* **le ~** gossip, what people say

**querelle** [kəʀɛl] *nf* quarrel; **quereller** /1/: **se quereller** *vi* to quarrel

**qu'est-ce que** [kɛskə] *voir* **que**

**qu'est-ce qui** [kɛski] *voir* **qui**

**question** [kɛstjɔ̃] *nf* question; *(fig)* matter; issue; **il a été ~ de** we *(ou* they) spoke about; **de quoi est-il ~?** what is it about?; **il n'en est pas ~** there's no question of it; **en ~** in question; **hors de ~** out of the question; **(re)mettre en ~** to question; **questionnaire** *nm* questionnaire; **questionner** /1/ *vt* to question

**quête** [kɛt] *nf* collection; *(recherche)* quest, search; **faire la ~** *(à l'église)* to take the collection; *(artiste)* to pass the hat round

**quetsche** [kwɛtʃ] *nf* damson

**queue** [kø] *nf* tail; *(fig: du classement)* bottom; *(: de poêle)* handle; *(: de fruit, feuille)* stalk; *(: de train, colonne, file)* rear; **faire la ~** to queue (up) *(BRIT)*, line up *(us)*; **~ de cheval** ponytail; **~ de poisson: faire une ~ de poisson à qn** *(Auto)* to cut in front of sb

○ MOT-CLÉ

**qui** [ki] *pron* **1** *(interrogatif: personne)* who; *(: chose)*: **qu'est-ce qui est sur la table?** what is on the table?; **qui est-ce que?** who?; **qui est-ce que?** who?; **à qui est ce sac?** whose bag is this?; **à qui parlais-tu?** who were you talking to?, to whom were you talking?; **chez qui allez-vous?** whose house are you going to?
**2** *(relatif: personne)* who; *(+ prép)* whom; **l'ami de qui je vous ai parlé** the friend I told you about; **la dame chez qui je suis allé** the lady whose house I went to
**3** *(sans antécédent)*: **amenez qui vous voulez** bring who you like; **qui que ce soit** whoever it may be

**quiche** [kiʃ] *nf* quiche

**q**

**quiconque** [kikɔ̃k] *pron (celui qui)* whoever, anyone who; *(n'importe qui, personne)* anyone, anybody

**quille** [kij] *nf:* **(jeu de) ~s** skittles *sg* (BRIT), bowling (US)

**quincaillerie** [kɛ̃kajʀi] *nf (ustensiles)* hardware; *(magasin)* hardware shop *ou* store (US)

**quinquagénaire** [kɛ̃kaʒeneʀ] *nm/f* man/woman in his/her fifties

**quinquennat** [kɛ̃kena] *nm* five year term of office (of French President)

**quinte** [kɛ̃t] *nf:* **~ (de toux)** coughing fit

**quintuple** [kɛ̃typl] *nm:* **le ~ de** five times as much as

**quinzaine** [kɛ̃zɛn] *nf:* **une ~ (de)** about fifteen, fifteen or so; **une ~ (de jours)** a fortnight (BRIT), two weeks

**quinze** [kɛ̃z] *num* fifteen; **dans ~ jours** in a fortnight('s time) (BRIT), in two weeks(' time)

**quinzième** [kɛ̃zjɛm] *num* fifteenth

**quittance** [kitɑ̃s] *nf (reçu)* receipt

**quitte** [kit] *adj:* **être ~ envers qn** to be no longer in sb's debt; *(fig)* to be quits with sb; **~ à faire** even if it means doing

**quitter** [kite] /1/ *vt* to leave; *(vêtement)* to take off; **se quitter** *vi (couples, interlocuteurs)* to part; **ne quittez pas** *(au téléphone)* hold the line

**qui-vive** [kiviv] *nm inv:* **être sur le ~** to be on the alert

 MOT-CLÉ

**quoi** [kwa] *pron interrog* **1** what; **~ de neuf?** what's new?; **~?** *(qu'est-ce que tu dis?)* what?

**2** *(avec prép):* **à ~ tu penses?** what are you thinking about?; **de ~ parlez-vous?** what are you talking about?; **à ~ bon?** what's the use?

▶ *pron relatif:* **as-tu de ~ écrire?** do you have anything to write with?; **il n'y a pas de ~** (please) don't mention it; **il n'y a pas de ~ rire** there's nothing to laugh about

▶ *pron (locutions):* **~ qu'il arrive** whatever happens; **~ qu'il en soit** be that as it may; **~ que ce soit** anything at all

▶ *excl* what!

**quoique** [kwak] *conj* (al)though

**quotidien, ne** [kɔtidjɛ̃, -ɛn] *adj* daily; *(banal)* everyday ▷ *nm (journal)* daily (paper); **quotidiennement** *adv* daily, every day

**R, r** *abr* = **route; rue**

**rab** [ʀab] *nm* (*fam: nourriture*) extra; **est-ce qu'il y a du ~?** are there any seconds?

**rabâcher** [ʀabɑʃe] /1/ *vt* to keep on repeating

**rabais** [ʀabɛ] *nm* reduction, discount; **rabaisser** /1/ *vt* (*rabattre: prix*) to reduce; (*dénigrer*) to belittle

**Rabat** [ʀaba] *n* Rabat

**rabattre** [ʀabatʀ] /4/ *vt* (*couvercle, siège*) to pull down; (*déduire*) to reduce; **se rabattre** *vi* (*bords, couvercle*) to fall shut; (*véhicule, coureur*) to cut in; **se ~ sur** to fall back on

**rabbin** [ʀabɛ̃] *nm* rabbi

**rabougri, e** [ʀabugʀi] *adj* stunted

**raccommoder** [ʀakɔmɔde] /1/ *vt* to mend, repair

**raccompagner** [ʀakɔ̃paɲe] /1/ *vt* to take *ou* see back

**raccord** [ʀakɔʀ] *nm* link; (*retouche*) touch-up; **raccorder** /1/ *vt* to join (up), link up; (*pont etc*) to connect, link

**raccourci** [ʀakuʀsi] *nm* short cut

**raccourcir** [ʀakuʀsiʀ] /2/ *vt* to shorten ▷ *vi* (*jours*) to grow shorter, draw in

**raccrocher** [ʀakʀɔʃe] /1/ *vt* (*tableau, vêtement*) to hang back up; (*récepteur*) to put down ▷ *vi* (*Tél*) to hang up, ring off

**race** [ʀas] *nf* race; (*d'animaux, fig*) breed; **de ~** purebred, pedigree

**rachat** [ʀaʃa] *nm* buying; (*du même objet*) buying back

**racheter** [ʀaʃte] /5/ *vt* (*article perdu*) to buy another; (*davantage*) to buy more; (*après avoir vendu*) to buy back; (*d'occasion*) to buy; (*Comm: part, firme*) to buy up; **se racheter** (*gén*) to make amends; **~ du lait/trois œufs** to buy more milk/another three eggs

**racial, e, -aux** [ʀasjal, -o] *adj* racial

**racine** [ʀasin] *nf* root; **~ carrée/ cubique** square/cube root

**racisme** [ʀasism] *nm* racism

**raciste** [ʀasist] *adj, nm/f* racist

**racket** [ʀakɛt] *nm* racketeering *no pl*

**raclée** [ʀakle] *nf* (*fam*) hiding, thrashing

**racler** [ʀakle] /1/ *vt* (*os, plat*) to scrape; **se ~ la gorge** to clear one's throat

**racontars** [ʀakɔ̃taʀ] *nmpl* stories, gossip *sg*

**raconter** [ʀakɔ̃te] /1/ *vt*: **~ (à qn)** (*décrire*) to relate (to sb); (*dire*) to tell (sb) about; (*dire*) to tell (sb); **~ une histoire** to tell a story

**radar** [ʀadaʀ] *nm* radar; **~ (automatique)** (*Auto*) speed camera

**rade** [ʀad] *nf* (*natural*) harbour; **rester en ~** (*fig*) to be left stranded

**radeau, x** [ʀado] *nm* raft

**radiateur** [ʀadjatœʀ] *nm* radiator, heater; (*Auto*) radiator; **~ électrique/à gaz** electric/gas heater *ou* fire

**radiation** [ʀadjasjɔ̃] *nf* (*Physique*) radiation

**radical, e, -aux** [ʀadikal, -o] *adj* radical

**radieux, -euse** [Radjø, -øz] *adj* radiant

**radin, e** [Radɛ̃, -in] *adj* (*fam*) stingy

**radio** [Radjo] *nf* radio; (*Méd*) X-ray ▷ *nm* radio operator; **à la ~** on the radio; **radioactif, -ive** *adj* radioactive; **radiocassette** *nf* cassette radio; **radiographie** *nf* radiography; (*photo*) X-ray photograph; **radiophonique** *adj* radio *cpd*; **radio-réveil** (*pl* **radios-réveils**) *nm* radio alarm (clock)

**radis** [Radi] *nm* radish

**radoter** [Radɔte] /*1*/ *vi* to ramble on

**radoucir** [Radusiʀ] /*2/*: **se radoucir** *vi* (*se réchauffer*) to become milder; (*se calmer*) to calm down

**rafale** [Rafal] *nf* (*vent*) gust of wind); (*de balles, d'applaudissements*) burst

**raffermir** [RafɛRmiʀ] /*2/* *vt*, **se raffermir** *vi* to firm up

**raffiner** [Rafine] /*1/* *vt* to refine; **raffinerie** *nf* refinery

**raffoler** [Rafɔle] /*1/*: **~ de** *vt* to be very keen on

**rafle** [Rafl] *nf* (*de police*) raid; **rafler** /*1/* *vt* (*fam*) to swipe, nick

**rafraîchir** [RafReʃiʀ] /*2/* *vt* (*atmosphère, température*) to cool (down); (*boisson*) to chill; (*fig: rénover*) to brighten up; **se rafraîchir** *vi* to grow cooler; (*en se lavant*) to freshen up; (*en buvant etc*) to refresh o.s.; **rafraîchissant, e** *adj* refreshing; **rafraîchissement** *nm* (*boisson*) cool drink; **rafraîchissements** *nmpl* (*boissons, fruits etc*) refreshments

**rage** [Raʒ] *nf* (*Méd*): **la ~** rabies; (*fureur*) rage, fury; **faire ~** to rage; **~ de dents** (raging) toothache

**ragot** [Rago] *nm* (*fam*) malicious gossip *no pl*

**ragoût** [Ragu] *nm* stew

**raide** [Rɛd] *adj* (*tendu*) taut, tight; (*escarpé*) steep; (*droit: cheveux*) straight; (*ankylosé, guindé*) stiff; (*fam: sans argent*) flat broke; (*osé, licencieux*) daring ▷ *adv* (*en pente*)

steeply; **~ mort** stone dead; **raideur** *nf* (*rigidité*) stiffness; **avec raideur** (*répondre*) stiffly, abruptly; **raidir** /*2/* *vt* (*muscles*) to stiffen; **se raidir** *vi* to stiffen; (*personne*) to tense up; (: *se préparer moralement*) to brace o.s.; (*fig: devenir intransigeant*) to harden

**raie** [Rɛ] *nf* (*Zool*) skate, ray; (*rayure*) stripe; (*des cheveux*) parting

**raifort** [Refɔʀ] *nm* horseradish

**rail** [Raj] *nm* rail; (*chemins de fer*) railways *pl*; **par ~** by rail

**railler** [Raje] /*1/* *vt* to scoff at, jeer at

**rainure** [RenyR] *nf* groove

**raisin** [Rɛzɛ̃] *nm* (*aussi*: **~s**) grapes *pl*; **~s secs** raisins

**raison** [Rɛzɔ̃] *nf* reason; **avoir ~** to be right; **donner ~ à qn** to agree with sb; (*fait*) to prove sb right; **se faire une ~** to learn to live with it; **perdre la ~** to become insane; **~ de plus** all the more reason; **à plus forte ~** all the more so; **sans ~** for no reason; **en ~ de** because of; **à ~ de** at the rate of; **~ sociale** corporate name; **raisonnable** *adj* reasonable, sensible

**raisonnement** [Rɛzɔnmɑ̃] *nm* reasoning; argument

**raisonner** [Rɛzɔne] /*1/* *vi* (*penser*) to reason; (*argumenter, discuter*) to argue ▷ *vt* (*personne*) to reason with

**rajeunir** [Raʒœniʀ] /*2/* *vt* (*en recrutant*) to inject new blood into ▷ *vi* to become (*ou* look) younger; **~ qn** (*coiffure, robe*) to make sb look younger

**rajouter** [Raʒute] /*1/* *vt* to add

**rajuster** [Raʒyste] /*1/* *vt* (*vêtement*) to straighten, tidy; (*salaires*) to adjust

**ralenti** [Ralɑ̃ti] *nm*: **au ~** (*fig*) at a slower pace; **tourner au ~** (*Auto*) to tick over, idle

**ralentir** [Ralɑ̃tiʀ] /*2/* *vt, vi*, **se ralentir** *vi* to slow down

**râler** [Rɑle] /*1/* *vi* to groan; (*fam*) to grouse, moan (and groan)

**rallier** [Ralje] /*1/* *vt* (*rejoindre*) to rejoin; (*gagner à sa cause*) to win over

**rallonge** [ʀalɔ̃ʒ] nf (de table) (extra) leaf

**rallonger** [ʀalɔ̃ʒe] /3/ vt to lengthen

**rallye** [ʀali] nm rally; (Pol) march

**ramassage** [ʀamasaʒ] nm: ~ **scolaire** school bus service

**ramasser** [ʀamase] /1/ vt (objet tombé ou par terre) to pick up; (recueillir: copies, ordures) to collect; (récolter) to gather; **ramassis** nm (péj: de voyous) bunch; (de choses) jumble

**rambarde** [ʀɑ̃baʀd] nf guardrail

**rame** [ʀam] nf (aviron) oar; (de métro) train; (de papier) ream

**rameau, x** [ʀamo] nm (small) branch; **les R~x** (Rel) Palm Sunday sg

**ramener** [ʀamne] /5/ vt to bring back; (reconduire) to take back; ~ **qch à** (réduire à) to reduce sth to

**ramer** [ʀame] /1/ vi to row

**ramollir** [ʀamɔliʀ] /2/ vt to soften; **se ramollir** vi to get (ou go) soft

**rampe** [ʀɑ̃p] nf (d'escalier) banister(s pl); (dans un garage, d'un terrain) ramp; **la ~** (Théât) the footlights pl; ~ **de lancement** launching pad

**ramper** [ʀɑ̃pe] /1/ vi to crawl

**rancard** [ʀɑ̃kaʀ] nm (fam) date

**rancart** [ʀɑ̃kaʀ] nm: **mettre au ~** to scrap

**rance** [ʀɑ̃s] adj rancid

**rancœur** [ʀɑ̃kœʀ] nf rancour

**rançon** [ʀɑ̃sɔ̃] nf ransom

**rancune** [ʀɑ̃kyn] nf grudge, rancour; **garder ~ à qn (de qch)** to bear sb a grudge (for sth); **sans ~!** no hard feelings!; **rancunier, -ière** adj vindictive, spiteful

**randonnée** [ʀɑ̃dɔne] nf ride; (à pied) walk, ramble; (en montagne) hike, hiking no pl; **la ~** (activité) hiking, walking; **une ~ à cheval** a pony trek

**rang** [ʀɑ̃] nm (rangée) row; (grade, condition sociale, classement) rank; **rangs** nmpl (Mil) ranks; **se mettre en ~s/sur un ~** to get into ou form rows/a line; **au premier ~** in the first row; (fig) ranking first

**rangé, e** [ʀɑ̃ʒe] adj (vie) well-ordered; (sérieux: personne) steady

**rangée** [ʀɑ̃ʒe] nf row

**ranger** [ʀɑ̃ʒe] /3/ vt (classer, grouper) to order, arrange; (mettre à sa place) to put away; (mettre de l'ordre dans) to tidy up; (fig: classer): ~ **qn/qch parmi** to rank sb/sth among; **se ranger** vi (véhicule, conducteur) to take up position ou in; (piéton) to step aside; (s'assagir) to settle down; **se ~ à** (avis) to come round to

**ranimer** [ʀanime] /1/ vt (personne évanouie) to bring round; (douleur, souvenir) to revive; (feu) to rekindle

**rapace** [ʀapas] nm bird of prey

**râpe** [ʀɑp] nf (Culin) grater; **râper** /1/ vt (Culin) to grate

**rapide** [ʀapid] adj fast; (prompt: intelligence, coup d'œil, mouvement) quick ▷ nm express (train); (de cours d'eau) rapid; **rapidement** adv fast; quickly

**rapiécer** [ʀapjese] /3, 6/ vt to patch

**rappel** [ʀapɛl] nm (Théât) curtain call; (Méd: vaccination) booster; (d'une aventure, d'un nom) reminder; **rappeler** /4/ vt to call back; (ambassadeur, Mil) to recall; (faire se souvenir): **rappeler qch à qn** to remind sb of sth; **se rappeler** vt (se souvenir de) to remember, recall

**rapport** [ʀapɔʀ] nm (compte rendu) report; (profit) yield, return; (lien, analogie) relationship; (corrélation) connection; **rapports** nmpl (entre personnes, pays) relations; **avoir ~ à** to have something to do with; **être/ se mettre en ~ avec qn** to be/get in touch with sb; **par ~ à** in relation to; **~s (sexuels)** (sexual) intercourse sg; **~ qualité-prix** value (for money)

**rapporter** [ʀapɔʀte] /1/ vt (rendre, ramener) to bring back; (investissement) to yield; (relater) to report ▷ vi (investissement) to give a good return ou reward; (activité) to be very profitable; **se ~ à** to relate to

**rapprochement** [ʀapʀɔʃmɑ̃] *nm (de nations, familles)* reconciliation; *(analogie, rapport)* parallel

**rapprocher** [ʀapʀɔʃe] /1/ *vt (deux objets)* to bring closer together; *(ennemis, partis etc)* to bring together; *(comparer)* to establish a parallel between; *(chaise d'une table)*: **~ qch (de)** to bring sth closer (to); **se rapprocher** *vi* to draw closer *ou* nearer; **se ~ de** to come closer to; *(présenter une analogie avec)* to be close to

**raquette** [ʀakɛt] *nf (de tennis)* racket; *(de ping-pong)* bat

**rare** [ʀɑʀ] *adj* rare; **se faire ~** to become scarce; **rarement** *adv* rarely, seldom

**ras, e** [ʀɑ, ʀɑz] *adj (tête, cheveux)* close-cropped; *(poil, herbe)* short ▷ *adv* short; **en ~e campagne** in open country; **à ~ bords** to the brim; **en avoir ~ le bol** *(fam)* to be fed up

**raser** [ʀɑze] /1/ *vt (barbe, cheveux)* to shave off; *(menton, personne)* to shave; *(fam: ennuyer)* to bore; *(démolir)* to raze (to the ground); *(frôler)* to graze, skim; **se raser** *vi* to shave; *(fam)* to be bored (to tears); **rasoir** *nm* razor

**rassasier** [ʀasazje] /7/ *vt*: **être rassasié** to be sated

**rassemblement** [ʀasɑ̃bləmɑ̃] *nm (groupe)* gathering; *(Pol)* union

**rassembler** [ʀasɑ̃ble] /1/ *vt (réunir)* to assemble, gather; *(documents, notes)* to gather together, collect; **se rassembler** *vi* to gather

**rassurer** [ʀasyʀe] /1/ *vt* to reassure; **se rassurer** *vi* to be reassured; **rassure-toi** don't worry

**rat** [ʀa] *nm* rat

**rate** [ʀat] *nf* spleen

**raté, e** [ʀate] *adj (tentative)* unsuccessful, failed ▷ *nm/f (fam: personne)* failure

**râteau, x** [ʀɑto] *nm* rake

**rater** [ʀate] /1/ *vi (affaire, projet etc)* to go wrong, fail ▷ *vt (cible, train,* *occasion)* to miss; *(démonstration, plat)* to spoil; *(examen)* to fail

**ration** [ʀasjɔ̃] *nf* ration

**RATP** *sigle f (= Régie autonome des transports parisiens)* Paris transport authority

**rattacher** [ʀataʃe] /1/ *vt (animal, cheveux)* to tie up again; **~ qch à** *(relier)* to link sth with

**rattraper** [ʀatʀape] /1/ *vt (fugitif)* to recapture; *(retenir, empêcher de tomber)* to catch (hold of); *(atteindre, rejoindre)* to catch up with; *(réparer: erreur)* to make up for; **se rattraper** *vi* to make up for it; **se ~ (à)** *(se raccrocher)* to stop o.s. falling (by catching hold of)

**rature** [ʀatyʀ] *nf* deletion, erasure

**rauque** [ʀok] *adj (voix)* hoarse

**ravages** [ʀavaʒ] *nmpl*: **faire des ~** to wreak havoc

**ravi, e** [ʀavi] *adj*: **être ~ de/que** to be delighted with/that

**ravin** [ʀavɛ̃] *nm* gully, ravine

**ravir** [ʀaviʀ] /2/ *vt (enchanter)* to delight; **à ~** *adv* beautifully

**raviser** [ʀavize] /1/: **se raviser** *vi* to change one's mind

**ravissant, e** [ʀavisɑ̃, -ɑ̃t] *adj* delightful

**ravisseur, -euse** [ʀavisœʀ, -øz] *nm/f* abductor, kidnapper

**ravitailler** [ʀavitaje] /1/ *vt (en vivres, munitions)* to provide with fresh supplies; *(véhicule)* to refuel; **se ravitailler** *vi* to get fresh supplies

**raviver** [ʀavive] /1/ *vt (feu)* to rekindle; *(douleur)* to revive; *(couleurs)* to brighten up

**rayé, e** [ʀeje] *adj (à rayures)* striped

**rayer** [ʀeje] /8/ *vt (érafler)* to scratch; *(barrer)* to cross ou score out; *(d'une liste)* to cross ou strike off

**rayon** [ʀejɔ̃] *nm (de soleil etc)* ray; *(Géom)* radius; *(de roue)* spoke; *(étagère)* shelf; *(de grand magasin)* department; **dans un ~ de** within a radius of; **~ de soleil** sunbeam; **~s X** X-rays

**rayonnement** [ʀɛjɔnmɑ̃] nm (d'une culture) influence

**rayonner** [ʀɛjɔne] /1/ vi (fig) to shine forth; (: visage, personne) to be radiant; (touriste) to go touring (from one base)

**rayure** [ʀɛjyʀ] nf (motif) stripe; (éraflure) scratch; **à ~s** striped

**raz-de-marée** [ʀɑdmaʀe] nm inv tidal wave

**ré** [ʀe] nm (Mus) D; (en chantant la gamme) re

**réaction** [ʀeaksjɔ̃] nf reaction

**réadapter** [ʀeadapte] /1/: **se ~ (à)** vi to readjust (to)

**réagir** [ʀeaʒiʀ] /2/ vi to react

**réalisateur, -trice** [ʀealizatœʀ, -tʀis] nm/f (TV, Ciné) director

**réalisation** [ʀealizasjɔ̃] nf realization; (Ciné) production; **en cours de ~** under way

**réaliser** [ʀealize] /1/ vt (projet, opération) to carry out, realize; (rêve, souhait) to realize, fulfil; (exploit) to achieve; (film) to produce; (se rendre compte de) to realize; **se réaliser** vi to be realized

**réaliste** [ʀealist] adj realistic

**réalité** [ʀealite] nf reality; **en ~** in (actual) fact; **dans la ~** in reality

**réanimation** [ʀeanimasjɔ̃] nf resuscitation; **service de ~** intensive care unit

**rébarbatif, -ive** [ʀebaʀbatif, -iv] adj forbidding

**rebattu, e** [ʀəbaty] adj hackneyed

**rebelle** [ʀəbɛl] nm/f rebel ▷ adj (troupes) rebel; (enfant) rebellious; (mèche etc) unruly

**rebeller** [ʀəbele] /1/: **se rebeller** vi to rebel

**rebondir** [ʀəbɔ̃diʀ] /2/ vi (ballon: au sol) to bounce; (: contre un mur) to rebound; (fig) to get moving again

**rebord** [ʀəbɔʀ] nm edge; **le ~ de la fenêtre** the windowsill

**rebours** [ʀəbuʀ]: **à ~** adv the wrong way

**rebrousser** [ʀəbʀuse] /1/ vt: **~ chemin** to turn back

**rebuter** [ʀəbyte] /1/ vt to put off

**récalcitrant, e** [ʀekalsitʀɑ̃, -ɑ̃t] adj refractory

**récapituler** [ʀekapityle] /1/ vt to recapitulate; to sum up

**receler** [ʀəsəle] /5/ vt (produit d'un vol) to receive; (fig) to conceal; **receleur, -euse** nm/f receiver

**récemment** [ʀesamɑ̃] adv recently

**recensement** [ʀəsɑ̃smɑ̃] nm census

**recenser** [ʀəsɑ̃se] /1/ vt (population) to take a census of; (dénombrer) to list

**récent, e** [ʀesɑ̃, -ɑ̃t] adj recent

**récépissé** [ʀesepise] nm receipt

**récepteur, -trice** [ʀeseptœʀ, -tʀis] adj receiving ▷ nm receiver

**réception** [ʀesepsjɔ̃] nf receiving no pl; (accueil) reception, welcome; (bureau) reception (desk); (réunion mondaine) reception, party; **réceptionniste** nm/f receptionist

**recette** [ʀəsɛt] nf recipe; (Comm) takings pl; **recettes** nfpl (Comm: rentrées) receipts; **faire ~** (spectacle, exposition) to be a winner

**recevoir** [ʀəsəvwaʀ] /28/ vt to receive; (client, patient, représentant) to see; **être reçu** (à un examen) to pass

**rechange** [ʀəʃɑ̃ʒ]: **de ~** adj (pièces, roue) spare; (fig: solution) alternative; **des vêtements de ~** a change of clothes

**recharge** [ʀəʃaʀʒ] nf refill; **rechargeable** adj (stylo etc) refillable; **recharger** /3/ vt (briquet, stylo) to refill; (batterie) to recharge

**réchaud** [ʀeʃo] nm (portable) stove

**réchauffement** [ʀeʃofmɑ̃] nm warming (up); **le ~ de la planète** global warming

**réchauffer** [ʀeʃofe] /1/ vt (plat) to reheat; (mains, personne) to warm; **se réchauffer** vi (température) to get warmer; (personne) to warm o.s. (up)

**rêche** [ʀɛʃ] adj rough

**recherche** [ʀəʃɛʀʃ] nf (action): **la ~ de** the search for; (raffinement) studied elegance; (scientifique etc): **la ~** research; **recherches** nfpl (de la police) investigations; (scientifiques) research sg; **être/se mettre à la ~** to be/ go in search of

**recherché, e** [ʀəʃɛʀʃe] adj (rare, demandé) much sought-after; (raffiné) affected; (tenue) elegant

**rechercher** [ʀəʃɛʀʃe] /1/ vt (objet égaré, personne) to look for; (causes d'un phénomène, nouveau procédé) to try to find; (bonheur etc, l'amitié de qn) to seek

**rechute** [ʀəʃyt] nf (Méd) relapse

**récidiver** [ʀesidive] /1/ vi to commit a second (ou subsequent) offence; (fig) to do it again

**récif** [ʀesif] nm reef

**récipient** [ʀesipjɑ̃] nm container

**réciproque** [ʀesipʀɔk] adj reciprocal

**récit** [ʀesi] nm story; **récital** nm recital; **réciter** /1/ vt to recite

**réclamation** [ʀeklamasjɔ̃] nf complaint; **réclamations** nfpl complaints department sg

**réclame** [ʀeklam] nf: **une ~** an ad(vertisement), an advert (BRIT); **article en ~** special offer; **réclamer** /1/ vt to ask for; (revendiquer) to claim, demand ▷ vi to complain

**réclusion** [ʀeklyzjɔ̃] nf imprisonment

**recoin** [ʀəkwɛ̃] nm nook, corner

**reçois** etc [ʀəswa] vb voir **recevoir**

**récolte** [ʀekɔlt] nf harvesting, gathering; (produits) harvest, crop; **récolter** /1/ vt to harvest, gather (in); (fig) to get

**recommandé** [ʀəkɔmɑ̃de] nm (Postes): **en ~** by registered mail

**recommander** [ʀəkɔmɑ̃de] /1/ vt to recommend; (Postes) to register

**recommencer** [ʀəkɔmɑ̃se] /3/ vt (reprendre: lutte, séance) to resume, start again; (refaire: travail, explications) to start afresh, start (over) again ▷ vi to start again; (récidiver) to do it again

**récompense** [ʀekɔ̃pɑ̃s] nf reward; (prix) award; **récompenser** /1/ vt: **récompenser qn (de ou pour)** to reward sb (for)

**réconcilier** [ʀekɔ̃silje] /7/ vt to reconcile; **se réconcilier (avec)** to be reconciled (with)

**reconduire** [ʀəkɔ̃dɥiʀ] /38/ vt (raccompagner) to take ou see back; (renouveler) to renew

**réconfort** [ʀekɔ̃fɔʀ] nm comfort; **réconforter** /1/ vt (consoler) to comfort

**reconnaissance** [ʀəkɔnɛsɑ̃s] nf (action de reconnaître) recognition; (gratitude) gratitude, gratefulness; (Mil) reconnaissance, recce; **reconnaissant, e** adj grateful; **je vous serais reconnaissant de bien vouloir** I should be most grateful if you would (kindly)

**reconnaître** [ʀəkɔnɛtʀ] /57/ vt to recognize; (Mil: lieu) to reconnoitre; (Jur: enfant, dette, droit) to acknowledge; **~ que** to admit ou acknowledge that; **~ qn/qch à** (l'identifier grâce à) to recognize sb/sth by; **reconnu, e** adj (indiscuté, connu) recognized

**reconstituer** [ʀəkɔ̃stitɥe] /1/ vt (fresque, vase brisé) to piece together, reconstitute; (événement, accident) to reconstruct

**reconstruire** [ʀəkɔ̃stʀɥiʀ] /38/ vt to rebuild

**reconvertir** [ʀəkɔ̃vɛʀtiʀ] /2/ vt to reconvert; **se ~ dans** (un métier, une branche) to move into

**record** [ʀəkɔʀ] nm, adj record

**recoupement** [ʀəkupmɑ̃] nm: **par ~** by cross-checking

**recouper** [ʀəkupe] /1/: **se recouper** vi (témoignages) to tie ou match up

**recourber** [ʀəkuʀbe] /1/: **se recourber** vi to curve (up), bend (up)

**recourir** [ʀəkuʀiʀ] /11/: **~ à** vt (ami, agence) to turn ou appeal to; (force, ruse, emprunt) to resort to

**recours** [ʀəkuʀ] *nm*: **avoir - à** = **recourir à**; **en dernier -** as a last resort

**recouvrer** [ʀəkuvʀe] /1/ *vt* (*vue, santé etc*) to recover, regain

**recouvrir** [ʀəkuvʀiʀ] /18/ *vt* (*couvrir à nouveau*) to re-cover; (*couvrir entièrement, aussi fig*) to cover

**récréation** [ʀekʀeasjɔ̃] *nf* (*Scol*) break

**recroqueviller** [ʀəkʀɔkvije] /1/: **se recroqueviller** *vi* (*personne*) to huddle up

**recrudescence** [ʀəkʀydesɑ̃s] *nf* fresh outbreak

**recruter** [ʀəkʀyte] /1/ *vt* to recruit

**rectangle** [ʀɛktɑ̃gl] *nm* rectangle; **rectangulaire** *adj* rectangular

**rectificatif, -ive** [ʀɛktifikatif, -iv] *adj* corrected ▷ *nm* correction

**rectifier** [ʀɛktifje] /7/ *vt* (*calcul, adresse*) to correct; (*erreur, faute*) to rectify

**rectiligne** [ʀɛktiliɲ] *adj* straight

**recto** [ʀɛkto] *nm* front (*of a sheet of paper*); **- verso** on both sides (of the page)

**reçu, e** [ʀəsy] *pp de* **recevoir** ▷ *adj* (*candidat*) successful; (*admis, consacré*) accepted ▷ *nm* (*Comm*) receipt

**recueil** [ʀəkœj] *nm* collection; **recueillir** /12/ *vt* to collect; (*voix, suffrages*) to win; (*accueillir: réfugiés, chat*) to take in; **se recueillir** *vi* to gather one's thoughts; to meditate

**recul** [ʀəkyl] *nm* (*déclin*) decline; (*éloignement*) distance; **avoir un mouvement de -** to recoil; **prendre du -** to stand back; **être en -** to be on the decline; **avec le -** in retrospect; **reculé, e** *adj* remote; **reculer** /1/ *vi* to move back, back away; (*Auto*) to reverse, back (up); (*fig*) to (be on the) decline ▷ *vt* to move back; (*véhicule*) to reverse, back (up); (*date, décision*) to postpone; **reculer devant** (*danger, difficulté*) to shrink from; **reculons: à reculons** *adv* backwards

**récupérer** [ʀekypeʀe] /6/ *vt* to recover, get back; (*déchets etc*) to salvage (for reprocessing); (*journée, heures de travail*) to make up ▷ *vi* to recover

**récurer** [ʀekyʀe] /1/ *vt* to scour; **poudre à -** scouring powder

**reçus** *etc* [ʀəsy] *vb voir* **recevoir**

**recycler** [ʀəsikle] /1/ *vt* (*matériau*) to recycle; **se recycler** *vi* to retrain

**rédacteur, -trice** [ʀedaktœʀ, -tʀis] *nm/f* (*journaliste*) writer; subeditor; (*d'ouvrage de référence*) editor, compiler

**rédaction** [ʀedaksjɔ̃] *nf* writing; (*rédacteurs*) editorial staff; (*Scol: devoir*) essay, composition

**redescendre** [ʀədesɑ̃dʀ] /41/ *vi* to go back down ▷ *vt* (*pente etc*) to go down

**rédiger** [ʀediʒe] /3/ *vt* to write; (*contrat*) to draw up

**redire** [ʀədiʀ] /37/ *vt* to repeat; **trouver à - à** to find fault with

**redoubler** [ʀəduble] /1/ *vi* (*tempête, violence*) to intensify; (*Scol*) to repeat a year; **- de patience/prudence** to be doubly patient/careful

**redoutable** [ʀədutabl] *adj* formidable, fearsome

**redouter** [ʀədute] /1/ *vt* to dread

**redressement** [ʀədʀɛsmɑ̃] *nm* (*économique*) recovery

**redresser** [ʀədʀese] /1/ *vt* (*arbre, mât*) to set upright; (*pièce tordue*) to straighten out; (*situation, économie*) to put right; **se redresser** *vi* (*personne*) to sit (ou stand) up; (*pays, situation*) to recover

**réduction** [ʀedyksjɔ̃] *nf* reduction

**réduire** [ʀedɥiʀ] /38/ *vt* to reduce; (*prix, dépenses*) to cut; reduce; **réduit** *nm* tiny room

**rééducation** [ʀeedykasjɔ̃] *nf* (*d'un membre*) re-education; (*de délinquants, d'un blessé*) rehabilitation

**réel, le** [ʀeɛl] *adj* real; **réellement** *adv* really

**réexpédier** [ʀeɛkspedje] /7/ vt
(à l'envoyeur) to return, send back;
(au destinataire) to send on, forward

**refaire** [ʀəfɛʀ] /60/ vt (recommencer) to do again; (sport) to take up again; (réparer, restaurer) to do up

**réfectoire** [ʀefɛktwaʀ] nm refectory

**référence** [ʀefeʀɑ̃s] nf reference;
**références** nfpl (recommandations) reference sg

**référer** [ʀefeʀe] /6/: **se ~ à** vt to refer to

**refermer** [ʀəfɛʀme] /1/ vt to close again, shut again; **se refermer** vi (porte) to close ou shut (again)

**refiler** [ʀəfile] /1/ vt (fam): **~ qch à qn** to palm (BRIT) ou fob sth off on sb

**réfléchi, e** [ʀefleʃi] adj (caractère) thoughtful; (action) well-thought-out; (Ling) reflexive; **c'est tout ~** my mind's made up

**réfléchir** [ʀefleʃiʀ] /2/ vt to reflect
▷ vi to think; **~ à ou sur** to think about

**reflet** [ʀəflɛ] nm reflection; (sur l'eau etc) sheen no pl, glint; **refléter** /6/ vt to reflect; **se refléter** vi to be reflected

**réflexe** [ʀeflɛks] adj, nm reflex

**réflexion** [ʀeflɛksjɔ̃] nf (de la lumière etc) reflection; (fait de penser) thought; (remarque) remark; **~ faite, à la ~** on reflection; **délai de ~** cooling-off period; **groupe de ~** think tank

**réflexologie** [ʀeflɛksɔlɔʒi] nf reflexology

**réforme** [ʀefɔʀm] nf reform; (Rel):
**la R~** the Reformation; **réformer** /1/ vt to reform; (Mil) to declare unfit for service

**refouler** [ʀəfule] /1/ vt (envahisseurs) to drive back; (liquide, larmes) to force back; (désir, colère) to repress

**refrain** [ʀəfʀɛ̃] nm refrain, chorus

**refréner, réfréner** [ʀəfʀene, ʀefʀene] vt to curb, check

**réfrigérateur** [ʀefʀiʒeʀatœʀ] nm refrigerator

**refroidir** [ʀəfʀwadiʀ] /2/ vt to cool; (personne) to put off ▷ vi to cool (down); **se refroidir** vi (temps) to get cooler ou colder; (fig: ardeur) to cool (off); **refroidissement** nm (grippe etc) chill

**refuge** [ʀəfyʒ] nm refuge; **réfugié, e** adj, nm/f refugee; **réfugier** /7/: **se réfugier** vi to take refuge

**refus** [ʀəfy] nm refusal; **ce n'est pas de ~** I won't say no, it's very welcome; **refuser** /1/ vt to refuse; (Scol: candidat) to fail; **refuser qch à qn/de faire** to refuse sb sth/to do; **refuser du monde** to have to turn people away; **se refuser à qch** ou **à faire qch** to refuse to do sth

**regagner** [ʀəgaɲe] /1/ vt to win back; (lieu) to get back to

**régal** [ʀegal] nm treat; **régaler** /1/ vt: **régaler qn de** to treat sb to; **se régaler** vi to have a delicious meal; (fig) to enjoy o.s.

**regard** [ʀəgaʀ] nm (coup d'œil) look, glance; (expression) look (in one's eye); **au ~ de** (loi, morale) from the point of view of; **en ~ de** in comparison with

**regardant, e** [ʀəgaʀdɑ̃, -ɑ̃t] adj:
**très/peu ~ (sur)** quite fussy/very free (about); (économe) very tight-fisted/quite generous (with)

**regarder** [ʀəgaʀde] /1/ vt to look at; (film, télévision, match) to watch; (concerner) to concern ▷ vi to look; **ne pas ~ à la dépense** to spare no expense; **~ qn/qch comme** to regard sb/sth as

**régie** [ʀeʒi] nf (Comm, Industrie) state-owned company; (Théât, Ciné) production; (Radio, TV) control room

**régime** [ʀeʒim] nm (Pol) régime; (Admin: carcéral, fiscal etc) system; (Méd) diet; (de bananes, dattes) bunch; **se mettre au/suivre un ~** to go on/be on a diet

**régiment** [ʀeʒimɑ̃] nm regiment

**région** [ʀeʒjɔ̃] nf region; **régional, e, -aux** adj regional

**régir** [ʀeʒiʀ] /2/ vt to govern

**régisseur** [ʀeʒisœʀ] nm (d'un domaine) steward; (Ciné, TV) assistant director; (Théât) stage manager

**registre** [ʀaʒistʀ] nm register

**réglage** [ʀeglaʒ] nm adjustment

**réglé, e** [ʀegle] adj well-ordered; (arrangé) settled

**règle** [ʀegl] nf (instrument) ruler; (loi, prescription) rule; **règles** nfpl (Physiol) period sg; **en ~** (papiers d'identité) in order; **en ~ générale** as a (general) rule

**règlement** [ʀeglamɑ̃] nm (paiement) settlement; (arrêté) regulation; (règles, statuts) regulations pl, rules pl; **réglementaire** adj conforming to the regulations; (tenue, uniforme) regulation cpd; **réglementation** nf (règlements) regulations pl; **réglementer** /1/ vt to regulate

**régler** [ʀegle] /6/ vt (mécanisme, machine) to regulate, adjust; (thermostat etc) to set, adjust; (question, conflit, facture, dette) to settle; (fournisseur) to settle up with

**réglisse** [ʀeglis] nm ou f liquorice

**règne** [ʀɛɲ] nm (d'un roi etc, fig) reign; **le ~ végétal/animal** the vegetable/animal kingdom; **régner** /6/ vi (roi) to rule, reign; (fig) to reign

**regorger** [ʀagɔʀʒe] /3/ vi: **~ de** to overflow with, be bursting with

**regret** [ʀagʀɛ] nm regret; **à ~** with regret; **sans ~** with no regrets; **regrettable** adj regrettable; **regretter** /1/ vt to regret; (personne) to miss; **non, je regrette** no, I'm sorry

**regrouper** [ʀagʀupe] /1/ vt (grouper) to group together; (contenir) to include, comprise; **se regrouper** vi to gather (together)

**régulier, -ière** [ʀegylje, -jɛʀ] adj (gén) regular; (vitesse, qualité) steady; (répartition, progrès) even; (Transports: ligne, service) scheduled, regular; (légal, réglementaire) lawful,

in order; (fam: correct) straight, on the level; **régulièrement** adv regularly; evenly

**rehausser** [ʀaose] /1/ vt (relever) to heighten, raise; (fig: souligner) to set off, enhance

**rein** [ʀɛ̃] nm kidney; **reins** nmpl (dos) back sg

**reine** [ʀɛn] nf queen

**reine-claude** [ʀɛnklod] nf greengage

**réinscriptible** [ʀeɛ̃skʀiptibl] adj (CD, DVD) rewritable

**réinsertion** [ʀeɛ̃sɛʀsjɔ̃] nf (de délinquant) reintegration, rehabilitation

**réintégrer** [ʀeɛ̃tegʀe] /6/ vt (lieu) to return to; (fonctionnaire) to reinstate

**rejaillir** [ʀaʒajiʀ] /2/ vi to splash up; **~ sur** (fig) (scandale) to rebound on; (gloire) to be reflected on

**rejet** [ʀaʒɛ] nm rejection; **rejeter** /4/ vt (relancer) to throw back; (vomir) to bring ou throw up; (écarter) to reject; (déverser) to throw out, discharge; **rejeter la responsabilité de qch sur qn** to lay the responsibility for sth at sb's door

**rejoindre** [ʀaʒwɛ̃dʀ] /49/ vt (famille, régiment) to rejoin, return to; (lieu) to get (back) to; (route etc) to meet, join; (rattraper) to catch up (with); **se rejoindre** vi to meet; **je te rejoins au café** I'll see ou meet you at the café

**réjouir** [ʀeʒwiʀ] /2/ vt to delight; **se ~ de qch/de faire** to be delighted about sth/to do; **réjouissances** nfpl (fête) festivities

**relâche** [ʀalɑʃ]: **sans ~** adv without respite ou a break; **relâché, e** adj loose, lax; **relâcher** /1/ vt (ressort, prisonnier) to release; (étreinte, cordes) to loosen; **se relâcher** vi (discipline) to become slack ou lax; (élève etc) to slacken off

**relais** [ʀalɛ] nm (Sport): **(course de) ~** relay (race); **prendre le ~ (de)** to take

over (from); **~ routier** ≈ transport
café (BRIT); ≈ truck stop (US)
**relancer** [Rəlɑ̃se] /3/ vt (balle)
to throw back (again); (moteur)
to restart; (fig) to boost, revive;
(personne): **~ qn** to pester sb
**relatif, -ive** [Rəlatif, -iv] adj relative
**relation** [Rəlasjɔ̃] nf (rapport)
relation(ship); (connaissance)
acquaintance; **relations** nfpl
(rapports) relations; (connaissances)
connections; **être/entrer en ~(s)
avec** to be in contact ou be dealing/
get in contact with
**relaxer** [Rəlakse] /1/: **se relaxer**
vi to relax
**relayer** [Rəleje] /8/ vt (coureur,
coureur etc) to relieve; **se relayer** vi
(dans une activité) to take it in turns
**reléguer** [Rəlege] /6/ vt to relegate
**relevé, e** [Rəlve] adj (manches) rolled-
up; (sauce) highly-seasoned ▷ nm
(lecture) reading; **~ bancaire** ou **de
compte** bank statement
**relève** [Rəlɛv] nf (personne) relief;
**prendre la ~** to take over
**relever** [Rəlve] /5/ vt (statue, meuble)
to stand up again; (personne tombée)
to help up; (vitre, plafond, niveau de
vie) to raise; (col) to turn up; (style,
conversation) to elevate; (plat, sauce) to
season; (sentinelle, équipe) to relieve;
(fautes, points) to pick out; (défi) to
accept, take up; (noter: adresse etc) to
take down, note; (: plan) to sketch;
(compteur) to read; (ramasser: cahiers,
copies) to collect, take in ▷ vi: **~ de**
(maladie) to be recovering from; (être
du ressort de) to be a matter for; (fig)
to pertain to; **se relever** vi (se remettre
debout) to get up; **~ qn de** (fonctions)
to relieve sb of; **~ la tête** to look up
**relief** [Rəljɛf] nm relief; **mettre en ~**
(fig) to bring out, highlight
**relier** [Rəlje] /7/ vt to link up (livre) to
bind; **~ qch à** to link sth to
**religieux, -euse** [Rəliʒjø, -øz] adj
religious ▷ nm monk

**religion** [Rəliʒjɔ̃] nf religion
**relire** [RəliR] /43/ vt (à nouveau)
to reread, read again; (vérifier) to
read over
**reluire** [RəlɥiR] /38/ vi to gleam
**remanier** [Rəmanje] /7/ vt to
reshape, recast; (Pol) to reshuffle
**remarquable** [Rəmarkabl] adj
remarkable
**remarque** [Rəmark] nf remark;
(écrite) note
**remarquer** [Rəmarke] /1/ vt (voir)
to notice; **se remarquer** vi to
be noticeable; **se faire ~** to draw
attention to o.s.; **faire ~ (à qn) que**
to point out (to sb) that; **faire ~
qch (à qn)** to point sth out (to sb);
**remarquez, ...** mind you, ...
**rembourrer** [Rɑ̃buRe] /1/ vt to stuff
**remboursement** [Rɑ̃buRsəmɑ̃]
nm (de dette, d'emprunt) repayment;
(de frais) refund; **rembourser** /1/ vt
to pay back; (frais, billet etc)
to refund; **se faire rembourser** to
get a refund
**remède** [Rəmɛd] nm (médicament)
medicine; (traitement, fig) remedy,
cure
**remémorer** [RəmemɔRe] /1/: **se
remémorer** vt to recall, recollect
**remerciements** [RəmɛRsimɑ̃] nmpl
thanks; **(avec) tous mes ~** (with)
grateful ou many thanks
**remercier** [RəmɛRsje] /7/ vt to
thank; (congédier) to dismiss; **~ qn
de/d'avoir fait** to thank sb for/
for having done
**remettre** [RəmɛtR] /56/ vt
(vêtement): **~ qch** to put sth back on;
(replacer): **~ qch quelque part** to
put sth back somewhere; (ajouter):
**~ du sel/un sucre** to add more salt/
another lump of sugar; (ajourner): **~
qch (à)** to postpone sth ou put sth off
(until); **se remettre** vi to get better;
**~ qch à qn** (donner) to hand over sth
to sb; (prix, décoration) to present sb
with sth; **se ~ de** to recover from;

**s'en ~ à** to leave it (up) to; **se ~ à faire/qch** to start doing/sth again

**remis, e** [Rami, -iz] pp de **remettre**
▷ nf (rabais) discount; (local) shed;
**~e en cause/question** calling into question/challenging; **~ en jeu** (Football) throw-in; **~ de peine** remission of sentence; **~ des prix** prize-giving

**remontant** [Rəmɔ̃tɑ̃] nm tonic, pick-me-up

**remonte-pente** [Rəmɔ̃tpɑ̃t] nm ski lift

**remonter** [Rəmɔ̃te] /1/ vi to go back up; (prix, température) to go up again; (en voiture) to get back in ▷ vt (pente) to go up; (fleuve) to sail (ou swim etc) up; (manches, pantalon) to roll up; (fam) to turn up; (niveau, limite) to raise; (fig: personne) to buck up; (moteur, meuble) to put back together, reassemble; (montre, mécanisme) to wind up; **~ le moral à qn** to raise sb's spirits; **~ à** (dater de) to date ou go back to

**remords** [Rəmɔʀ] nm remorse no pl; **avoir des ~** to feel remorse

**remorque** [Rəmɔʀk] nf trailer; **remorquer** /1/ vt to tow; **remorqueur** nm tug(boat)

**remous** [Rəmu] nm (d'un navire) (back)wash no pl; (de rivière) swirl, eddy pl; (fig) stir sg

**remparts** [Rɑ̃paʀ] nmpl walls, ramparts

**remplaçant, e** [Rɑ̃plasɑ̃, -ɑ̃t] nm/f replacement, stand-in; (Scol) supply (BRIT) ou substitute (US) teacher

**remplacement** [Rɑ̃plasmɑ̃] nm replacement; **faire des ~s** (professeur) to do supply ou substitute teaching; (secrétaire) to temp

**remplacer** [Rɑ̃plase] /3/ vt to replace; **~ qch/qn par** to replace sth/sb with

**rempli, e** [Rɑ̃pli] adj (emploi du temps) full, busy; **~ de** full of, filled with

**remplir** [Rɑ̃pliʀ] /2/ vt to fill (up); (questionnaire) to fill out ou up; (obligations, fonction, condition) to fulfil; **se remplir** vi to fill up

**remporter** [Rɑ̃pɔʀte] /1/ vt (marchandise) to take away; (fig) to win, achieve

**remuant, e** [Rəmɥɑ̃, -ɑ̃t] adj restless

**remue-ménage** [Rəmymenaʒ] nm inv commotion

**remuer** [Rəmɥe] /1/ vt to move; (café, sauce) to stir ▷ vi to move; **se remuer** vi to move; (fam: s'activer) to get a move on

**rémunérer** [Remyneʀe] /6/ vt to remunerate

**renard** [Rənaʀ] nm fox

**renchérir** [Rɑ̃ʃeʀiʀ] /2/ vi (fig): **~ (sur)** (en paroles) to add something (to)

**rencontre** [Rɑ̃kɔ̃tʀ] nf meeting; (imprévue) encounter; **aller à la ~ de qn** to go and meet sb; **rencontrer** /1/ vt to meet; (mot, expression) to come across; (difficultés) to meet with; **se rencontrer** vi to meet

**rendement** [Rɑ̃dmɑ̃] nm (d'un travailleur, d'une machine) output; (d'une culture, d'un champ) yield

**rendez-vous** [Rɑ̃devu] nm appointment; (d'amoureux) date; (lieu) meeting place; **donner ~ à qn** to arrange to meet sb; **avoir/prendre ~ (avec)** to have/make an appointment (with)

**rendre** [Rɑ̃dʀ] /41/ vt (livre, argent etc) to give back, return; (otages, visite, politesse, invitation) to return; (sang, aliments) to bring up; (exprimer, traduire) to render; (faire devenir): **~ qn célèbre/qch possible** to make sb famous/sth possible; **se rendre** vi (capituler) to surrender, give o.s. up; (aller): **se ~ quelque part** to go somewhere; **se ~ compte de qch** to realize sth; **~ la monnaie** to give change

**rênes** [Rɛn] nfpl reins

**renfermé, e** [ʀɑ̃fɛʀme] *adj* (*fig*) withdrawn ▷ *nm*: **sentir le ~** to smell stuffy

**renfermer** [ʀɑ̃fɛʀme] /1/ *vt* to contain

**renforcer** [ʀɑ̃fɔʀse] /3/ *vt* to reinforce; **renfort** *nm*: **renforts** *nmpl* reinforcements; **à grand renfort de** with a great deal of

**renfrogné, e** [ʀɑ̃fʀɔɲe] *adj* sullen, scowling

**renier** [ʀənje] /7/ *vt* (*parents*) to disown, repudiate; (*foi*) to renounce

**renifler** [ʀənifle] /1/ *vi* to sniff ▷ *vt* (*odeur*) to sniff

**renne** [ʀɛn] *nm* reindeer *inv*

**renom** [ʀənɔ̃] *nm* reputation; (*célébrité*) renown; **renommé, e** celebrated, renowned ▷ *nf* fame

**renoncer** [ʀənɔ̃se] /3/: **~ à** *vt* to give up; **~ à faire** to give up the idea of doing

**renouer** [ʀənwe] /1/ *vt*: **~ avec** (*habitude*) to take up again

**renouvelable** [ʀ(ə)nuvlabl] *adj* (*contrat, bail, énergie*) renewable

**renouveler** [ʀənuvle] /4/ *vt* to renew; (*exploit, méfait*) to repeat; **se renouveler** *vi* (*incident*) to recur, happen again; **renouvellement** *nm* renewal

**rénover** [ʀenɔve] /1/ *vt* (*immeuble*) to renovate, do up; (*quartier*) to redevelop

**renseignement** [ʀɑ̃sɛɲmɑ̃] *nm* information *no pl*, piece of information; (*guichet des*) **~s** information desk; (*service des*) **~s** (*Tél*) directory inquiries (BRIT), information (us)

**renseigner** [ʀɑ̃seɲe] /1/ *vt*: **~ qn (sur)** to give information to sb (about); **se renseigner** *vi* to ask for information, make inquiries

**rentabilité** [ʀɑ̃tabilite] *nf* profitability

**rentable** [ʀɑ̃tabl] *adj* profitable

**rente** [ʀɑ̃t] *nf* income; (*pension*) pension

**rentrée** [ʀɑ̃tʀe] *nf*: **~ (d'argent)** cash *no pl* coming in; **la ~ (des classes** *ou* **scolaire)** the start of the new school year

**rentrer** [ʀɑ̃tʀe] /1/ *vi* (*entrer de nouveau*) to go (*ou* come) back in; (*entrer*) to go (*ou* come) in; (*revenir chez soi*) to go (*ou* come) (back) home; (*air, clou: pénétrer*) to go in; (*revenu, argent*) to come in ▷ *vt* to bring in; (*véhicule*) to put away; (*chemise dans pantalon etc*) to tuck in; (*griffes*) to draw in; **~ le ventre** to pull in one's stomach; **~ dans** (*heurter*) to crash into; **~ dans l'ordre** to get back to normal; **~ dans ses frais** to recover one's expenses (*ou* initial outlay)

**renverse** [ʀɑ̃vɛʀs]: **à la ~** *adv* backwards

**renverser** [ʀɑ̃vɛʀse] /1/ *vt* (*faire tomber: chaise, verre*) to knock over, overturn; (*: piéton*) to knock down; (*: liquide, contenu*) to spill, upset; (*retourner*) to turn upside down; (*: ordre des mots etc*) to reverse; (*fig: gouvernement etc*) to overthrow; (*stupéfier*) to bowl over; **se renverser** *vi* (*verre, vase*) to fall over; (*contenu*) to spill

**renvoi** [ʀɑ̃vwa] *nm* (*d'employé*) dismissal; (*d'élève*) expulsion; (*référence*) cross-reference; (*éructation*) belch; **renvoyer** /8/ *vt* to send back; (*congédier*) to dismiss; (*élève: définitivement*) to expel; (*lumière*) to reflect; (*ajourner*): **renvoyer qch (à)** to postpone sth (until)

**repaire** [ʀəpɛʀ] *nm* den

**répandre** [ʀepɑ̃dʀ] /41/ *vt* (*renverser*) to spill; (*étaler, diffuser*) to spread; (*chaleur, odeur*) to give off; **se répandre** *vi* to spill; to spread; **répandu, e** *adj* (*opinion, usage*) widespread

**réparateur, -trice** [ʀepaʀatœʀ, -tʀis] *nm/f* repairer

**réparation** [ʀepaʀasjɔ̃] *nf* repair

**réparer** [ʀepaʀe] /1/ vt to repair; (fig: offense) to make up for, atone for; (: oubli, erreur) to put right

**repartie** [ʀəpaʀti] nf retort; **avoir de la ~** to be quick at repartee

**repartir** [ʀəpaʀtiʀ] /16/ vi to set off again; (voyageur) to leave again; (fig) to get going again; **~ à zéro** to start from scratch (again)

**répartir** [ʀepaʀtiʀ] /2/ vt (pour attribuer) to share out; (pour disperser, disposer) to divide up; (poids, chaleur) to distribute; **se répartir** vt (travail, rôles) to share out between themselves; **répartition** nf (des richesses etc) distribution

**repas** [ʀəpɑ] nm meal

**repassage** [ʀəpɑsaʒ] nm ironing

**repasser** [ʀəpɑse] /1/ vi to come (ou go) back ▷ vt (vêtement, tissu) to iron; (examen) to retake, resit; (film) to show again; (leçon, rôle: revoir) to go over (again)

**repentir** [ʀəpɑ̃tiʀ] /16/ nm repentance; **se repentir** vi to repent; **se ~ d'avoir fait qch** (regretter) to regret having done sth

**répercussions** [ʀepɛʀkysjɔ̃] nfpl repercussions

**répercuter** [ʀepɛʀkyte] /1/: **se répercuter** vi (bruit) to reverberate; (fig): **se ~ sur** to have repercussions on

**repère** [ʀəpɛʀ] nm mark; (monument etc) landmark

**repérer** [ʀəpeʀe] /6/ vt (erreur, connaissance) to spot; (abri, ennemi) to locate; **se repérer** vi to get one's bearings

**répertoire** [ʀepɛʀtwaʀ] nm (liste) (alphabetical) list; (carnet) index notebook; (Inform) directory; (d'un théâtre, artiste) repertoire

**répéter** [ʀepete] /6/ vt to repeat; (préparer: leçon) to learn, go over; (Théât) to rehearse; **se répéter** (redire) to repeat o.s.; (se reproduire) to be repeated, recur

**répétition** [ʀepetisjɔ̃] nf repetition; (Théât) rehearsal; **~ générale** final dress rehearsal

**répit** [ʀepi] nm respite; **sans ~** without letting up

**replier** [ʀəplije] /7/ vt (rabattre) to fold down ou over; **se replier** vi (armée) to withdraw, fall back; **se ~ sur soi-même** to withdraw into oneself

**réplique** [ʀeplik] nf (repartie, fig) reply; (Théât) line; (copie) replica; **répliquer** /1/ vi to reply; (riposter) to retaliate

**répondeur** [ʀepɔ̃dœʀ] nm: **~ (automatique)** (Tél) answering machine

**répondre** [ʀepɔ̃dʀ] /41/ vi to answer, reply; (freins, mécanisme) to respond; **~ à** to reply to, answer; (affection, salut) to return; (provocation) to respond to; (correspondre à) (besoin) to answer; (conditions) to meet; (description) to match; **~ à qn** (avec impertinence) to answer sb back; **~ de** to answer for

**réponse** [ʀepɔ̃s] nf answer, reply; **en ~ à** in reply to

**reportage** [ʀəpɔʀtaʒ] nm report

**reporter¹** [ʀəpɔʀtɛʀ] nm reporter

**reporter²** [ʀəpɔʀte] vt (ajourner): **~ qch (à)** to postpone sth (until); (transférer): **~ qch sur** to transfer sth to; **se ~ à** (époque) to think back to; (document) to refer to

**repos** [ʀəpo] nm rest; (fig) peace (and quiet); (Mil): **~!** (stand) at easel; **ce n'est pas de tout ~!** it's no picnic!

**reposant, e** [ʀ(ə)pozɑ̃, -ɑ̃t] adj restful

**reposer** [ʀəpoze] /1/ vt (verre, livre) to put down; (délasser) to rest ▷ vi: **laisser ~** (pâte) to leave to stand

**repoussant, e** [ʀəpusɑ̃, -ɑ̃t] adj repulsive

**repousser** [ʀəpuse] /1/ vi to grow again ▷ vt to repel, repulse; (offre) to turn down, reject; (*tiroir, personne*) to push back; (*différer*) to put back

**reprendre** [ʀəpʀɑ̃dʀ] /58/ vt (*prisonnier, ville*) to recapture; (*firme, entreprise*) to take over; (*emprunter: argument, idée*) to take up, use; (*refaire: article etc*) to go over again; (*jupe etc*) to alter; (*réprimander*) to tell off; (*corriger*) to correct; (*travail, promenade*) to resume; (*chercher*): **je viendrai te ~ à 4 h** I'll come and fetch you ou I'll come back for you at 4; (*se resservir de*): **~ du pain/un œuf** to take (ou eat) more bread/ another egg ▷ vi (*classes, pluie*) to start (up) again; (*activités, travaux, combats*) to resume, start (up) again; (*affaires, industrie*) to pick up; (*dire*): **reprit-il** he went on; **~ des forces** to recover one's strength; **~ courage** to take new heart; **~ la route** to resume one's journey, set off again; **~ haleine** ou **son souffle** to get one's breath back

**représentant, e** [ʀəpʀezɑ̃tɑ̃, -ɑ̃t] nm/f representative

**représentation** [ʀəpʀezɑ̃tasjɔ̃] nf representation; (*spectacle*) performance

**représenter** [ʀəpʀezɑ̃te] /1/ vt to represent; (*donner: pièce, opéra*) to perform; **se représenter** vt (*se figurer*) to imagine

**répression** [ʀepʀesjɔ̃] nf repression

**réprimer** [ʀepʀime] /1/ vt (*émotions*) to suppress; (*peuple etc*) to repress

**repris, e** [ʀəpʀi, -iz] pp de **reprendre** ▷ nm: **~ de justice** ex-prisoner, ex-convict

**reprise** [ʀəpʀiz] nf (*recommencement*) resumption; (*économique*) recovery; (*TV*) repeat; (*Comm*) trade-in, part exchange; (*raccommodage*) mend; **à plusieurs ~s** on several occasions

**repriser** [ʀəpʀize] /1/ vt (*chaussette, lainage*) to darn; (*tissu*) to mend

**reproche** [ʀəpʀɔʃ] nm (*remontrance*) reproach; **faire des ~s à qn** to

reproach sb; **sans ~(s)** beyond ou above reproach; **reprocher** /1/ vt: **reprocher qch à qn** to reproach ou blame sb for sth; **reprocher qch à** (*machine, théorie*) to have sth against

**reproduction** [ʀəpʀɔdyksjɔ̃] nf reproduction

**reproduire** [ʀəpʀɔdɥiʀ] /38/ vt to reproduce; **se reproduire** vi (*Bio*) to reproduce; (*recommencer*) to recur, re-occur

**reptile** [ʀɛptil] nm reptile

**république** [ʀepyblik] nf republic

**répugnant, e** [ʀepyɲɑ̃, -ɑ̃t] adj repulsive

**répugner** [ʀepyɲe] /1/: **~ à** vt: **~ à qn** to repel ou disgust sb; **~ à faire** to be loath ou reluctant to do

**réputation** [ʀepytasjɔ̃] nf reputation; **réputé, e** adj renowned

**requérir** [ʀəkeʀiʀ] /21/ vt (*nécessiter*) to require, call for

**requête** [ʀəkɛt] nf request

**requin** [ʀəkɛ̃] nm shark

**requis, e** [ʀəki, -iz] adj required

**RER** sigle m (= *Réseau express régional*) Greater Paris high-speed train service

**rescapé, e** [ʀɛskape] nm/f survivor

**rescousse** [ʀɛskus] nf: **aller à la ~ de qn** to go to sb's aid ou rescue

**réseau, x** [ʀezo] nm network; **~ social** social network

**réseautage** [ʀezotaʒ] nm social networking

**réservation** [ʀezɛʀvasjɔ̃] nf reservation; booking

**réserve** [ʀezɛʀv] nf (*retenue*) reserve; (*entrepôt*) storeroom; (*restriction, aussi: d'Indiens*) reservation; (*de pêche, chasse*) preserve; **de ~** (*provisions etc*) in reserve

**réservé, e** [ʀezɛʀve] adj reserved; (*chasse, pêche*) private

**réserver** [ʀezɛʀve] /1/ vt to reserve; (*chambre, billet etc*) to book, reserve; (*mettre de côté, garder*): **~ qch pour ou à** to keep ou save sth for

**réservoir** [ʀezɛʀvwaʀ] nm tank

**résidence** [Rezidɑ̃s] *nf* residence; **~ principale/secondaire** main/second home; **~ universitaire** hall of residence (BRIT), dormitory (US); **résidentiel, le** *adj* residential; **résider** /1/ *vi*: **résider à** ou **dans** ou **en** to reside in; **résider dans** (*fig*) to lie in

**résidu** [Rezidy] *nm* residue *no pl*

**résigner** [Rezine] /1/: **se résigner** *vi*: **se ~ (à qch/à faire)** to resign o.s. (to sth/to doing)

**résilier** [Rezilje] /7/ *vt* to terminate

**résistance** [Rezistɑ̃s] *nf* resistance; (*de réchaud, bouilloire*: *fil*) element

**résistant, e** [Rezistɑ̃, -ɑ̃t] *adj* (*personne*) robust, tough; (*matériau*) strong, hard-wearing

**résister** [Reziste] /1/ *vi* to resist: **~ à** (*assaut, tentation*) to resist; (*matériau, plante*) to withstand; (*désobéir à*) to stand up to, oppose

**résolu, e** [Rezɔly] *pp de* **résoudre** ▷ *adj*: **être ~ à qch/faire** to be set upon sth/doing

**résolution** [Rezɔlysjɔ̃] *nf* (*fermeté, décision*) resolution; (*d'un problème*) solution

**résolvais** *etc* [Rezɔlv] *vb voir* **résoudre**

**résonner** [Rezɔne] /1/ *vi* (*cloche, pas*) to reverberate, resound; (*salle*) to be resonant

**résorber** [RezɔRbe] /1/: **se résorber** *vi* (*Méd*) to be resorbed; (*fig*) to be absorbed

**résoudre** [RezudR] /51/ *vt* to solve; **se ~ à faire** to bring o.s. to do

**respect** [Respɛ] *nm* respect; **tenir en ~** to keep at bay; **présenter ses ~s à qn** to pay one's respects to sb; **respecter** /1/ *vt* to respect; **respectueux, -euse** *adj* respectful

**respiration** [RespiRasjɔ̃] *nf* breathing *no pl*

**respirer** [RespiRe] /1/ *vi* to breathe; (*fig*: *se reposer*) to get one's breath; (: *être soulagé*) to breathe again ▷ *vt* to

breathe (in), inhale; (*manifester*: *santé, calme etc*) to exude

**resplendir** [Rɛsplɑ̃diR] /2/ *vi* to shine; (*fig*): **~ (de)** to be radiant (with)

**responsabilité** [Rɛspɔ̃sabilite] *nf* responsibility; (*légale*) liability

**responsable** [Rɛspɔ̃sabl] *adj* responsible ▷ *nm/f* (*personne coupable*) person responsible; (*du ravitaillement etc*) person in charge; (*de parti, syndicat*) official; **~ de** responsible for

**ressaisir** [RəseziR] /2/: **se ressaisir** *vi* to regain one's self-control

**ressasser** [Rəsase] /1/ *vt* to keep turning over

**ressemblance** [Rəsɑ̃blɑ̃s] *nf* resemblance, similarity, likeness

**ressemblant, e** [Rəsɑ̃blɑ̃, -ɑ̃t] *adj* (*portrait*) lifelike, true to life

**ressembler** [Rəsɑ̃ble] /1/: **~ à** *vt* to be like, resemble; (*visuellement*) to look like; **se ressembler** *vi* to be (ou look) alike

**ressentiment** [Rəsɑ̃timɑ̃] *nm* resentment

**ressentir** [Rəsɑ̃tiR] /16/ *vt* to feel; **se ~ de** to feel (ou show) the effects of

**resserrer** [RəseRe] /1/ *vt* (*nœud, boulon*) to tighten (up); (*fig*: *liens*) to strengthen

**resservir** [RəseRviR] /14/ *vi* to do ou serve again; (*plat*) ▷ **qn (d'un plat)** to give sb a second helping (of a dish); **se ~ de** (*plat*) to take a second helping of; (*outil etc*) to use again

**ressort** [RəsɔR] *nm* (*pièce*) spring; (*force morale*) spirit; **en dernier ~** as a last resort; **être du ~ de** to fall within the competence of

**ressortir** [RəsɔRtiR] /16/ *vi* to go (ou come) out (again); (*contraster*) to stand out; **~ de: il ressort de ceci que** it emerges from this that; **faire ~** (*fig*: *souligner*) to bring out

**ressortissant, e** [RəsɔRtisɑ̃, -ɑ̃t] *nm/f* national

**ressources** [RəsuRs] *nfpl* resources

**ressusciter** [ʀesysite] /1/ vt (fig) to revive, bring back ▷ vi to rise (from the dead)

**restant, e** [ʀɛstɑ̃, -ɑ̃t] adj remaining ▷ nm: **le ~ (de)** the remainder (of); **un ~ de** (de trop) some

**restaurant** [ʀɛstɔʀɑ̃] nm restaurant

**restauration** [ʀɛstɔʀasjɔ̃] nf restoration; (hôtellerie) catering; **~ rapide** fast food

**restaurer** [ʀɛstɔʀe] /1/ vt to restore; **se restaurer** vi to have something to eat

**reste** [ʀɛst] nm (restant): **le ~ (de)** the rest (of); (de trop): **un ~ (de)** some leftover; **restes** nmpl leftovers; (d'une cité etc, dépouille mortelle) remains; **du ~, au ~** besides, moreover

**rester** [ʀɛste] /1/ vi to stay, remain; (subsister) to remain, be left; (durer) to last, live on ▷ vb impers: **il reste du pain/deux œufs** there's some bread/there are two eggs left (over); **il me reste assez de temps** I have enough time left; **il ne me reste plus qu'à ...** I've just got to ...; **restons-en là** let's leave it at that

**restituer** [ʀɛstitɥe] /1/ vt (objet, somme): **~ qch (à qn)** to return ou restore sth (to sb)

**restreindre** [ʀɛstʀɛ̃dʀ] /52/ vt to restrict, limit

**restriction** [ʀɛstʀiksjɔ̃] nf restriction

**résultat** [ʀezylta] nm result; (d'élection etc) results pl; **résultats** nmpl (d'une enquête) findings

**résulter** [ʀezylte] /1/: ~ **de** vt to result from, be the result of

**résumé** [ʀezyme] nm summary, résumé; **en ~** in brief; (pour conclure) to sum up

**résumer** [ʀezyme] /1/ vt (texte) to summarize; (récapituler) to sum up
   Attention à ne pas traduire résumer par to resume.

**résurrection** [ʀezyʀɛksjɔ̃] nf resurrection

**rétablir** [ʀetabliʀ] /2/ vt to restore, re-establish; **se rétablir** vi (guérir) to recover; (silence, calme) to return, be restored; **rétablissement** nm restoring; (guérison) recovery

**retaper** [ʀətape] /1/ vt (maison, voiture etc) to do up; (fam: revigorer) to buck up

**retard** [ʀətaʀ] nm (d'une personne attendue) lateness no pl; (sur l'horaire, un programme, une échéance) delay; (fig: scolaire, mental etc) backwardness; **en ~ (de deux heures)** (two hours) late; **désolé d'être en ~** sorry I'm late; **avoir du ~** to be late; (sur un programme) to be behind (schedule); **prendre du ~** (train, avion) to be delayed; **sans ~** without delay

**retardataire** [ʀətaʀdatɛʀ] nm/f latecomer

**retardement** [ʀətaʀdəmɑ̃]: **à ~** adj delayed action cpd; **bombe à ~** time bomb

**retarder** [ʀətaʀde] /1/ vt to delay; (horloge) to put back; **~ qn (d'une heure)** to delay sb (an hour); (départ, date): **~ qch (de deux jours)** to put sth back (two days) ▷ vi (montre) to be slow

**retenir** [ʀətniʀ] /22/ vt (garder, retarder) to keep, detain; (maintenir: objet qui glisse, colère, larmes, rire) to hold back; (se rappeler) to retain; (accepter) to accept; (fig: empêcher d'agir): **~ qn (de faire)** to hold sb back (from doing); (prélever): **~ qch (sur)** to deduct sth (from); **se retenir** vi (se raccrocher): **se ~ à** to hold onto; (se contenir): **se ~ de faire** to restrain o.s. from doing; **~ son souffle** ou **haleine** to hold one's breath

**retentir** [ʀətɑ̃tiʀ] /2/ vi to ring out; **retentissant, e** adj resounding

**retenu, e** [ʀətny] adj (place) reserved ▷ nf (prélèvement) deduction; (Scol) detention; (modération) (self-)restraint

**réticence** [Retisɑ̃s] *nf* reticence *no pl*, reluctance *no pl*; **réticent, e** *adj* reticent, reluctant

**rétine** [Retin] *nf* retina

**retiré, e** [Retire] *adj* (*solitaire*) secluded; (*éloigné*) remote

**retirer** [Retire] /1/ *vt* (*argent, plainte*) to withdraw; (*vêtement*) to take off, remove; (*reprendre: billets*) to collect, pick up; **~ qn/qch de** to take sb away from out, remove of, remove sb/ sth from

**retomber** [Retɔ̃be] /1/ *vi* (à *nouveau*) to fall again; (*atterrir: après un saut etc*) to land; (*échoir*) to fall; **~ sur qn** to fall on sb

**rétorquer** [Retɔrke] /1/ *vt*: **~ (à qn) que** to retort (to sb) that

**retouche** [Retuʃ] *nf* (sur *vêtement*) alteration; **retoucher** /1/ *vt* (*photographie, tableau*) to touch up; (*texte, vêtement*) to alter

**retour** [Retur] *nm* return; **au ~** (en *route*) on the way back; **à mon/ton ~** on my/your return; **être de ~ (de)** to be back (from); **quand serons-nous de ~?** when do we get back?; **par ~ du courrier** by return of post

**retourner** [Returne] /1/ *vt* (dans *l'autre sens: matelas, crêpe*) to turn (over); (: *sac, vêtement*) to turn inside out; (*émouvoir*) to shake; (*renvoyer, restituer*): **~ qch à qn** to return sth to sb ▷ *vi* (*aller, revenir*): **~ quelque part/à** to go back in, return somewhere/to; **~ à** (*état, activité*) to return to, go back to; **se retourner** *vi* (*tourner la tête*) to turn round; **se ~ contre** (*fig*) to turn against

**retrait** [Retrɛ] *nm* (*d'argent*) withdrawal; **en ~** set back; **~ du permis (de conduire)** disqualification from driving (BRIT), revocation of driver's license (US)

**retraite** [Retrɛt] *nf* (*d'une armée, Rel*) retreat; (*d'un employé*) retirement; (*revenu*) (retirement) pension; **prendre sa ~** to retire; **~ anticipée**

early retirement; **retraité, e** *adj* retired ▷ *nm/f* (old age) pensioner

**retrancher** [Retrɑ̃ʃe] /1/ *vt*: **~ qch de** (*nombre, somme*) to take ou deduct sth from; **se ~ derrière/dans** to take refuge behind/in

**rétrécir** [Retresir] /2/ *vt* (*vêtement*) to take in ▷ *vi* to shrink; **se rétrécir** (*route, vallée*) to narrow

**rétro** [Retro] *adj inv*: **la mode ~** the nostalgia vogue

**rétrospectif, -ive** [Retrɔspɛktif, -iv] *adj* retrospective ▷ *nf* (*Art*) retrospective; (*Ciné*) season, retrospective; **rétrospectivement** *adv* in retrospect

**retrousser** [Retruse] /1/ *vt* to roll up

**retrouvailles** [Retruvaj] *nfpl* reunion *sg*

**retrouver** [Retruve] /1/ *vt* (*fugitif, objet perdu*) to find; (*calme, santé*) to regain; (*revoir*) to see again; (*rejoindre*) to meet (again), join; **se retrouver** *vi* to meet (again); (*s'orienter*) to find one's way; **se ~ quelque part** to find o.s. somewhere; **s'y ~** (y *voir clair*) to make sense of it; (*rentrer dans ses frais*) to break even

**rétroviseur** [Retrovizœr] *nm* (rear-view) mirror

**retweeter** [Retwite] /1/ *vt* (*Inform: Twitter*) to retweet

**réunion** [Reynjɔ̃] *nf* (*séance*) meeting

**réunir** [Reynir] /2/ *vt* (*rassembler*) to gather together; (*inviter: amis, famille*) to have round, have in; (*cumuler: qualités etc*) to combine; (*rapprocher: ennemis*) to bring together (again), reunite; (*rattacher: parties*) to join (together); **se réunir** *vi* (*se rencontrer*) to meet

**réussi, e** [Reysi] *adj* successful

**réussir** [Reysir] /2/ *vi* to succeed, be successful; (à *un examen*) to pass ▷ *vt* to make a success of; **~ à faire** to succeed in doing; **~ à qn** (*être bénéfique à*) to agree with sb; **réussite** *nf* success; (*Cartes*) patience

**revaloir** [Rəvalwaʀ] /29/ vt: **je vous revaudrai cela** I'll repay you some day; *(en mal)* I'll pay you back for this

**revanche** [Rəvɑ̃ʃ] nf revenge; *(sport)* revenge match; **en ~** on the other hand

**rêve** [Rɛv] nm dream; **de ~** dream cpd; **faire un ~** to have a dream

**réveil** [Revej] nm waking up no pl; *(fig)* awakening; *(pendule)* alarm (clock); **au ~** on waking (up); **réveiller** /1/ vt *(personne)* to wake up; *(fig)* to awaken, revive; **se réveiller** vi to wake up

**réveillon** [Revejɔ̃] nm Christmas Eve; *(de la Saint-Sylvestre)* New Year's Eve; **réveillonner** /1/ vi to celebrate Christmas Eve (ou New Year's Eve)

**révélateur, -trice** [Revelatœʀ, -tʀis] adj: **~ (de qch)** revealing (sth)

**révéler** [Revele] /6/ vt to reveal; **se révéler** vi to be revealed, reveal itself; **se ~ facile/faux** to prove (to be) easy/false

**revenant, e** [Rəvnɑ̃, -ɑ̃t] nm/f ghost

**revendeur, -euse** [Rəvɑ̃dœʀ, -øz] nm/f *(détaillant)* retailer; *(de drogue)* (drug-)dealer

**revendication** [Rəvɑ̃dikasjɔ̃] nf claim, demand

**revendiquer** [Rəvɑ̃dike] /1/ vt to claim, demand; *(responsabilité)* to claim

**revendre** [Rəvɑ̃dʀ] /41/ vt *(d'occasion)* to resell; *(détailler)* to sell; **à ~** *(en abondance)* to spare

**revenir** [Rəvniʀ] /22/ vi to come back; **faire ~** *(Culin)* to brown; **~ cher/à 100 euros (à qn)** to cost (sb) a lot/100 euros; **~ à** *(reprendre: études, projet)* to return to, go back to; *(équivaloir à)* to amount to; **~ à qn** *(part, honneur)* to go to sb, be sb's; *(souvenir, nom)* to come back to sb; **~ sur** *(question, sujet)* to go back over; *(engagement)* to go back on; **~ à soi** to come round; **je n'en**

reviens pas I can't get over it; **~ sur ses pas** to retrace one's steps; **cela revient à dire que/au même** it amounts to saying that/to the same thing

**revenu** [Rəvny] nm income; **revenus** nmpl income sg

**rêver** [Reve] /1/ vi, vt to dream; **~ de qch/de faire** to dream of sth/of doing; **~ à** to dream of

**réverbère** [Reverbɛʀ] nm street lamp ou light; **réverbérer** /6/ vt to reflect

**revers** [Rəvɛʀ] nm *(de feuille, main)* back; *(d'étoffe)* wrong side; *(de pièce, médaille)* back, reverse; *(Tennis, Ping-Pong)* backhand; *(de veston)* lapel; *(fig: échec)* setback

**revêtement** [Rəvɛtmɑ̃] nm *(des sols)* flooring; *(de chaussée)* surface

**revêtir** [Rəvetiʀ] /20/ vt *(habit)* to don, put on; *(prendre: importance, apparence)* to take on; **~ qch de** to cover sth with

**rêveur, -euse** [Revœʀ, -øz] adj dreamy ▷ nm/f dreamer

**revient** [Rəvjɛ̃] vb voir **revenir**

**revigorer** [Rəvigɔʀe] /1/ vt *(air frais)* to invigorate, brace up; *(repas, boisson)* to revive, buck up

**revirement** [Rəviʀmɑ̃] nm change of mind; *(d'une situation)* reversal

**réviser** [Revize] /1/ vt to revise; *(machine, installation, moteur)* to overhaul, service

**révision** [Revizjɔ̃] nf revision; *(de voiture)* servicing no pl

**revivre** [Rəvivʀ] /46/ vi *(reprendre des forces)* to come alive again ▷ vt *(épreuve, moment)* to relive

**revoir** [Rəvwaʀ] /30/ vt to see again ▷ nm: **au ~** goodbye

**révoltant, e** [Revɔltɑ̃, -ɑ̃t] adj revolting, appalling

**révolte** [Revɔlt] nf rebellion, revolt

**révolter** [Revɔlte] /1/ vt to revolt; **se révolter** vi: **se ~ (contre)** to rebel (against)

**révolu, e** [ʀevɔly] *adj* past; *(Admin):* **âgé de 18 ans ~s** over 18 years of age

**révolution** [ʀevɔlysjɔ̃] *nf* revolution; **révolutionnaire** *adj, nm/f* revolutionary

**revolver** [ʀevɔlvɛʀ] *nm* gun; *(à barillet)* revolver

**révoquer** [ʀevɔke] /1/ *vt (fonctionnaire)* to dismiss; *(arrêt, contrat)* to revoke

**revu, e** [ʀəvy] *pp de* **revoir** ▷ *nf* review; *(périodique)* review, magazine; *(de music-hall)* variety show; **passer en ~** *(mentalement)* to go through

**rez-de-chaussée** [ʀedʃose] *nm inv* ground floor

**RF** *sigle f* = **République française**

**Rhin** [ʀɛ̃] *nm:* **le ~** the Rhine

**rhinocéros** [ʀinɔseʀɔs] *nm* rhinoceros

**Rhône** [ʀon] *nm:* **le ~** the Rhone

**rhubarbe** [ʀybaʀb] *nf* rhubarb

**rhum** [ʀɔm] *nm* rum

**rhumatisme** [ʀymatism] *nm* rheumatism *no pl*

**rhume** [ʀym] *nm* cold; **~ de cerveau** head cold; **le ~ des foins** hay fever

**ricaner** [ʀikane] /1/ *vi (avec méchanceté)* to snigger; *(bêtement, avec gêne)* to giggle

**riche** [ʀiʃ] *adj* rich; *(personne, pays)* rich, wealthy; **~ en** rich in; **richesse** *nf* wealth; *(fig: de sol, musée etc)* richness; **richesses** *nfpl (ressources, argent)* wealth *sg; (fig: trésors)* treasures

**ricochet** [ʀikɔʃɛ] *nm:* **faire des ~s** to skip stones

**ride** [ʀid] *nf* wrinkle

**rideau, x** [ʀido] *nm* curtain; **~ de fer** *(lit)* metal shutter

**rider** [ʀide] /1/ *vt* to wrinkle; **se rider** *vi* to become wrinkled

**ridicule** [ʀidikyl] *adj* ridiculous ▷ *nm:* **le ~** ridicule; **ridiculiser** /1/ *vt* to ridicule; **se ridiculiser** *vi* to make a fool of o.s.

**MOT-CLÉ**

**rien** [ʀjɛ̃] *pron* 1 : **(ne) ... rien** nothing; *(tournure négative)* anything; **qu'est-ce que vous avez? — rien** what have you got? — nothing; **il n'a rien dit/fait** he said/did nothing, he hasn't said/done anything; **n'avoir peur de rien** to be afraid *ou* frightened of nothing, not to be afraid *ou* frightened of anything; **il n'a rien** *(n'est pas blessé)* he's all right; **ça ne fait rien** it doesn't matter
2 *(quelque chose):* **a-t-il jamais rien fait pour nous?** has he ever done anything for us?
3 : **rien de: rien d'intéressant** nothing interesting; **rien d'autre** nothing else; **rien du tout** nothing at all
4 : **rien que** just, only; nothing but; **rien que pour lui faire plaisir** only *ou* just to please him; **rien que la vérité** nothing but the truth; **rien que cela** that alone
▶ *excl:* **de rien!** not at all!
▶ *nm:* **un petit rien** *(cadeau)* a little something; **des riens** trivia *pl;* **un rien de** a hint of; **en un rien de temps** in no time at all

**rieur, -euse** [ʀjœʀ, -øz] *adj* cheerful

**rigide** [ʀiʒid] *adj* stiff; *(fig)* rigid; *(moralement)* strict

**rigoler** [ʀigɔle] /1/ *vi (rire)* to laugh; *(s'amuser)* to have (some) fun; *(plaisanter)* to be joking *ou* kidding; **rigolo, rigolote** *adj* funny ▷ *nm/f* comic; *(péj)* fraud, phoney

**rigoureusement** [ʀiguʀøzmɑ̃] *adv* rigorously

**rigoureux, -euse** [ʀiguʀø, -øz] *adj* rigorous; *(climat, châtiment)* harsh, severe

**rigueur** [ʀigœʀ] *nf* rigour; **"tenue de soirée de ~"** "evening dress (to be worn)"; **à la ~** at a pinch; **tenir ~ à qn de qch** to hold sth against sb

**rillettes** [Rijɛt] *nfpl* ≈ potted meat *sg* (*made from pork or goose*)

**rime** [Rim] *nf* rhyme

**rinçage** [Rɛ̃saʒ] *nm* rinsing (out); (*opération*) rinse

**rincer** [Rɛ̃se] /3/ *vt* to rinse; (*récipient*) to rinse out

**ringard, e** [Rɛ̃gaR, -aRd] *adj* old-fashioned

**riposter** [Riposte] /1/ *vi* to retaliate
▷ *vt*: ~ **que** to retort that

**rire** [RiR] /36/ *vi* to laugh; (*se divertir*) to have fun ▷ *nm* laugh; **le** ~ laughter; ~ **de** to laugh at; **pour** ~ (*pas sérieusement*) for a joke ou a laugh

**risible** [Rizibl] *adj* laughable

**risque** [Risk] *nm* risk; **le** ~ danger; **à ses** ~**s et périls** at his own risk; **risqué, e** *adj* risky; (*plaisanterie*) risqué, daring; **risquer** /1/ *vt* to risk; (*allusion, question*) to venture, hazard; **se risquer** *vi*: **ça ne risque rien** it's quite safe; **il risque de se tuer** he could get ou risks getting himself killed; **ce qui risque de se produire** what might ou could well happen; **il ne risque pas de recommencer** there's no chance of him doing that again; **se risquer à faire** (*tenter*) to dare to do

**rissoler** [Risole] /1/ *vi, vt*: **(faire)** ~ to brown

**ristourne** [RistuRn] *nf* discount

**rite** [Rit] *nm* rite; (*fig*) ritual

**rivage** [Rivaʒ] *nm* shore

**rival, e, -aux** [Rival, -o] *adj, nm/f* rival; **rivaliser** /1/ *vi*: **rivaliser avec** to rival, vie with; **rivalité** *nf* rivalry

**rive** [Riv] *nf* shore; (*de fleuve*) bank; **riverain, e** *nm/f* riverside (ou lakeside) resident; (*d'une route*) local ou roadside resident

**rivière** [RivjɛR] *nf* river

**riz** [Ri] *nm* rice; **rizière** *nf* paddy field

**RMI** *sigle m* (= *revenu minimum d'insertion*) ≈ income support (BRIT), ≈ welfare (US)

**RN** *sigle f* = *route nationale*

**robe** [Rɔb] *nf* dress; (*de juge, d'ecclésiastique*) robe; (*pelage*) coat; ~ **de soirée/de mariée** evening/wedding dress; ~ **de chambre** dressing gown

**robinet** [Rɔbinɛ] *nm* tap (BRIT), faucet (US)

**robot** [Rɔbo] *nm* robot; ~ **de cuisine** food processor

**robuste** [Rɔbyst] *adj* robust, sturdy; **robustesse** *nf* robustness, sturdiness

**roc** [Rɔk] *nm* rock

**rocade** [Rɔkad] *nf* bypass

**rocaille** [Rɔkaj] *nf* loose stones *pl*; (*jardin*) rockery, rock garden

**roche** [Rɔʃ] *nf* rock

**rocher** [Rɔʃe] *nm* rock

**rocheux, -euse** [Rɔʃø, -øz] *adj* rocky

**rodage** [Rɔdaʒ] *nm*: **en** ~ running ou breaking in

**rôder** [Rode] /1/ *vi* to roam ou wander about; (*de façon suspecte*) to lurk (about ou around); **rôdeur, -euse** *nm/f* prowler

**rogne** [Rɔɲ] *nf*: **être en** ~ to be mad ou in a temper

**rogner** [Rɔɲe] /1/ *vt* to trim; ~ **sur** (*fig*) to cut down ou back on

**rognons** [Rɔɲɔ̃] *nmpl* kidneys

**roi** [Rwa] *nm* king; **le jour** ou **la fête des R~s** Twelfth Night

**rôle** [Rol] *nm* role; part

**rollers** [RɔlœR] *nmpl* Rollerblades®

**romain, e** [Rɔmɛ̃, -ɛn] *adj* Roman
▷ *nm/f*: **R~, e** Roman

**roman, e** [Rɔmɑ̃, -an] *adj* (*Archit*) Romanesque ▷ *nm* novel; ~ **policier** detective novel

**romancer** [Rɔmɑ̃se] /3/ *vt* to romanticize; **romancier, -ière** *nm/f* novelist; **romanesque** *adj* (*amours, aventures*) storybook *cpd*; (*sentimental: personne*) romantic

**roman-feuilleton** [Rɔmɑ̃fœjtɔ̃] *nm* serialized novel

**romanichel, le** [Rɔmaniʃɛl] *nm/f* gipsy

**romantique** [Rɔmɑ̃tik] *adj* romantic

**romarin** [ʀɔmaʀɛ̃] nm rosemary
**Rome** [ʀɔm] n Rome
**rompre** [ʀɔ̃pʀ] /41/ vt to break;
(entretien, fiançailles) to break off ▷ vi
(fiancés) to break it off; **se rompre**
vi to break; **rompu, e** adj (fourbu)
exhausted
**ronce** [ʀɔ̃s] nf bramble branch;
**ronces** nfpl brambles
**ronchonner** [ʀɔ̃ʃɔne] /1/ vi (fam) to
grouse, grouch
**rond, e** [ʀɔ̃, ʀɔ̃d] adj round;
(joues, mollets) well-rounded; (fam:
ivre) tight ▷ nm (cercle) ring; (fam:
sou): **je n'ai plus un ~** I haven't a
penny left ▷ nf (gén: de surveillance)
rounds pl, patrol; (danse) round
(dance); (Mus) semibreve (BRIT),
whole note (us); **en ~** (s'asseoir,
danser) in a ring; **à la ~e** (alentour):
**à 10 km à la ~e** for 10 km round;
**rondelet, te** adj plump
**rondelle** [ʀɔ̃dɛl] nf (Tech) washer;
(tranche) slice, round
**rond-point** [ʀɔ̃pwɛ̃] nm
roundabout
**ronflement** [ʀɔ̃fləmɑ̃] nm snore
**ronfler** [ʀɔ̃fle] /1/ vi to snore; (moteur,
poêle) to hum
**ronger** [ʀɔ̃ʒe] /3/ vt to gnaw (at);
(vers, rouille) to eat into; **se ~ les
sangs** to worry o.s. sick; **se ~ les
ongles** to bite one's nails; **rongeur,
-euse** [ʀɔ̃ʒœʀ, -øz] nm/f rodent
**ronronner** [ʀɔ̃ʀɔne] /1/ vi to purr
**rosbif** [ʀɔsbif] nm: **du ~** roasting
beef; (cuit) roast beef
**rose** [ʀoz] nf rose ▷ adj pink;
**~ bonbon** adj inv candy pink
**rosé, e** [ʀoze] adj pinkish; (vin):
rosé (wine)
**roseau, x** [ʀozo] nm reed
**rosée** [ʀoze] nf dew
**rosier** [ʀozje] nm rosebush, rose tree
**rossignol** [ʀɔsiɲɔl] nm (Zool)
nightingale
**rotation** [ʀɔtasjɔ̃] nf rotation
**roter** [ʀɔte] /1/ vi (fam) to burp, belch

**rôti** [ʀoti] nm: **du ~** roasting meat;
(cuit) roast meat; **un ~ de bœuf/porc**
a joint of beef/pork
**rotin** [ʀɔtɛ̃] nm rattan (cane);
**fauteuil en ~** cane (arm)chair
**rôtir** [ʀotiʀ] /2/ vt (aussi: **faire ~**)
to roast ▷ vi to roast; **rôtisserie** nf
(restaurant) steakhouse; (traiteur)
roast meat shop; **rôtissoire** nf
(roasting) spit
**rotule** [ʀɔtyl] nf kneecap
**rouage** [ʀwaʒ] nm cog(wheel),
gearwheel; **les ~s de l'État** the
wheels of State
**roue** [ʀu] nf wheel; **~ de secours**
spare wheel
**rouer** [ʀwe] /1/ vt: **~ qn de coups**
to give sb a thrashing
**rouge** [ʀuʒ] adj, nm/f red ▷ nm
red; (vin) ~ red wine; **passer au ~**
(signal) to go red; (automobiliste) to
go through a red light; **sur la liste
~** ex-directory (BRIT), unlisted (us);
**~ à joue** blusher; **~ (à lèvres)** lipstick;
**rouge-gorge** nm robin (redbreast)
**rougeole** [ʀuʒɔl] nf measles sg
**rougeoyer** [ʀuʒwaje] /8/ vi to
glow red
**rouget** [ʀuʒɛ] nm mullet
**rougeur** [ʀuʒœʀ] nf redness;
**rougeurs** nfpl (Méd) red blotches
**rougir** [ʀuʒiʀ] /2/ vi to turn red; (de
honte, timidité) to blush, flush; (de
plaisir, colère) to flush
**rouille** [ʀuj] nf rust; **rouillé, e** adj
rusty; **rouiller** /1/ vt to rust ▷ vi to
rust, go rusty
**roulant, e** [ʀulɑ̃, -ɑ̃t] adj (meuble)
on wheels; (surface, trottoir, tapis)
moving; **escalier ~** escalator
**rouleau, x** [ʀulo] nm roll; (à mise
en plis, à peinture, vague) roller; **~ à
pâtisserie** rolling pin
**roulement** [ʀulmɑ̃] nm (bruit)
rumbling no pl, rumble; (rotation)
rotation; **par ~** on a rota (BRIT) or
rotation (us) basis; **~ (à billes)** ball
bearings pl; **~ de tambour** drum roll

**rouler** [ʀule] /1/ vt to roll; (papier, tapis) to roll up; (Culin: pâte) to roll out; (fam: duper) to do, con ▷ vi (bille, boule) to roll; (voiture, train) to go, run; (automobiliste) to drive; (cycliste) to ride; (bateau) to roll; **se ~ dans** (boue) to roll in; (couverture) to roll o.s. (up) in

**roulette** [ʀulɛt] nf (de table, fauteuil) castor; (de dentiste) drill; (jeu): **la ~ roulette**; **à ~s** on castors; **ça a marché comme sur des ~s** (fam) it went off very smoothly

**roulotte** [ʀulɔt] nf caravan

**roumain, e** [ʀumɛ̃, -ɛn] adj Rumanian ▷ nm/f: **R~, e** Rumanian

**Roumanie** [ʀumani] nf: **la ~** Rumania

**rouquin, e** [ʀukɛ̃, -in] nm/f (péj) redhead

**rouspéter** [ʀuspete] /6/ vi (fam) to moan

**rousse** [ʀus] adj f voir **roux**

**roussir** [ʀusiʀ] /2/ vt to scorch ▷ vi (Culin): **faire ~** to brown

**route** [ʀut] nf road; (fig: chemin) way; (itinéraire, parcours) route; (fig: voie) road, path; **il y a trois heures de ~** it's a three-hour ride ou journey; **en ~** on the way; **en ~!** let's go!; **mettre en ~** to start up; **se mettre en ~** to set off; **~ nationale** ≈ A-road (BRIT), ≈ state highway (US)

**routeur** [ʀutœʀ] nm (Inform) router

**routier, -ière** [ʀutje, -jɛʀ] adj road cpd ▷ nm (camionneur) (long-distance) lorry (BRIT) ou truck (US) driver; (restaurant) ≈ transport café (BRIT), ≈ truck stop (US)

**routine** [ʀutin] nf routine; **routinier, -ière** [ʀutinje, -jɛʀ] adj (péj: travail) humdrum; (: personne) addicted to routine

**rouvrir** [ʀuvʀiʀ] /18/ vt, vi to reopen, open again; **se rouvrir** vi to open up again

**roux, rousse** [ʀu, ʀus] adj red; (personne) red-haired ▷ nm/f redhead

**royal, e, -aux** [ʀwajal, -o] adj royal; (fig) fit for a king

**royaume** [ʀwajom] nm kingdom; (fig) realm

**Royaume-Uni** [ʀwajomyni] nm: **le ~** the United Kingdom

**royauté** [ʀwajote] nf (régime) monarchy

**ruban** [ʀybɑ̃] nm ribbon; **~ adhésif** adhesive tape

**rubéole** [ʀybeɔl] nf German measles sg, rubella

**rubis** [ʀybi] nm ruby

**rubrique** [ʀybʀik] nf (titre, catégorie) heading; (Presse: article) column

**ruche** [ʀyʃ] nf hive

**rude** [ʀyd] adj (barbe, toile) rough; (métier, tâche) hard, tough; (climat) severe, harsh; (bourru) harsh, rough; (fruste: manières) rugged, tough; (fam: fameux) jolly good; **rudement** adv (très) terribly

**rudimentaire** [ʀydimɑ̃tɛʀ] adj rudimentary, basic

**rudiments** [ʀydimɑ̃] nmpl: **avoir des ~ d'anglais** to have a smattering of English

**rue** [ʀy] nf street

**ruée** [ʀɥe] nf rush

**ruelle** [ʀɥɛl] nf alley(way)

**ruer** [ʀɥe] /1/ vi (cheval) to kick out; **se ruer** vi: **se ~ sur** to pounce on; **se ~ vers/dans/hors de** to rush ou dash towards/into/out of

**rugby** [ʀygbi] nm rugby (football)

**rugir** [ʀyʒiʀ] /2/ vi to roar

**rugueux, -euse** [ʀygø, -øz] adj rough

**ruine** [ʀɥin] nf ruin; **ruiner** /1/ vt to ruin; **ruineux, -euse** adj ruinous

**ruisseau, x** [ʀɥiso] nm stream, brook

**ruisseler** [ʀɥisle] /4/ vi to stream

**rumeur** [ʀymœʀ] nf (bruit confus) rumbling; (nouvelle) rumour

**ruminer** [ʀymine] /1/ vi (herbe) to ruminate; (fig) to ruminate on ou over, chew over

**rupture** [ʀyptyʀ] nf (de négociations etc) breakdown; (de contrat) breach;

(dans continuité) break; (séparation, désunion) break-up, split

**rural, e, -aux** [ʀyʀal, -o] adj rural, country cpd

**ruse** [ʀyz] nf: **la ~** cunning, craftiness; (pour tromper) trickery; **une ~** a trick, a ruse; **rusé, e** adj cunning, crafty

**russe** [ʀys] adj Russian ▷ nm (Ling) Russian ▷ nm/f: **R~** Russian

**Russie** [ʀysi] nf: **la ~** Russia

**rustine** [ʀystin] nf repair patch (for bicycle inner tube)

**rustique** [ʀystik] adj rustic

**rythme** [ʀitm] nm rhythm; (vitesse) rate (: de la vie) pace, tempo; **rythmé, e** adj rhythmic(al)

# S

**s'** [s] pron voir **se**
**sa** [sa] adj poss voir **son¹**
**sable** [sabl] nm sand
**sablé** [sable] nm shortbread biscuit
**sabler** [sable] /1/ vt (contre le verglas) to grit; **~ le champagne** to drink champagne
**sabot** [sabo] nm clog; (de cheval, bœuf) hoof; **~ de frein** brake shoe
**saboter** [sabɔte] /1/ vt (travail, morceau de musique) to botch, make a mess of; (machine, installation, négociation etc) to sabotage
**sac** [sak] nm bag; (à charbon etc) sack; **mettre à ~** to sack; **~ à provisions/ de voyage** shopping/travelling bag; **~ de couchage** sleeping bag; **~ à dos** rucksack; **~ à main** handbag
**saccadé, e** [sakade] adj jerky; (respiration) spasmodic
**saccager** [sakaʒe] /3/ vt (piller) to sack; (dévaster) to create havoc in
**saccharine** [sakaʀin] nf saccharin(e)

**sachet** [saʃɛ] nm (small) bag; (de lavande, poudre, shampooing) sachet; **~ de thé** tea bag; **du potage en ~** packet soup

**sacoche** [sakɔʃ] nf (gén) bag; (de bicyclette) saddlebag

**sacré, e** [sakre] adj sacred; (fam: satané) blasted; (: fameux): **un ~ ...** a heck of a...

**sacrement** [sakʀəmã] nm sacrament

**sacrifice** [sakʀifis] nm sacrifice; **sacrifier** /7/ vt to sacrifice

**sacristie** [sakʀisti] nf sacristy; (culte protestant) vestry

**sadique** [sadik] adj sadistic

**safran** [safʀã] nm saffron

**sage** [saʒ] adj wise; (enfant) good

**sage-femme** [saʒfam] nf midwife

**sagesse** [saʒɛs] nf wisdom

**Sagittaire** [saʒitɛʀ] nm: **le ~** Sagittarius

**Sahara** [saaʀa] nm: **le ~** the Sahara (Desert)

**saignant, e** [sɛɲã, -ãt] adj (viande) rare

**saigner** [seɲe] /1/ vi to bleed ▷ vt to bleed; (animal) to bleed to death; **~ du nez** to have a nosebleed

**saillir** [sajiʀ] /13/ vi to project, stick out; (veine, muscle) to bulge

**sain, e** [sɛ̃, sɛn] adj healthy; **~ et sauf** safe and sound, unharmed; **~ d'esprit** sound in mind, sane

**saindoux** [sɛ̃du] nm lard

**saint, e** [sɛ̃, sɛ̃t] adj holy ▷ nm/f saint; **la S~e Vierge** the Blessed Virgin

**Saint-Esprit** [sɛ̃tɛspʀi] nm: **le ~** the Holy Spirit ou Ghost

**sainteté** [sɛ̃təte] nf holiness

**Saint-Sylvestre** [sɛ̃silvɛstʀ] nf: **la ~** New Year's Eve

**sais** etc [sɛ] vb voir **savoir**

**saisie** [sezi] nf seizure; **~ (de données)** (data) capture

**saisir** [seziʀ] /2/ vt to take hold of, grab; (fig: occasion) to seize; (comprendre) to grasp; (entendre) to

get, catch; (Inform) to capture; (Culin) to fry quickly; (Jur: biens, publication) to seize; **saisissant, e** adj startling, striking

**saison** [sɛzɔ̃] nf season; **haute/ basse/morte ~** high/low/slack season; **saisonnier, -ière** adj seasonal

**salade** [salad] nf (Bot) lettuce etc (generic term); (Culin) (green) salad; (fam: confusion) tangle, muddle; **~ composée** mixed salad; **~ de fruits** fruit salad; **~ verte** green salad; **saladier** nm (salad) bowl

**salaire** [salɛʀ] nm (annuel, mensuel) salary; (hebdomadaire, journalier) pay, wages pl; **~ minimum interprofessionnel de croissance** index-linked guaranteed minimum wage

**salarié, e** [salaʀje] nm/f salaried employee; wage-earner

**salaud** [salo] nm (fam!) sod (!), bastard (!)

**sale** [sal] adj dirty, filthy; (fig: mauvais) nasty

**salé, e** [sale] adj (liquide, saveur, mer, goût) salty; (Culin: amandes, beurre etc) salted; (: gâteaux) savoury; (fig: grivois) spicy; (: note, facture) steep

**saler** [sale] /1/ vt to salt

**saleté** [salte] nf (état) dirtiness; (crasse) dirt, filth; (tache etc) dirt no pl; (fig: tour) filthy trick; (: chose sans valeur) rubbish no pl; (: obscénité) filth no pl

**salière** [saljɛʀ] nf saltcellar

**salir** [saliʀ] /2/ vt to (make) dirty; (fig) to soil the reputation of; **se salir** vi to get dirty; **salissant, e** adj (tissu) which shows the dirt; (métier) dirty, messy

**salle** [sal] nf room; (d'hôpital) ward; (de restaurant) dining room; (d'un cinéma) auditorium (: public) audience; **~ d'attente** waiting room; **~ de bain(s)** bathroom; **~ de classe** classroom; **~ de concert** concert hall; **~ d'eau** shower-room;

**~ d'embarquement** (à l'aéroport) departure lounge; **~ de jeux** (pour enfants) playroom; **~ à manger** dining room; **~ des professeurs** staffroom; **~ de séjour** living room; **~ des ventes** saleroom

**salon** [salɔ̃] nm lounge, sitting room; (mobilier) lounge suite; (exposition) exhibition, show; **~ de coiffure** hairdressing salon; **~ de thé** tearoom

**salope** [salɔp] nf (fam!) bitch (!); **saloperie** nf (fam!: action) dirty trick; (: chose sans valeur) rubbish nо pl; (d'ouvrier) overall(s) pl

**salopette** [salɔpɛt] nf dungarees pl; (d'ouvrier) overall(s) pl

**salsifis** [salsifi] nm salsify

**salubre** [salybʀ] adj healthy, salubrious

**saluer** [salɥe] /1/ vt (pour dire bonjour, fig) to greet; (pour dire au revoir) to take one's leave; (Mil) to salute

**salut** [saly] nm (sauvegarde) safety; (Rel) salvation; (geste, parole) greeting; (Mil) salute ▷ excl (fam: pour dire bonjour) hi (there); (: pour dire au revoir) see you!, bye!

**salutations** [salytasjɔ̃] nfpl greetings; **recevez mes ~ distinguées** ou **respectueuses** yours faithfully

**samedi** [samdi] nm Saturday

**SAMU** [samy] sigle m (= service d'assistance médicale d'urgence) ≈ ambulance (service) (BRIT), ≈ paramedics (US)

**sanction** [sɑ̃ksjɔ̃] nf sanction; **sanctionner** /1/ vt (loi, usage) to sanction; (punir) to punish

**sandale** [sɑ̃dal] nf sandal

**sandwich** [sɑ̃dwitʃ] nm sandwich

**sang** [sɑ̃] nm blood; **en ~** covered in blood; **se faire du mauvais ~** to fret, get in a state; **sang-froid** nm calm, sangfroid; **de sang-froid** in cold blood; **sanglant, e** adj bloody

**sangle** [sɑ̃gl] nf strap

**sanglier** [sɑ̃glije] nm (wild) boar

**sanglot** [sɑ̃glo] nm sob; **sangloter** /1/ vi to sob

**sangsue** [sɑ̃sy] nf leech

**sanguin, e** [sɑ̃gɛ̃, -in] adj blood cpd

**sanitaire** [sanitɛʀ] adj health cpd; **sanitaires** nmpl (salle de bain et w.-c.) bathroom sg

**sans** [sɑ̃] prép without; **~ qu'il s'en aperçoive** without him ou his noticing; **un pull ~ manches** a sleeveless jumper; **~ faute** without fail; **~ arrêt** without a break; **~ ça** (fam) otherwise; **sans-abri** nm/f inv homeless; **sans-emploi** nm/f inv unemployed person; **les sans-emploi** the unemployed; **sans-gêne** adj inv inconsiderate

**santé** [sɑ̃te] nf health; **être en bonne ~** to be in good health; **boire à la ~ de qn** to drink (to) sb's health; **à ta** ou **votre ~!** cheers!

**saoudien, ne** [saudjɛ̃, -ɛn] adj Saudi (Arabian) ▷ nm/f: **S~, ne** Saudi (Arabian)

**saoul, e** [su, sul] adj = **soûl**

**saper** [sape] /1/ vt to undermine, sap

**sapeur-pompier** [sapœʀpɔ̃pje] nm fireman

**saphir** [safiʀ] nm sapphire

**sapin** [sapɛ̃] nm fir (tree); (bois) fir; **~ de Noël** Christmas tree

**sarcastique** [saʀkastik] adj sarcastic

**Sardaigne** [saʀdɛɲ] nf: **la ~** Sardinia

**sardine** [saʀdin] nf sardine

**SARL** [saʀl] sigle f (= société à responsabilité limitée) ≈ plc (BRIT), ≈ Inc. (US)

**sarrasin** [saʀazɛ̃] nm buckwheat

**satané, e** [satane] adj (fam) confounded

**satellite** [satelit] nm satellite

**satin** [satɛ̃] nm satin

**satire** [satiʀ] nf satire; **satirique** adj satirical

**satisfaction** [satisfaksjɔ̃] nf satisfaction

**satisfaire** [satisfɛʀ] /60/ vt to satisfy; **~ à** (revendications, conditions)

# saturer | 250

to meet; **satisfaisant, e** *adj*
(*acceptable*) satisfactory; **satisfait,
e** *adj* satisfied; **satisfait de** happy *ou*
satisfied with

**saturer** [satyʀe] /1/ *vt* to saturate

**sauce** [sos] *nf* sauce; (*avec un rôti*)
gravy; **~ tomate** tomato sauce;
**saucière** *nf* sauceboat

**saucisse** [sosis] *nf* sausage

**saucisson** [sosisɔ̃] *nm* (*slicing*)
sausage

**sauf¹** [sof] *prép* except; **~ si** (*à moins
que*) unless; **~ avis contraire** unless
you hear to the contrary; **~ erreur** if
I'm not mistaken

**sauf², sauve** [sof, sov] *adj*
unharmed, unhurt; (*fig: honneur*)
intact, saved; **laisser la vie sauve à
qn** to spare sb's life

**sauge** [soʒ] *nf* sage

**saugrenu, e** [sogʀəny] *adj*
preposterous

**saule** [sol] *nm* willow (tree)

**saumon** [somɔ̃] *nm* salmon *inv*

**saupoudrer** [sopudʀe] /1/ *vt*: **~ qch
de** to sprinkle sth with

**saur** [sɔʀ] *adj m*: **hareng ~** smoked *ou*
red herring, kipper

**saut** [so] *nm* jump; (*discipline sportive*)
jumping; **faire un ~ chez qn** to pop
over to sb's (place); **~ en hauteur/
longueur** high/long jump; **~ à la
perche** pole vaulting; **~ à l'élastique**
bungee jumping; **~ périlleux**
somersault

**sauter** [sote] /1/ *vi* to jump, leap;
(*exploser*) to blow up, explode;
(*: fusibles*) to blow; (*se détacher*) to
pop out (*ou* off) ▷ *vt* to jump (over),
leap (over); (*fig: omettre*) to skip, miss
(out); **faire ~** to blow up; (*Culin*) to
sauté; **~ à la corde** to skip; **~ au
cou de qn** to fly into sb's arms; **~ sur
une occasion** to jump at an opportunity;
**~ aux yeux** to be quite obvious

**sauterelle** [sotʀɛl] *nf* grasshopper

**sautiller** [sotije] /1/ *vi* (*oiseau*) to hop;
(*enfant*) to skip

**sauvage** [sovaʒ] *adj* (*gén*) wild;
(*peuplade*) savage; (*farouche*)
unsociable; (*barbare*) wild, savage;
(*non officiel*) unauthorized, unofficial;
**faire du camping ~** to camp in
the wild ▷ *nm/f* savage; (*timide*)
unsociable type

**sauve** [sov] *adj f voir* **sauf²**

**sauvegarde** [sovgaʀd] *nf*
safeguard; (*Inform*) backup;
**sauvegarder** /1/ *vt* to safeguard;
(*Inform: enregistrer*) to save; (*: copier*)
to back up

**sauve-qui-peut** [sovkipø] *excl* run
for your life!

**sauver** [sove] /1/ *vt* to save; (*porter
secours à*) to rescue; (*récupérer*) to
salvage, rescue; **se sauver** *vi* (*s'enfuir*)
to run away; (*fam: partir*) to be off;
**sauvetage** *nm* rescue; **sauveteur**
*nm* rescuer; **sauvette**: **à la sauvette**
*adv* (*se marier etc*) hastily, hurriedly;
**sauveur** *nm* saviour (*BRIT*), savior
(*US*)

**savant, e** [savã, -ãt] *adj* scholarly,
learned ▷ *nm* scientist

**saveur** [savœʀ] *nf* flavour; (*fig*)
savour

**savoir** [savwaʀ] /32/ *vt* to know; (*être
capable de*): **il sait nager** he can swim
▷ *nm* knowledge; **se savoir** *vi* (*être
connu*) to be known; **je n'en sais rien**
I (really) don't know; **à ~ (que)** that
is, namely; **faire ~ qch à qn** to let sb
know sth; **pas que je sache** not as
far as I know

**savon** [savɔ̃] *nm* (*produit*) soap;
(*morceau*) bar *ou* tablet of soap; (*fam*):
**passer un ~ à qn** to give sb a good
dressing-down; **savonner** /1/ *vt* to
soap; **savonnette** *nf* bar of soap

**savourer** [savuʀe] /1/ *vt* to savour;
**savoureux, -euse** *adj* tasty; (*fig:
anecdote*) spicy, juicy

**saxo(phone)** [saksɔ(fɔn)] *nm*
sax(ophone)

**scabreux, -euse** [skabʀø, -øz] *adj*
risky; (*indécent*) improper, shocking

**scandale** [skãdal] *nm* scandal;
**faire un ~** *(scène)* to make a scene;
*(Jur)* create a disturbance; **faire ~**
to scandalize people; **scandaleux,
-euse** *adj* scandalous, outrageous

**scandinave** [skãdinav] *adj*
Scandinavian ▷ *nm/f:* **S~**
Scandinavian

**Scandinavie** [skãdinavi] *nf:* **la ~**
Scandinavia

**scarabée** [skaʀabe] *nm* beetle

**scarlatine** [skaʀlatin] *nf* scarlet
fever

**scarole** [skaʀɔl] *nf* endive

**sceau, x** [so] *nm* seal

**sceller** [sele] /1/ *vt* to seal

**scénario** [senaʀjo] *nm* scenario

**scène** [sɛn] *nf (gén)* scene; *(estrade,
fig: théâtre)* stage; **entrer en ~** to
come on stage; **mettre en ~** *(Théât)*
to stage; *(Ciné)* to direct; **faire une ~
(à qn)** to make a scene (with sb); **~ de
ménage** domestic fight ou scene

**sceptique** [sɛptik] *adj* sceptical

**schéma** [ʃema] *nm (diagramme)*
diagram, sketch; **schématique** *adj*
diagrammatic(al), schematic; *(fig)*
oversimplified

**sciatique** [sjatik] *nf* sciatica

**scie** [si] *nf* saw

**sciemment** [sjamã] *adv* knowingly

**science** [sjãs] *nf* science; *(savoir)*
knowledge; **~s humaines/sociales**
social sciences; **~s naturelles** *(Scol)*
natural science *sg*, biology *sg*; **~s
po** political science *ou* studies *pl*;
**science-fiction** *nf* science fiction;
**scientifique** *adj* scientific ▷ *nm/f*
scientist; *(étudiant)* science student

**scier** [sje] /7/ *vt* to saw; *(retrancher)* to
saw off; **scierie** *nf* sawmill

**scintiller** [sɛtije] /1/ *vi* to sparkle;
*(étoile)* to twinkle

**sciure** [sjyʀ] *nf:* **~ (de bois)** sawdust

**sclérose** [skleʀoz] *nf:* **~ en plaques
(SEP)** multiple sclerosis (MS)

**scolaire** [skɔlɛʀ] *adj* school *cpd*;
**scolariser** /1/ *vt* to provide with

schooling *(ou* schools); **scolarité** *nf*
schooling

**scooter** [skutœʀ] *nm* (motor) scooter

**score** [skɔʀ] *nm* score

**scorpion** [skɔʀpjɔ̃] *nm (signe):* **le
S~** Scorpio

**scotch** [skɔtʃ] *nm (whisky)* scotch,
whisky; **Scotch®** *(adhésif)*
Sellotape® *(BRIT)*, Scotch tape® *(US)*

**scout, e** [skut] *adj, nm* scout

**script** [skʀipt] *nm (écriture)* printing;
*(Ciné)* (shooting) script

**scrupule** [skʀypyl] *nm* scruple

**scruter** [skʀyte] /1/ *vt* to scrutinize;
*(l'obscurité)* to peer into

**scrutin** [skʀytɛ̃] *nm (vote)* ballot;
*(ensemble des opérations)* poll

**sculpter** [skylte] /1/ *vt* to sculpt;
*(érosion)* to carve; **sculpteur** *nm*
sculptor; **sculpture** *nf* sculpture

**SDF** *sigle m* (= *sans domicile fixe*)
homeless person; **les ~** the homeless

**MOT-CLÉ**

**se, s'** [sə, s] *pron* **1** *(emploi réfléchi)*
oneself; *(: masc)* himself; *(: fém)*
herself; *(: sujet non humain)* itself;
*(: pl)* themselves; **se savonner** to
soap o.s.

**2** *(réciproque)* one another, each
other; **ils s'aiment** they love one
another *ou* each other

**3** *(passif):* **cela se répare facilement**
it is easily repaired

**4** *(possessif):* **se casser la jambe/se
laver les mains** to break one's leg/
wash one's hands

**séance** [seãs] *nf (d'assemblée)*
meeting, session; *(de tribunal)* sitting,
session; *(musicale, Ciné, Théât)*
performance

**seau, x** [so] *nm* bucket, pail

**sec, sèche** [sɛk, sɛʃ] *adj* dry; *(raisins,
figues)* dried; *(insensible: cœur,
personne)* hard, cold ▷ *nm:* **tenir au ~**
to keep in a dry place ▷ *adv* hard; **je le**

**bois ~** I drink it straight ou neat; **à ~ (puits)** dried up

**sécateur** [sekatœʀ] nm secateurs pl (BRIT), shears pl

**sèche** [sεʃ] adj f voir **sec**; **sèche-cheveux** nm inv hair-drier; **sèche-linge** nm inv tumble dryer; **sèchement** adv (répliquer etc) drily

**sécher** [seʃe] /6/ vt to dry; (dessécher: peau, blé) to dry (out); (: étang) to dry up; (fam: classe, cours) to skip ▷ vi to dry; to dry out; to dry up; (fam: candidat) to be stumped; **se sécher** vi (après le bain) to dry o.s.; **sécheresse** nf dryness; (absence de pluie) drought; **séchoir** nm drier

**second, e** [səɡɔ̃, -ɔ̃d] adj second ▷ nm (assistant) second in command; (Navig) first mate ▷ nf (Scol) ≈ year 11 (BRIT); ≈ tenth grade (US); (Aviat, Rail etc) second class; **voyager en ~e** to travel second-class; **secondaire** adj secondary; **seconder** /1/ vt to assist

**secouer** [səkwe] /1/ vt to shake; (passagers) to rock; (traumatiser) to shake (up)

**secourir** [səkuʀiʀ] /11/ vt (venir en aide à) to assist, aid; **secourisme** nm first aid; **secouriste** nm/f first-aid worker

**secours** [səkuʀ] nm help, aid, assistance ▷ nmpl aid sg; **au ~!** help!; **appeler au ~** to shout ou call for help; **porter ~ à qn** to give sb assistance, help sb; **les premiers ~** first aid sg

○ ÉQUIPES DE SECOURS

● Emergency phone numbers can
  be dialled free from public phones.
● For the police ('la police') dial 17; for
  medical services ('le SAMU') dial 15;
  for the fire brigade ('les sapeurs—
  pompiers') dial 18.

**secousse** [səkus] nf jolt, bump; (électrique) shock; (fig: psychologique) jolt, shock

**secret, -ète** [səkʀε, -εt] adj secret; (fig: renfermé) reticent, reserved ▷ nm secret; (discrétion absolue): **le ~ secrecy**; **en ~** in secret, secretly; **~ professionnel** professional secrecy

**secrétaire** [səkʀetεʀ] nm/f secretary ▷ nm (meuble) writing desk; **~ de direction** private ou personal secretary; **~ d'État** ≈ junior minister; **secrétariat** nm (profession) secretarial work; (bureau) (secretary's) office; (: d'organisation internationale) secretariat

**secteur** [sεktœʀ] nm sector; (Admin) district; (Élec): **branché sur le ~** plugged into the mains (supply)

**section** [sεksjɔ̃] nf section; (de parcours d'autobus) fare stage; (Mil: unité) platoon; **sectionner** /1/ vt to sever

**sécu** [seky] nf = **sécurité sociale**

**sécurité** [sekyʀite] nf (absence de troubles) security; (absence de danger) safety; **système de ~** security (ou safety) system; **être en ~** to be safe; **la ~ routière** road safety; **la ~ sociale** ≈ (the) Social Security (BRIT), ≈ (the) Welfare (US)

**sédentaire** [sedɑ̃tεʀ] adj sedentary

**séduction** [sedyksjɔ̃] nf seduction; (charme, attrait) appeal, charm

**séduire** [seduiʀ] /38/ vt to charm; (femme: abuser de) to seduce; **séduisant, e** adj (femme) seductive; (homme, offre) very attractive

**ségrégation** [seɡʀeɡasjɔ̃] nf segregation

**seigle** [sεɡl] nm rye

**seigneur** [sεɲœʀ] nm lord

**sein** [sɛ̃] nm breast; (entrailles) womb; **au ~ de** (équipe, institution) within

**séisme** [seism] nm earthquake

**seize** [sεz] num sixteen; **seizième** num sixteenth

**séjour** [seʒuʀ] nm stay; (pièce) living room; **séjourner** /1/ vi to stay

**sel** [sεl] nm salt; (fig: piquant) spice

**sélection** [selεksjɔ̃] nf selection; **sélectionner** /1/ vt to select

**self** [sɛlf] nm (fam) self-service

**self-service** [sɛlfsɛRvis] adj self-service ▷ nm self-service (restaurant)

**selle** [sɛl] nf saddle; **selles** nfpl (Méd) stools; **seller** /1/ vt to saddle

**selon** [səlɔ̃] prép according to; (en se conformant à) in accordance with; **~ moi** as I see it; **~ que** according to

**semaine** [səmɛn] nf week; **en ~** during the week, on weekdays

**semblable** [sɑ̃blabl] adj similar; (de ce genre): **de ~s mésaventures** such mishaps ▷ nm fellow creature ou man; **~ à** similar to, like

**semblant** [sɑ̃blɑ̃] nm: **un ~ de vérité** a semblance of truth; **faire ~ (de faire)** to pretend (to do)

**sembler** [sɑ̃ble] /1/ vb copule to seem ▷ vb impers: **il semble (bien) que/ inutile de** it (really) seems ou appears that/useless to do; **il me semble (bien) que** it (really) seems to me that; **comme bon lui semble** as he sees fit

**semelle** [səmɛl] nf sole; (intérieure) insole, inner sole

**semer** [səme] /5/ vt (Agr) to sow; (fig: éparpiller) to scatter; (: confusion) to spread; (fam: poursuivants) to lose, shake off; **semé de** (difficultés) riddled with

**semestre** [səmɛstR] nm half-year; (Scol) semester

**séminaire** [seminɛR] nm seminar; **~ en ligne** webinar

**semi-remorque** [səmiRəmɔRk] nm articulated lorry (BRIT), semi(trailer) (US)

**semoule** [səmul] nf semolina

**sénat** [sena] nm senate; **sénateur** nm senator

**Sénégal** [senegal] nm: **le ~** Senegal

**sens** [sɑ̃s] nm (Physiol) sense; (signification) meaning, sense; (direction) direction; **à mon ~** to my mind; **dans le ~ des aiguilles d'une montre** clockwise; **dans le ~ contraire des aiguilles d'une montre** anticlockwise; **dans le**

**mauvais ~** (aller) the wrong way; in the wrong direction; **bon ~** good sense; **~ dessus dessous** upside down; **~ interdit, ~ unique** one-way street

**sensation** [sɑ̃sasjɔ̃] nf sensation; **faire ~** to cause a sensation, create a stir; **à ~** (péj) sensational; **sensationnel, le** adj sensational, fantastic

**sensé, e** [sɑ̃se] adj sensible

**sensibiliser** [sɑ̃sibilize] /1/ vt: **~ qn (à)** to make sb sensitive (to)

**sensibilité** [sɑ̃sibilite] nf sensitivity

**sensible** [sɑ̃sibl] adj sensitive; (aux sens) perceptible; (appréciable: différence, progrès) appreciable, noticeable; **~ à** sensitive to; **sensiblement** adv (à peu près): **ils ont sensiblement le même poids** they weigh approximately the same; **sensiblerie** nf sentimentality

> ⚠ Attention à ne pas traduire **sensible** par le mot anglais **sensible**.

**sensuel, le** [sɑ̃sɥɛl] adj (personne) sensual; (musique) sensuous

**sentence** [sɑ̃tɑ̃s] nf (Jur) sentence

**sentier** [sɑ̃tje] nm path

**sentiment** [sɑ̃timɑ̃] nm feeling; **recevez mes ~s respectueux** (personne nommée) yours sincerely; (personne non nommée) yours faithfully; **sentimental, e, -aux** adj sentimental; (vie, aventure) love cpd

**sentinelle** [sɑ̃tinɛl] nf sentry

**sentir** [sɑ̃tiR] /16/ vt (par l'odorat) to smell; (par le goût) to taste; (au toucher, fig) to feel; (répandre une odeur de) to smell of; (: ressemblance) to smell like ▷ vi to smell; **~ mauvais** to smell bad; **se ~ bien** to feel good; **se ~ mal** (être indisposé) to feel unwell ou ill; **se ~ le courage/la force de faire** to feel brave/strong enough to do; **il ne peut pas le ~** (fam) he can't stand him; **je ne me sens pas bien** I don't feel well

S

**séparation** [separasjɔ̃] nf
separation; (cloison) division,
partition

**séparé, e** [separe] adj (appartements,
pouvoirs) separate; (époux) separated;
**séparément** adv separately

**séparer** [separe] /1/ vt to separate;
(désunir) to drive apart; (détacher):
**~ qch de** to pull sth (off) from; **se
séparer** vi (époux) to separate, part;
(prendre congé: amis etc) to part; (se
diviser: route, tige etc) to divide; **se ~
de** (époux) to separate ou part from;
(employé, objet personnel) to part with

**sept** [sɛt] num seven; **septante** num
(BELGIQUE, SUISSE) seventy

**septembre** [sɛptɑ̃br] nm
September

**septicémie** [sɛptisemi] nf blood
poisoning, septicaemia

**septième** [sɛtjɛm] num seventh

**séquelles** [sekɛl] nfpl after-effects;
(fig) aftermath sg

**serbe** [sɛrb] adj Serbian

**Serbie** [sɛrbi] nf: **la ~** Serbia

**serein, e** [sərɛ̃, -ɛn] adj serene

**sergent** [sɛrʒɑ̃] nm sergeant

**série** [seri] nf series inv; (de clés,
casseroles, outils) set; (catégorie:
Sport) rank; **en ~** in quick succession;
(Comm) mass cpd; **de ~** (voiture)
standard; **hors ~** (Comm) custom-
built; **~ noire** (crime) thriller

**sérieusement** [serjøzmɑ̃] adv
seriously

**sérieux, -euse** [serjø, -øz] adj
serious; (élève, employé) reliable,
responsible; (client, maison) reliable,
dependable ▷ nm seriousness; (d'une
entreprise) reliability; **garder son ~**
to keep a straight face; **prendre qch/
qn au ~** to take sth/sb seriously

**serin** [sərɛ̃] nm canary

**seringue** [sərɛ̃g] nf syringe

**serment** [sɛrmɑ̃] nm (juré) oath;
(promesse) pledge, vow

**sermon** [sɛrmɔ̃] nm sermon

**séropositif, -ive** [seropozitif, -iv]

adj HIV positive

**serpent** [sɛrpɑ̃] nm snake;
**serpenter** /1/ vi to wind

**serpillière** [sɛrpijɛr] nf floorcloth

**serre** [sɛr] nf (Agr) greenhouse;
**serres** nfpl (griffes) claws, talons

**serré, e** [sɛre] adj (réseau) dense;
(habits) tight; (fig: lutte, match) tight,
close-fought; (passagers etc) (tightly)
packed; **avoir le cœur ~** to have a
heavy heart

**serrer** [sɛre] /1/ vt (tenir) to grip
ou hold tight; (comprimer, coincer)
to squeeze; (poings, mâchoires) to
clench; (vêtement) to be too tight for;
(ceinture, nœud, frein, vis) to tighten
▷ vi: **~ à droite** to keep to the right

**serrure** [sɛryr] nf lock; **serrurier** nm
locksmith

**sers, sert** [sɛr] vb voir **servir**

**servante** [sɛrvɑ̃t] nf (maid)servant

**serveur, -euse** [sɛrvœr, -øz] nm/f
waiter (waitress)

**serviable** [sɛrvjabl] adj obliging,
willing to help

**service** [sɛrvis] nm service; (série
de repas): **premier ~** first sitting;
(assortiment de vaisselle) set, service;
(bureau: de la vente etc) department,
section; **faire le ~** to serve; **rendre
~ à qn** to help sb; **rendre un ~ à qn**
to do sb a favour; **être de ~** to be on
duty; **être/mettre en ~** to be in/put
into service ou operation; **~ compris/
non compris** service included/
not included; **hors ~** out of order;
**~ après-vente** after-sales service;
**~ militaire** military service; see
note "service militaire"; **~ d'ordre**
police (ou stewards) in charge of
maintaining order; **~s secrets** secret
service sg

**SERVICE MILITAIRE**

Until 1997, French men over
the age of 18 who were passed
as fit, and who were not in

- full-time higher education,
- were required to do ten months'
- 'service militaire'. Conscientious
- objectors were required to do two
- years' community service. Since
- 1997, military service has been
- suspended in France. However, all
- sixteen-year-olds, both male and
- female, are required to register
- for a compulsory one-day training
- course, the 'JDC' ('journée défense
- et citoyenneté'), which covers
- basic information on the principles
- and organization of defence in
- France, and also advises on career
- opportunities in the military and in
- the voluntary sector. Young people
- must attend the training day
- before their eighteenth birthday.

**serviette** [sɛʀvjɛt] nf (de table)
(table) napkin, serviette; (de toilette)
towel; (porte-documents) briefcase; ~
**hygiénique** sanitary towel

**servir** [sɛʀviʀ] /14/ vt to serve; (au
restaurant) to wait on; (au magasin)
to serve, attend to ▷ vi (Tennis) to
serve; (Cartes) to deal; **se servir** vi
(prendre d'un plat) to help o.s.; **vous
êtes servi?** are you being served?;
**sers-toi!** help yourself!; **se ~ de** (plat)
to help o.s. to; (voiture, outil, relations)
to use; **~ à qn** (diplôme, livre) to be of
use to sb; **~ à qch/à faire** (outil etc) to
be used for sth/for doing; **ça ne sert
à rien** it's no use; **~ (à qn) de ...** to
serve as ... (for sb)

**serviteur** [sɛʀvitœʀ] nm servant

**ses** [se] adj pos voir **son[1]**

**seuil** [sœj] nm doorstep; (fig)
threshold

**seul, e** [sœl] adj (sans compagnie)
alone; (unique): **un ~ livre** only one
book, a single book; **le ~ livre** the
only book ▷ adv (vivre) alone, on one's
own; **faire qch (tout) ~** to do sth
(all) on one's own ou (all) by oneself
▷ nm/f: **il en reste un(e) ~(e)** there's

only one left; **à lui (tout) ~** single-
handed, on his own; **se sentir ~** to
feel lonely; **parler tout ~** to talk to
oneself; **seulement** adv only; **non
seulement ... mais aussi** ou **encore**
not only ... but also

**sève** [sɛv] nf sap

**sévère** [sevɛʀ] adj severe

**sexe** [sɛks] nm sex; (organe mâle)
member; **sexuel, le** adj sexual

**shampooing** [ʃɑ̃pwɛ̃] nm shampoo

**Shetland** [ʃɛtlɑ̃d] n: **les îles ~**
Shetland Islands, Shetland

**shopping** [ʃɔpiŋ] nm: **faire du ~** to
go shopping

**short** [ʃɔʀt] nm (pair of) shorts pl

---

**MOT-CLÉ**

**si** [si] adv 1 (oui) yes; **"Paul n'est pas
venu" — "si!"** "Paul hasn't come" —
"Yes he has!"; **je vous assure que si**
I assure you he did/she is etc
2 (tellement) so; **si gentil/
rapidement** so kind/fast; **(tant
et) si bien que** so much so that; **si
rapide qu'il soit** however fast he
may be

▷ conj if; **si tu veux** if you want;
**je me demande si** I wonder if ou
whether; **si seulement** if only

▷ nm (Mus) B; ( : en chantant la
gamme) ti

---

**Sicile** [sisil] nf: **la ~** Sicily

**sida** [sida] nm (= syndrome immuno-
déficitaire acquis) AIDS sg

**sidéré, e** [sidere] adj staggered

**sidérurgie** [sideʀyʀʒi] nf steel
industry

**siècle** [sjɛkl] nm century

**siège** [sjɛʒ] nm seat; (d'entreprise)
head office; (d'organisation)
headquarters pl; (Mil) siege; **~ social**
registered office; **siéger** /3, 6/ vi to sit

**sien, ne** [sjɛ̃, sjɛn] pron: **le (la)
~(ne), les ~(ne)s** (d'un homme) his;
(d'une femme) hers; (d'une chose) its

**sieste** [sjɛst] *nf* (afternoon) snooze *ou* nap; **faire la ~** to have a snooze *ou* nap

**sifflement** [sifləmã] *nm* whistle

**siffler** [sifle] /1/ *vi* (*gén*) to whistle; (*en respirant*) to wheeze; (*serpent, vapeur*) to hiss ▷ *vt* (*chanson*) to whistle; (*chien etc*) to whistle for; (*fille*) to whistle at; (*pièce, orateur*) to hiss, boo; (*fin du match, départ*) to blow one's whistle for; (*fam: verre, bouteille*) to guzzle

**sifflet** [siflɛ] *nm* whistle; **coup de ~** whistle

**siffloter** [siflɔte] /1/ *vi*, *vt* to whistle

**sigle** [sigl] *nm* acronym

**signal, -aux** [siɲal, -o] *nm* signal; (*indice, écriteau*) sign; **donner le ~ de** to give the signal for; **~ d'alarme** alarm signal; **signalement** *nm* description, particulars *pl*

**signaler** [siɲale] /1/ *vt* to indicate; (*vol, perte*) to report; (*personne, faire un signe*) to signal; **~ qch à qn/à qn que** to point out sth to sb/to sb that

**signature** [siɲatyʀ] *nf* signature; (*action*) signing

**signe** [siɲ] *nm* sign; (*Typo*) mark; **faire un ~ de la main/tête** to give a sign with one's hand/shake one's head; **faire ~ à qn** (*fig: contacter*) to get in touch with sb; **faire ~ à qn d'entrer** to motion (to) sb to come in; **signer** /1/ *vt* to sign; **se signer** *vi* to cross o.s.

**significatif, -ive** [siɲifikatif, -iv] *adj* significant

**signification** [siɲifikasjɔ̃] *nf* meaning

**signifier** [siɲifje] /7/ *vt* (*vouloir dire*) to mean; (*faire connaître*): **~ qch (à qn)** to make sth known (to sb)

**silence** [silãs] *nm* silence; (*Mus*) rest; **garder le ~ (sur qch)** to keep silent (about sth), say nothing (about sth); **silencieux, -euse** *adj* quiet, silent ▷ *nm* silencer

**silhouette** [silwɛt] *nf* outline, silhouette; (*figure*) figure

**sillage** [sijaʒ] *nm* wake

**sillon** [sijɔ̃] *nm* furrow; (*de disque*) groove; **sillonner** /1/ *vt* to criss-cross

**simagrées** [simagʀe] *nfpl* fuss *sg*

**similaire** [similɛʀ] *adj* similar; **similicuir** *nm* imitation leather; **similitude** *nf* similarity

**simple** [sɛ̃pl] *adj* simple; (*non multiple*) single; **~ messieurs/dames** *nm* (*Tennis*) men's/ladies' singles *sg*; **~ d'esprit** *nm/f* simpleton; **~ soldat** private

**simplicité** [sɛ̃plisite] *nf* simplicity; **en toute ~** quite simply

**simplifier** [sɛ̃plifje] /7/ *vt* to simplify

**simuler** [simyle] /1/ *vt* to sham, simulate

**simultané, e** [simyltane] *adj* simultaneous

**sincère** [sɛ̃sɛʀ] *adj* sincere; **sincèrement** *adv* sincerely; genuinely; **sincérité** *nf* sincerity

**Singapour** [sɛ̃gapuʀ] *nm*: Singapore

**singe** [sɛ̃ʒ] *nm* monkey; (*de grande taille*) ape; **singer** /3/ *vt* to ape, mimic; **singeries** *nfpl* antics

**singulariser** [sɛ̃gylaʀize] /1/: **se singulariser** *vi* to call attention to o.s.

**singularité** [sɛ̃gylaʀite] *nf* peculiarity

**singulier, -ière** [sɛ̃gylje, -jɛʀ] *adj* remarkable, singular ▷ *nm* singular

**sinistre** [sinistʀ] *adj* sinister ▷ *nm* (*incendie*) blaze; (*catastrophe*) disaster; (*Assurances*) damage (*giving rise to a claim*); **sinistré, e** *adj* disaster-stricken ▷ *nm/f* disaster victim

**sinon** [sinɔ̃] *conj* (*autrement, sans quoi*) otherwise, or else; (*sauf*) except, other than; (*si ce n'est*) if not

**sinueux, -euse** [sinɥø, -øz] *adj* winding

**sinus** [sinys] *nm* (*Anat*) sinus; (*Géom*) sine; **sinusite** *nf* sinusitis

**sirène** [siʀɛn] *nf* siren; **~ d'alarme** fire alarm; (*pendant la guerre*) air-raid siren

**sirop** [siʀo] nm (à diluer: de fruit etc) syrup; (pharmaceutique) syrup, mixture; **~ contre la toux** cough syrup ou mixture

**siroter** [siʀɔte] /1/ vt to sip

**sismique** [sismik] adj seismic

**site** [sit] nm (paysage, environnement) setting; (d'une ville etc: emplacement) site; **~ (pittoresque)** beauty spot; **~s touristiques** places of interest; **~ web** (Inform) website

**sitôt** [sito] adv: **~ parti** as soon as he etc had left; **pas de ~** not for a long time; **~ (après) que** as soon as

**situation** [sitɥasjɔ̃] nf situation; (d'un édifice, d'une ville) location; **~ de famille** marital status

**situé, e** [sitɥe] adj: **bien ~** well situated

**situer** [sitɥe] /1/ vt to site, situate; (en pensée) to set, place; **se situer** vi: **se ~ à/près de** to be situated at/near

**six** [sis] num six; **sixième** num sixth ▷ nf (Scol) year 7

**skaï®** [skaj] nm ≈ Leatherette®

**skate** [skɛt], **skate-board** [skɛtbɔʀd] nm (sport) skateboarding; (planche) skateboard

**ski** [ski] nm (objet) ski; (sport) skiing; **faire du ~** to ski; **~ de fond** cross-country skiing; **~ nautique** water-skiing; **~ de piste** downhill skiing; **~ de randonnée** cross-country skiing; **skier** /7/ vi to ski; **skieur, -euse** nm/f skier

**slip** [slip] nm (sous-vêtement) pants pl (BRIT), briefs pl; (de bain: d'homme) trunks pl; (: du bikini) (bikini) briefs pl

**slogan** [slɔgã] nm slogan

**Slovaquie** [slɔvaki] nf: **la ~** Slovakia

**SMIC** [smik] sigle m = **salaire minimum interprofessionnel de croissance**

**smoking** [smɔkiŋ] nm dinner ou evening suit

**SMS** sigle m (= short message service) (service) SMS; (message) text (message)

**SNCF** sigle f (= Société nationale des chemins de fer français) French railways

**snob** [snɔb] adj snobbish ▷ nm/f snob; **snobisme** nm snobbery, snobbishness

**sobre** [sɔbʀ] adj (personne) temperate, abstemious; (élégance, style) sober

**sobriquet** [sɔbʀikɛ] nm nickname

**social, e, -aux** [sɔsjal, -o] adj social

**socialisme** [sɔsjalism] nm socialism; **socialiste** nm/f socialist

**société** [sɔsjete] nf society; (sportive) club; (Comm) company; **la ~ d'abondance/de consommation** the affluent/consumer society; **~ anonyme** ≈ limited company (BRIT), ≈ incorporated company (US)

**sociologie** [sɔsjɔlɔʒi] nf sociology

**socle** [sɔkl] nm (de colonne, statue) plinth, pedestal; (de lampe) base

**socquette** [sɔkɛt] nf ankle sock

**sœur** [sœʀ] nf sister; (religieuse) nun, sister

**soi** [swa] pron oneself; **en ~** (intrinsèquement) in itself; **cela va de ~** that ou it goes without saying; **soi-disant** adj inv so-called ▷ adv supposedly

**soie** [swa] nf silk; **soierie** nf (tissu) silk

**soif** [swaf] nf thirst; **avoir ~** to be thirsty; **donner ~ à qn** to make sb thirsty

**soigné, e** [swaɲe] adj (tenue) well-groomed, neat; (travail) careful, meticulous

**soigner** [swaɲe] /1/ vt (malade, maladie: docteur) to treat; (: infirmière, mère) to nurse, look after; (travail, détails) to take care over; (jardin, chevelure, invités) to look after; **soigneux, -euse** adj tidy, neat; (méticuleux) painstaking, careful

**soi-même** [swamɛm] pron oneself

**soin** [swɛ̃] nm (application) care; (propreté, ordre) tidiness, neatness; **soins** nmpl (à un malade, blessé) treatment sg, medical attention sg; (hygiène) care sg; **avoir** ou **prendre ~**

**de** to take care of, look after; **avoir** ou **prendre ~ de faire** to take care to do; **les premiers ~s** first aid sg

**soir** [swar] nm evening; **ce ~** this evening, tonight; **à ce ~!** see you this evening (ou tonight)!; **sept/dix heures du ~** seven in the evening/ ten at night; **demain ~** tomorrow evening, tomorrow night; **soirée** nf evening; (réception) party

**soit** [swa] vb voir **être** ▷ conj (à savoir) namely; (ou): **~ ... ~** either ... or ▷ adv so be it, very well; **~ que ... ~ que** ou **que** whether ... or whether

**soixantaine** [swasɑ̃tɛn] nf: **une ~ (de)** sixty or so, about sixty; **avoir la ~** (âge) to be around sixty

**soixante** [swasɑ̃t] num sixty; **soixante-dix** num seventy

**soja** [sɔʒa] nm soya; (graines) soya beans pl; **germes de ~** beansprouts

**sol** [sɔl] nm ground; (de logement) floor; (Agr, Géo) soil; (Mus) G (: en chantant la gamme) so(h)

**solaire** [sɔlɛʀ] adj (énergie etc) solar; (crème etc) sun cpd

**soldat** [sɔlda] nm soldier

**solde** [sɔld] nf pay ▷ nm (Comm) balance; **soldes** nmpl ou nfpl (Comm) sales; **en ~** at sale price; **solder** /1/ vt (marchandise) to sell at sale price, sell off

**sole** [sɔl] nf sole inv (fish)

**soleil** [sɔlɛj] nm sun; (lumière) sun(light); (temps ensoleillé) sun(shine); **il y a** ou **il fait du ~** it's sunny; **au ~** in the sun

**solennel, le** [sɔlanɛl] adj solemn

**solfège** [sɔlfɛʒ] nm rudiments pl of music

**solidaire** [sɔlidɛʀ] adj: **être ~s** (personnes) to show solidarity, stand ou stick together; **être ~ de** (collègues) to stand by; **solidarité** nf solidarity; **par solidarité (avec)** in sympathy (with)

**solide** [sɔlid] adj solid; (mur, maison, meuble) solid, sturdy; (connaissances,

argument) sound; (personne) robust, sturdy ▷ nm solid

**soliste** [sɔlist] nm/f soloist

**solitaire** [sɔlitɛʀ] adj (sans compagnie) solitary, lonely; (lieu) lonely ▷ nm/f (ermite) recluse; (fig: ours) loner

**solitude** [sɔlityd] nf loneliness; (paix) solitude

**solliciter** [sɔlisite] /1/ vt (personne) to appeal to; (emploi, faveur) to seek

**sollicitude** [sɔlisityd] nf concern

**soluble** [sɔlybl] adj soluble

**solution** [sɔlysjɔ̃] nf solution; **~ de facilité** easy way out

**solvable** [sɔlvabl] adj solvent

**sombre** [sɔ̃bʀ] adj dark; (fig) gloomy; **sombrer** /1/ vi (bateau) to sink; **sombrer dans** (misère, désespoir) to sink into

**sommaire** [sɔmɛʀ] adj (simple) basic; (expéditif) summary ▷ nm summary

**somme** [sɔm] nf (Math) sum; (fig) amount; (argent) sum, amount ▷ nm: **faire un ~** to have a (short) nap; **en ~, ~ toute** all in all

**sommeil** [sɔmɛj] nm sleep; **avoir ~** to be sleepy; **sommeiller** /1/ vi to doze

**sommet** [sɔmɛ] nm top; (d'une montagne) summit, top; (fig: de la perfection, gloire) height

**sommier** [sɔmje] nm bed base

**somnambule** [sɔmnɑ̃byl] nm/f sleepwalker

**somnifère** [sɔmnifɛʀ] nm sleeping drug; sleeping pill ou tablet

**somnoler** [sɔmnɔle] /1/ vi to doze

**somptueux, -euse** [sɔ̃ptɥø, -øz] adj sumptuous

**son¹, sa** (pl **ses**) [sɔ̃, sa, se] adj poss (antécédent humain: mâle) his (: femelle) her; (: valeur indéfinie) one's, his (her); (: non humain) its

**son²** [sɔ̃] nm sound; (de blé etc) bran

**sondage** [sɔ̃daʒ] nm: **~ (d'opinion)** (opinion) poll

**sonde** [sɔ̃d] nf (Navig) lead ou sounding line; (Méd) probe; (Tech: de forage, sondage) drill

**sonder** [sɔ̃de] /1/ vt (Navig) to sound; (Tech) to bore, drill; (fig: personne) to sound out; **~ le terrain** (fig) to see how the land lies

**songe** [sɔ̃ʒ] nm dream; **songer** /3/ vi: **songer à** (rêver à) to think over; (envisager) to contemplate, think of; **songer que** to think that; **songeur, -euse** adj pensive

**sonnant, e** [sɔnɑ̃, -ɑ̃t] adj: **à huit heures ~es** on the stroke of eight

**sonné, e** [sɔne] adj (fam) cracked; **il est midi ~** it's gone twelve

**sonner** [sɔne] /1/ vi to ring ▷ vt (cloche) to ring; (glas, tocsin) to sound; (portier, infirmière) to ring for; **~ faux** (instrument) to sound out of tune; (rire) to ring false

**sonnerie** [sɔnri] nf (son) ringing; (sonnette) bell; (de portable) ringtone; **~ d'alarme** alarm bell

**sonnette** [sɔnɛt] nf bell; **~ d'alarme** alarm bell

**sonore** [sɔnɔr] adj (voix) sonorous, ringing; (salle, métal) resonant; (ondes, film, signal) sound cpd; **sonorisation** nf (équipement: de salle de conférences) public address system, P.A. system; (: de discothèque) sound system; **sonorité** nf (de piano, violon) tone; (d'une salle) acoustics pl

**sophistiqué, e** [sɔfistike] adj sophisticated

**sorbet** [sɔrbɛ] nm water ice, sorbet

**sorcier, -ière** [sɔrsje, -jɛr] nm/f sorcerer (witch ou sorceress)

**sordide** [sɔrdid] adj (lieu) squalid; (action) sordid

**sort** [sɔr] nm (fortune, destinée) fate; (condition, situation) lot; (magique): **jeter un ~** to cast a spell; **tirer au ~** to draw lots

**sorte** [sɔrt] nf sort, kind; **de la ~** in that way; **en quelque ~** in a way; **de**

**(telle) ~ que** so that; **faire en ~ que** to see to it that

**sortie** [sɔrti] nf (issue) way out, exit; (verbale) sally; (: promenade) outing; (le soir, au restaurant etc) night out; (Comm: d'un disque) release; (: d'un livre) publication; (: d'un modèle) launching; **~ de bain** (vêtement) bathrobe; **~ de secours** emergency exit

**sortilège** [sɔrtilɛʒ] nm (magic) spell

**sortir** [sɔrtir] /16/ vi (gén) to come out; (partir, se promener, aller au spectacle etc) to go out; (bourgeon, plante, numéro gagnant) to come up ▷ vt (gén) to take out; (produit, ouvrage, modèle) to bring out; (fam: dire) to come out with; **~ avec qn** to be going out with sb; **~ de** (endroit) to go (ou come) out of, leave; (cadre, compétence) to be outside; (provenir de) to come from; **s'en ~** (malade) to pull through; (d'une difficulté etc) to get through

**sosie** [sɔzi] nm double

**sot, sotte** [so, sɔt] adj silly, foolish ▷ nm/f fool; **sottise** nf silliness no pl, foolishness no pl; (propos, acte) silly ou foolish thing (to do ou say)

**sou** [su] nm: **près de ses ~s** tight-fisted; **sans le ~** penniless

**soubresaut** [subrəso] nm start; (cahot) jolt

**souche** [suʃ] nf (d'arbre) stump; (de carnet) counterfoil (BRIT), stub

**souci** [susi] nm (inquiétude) worry; (préoccupation) concern; (Bot) marigold; **se faire du ~** to worry; **soucier** /7/: **se soucier de** vt to care about; **soucieux, -euse** adj concerned, worried

**soucoupe** [sukup] nf saucer; **~ volante** flying saucer

**soudain, e** [sudɛ̃, -ɛn] adj (douleur, mort) sudden ▷ adv suddenly, all of a sudden

**Soudan** [sudɑ̃] nm: **le ~** Sudan

**soude** [sud] nf soda

**souder** [sude] /1/ vt (avec fil à souder) to solder; (par soudure autogène) to weld; (fig) to bind ou knit together

**soudure** [sudʀ] nf soldering; welding; (joint) soldered joint; weld

**souffle** [sufl] nm (en expirant) breath; (en soufflant) puff, blow; (respiration) breathing; (d'explosion, de ventilateur) blast; (du vent) blowing; **être à bout de** ~ to be out of breath; **un** ~ **d'air** ou **de vent** a breath of air

**soufflé, e** [sufle] adj (fam: ahuri, stupéfié) staggered ▷ nm (Culin) soufflé

**souffler** [sufle] /1/ vi (gén) to blow; (haleter) to puff (and blow) ▷ vt (feu, bougie) to blow out; (chasser: poussière etc) to blow away; (Tech: verre) to blow; (dire): ~ **qch à qn** to whisper sth to sb

**souffrance** [sufʀɑ̃s] nf suffering; **en** ~ (affaire) pending

**souffrant, e** [sufʀɑ̃, -ɑ̃t] adj unwell

**souffre-douleur** [sufʀədulœʀ] nm inv butt, underdog

**souffrir** [sufʀiʀ] /18/ vi to suffer; (éprouver des douleurs) to be in pain ▷ vt to suffer, endure; (supporter) to bear, stand; ~ **de** (maladie, froid) to suffer from; **elle ne peut pas le** ~ she can't stand ou bear him

**soufre** [sufʀ] nm sulphur

**souhait** [swe] nm wish; **tous nos** ~**s pour la nouvelle année** (our) best wishes for the New Year; **souhaitable** adj desirable

**souhaiter** [swete] /1/ vt to wish for; ~ **la bonne année à qn** to wish sb a happy New Year; ~ **que** to hope that

**soûl, e** [su, sul] adj drunk ▷ nm: **tout son** ~ to one's heart's content

**soulagement** [sulaʒmɑ̃] nm relief

**soulager** [sulaʒe] /3/ vt to relieve

**soûler** [sule] /1/ vt: ~ **qn** to get sb drunk; (boisson) to make sb drunk; (fig) to make sb's head spin ou reel; **se soûler** vi to get drunk

**soulever** [sulve] /5/ vt to lift; (vagues, poussière) to send up; (enthousiasme)

to arouse; (question, débat, protestations, difficultés) to raise; **se soulever** vi (peuple) to rise up; (personne couchée) to lift o.s. up

**soulier** [sulje] nm shoe

**souligner** [suliɲe] /1/ vt to underline; (fig) to emphasize, stress

**soumettre** [sumɛtʀ] /56/ vt (pays) to subject, subjugate; (rebelles) to put down, subdue; ~ **qch à qn** (projet etc) to submit sth to sb; **se** ~ **(à)** to submit (to)

**soumis, e** [sumi, -iz] adj submissive; **soumission** nf submission

**soupçon** [supsɔ̃] nm suspicion; (petite quantité): **un** ~ **de** a hint ou touch of; **soupçonner** /1/ vt to suspect; **soupçonneux, -euse** adj suspicious

**soupe** [sup] nf soup

**souper** [supe] /1/ vi to have supper ▷ nm supper

**soupeser** [supəze] /5/ vt to weigh in one's hand(s); (fig) to weigh up

**soupière** [supjɛʀ] nf (soup) tureen

**soupir** [supiʀ] nm sigh; **pousser un** ~ **de soulagement** to heave a sigh of relief

**soupirer** [supiʀe] /1/ vi to sigh

**souple** [supl] adj supple; (fig: règlement, caractère) flexible; (: démarche, taille) lithe, supple; **souplesse** nf suppleness; (de caractère) flexibility

**source** [suʀs] nf (point d'eau) spring; (d'un cours d'eau, fig) source; **tenir qch de bonne /de** ~ **sûre** to have sth on good authority/from a reliable source

**sourcil** [suʀsij] nm (eye)brow;

**sourciller** /1/ vi: **sans sourciller** without turning a hair ou batting an eyelid

**sourd, e** [suʀ, suʀd] adj deaf; (bruit, voix) muffled; (douleur) dull ▷ nm/f deaf person; **faire la** ~ **e oreille** to turn a deaf ear; **sourdine** nf (Mus) mute; **en sourdine** softly, quietly; **sourd-muet, sourde-muette** adj deaf-and-dumb ▷ nm/f deaf-mute

**souriant, e** [suʀjɑ̃, -ɑ̃t] *adj* cheerful
**sourire** [suʀiʀ] /36/ *nm* smile ▷ *vi* to
smile; **~ à qn** to smile at sb; *(fig: plaire
à)* to appeal to sb; *(chance)* to smile on
sb; **garder le ~** to keep smiling
**souris** [suʀi] *nf* mouse
**sournois, e** [suʀnwa, -waz] *adj*
deceitful, underhand
**sous** [su] *prép* under; **~ la pluie/le
soleil** in the rain/sunshine; **~ terre**
underground; **~ peu** shortly, before
long; **sous-bois** *nm inv* undergrowth
**souscrire** [suskʀiʀ] /39/: **~ à** *vt* to
subscribe to
**sous: sous-directeur, -trice** *nm/f*
assistant manager/manageress;
**sous-entendre** /41/ *vt* to imply,
infer; **sous-entendu, e** *adj* implied
▷ *nm* innuendo, insinuation; **sous-
estimer** /1/ *vt* to underestimate;
**sous-jacent, e** *adj* underlying;
**sous-louer** /1/ *vt* to sublet;
**sous-marin, e** *adj (flore, volcan)*
submarine; *(navigation, pêche, explosif)*
underwater ▷ *nm* submarine;
**sous-pull** *nm* thin poloneck sweater;
**soussigné, e** *adj*: **je soussigné**
I the undersigned; **sous-sol** *nm*
basement; **sous-titre** [sutitʀ] *nm*
subtitle
**soustraction** [sustʀaksjɔ̃] *nf*
subtraction
**soustraire** [sustʀɛʀ] /50/ *vt* to
subtract, take away; *(dérober)*: **~ qch
à qn** to remove sth from sb; **se ~ à**
*(autorité, obligation, devoir)* to elude,
escape from
**sous: sous-traitant** *nm*
subcontractor; **sous-traiter** /1/ *vt, vi*
to subcontract; **sous-vêtement** *nm*
item of underwear; **sous-vêtements**
*nmpl* underwear *sg*
**soutane** [sutan] *nf* cassock, soutane
**soute** [sut] *nf* hold
**soutenir** [sutniʀ] /22/ *vt* to support;
*(assaut, choc, regard)* to stand up to,
withstand; *(intérêt, effort)* to keep
up; *(assurer)*: **~ que** to maintain that;

**soutenu, e** *adj (efforts)* sustained,
unflagging; *(style)* elevated
**souterrain, e** [suteʀɛ̃, -ɛn] *adj*
underground ▷ *nm* underground
passage
**soutien** [sutjɛ̃] *nm* support; **soutien-
gorge** *nm* bra
**soutirer** [sutiʀe] /1/ *vt*: **~ qch à qn** to
squeeze *ou* get sth out of sb
**souvenir** [suvniʀ] /22/ *nm*
*(réminiscence)* memory; *(cadeau)*
souvenir ▷ *vb*: **se ~ de** to remember;
**se ~ que** to remember that; **en ~ de**
in memory *ou* remembrance of; **avec
mes affectueux/meilleurs ~s, ...**
with love from, .../regards, ...
**souvent** [suvɑ̃] *adv* often; **peu ~**
seldom, infrequently
**souverain, e** [suvʀɛ̃, -ɛn] *nm/f*
sovereign, monarch
**soyeux, -euse** [swajø, -øz] *adj* silky
**spacieux, -euse** [spasjø, -øz] *adj*
spacious; roomy
**spaghettis** [spageti] *nmpl*
spaghetti *sg*
**sparadrap** [spaʀadʀa] *nm* adhesive *ou*
sticking (BRIT) plaster, bandaid® (US)
**spatial, e, -aux** [spasjal, -o] *adj*
*(Aviat)* space *cpd*
**speaker, ine** [spikœʀ, -kʀin] *nm/f*
announcer
**spécial, e, -aux** [spesjal, -o]
*adj* special; *(bizarre)* peculiar;
**spécialement** *adv* especially,
particularly; *(tout exprès)* specially;
**spécialiser** /1/: **se spécialiser**
*vi* to specialize; **spécialiste** *nm/f*
specialist; **spécialité** *nf* speciality;
*(Scol)* special field
**spécifier** [spesifje] /7/ *vt* to specify,
state
**spécimen** [spesimɛn] *nm* specimen
**spectacle** [spɛktakl] *nm (tableau,
scène)* sight; *(représentation)*
show; *(industrie)* show business;
**spectaculaire** *adj* spectacular
**spectateur, -trice** [spɛktatœʀ,
-tʀis] *nm/f (Ciné etc)* member of the

audience; (*Sport*) spectator; (*d'un événement*) onlooker, witness

**spéculer** [spekyle] /1/ *vi* to speculate

**spéléologie** [speleɔlɔʒi] *nf* potholing

**sperme** [spɛʀm] *nm* semen, sperm

**sphère** [sfɛʀ] *nf* sphere

**spirale** [spiʀal] *nf* spiral

**spirituel, le** [spiʀitɥɛl] *adj* spiritual; (*fin, piquant*) witty

**splendide** [splɑ̃did] *adj* splendid

**spontané, e** [spɔ̃tane] *adj* spontaneous; **spontanéité** *nf* spontaneity

**sport** [spɔʀ] *nm* sport ▷ *adj inv* (*vêtement*) casual; **faire du ~** to do sport; **~s d'hiver** winter sports; **sportif, -ive** *adj* (*journal, association, épreuve*) sports *cpd*; (*allure, démarche*) athletic; (*attitude, esprit*) sporting

**spot** [spɔt] *nm* (*lampe*) spot(light); (*annonce*): **~ (publicitaire)** commercial (break)

**square** [skwaʀ] *nm* public garden(s)

**squelette** [skəlɛt] *nm* skeleton; **squelettique** *adj* scrawny

**SRAS** [sʀas] *sigle m* (= *syndrome respiratoire aigu sévère*) SARS

**Sri Lanka** [sʀilɑ̃ka] *nm*: **le ~** Sri Lanka

**stabiliser** [stabilize] /1/ *vt* to stabilize

**stable** [stabl] *adj* stable, steady

**stade** [stad] *nm* (*Sport*) stadium; (*phase, niveau*) stage

**stage** [staʒ] *nm* (*cours*) training course; **~ de formation (professionnelle)** vocational (training) course; **~ de perfectionnement** advanced training course; **stagiaire** [staʒjɛʀ] *nm/f, adj* trainee

Attention à ne pas traduire *stage* par le mot anglais *stage*.

**stagner** [stagne] /1/ *vi* to stagnate

**stand** [stɑ̃d] *nm* (*d'exposition*) stand; (*de foire*) stall; **~ de tir** (*à la foire, Sport*) shooting range

**standard** [stɑ̃daʀ] *adj inv* standard ▷ *nm* switchboard; **standardiste** *nm/f* switchboard operator

**standing** [stɑ̃diŋ] *nm* standing; **de grand ~** luxury

**starter** [staʀtɛʀ] *nm* (*Auto*) choke

**station** [stasjɔ̃] *nf* station; (*de bus*) stop; (*de villégiature*) resort; **~ de ski** ski resort; **~ de taxis** taxi rank (*BRIT*) *ou* stand (*US*); **stationnement** *nm* parking; **stationner** /1/ *vi* to park; **station-service** *nf* service station

**statistique** [statistik] *nf* (*science*) statistics *sg*; (*rapport, étude*) statistic ▷ *adj* statistical

**statue** [staty] *nf* statue

**statu quo** [statykwo] *nm* status quo

**statut** [staty] *nm* status; **statuts** *nmpl* (*Jur, Admin*) statutes; **statutaire** *adj* statutory

**Sté** *abr* (= *société*) soc

**steak** [stɛk] *nm* steak; **~ haché** hamburger

**sténo** [steno] *nf* (*aussi*: **~graphie**) shorthand

**stérile** [steʀil] *adj* sterile

**stérilet** [steʀilɛ] *nm* coil, loop

**stériliser** [steʀilize] /1/ *vt* to sterilize

**stimulant, e** [stimylɑ̃, -ɑ̃t] *adj* stimulating ▷ *nm* (*Méd*) stimulant; (*fig*) stimulus, incentive

**stimuler** [stimyle] /1/ *vt* to stimulate

**stipuler** [stipyle] /1/ *vt* to stipulate

**stock** [stɔk] *nm* stock; **stocker** /1/ *vt* to stock

**stop** [stɔp] *nm* (*Auto: écriteau*) stop sign; (*: signal*) brake-light; **faire du ~** (*fam*) to hitch(hike); **stopper** /1/ *vt* to stop ▷ *vi* to stop, halt

**store** [stɔʀ] *nm* blind; (*de magasin*) shade, awning

**strabisme** [stʀabism] *nm* squint(ing)

**strapontin** [stʀapɔ̃tɛ̃] *nm* jump *ou* foldaway seat

**stratégie** [stʀateʒi] *nf* strategy; **stratégique** *adj* strategic

**stress** [strɛs] nm inv stress;
**stressant, e** [strɛsɑ̃, -ɑ̃t] adj stressful; **stresser**
/1/ vt: **stresser qn** to make sb (feel)
tense

**strict, e** [strikt] adj strict; (tenue,
décor) severe, plain; **le ~ nécessaire/
minimum** the bare essentials/
minimum

**strident, e** [stridɑ̃, -ɑ̃t] adj shrill,
strident

**strophe** [strɔf] nf verse, stanza

**structure** [stryktyr] nf structure; **~s
d'accueil/touristiques** reception/
tourist facilities

**studieux, -euse** [stydjø, -øz] adj
studious

**studio** [stydjo] nm (logement) studio
flat (BRIT) ou apartment (US);
(d'artiste, TV etc) studio

**stupéfait, e** [stypefɛ, -ɛt] adj
astonished

**stupéfiant, e** [stypefjɑ̃, -ɑ̃t] adj
(étonnant) stunning, astonishing
▷ nm (Méd) drug, narcotic

**stupéfier** [stypefje] /7/ vt (étonner)
to stun, astonish

**stupeur** [stypœr] nf astonishment

**stupide** [stypid] adj stupid;
**stupidité** nf stupidity no pl; (parole,
acte) stupid thing (to say ou do)

**style** [stil] nm style

**stylé, e** [stile] adj well-trained

**styliste** [stilist] nm/f designer

**stylo** [stilo] nm: **~ (à encre)**
(fountain) pen; **~ (à) bille** ballpoint
pen

**su, e** [sy] pp de **savoir** ▷ nm: **au su de**
with the knowledge of

**suave** [sɥav] adj sweet

**subalterne** [sybaltɛrn] adj (employé,
officier) junior; (rôle) subordinate,
subsidiary ▷ nm/f subordinate

**subconscient** [sypkɔ̃sjɑ̃] nm
subconscious

**subir** [sybir] /2/ vt (affront, dégâts,
mauvais traitements) to suffer;
(traitement, opération, châtiment) to
undergo

**subit, e** [sybi, -it] adj sudden;
**subitement** adv suddenly, all of a
sudden

**subjectif, -ive** [sybʒɛktif, -iv] adj
subjective

**subjonctif** [sybʒɔ̃ktif] nm
subjunctive

**subjuguer** [sybʒyge] /1/ vt to
subjugate

**submerger** [sybmɛrʒe] /3/ vt to
submerge; (fig) to overwhelm

**subordonné, e** [sybɔrdɔne] adj,
nm/f subordinate

**subrepticement** [sybrɛptismɑ̃]
adv surreptitiously

**subside** [sypsid] nm grant

**subsidiaire** [sypsidjɛr] adj:
**question ~** deciding question

**subsister** [sybziste] /1/ vi (rester) to
remain, subsist; (survivre) to live on

**substance** [sypstɑ̃s] nf substance

**substituer** [sypstitɥe] /1/ vt: **~ qn/
qch à** to substitute sb/sth for; **se ~ à
qn** (évincer) to substitute o.s. for sb

**substitut** [sypstity] nm (succédané)
substitute

**subterfuge** [syptɛrfyʒ] nm subterfuge

**subtil, e** [syptil] adj subtle

**subvenir** [sybvənir] /22/: **~ à** vt
to meet

**subvention** [sybvɑ̃sjɔ̃] nf subsidy,
grant; **subventionner** /1/ vt to
subsidize

**suc** [syk] nm (Bot) sap; (de viande,
fruit) juice

**succéder** [syksede] /6/: **~ à** vt to
succeed; **se succéder** vi (accidents,
années) to follow one another

**succès** [syksɛ] nm success; **avoir du
~** to be a success, be successful; **à ~**
successful; **~ de librairie** bestseller

**successeur** [syksesœr] nm
successor

**successif, -ive** [syksesif, -iv] adj
successive

**succession** [syksesjɔ̃] nf (série, Pol)
succession; (Jur: patrimoine) estate,
inheritance

**succomber** [sykɔ̃be] /1/ vi to die, succumb; (fig): **~ à** to succumb to

**succulent, e** [sykylɑ̃, -ɑ̃t] adj delicious

**succursale** [sykyrsal] nf branch

**sucer** [syse] /3/ vt to suck; **sucette** nf (bonbon) lollipop; (de bébé) dummy (BRIT), pacifier (US)

**sucre** [sykr] nm (substance) sugar; (morceau) lump of sugar, sugar lump ou cube; (fig): **~ en morceaux/cristallisé/en poudre** lump ou cube/granulated/caster sugar; **~ glace** icing sugar (BRIT), confectioner's sugar (US); **~ d'orge** barley sugar; **sucré, e** adj (produit alimentaire) sweetened; (au goût) sweet; **sucrer** /1/ vt (thé, café) to sweeten, put sugar in; **sucrerie** nf sugar refinery; **sucreries** nfpl (bonbons) sweets, sweet things; **sucrier** nm (récipient) sugar bowl ou basin

**sud** [syd] nm: **le ~** the south ▷ adj inv south; (côte) south, southern; **au ~** (situation) in the south; (direction) to the south; **au ~ de** (to the) south of; **sud-africain, e** adj South African ▷ nm/f: **Sud-Africain, e** South African; **sud-américain, e** adj South American ▷ nm/f: **Sud-Américain, e** South American; **sud-est** nm, adj inv south-east; **sud-ouest** nm, adj inv south-west

**Suède** [sɥɛd] nf: **la ~** Sweden; **suédois, e** adj Swedish ▷ nm (Ling) Swedish ▷ nm/f: **Suédois, e** Swede

**suer** [sɥe] /1/ vi to sweat; (suinter) to ooze; **sueur** nf sweat; **en sueur** sweating, in a sweat; **avoir des sueurs froides** to be in a cold sweat

**suffire** [syfir] /37/ vi (être assez): **~ (à qn/pour qch/pour faire)** to be enough ou sufficient (for sb/for sth/to do); **il suffit d'une négligence/qu'on oublie pour que ...** it only takes one act of carelessness/one only needs to forget for ...; **ça suffit!** that's enough!

**suffisamment** [syfizamɑ̃] adv sufficiently, enough; **~ de** sufficient, enough

**suffisant, e** [syfizɑ̃, -ɑ̃t] adj sufficient; (résultats) satisfactory; (vaniteux) self-important, bumptious

**suffixe** [syfiks] nm suffix

**suffoquer** [syfɔke] /1/ vt to choke, suffocate; (stupéfier) to stagger, astound ▷ vi to choke, suffocate

**suffrage** [syfraʒ] nm (Pol: voix) vote

**suggérer** [sygʒere] /6/ vt to suggest; **suggestion** nf suggestion

**suicide** [sɥisid] nm suicide; **suicider** /1/: **se suicider** vi to commit suicide

**suie** [sɥi] nf soot

**suisse** [sɥis] adj Swiss ▷ nm/f: **S-** Swiss inv ▷ nf: **la S-** Switzerland; **la S~ romande/allemande** French-speaking/German-speaking Switzerland

**suite** [sɥit] nf (continuation: d'énumération etc) rest, remainder; (: de feuilleton) continuation; (: second film etc sur le même thème) sequel; (série) series, succession; (conséquence) result; (ordre, liaison logique) coherence; (appartement, Mus) suite; (escorte) retinue, suite; **suites** nfpl (d'une maladie etc) effects; **une ~ de** a series ou succession of; **prendre la ~ de** (directeur etc) to succeed, take over from; **donner ~ à** (requête, projet) to follow up; **faire ~ à** to follow; **(faisant) ~ à votre lettre du** further to your letter of the; **de ~** (d'affilée) in succession; (immédiatement) at once; **par la ~** afterwards, subsequently; **à la ~** one after the other; **à la ~ de** (derrière) behind; (en conséquence de) following

**suivant, e** [sɥivɑ̃, -ɑ̃t] adj next, following ▷ prép (selon) according to; **au ~!** next!

**suivi, e** [sɥivi] adj (effort, qualité) consistent; (cohérent) coherent; **très/peu ~** (cours) well-/poorly-attended

**suivre** [sɥivʀ] /40/ vt (gén) to follow; (Scol: cours) to attend; (: programme) to keep up with; (Comm: article) to continue to stock ▷ vi to follow; (élève: assimiler le programme) to keep up; **se suivre** vi (accidents, personnes, voitures etc) to follow one after the other; **faire ~** (lettre) to forward; "**à ~**" "to be continued"

**sujet, te** [syʒɛ, -ɛt] adj: **être ~ à** (vertige etc) to be liable ou subject to ▷ nm/f (d'un souverain) subject ▷ nm subject; **au ~ de** about; **~ de conversation** topic ou subject of conversation; **~ d'examen** (Scol) examination question

**super** [sypɛʀ] adj inv great, fantastic

**superbe** [sypɛʀb] adj magnificent, superb

**superficie** [sypɛʀfisi] nf (surface) area

**superficiel, le** [sypɛʀfisjɛl] adj superficial

**superflu, e** [sypɛʀfly] adj superfluous

**supérieur, e** [sypeʀjœʀ] adj (lèvre, étages, classes) upper; **~ (à)** (plus élevé: température, niveau) higher (than); (meilleur: qualité, produit) superior (to); (excellent, hautain) superior ▷ nm/f superior; **supériorité** nf superiority

**supermarché** [sypɛʀmaʀʃe] nm supermarket

**superposer** [sypɛʀpoze] /1/ vt (faire chevaucher) to superimpose; **lits superposés** bunk beds

**superpuissance** [sypɛʀpɥisɑ̃s] nf superpower

**superstitieux, -euse** [sypɛʀstisjø, -øz] adj superstitious

**superviser** [sypɛʀvize] /1/ vt to supervise

**supplanter** [syplɑ̃te] /1/ vt to supplant

**suppléant, e** [sypleɑ̃, -ɑ̃t] adj (juge, fonctionnaire) deputy cpd; (professeur) supply cpd (BRIT), substitute cpd (US) ▷ nm/f (professeur) supply ou substitute teacher

**suppléer** [syplee] /1/ vt (ajouter: mot manquant etc) to supply, provide; (compenser: lacune) to fill in; **~ à** to make up for

**supplément** [syplemɑ̃] nm supplement; **un ~ de travail** extra ou additional work; **un ~ de frites** etc an extra portion of chips etc; **le vin est en ~** wine is extra; **payer un ~** to pay an additional charge; **supplémentaire** adj additional, further; (train, bus) relief cpd, extra

**supplication** [syplikasjɔ̃] nf supplication; **supplications** nfpl pleas, entreaties

**supplice** [syplis] nm torture no pl

**supplier** [syplije] /7/ vt to implore, beseech

**support** [sypɔʀ] nm support; **~ audio-visuel** audio-visual aid; **~ publicitaire** advertising medium

**supportable** [sypɔʀtabl] adj (douleur, température) bearable

**supporter¹** [sypɔʀtɛʀ] nm supporter, fan

**supporter²** [sypɔʀte] vt (conséquences, épreuve) to bear, endure; (défauts, personne) to tolerate, put up with; (chose, chaleur etc) to withstand; (personne, chaleur, vin) to take

> Attention à ne pas traduire supporter par to support.

**supposer** [sypoze] /1/ vt to suppose; (impliquer) to presuppose; **en supposant** ou **~ que** supposing (that)

**suppositoire** [sypozitwaʀ] nm suppository

**suppression** [sypʀesjɔ̃] nf (voir supprimer) removal; deletion; cancellation

**supprimer** [sypʀime] /1/ vt (cloison, cause, anxiété) to remove; (clause, mot) to delete; (congés, service d'autobus) to cancel; (emplois, privilèges, témoin gênant) to do away with

**suprême** [sypʀɛm] adj supreme

S

MOT-CLÉ

**sur** [syʀ] *prép* 1 (*position*) on;
(: *par-dessus*) over; (: *au-dessus*) above;
**pose-le sur la table** put it on the
table; **je n'ai pas d'argent sur moi** I
haven't any money on me
2 (*direction*) towards; **en allant sur
Paris** going towards Paris; **sur votre
droite** on *ou* to your right
3 (*à propos de*) on, about; **un livre/
une conférence sur Balzac** a book/
lecture on *ou* about Balzac
4 (*proportion, mesures*) out of; **un sur
10** one in 10.; (*Scol*) one out of 10.; **4 m
sur 2** 4 m by 2; **avoir accident sur
accident** to have one accident after
another

**sûr, e** [syʀ] *adj* sure, certain; (*digne de
confiance*) reliable; (*sans danger*) safe;
**~ de soi** self-assured, self-confident;
**le plus ~ est de** the safest thing is to
**surcharge** [syʀʃaʀʒ] *nf* (*de
passagers, marchandises*) excess load;
**surcharger** /3/ *vt* to overload;
(*décoration*) to overdo
**surcroît** [syʀkʀwa] *nm*: **~ de qch**
additional sth; **par** *ou* **de ~** moreover;
**en ~** in addition
**surdité** [syʀdite] *nf* deafness
**sûrement** [syʀmɑ̃] *adv* (*sans risques*)
safely; (*certainement*) certainly
**surenchère** [syʀɑ̃ʃɛʀ] *nf* (*aux
enchères*) higher bid; **surenchérir** /2/
*vi* to bid higher; (*fig*) to try and outbid
each other
**surestimer** [syʀɛstime] /1/ *vt* to
overestimate
**sûreté** [syʀte] *nf* (*exactitude: de
renseignements etc*) reliability;
(*sécurité*) safety; (*d'un geste*)
steadiness; **mettre en ~** to put in a
safe place; **pour plus de ~** as an extra
precaution; **to be on the safe side**
**surf** [sœʀf] *nm* surfing
**surface** [syʀfas] *nf* surface;
(*superficie*) surface area; **une**

**grande ~** a supermarket; **faire ~** to
surface; **en ~** near the surface; (*fig*)
superficially
**surfait, e** [syʀfɛ, -ɛt] *adj* overrated
**surfer** [sœʀfe] /1/ *vi* to surf; **~ sur
Internet** to surf *ou* browse the
Internet
**surgelé, e** [syʀʒəle] *adj* (deep-)frozen
▷ *nm*: **les ~s** (deep-)frozen food
**surgir** [syʀʒiʀ] /2/ *vi* to appear
suddenly; (*fig: problème, conflit*)
to arise
**sur-: surhumain, e** *adj* superhuman;
**sur-le-champ** *adv* immediately;
**surlendemain** *nm*: **le
surlendemain (soir)** two days later
(in the evening); **le surlendemain
de** two days after; **surmenage**
*nm* overwork; **surmener** /5/: **se
surmener** *vi* to overwork
**surmonter** [syʀmɔ̃te] /1/ *vt* (*vaincre*)
to overcome; (*être au-dessus de*) to top
**surnaturel, le** [syʀnatyʀɛl] *adj, nm*
supernatural
**surnom** [syʀnɔ̃] *nm* nickname
**surnombre** [syʀnɔ̃bʀ] *nm*: **être en ~**
to be too many (*ou* one too many)
**surpeuplé, e** [syʀpœple] *adj*
overpopulated
**surplace** [syʀplas] *nm*: **faire du ~**
to mark time
**surplomber** [syʀplɔ̃be] /1/ *vi* to be
overhanging ▷ *vt* to overhang
**surplus** [syʀply] *nm* (*Comm*) surplus;
(*reste*): **~ de bois** wood left over
**surprenant, e** [syʀpʀənɑ̃, -ɑ̃t] *adj*
amazing
**surprendre** [syʀpʀɑ̃dʀ] /58/ *vt*
(*étonner, prendre à l'improviste*) to
amaze; (*tomber sur: intrus etc*) to
catch; (*conversation*) to overhear
**surpris, e** [syʀpʀi, -iz] *adj*: **~ (de/
que)** amazed *ou* surprised (at/that);
**surprise** *nf* surprise; **faire une
surprise à qn** to give sb a surprise;
**surprise-partie** *nf* party
**sursaut** [syʀso] *nm* start, jump; **~ de**
(*énergie, indignation*) sudden fit *ou*

burst of; **en ~** with a start; **sursauter** /1/ vi to (give a) start, jump

**sursis** [syRsi] nm (Jur: gén) suspended sentence; (aussi fig) reprieve

**surtout** [syRtu] adv (avant tout, d'abord) above all; (spécialement, particulièrement) especially; **~, ne dites rien!** whatever you do, don't say anything!; **~ pas!** certainly not; **~ que ...** especially as ...

**surveillance** [syRvɛjɑ̃s] nf watch; (Police, Mil) surveillance; **sous ~ médicale** under medical supervision

**surveillant, e** [syRvɛjɑ̃, -ɑ̃t] nm/f (de prison) warder; (Scol) monitor

**surveiller** [syRveje] /1/ vt (enfant, élèves, bagages) to watch, keep an eye on; (prisonnier, suspect) to keep (a) watch on; (territoire, bâtiment) to (keep) watch over; (travaux, cuisson) to supervise; (Scol: examen) to invigilate; **~ son langage/sa ligne** to watch one's language/figure

**survenir** [syRvəniR] /22/ vi (incident, retards) to occur, arise; (événement) to take place

**survêt** [syRvɛt], **survêtement** [syRvɛtmɑ̃] nm tracksuit

**survie** [syRvi] nf survival; **survivant, e** nm/f survivor; **survivre** /46/ vi to survive; **survivre à** (accident etc) to survive

**survoler** [syRvɔle] /1/ vt to fly over; (fig: livre) to skim through

**survolté, e** [syRvɔlte] adj (fig) worked up

**sus** [sy(s)]: **en ~ de** prép in addition to, over and above; **en ~** in addition

**susceptible** [sysɛptibl] adj touchy, sensitive; **~ de faire** (probabilité) liable to do

**susciter** [sysite] /1/ vt (admiration) to arouse; (obstacles, ennuis) to create (for sb)

**suspect, e** [syspɛ(kt), -ɛkt] adj suspicious; (témoignage, opinions, vin etc) suspect ▷ nm/f suspect;

**suspecter** /1/ vt to suspect; (honnêteté de qn) to question, have one's suspicions about

**suspendre** [syspɑ̃dR] /41/ vt (interrompre, démettre) to suspend; (accrocher: vêtement): **~ qch (à)** to hang sth up (on)

**suspendu, e** [syspɑ̃dy] adj (accroché): **~ à** a hanging on (ou from); (perché): **~ au-dessus de** suspended over

**suspens** [syspɑ̃]: **en ~** adv (affaire) in abeyance; **tenir en ~** to keep in suspense

**suspense** [syspɑ̃s] nm suspense

**suspension** [syspɑ̃sjɔ̃] nf suspension; (lustre) pendant light fitting

**suture** [sytyR] nf: **point de ~** stitch

**svelte** [svɛlt] adj slender, svelte

**SVP** abr (= s'il vous plaît) please

**sweat** [swit] nm (fam) sweatshirt

**sweat-shirt** (pl **sweat-shirts**) [switʃœRt] nm sweatshirt

**syllabe** [silab] nf syllable

**symbole** [sɛ̃bɔl] nm symbol; **symbolique** adj symbolic; (geste, offrande) token cpd; **symboliser** /1/ vt to symbolize

**symétrique** [simetRik] adj symmetrical

**sympa** [sɛ̃pa] adj inv (fam) nice; **sois ~, prête-le moi** be a pal and lend it to me

**sympathie** [sɛ̃pati] nf (inclination) liking; (affinité) fellow feeling; (condoléances) sympathy; **avoir de la ~ pour qn** to like sb; **sympathique** adj nice, friendly

Attention à ne pas traduire sympathique par sympathetic.

**sympathisant, e** [sɛ̃patizɑ̃, -ɑ̃t] nm/f sympathizer

**sympathiser** [sɛ̃patize] /1/ vi (voisins etc: s'entendre) to get on (BRIT) ou along (us) (well)

**symphonie** [sɛ̃fɔni] nf symphony

**symptôme** [sɛ̃ptom] nm symptom

**synagogue** [sinagɔg] *nf* synagogue
**syncope** [sɛ̃kɔp] *nf (Méd)* blackout;
**tomber en ~** to faint, pass out
**syndic** [sɛ̃dik] *nm* managing agent
**syndical, e, -aux** [sɛ̃dikal, -o] *adj*
(trade-)union *cpd*; **syndicaliste** *nm/f*
trade unionist
**syndicat** [sɛ̃dika] *nm (d'ouvriers,
employés)* trade(s) union; **~
d'initiative** tourist office *ou* bureau;
**syndiqué, e** *adj* belonging to a
(trade) union; **syndiquer** /1/: **se
syndiquer** *vi* to form a trade union;
*(adhérer)* to join a trade union
**synonyme** [sinɔnim] *adj*
synonymous ▷ *nm* synonym; **~ de**
synonymous with
**syntaxe** [sɛ̃taks] *nf* syntax
**synthèse** [sɛ̃tɛz] *nf* synthesis
**synthétique** [sɛ̃tetik] *adj* synthetic
**Syrie** [siʁi] *nf*: **la ~** Syria
**systématique** [sistematik] *adj*
systematic
**système** [sistɛm] *nm* system; **le ~ D**
resourcefulness

**t'** [t] *pron voir* **te**
**ta** [ta] *adj poss voir* **ton¹**
**tabac** [taba] *nm* tobacco; *(aussi:* **débit**
*ou* **bureau de ~**) tobacconist's (shop)
**tabagisme** [tabaʒism] *nm*: **~ passif**
passive smoking
**table** [tabl] *nf* table; **à ~!** dinner
*etc* is ready!; **se mettre à ~** to sit
down to eat; **mettre** *ou* **dresser/
desservir la ~** to lay *ou* set/clear
the table; **~ à repasser** ironing
board; **~ de cuisson** hob; **~ des
matières** (table of) contents *pl*; **~
de nuit** *ou* **de chevet** bedside table;
**~ d'orientation** viewpoint indicator;
**~ roulante** (tea) trolley (BRIT), tea
wagon (US)
**tableau, x** [tablo] *nm (Art)* painting;
*(reproduction, fig)* picture; *(panneau)*
board; *(schéma)* table, chart;
**~ d'affichage** notice board;
**~ de bord** dashboard; *(Aviat)* instrument
panel; **~ noir** blackboard

**tablette** [tablɛt] nf (planche) shelf; **~ de chocolat** bar of chocolate; **~ tactile** (Inform) tablet

**tablier** [tablije] nm apron

**tabou** [tabu] nm taboo

**tabouret** [taburɛ] nm stool

**tac** [tak] nm: **du ~ au ~** tit for tat

**tache** [taʃ] nf (saleté) stain, mark; (Art, de couleur, lumière) spot; **~ de rousseur** ou **de son** freckle

**tâche** [taʃ] nf task

**tacher** [taʃe] /1/ vt to stain, mark

**tâcher** [taʃe] /1/ vi: **~ de faire** to try to do, endeavour (BRIT) ou endeavor (US) to do

**tacheté, e** [taʃte] adj: **~ de** speckled ou spotted with

**tact** [takt] nm tact; **avoir du ~** to be tactful

**tactique** [taktik] adj tactical ▷ nf (technique) tactics sg; (plan) tactic

**taie** [tɛ] nf: **~ (d'oreiller)** pillowslip, pillowcase

**taille** [taj] nf cutting; (d'arbre) pruning; (milieu du corps) waist; (hauteur) height; (grandeur) size; **de ~ à faire** capable of doing; **de ~** sizeable

**taille-crayon(s)** [tajkrɛjɔ̃] nm inv pencil sharpener

**tailler** [taje] /1/ vt (pierre, diamant) to cut; (arbre, plante) to prune; (vêtement) to cut out; (crayon) to sharpen

**tailleur** [tajœr] nm (couturier) tailor; (vêtement) suit; **en ~** (assis) cross-legged

**taillis** [taji] nm copse

**taire** [tɛr] /54/ vi: **faire ~ qn** to make sb be quiet; **se taire** vi to be silent ou quiet; **taisez-vous!** be quiet!

**Taïwan** [tajwan] nf Taiwan

**talc** [talk] nm talc, talcum powder

**talent** [talɑ̃] nm talent

**talkie-walkie** [tɔkiwɔki] nm walkie-talkie

**talon** [talɔ̃] nm heel; (de chèque, billet) stub, counterfoil (BRIT); **~s plats/ aiguilles** flat/stiletto heels

**talus** [taly] nm embankment

**tambour** [tɑ̃bur] nm (Mus, Tech) drum; (musicien) drummer; (porte) revolving door(s pl); **tambourin** nm tambourine

**Tamise** [tamiz] nf: **la ~** the Thames

**tamisé, e** [tamize] adj (fig) subdued, soft

**tampon** [tɑ̃pɔ̃] nm (de coton, d'ouate) pad; (aussi: **~ hygiénique** ou **périodique**) tampon; (amortisseur, Inform: aussi: **mémoire ~**) buffer; (bouchon) plug, stopper; (cachet, timbre) stamp; **tamponner** /1/ vt (timbres) to stamp; (heurter) to crash ou ram into; **tamponneuse** adj f: **autos tamponneuses** dodgems

**tandem** [tɑ̃dɛm] nm tandem

**tandis** [tɑ̃di]: **~ que** conj while

**tanguer** [tɑ̃ge] /1/ vi to pitch (and toss)

**tant** [tɑ̃] adv so much; **~ de** (sable, eau) so much; (gens, livres) so many; **~ que** as long as; **~ que** as much as; **~ mieux** that's great; (avec une certaine réserve) so much the better; **~ pis** too bad; (conciliant) never mind; **~ bien que mal** as well as can be expected

**tante** [tɑ̃t] nf aunt

**tantôt** [tɑ̃to] adv (parfois): **tantôt ... tantôt** now ... now; (cet après-midi) this afternoon

**taon** [tɑ̃] nm horsefly

**tapage** [tapaʒ] nm uproar, din

**tapageur, -euse** [tapaʒœr, -øz] adj noisy; (voyant) loud, flashy

**tape** [tap] nf slap

**tape-à-l'œil** [tapalœj] adj inv flashy, showy

**taper** [tape] /1/ vt (porte) to bang, slam; (enfant) to slap; (dactylographier) to type (out); (fam: emprunter): **~ qn de 10 euros** to touch sb for 10 euros ▷ vi (soleil) to beat down; **se taper** vt (fam: travail) to get landed with; (: boire, manger) to down; **~ sur qn** to thump sb; (fig) to run sb down; **~ sur qch** (clou etc) to hit sth; (table etc) to bang on sth; **~ à** (porte etc) to knock on; **~ dans** (se servir) to dig into; **~ des mains/pieds** to clap one's hands/ stamp one's feet; **~ (à la machine)** to type

**tapi, e** [tapi] adj: **~ dans/derrière** (caché) hidden away in/behind

**tapis** [tapi] nm carpet; (petit) rug; **~ roulant** (pour piétons) moving walkway; (pour bagages) carousel; **~ de sol** (de tente) groundsheet; **~ de souris** (Inform) mouse mat

**tapisser** [tapise] /1/ vt (avec du papier peint) to paper; (recouvrir) to cover sth (with); **tapisserie** nf (tenture, broderie) tapestry; (papier peint) wallpaper

**tapissier, -ière** [tapisje, -jɛʀ] nm/f: **~-décorateur** interior decorator

**tapoter** [tapɔte] /1/ vt (joue, main) to pat; (objet) to tap

**taquiner** [takine] /1/ vt to tease

**tard** [taʀ] adv late ⊳ nm: **sur le ~** late in life; **plus ~** later (on); **au plus ~** at the latest; **il est trop ~** it's too late

**tarder** [taʀde] /1/ vi (chose) to be a long time coming; (personne): **~ à faire** to delay doing; **il me tarde d'être** I am longing to be; **sans (plus) ~** without (further) delay

**tardif, -ive** [taʀdif, -iv] adj late

**tarif** [taʀif] nm: **~ des consommations** price list; **~s postaux/douaniers** postal/ customs rates; **~ des taxis** taxi fares; **~ plein/réduit** (d'un billet) full/reduced fare; (téléphone) peak/off-peak rate

**tarir** [taʀiʀ] /2/ vi to dry up, run dry

**tarte** [taʀt] nf tart; **~ aux pommes/à la crème** apple/custard tart; **~ Tatin** ≈ apple upside-down tart

**tartine** [taʀtin] nf slice of bread and butter (ou jam); **~ de miel** slice of bread and honey; **tartiner** /1/ vt to spread; **fromage à tartiner** cheese spread

**tartre** [taʀtʀ] nm (des dents) tartar; (de chaudière) fur, scale

**tas** [ta] nm heap, pile; **un ~ de** (fig) heaps of, lots of; **en ~** in a heap ou pile; **formé sur le ~** trained on the job

**tasse** [tɑs] nf cup; **~ à café/thé** coffee/teacup

**tassé, e** [tɑse] adj: **bien ~** (café etc) strong

**tasser** [tɑse] /1/ vt (terre, neige) to pack down; (entasser): **~ qch dans** to cram sth into; **se tasser** vi (se serrer) to squeeze up; (s'affaisser) to settle; (personne: avec l'âge) to shrink; (fig) to sort itself out, settle down

**tâter** [tate] /1/ vt to feel; (fig) to try out; **~ de** (prison etc) to have a taste of; **se tâter** (hésiter) to be in two minds

**tatillon, ne** [tatijɔ̃, -ɔn] adj pernickety

**tâtonnement** [tatɔnmɑ̃] nm: **par ~s** (fig) by trial and error

**tâtonner** [tatɔne] /1/ vi to grope one's way along

**tâtons** [tatɔ̃]: **à ~** adv: **chercher/ avancer à ~** to grope around for/ grope one's way forward

**tatouage** [tatwaʒ] nm tattoo

**tatouer** [tatwe] /1/ vt to tattoo

**taudis** [todi] nm hovel, slum

**taule** [tol] nf (fam) nick (BRIT), jail

**taupe** [top] nf mole

**taureau, x** [tɔʀo] nm bull; (signe): **le T~** Taurus

**taux** [to] nm rate; (d'alcool) level; **~ d'intérêt** interest rate

**taxe** [taks] nf tax; (douanière) duty; **toutes ~s comprises** inclusive of tax; **la boutique hors ~s** the duty-free shop; **~ de séjour** tourist tax; **~ à ou sur la valeur ajoutée** value added tax

**taxer** [takse] /1/ vt (personne) to tax; (produit) to put a tax on, tax

**taxi** [taksi] nm taxi; (chauffeur: fam) taxi driver

**Tchécoslovaquie** [tʃekɔslɔvaki] nf: **la ~** Czechoslovakia; **tchèque** adj Czech ⊳ nm (Ling) Czech ⊳ nm/f:

**Tchèque** Czech; **la République tchèque** the Czech Republic

**Tchétchénie** [tʃetʃeni] *nf*: **la ~** Chechnya

**te, t'** [tə] *pron* you; (*réfléchi*) yourself

**technicien, ne** [tɛknisjɛ̃, -ɛn] *nm/f* technician

**technico-commercial, e, -aux** [tɛknikokɔmɛʁsjal, -o] *adj*: **agent ~** sales technician

**technique** [tɛknik] *adj* technical ▷ *nf* technique; **techniquement** *adv* technically

**techno** [tɛkno] *nf*: **la (musique) ~** techno (music)

**technologie** [tɛknɔlɔʒi] *nf* technology; **technologique** *adj* technological

**teck** [tɛk] *nm* teak

**tee-shirt** [tiʃœʁt] *nm* T-shirt, tee-shirt

**teindre** [tɛ̃dʁ] /52/ *vt* to dye; **se ~ (les cheveux)** to dye one's hair; **teint, e** *adj* dyed ▷ *nm* (*du visage*) complexion; (: *momentané*) colour ▷ *nf* shade; **grand teint** colourfast

**teinté, e** [tɛ̃te] *adj*: **~ de** (*fig*) tinged with

**teinter** [tɛ̃te] /1/ *vt* (*verre*) to tint; (*bois*) to stain

**teinture** [tɛ̃tyʁ] *nf* dye; **~ d'iode** tincture of iodine; **teinturerie** *nf* dry cleaner's; **teinturier, -ière** *nm/f* dry cleaner

**tel, telle** [tɛl] *adj* (*pareil*) such; (*comme*): **~ un/des …** like a/like …; (*indéfini*) such-and-such a; (*intensif*): **un ~/de ~s …** such (a)/such …; **venez ~ jour** come on such-and-such a day; **rien de ~** nothing like it; **~ que** like, such as; **~ quel** as it stands (*ou* was *etc*)

**télé** [tele] *nf* (*fam*) TV; **à la ~** on TV *ou* telly; **télécabine** *nf* (*benne*) cable car; **télécarte** *nf* phonecard; **téléchargeable** *adj* downloadable; **téléchargement** *nm* (*action*) downloading; (*fichier*) download;

**télécharger** /3/ *vt* (*recevoir*) to download; (*transmettre*) to upload; **télécommande** *nf* remote control; **télécopieur** *nm* fax (machine); **télédistribution** *nf* cable TV; **télégramme** *nm* telegram; **télégraphier** /7/ *vt* to telegraph, cable; **téléguider** /1/ *vt* to operate by remote control; **télématique** *nf* telematics *sg*; **téléobjectif** *nm* telephoto lens *sg*; **télépathie** *nf* telepathy; **téléphérique** *nm* cable-car

**téléphone** [telefɔn] *nm* telephone; **avoir le ~** to be on the (tele)phone; **au ~** on the phone; **~ sans fil** cordless (tele)phone; **téléphoner** /1/ *vi* to make a phone call; **téléphoner à** to phone, call up; **téléphonique** *adj* (tele)phone *cpd*

**téléréalité** [teleʁealite] *nf* reality TV

**télescope** [telɛskɔp] *nm* telescope

**télescoper** [telɛskɔpe] /1/ *vt* to smash up; **se télescoper** (*véhicules*) to concertina

**télé**: **téléscripteur** *nm* teleprinter; **télésiège** *nm* chairlift; **téléski** *nm* ski-tow; **téléspectateur, -trice** *nm/f* (television) viewer; **télétravail** *nm* telecommuting; **télévente** *nf* telesales; **téléviseur** *nm* television set; **télévision** *nf* television; **à la télévision** on television; **télévision numérique** digital TV; **télévision par câble/satellite** cable/satellite television

**télex** [telɛks] *nm* telex

**telle** [tɛl] *adj f voir* **tel**; **tellement** *adv* (*tant*) so much; (*si*) so; **tellement de** (*sable, eau*) so much; (*gens, livres*) so many; **il s'est endormi tellement il était fatigué** he was so tired (that) he fell asleep; **pas tellement** not really; **pas tellement fort/lentement** not (all) that strong/slowly; **il ne mange pas tellement** he doesn't eat (all that) much

**téméraire** [temeʁɛʁ] *adj* reckless, rash

témoignage | 272

**témoignage** [temwaɲaʒ] *nm* (Jur: *déclaration*) testimony *no pl*, evidence *no pl*; (*rapport, récit*) account; (*fig: d'affection etc*) token, mark; (*geste*) expression

**témoigner** [temwaɲe] /1/ *vt* (*intérêt, gratitude*) to show ▷ *vi* (Jur) to testify, give evidence; **~ de** to bear witness to, testify to

**témoin** [temwɛ̃] *nm* witness ▷ *adj*: **appartement-~** show flat; **être ~ de** to witness; **~ oculaire** eyewitness

**tempe** [tɑ̃p] *nf* temple

**tempérament** [tɑ̃peramɑ̃] *nm* temperament, disposition; **à ~** (*vente*) on deferred (payment) terms; (*achat*) by instalments, hire purchase *cpd*

**température** [tɑ̃peratyʀ] *nf* temperature; **avoir ou faire de la ~** to be running ou have a temperature

**tempête** [tɑ̃pɛt] *nf* storm; **~ de sable/neige** sand/snowstorm

**temple** [tɑ̃pl] *nm* temple; (*protestant*) church

**temporaire** [tɑ̃pɔʀɛʀ] *adj* temporary

**temps** [tɑ̃] *nm* (*atmosphérique*) weather; (*durée*) time; (*époque*) time, times *pl*; (Ling) tense; (Mus) beat; (Tech) stroke; **un ~ de chien** (*fam*) rotten weather; **quel ~ fait-il?** what's the weather like?; **il fait beau/ mauvais ~** the weather's fine/bad; **avoir le ~/tout le ~/juste le ~** to have time/plenty of time/just enough time; **en ~ de paix/guerre** in peacetime/wartime; **en ~ utile ou voulu** in due time ou course; **ces derniers ~** lately; **dans quelque ~** in a (little) while; **de ~ en ~, de ~ à autre** from time to time; **à ~** (*partir, arriver*) in time; **à ~ complet, à plein ~** *adv, adj* full-time; **à ~ partiel, à mi-~** *adv, adj* part-time; **dans le ~** at one time; **~ d'arrêt** pause, halt; **~ libre** free ou spare time; **~ mort** (Comm) slack period

**tenable** [tənabl] *adj* bearable

**tenace** [tənas] *adj* persistent

**tenant, e** [tənɑ̃, -ɑ̃t] *nm/f* (Sport): **~ du titre** title-holder

**tendance** [tɑ̃dɑ̃s] *nf* (*opinions*) leanings *pl*, sympathies *pl*; (*inclination*) tendency; (*évolution*) trend ▷ *adj inv* trendy; **avoir ~ à** to have a tendency to, tend to

**tendeur** [tɑ̃dœʀ] *nm* (*attache*) elastic strap

**tendre** [tɑ̃dʀ] /41/ *adj* tender; (*bois, roche, couleur*) soft ▷ *vt* (*élastique, peau*) to stretch; (*corde*) to tighten; (*muscle*) to tense; (*donner*): **~ qch à qn** to hold sth out to sb; (*offrir*) to offer sb sth; (*fig: piège*) to set, lay; **se tendre** *vi* (*corde*) to tighten; (*relations*) to become strained; **~ à qch/à faire** to tend towards sth/to do; **~ l'oreille** to prick up one's ears; **~ la main/le bras** to hold out one's hand/stretch out one's arm; **tendrement** *adv* tenderly; **tendresse** *nf* tenderness

**tendu, e** [tɑ̃dy] *pp de* **tendre** ▷ *adj* (*corde*) tight; (*muscles*) tensed; (*relations*) strained

**ténèbres** [tenɛbʀ] *nfpl* darkness *sg*

**teneur** [tənœʀ] *nf* content; (*d'une lettre*) terms *pl*, content

**tenir** [təniʀ] /22/ *vt* to hold; (*magasin, hôtel*) to run; (*promesse*) to keep ▷ *vi* to hold; (*neige, gel*) to last; **se tenir** *vi* (*avoir lieu*) to be held, take place; (*être: personne*) to stand; **se ~ droit** to stand up (ou sit up) straight; **bien se ~** to behave well; **se ~ à qch** to hold on to sth; **s'en ~ à qch** to confine o.s. to sth; **~ à** (*personne, objet*) to be attached to, care about (ou for); (*réputation*) to care about; **~ à faire** to want to do; **~ de** (*ressembler à*) to take after; **ça ne tient qu'à lui** it is entirely up to him; **~ qn pour** to take sb for; **~ qch de qn** (*histoire*) to have heard ou learnt sth from sb; (*qualité, défaut*) to have inherited ou got sth from sb; **~ dans** to fit into; **~ compte de qch** to take sth into account; **les**

**comptes** to keep the books; **~ le coup** to hold out; **~ bon** to stand ou hold fast; **~ au chaud/à l'abri** to keep hot/under shelter ou cover; **un manteau qui tient chaud** a warm coat; **tiens (ou tenez), voilà le stylo** there's the pen!; **tiens, voilà Alain!** look, here's Alain!; **tiens?** (surprise) really?

**tennis** [tenis] nm tennis; (aussi: **court de ~**) tennis court ▷ nmpl, nfpl (aussi: **chaussures de ~**) tennis ou gym shoes; **~ de table** table tennis; **tennisman** nm tennis player

**tension** [tɑ̃sjɔ̃] nf tension; (Méd) blood pressure; **faire** ou **avoir de la ~** to have high blood pressure

**tentation** [tɑ̃tasjɔ̃] nf temptation

**tentative** [tɑ̃tativ] nf attempt

**tente** [tɑ̃t] nf tent

**tenter** [tɑ̃te] /1/ vt (éprouver, attirer) to tempt; (essayer): **~ qch/de faire** to attempt ou try sth/to do; **~ sa chance** to try one's luck

**tenture** [tɑ̃tyʁ] nf hanging

**tenu, e** [təny] pp de **tenir** ▷ adj: **bien ~** (maison, comptes) well-kept; **~ de faire** (obligé) under an obligation to do ▷ nf (vêtements) clothes pl; (comportement) manners pl, behaviour; (d'une maison) upkeep; **en petite ~e** scantily dressed ou clad

**ter** [tɛʁ] adj: **16 ~** 16b ou 16c

**terme** [tɛʁm] nm term; (fin) end; **être en bons/mauvais ~s avec qn** to be on good/bad terms with sb; **à court/long ~** adj short-/long-term ou -range; adv in the short/long term; **avant ~** (Méd) prematurely; **mettre un ~ à** to put an end ou a stop to

**terminaison** [tɛʁminɛzɔ̃] nf (Ling) ending

**terminal, e, -aux** [tɛʁminal, -o] nm terminal ▷ nf (Scol) ≈ year13 (BRIT), ≈ twelfth grade (US)

**terminer** [tɛʁmine] /1/ vt to finish; **se terminer** vi to end

**terne** [tɛʁn] adj dull

**ternir** [tɛʁniʁ] /2/ vt to dull; (fig) to sully, tarnish; **se ternir** vi to become dull

**terrain** [teʁɛ̃] nm (sol, fig) ground; (Comm: étendue de terre) land no pl; (: parcelle) plot of land); (: à bâtir) site; **sur le ~** (fig) on the field; **~ de football/rugby** football/rugby pitch (BRIT) ou field (US); **~ d'aviation** airfield; **~ de camping** campsite; **~ de golf** golf course; **~ de jeu** (pour les petits) playground; (Sport) games field; **~ de sport** sports ground; **~ vague** waste ground no pl

**terrasse** [teʁas] nf terrace; **à la ~** (café) outside; **terrasser** /1/ vt (adversaire) to floor; (maladie etc) to lay low

**terre** [tɛʁ] nf (gén, aussi Élec) earth; (substance) soil, earth; (opposé à mer) land no pl; (contrée) land; **terres** nfpl (terrains) lands, land sg; **en ~** (pipe, poterie) clay cpd; **à** ou **par ~** (mettre, être, s'asseoir) on the ground (ou floor); (jeter, tomber) to the ground, down; **~ à ~** adj inv down-to-earth; **~ cuite** terracotta; **la ~ ferme** dry land; **~ glaise** clay

**terreau** [teʁo] nm compost

**terre-plein** [tɛʁplɛ̃] nm platform; (sur chaussée) central reservation

**terrestre** [tɛʁɛstʁ] adj (surface) earth's, of the earth; (Bot, Zool, Mil) land cpd; (Rel) earthly

**terreur** [tɛʁœʁ] nf terror no pl

**terrible** [tɛʁibl] adj terrible, dreadful; (fam) terrific; **pas ~** nothing special

**terrien, ne** [tɛʁjɛ̃, -ɛn] adj: **propriétaire ~** landowner ▷ nm/f (non martien etc) earthling

**terrier** [tɛʁje] nm burrow, hole; (chien) terrier

**terrifier** [tɛʁifje] /7/ vt to terrify

**terrine** [tɛʁin] nf (récipient) terrine; (Culin) pâté

**territoire** [tɛʁitwaʁ] nm territory

**terroriser** [tɛʁɔʁize] /1/ vt to terrorize

**terrorisme** [terɔrism] nm terrorism;
**terroriste** [terɔrist] nm/f terrorist

**tertiaire** [tersjer] adj tertiary ▷ nm
(Écon) service industries pl

**tes** [te] adj poss voir **ton¹**

**test** [test] nm test

**testament** [testamɑ̃] nm (Jur) will;
(fig) legacy; (Rel): **T~** Testament

**tester** [teste] /1/ vt to test

**testicule** [testikyl] nm testicle

**tétanos** [tetanos] nm tetanus

**têtard** [tetar] nm tadpole

**tête** [tɛt] nf head; (cheveux) hair no
pl; (visage) face; **de** ~ adj (wagon etc)
front cpd ▷ adv (calculer) in one's head,
mentally; **perdre la ~** (fig) (s'affoler) to
lose one's head; (devenir fou) to go off
one's head; **tenir ~ à qn** to stand up
to ou defy sb; **la ~ en bas** with one's
head down; **la ~ la première** (tomber)
head-first; **faire une ~** (Football) to
head the ball; **faire la ~** (fig) to sulk;
**en ~** (Sport) in the lead; **à la ~ de** at
the head of; **à ~ reposée** in a more
leisurely moment; **n'en faire qu'à
sa ~** to do as one pleases; **en avoir
par-dessus la ~** to be fed up; **en ~
à ~** in private, alone together; **de la
~ aux pieds** from head to toe; **~ de
lecture** (playback) head; **~ de
liste** (Pol) chief candidate; **~ de mort**
skull and crossbones; **~ de série**
(Tennis) seeded player, seed; **~ de
Turc** (fig) whipping boy (BRIT), butt;
**tête-à-queue** nm inv: **faire un tête-
à-queue** to spin round; **tête-à-tête**
nm inv: **en tête-à-tête** in private,
alone together

**téter** [tete] /6/ vt: **~ (sa mère)** to
suck at one's mother's breast, feed

**tétine** [tetin] nf teat; (sucette)
dummy (BRIT), pacifier (US)

**têtu, e** [tety] adj stubborn, pigheaded

**texte** [tekst] nm text; (morceau choisi)
passage

**texter** [tekste] /1/ vi, vt to text

**textile** [tekstil] adj textile cpd ▷ nm
textile; (industrie) textile industry

**Texto** [teksto] nm text (message)

**textoter** [tekstote] /1/ vi, vt to text

**texture** [tekstyr] nf texture

**TGV** sigle m = **train à grande vitesse**

**thaïlandais, e** [tailɑ̃dɛ, -ez] adj Thai
▷ nm/f: **T~, e** Thai

**Thaïlande** [tailɑ̃d] nf: **la ~** Thailand

**thé** [te] nm tea; **prendre le ~** to have
tea; **~ au lait/citron** tea with milk/
lemon; **faire le ~** to make the tea

**théâtral, e, -aux** [teatral, -o] adj
theatrical

**théâtre** [teatr] nm theatre; (péj)
playacting; (fig: lieu): **le ~ de** the scene
of; **faire du ~** to act

**théière** [tejer] nf teapot

**thème** [tɛm] nm theme; (Scol:
traduction) prose (composition)

**théologie** [teɔlɔʒi] nf theology

**théorie** [teɔri] nf theory; **théorique**
adj theoretical

**thérapie** [terapi] nf therapy

**thermal, e, -aux** [tɛrmal, -o] adj:
**station ~e** spa; **cure ~e** water cure

**thermomètre** [tɛrmɔmetr] nm
thermometer

**thermos®** [tɛrmos] nm ou f:
**(bouteille) ~** vacuum ou Thermos®
flask : BRIT ou bottle (US)

**thermostat** [tɛrmɔsta] nm
thermostat

**thèse** [tɛz] nf thesis

**thon** [tɔ̃] nm tuna (fish)

**thym** [tɛ̃] nm thyme

**Tibet** [tibɛ] nm: **le ~** Tibet

**tibia** [tibja] nm shin; shinbone, tibia

**TIC** sigle fpl (= technologies de l'information
et de la communication) ICT sg

**tic** [tik] nm tic, (nervous) twitch; (de
langage etc) mannerism

**ticket** [tikɛ] nm ticket; **~ de caisse**
till receipt

**tiède** [tjɛd] adj lukewarm; (vent, air)
mild, warm; **tiédir** /2/ vi (se réchauffer)
to grow warmer; (refroidir) to cool

**tien, tienne** [tjɛ̃, tjɛn] pron: **le (la)
~(ne)** yours; **les ~(ne)s** yours; **à la
~ne!** cheers!

**tiens** [tjɛ̃] vb, excl voir **tenir**

**tiercé** [tjɛRse] nm system of forecast betting giving first three horses

**tiers, tierce** [tjɛR, tjɛRs] adj third ⊳ nm (Jur) third party; (fraction) third; **le ~ monde** the third world

**tige** [tiʒ] nf stem; (baguette) shoot

**tignasse** [tiɲas] nf (péj) shock ou mop of hair

**tigre** [tigR] nm tiger; **tigré, e** adj (rayé) striped; (tacheté) spotted; (chat) tabby; **tigresse** nf tigress

**tilleul** [tijœl] nm lime (tree), linden (tree); (boisson) lime-(blossom) tea

**timbre** [tɛ̃bR] nm (tampon) stamp; (aussi: **~-poste**) (postage) stamp; (Mus: de voix, instrument) timbre, tone

**timbré, e** [tɛ̃bRe] adj (fam) cracked

**timide** [timid] adj shy; (timoré) timid; **timidement** adv shyly; timidly; **timidité** nf shyness; timidity

**tintamarre** [tɛ̃tamaR] nm din, uproar

**tinter** [tɛ̃te] /1/ vi to ring, chime; (argent, clés) to jingle

**tique** [tik] nf tick (insect)

**tir** [tiR] nm (sport) shooting; (fait ou manière de tirer) firing no pl; (rafale) fire; (stand) shooting gallery; **~ à l'arc** archery

**tirage** [tiRaʒ] nm (action) printing; (Photo) print; (de journal) circulation; (de livre) (print-)run; edition; (de loterie) draw; **~ au sort** drawing lots

**tire** [tiR] nf: **vol à la ~** pickpocketing

**tiré, e** [tiRe] adj (visage, traits) drawn; **~ par les cheveux** far-fetched

**tire-bouchon** [tiRbuʃɔ̃] nm corkscrew

**tirelire** [tiRliR] nf moneybox

**tirer** [tiRe] /1/ vt (gén) to pull; (ligne, trait) to draw; (rideau) to draw; (carte, conclusion, chèque) to draw; (en faisant feu: balle, coup) to fire; (: animal) to shoot; (journal, livre, photo) to print; (Football: corner etc) to take ⊳ vi (faire feu) to fire; (faire du tir, Football) to shoot; **se tirer** vi (fam) to push off;

(aussi: **s'en ~**) (éviter le pire) to get off; (survivre) to pull through; (se débrouiller) to manage; (extraire): **~ qch de** to take ou pull sth out of; **~ sur** (corde, poignée) to pull on ou at; (faire feu sur) to shoot ou fire at; (pipe) to draw on; (fig: avoisiner) to verge ou border on; **~ qn de** (embarras etc) to help ou get sb out of; **à l'arc/la carabine** to shoot with a bow and arrow/with a rifle; **~ à sa fin** to be drawing to an end; **~ qch au clair** to clear sth up; **~ au sort** to draw lots; **~ parti de** to take advantage of; **~ profit de** to profit from; **~ les cartes** to read ou tell the cards

**tiret** [tiRe] nm dash

**tireur** [tiRœR] nm gunman; **~ d'élite** marksman

**tiroir** [tiRwaR] nm drawer; **tiroir-caisse** nm till

**tisane** [tizan] nf herb tea

**tisser** [tise] /1/ vt to weave

**tissu** [tisy] nm fabric, material, cloth no pl; (Anat, fig) tissue; **tissu-éponge** nm (terry) towelling no pl

**titre** [titR] nm (gén) title; (de journal) headline; (diplôme) qualification; (Comm) security; **en ~** (champion, responsable) official; **à juste ~** rightly; **à quel ~?** on what grounds?; **à aucun ~** on no account; **au même ~ (que)** in the same way (as); **à ~ d'information** for (your) information; **à ~ gracieux** free of charge; **à ~ d'essai** on a trial basis; **à ~ privé** in a private capacity; **~ de propriété** title deed; **~ de transport** ticket

**tituber** [titybe] /1/ vi to stagger ou reel (along)

**titulaire** [titylɛR] adj (Admin) with tenure ⊳ nm/f (de poste) holder; **être ~ de** (diplôme, permis) to hold

**toast** [tost] nm slice ou piece of toast; (de bienvenue) (welcoming) toast; **porter un ~ à qn** to propose ou drink a toast to sb

**toboggan** [tɔbɔgã] nm slide; (Auto) flyover

**toc** [tɔk] nm: **en toc** imitation cpd ▷ excl: **toc, toc** knock knock

**tocsin** [tɔksẽ] nm alarm (bell)

**tohu-bohu** [tɔyboy] nm commotion

**toi** [twa] pron you

**toile** [twal] nf (tableau) canvas; **de ou en ~** (pantalon) cotton; (sac) canvas; **~ d'araignée** cobweb; **la T~** (Internet) the Web; **~ cirée** oilcloth; **~ de fond** (fig) backdrop

**toilette** [twalɛt] nf (habits) outfit; **toilettes** nfpl toilet sg; **faire sa ~** to have a wash, get washed; **articles de ~** toiletries

**toi-même** [twamɛm] pron yourself

**toit** [twa] nm roof; **~ ouvrant** sun roof

**toiture** [twatyʀ] nf roof

**Tokyo** [tɔkjo] n Tokyo

**tôle** [tol] nf (plaque) steel (ou iron) sheet; **~ ondulée** corrugated iron

**tolérable** [tɔleʀabl] adj tolerable

**tolérant, e** [tɔleʀɑ̃, -ɑ̃t] adj tolerant

**tolérer** [tɔleʀe] /6/ vt to tolerate; (Admin: hors taxe etc) to allow

**tollé** [tɔle] nm: **un ~ (de protestations)** a general outcry

**tomate** [tɔmat] nf tomato; **~s farcies** stuffed tomatoes

**tombe** [tɔ̃b] nf (sépulture) grave; (avec monument) tomb

**tombeau, x** [tɔ̃bo] nm tomb

**tombée** [tɔ̃be] nf: **à la ~ du jour** ou **de la nuit** at nightfall

**tomber** [tɔ̃be] /1/ vi to fall; (fièvre, vent) to drop ▷ vt: **laisser ~** (objet) to drop; (personne) to let down; (activité) to give up; **laisse ~!** forget it!; **faire ~** to knock over; **~ sur** (rencontrer) to come across; **~ de fatigue/sommeil** to drop from exhaustion/to be falling asleep on one's feet; **~ à l'eau** (projet etc) to fall through; **~ en panne** to break down; **~ en ruine** to fall into ruins; **ça tombe bien/mal** (fig) that's come at the right/wrong time; **il**

**est bien/mal tombé** (fig) he's been lucky/unlucky

**tombola** [tɔ̃bɔla] nf raffle

**tome** [tɔm] nm volume

**ton¹, ta** (pl **tes**) [tɔ̃, ta, te] adj poss your

**ton²** [tɔ̃] nm (gén) tone; (couleur) shade, tone; **de bon ~** in good taste

**tonalité** [tɔnalite] nf (au téléphone) dialling tone

**tondeuse** [tɔ̃døz] nf (à gazon) (lawn) mower; (du coiffeur) clippers pl; (pour la tonte) shears pl

**tondre** [tɔ̃dʀ] /41/ vt (pelouse, herbe) to mow; (haie) to cut, clip; (mouton, toison) to shear; (cheveux) to crop

**tongs** [tɔ̃g] nfpl flip-flops

**tonifier** [tɔnifje] /7/ vt (peau, organisme) to tone up

**tonique** [tɔnik] adj fortifying ▷ nm tonic

**tonne** [tɔn] nf metric ton, tonne

**tonneau, x** [tɔno] nm (à vin, cidre) barrel; **faire des ~x** (voiture, avion) to roll over

**tonnelle** [tɔnɛl] nf bower, arbour

**tonner** [tɔne] /1/ vi to thunder; **il tonne** it is thundering, there's some thunder

**tonnerre** [tɔnɛʀ] nm thunder

**tonus** [tɔnys] nm energy

**top** [tɔp] nm: **au troisième ~** at the third stroke ▷ adj: **~ secret** top secret

**topinambour** [tɔpinɑ̃buʀ] nm Jerusalem artichoke

**torche** [tɔʀʃ] nf torch

**torchon** [tɔʀʃɔ̃] nm (à vaisselle) tea towel ou cloth

**tordre** [tɔʀdʀ] /41/ vt (chiffon) to wring; (barre, fig: visage) to twist; **se tordre** vi; **se ~ le poignet/la cheville** to twist one's wrist/ankle; **se ~ de douleur/rire** to writhe in pain/be doubled up with laughter; **tordu, e** adj (fig) twisted; (fig) crazy

**tornade** [tɔʀnad] nf tornado

**torrent** [tɔʀɑ̃] nm mountain stream

**torsade** [tɔʀsad] nf: **un pull à ~s** a cable sweater

**torse** [tɔʀs] nm chest; (Anat, Sculpture) torso; **~ nu** stripped to the waist

**tort** [tɔʀ] nm (défaut) fault; **torts** nmpl (Jur) fault sg; **avoir ~** to be wrong; **être dans son ~** to be in the wrong; **donner ~ à qn** to lay the blame on sb; **causer du ~ à** to harm; **à ~** wrongly; **à ~ et à travers** wildly

**torticolis** [tɔʀtikɔli] nm stiff neck

**tortiller** [tɔʀtije] /1/ vt to twist; (moustache) to twirl; **se tortiller** vi to wriggle; (en dansant) to wiggle

**tortionnaire** [tɔʀsjɔneʀ] nm torturer

**tortue** [tɔʀty] nf tortoise; (d'eau douce) terrapin; (d'eau de mer) turtle

**tortueux, -euse** [tɔʀtɥø, -øz] adj (rue) twisting; (fig) tortuous

**torture** [tɔʀtyʀ] nf torture; **torturer** /1/ vt to torture; (fig) to torment

**tôt** [to] adv early; **~ ou tard** sooner or later; **si ~** so early; (déjà) so soon; **au plus ~** at the earliest; **plus ~** earlier

**total, e, -aux** [tɔtal, -o] adj, nm total; **au ~** in total ou all; (fig) on the whole; **faire le ~** to work out the total; **totalement** adv totally; **totaliser** /1/ vt to total (up); **totalitaire** adj totalitarian; **totalité** nf: **la totalité de: la totalité des élèves** (all of) the pupils; **la totalité de la population/classe** the whole population/class; **en totalité** entirely

**toubib** [tubib] nm (fam) doctor

**touchant, e** [tuʃɑ̃, -ɑ̃t] adj touching

**touche** [tuʃ] nf (de piano, de machine à écrire) key; (de téléphone) button; (Peinture etc) stroke, touch; (fig: de couleur, nostalgie) touch; (Football: aussi: **remise en ~**) throw-in; (aussi: **ligne de ~**) touch-line; (Escrime) hit; **~ dièse** (de téléphone, clavier) hash key

**toucher** [tuʃe] /1/ vt to touch; (palper) to feel; (atteindre: d'un coup de feu etc) to hit; (concerner) to

concern, affect; (contacter) to reach, contact; (recevoir: récompense) to receive, get; (: salaire) to draw, get; (chèque) to cash; (aborder: problème, sujet) to touch on; **au ~** to the touch; **~ à** to touch; (traiter de, concerner) to have to do with, concern; **je vais lui en ~ un mot** I'll have a word with him about it; **~ au but** (fig) to near one's goal; **~ à sa fin** to be drawing to a close

**touffe** [tuf] nf tuft

**touffu, e** [tufy] adj thick, dense

**toujours** [tuʒuʀ] adv always; (encore) still; (constamment) forever; **essaie ~** (you can) try anyway; **pour ~** forever; **~ est-il que** the fact remains that; **~ plus** more and more

**toupie** [tupi] nf (spinning) top

**tour** [tuʀ] nf tower; (immeuble) high-rise block (BRIT) ou building (US); (Échecs) castle, rook ▷ nm (excursion: à pied) stroll, walk; (: en voiture etc) run, ride; (: plus long) trip; (Sport: aussi: **~ de piste**) lap; (d'être servi ou de jouer etc) turn; (de roue etc) revolution; (Pol: aussi: **~ de scrutin**) ballot; (ruse, de prestidigitation, de cartes) trick; (de potier) wheel; (à bois, métaux) lathe; (circonférence): **de 3 m de ~** 3 m round, with a circumference ou girth of 3 m; **faire le ~ de** to go (a)round; (à pied) to walk (a)round; **faire un ~** to go for a walk; **c'est au ~ de Renée** it's Renée's turn; **à ~ de rôle, à ~** in turn; **~ de taille/tête** nm waist/head measurement; **~ de chant** nm song recital; **~ de contrôle** nf control tower; **la ~ Eiffel** the Eiffel Tower; **le T~ de France** the Tour de France; **~ de force** nm tour de force; **~ de garde** nm spell of duty; **un 33 ~s** an LP; **un 45 ~s** a single; **~ d'horizon** nm (fig) general survey

**tourbe** [tuʀb] nf peat

**tourbillon** [tuʀbijɔ̃] nm whirlwind; (d'eau) whirlpool; (fig) whirl, swirl;

**tourbillonner** /1/ vi to whirl ou twirl round

**tourelle** [tuʀɛl] nf turret

**tourisme** [tuʀism] nm tourism; **agence de ~** tourist agency; **faire du ~** to go touring; (en ville) to go sightseeing; **touriste** nm/f tourist; **touristique** adj tourist cpd; (région) touristic (péj)

**tourment** [tuʀmã] nm torment; **tourmenter** /1/ vt to torment; **se tourmenter** to fret, worry o.s.

**tournage** [tuʀnaʒ] nm (d'un film) shooting

**tournant, e** [tuʀnã, -ãt] adj (feu, scène) revolving ▷ nm (de route) bend; (fig) turning point

**tournée** [tuʀne] nf (du facteur etc) round; (d'artiste, politicien) tour; (au café) round (of drinks)

**tourner** [tuʀne] /1/ vt to turn; (sauce, mélange) to stir; (Ciné: faire les prises de vues) to shoot; (: produire) to make ▷ vi to turn; (moteur) to run; (compteur) to tick away; (lait etc) to turn (sour); **se tourner** vi to turn (a)round; **se ~ vers** to turn to; to turn towards; **mal ~** to go wrong; **~ autour de** to go (a)round; (péj) to hang (a)round; **~ à/en** to turn into; **~ en ridicule** to ridicule; **~ le dos à** (mouvement) to turn one's back on; (position) to have one's back to; **se ~ les pouces** to twiddle one's thumbs; **~ de l'œil** to pass out

**tournesol** [tuʀnəsɔl] nm sunflower

**tournevis** [tuʀnəvis] nm screwdriver

**tournoi** [tuʀnwa] nm tournament

**tournure** [tuʀnyʀ] nf (Ling) turn of phrase; **la ~ de qch** (évolution) the way sth is developing; **~ d'esprit** turn ou cast of mind

**tourte** [tuʀt] nf pie

**tourterelle** [tuʀtəʀɛl] nf turtledove

**tous** [tu, tus] adj, pron voir **tout**

**Toussaint** [tusɛ̃] nf: **la ~** All Saints' Day

○ TOUSSAINT
○
○ La Toussaint, 1 November, or All
○ Saints' Day, is a public holiday in
○ France. People traditionally visit
○ the graves of friends and relatives
○ to lay chrysanthemums on them.

**tousser** [tuse] /1/ vi to cough

○ MOT-CLÉ

**tout, e** (mpl **tous**, fpl **toutes**) [tu, tut, tus, tut] adj 1 (avec article singulier): **tout le lait** all the milk; **toute la nuit** all night, the whole night; **tout le livre** the whole book; **tout un pain** a whole loaf; **tout le temps** all the time, the whole time; **c'est tout le contraire** it's quite the opposite 2 (avec article pluriel) every; all; **tous les livres** all the books; **toutes les nuits** every night; **toutes les fois** every time; **toutes les trois/deux semaines** every third/two weeks; **tous les deux** both ou each of us (ou them ou you); **toutes les trois** all three of us (ou them ou you) 3 (sans article): **à tout âge** at any age; **pour toute nourriture, il avait ...** his only food was ...
▷ pron everything, all; **il a tout fait** he's done everything; **je les vois tous** I can see them all ou all of them; **nous y sommes tous allés** all of us went, we all went; **c'est tout** that's all; **en tout** in all; **tout ce qu'il sait** all he knows
▷ nm whole; **le tout** all of it (ou them); **le tout est de ...** the main thing is to ...; **pas du tout** not at all
▷ adv 1 (très, complètement) very; **tout près** ou **à côté** very near; **le tout premier** the very first; **tout seul** all alone; **le livre tout entier** the whole book; **tout en haut** right at the top; **tout droit** straight ahead

**2 : tout en** while; **tout en travaillant** while working, as he *etc* works
**3 : tout d'abord** first of all; **tout à coup** suddenly; **tout à fait** absolutely; **tout à l'heure** a short while ago; (*futur*) in a short while, shortly; **à tout à l'heure!** see you later!; **tout de même** all the same; **tout le monde** everybody; **tout simplement** quite simply; **tout de suite** immediately, straight away

**toutefois** [tutfwa] *adv* however
**toutes** [tut] *adj, pron voir* **tout**
**tout-terrain** [tuterɛ̃] *adj:* **vélo ~** mountain bike; **véhicule ~** four-wheel drive
**toux** [tu] *nf* cough
**toxicomane** [tɔksikɔman] *nm/f* drug addict
**toxique** [tɔksik] *adj* toxic
**trac** [tʀak] *nm* (*aux examens*) nerves *pl*; (*Théât*) stage fright; **avoir le ~** (*aux examens*) to get an attack of nerves; (*Théât*) to have stage fright
**tracasser** [tʀakase] /1/ *vt* to worry, bother; **se tracasser** to worry (o.s.)
**trace** [tʀas] *nf* (*empreintes*) tracks *pl*; (*marques, fig*) mark; (*restes, vestige*) trace; **~s de pas** footprints
**tracer** [tʀase] /3/ *vt* to draw; (*piste*) to open up
**tract** [tʀakt] *nm* tract, pamphlet
**tracteur** [tʀaktœʀ] *nm* tractor
**traction** [tʀaksjɔ̃] *nf:* **~ avant/arrière** front-wheel/rear-wheel drive
**tradition** [tʀadisjɔ̃] *nf* tradition; **traditionnel, le** *adj* traditional
**traducteur, -trice** [tʀadyktœʀ, -tʀis] *nm/f* translator
**traduction** [tʀadyksjɔ̃] *nf* translation
**traduire** [tʀaduiʀ] /38/ *vt* to translate; (*exprimer*) to convey; **~ en français** to translate into French; **~ en justice** to bring before the courts
**trafic** [tʀafik] *nm* traffic; **~ d'armes** arms dealing; **trafiquant, e** *nm/f*

trafficker; (*d'armes*) dealer; **trafiquer** /1/ *vt* (*péj: vin*) to doctor; (*: moteur, document*) to tamper with
**tragédie** [tʀaʒedi] *nf* tragedy; **tragique** *adj* tragic
**trahir** [tʀaiʀ] /2/ *vt* to betray; **trahison** *nf* betrayal; (*Jur*) treason
**train** [tʀɛ̃] *nm* (*Rail*) train; (*allure*) pace; **être en ~ de** faire qch to be doing sth; **~ à grande vitesse** high-speed train; **~ d'atterrissage** undercarriage; **~ électrique** (*jouet*) (electric) train set; **~ de vie** style of living
**traîne** [tʀɛn] *nf* (*de robe*) train; **être à la ~** to lag behind
**traîneau, x** [tʀɛno] *nm* sleigh, sledge
**traîner** [tʀene] /1/ *vt* (*remorque*) to pull; (*enfant, chien*) to drag ou trail along ▷ *vi* (*robe, manteau*) to trail; (*être en désordre*) to lie around; (*marcher lentement*) to dawdle (along); (*vagabonder*) to hang about; (*durer*) to drag on; **se traîner** *vi:* **se ~ par terre** to crawl (on the ground); **~ les pieds** to drag one's feet
**train-train** [tʀɛ̃tʀɛ̃] *nm* humdrum routine
**traire** [tʀɛʀ] /50/ *vt* to milk
**trait, e** [tʀɛ, -ɛt] *nm* (*ligne*) line; (*de dessin*) stroke; (*caractéristique*) feature, trait; **traits** *nmpl* (*du visage*) features; **d'un ~** (*boire*) in one gulp; **de ~** (*animal*) draught; **avoir ~ à** to concern; **~ d'union** hyphen
**traitant, e** [tʀɛtɑ̃, -ɑ̃t] *adj:* **votre médecin ~** your usual ou family doctor; **shampooing ~** medicated shampoo
**traite** [tʀɛt] *nf* (*Comm*) draft; (*Agr*) milking; **d'une (seule) ~** without stopping (once)
**traité** [tʀete] *nm* treaty
**traitement** [tʀɛtmɑ̃] *nm* treatment; (*salaire*) salary; **~ de texte** word processing; (*logiciel*) word processing package; **~ de données ou de l'information** data processing

**traiter** [tʀete] /1/ vt to treat; (qualifier): **~ qn d'idiot** to call sb a fool ▷ vi to deal; **~ de** to deal with

**traiteur** [tʀetœʀ] nm caterer

**traître, -esse** [tʀetʀ, -tʀes] adj (dangereux) treacherous ▷ nm/f traitor (traitress)

**trajectoire** [tʀaʒektwaʀ] nf path

**trajet** [tʀaʒe] nm (parcours, voyage) journey; (itinéraire) route; (distance à parcourir) distance; **il y a une heure de ~** the journey takes one hour

**trampoline** [tʀɑ̃pɔlin] nm trampoline

**tramway** [tʀamwe] nm tram(way); (voiture) tram(car) (BRIT), streetcar (US)

**tranchant, e** [tʀɑ̃ʃɑ̃, -ɑ̃t] adj sharp; (fig) peremptory ▷ nm (d'un couteau) cutting edge; (de la main) edge; **à double ~** double-edged

**tranche** [tʀɑ̃ʃ] nf (morceau) slice; (arête) edge; **~ d'âge/de salaires** age/wage bracket

**tranché, e** [tʀɑ̃ʃe] adj (couleurs) distinct; (opinions) clear-cut

**trancher** [tʀɑ̃ʃe] /1/ vt to cut, sever ▷ vi to be decisive; **~ avec** to contrast sharply with

**tranquille** [tʀɑ̃kil] adj quiet; (rassuré) easy in one's mind, with one's mind at rest; **se tenir ~** (enfant) to be quiet; **avoir la conscience ~** to have an easy conscience; **laisse-moi/laisse-ça ~** leave me/it alone; **tranquillisant** nm tranquillizer; **tranquillité** nf peace (and quiet); **tranquillité d'esprit** peace of mind

**transférer** [tʀɑ̃sfeʀe] /6/ vt to transfer; **transfert** nm transfer

**transformation** [tʀɑ̃sfɔʀmasjɔ̃] nf change, alteration; (radicale) transformation; (Rugby) conversion; **transformations** nfpl (travaux) alterations

**transformer** [tʀɑ̃sfɔʀme] /1/ vt to change; (radicalement) to transform; (vêtement) alter; (matière première,

appartement, Rugby) to convert; **~ en** to turn into

**transfusion** [tʀɑ̃sfyzjɔ̃] nf: **~ sanguine** blood transfusion

**transgénique** [tʀɑ̃sʒenik] adj transgenic

**transgresser** [tʀɑ̃sgʀese] /1/ vt to contravene

**transi, e** [tʀɑ̃zi] adj numb (with cold), chilled to the bone

**transiger** [tʀɑ̃ziʒe] /3/ vi to compromise

**transit** [tʀɑ̃zit] nm transit; **transiter** /1/ vi to pass in transit

**transition** [tʀɑ̃zisjɔ̃] nf transition; **transitoire** adj transitional

**transmettre** [tʀɑ̃smetʀ] /56/ vt (passer): **~ qch à qn** to pass sth on to sb; (Tech, Tél, Radio) to transmit; (TV, Radio: retransmettre) to broadcast; **transmission** nf transmission

**transparent, e** [tʀɑ̃spaʀɑ̃, -ɑ̃t] adj transparent

**transpercer** [tʀɑ̃speʀse] /3/ vt (froid, pluie) to go through, pierce; (balle) to go through

**transpiration** [tʀɑ̃spiʀasjɔ̃] nf perspiration

**transpirer** [tʀɑ̃spiʀe] /1/ vi to perspire

**transplanter** [tʀɑ̃splɑ̃te] /1/ vt (Méd, Bot) to transplant

**transport** [tʀɑ̃spɔʀ] nm transport; **~s en commun** public transport sg; **transporter** /1/ vt to carry, move; (Comm) to transport, convey; **transporteur** nm haulage contractor (BRIT), trucker (US)

**transvaser** [tʀɑ̃svaze] /1/ vt to decant

**transversal, e, -aux** [tʀɑ̃sveʀsal, -o] adj (mur, chemin, rue) running at right angles; **coupe ~e** cross section

**trapèze** [tʀapez] nm (au cirque) trapeze

**trappe** [tʀap] nf trap door

**trapu, e** [tʀapy] adj squat, stocky

**traquenard** [tʀaknaʀ] nm trap

**traquer** [tʀake] /1/ vt to track down; (*harceler*) to hound

**traumatiser** [tʀomatize] /1/ vt to traumatize

**travail, -aux** [tʀavaj, -o] nm (*gén*) work; (*tâche, métier*) work no pl, job; (*Écon, Méd*) labour; **travaux** nmpl (*de réparation, agricoles etc*) work sg; (*sur route*) roadworks; (*de construction*) building (work) sg; **être sans ~** (*employé*) to be out of work; **~ (au) noir** moonlighting; **travaux des champs** farmwork sg; **travaux dirigés** (*Scol*) supervised practical work sg; **travaux forcés** hard labour sg; **travaux manuels** (*Scol*) handicrafts; **travaux ménagers** housework sg; **travaux pratiques** (*gén*) practical work sg; (*en laboratoire*) lab work sg

**travailler** [tʀavaje] /1/ vi to work; (*bois*) to warp ▷ vt (*bois, métal*) to work; (*objet d'art, discipline*) to work on; **cela le travaille** it is on his mind; **travailleur, -euse** adj hard-working ▷ nm/f worker; **travailleur social** social worker; **travailliste** adj ≈ Labour cpd

**travaux** [tʀavo] nmpl voir **travail**

**travers** [tʀavɛʀ] nm fault, failing; **en ~ (de)** across; **au ~ (de)** through; **de ~** (*nez, bouche*) crooked; (*chapeau*) askew; **à ~** through; **regarder de ~** (*fig*) to look askance at; **comprendre de ~** to misunderstand

**traverse** [tʀavɛʀs] nf (*de voie ferrée*) sleeper; **chemin de ~** shortcut

**traversée** [tʀavɛʀse] nf crossing

**traverser** [tʀavɛʀse] /1/ vt (*gén*) to cross; (*ville, tunnel, aussi percer, fig*) to go through; (*ligne, trait*) to run across

**traversin** [tʀavɛʀsɛ̃] nm bolster

**travesti** [tʀavɛsti] nm transvestite

**trébucher** [tʀebyʃe] /1/ vi: **~ (sur)** to stumble (over), trip (over)

**trèfle** [tʀɛfl] nm (*Bot*) clover; (*Cartes: couleur*) clubs pl; (: *carte*) club; **~ à quatre feuilles** four-leaf clover

**treize** [tʀɛz] num thirteen; **treizième** num thirteenth

**tréma** [tʀema] nm diaeresis

**tremblement** [tʀɑ̃bləmɑ̃] nm: **~ de terre** earthquake

**trembler** [tʀɑ̃ble] /1/ vi to tremble, shake; **~ de** (*froid, fièvre*) to shiver ou tremble with; (*peur*) to shake ou tremble with; **~ pour qn** to fear for sb

**trémousser** [tʀemuse] /1/: **se trémousser** vi to jig about, wriggle about

**trempé, e** [tʀɑ̃pe] adj soaking (wet), drenched; (*Tech*): **acier ~** tempered steel

**tremper** [tʀɑ̃pe] /1/ vt to soak, drench; (*aussi*): **faire ~, mettre à ~**) to soak ▷ vi to soak; (*fig*): **~ dans** to be involved ou have a hand in; **se tremper** vi to have a quick dip

**tremplin** [tʀɑ̃plɛ̃] nm springboard; (*Ski*) ski jump

**trentaine** [tʀɑ̃tɛn] nf (*âge*): **avoir la ~** to be around thirty; **une ~ (de)** thirty or so, about thirty

**trente** [tʀɑ̃t] num thirty; **être/se mettre sur son ~ et un** to be wearing/put on one's Sunday best; **trentième** num thirtieth

**trépidant, e** [tʀepidɑ̃, -ɑ̃t] adj (*fig: rythme*) pulsating; (: *vie*) hectic

**trépigner** [tʀepiɲe] /1/ vi to stamp (one's feet)

**très** [tʀɛ] adv very; **~ beau/bien** very beautiful/well; **~ critiqué** much criticized; **~ industrialisé** highly industrialized

**trésor** [tʀezɔʀ] nm treasure; **~ (public)** public revenue; **trésorerie** nf (*gestion*) accounts pl; (*bureaux*) accounts department; **difficultés de trésorerie** cash problems, shortage of cash ou funds; **trésorier, -ière** nm/f treasurer

**tressaillir** [tʀesajiʀ] /13/ vi to shiver, shudder

# tressauter | 282

**tressauter** [tʀesote] /1/ *vi* to start, jump

**tresse** [tʀɛs] *nf* braid, plait; **tresser** /1/ *vt* (*cheveux*) to braid, plait; (*fil, jonc*) to plait; (*corbeille*) to weave; (*corde*) to twist

**trêve** [tʀɛv] *nf* (*Mil, Pol*) truce; (*fig*) respite; **~ de ...** enough of this ...

**tri** [tʀi] *nm*: **faire le ~ (de)** to sort out; **le (bureau de) ~** (*Postes*) the sorting office

**triangle** [tʀijɑ̃gl] *nm* triangle; **triangulaire** *adj* triangular

**tribord** [tʀibɔʀ] *nm*: **à ~** to starboard, on the starboard side

**tribu** [tʀiby] *nf* tribe

**tribunal, -aux** [tʀibynal, -o] *nm* (*Jur*) court; (*Mil*) tribunal

**tribune** [tʀibyn] *nf* (*estrade*) platform, rostrum; (*débat*) forum; (*d'église, de tribunal*) gallery; (*de stade*) stand

**tribut** [tʀiby] *nm* tribute

**tributaire** [tʀibytɛʀ] *adj*: **être ~ de** to be dependent on

**tricher** [tʀiʃe] /1/ *vi* to cheat; **tricheur, -euse** *nm/f* cheat

**tricolore** [tʀikɔlɔʀ] *adj* three-coloured; (*français*) red, white and blue

**tricot** [tʀiko] *nm* (*technique, ouvrage*) knitting *no pl*; (*vêtement*) jersey, sweater; **~ de corps, ~ de peau** vest; **tricoter** /1/ *vt* to knit

**tricycle** [tʀisikl] *nm* tricycle

**trier** [tʀije] /7/ *vt* to sort (out); (*Postes, Inform, fruits*) to sort

**trimestre** [tʀimɛstʀ] *nm* (*Scol*) term; (*Comm*) quarter; **trimestriel, le** *adj* quarterly; (*Scol*) end-of-term

**trinquer** [tʀɛ̃ke] /1/ *vi* to clink glasses

**triomphe** [tʀijɔ̃f] *nm* triumph; **triompher** /1/ *vi* to triumph, win; **triompher de** to triumph over, overcome

**tripes** [tʀip] *nfpl* (*Culin*) tripe *sg*

**triple** [tʀipl] *adj* triple ▷ *nm*: **le ~ (de)** (*comparaison*) three times as much

(*as*); **en ~ exemplaire** in triplicate; **tripler** /1/ *vi, vt* to triple, treble

**triplés, -ées** [tʀiple] *nm/f pl* triplets

**tripoter** [tʀipɔte] /1/ *vt* to fiddle with

**triste** [tʀist] *adj* sad; (*couleur, temps, journée*) dreary; (*péj*): **~ personnage/ affaire** sorry individual/affair; **tristesse** *nf* sadness

**trivial, e, -aux** [tʀivjal, -o] *adj* coarse, crude; (*commun*) mundane

**troc** [tʀɔk] *nm* barter

**trognon** [tʀɔɲɔ̃] *nm* (*de fruit*) core; (*de légume*) stalk

**trois** [tʀwa] *num* three; **troisième** *num* third ▷ *nf* (*Scol*) year 10 (BRIT), ninth grade (US); **le troisième âge** (*période de vie*) one's retirement years; (*personnes âgées*) senior citizens *pl*

**troll** [tʀɔl] *nm, trolleur, -euse** [tʀɔlœʀ, -øz] *nm/f* (*Inform*) troll

**trombe** [tʀɔ̃b] *nf*: **des ~s d'eau** a downpour; **en ~** like a whirlwind

**trombone** [tʀɔ̃bɔn] *nm* (*Mus*) trombone; (*de bureau*) paper clip

**trompe** [tʀɔ̃p] *nf* (*d'éléphant*) trunk; (*Mus*) trumpet, horn

**tromper** [tʀɔ̃pe] /1/ *vt* to deceive; (*vigilance, poursuivants*) to elude; **se tromper** *vi* to make a mistake, be mistaken; **se ~ de voiture/jour** to take the wrong car/get the day wrong; **se ~ de 3 cm/20 euros** to be out by 3 cm/20 euros

**trompette** [tʀɔ̃pɛt] *nf* trumpet; **en ~** (*nez*) turned-up

**trompeur, -euse** [tʀɔ̃pœʀ, -øz] *adj* deceptive

**tronc** [tʀɔ̃] *nm* (*Bot, Anat*) trunk; (*d'église*) collection box

**tronçon** [tʀɔ̃sɔ̃] *nm* section; **tronçonner** /1/ *vt* to saw up; **tronçonneuse** *nf* chainsaw

**trône** [tʀon] *nm* throne

**trop** [tʀo] *adv* too; (*avec verbe*) too much; (*aussi*: **~ nombreux**) too many; (*aussi*: **~ souvent**) too often; **~ peu (nombreux)** too few; **~ longtemps** (for) too long; **~ de**

(*nombre*) too many; (*quantité*) too much; **de ~, en ~: des livres en ~** a few books too many; **du lait en ~** too much milk; **trois livres/cinq euros de ~** three books too many/five euros too much; **ça coûte ~ cher** it's too expensive

**tropical, e, -aux** [tʀɔpikal, -o] *adj* tropical

**tropique** [tʀɔpik] *nm* tropic

**trop-plein** [tʀɔplɛ̃] *nm* (*tuyau*) overflow *ou* outlet (pipe); (*liquide*) overflow

**troquer** [tʀɔke] /1/ *vt*: **~ qch contre** to barter *ou* trade sth for; to swap sth for

**trot** [tʀo] *nm* trot; **trotter** /1/ *vi* to trot

**trottinette** [tʀɔtinɛt] *nf* (child's) scooter

**trottoir** [tʀɔtwaʀ] *nm* pavement (BRIT), sidewalk (US); **faire le ~** (*péj*) to walk the streets; **~ roulant** moving walkway, travelator

**trou** [tʀu] *nm* hole; (*fig*) gap; (*Comm*) deficit; **~ d'air** air pocket; **~ de mémoire** blank, lapse of memory

**troublant, e** [tʀublɑ̃, -ɑ̃t] *adj* disturbing

**trouble** [tʀubl] *adj* (*liquide*) cloudy; (*image, photo*) blurred; (*affaire*) shady, murky ▷ *adv*: **voir ~** to have blurred vision ▷ *nm* agitation; **troubles** *nmpl* (*Pol*) disturbances, troubles, unrest *sg*; (*Méd*) trouble *sg*, disorders; **trouble-fête** *nm/f inv* spoilsport

**troubler** [tʀuble] /1/ *vt* to disturb; (*liquide*) to make cloudy; (*intriguer*) to bother; **se troubler** *vi* (*personne*) to become flustered *ou* confused

**trouer** [tʀue] /1/ *vt* to make a hole (*ou* holes) in

**trouille** [tʀuj] *nf* (*fam*): **avoir la ~** to be scared stiff

**troupe** [tʀup] *nf* troop; **~ (de théâtre)** (theatrical) company

**troupeau, x** [tʀupo] *nm* (*de moutons*) flock; (*de vaches*) herd

**trousse** [tʀus] *nf* case, kit; (*d'écolier*) pencil case; **aux ~s de** (*fig*) on the heels *ou* tail of; **~ à outils** toolkit; **~ de toilette** toilet bag

**trousseau, x** [tʀuso] *nm* (*de mariée*) trousseau; **~ de clefs** bunch of keys

**trouvaille** [tʀuvaj] *nf* find

**trouver** [tʀuve] /1/ *vt* to find; (*rendre visite*): **aller/venir ~ qn** to go/come and see sb; **se trouver** *vi* (*être*) to be; **je trouve que** I find *ou* think that; **~ à boire/critiquer** to find something to drink/criticize; **se ~ mal** to pass out

**truand** [tʀyɑ̃] *nm* villain; **truander** /1/ *vt*: **se faire truander** to be swindled

**truc** [tʀyk] *nm* (*astuce*) way; (*de cinéma, prestidigitateur*) trick effect; (*chose*) thing; thingumajig; **avoir le ~** to have the knack; **c'est pas son** (*ou* **mon** *etc*) **~** (*fam*) it's not really his (*ou* my *etc*) thing

**truffe** [tʀyf] *nf* truffle; (*nez*) nose

**truffé, e** [tʀyfe] *adj* (*Culin*) garnished with truffles

**truie** [tʀɥi] *nf* sow

**truite** [tʀɥit] *nf* trout

**truquage** [tʀykaʒ] *nm* special effects *pl*

**truquer** [tʀyke] /1/ *vt* (*élections, serrure, dés*) to fix

**TSVP** *abr* (= *tournez s'il vous plaît*) PTO

**TTC** *abr* (= *toutes taxes comprises*) inclusive of tax

**tu¹** [ty] *pron you* ▷ *nm*: **employer le tu** to use the "tu" form

**tu², e** [ty] *pp de* **taire**

**tuba** [tyba] *nm* (*Mus*) tuba; (*Sport*) snorkel

**tube** [tyb] *nm* tube; (*chanson, disque*) hit song *ou* record

**tuberculose** [tybɛʀkyloz] *nf* tuberculosis

**tuer** [tɥe] /1/ *vt* to kill; **se tuer** (*se suicider*) to kill o.s.; (*dans un accident*) to be killed; **se ~ au travail** (*fig*) to work o.s. to death; **tuerie** *nf* slaughter *no pl*

**tue-tête** [tytɛt]: **à ~** *adv* at the top of one's voice

**tueur** [tɥœʀ] *nm* killer; **~ à gages** hired killer

**tuile** [tɥil] *nf* tile; (*fam*) spot of bad luck, blow

**tulipe** [tylip] *nf* tulip

**tuméfié, e** [tymefje] *adj* puffy, swollen

**tumeur** [tymœʀ] *nf* growth, tumour

**tumulte** [tymylt] *nm* commotion; **tumultueux, -euse** *adj* stormy, turbulent

**tunique** [tynik] *nf* tunic

**Tunis** [tynis] *n* Tunis

**Tunisie** [tynizi] *nf*: **la ~** Tunisia; **tunisien, ne** *adj* Tunisian ▷ *nm/f*: **Tunisien, ne** Tunisian

**tunnel** [tynɛl] *nm* tunnel; **le ~ sous la Manche** the Channel Tunnel

**turbulent, e** [tyʀbylɑ̃, -ɑ̃t] *adj* boisterous, unruly

**turc, turque** [tyʀk] *adj* Turkish ▷ *nm* (*Ling*) Turkish ▷ *nm/f*: **Turc, Turque** Turk/Turkish woman

**turf** [tyʀf] *nm* racing; **turfiste** *nm/f* racegoer

**Turquie** [tyʀki] *nf*: **la ~** Turkey

**turquoise** [tyʀkwaz] *nf, adj inv* turquoise

**tutelle** [tytɛl] *nf* (*Jur*) guardianship; (*Pol*) trusteeship; **sous la ~ de** (*fig*) under the supervision of

**tuteur, -trice** [tytœʀ, -tʀis] *nm/f* (*Jur*) guardian; (*de plante*) stake, support

**tutoyer** [tytwaje] /8/ *vt*: **~ qn** to address sb as "tu"

**tuyau, x** [tɥijo] *nm* pipe; (*fam*) (*flexible*) tube; (*fam*) tip; **~ d'arrosage** hosepipe; **~ d'échappement** exhaust pipe; **tuyauterie** *nf* piping no pl

**TVA** *sigle f* (= *taxe à ou sur la valeur ajoutée*) VAT

**tweet** [twit] *nm* (*aussi Internet*: *Twitter*) tweet; **tweeter** /1/ *vi* (*Internet*: *Twitter*) to tweet

**tympan** [tɛ̃pɑ̃] *nm* (*Anat*) eardrum

**type** [tip] *nm* type; (*fam*) chap, guy ▷ *adj* typical, standard

**typé, e** [tipe] *adj* ethnic (*euphémisme*)

**typique** [tipik] *adj* typical

**tyran** [tiʀɑ̃] *nm* tyrant; **tyrannique** *adj* tyrannical

**tzigane** [dzigan] *adj* gipsy, tzigane

# U

**ulcère** [ylsɛʀ] *nm* ulcer
**ultérieur, e** [ylteʀjœʀ] *adj*
later, subsequent; **remis à une
date ~e** postponed to a later
date; **ultérieurement** *adv* later,
subsequently
**ultime** [yltim] *adj* final

MOT-CLÉ

**un, une** [œ̃, yn] *art indéf* a; (*devant
voyelle*) an; **un garçon/vieillard** a
boy/an old man; **une fille** a girl
▶ *pron* one; **l'un des meilleurs**
one of the best; **l'un ..., l'autre**
(the) one ..., the other; **les uns ...,
les autres** some ..., others; **l'un
et l'autre** both (of them); **l'un ou
l'autre** either (of them); **l'un l'autre,
les uns les autres** each other, one
another; **pas un seul** not a single
one; **un par un** one by one
▶ *num* one; **une pomme seulement**

one apple only, just one apple
▶ *nf*: **la une** (*Presse*) the front page

**unanime** [ynanim] *adj* unanimous;
**unanimité** *nf*: **à l'unanimité**
unanimously
**uni, e** [yni] *adj* (*ton, tissu*) plain;
(*surface*) smooth, even; (*famille*)
close(-knit); (*pays*) united
**unifier** [ynifje] /7/ *vt* to unite, unify
**uniforme** [ynifɔʀm] *adj* uniform;
(*surface, ton*) even ▶ *nm* uniform;
**uniformiser** /1/ *vt* (*systèmes*) to
standardize
**union** [ynjɔ̃] *nf* union; **~ de
consommateurs** consumers'
association; **~ libre: vivre en ~ libre**
(*en concubinage*) to cohabit; **l'U~
européenne** the European Union;
**l'U~ soviétique** the Soviet Union
**unique** [ynik] *adj* (*seul*) only;
(*exceptionnel*) unique; **un prix/
système ~** a single price/system;
**fils/fille ~** only son/daughter,
only child; **sens ~** one-way street;
**uniquement** *adv* only, solely; (*juste*)
only, merely
**unir** [yniʀ] /2/ *vt* (*nations*) to unite;
(*en mariage*) to unite, join together;
**s'unir** *vi* to unite; (*en mariage*) to be
joined together
**unitaire** [yniteʀ] *adj*: **prix ~** unit price
**unité** [ynite] *nf* (*harmonie, cohésion*)
unity; (*Math*) unit
**univers** [univɛʀ] *nm* universe;
**universel, le** *adj* universal
**universitaire** [ynivɛʀsitɛʀ] *adj*
university *cpd*; (*diplôme, études*)
academic, university *cpd* ▶ *nm/f*
academic
**université** [ynivɛʀsite] *nf* university
**urbain, e** [yʀbɛ̃, -ɛn] *adj* urban, city
*cpd*, town *cpd*; **urbanisme** *nm* town
planning
**urgence** [yʀʒɑ̃s] *nf* urgency; (*Méd etc*)
emergency; **d'~** *adj* emergency *cpd*
▶ *adv* as a matter of urgency; **service
des ~s** emergency service

**urgent, e** [yʀʒɑ̃, -ɑ̃t] *adj* urgent

**urine** [yʀin] *nf* urine; **urinoir** *nm* (public) urinal

**urne** [yʀn] *nf* (électorale) ballot box; (vase) urn

**urticaire** [yʀtikɛʀ] *nf* nettle rash

**us** [ys] *nmpl*: **us et coutumes** (habits and) customs

**usage** [yzaʒ] *nm* (emploi, utilisation) use; (coutume) custom; **à l'~** with use; **à l'~ de** (pour) for (use of); **en ~** in use; **hors d'~** out of service; **à ~ interne** (Méd) to be taken (internally); **à ~ externe** (Méd) for external use only; **usagé, e** *adj* (usé) worn; **usager, -ère** *nm/f* user

**usé, e** [yze] *adj* worn (down ou out ou away); (banal: argument etc) hackneyed

**user** [yze] /1/ *vt* (outil) to wear down; (vêtement) to wear out; (matière) to wear away; (consommer: charbon etc) to use; **s'user** *vi* (tissu, vêtement) to wear out; **~ de** (moyen, procédé) to use, employ; (droit) to exercise

**usine** [yzin] *nf* factory

**usité, e** [yzite] *adj* common

**ustensile** [ystɑ̃sil] *nm* implement; **~ de cuisine** kitchen utensil

**usuel, le** [yzɥɛl] *adj* everyday, common

**usure** [yzyʀ] *nf* wear

**utérus** [yteʀys] *nm* uterus, womb

**utile** [ytil] *adj* useful

**utilisation** [ytilizasjɔ̃] *nf* use

**utiliser** [ytilize] /1/ *vt* to use

**utilitaire** [ytilitɛʀ] *adj* utilitarian

**utilité** [ytilite] *nf* usefulness *no pl*; **de peu d'~** of little use ou help

**utopie** [ytɔpi] *nf* utopia

# V

**va** [va] *vb voir* **aller**

**vacance** [vakɑ̃s] *nf* (Admin) vacancy; **vacances** *nfpl* holiday(s) *pl* (BRIT), vacation *sg* (US); **les grandes ~s** the summer holidays ou vacation; **prendre des/ses ~s** to take a holiday ou vacation/ one's holiday(s) ou vacation; **aller en ~s** to go on holiday ou vacation; **vacancier, -ière** *nm/f* holidaymaker

**vacant, e** [vakɑ̃, -ɑ̃t] *adj* vacant

**vacarme** [vakaʀm] *nm* row, din

**vaccin** [vaksɛ̃] *nm* vaccine; (opération) vaccination; **vaccination** *nf* vaccination; **vacciner** /1/ *vt* to vaccinate; **être vacciné** (fig) to be immune

**vache** [vaʃ] *nf* (Zool) cow; (cuir) cowhide ▷ *adj* (fam) rotten, mean; **vachement** *adv* (fam) really; **vacherie** *nf* (action) dirty trick; (propos) nasty remark

**vaciller** [vasije] /1/ vi to sway, wobble; (bougie, lumière) to flicker; (fig) to waver

**VAE** sigle m (= vélo (à assistance) électrique) e-bike

**va-et-vient** [vaevjɛ̃] nm inv comings and goings pl

**vagabond, e** [vagabɔ̃, -ɔ̃d] adj wandering ▷ nm (rôdeur) tramp, vagrant; (voyageur) wanderer; **vagabonder** /1/ vi to roam, wander

**vagin** [vaʒɛ̃] nm vagina

**vague** [vag] nf wave ▷ adj vague; (regard) faraway; (manteau, robe) loose(-fitting); (quelconque) **un ~ bureau/cousin** some office/cousin or other; **~ de fond** ground swell; **~ de froid** cold spell

**vaillant, e** [vajɑ̃, -ɑ̃t] adj (courageux) gallant; (robuste) hale and hearty

**vain, e** [vɛ̃, vɛn] adj vain; **en ~** in vain

**vaincre** [vɛ̃kʀ] /42/ vt to defeat; (fig) to conquer, overcome; **vaincu, e** nm/f defeated party; **vainqueur** nm victor; (Sport) winner

**vaisseau, x** [veso] nm (Anat) vessel; (Navig) ship, vessel; **~ spatial** spaceship

**vaisselier** [vesəlje] nm dresser

**vaisselle** [vesɛl] nf (service) crockery; (plats etc à laver) (dirty) dishes pl; **faire la ~** to do the dishes

**valable** [valabl] adj valid; (acceptable) decent, worthwhile

**valet** [valɛ] nm valet; (Cartes) jack

**valeur** [valœʀ] nf (gén) value; (mérite) worth, merit; (Comm: titre) security; **valeurs** nfpl (morales) values; **mettre en ~** (fig) to highlight; to show off to advantage; **avoir de la ~** to be valuable; **prendre de la ~** to go up ou gain in value; **sans ~** worthless

**valide** [valid] adj (en bonne santé) fit; (valable) valid; **valider** /1/ vt to validate

**valise** [valiz] nf (suit)case; **faire sa ~** to pack one's (suit)case

**vallée** [vale] nf valley

**vallon** [valɔ̃] nm small valley

**valoir** [valwaʀ] /29/ vi (être valable) to hold, apply ▷ vt (prix, valeur, effort) to be worth; (causer): **~ qch à qn** to earn sb sth; **se valoir** to be of equal merit; (péj) to be two of a kind; **faire ~** (droits, prérogatives) to assert; **se faire ~** to make the most of o.s.; **à ~ sur** to be deducted from; **vaille que vaille** somehow or other; **cela ne me dit rien qui vaille** I don't like the look of it at all; **ce climat ne me vaut rien** this climate doesn't suit me; **~ la peine** to be worth the trouble, be worth it; **~ mieux: il vaut mieux se taire** it's better to say nothing; **ça ne vaut rien** it's worthless; **que vaut ce candidat?** how good is this applicant?

**valse** [vals] nf waltz

**vandalisme** [vɑ̃dalism] nm vandalism

**vanille** [vanij] nf vanilla

**vanité** [vanite] nf vanity; **vaniteux, -euse** adj vain, conceited

**vanne** [van] nf gate; (fam) dig

**vantard, e** [vɑ̃taʀ, -aʀd] adj boastful

**vanter** [vɑ̃te] /1/ vt to speak highly of, praise; **se vanter** vi to boast, brag; **se ~ de** to pride o.s. on; (péj) to boast of

**vapeur** [vapœʀ] nf steam; (émanation) vapour, fumes pl; **vapeurs** nfpl (bouffées) vapours; **à ~** steam-powered, steam cpd; **cuit à la ~** steamed; **vaporeux, -euse** adj (flou) hazy, misty; (léger) filmy; **vaporisateur** nm spray; **vaporiser** /1/ vt (parfum etc) to spray

**vapoter** [vapɔte] /1/ vi to smoke an e-cigarette

**varappe** [vaʀap] nf rock climbing

**vareuse** [vaʀøz] nf (blouson) pea jacket; (d'uniforme) tunic

**variable** [vaʀjabl] adj variable; (temps, humeur) changeable; (divers: résultats) varied, various

**varice** [vaʀis] nf varicose vein

**varicelle** [vaʀisɛl] nf chickenpox

V

**varié, e** [varje] *adj* varied; *(divers)* various; **hors-d'œuvre ~s** selection of hors d'œuvres

**varier** [varje] /7/ *vi* to vary; *(temps, humeur)* to change ▷ *vt* to vary; **variété** *nf* variety; **spectacle de variétés** variety show

**variole** [varjɔl] *nf* smallpox

**Varsovie** [varsɔvi] *n* Warsaw

**vas** [va] *vb voir* **aller**; **~y!** go on!

**vase** [vaz] *nm* vase ▷ *nf* silt, mud; **vaseux, -euse** *adj* silty, muddy; *(fig: confus)* woolly, hazy; *(: fatigué)* peaky

**vasistas** [vazistas] *nm* fanlight

**vaste** [vast] *adj* vast, immense

**vautour** [votur] *nm* vulture

**vautrer** [votre] /1/: **se vautrer** *vi*: **se ~ dans** to wallow in; **se ~ sur** to sprawl on

**va-vite** [vavit]: **à la ~** *adv* in a rush

**VDQS** *sigle m* (= *vin délimité de qualité supérieure*) label guaranteeing quality of wine

**veau, x** [vo] *nm* (*Zool*) calf; (*Culin*) veal; *(peau)* calfskin

**vécu, e** [veky] *pp de* **vivre**

**vedette** [vədɛt] *nf* (*artiste etc*) star; *(canot)* patrol boat; *(police)* launch

**végétal, e, -aux** [veʒetal, -o] *adj* vegetable ▷ *nm* vegetable, plant; **végétalien, ne** *adj, nm/f* vegan; **végétarien, ne** [veʒetarjɛ̃, -ɛn] *adj, nm/f* vegetarian

**végétation** [veʒetasjɔ̃] *nf* vegetation; **végétations** *nfpl* (*Méd*) adenoids

**véhicule** [veikyl] *nm* vehicle; **~ utilitaire** commercial vehicle

**veille** [vɛj] *nf* (*Psych*) wakefulness; *(jour)*: **la ~** the day before; **la ~ au soir** the previous evening; **la ~ de** the day before; **la ~ de Noël** Christmas Eve; **la ~ du jour de l'An** New Year's Eve; **à la ~ de** on the eve of

**veillée** [veje] *nf* (*soirée*) evening; *(réunion)* evening gathering; **~ (funèbre)** wake

**veiller** [veje] /1/ *vi* to stay ou sit up ▷ *vt* (*malade, mort*) to watch over, sit up with; **~ à** to attend to, see to; **~ à ce que** to make sure that; **~ sur** to keep a watch ou an eye on; **veilleur** *nm*: **veilleur de nuit** night watchman; **veilleuse** *nf* (*lampe*) night light; (*Auto*) sidelight; *(flamme)* pilot light

**veinard, e** [vɛnar, -ard] *nm/f* lucky devil

**veine** [vɛn] *nf* (*Anat, du bois etc*) vein; *(filon)* vein, seam; **avoir de la ~** (*fam*) *(chance)* to be lucky

**véliplanchiste** [veliplɑ̃ʃist] *nm/f* windsurfer

**vélo** [velo] *nm* bike, cycle; **faire du ~** to go cycling; **vélomoteur** *nm* moped

**velours** [v(ə)lur] *nm* velvet; **~ côtelé** corduroy; **velouté, e** *adj* velvety ▷ *nm*: **velouté d'asperges/ de tomates** cream of asparagus/ tomato soup

**velu, e** [vəly] *adj* hairy

**vendange** [vɑ̃dɑ̃ʒ] *nf* (*aussi*: **~s**) grape harvest; **vendanger** /3/ *vi* to harvest the grapes

**vendeur, -euse** [vɑ̃dœr, -øz] *nm/f* shop ou sales assistant ▷ *nm* (*Jur*) vendor, seller

**vendre** [vɑ̃dr] /41/ *vt* to sell; **~ qch à qn** to sell sb sth; **"à ~"** "for sale"

**vendredi** [vɑ̃drədi] *nm* Friday; **V~ saint** Good Friday

**vénéneux, -euse** [venenø, -øz] *adj* poisonous

**vénérien, ne** [venerjɛ̃, -ɛn] *adj* venereal

**vengeance** [vɑ̃ʒɑ̃s] *nf* vengeance no pl, revenge no pl

**venger** [vɑ̃ʒe] /3/ *vt* to avenge; **se venger** *vi* to avenge o.s.; **se ~ de qch** to avenge o.s. for sth; to take one's revenge for sth; **se ~ de qn** to take revenge on sb; **se ~ sur** to take revenge on

**venimeux, -euse** [vənimø, -øz] *adj* poisonous, venomous; *(fig: haineux)* venomous, vicious

**venin** [vanɛ̃] *nm* venom, poison

**venir** [v(ə)niʀ] /22/ *vi* to come; **~ de** to come from; **~ de faire: je viens d'y aller/de le voir** I've just been there/seen him; **s'il vient à pleuvoir** if it should rain; **où veux-tu en ~?** what are you getting at?; **faire ~** *(docteur, plombier)* to call (out)

**vent** [vɑ̃] *nm* wind; **il y a du ~** it's windy; **c'est du ~** it's all hot air; **dans le ~** *(fam)* trendy

**vente** [vɑ̃t] *nf* sale; **la ~** *(activité)* selling; *(secteur)* sales *pl*; **mettre en ~** to put on sale; *(objets personnels)* to put up for sale; **~ aux enchères** auction sale; **~ de charité** jumble *(BRIT)* ou rummage *(US)* sale

**venteux, -euse** [vɑ̃tø, -øz] *adj* windy

**ventilateur** [vɑ̃tilatœʀ] *nm* fan

**ventiler** [vɑ̃tile] /1/ *vt* to ventilate

**ventouse** [vɑ̃tuz] *nf (de caoutchouc)* suction pad

**ventre** [vɑ̃tʀ] *nm (Anat)* stomach; *(fig)* belly; **avoir mal au ~** to have (a) stomach ache

**venu, e** [v(ə)ny] *pp de* **venir** ▷ *adj*: **être mal ~ à** ou **de faire** to have no grounds for doing, be in no position to do; **mal ~** ill-timed; **bien ~** timely

**ver** [vɛʀ] *nm* worm; *(des fruits etc)* maggot; *(du bois)* woodworm *no pl*; **~ luisant** glow-worm; **~ à soie** silkworm; **~ solitaire** tapeworm; **~ de terre** earthworm

**verbe** [vɛʀb] *nm* verb

**verdâtre** [vɛʀdɑtʀ] *adj* greenish

**verdict** [vɛʀdik(t)] *nm* verdict

**verdir** [vɛʀdiʀ] /2/ *vi, vt* to turn green; **verdure** *nf* greenery

**véreux, -euse** [veʀø, -øz] *adj* worm-eaten; *(malhonnête)* shady, corrupt

**verge** [vɛʀʒ] *nf (Anat)* penis

**verger** [vɛʀʒe] *nm* orchard

**verglacé, e** [vɛʀɡlase] *adj* icy, iced-over

**verglas** [vɛʀɡla] *nm (black)* ice

**véridique** [veʀidik] *adj* truthful

**vérification** [veʀifikasjɔ̃] *nf* checking *no pl*, check

**vérifier** [veʀifje] /7/ *vt* to check; *(corroborer)* to confirm, bear out

**véritable** [veʀitabl] *adj* real; *(ami, amour)* true; **un ~ désastre** an absolute disaster

**vérité** [veʀite] *nf* truth; **en ~** to tell the truth

**verlan** [vɛʀlɑ̃] *nm (back)* slang

**vermeil, le** [vɛʀmɛj] *adj* ruby red

**vermine** [vɛʀmin] *nf* vermin *pl*

**vermoulu, e** [vɛʀmuly] *adj* worm-eaten

**verni, e** [vɛʀni] *adj (fam)* lucky; **cuir ~** patent leather

**vernir** [vɛʀniʀ] /2/ *vt (bois, tableau, ongles)* to varnish; *(poterie)* to glaze; **vernis** *nm (enduit)* varnish; glaze; *(fig)* veneer; **vernis à ongles** nail varnish *(BRIT)* ou polish; **vernissage** *nm (d'une exposition)* preview

**vérole** [veʀɔl] *nf (variole)* smallpox

**verre** [vɛʀ] *nm* glass; *(de lunettes)* lens *sg*; **boire** ou **prendre un ~** to have a drink; **~s de contact** contact lenses; **verrière** *nf (grand vitrage)* window; *(toit vitré)* glass roof

**verrou** [veʀu] *nm (targette)* bolt; **mettre qn sous les ~s** to put sb behind bars; **verrouillage** *nm* locking mechanism; **verrouillage central** ou **centralisé** central locking; **verrouiller** /1/ *vt* to bolt; to lock

**verrue** [veʀy] *nf* wart

**vers** [vɛʀ] *nm* line ▷ *nmpl (poésie)* verse *sg* ▷ *prép (en direction de)* toward(s); *(près de)* around (about); *(temporel)* about, around

**versant** [vɛʀsɑ̃] *nm* slopes *pl*, side

**versatile** [vɛʀsatil] *adj* fickle, changeable

**verse** [vɛʀs] **à ~** *adv*: **il pleut à ~** it's pouring (with rain)

**Verseau** [vɛRSO] *nm*: **le ~** Aquarius

**versement** [vɛRsəmɑ̃] *nm* payment; **en trois ~s** in three instalments

**verser** [vɛRse] /1/ *vt* (liquide, grains) to pour; (larmes, sang) to shed; (argent) to pay; **~ sur un compte** to pay into an account

**version** [vɛRsjɔ̃] *nf* version; (Scol) translation (into the mother tongue); **film en ~ originale** film in the original language

**verso** [vɛRso] *nm* back; **voir au ~** see over(leaf)

**vert, e** [vɛR, vɛRt] *adj* green; (vin) young; (vigoureux) sprightly ⊳ *nm* green; **les V~s** (Pol) the Greens

**vertèbre** [vɛRtɛbR] *nf* vertebra

**vertement** [vɛRtəmɑ̃] *adv* (réprimander) sharply

**vertical, e, -aux** [vɛRtikal, -o] *adj* vertical; **verticale** *nf* vertical; **à la verticale** vertically; **verticalement** *adv* vertically

**vertige** [vɛRtiʒ] *nm* (peur du vide) vertigo; (étourdissement) dizzy spell; (fig) fever; **vertigineux, -euse** *adj* breathtaking

**vertu** [vɛRty] *nf* virtue; **en ~ de** in accordance with; **vertueux, -euse** *adj* virtuous

**verve** [vɛRv] *nf* witty eloquence; **être en ~** to be in brilliant form

**verveine** [vɛRvɛn] *nf* (Bot) verbena, vervain; (infusion) verbena tea

**vésicule** [vezikyl] *nf* vesicle; **~ biliaire** gall-bladder

**vessie** [vesi] *nf* bladder

**veste** [vɛst] *nf* jacket; **~ droite/croisée** single/double-breasted jacket

**vestiaire** [vɛstjɛR] *nm* (au théâtre etc) cloakroom; (de stade etc) changing-room (BRIT), locker-room (US)

**vestibule** [vɛstibyl] *nm* hall

**vestige** [vɛstiʒ] *nm* relic; (fig) vestige; **vestiges** *nmpl* (d'une ville) remains

**vestimentaire** [vɛstimɑ̃tɛR] *adj* (détail) of dress; (élégance) sartorial; **dépenses ~s** clothing expenditure

**veston** [vɛstɔ̃] *nm* jacket

**vêtement** [vɛtmɑ̃] *nm* garment, item of clothing; **vêtements** *nmpl* clothes

**vétérinaire** [veteRinɛR] *nm/f* vet, veterinary surgeon

**vêtir** [vetiR] /20/ *vt* to clothe, dress

**vêtu, e** [vety] *pp de* **vêtir** ⊳ *adj*: **~ de** dressed in, wearing

**vétuste** [vetyst] *adj* ancient, timeworn

**veuf, veuve** [vœf, vœv] *adj* widowed ⊳ *nm* widower ⊳ *nf* widow

**vexant, e** [vɛksɑ̃, -ɑ̃t] *adj* (contrariant) annoying; (blessant) upsetting

**vexation** [vɛksasjɔ̃] *nf* humiliation

**vexer** [vɛkse] /1/ *vt* to hurt; **se vexer** *vi* to be offended

**viable** [vjabl] *adj* viable; (économie, industrie etc) sustainable

**viande** [vjɑ̃d] *nf* meat; **je ne mange pas de ~** I don't eat meat

**vibrer** [vibRe] /1/ *vi* to vibrate; (son, voix) to be vibrant; (fig) to be stirred; **faire ~** to (cause to) vibrate; to stir, thrill

**vice** [vis] *nm* vice; (défaut) fault; **~ de forme** legal flaw ou irregularity

**vicié, e** [visje] *adj* (air) polluted, tainted; (Jur) invalidated

**vicieux, -euse** [visjø, -øz] *adj* (pervers) dirty(-minded); (méchant) nasty ⊳ *nm/f* lecher

**vicinal, e, -aux** [visinal, -o] *adj*: **chemin ~** byroad, byway

**victime** [viktim] *nf* victim; (d'accident) casualty

**victoire** [viktwaR] *nf* victory

**victuailles** [viktɥaj] *nfpl* provisions

**vidange** [vidɑ̃ʒ] *nf* (d'un fossé, réservoir) emptying; (Auto) oil change; (de lavabo: bonde) waste outlet; **vidanges** *nfpl* (matières) sewage *sg*; **vidanger** /3/ *vt* to empty

**vide** [vid] *adj* empty ▷ *nm* (*Physique*) vacuum; (*espace*) (empty) space, gap; (*futilité, néant*) void; **emballé sous ~** vacuum-packed; **avoir peur du ~** to be afraid of heights; **à ~** (*sans occupants*) empty; (*sans charge*) unladen

**vidéo** [video] *nf* video; **cassette ~** video cassette; **vidéoclip** *nm* music video; **vidéoconférence** *nf* videoconference

**vide-ordures** [vidɔʀdyʀ] *nm inv* (rubbish) chute

**vider** [vide] /1/ *vt* to empty; (*Culin: volaille, poisson*) to gut, clean out; **se vider** *vi* to empty; **~ les lieux** to quit *ou* vacate the premises; **videur** *nm* (*de boîte de nuit*) bouncer

**vie** [vi] *nf* life; **être en ~** to be alive; **sans ~** lifeless; **à ~** for life; **que faites-vous dans la ~?** what do you do?

**vieil** [vjɛj] *adj m voir* **vieux**; **vieillard** *nm* old man; **vieille** *adj f, nf voir* **vieux**; **vieilleries** *nfpl* old things *ou* stuff *sg*; **vieillesse** *nf* old age; **vieillir** /2/ *vi* (*prendre de l'âge*) to grow old; (*population, vin*) to age; (*doctrine, auteur*) to become dated ▷ *vt* to age; **se vieillir** to make o.s. older; **vieillissement** *nm* growing old; ageing

**Vienne** [vjɛn] *n* Vienna

**viens** [vjɛ̃] *vb voir* **venir**

**vierge** [vjɛʀʒ] *adj* virgin; (*page*) clean, blank ▷ *nf* virgin; (*signe*): **la V~** Virgo

**Viêtnam, Vietnam** [vjɛtnam] *nm*: **le ~** Vietnam; **vietnamien, ne** *adj* Vietnamese ▷ *nm/f*: **Vietnamien, ne** Vietnamese

**vieux (vieil), vieille** [vjø, vjɛj] *adj* old ▷ *nm/f* old man/woman ▷ *nmpl*: **les ~** the old, old people; **un petit ~** a little old man; **mon ~/ma vieille** (*fam*) old man/girl; **prendre un coup de ~** to put years on; **~ garçon** bachelor; **~ jeu** *adj inv* old-fashioned

**vif, vive** [vif, viv] *adj* (*animé*) lively; (*alerte*) sharp; (*lumière, couleur*) brilliant; (*air*) crisp; (*vent, émotion*) keen; (*fort: regret, déception*) great, deep; (*vivant*): **brûlé ~** burnt alive; **de vive voix** personally; **avoir l'esprit ~** to be quick-witted; **piquer qn au ~** to cut sb to the quick; **à ~** (*plaie*) open; **avoir les nerfs à ~** to be on edge

**vigne** [viɲ] *nf* (*plante*) vine; (*plantation*) vineyard; **vigneron** *nm* wine grower

**vignette** [viɲɛt] *nf* (*pour voiture*) ≈ (road) tax disc (BRIT), ≈ license plate sticker (US); (*sur médicament*) price label (*on medicines for reimbursement by Social Security*)

**vignoble** [viɲɔbl] *nm* (*plantation*) vineyard; (*vignes d'une région*) vineyards *pl*

**vigoureux, -euse** [viguʀø, -øz] *adj* vigorous, robust

**vigueur** [vigœʀ] *nf* vigour; **être/ entrer en ~** to be in/come into force; **en ~** current

**vilain, e** [vilɛ̃, -ɛn] *adj* (*laid*) ugly; (*affaire, blessure*) nasty; (*pas sage: enfant*) naughty; **~ mot** bad word

**villa** [vila] *nf* (detached) house; **~ en multipropriété** time-share villa

**village** [vilaʒ] *nm* village; **villageois, e** *adj* village *cpd* ▷ *nm/f* villager

**ville** [vil] *nf* town; (*importante*) city; (*administration*): **la ~** ≈ the (town) council; **~ d'eaux** spa; **~ nouvelle** new town

**vin** [vɛ̃] *nm* wine; **avoir le ~ gai/ triste** to get happy/miserable after a few drinks; **~ d'honneur** reception (*with wine and snacks*); **~ ordinaire** *ou* **de table** table wine; **~ de pays** local wine

**vinaigre** [vinɛgʀ] *nm* vinegar; **vinaigrette** *nf* vinaigrette, French dressing

**vindicatif, -ive** [vɛ̃dikatif, -iv] *adj* vindictive

**vingt** [vɛ̃, vɛ̃t] (2nd pron used when followed by a vowel) num twenty; **~-quatre heures sur ~-quatre** twenty-four hours a day, round the clock; **vingtaine** nf: **une vingtaine (de)** around twenty, twenty or so; **vingtième** num twentieth

**vinicole** [vinikɔl] adj wine cpd; wine-growing

**vinyle** [vinil] nm vinyl

**viol** [vjɔl] nm (d'une femme) rape; (d'un lieu sacré) violation

**violacé, e** [vjɔlase] adj purplish, mauvish

**violemment** [vjɔlamɑ̃] adv violently

**violence** [vjɔlɑ̃s] nf violence

**violent, e** [vjɔlɑ̃, -ɑ̃t] adj violent; (remède) drastic

**violer** [vjɔle] /1/ vt (femme) to rape; (sépulture) to desecrate; (loi, traité) to violate

**violet, te** [vjɔlɛ, -ɛt] adj, nm purple, mauve ▷ nf (fleur) violet

**violon** [vjɔlɔ̃] nm violin; (fam: prison) lock-up; **~ d'Ingres** (artistic) hobby; **violoncelle** nm cello; **violoniste** nm/f violinist

**virage** [viraʒ] nm (d'un véhicule) turn; (d'une route, piste) bend

**viral, e, -aux** [viral, -o] adj (aussi Inform) viral

**virée** [vire] nf run; (à pied) walk; (longue) hike

**virement** [virmɑ̃] nm (Comm) transfer

**virer** [vire] /1/ vt (Comm) to transfer; (fam: renvoyer) to sack ▷ vi to turn; (Chimie) to change colour (BRIT) ou color (US); **~ au bleu** to turn blue; **~ de bord** to tack

**virevolter** [virvɔlte] /1/ vi to twirl around

**virgule** [virɡyl] nf comma; (Math) point

**viril, e** [viril] adj (propre à l'homme) masculine; (énergique, courageux) manly, virile

**virtuel, le** [virtɥɛl] adj potential; (théorique) virtual

**virtuose** [virtɥoz] nm/f (Mus) virtuoso; (gén) master

**virus** [virys] nm virus

**vis** vb [vi] voir **voir, vivre** ▷ nf [vis] screw

**visa** [viza] nm (sceau) stamp; (validation de passeport) visa

**visage** [vizaʒ] nm face

**vis-à-vis** [vizavi]: **~ de** prép towards; **en ~** facing ou opposite each other

**visée** [vize] nf aiming; **visées** nfpl (intentions) designs

**viser** [vize] /1/ vi to aim ▷ vt to aim at; (concerner) to be aimed ou directed at; (apposer un visa sur) to stamp, visa; **~ à qch/faire** to aim at sth/at doing ou to do

**visibilité** [vizibilite] nf visibility

**visible** [vizibl] adj visible; (disponible): **est-il ~?** can he see me?, will he see visitors?

**visière** [vizjɛr] nf (de casquette) peak; (qui s'attache) eyeshade

**vision** [vizjɔ̃] nf vision; (sens) (eye)sight, vision; (fait de voir): **la ~ de** the sight of; **visionneuse** nf viewer

**visiophone** [vizjɔfɔn] nm videophone

**visite** [vizit] nf visit; **~ médicale** medical examination; **~ accompagnée** ou **guidée** guided tour; **faire une ~ à qn** to call on sb, pay sb a visit; **rendre ~ à qn** to visit sb, pay sb a visit; **être en ~ (chez qn)** to be visiting (sb); **avoir de la ~** to have visitors; **heures de ~** (hôpital, prison) visiting hours

**visiter** [vizite] /1/ vt to visit; **visiteur, -euse** nm/f visitor

**vison** [vizɔ̃] nm mink

**visser** [vise] /1/ vt: **~ qch** (fixer, serrer) to screw sth on

**visuel, le** [vizɥɛl] adj visual

**vital, e, -aux** [vital, -o] adj vital

**vitamine** [vitamin] nf vitamin

**vite** [vit] adv (rapidement) quickly, fast; (sans délai) quickly; soon; **~!** quick!; **faire ~** to be quick

**vitesse** [vitɛs] *nf* speed; (*Auto: dispositif*) gear; **prendre de la ~** to pick up *ou* gather speed; **à toute ~** at full *ou* top speed; **en ~** quickly

■ **LIMITE DE VITESSE**

The speed limit in France is 50 km/h in built-up areas, 90 km/h on main roads, and 130 km/h on motorways (110 km/h when it is raining).

**viticulteur** [vitikyltœr] *nm* wine grower

**vitrage** [vitraʒ] *nm*: **double ~** double glazing

**vitrail, -aux** [vitraj, -o] *nm* stained-glass window

**vitre** [vitr] *nf* (window) pane; (*de portière, voiture*) window; **vitré, e** *adj* glass *cpd*

**vitrine** [vitrin] *nf* (shop) window; (*petite armoire*) display cabinet; **en ~** in the window

**vivable** [vivabl] *adj* (*personne*) livable-with; (*maison*) fit to live in

**vivace** [vivas] *adj* (*arbre, plante*) hardy; (*fig*) enduring

**vivacité** [vivasite] *nf* liveliness, vivacity

**vivant, e** [vivã, -ãt] *adj* (*qui vit*) living, alive; (*animé*) lively; (*preuve, exemple*) living ▷ *nm*: **du ~ de qn** in sb's lifetime; **les ~s et les morts** the living and the dead

**vive** [viv] *adj f voir* **vif** ▷ *vb voir* **vivre** ▷ *excl*: **~ le roi!** long live the king!; **vivement** *adv* sharply ▷ *excl*: **vivement les vacances!** roll on the holidays!

**vivier** [vivje] *nm* (*au restaurant etc*) fish tank; (*étang*) fishpond

**vivifiant, e** [vivifjã, -ãt] *adj* invigorating

**vivoter** [vivote] /1/ *vi* (*personne*) to scrape a living, get by; (*fig: affaire etc*) to struggle along

**vivre** [vivr] /46/ *vi, vt* to live; **vivres** *nmpl* provisions, food supplies; **il vit encore** he is still alive; **se laisser ~** to take life as it comes; **ne plus ~** (*être anxieux*) to live on one's nerves; **il a vécu** (*eu une vie aventureuse*) he has seen life; **être facile à ~** to be easy to get on with; **faire ~ qn** (*pourvoir à sa subsistance*) to provide (a living) for sb; **~ de** to live on

**vlan** [vlã] *excl* wham!, bang!

**VO** *sigle f* = **version originale**; **voir un film en VO** to see a film in its original language

**vocabulaire** [vɔkabylɛr] *nm* vocabulary

**vocation** [vɔkasjɔ̃] *nf* vocation, calling

**vœu, x** [vø] *nm* wish; (*à Dieu*) vow; **faire ~ de** to take a vow of; **avec tous nos ~x** with every good wish *ou* our best wishes

**vogue** [vɔg] *nf* fashion, vogue; **en ~** in fashion, in vogue

**voici** [vwasi] *prép* (*pour introduire, désigner*) here is (+ *sg*); here are (+ *pl*); **et ~ que ...** and now it (*ou* he) ...; *voir aussi* **voilà**

**voie** [vwa] *nf* way; (*Rail*) track, line; (*Auto*) lane; **par ~ buccale** *ou* **orale** orally; **être en bonne ~** to be shaping *ou* going well; **mettre qn sur la ~** to put sb on the right track; **être en ~ d'achèvement/de rénovation** to be nearing completion/in the process of renovation; **à ~ unique** single-track; **route à deux/trois ~s** two-/three-lane road; **~ express** expressway; **~ ferrée** track; railway line (*BRIT*), railroad (*US*); **~ de garage** (*Rail*) siding; **la ~ lactée** the Milky Way; **la ~ publique** the public highway

**voilà** [vwala] *prép* (*en désignant*) there is (+ *sg*); there are (+ *pl*); **les ~** *ou* **voici** here *ou* there they are; **en ~** *ou* **voici un** here's one, there's one; **voici mon frère et ~ ma sœur** this is my brother and that's my sister; **~ ou voici deux ans** two years ago; **~ ou voici deux ans que** it's two years since; **et ~!** there we are!; **~ tout** that's all; **"~ ou voici"** (en offrant etc) "there ou here you are"; **tiens! ~ Paul** look! there's Paul

**voile** [vwal] nm veil; (tissu léger) net ▷ nf sail; (sport) sailing; **voiler** /1/ vt to veil; (fausser: roue) to buckle; (: bois) to warp; **se voiler** vi (lune, regard) to mist over; (voix) to become husky; (roue, disque) to buckle; (planche) to warp; **voilier** nm sailing ship; (de plaisance) sailing boat; **voiture** nf (de voilier) sails pl

**voir** [vwaR] /30/ vt, vi to see; **se voir: cela se voit** (c'est visible) that's obvious, it shows; **faire ~ qch à qn** to show sb sth; **en faire ~ à qn** (fig) to give sb a hard time; **ne pas pouvoir ~ qn** not to be able to stand sb; **voyons!** let's see now!; **ça n'a rien à ~ avec lui** that has nothing to do with him

**voire** [vwaR] adv or even

**voisin, e** [vwazɛ̃, -in] adj (proche) neighbouring; next; (ressemblant) connected ▷ nm/f neighbour; **voisinage** nm (proximité) proximity; (environs) vicinity; (quartier, voisins) neighbourhood

**voiture** [vwatyR] nf car; (wagon) coach, carriage; **~ de course** racing car; **~ de sport** sports car

**voix** [vwa] nf voice; (Pol) vote; **à haute ~** aloud; **à ~ basse** in a low voice; **à deux/quatre ~** (Mus) in two/four parts; **avoir ~ au chapitre** to have a say in the matter

**vol** [vɔl] nm (trajet, voyage, groupe d'oiseaux) flight; (mode d'appropriation) theft, stealing; (larcin) theft; **à ~ d'oiseau** as the crow flies; **au ~: attraper qch au ~** to catch sth as it flies past; **en ~** in flight; **~ libre** hang-gliding; **~ à main armée** armed

robbery; **~ régulier** scheduled flight; **~ à voile** gliding

**volage** [vɔlaʒ] adj fickle

**volaille** [vɔlaj] nf (oiseaux) poultry pl; (viande) poultry no pl; (oiseau) fowl

**volant, e** [vɔlɑ̃, -ɑ̃t] adj flying ▷ nm (d'automobile) (steering) wheel; (de commande) wheel; (objet lancé) shuttlecock; (bande de tissu) flounce

**volcan** [vɔlkɑ̃] nm volcano

**volée** [vɔle] nf (Tennis) volley; **à la ~: rattraper à la ~** to catch in midair; **à toute ~** (sonner les cloches) vigorously; (lancer un projectile) with full force

**voler** [vɔle] /1/ vi (avion, oiseau, fig) to fly; (voleur) to steal ▷ vt (objet) to steal; (personne) to rob; **~ qch à qn** to steal sth from sb; **on m'a volé mon portefeuille** my wallet (BRIT) ou billfold (US) has been stolen; **il ne l'a pas volé!** he asked for it!

**volet** [vɔlɛ] nm (de fenêtre) shutter; (Aviat) flap; (de feuillet, document) section; (fig: d'un plan) facet

**voleur, -euse** [vɔlœR, -øz] nm/f thief ▷ adj thieving; **"au ~!"** "stop thief!"

**volley** [vɔlɛ], **volley-ball** [vɔlɛbol] nm volleyball

**volontaire** [vɔlɔ̃tɛR] adj (acte, activité) voluntary; (délibéré) deliberate; (caractère, personne: décidé) self-willed ▷ nm/f volunteer

**volonté** [vɔlɔ̃te] nf (faculté de vouloir) will; (énergie, fermeté) will(power); (souhait, désir) wish; **se servir/boire à ~** to take/drink as much as one likes; **bonne ~** goodwill, willingness; **mauvaise ~** lack of goodwill, unwillingness

**volontiers** [vɔlɔ̃tje] adv (avec plaisir) willingly, gladly; (habituellement, souvent) readily, willingly; **"~"** "with pleasure"

**volt** [vɔlt] nm volt

**volte-face** [vɔltəfas] nf inv: **faire ~** to do an about-turn

**voltige** [vɔltiʒ] nf (Équitation) trick riding; (au cirque) acrobatics sg;

**voltiger** [vɔltiʒe] /3/ vi to flutter (about)

**volubile** [vɔlybil] adj voluble

**volume** [vɔlym] nm volume; (Géom: solide) solid; **volumineux, -euse** adj voluminous, bulky

**volupté** [vɔlypte] nf sensual delight ou pleasure

**vomi** [vɔmi] nm vomit; **vomir** /2/ vi to vomit, be sick ▷ vt to vomit, bring up; (fig) to belch out, spew out; (exécrer) to loathe, abhor

**vorace** [vɔʀas] adj voracious

**vos** [vo] adj poss voir **votre**

**vote** [vɔt] nm vote; **~ par correspondance/procuration** postal/proxy vote; **voter** [vɔte] /1/ vi to vote ▷ vt (loi, décision) to vote for

**votre** [vɔtʀ] (pl **vos**) adj poss your

**vôtre** [votʀ] pron: **le ~, la ~, les ~s** yours; **les ~s** (fig) your folks; **à la ~** (toast) your (good) health!

**vouer** [vwe] /1/ vt: **~ sa vie/son temps à** (étude, cause etc) to devote one's life/time to; **~ une haine/ amitié éternelle à qn** to swear undying hatred/friendship to sb

⊙  **MOT-CLÉ**

**vouloir** [vulwaʀ] /31/ vt 1 (exiger, désirer) to want; **vouloir faire/ que qn fasse** to want to do/sb to do; **voulez-vous du thé?** would you like ou do you want some tea? **que veut-il?** what does he want with me? **sans le vouloir** (involontairement) without meaning to, unintentionally; **je voudrais ceci/faire** I would ou I'd like this/to do; **le hasard a voulu que ...** as fate would have it, ...; **la tradition veut que ...** tradition demands that

2 (consentir): **je veux bien** (bonne volonté) I'll be happy to; (concession) fair enough, that's fine; **oui, si on veut** (en quelque sorte) yes, if you like; **veuillez attendre** please

wait; **veuillez agréer ...** (formule épistolaire) yours faithfully

3 : **en vouloir à qn** to bear sb a grudge; **s'en vouloir (de)** to be annoyed with o.s. (for); **il en veut à mon argent** he's after my money

4 : **vouloir de: l'entreprise ne veut plus de lui** the firm doesn't want him any more; **elle ne veut pas de son aide** she doesn't want his help

5 : **vouloir dire** to mean

▷ nm: **le bon vouloir de qn** sb's goodwill; sb's pleasure

**voulu, e** [vuly] pp de **vouloir** ▷ adj (requis) required, requisite; (délibéré) deliberate, intentional

**vous** [vu] pron you; (objet indirect) (to) you; (réfléchi: sg) yourself; (: pl) yourselves; (réciproque) each other ▷ nm: **employer le ~** (vouvoyer) to use the "vous" form; **~-même** yourself; **~-mêmes** yourselves

**vouvoyer** [vuvwaje] /8/ vt: **~ qn** to address sb as "vous"

**voyage** [vwajaʒ] nm journey, trip; (fait de voyager): **le ~** travel(ling); **partir/être en ~** to go off/be away on a journey ou trip; **faire bon ~** to have a good journey; **~ d'agrément/ d'affaires** pleasure/business trip; **~ de noces** honeymoon; **~ organisé** package tour

**voyager** [vwajaʒe] /3/ vi to travel; **voyageur, -euse** nm/f traveller; (passager) passenger; **voyageur (de commerce)** commercial traveller

**voyant, e** [vwajɑ̃, -ɑ̃t] adj (couleur) loud, gaudy ▷ nm (signal) (warning) light

**voyelle** [vwajɛl] nf vowel

**voyou** [vwaju] nm hoodlum

**vrac** [vʀak]: **en ~** adv loose; (Comm) in bulk

**vrai, e** [vʀɛ] adj (véridique: récit, faits) true; (non factice, authentique) real; **à ~ dire** to tell the truth; **vraiment** adv really;

**vraisemblable** *adj* likely; *(excuse)* plausible; **vraisemblablement** *adv* in all likelihood, very likely; **vraisemblance** *nf* likelihood; *(romanesque)* verisimilitude

**vrombir** [vʀɔ̃biʀ] /2/ *vi* to hum

**VRP** *sigle m* (= *voyageur, représentant, placier*) (sales) rep *(fam)*

**VTT** *sigle m* (= *vélo tout-terrain*) mountain bike

**vu¹** [vy] *prép* (*en raison de*) in view of; **vu que** in view of the fact that

**vu², e** [vy] *pp de* **voir** ▷ *adj*: **bien/mal vu** (*personne*) well/poorly thought of

**vue** [vy] *nf* (*sens, faculté*) (eye)sight; (*panorama, image, photo*) view; **la ~ de** (*spectacle*) the sight of; **vues** *nfpl* (*idées*) views; (*dessein*) designs; **perdre la ~** to lose one's (eye)sight; **perdre de ~** to lose sight of; **hors de ~** out of sight; **à première ~** at first sight; **tirer à ~** to shoot on sight; **à ~ d'œil** visibly; **avoir ~ sur** to have a view of; **en ~** (*visible*) in sight; (*célèbre*) in the public eye; **en ~ de faire** with a view to doing; **~ d'ensemble** overall view

**vulgaire** [vylgɛʀ] *adj* (*grossier*) vulgar, coarse; (*trivial*) commonplace, mundane; (*péj: quelconque*): **de ~s touristes/chaises de cuisine** common tourists/kitchen chairs; (*Bot, Zool: non latin*) common; **vulgariser** /1/ *vt* to popularize

**vulnérable** [vylneʀabl] *adj* vulnerable

# W

**wagon** [vagɔ̃] *nm* (*de voyageurs*) carriage; (*de marchandises*) truck, wagon; **wagon-lit** *nm* sleeper, sleeping car; **wagon-restaurant** *nm* restaurant *ou* dining car

**wallon, ne** [walɔ̃, -ɔn] *adj* Walloon ▷ *nm* (*Ling*) Walloon ▷ *nm/f*: **W~, ne** Walloon

**watt** [wat] *nm* watt

**WC** [vese] *nmpl* toilet *sg*

**Web** [wɛb] *nm inv*: **le ~** the (World Wide) Web; **webcam** *nf* webcam; **webmaster, webmestre** *nm/f* webmaster

**week-end** [wikɛnd] *nm* weekend

**western** [wɛstɛʀn] *nm* western

**whisky** [wiski] (*pl* **whiskies**) *nm* whisky

**wifi** [wifi] *nm inv* wifi

**WWW** *sigle m* (= *World Wide Web*) WWW

**xénophobe** [gzenɔfɔb] *adj*
 xenophobic ▷ *nm/f* xenophobe
**xérès** [gzerɛs] *nm* sherry
**xylophone** [gzilɔfɔn] *nm* xylophone

**y** [i] *adv* (*à cet endroit*) there; (*dessus*) on
 it (*ou* them); (*dedans*) in it (*ou* them)
 ▷ *pron* (about *ou* on *ou* of) it (*vérifier la*
 *syntaxe du verbe employé*); **j'y pense**
 I'm thinking about it; **ça y est!** that's
 it!; *voir aussi* **aller, avoir**
**yacht** [jɔt] *nm* yacht
**yaourt** [jauʀt] *nm* yogurt; **~ nature/**
 **aux fruits** plain/fruit yogurt
**yeux** [jø] *nmpl de* **œil**
**yoga** [jɔga] *nm* yoga
**yoghourt** [jɔguʀt] *nm* = **yaourt**
**yougoslave** [jugɔslav] *adj*
 Yugoslav(ian) ▷ *nm/f*: **Y~**
 Yugoslav(ian)
**Yougoslavie** [jugɔslavi] *nf*: **la**
 **~** Yugoslavia; **l'ex-~** the former
 Yugoslavia

x
y

# Z

**zone** [zon] *nf* zone, area;
  (*quartiers pauvres*): **la ~** the slums;
  **~ bleue** ≈ restricted parking area;
  **~ industrielle (ZI)** industrial estate
**zoo** [zoo] *nm* zoo
**zoologie** [zɔɔlɔʒi] *nf* zoology;
  **zoologique** *adj* zoological
**zut** [zyt] *excl* dash (it)! (BRIT), nuts!
  (US)

**zapper** [zape] /1/ *vi* to zap
**zapping** [zapiŋ] *nm*: **faire du ~** to
  flick through the channels
**zèbre** [zebʀ] *nm* (*Zool*) zebra; **zébré, e**
  *adj* striped, streaked
**zèle** [zɛl] *nm* zeal; **faire du ~** (*péj*) to
  be over-zealous; **zélé, e** *adj* zealous
**zéro** [zeʀo] *nm* zero, nought (BRIT);
  **au-dessous de ~** below zero
  (Centigrade), below freezing; **partir
  de ~** to start from scratch; **trois
  (buts) à ~** three (goals) to) nil
**zeste** [zɛst] *nm* peel, zest
**zézayer** [zezeje] /8/ *vi* to have a lisp
**zigzag** [zigzag] *nm* zigzag; **zigzaguer**
  /1/ *vi* to zigzag (along)
**Zimbabwe** [zimbabwe] *nm*: **le ~**
  Zimbabwe
**zinc** [zɛ̃g] *nm* (*Chimie*) zinc
**zipper** [zipe] /1/ *vt* (*Inform*) to zip
**zizi** [zizi] *nm* (*fam*) willy
**zodiaque** [zɔdjak] *nm* zodiac
**zona** [zona] *nm* shingles *sg*

# Phrasefinder

# Phrases utiles

# TOPICS | THÈMES

# TOPICS | THÈMES

| | |
|---|---|
| Hello! | Bonjour ! |
| Good evening! | Bonsoir ! |
| Good night! | Bonne nuit ! |
| Goodbye! | Au revoir ! |
| What's your name? | Comment vous appelez-vous ? |
| My name is ... | Je m'appelle ... |
| This is ... | Je vous présente ... |
| my wife. | ma femme. |
| my husband. | mon mari. |
| my partner. | mon compagnon/ |
| | ma compagne. |
| Where are you from? | D'où venez-vous ? |
| I come from ... | Je suis de ... |
| How are you? | Comment allez-vous ? |
| Fine, thanks. | Bien, merci. |
| And you? | Et vous ? |
| Do you speak French? | Parlez-vous français ? |
| I don't understand English. | Je ne comprends pas l'anglais. |
| Thanks very much! | Merci beaucoup ! |
| Pleasure to meet you. | Enchanté(e) ! |
| I'm French. | Je suis français(e). |
| What do you do for a living? | Que faites-vous dans la vie ? |

## Asking the Way | Demander son chemin

| | |
|---|---|
| **Where is the nearest ...?** | Où est le/la ... le/la plus proche ? |
| **How do I get to ...?** | Comment est-ce qu'on va à/au/à la ... ? |
| **Is it far?** | Est-ce que c'est loin ? |
| **How far is it from here?** | C'est à combien de minutes/ de mètres d'ici ? |
| **Is this the right way to ...?** | C'est la bonne direction pour aller à/au/à la ... ? |
| **I'm lost.** | Je suis perdu(e). |
| **Can you show me on the map?** | Pouvez-vous me le montrer sur la carte ? |
| **You have to turn round.** | Vous devez faire demi-tour. |
| **Go straight on.** | Allez tout droit. |
| **Turn left/right.** | Tournez à gauche/à droite. |
| **Take the second street on the left/right.** | Prenez la deuxième rue à gauche/à droite. |

## Car Hire | Location de voitures

| | |
|---|---|
| **I want to hire ...** | Je voudrais louer ... |
| *a car.* | *une voiture.* |
| *a moped.* | *une mobylette.* |
| *a motorbike.* | *une moto.* |
| *a (motor) scooter.* | *un scooter.* |
| **How much is it for ...?** | C'est combien pour ... ? |
| *one day* | *une journée* |
| *a week* | *une semaine* |
| **What is included in the price?** | Qu'est-ce qui est inclus dans le prix ? |
| **I'd like a child seat for a ...-year-old child.** | Je voudrais un siège-auto pour un enfant de ... ans. |
| **What do I do if I have an accident/if I break down?** | Que dois-je faire en cas d'accident/de panne ? |

| Breakdowns | Pannes |
|---|---|
| My car has broken down. | Je suis en panne. |
| Where is the nearest garage? | Où est le garage le plus proche ? |
| The exhaust | Le pot d'échappement |
| The gearbox | La boîte de vitesses |
| The windscreen | Le pare-brise |
| ... is broken. | ... est cassé(e). |
| The brakes | Les freins |
| The headlights | Les phares |
| The windscreen wipers | Les essuie-glaces |
| ... are not working. | ... ne fonctionnent pas. |
| The battery is flat. | La batterie est à plat. |
| The car won't start. | Le moteur ne démarre pas. |
| The engine is overheating. | Le moteur surchauffe. |
| I have a flat tyre. | J'ai un pneu à plat. |
| Can you repair it? | Pouvez-vous le réparer ? |
| When will the car be ready? | Quand est-ce que la voiture sera prête ? |

| Parking | Stationnement |
|---|---|
| Can I park here? | Je peux me garer ici ? |
| Do I need to buy a parking ticket? | Est-ce qu'il faut acheter un ticket de stationnement ? |
| Where is the ticket machine? | Où est l'horodateur ? |
| The ticket machine isn't working. | L'horodateur ne fonctionne pas. |

| Petrol Station | Station-service |
|---|---|
| Where is the nearest petrol station? | Où est la station-service la plus proche ? |
| Fill it up, please. | Le plein, s'il vous plaît. |

| | |
|---|---|
| 30 euros' worth of... | 30 euros de ... |
| *diesel.* | *gazole.* |
| *(unleaded) economy petrol.* | *sans plomb.* |
| *premium unleaded.* | *super.* |
| **Pump number ..., please.** | Pompe numéro ..., s'il vous plaît. |
| **Please check ...** | Pouvez-vous vérifier ... |
| *the tyre pressure.* | *la pression des pneus ?* |
| *the oil.* | *le niveau d'huile ?* |
| *the water.* | *le niveau d'eau ?* |

## Accidents | Accidents

| | |
|---|---|
| **Please call ...** | Appelez ..., s'il vous plaît. |
| *the police.* | *la police* |
| *an ambulance.* | *une ambulance* |
| **Here are my insurance details.** | Voici les références de mon assurance. |
| **Give me your insurance details, please.** | Donnez-moi les références de votre assurance , s'il vous plaît. |
| **Can you be a witness for me?** | Pouvez-vous me servir de témoin ? |
| **You were driving too fast.** | Vous conduisiez trop vite. |
| **It wasn't your right of way.** | Vous n'aviez pas la priorité. |

## Travelling ... by Car | Voyager ... en voiture

| | |
|---|---|
| **What's the best route to ...?** | Quel chemin prendre pour aller à ... ? |
| **I'd like a motorway tax sticker ...** | Je voudrais un badge de télépéage ... |
| *for a week.* | *pour une semaine.* |
| *for a year.* | *pour un an.* |
| **Do you have a road map of this area?** | Avez-vous une carte de la région ? |

## By Bike | À vélo

| | |
|---|---|
| Where is the cycle path to ...? | Où est la piste cyclable pour aller à ... ? |
| Can I keep my bike here? | Est-ce que je peux laisser mon vélo ici ? |
| My bike has been stolen. | On m'a volé mon vélo. |
| Where is the nearest bike repair shop? | Où se trouve le réparateur de vélos le plus proche ? |
| *The brakes* | *Les freins* |
| *The gears* | *Les vitesses* |
| ... aren't working. | ... ne marchent pas. |
| The chain is broken. | La chaîne est cassée. |
| I've got a flat tyre. | J'ai une crevaison. |
| I need a puncture repair kit. | J'ai besoin d'un kit de réparation. |

## By Train | En train

| | |
|---|---|
| How much is ...? | Combien coûte ... ? |
| *a single* | *l'aller simple* |
| *a return* | *l'aller-retour* |
| A single to ..., please. | Un aller simple pour ..., s'il vous plaît. |
| I would like to travel first/ second class. | Je voudrais voyager en première/seconde classe. |
| Two returns to ..., please. | Deux allers-retours pour ..., s'il vous plaît. |
| Is there a reduction ...? | Est-ce qu'il y a un tarif réduit ... ? |
| *for students* | *pour les étudiants* |
| *for pensioners* | *pour les seniors* |
| *for children* | *pour les enfants* |
| *with this pass* | *avec cette carte* |
| Could I please have a timetable? | Pouvez vous me donner la fiche des horaires ? |

| | |
|---|---|
| I'd like to reserve a seat on the train to ..., please. | Je voudrais faire une réservation pour le train qui va à ..., s'il vous plaît. |
| Non smoking/Smoking, please. | Non-fumeurs/Fumeurs, s'il vous plaît. |
| I want to book a sleeper to ... | Je voudrais réserver une couchette pour ... |
| When is the next train to ...? | À quelle heure part le prochain train pour ... ? |
| Is there a supplement to pay? | Est-ce qu'il faut payer un supplément ? |
| Do I need to change? | Est-ce qu'il y a un changement ? |
| Where do I change? | Où est-ce qu'il faut changer ? |
| Which platform does the train for ... leave from? | De quel quai part le train pour ... ? |
| Is this the train for ...? | C'est bien le train pour ... ? |
| Excuse me, that's my seat. | Excusez-moi, c'est ma place. |
| I have a reservation. | J'ai réservé. |
| Is this seat taken/free? | Est-ce que cette place est occupée/libre ? |
| Please let me know when we get to ... | Pourriez-vous me prévenir lorsqu'on arrivera à ... ? |
| Where is the buffet car? | Où est le wagon-restaurant ? |
| Where is coach number ...? | Où est la voiture numéro ... ? |

### By Ferry | En ferry

| | |
|---|---|
| Is there a ferry to ...? | Est-ce qu'il y a un ferry pour ... ? |
| When is the next/first/last ferry to ...? | Quand part le prochain/premier/dernier ferry pour ... ? |
| How much is it for a camper/car with ... people? | Combien coûte la traversée pour un camping-car/une voiture avec ... personnes ? |
| How long does the crossing take? | Combien de temps dure la traversée ? |

| **Where is ...?** | Où est ... ? |
|---|---|
| *the restaurant* | *le restaurant* |
| *the bar* | *le bar* |
| *the duty-free shop* | *le magasin hors taxe* |
| **Where is cabin number ...?** | Où est la cabine numéro ... ? |
| **Do you have anything for seasickness?** | Avez-vous quelque chose contre le mal de mer ? |

## By Plane | En avion

| **Where is ...?** | Où est ... ? |
|---|---|
| *the taxi rank* | *la station de taxis* |
| *the bus stop* | *l'arrêt de bus* |
| *the information office* | *le bureau de renseignements* |
| **Where do I check in for the flight to ...?** | Où a lieu l'enregistrement pour le vol pour ... ? |
| **Which gate for the flight to ...?** | À quelle porte faut-il embarquer pour le vol pour ... ? |
| **When is the latest I can check in?** | Quelle est l'heure limite d'enregistrement ? |
| **When does boarding begin?** | À quelle heure commence l'embarquement ? |
| **Window/aisle, please.** | Hublot/couloir, s'il vous plaît. |
| **I've lost my boarding pass/ my ticket.** | J'ai perdu mon ticket d'embarquement/mon billet. |
| **My luggage hasn't arrived.** | Mes bagages ne sont pas arrivés. |
| **Where is the carousel?** | Où est le carrousel à bagages ? |
| **Where are the check-in desks?** | Où sont les bornes d'enregistrement ? |

## Public Transport | Transports en commun

| **How do I get to ...?** | Comment est-ce qu'on va à ... ? |
|---|---|
| **Where is the bus station?** | Où est la gare routière ? |
| **Where is the nearest ...?** | Où est ... le/la plus proche ? |
| *bus stop* | *l'arrêt de bus* |

| | |
|---|---|
| underground station | la station de métro |
| A ticket to..., please. | Un ticket pour..., s'il vous plaît. |
| Is there a reduction ...? | Est-ce qu'il y a un tarif réduit ... ? |
| for students | pour les étudiants |
| for pensioners | pour les seniors |
| for children | pour les enfants |
| for the unemployed | pour les chômeurs |
| with this pass | avec cette carte |
| How does the (ticket) machine work? | Comment fonctionne le distributeur de billets ? |
| Do you have a map of the underground? | Avez-vous un plan de métro ? |
| Please tell me when to get off. | Pourriez-vous me prévenir quand je dois descendre ? |
| What is the next stop? | Quel est le prochain arrêt ? |
| Which line goes to...? | Quelle ligne va à ... ? |

## Taxi — En taxi

| | |
|---|---|
| Where can I get a taxi? | Où puis-je trouver un taxi ? |
| Call me a taxi, please. | Pouvez-vous m'appeler un taxi, s'il vous plaît ? |
| To the airport/station, please. | À l'aéroport/À la gare, s'il vous plaît. |
| To this address, please. | À cette adresse, s'il vous plaît. |
| I'm in a hurry. | Je suis pressé(e). |
| How much is it? | C'est combien ? |
| I need a receipt. | Il me faut un reçu. |
| Keep the change. | Gardez la monnaie. |
| Stop here, please. | Arrêtez-vous ici, s'il vous plaît. |
| Would you mind waiting for me? | Pouvez-vous m'attendre ? |
| Straight ahead/to the left/ to the right. | Tout droit/à gauche/à droite. |

## Camping | Camping

| | |
|---|---|
| **Is there a campsite here?** | Est-ce qu'il y a un camping ici ? |
| **We'd like a site for ...** | Nous voudrions un emplacement pour ... |
| *a tent.* | *une tente.* |
| *a caravan.* | *une caravane.* |
| **We'd like to stay one night/ ... nights.** | Nous voudrions rester une nuit/... nuits. |
| **How much is it per night?** | C'est combien la nuit ? |
| **Where are ...?** | Où sont ... ? |
| *the toilets* | *les toilettes* |
| *the showers* | *les douches* |
| **Where is ...?** | Où est ... ? |
| *the site office* | *la réception* |
| **Can we camp/park here overnight?** | Est-ce qu'on peut camper/ stationner ici pour la nuit ? |

## Self-Catering | Location de vacances

| | |
|---|---|
| **Where do we get the key for the apartment/house?** | Où est-ce qu'il faut aller chercher la clé de l'appartement/la maison ? |
| **Do we have to pay extra for electricity/gas?** | Est-ce que l'électricité/le gaz est à payer en plus ? |
| **How does the heating work?** | Comment fonctionne le chauffage ? |
| **Who do I contact if there are any problems?** | Qui dois-je contacter en cas de problème ? |
| **We need ...** | Il nous faut ... |
| *a second key.* | *un double de la clé.* |
| *more sheets.* | *des draps supplémentaires.* |
| **The gas has run out.** | Il n'y a plus de gaz. |

| | |
|---|---|
| There is no electricity. | Il n'y a pas d'électricité. |
| Do we have to clean the apartment/the house before we leave? | Est-ce qu'on doit nettoyer l'appartement/la maison avant de partir ? |

## Hotel — Hôtel

| | |
|---|---|
| Do you have a ... for tonight? | Avez-vous une ... pour ce soir ? |
| *single room* | *chambre pour une personne* |
| *double room* | *chambre double* |
| Do you have a room ...? | Avez-vous une chambre ... ? |
| *with a bath* | *avec baignoire* |
| *with a shower* | *avec douche* |
| I want to stay for one night/... nights. | Je voudrais rester une nuit/ ... nuits. |
| I booked a room under the name ... | J'ai réservé une chambre au nom de ... |
| I'd like another room. | Je voudrais une autre chambre. |
| What time is breakfast? | À quelle heure est servi le petit déjeuner ? |
| Can I have breakfast in my room? | Pouvez-vous me servir le petit déjeuner dans ma chambre ? |
| Where is ...? | Où est ... ? |
| *the gym* | *la salle de sport* |
| *the swimming pool/the spa* | *la piscine/le spa* |
| I'd like an alarm call for tomorrow morning at ... | Je voudrais être réveillé(e) demain matin à ... |
| I'd like to get these things washed/cleaned. | Pourriez-vous faire nettoyer ceci ? |
| Please bring me ... | S'il vous plaît, apportez-moi ... |
| The ... doesn't work. | Le/la ... ne marche pas. |
| Room number ... | Chambre numéro ... |
| Are there any messages for me? | Est-ce que j'ai reçu des messages ? |

| | |
|---|---|
| I'd like ... | Je voudrais ... |
| Do you have ...? | Avez-vous ... ? |
| Do you have this ...? | Avez-vous ceci ... ? |
| *in another size* | *dans une autre taille* |
| *in another colour* | *dans une autre couleur* |
| I take size ... | Je fais du ... |
| My feet are a size 5½. | Je fais du trente-neuf. |
| I'll take it. | Je le prends. |
| Do you have anything else? | Avez-vous autre chose ? |
| That's too expensive. | C'est trop cher. |
| I'm just looking. | Je ne fais que regarder. |
| Do you take credit cards? | Acceptez-vous la carte de crédit ? |

## Food Shopping | Courses alimentaires

| | |
|---|---|
| Where is the nearest ...? | Où est ... le/la plus proche ? |
| *supermarket* | *le supermarché* |
| *baker's* | *la boulangerie* |
| *butcher's* | *la boucherie* |
| Where is the market? | Où est le marché ? |
| When is the market on? | Quel jour a lieu le marché ? |
| a kilo/pound of ... | un kilo/une livre de ... |
| 200 grams of ... | deux cents grammes de ... |
| ... slices of ... | ... tranches de ... |
| a litre of ... | un litre de ... |
| a bottle/packet of ... | une bouteille/un paquet de ... |

## Post Office | Poste

| | |
|---|---|
| Where is the nearest post office? | Où est la poste la plus proche ? |
| When does the post office open? | À quelle heure ouvre la poste ? |
| Where can I buy stamps? | Où peut-on acheter des timbres ? |

| | |
|---|---|
| I'd like ... stamps for postcards/letters to France/Britain/ the United States. | Je voudrais ... timbres pour des cartes postales/lettres pour la France/la Grande-Bretagne/les États-Unis. |
| I'd like to send ... | Je voudrais envoyer ... |
| *this letter.* | *cette lettre.* |
| *this parcel.* | *ce colis.* |
| by airmail/by express mail/ by registered mail | par avion/en courrier urgent/en recommandé |
| Is there any mail for me? | Est-ce que j'ai du courrier ? |
| Where is the nearest postbox? | Où est la boîte aux lettres la plus proche ? |

## Photography | Photographie

| | |
|---|---|
| I need passport photos. | J'ai besoin de photos d'identité. |
| I'm looking for a cable for a digital camera. | Je cherche un câble pour appareil photo numérique. |
| Do you sell brand-name chargers? | Est-ce que vous vendez des chargeurs de marque ? |
| I'd like to buy a memory card. | Je voudrais acheter une carte mémoire. |
| I'd like the photos ... | Je voudrais les photos ... |
| *matt/glossy.* | *en mat/en brillant.* |
| *ten by fifteen centimetres.* | *en format dix sur quinze.* |
| Can I print my digital photos here? | Est-ce que je peux imprimer mes photos numériques ici ? |
| How much do the photos cost? | Combien coûtent les photos ? |
| Could you take a photo of us, please? | Pourriez-vous nous prendre en photo, s'il vous plaît ? |
| The photo is blurry. | La photo est floue. |

## Sightseeing | Visites touristiques

| | |
|---|---|
| **Where is the tourist office?** | Où se trouve l'office de tourisme ? |
| **Do you have any leaflets about ...?** | Avez-vous des dépliants sur ... ? |
| **Are there any sightseeing tours of the town?** | Est-ce qu'il y a des visites guidées de la ville ? |
| **When is ... open?** | À quelle heure ouvre ... ? |
| *the museum* | *le musée* |
| *the church* | *l'église* |
| *the castle* | *le château* |
| **How much does it cost to get in?** | Combien coûte l'entrée ? |
| **Are there any reductions ...?** | Est-ce qu'il y a un tarif réduit ... ? |
| *for students* | *pour les étudiants* |
| *for children* | *pour les enfants* |
| *for pensioners* | *pour les seniors* |
| *for the unemployed* | *pour les chômeurs* |
| **Is there a guided tour in French?** | Est-ce qu'il y a une visite guidée en français ? |
| **Can I take (flash) photos here?** | Je peux prendre des photos (avec flash) ici ? |
| **Can I film here?** | Je peux filmer ici ? |

## Entertainment | Loisirs

| | |
|---|---|
| **What is there to do here?** | Qu'est-ce qu'il y a à faire ici ? |
| **Where can we ...?** | Où est-ce qu'on peut ... ? |
| *go dancing* | *danser* |
| *hear live music* | *écouter de la musique live* |
| **Where is there ...?** | Où est-ce qu'il y a ... ? |
| *a nice bar* | *un bon bar* |
| *a good club* | *une bonne discothèque* |

| | |
|---|---|
| What's on tonight ...? | Qu'est-ce qu'il y a ce soir ... ? |
| *at the cinema* | *au cinéma* |
| *at the theatre* | *au théâtre* |
| *at the opera* | *à l'opéra* |
| *at the concert hall* | *à la salle de concert* |
| Where can I buy tickets for ...? | Où est-ce que je peux acheter des places ... ? |
| *the theatre* | *de théâtre* |
| *the concert* | *de concert* |
| *the opera* | *d'opéra* |
| *the ballet* | *pour le spectacle de danse* |
| How much is it to get in? | Combien coûte l'entrée ? |
| I'd like a ticket/... tickets for ... | Je voudrais un billet/... billets pour ... |
| Are there any reductions ...? | Est-ce qu'il y a un tarif réduit ... ? |
| *for children* | *pour les enfants* |
| *for pensioners* | *pour les seniors* |
| *for students* | *pour les étudiants* |
| *for the unemployed* | *pour les chômeurs* |

| At the Beach | À la plage |
|---|---|
| Where is the nearest beach? | Où se trouve la plage la plus proche ? |
| Is it safe to swim here? | Est-ce qu'on peut nager ici sans danger ? |
| Is the water deep? | L'eau est-elle profonde ? |
| Is there a lifeguard? | Est-ce qu'il y a un maître-nageur ? |
| Where can you ...? | Où peut-on ... ? |
| *go surfing* | *faire du surf* |
| *go waterskiing* | *faire du ski nautique* |
| *go diving* | *faire de la plongée* |
| *go paragliding* | *faire du parapente* |

| I'd like to hire ... | Je voudrais louer ... |
|---|---|
| a deckchair. | une chaise longue. |
| a sunbed. | un matelas. |
| a sunshade. | un parasol. |
| a surfboard. | une planche de surf. |
| a jet-ski. | un jet-ski. |
| a rowing boat. | une barque. |
| a pedal boat. | un pédalo. |

## Sport | Sport

| Where can you ...? | Où peut-on ... ? |
|---|---|
| play tennis/golf | jouer au tennis/golf |
| go swimming | aller nager |
| go riding | faire de l'équitation |
| go fishing | aller pêcher |
| How much is it per hour? | Combien est-ce que ça coûte de l'heure ? |
| Where can I book a court? | Où peut-on réserver un court ? |
| Where can I hire rackets? | Où peut-on louer des raquettes de tennis ? |
| Where can I hire a rowing boat/a pedal boat? | Où peut-on louer une barque/un pédalo ? |
| Do you need a fishing permit? | Est-ce qu'il faut un permis de pêche ? |

## Skiing | Ski

| Where can I hire skiing equipment? | Où peut-on louer un équipement de ski ? |
|---|---|
| I'd like to hire ... | Je voudrais louer ... |
| downhill skis. | des skis de piste. |
| cross-country skis. | des skis de fond. |
| ski boots. | des chaussures de ski. |
| ski poles. | des bâtons de ski. |

| | |
|---|---|
| Can you tighten my bindings, please? | Pourriez-vous resserrer mes fixations, s'il vous plaît ? |
| Where can I buy a ski pass? | Où est-ce qu'on peut acheter un forfait ? |
| I'd like a ski pass ... | Je voudrais un forfait ... |
| *for a day.* | *pour une journée.* |
| *for five days.* | *pour cinq jours.* |
| *for a week.* | *pour une semaine.* |
| How much is a ski pass? | Combien coûte le forfait ? |
| When does the first/last chair-lift leave? | À quelle heure part le premier/dernier télésiège ? |
| Do you have a map of the ski runs? | Avez-vous une carte des pistes ? |
| Where are the beginners' slopes? | Où sont les pistes pour débutants ? |
| How difficult is this slope? | Quelle est la difficulté de cette piste ? |
| Is there a ski school? | Y a-t-il une école de ski ? |
| What's the weather forecast for today? | Quel temps prévoit-on pour aujourd'hui ? |
| What is the snow like? | Comment est la neige ? |
| Is there a danger of avalanches? | Est-ce qu'il y a un risque d'avalanche ? |

| | |
|---|---|
| A table for ... people, please. | Une table pour ... personnes, s'il vous plaît. |
| The ..., please. | La ..., s'il vous plaît. |
| *menu* | *carte* |
| *wine list* | *carte des vins* |
| What do you recommend? | Qu'est-ce que vous me conseillez ? |
| Do you have ...? | Servez-vous ... ? |
| *any vegetarian dishes* | *des plats végétariens* |
| *children's portions* | *des menus enfants* |
| Does that contain ...? | Est-ce que cela contient ... ? |
| *peanuts* | *des cacahuètes* |
| *alcohol* | *de l'alcool* |
| Could you bring (more) ..., please? | Vous pourriez m'apporter (plus de) ..., s'il vous plaît ? |
| I'll have ... | Je vais prendre ... |
| The bill, please. | L'addition, s'il vous plaît. |
| All together, please. | Une seule addition, s'il vous plaît. |
| Separate bills, please. | Séparément, s'il vous plaît. |
| Keep the change. | Gardez la monnaie. |
| This isn't what I ordered. | Ce n'est pas ce que j'ai commandé. |
| There's a mistake in the bill. | Il y a une erreur dans l'addition. |
| It's cold/too salty. | C'est froid/trop salé. |
| rare/medium/well-done | saignant/à point/bien cuit |
| A bottle of sparkling/ still water. | Une bouteille d'eau gazeuse/ plate. |

## Telephone — Téléphone

| | |
|---|---|
| Where can I make a phone call? | Où est-ce que je peux téléphoner ? |
| Hello? | Allô ? |
| Who's speaking, please? | Qui est à l'appareil ? |
| This is ... | C'est ... |
| Can I speak to Mr/Ms ..., please? | Puis-je parler à M./ Mme ..., s'il vous plaît ? |
| I'll phone back later. | Je rappellerai plus tard. |
| Can you text me your answer? | Pouvez-vous me répondre par SMS ? |
| Where can I charge my mobile (phone)? | Où est-ce que je peux recharger mon portable ? |
| I need a new battery. | Il me faut une batterie neuve. |
| I can't get a network. | Je n'ai pas de réseau. |
| I'd like to buy a SIM card with/ without a subscription. | Je voudrais acheter une carte SIM avec/sans abonnement. |

## Internet — Internet

| | |
|---|---|
| I'd like to send an email. | Je voudrais envoyer un e-mail. |
| I'd like to print out a document. | Je voudrais imprimer un document. |
| How do you change the language of the keyboard? | Comment changer la langue du clavier ? |
| What's the Wi-Fi password? | Quel est le mot de passe pour le wifi ? |

## Passport/Customs | Passeport/Douane

| | |
|---|---|
| Here is ... | Voici ... |
| my passport. | mon passeport. |
| my identity card. | ma carte d'identité. |
| my driving licence. | mon permis de conduire. |
| Here are my vehicle documents. | Voici les papiers de mon véhicule. |
| It's a present. | C'est un cadeau. |
| It's for my own personal use. | C'est pour mon usage personnel. |

## At the Bank | À la banque

| | |
|---|---|
| Where can I change money? | Où puis-je changer de l'argent ? |
| Is there a bank/bureau de change around here? | Est-ce qu'il y a une banque/un bureau de change par ici ? |
| When does the bank open? | La banque ouvre à quelle heure ? |
| I'd like ... euros. | Je voudrais ... euros. |
| I'd like to cash these traveller's cheques. | Je voudrais encaisser ces chèques de voyage. |
| What's the commission? | Quel est le montant de la commission ? |
| Can I use my card to get cash? | Est-ce que je peux me servir de ma carte pour retirer de l'argent ? |
| Is there a cash machine around here? | Est-ce qu'il y a un distributeur par ici ? |
| The cash machine swallowed my card. | Le distributeur a avalé ma carte. |

| Repairs | Réparations |
|---|---|
| **Where can I get this repaired?** | Où puis-je faire réparer ceci ? |
| **Can you repair ...?** | Pouvez-vous réparer ... ? |
| *these shoes* | *ces chaussures* |
| *this watch* | *cette montre* |
| **How much will the repairs cost?** | Combien coûte la réparation ? |

| Emergency Services | Urgences |
|---|---|
| **Help!** | Au secours ! |
| **Fire!** | Au feu ! |
| **Could you please call ...** | Pouvez-vous appeler ... |
| *the emergency doctor?* | *le SAMU ?* |
| *the fire brigade?* | *les pompiers ?* |
| *the police?* | *la police ?* |
| **I need to make an urgent phone call.** | Je dois téléphoner d'urgence. |
| **I need an interpreter.** | J'ai besoin d'un interprète. |
| **Where is the police station?** | Où est le commissariat ? |
| **Where is the hospital?** | Où est l'hôpital ? |
| **I want to report a theft.** | Je voudrais signaler un vol. |
| **... has been stolen.** | On m'a volé(e) ... |
| **There's been an accident.** | Il y a eu un accident. |
| **There are ... people injured.** | Il y a ... blessés. |
| **I've been ...** | On m'a ... |
| *robbed.* | *volé(e).* |
| *attacked.* | *attaqué(e).* |
| *raped.* | *violé(e).* |
| **I'd like to phone my embassy.** | Je voudrais appeler mon ambassade. |

## Pharmacy | Pharmacie

| | |
|---|---|
| Where is the nearest pharmacy? | Où est la pharmacie la plus proche ? |
| Which pharmacy provides an emergency service? | Quelle est la pharmacie de garde ? |
| I'd like something ... | Je voudrais quelque chose ... |
| for diarrhoea. | contre la diarrhée. |
| for a temperature. | contre la fièvre. |
| for travel sickness. | contre le mal des transports. |
| for a headache. | contre le mal de tête. |
| for a cold. | contre le rhume. |
| I'd like ... | Je voudrais ... |
| plasters. | des pansements. |
| a bandage. | un bandage. |
| some paracetamol. | du paracétamol. |
| I can't take ... | Je suis allergique à ... |
| aspirin. | l'aspirine. |
| penicillin. | la pénicilline. |
| Is it safe to give to children? | C'est sans danger pour les enfants ? |

## At the Doctor's | Chez le médecin

| | |
|---|---|
| I need a doctor. | J'ai besoin de voir un médecin. |
| Where is casualty? | Où sont les urgences ? |
| I have a pain here. | J'ai mal ici. |
| I feel ... | J'ai ... |
| hot. | chaud. |
| cold. | froid. |
| I feel sick. | Je me sens mal. |
| I feel dizzy. | J'ai la tête qui tourne. |
| I have a fever. | J'ai de la fièvre. |

| | |
|---|---|
| **I'm ...** | Je suis ... |
| **pregnant.** | *enceinte.* |
| **diabetic.** | *diabétique.* |
| **HIV-positive.** | *séropositif(-ive).* |
| **I'm on this medication.** | Je prends ces médicaments. |
| **My blood group is ...** | Mon groupe sanguin est ... |

## At the Hospital | À l'hôpital

| | |
|---|---|
| **Which ward is ... in?** | Dans quel pavillon se trouve ... ? |
| **When are visiting hours?** | Quelles sont les heures de visite ? |
| **I'd like to speak to ...** | Je voudrais parler à ... |
| **a doctor.** | un médecin. |
| **a nurse.** | un infirmier/une infirmière. |
| **When will I be discharged?** | Quand vais-je pouvoir sortir ? |

## At the Dentist's | Chez le dentiste

| | |
|---|---|
| **I need a dentist.** | J'ai besoin de voir un dentiste. |
| **This tooth hurts.** | J'ai mal à cette dent. |
| **One of my fillings has fallen out.** | J'ai perdu un de mes plombages. |
| **I have an abscess.** | J'ai un abcès. |
| **Can you repair my dentures?** | Pouvez-vous réparer mon dentier ? |
| **I need a receipt for my insurance.** | J'ai besoin d'un reçu pour mon assurance. |

## Business Travel | Voyages d'affaires

| | |
|---|---|
| I'd like to arrange a meeting with ... | Je voudrais organiser une réunion avec ... |
| I have an appointment with Mr/Ms ... | J'ai rendez-vous avec M./Mme ... |
| Here's my card. | Voici ma carte de visite. |
| I work for ... | Je travaille pour ... |
| How do I get to ...? | Comment rejoindre ... ? |
| *your office* | *votre bureau* |
| *Mr/Ms ...'s office* | *le bureau de M./Mme ...* |
| I need an interpreter. | J'ai besoin d'un interprète. |
| May I use ...? | Est-ce que je peux me servir ... ? |
| *your phone/computer/desk* | *de votre téléphone/ordinateur/ bureau* |
| Do you have an Internet connection/Wi-Fi? | Y a-t-il une connexion Internet/wifi ? |

## Disabled Travellers | Voyageurs handicapés

| | |
|---|---|
| Is it possible to visit ... with a wheelchair? | Est-ce qu'on peut visiter ... en fauteuil roulant ? |
| Where is the wheelchair-accessible entrance? | Où est l'entrée pour les fauteuils roulants ? |
| Is your hotel accessible to wheelchairs? | Votre hôtel est-il accessible aux clients en fauteuil roulant ? |
| I need a room ... | Je voudrais une chambre ... |
| *on the ground floor.* | *au rez-de-chaussée.* |
| *with wheelchair access.* | *accessible aux fauteuils roulants.* |
| Do you have a lift for wheelchairs? | Y a-t-il un ascenseur pour fauteuils roulants ? |
| Where is the disabled toilet? | Où sont les toilettes pour handicapés ? |
| Can you help me get on/off, please? | Pouvez-vous m'aider à monter/ descendre, s'il vous plaît ? |

## Travelling with children | Voyager avec des enfants

| | |
|---|---|
| **Is it OK to bring children here?** | Est-ce que les enfants sont admis ? |
| **Is there a reduction for children?** | Est-ce qu'il y a un tarif réduit pour les enfants ? |
| **Do you have children's portions?** | Vous avez un menu pour enfant ? |
| **Do you have ...?** | Avez-vous ... ? |
| *a high chair* | *une chaise pour bébé* |
| *a cot* | *un lit de bébé* |
| *a child's seat* | *un siège pour enfant* |
| **Where can I change my baby?** | Où est-ce que je peux changer mon bébé ? |
| **Where can I breast-feed my baby?** | Où est-ce que je peux allaiter mon bébé ? |
| **Can you warm this up, please?** | Vous pouvez me réchauffer ceci, s'il vous plaît ? |
| **What is there for children to do?** | Qu'est-ce qu'il y a comme activités pour les enfants ? |
| **Where's the nearest playground?** | Où est le parc de jeux le plus proche ? |
| **Is there a child-minding service?** | Est-ce qu'il y a un service de garderie ? |

| | |
|---|---|
| I'd like to make a complaint. | Je voudrais faire une réclamation. |
| Whom should I speak to in order to make a complaint? | À qui dois-je m'adresser pour faire une réclamation ? |
| I'd like to speak to the manager, please. | Je voudrais parler au responsable, s'il vous plaît. |
| The light | La lumière |
| The heating | Le chauffage |
| The shower | La douche |
| ... doesn't work. | ... ne marche pas. |
| The room is ... | La chambre est ... |
| dirty. | sale. |
| too small. | trop petite. |
| The room is too cold. | Il fait trop froid dans la chambre. |
| Could you clean the room, please? | Pourriez-vous nettoyer ma chambre, s'il vous plaît ? |
| Could you turn down the TV/the radio, please? | Pourriez-vous baisser le son de votre télé/radio, s'il vous plaît ? |
| I've been robbed. | On m'a volé quelque chose. |
| We've been waiting for a very long time. | Nous attendons depuis très longtemps. |
| The bill is wrong. | Il y a une erreur dans l'addition. |
| I want my money back. | Je veux qu'on me rembourse. |
| I'd like to exchange this. | Je voudrais échanger ceci. |
| I'm not satisfied with this. | Je ne suis pas satisfait(e). |

**bangers and mash** saucisses poêlées accompagnées de purée de pommes de terre, d'oignons frits et de sauce au jus de viande

**banoffee pie** pâte à tarte garnie d'un mélange de bananes, de caramel au beurre et de crème

**BLT (sandwich)** bacon, salade verte, tomate et mayonnaise entre deux tranches de pain

**butternut squash** doubeurre

**Caesar salad** grande salade composée avec de la laitue, des légumes, des œufs, du parmesan et une vinaigrette ; peut être servie en accompagnement ou comme plat principal

**chocolate brownie** petit gâteau carré au chocolat et aux noix ou noisettes

**chowder** épaisse soupe de fruits de mer

**chicken Kiev** blanc de poulet pané garni de beurre, d'ail et de persil et cuit au four

**chicken nuggets** petits morceaux de poulet pané, frits ou cuits au four et servis dans le menu enfant

**club sandwich** sandwich sur trois tranches de pain, généralement grillées ; les garnitures les plus courantes sont la viande, le fromage, la salade, les tomates et les oignons

**cottage pie** viande de bœuf hachée et légumes recouverts de purée de pommes de terre et de fromage et cuits au four

**cream tea** goûter où l'on sert du thé et des scones accompagnés de crème et de confiture

**English breakfast** œufs, bacon, saucisses, haricots blancs à la sauce tomate, pain à la poêle et champignons

**filo pastry** type de pâte feuilletée très fine

**ginger ale, ginger beer** (Brit) boisson gazeuse au gingembre

**haggis** plat écossais à base de hachis de cœur et de foie de mouton bouilli avec de l'avoine et des aromates dans une poche faite avec la panse de l'animal

**hash browns** pommes de terre cuites coupées en dés

puis mélangées à de l'oignon haché et dorées à la poêle. On les sert souvent au petit déjeuner

**hotpot** ragoût de viande et de légumes servi avec des pommes de terre en lamelles

**Irish stew** ragoût d'agneau, de pommes de terre et d'oignon

**monkfish** lotte

**oatcake** biscuit salé à base d'avoine que l'on mange souvent avec du fromage

**pavlova** grande meringue recouverte de fruits et de crème fouettée

**ploughman's lunch** en-cas à base de pain, de fromage et de pickles

**purée** purée épaisse et onctueuse de fruits ou de légumes cuits et passés

**Quorn®** protéine végétale employée comme substitut à la viande

**savoy cabbage** chou frisé de Milan

**sea bass** bar, loup

**Scotch broth** soupe chaude

à la viande avec des petits légumes et de l'orge

**Scotch egg** œuf dur enrobé d'un mélange à base de chair à saucisse et recouvert de chapelure avant d'être plongé dans l'huile de friture

**spare ribs** travers de porc

**spring roll** nem

**Stilton** fromage bleu au goût intense

**sundae** crème glacée recouverte d'un coulis, de noix, de Chantilly etc.

**Thousand Island dressing** sauce à base de ketchup, de mayonnaise, de sauce Worcester et de jus de citron, souvent servie avec des crevettes

**toad in the hole** saucisses recouvertes de pâte et passées au four

**Welsh rarebit** mélange de fromage et d'œufs passé au grill et servi sur du pain grillé

**Yorkshire pudding** mélange d'œufs, de lait et de farine cuit au four, servi avec du rôti de bœuf

**aïoli** rich garlic mayonnaise

**amuse-bouche** nibbles

**anchoïade** anchovy paste usually served on grilled French bread

**assiette du pêcheur** assorted fish or seafood

**bar** sea bass

**bavarois** moulded cream and custard pudding, usually served with fruit

**bisque** smooth, rich seafood soup

**blanquette** white meat stew served with a creamy white sauce

**brandade de morue** dried salt cod puréed with potatoes and olive oil

**brochette, (en)** cooked like a kebab (on a skewer)

**bulot** welks

**calamar/calmar** squid

**cassoulet** white bean stew with meat, bacon and sausage

**cervelle de Canut** savoury dish of fromage frais, goat's cheese, herbs and white wine

**charlotte** custard and fruit in lining of sponge fingers

**clafoutis** cherry flan

**coq au vin** chicken and mushrooms cooked in red wine

**coques** cockles

**crémant** sparkling wine

**crème pâtissière** thick fresh custard used in tarts and desserts

**daube** meat casserole with wine, herbs, garlic, tomatoes and olives

**daurade** sea bream

**filet mignon** small pork fillet steak

**fine de claire** high-quality oyster

**foie gras** goose liver

**fond d'artichaut** artichoke heart

**fougasse** type of bread with various fillings (olives, anchovies)

**gésier** gizzard

**gratin dauphinois** potatoes cooked in cream, garlic and Swiss cheese

**homard thermidor** lobster grilled in its shell with cream sauce

**île flottante** soft meringue served with fresh custard

**loup de mer** sea bass

**noisettes d'agneau** small round pieces of lamb

**onglet** cut of beef (steak)

**pan-bagnat** bread roll with egg, olives, salad, tuna, anchovies and olive oil

**parfait** rich ice cream

**parmentier** with potatoes

**pignons** pine nuts

**piperade** tomato, pepper and onion omelette

**pissaladière** a kind of pizza made mainly in the Nice region, topped with onions, anchovies and black olives

**pistou** garlic, basil and olive oil sauce from Provence – similar to pesto

**pommes mousseline** creamy mashed potatoes

**pot-au-feu** beef stew

**quenelles** poached balls of fish or meat mousse served in a sauce

**rascasse** scorpion fish

**ratatouille** tomatoes, aubergines, courgettes and garlic cooked in olive oil

**ris de veau** calf sweetbread

**romaine** cos lettuce

**rouille** spicy version of garlic mayonnaise (aïoli) served with fish stew or soup

**salade lyonnaise** vegetable salad dressed with eggs, bacon and croutons

**salade niçoise** many variations on a famous theme: the basic ingredients are green beans, anchovies, black olives and green peppers

**suprême de volaille** chicken breast cooked in a cream sauce

**tapenade** paste made of black olives, anchovies, capers and garlic in olive oil

**tournedos Rossini** thick fillet steak on fried bread topped with goose liver and truffles

**A** [eɪ] n (Mus) la m

○ **KEYWORD**

**a** [eɪ, ə] (before vowel and silent h **an**) indef art **1** un(e); **a book** un livre; **an apple** une pomme; **she's a doctor** elle est médecin

**2** (instead of the number "one") un(e); **a year ago** il y a un an; **a hundred/ thousand** etc **pounds** cent/mille etc livres

**3** (in expressing ratios, prices etc): **three a day/week** trois par jour/semaine; **10 km an hour** 10 km à l'heure; **£5 a person** 5£ par personne; **30p a kilo** 30p le kilo

**A2** n (BRIT Scol) deuxième partie de l'examen équivalent au baccalauréat

**A.A.** n abbr (BRIT: = Automobile Association) ≈ ACF m; (= Alcoholics Anonymous) AA

**A.A.A.** n abbr (= American Automobile Association) ≈ ACF m

**aback** [əˈbæk] adv: **to be taken ~** être déconcerté(e)

**abandon** [əˈbændən] vt abandonner

**abattoir** [ˈæbətwɑːʳ] n (BRIT) abattoir m

**abbey** [ˈæbɪ] n abbaye f

**abbreviation** [əbriːvɪˈeɪʃən] n abréviation f

**abdomen** [ˈæbdəmən] n abdomen m

**abduct** [æbˈdʌkt] vt enlever

**abide** [əˈbaɪd] vt souffrir, supporter; **I can't ~ it/him** je ne le supporte pas; **abide by** vt fus observer, respecter

**ability** [əˈbɪlɪtɪ] n compétence f; capacité f; (skill) talent m

**able** [ˈeɪbl] adj compétent(e); **to be ~ to do sth** pouvoir faire qch, être capable de faire qch

**abnormal** [æbˈnɔːməl] adj anormal(e)

**aboard** [əˈbɔːd] adv à bord de ▷ prep à bord de; (train) dans

**abolish** [əˈbɔlɪʃ] vt abolir

**abolition** [æbəˈlɪʃən] n abolition f

**abort** [əˈbɔːt] vt (Med) faire avorter; (Comput, fig) abandonner; **abortion** [əˈbɔːʃən] n avortement m; **to have an abortion** se faire avorter

○ **KEYWORD**

**about** [əˈbaut] adv **1** (approximately) environ, à peu près; **about a hundred/thousand** etc environ cent/mille etc, une centaine (de)/ un millier (de) etc; **it takes about 10 hours** ça prend environ or à peu près 10 heures; **at about 2 o'clock** vers 2 heures; **I've just about finished** j'ai presque fini

**2** (referring to place) çà et là, de-ci de-là; **to run about** courir çà et là; **to walk about** se promener, aller et venir; **they left all their things lying about** ils ont laissé traîner toutes leurs affaires

**3**: **to be about to do sth** être sur le point de faire qch
▶ *prep* **1** (*relating to*) au sujet de, à propos de; **a book about London** un livre sur Londres; **what is it about?** de quoi s'agit-il?; **we talked about it** nous en avons parlé; **what** *or* **how about doing this?** et si nous faisions ceci?
**2** (*referring to place*) dans; **to walk about the town** se promener dans la ville

**above** [ə'bʌv] *adv* au-dessus ▷ *prep* au-dessus de; (*more than*) plus de; **mentioned ~** mentionné ci-dessus; **~ all** par-dessus tout, surtout
**abroad** [ə'brɔːd] *adv* à l'étranger
**abrupt** [ə'brʌpt] *adj* (*steep, blunt*) abrupt(e); (*sudden, gruff*) brusque
**abscess** ['æbsɪs] *n* abcès *m*
**absence** ['æbsəns] *n* absence *f*
**absent** ['æbsənt] *adj* absent(e); **absent-minded** *adj* distrait(e)
**absolute** ['æbsəluːt] *adj* absolu(e); **absolutely** [æbsə'luːtlɪ] *adv* absolument
**absorb** [əb'zɔːb] *vt* absorber; **to be ~ed in** être plongé(e) dans un livre; **absorbent cotton** *n* (*US*) coton *m* hydrophile; **absorbing** *adj* absorbant(e); (*book, film etc*) captivant(e)
**abstain** [əb'steɪn] *vi*: **to ~ (from)** s'abstenir (de)
**abstract** ['æbstrækt] *adj* abstrait(e)
**absurd** [əb'səːd] *adj* absurde
**abundance** [ə'bʌndəns] *n* abondance *f*
**abundant** [ə'bʌndənt] *adj* abondant(e)
**abuse** *n* [ə'bjuːs] (*insults*) insultes *fpl*, injures *fpl*; (*ill-treatment*) mauvais traitements *mpl*; (*of power etc*) abus *m* ▷ *vt* [ə'bjuːz] (*insult*) insulter; (*ill-treat*) malmener; (*power etc*) abuser de; **abusive** *adj* grossier(-ière), injurieux(-euse)

**abysmal** [ə'bɪzməl] *adj* exécrable; (*ignorance etc*) sans bornes
**academic** [ækə'demɪk] *adj* universitaire; (*person: scholarly*) intellectuel(le); (*pej: issue*) oiseux(-euse), purement théorique ▷ *n* universitaire *m/f*; **academic year** *n* (*University*) année *f* universitaire; (*Scol*) année scolaire
**academy** [ə'kædəmɪ] *n* (*learned body*) académie *f*; (*school*) collège *m*; **~ of music** conservatoire *m*
**accelerate** [æk'seləreɪt] *vt, vi* accélérer; **acceleration** [æksələ'reɪʃən] *n* accélération *f*; **accelerator** *n* (*BRIT*) accélérateur *m*
**accent** ['æksent] *n* accent *m*
**accept** [ək'sept] *vt* accepter; **acceptable** *adj* acceptable; **acceptance** *n* acceptation *f*
**access** ['æksɛs] *n* accès *m*; **to have ~ to** (*information, library etc*) avoir accès à, pouvoir utiliser *or* consulter; (*person*) avoir accès auprès de; **accessible** [æk'sɛsəbl] *adj* accessible
**accessory** [æk'sɛsərɪ] *n* accessoire *m*; **~ to** (*Law*) accessoire à
**accident** ['æksɪdənt] *n* accident *m*; (*chance*) hasard *m*; **I've had an ~** j'ai eu un accident; **by ~** (*by chance*) par hasard; (*not deliberately*) accidentellement; **accidental** [æksɪ'dɛntl] *adj* accidentel(le); **accidentally** [æksɪ'dɛntəlɪ] *adv* accidentellement; **Accident and Emergency Department** *n* (*BRIT*) service *m* des urgences; **accident insurance** *n* assurance *f* accident
**acclaim** [ə'kleɪm] *vt* acclamer ▷ *n* acclamations *fpl*
**accommodate** [ə'kɔmədeɪt] *vt* loger, recevoir; (*oblige, help*) obliger; (*car etc*) contenir
**accommodation** [əkɔmə'deɪʃən] *n*, (*US*) **accommodations** [əkɔmə'deɪʃən(z)] *n, npl* logement *m*
**accompaniment** [ə'kʌmpənɪmənt] *n* accompagnement *m*

**accompany** [əˈkʌmpəni] *vt* accompagner

**accomplice** [əˈkʌmplɪs] *n* complice *m/f*

**accomplish** [əˈkʌmplɪʃ] *vt* accomplir; **accomplishment** *n* (*skill: gen pl*) talent *m*; (*completion*) accomplissement *m*; (*achieved*) réussite *f*

**accord** [əˈkɔːd] *n* accord *m* ▷ *vt* accorder; **of his own ~** de son plein gré; **accordance** *n*: **in accordance with** conformément à; **according: according to** *prep* selon; **accordingly** *adv* (*appropriately*) en conséquence; (*as a result*) par conséquent

**account** [əˈkaʊnt] *n* (*Comm*) compte *m*; (*report*) compte rendu, récit *m*; **accounts** *npl* (*Comm: records*) comptabilité *f*, comptes; **of no ~** sans importance; **on ~** en acompte; **to buy sth on ~** acheter qch à crédit; **on no ~** en aucun cas; **on ~ of** à cause de; **to take into ~, take ~ of** tenir compte de; **account for** *vt fus* (*explain*) expliquer, rendre compte de; (*represent*) représenter; **accountable** *adj*: **accountable (for/to)** responsable (de/devant); **accountant** *n* comptable *m/f*; **account number** *n* numéro *m* de compte

**accumulate** [əˈkjuːmjʊleɪt] *vt* accumuler, amasser ▷ *vi* s'accumuler, s'amasser

**accuracy** [ˈækjʊrəsɪ] *n* exactitude *f*, précision *f*

**accurate** [ˈækjʊrɪt] *adj* exact(e), précis(e); (*device*) précis; **accurately** *adv* avec précision

**accusation** [ækjuˈzeɪʃən] *n* accusation *f*

**accuse** [əˈkjuːz] *vt*: **to ~ sb (of sth)** accuser qn (de qch); **accused** *n* (*Law*) accusé(e)

**accustomed** [əˈkʌstəmd] *adj*: **~ to** habitué(e) or accoutumé(e) à

**ace** [eɪs] *n* as *m*

**ache** [eɪk] *n* mal *m*, douleur *f* ▷ *vi* (*be sore*) faire mal, être douloureux(-euse); **my head ~s** j'ai mal à la tête

**achieve** [əˈtʃiːv] *vt* (*aim*) atteindre; (*victory, success*) remporter, obtenir; **achievement** *n* exploit *m*, réussite *f*; (*of aims*) réalisation *f*

**acid** [ˈæsɪd] *adj*, *n* acide (*m*)

**acknowledge** [əkˈnɒlɪdʒ] *vt* (*also: ~ receipt of*) accuser réception de; (*fact*) reconnaître; **acknowledgement** *n* (*of letter*) accusé *m* de réception

**acne** [ˈæknɪ] *n* acné *m*

**acorn** [ˈeɪkɔːn] *n* gland *m*

**acoustic** [əˈkuːstɪk] *adj* acoustique

**acquaintance** [əˈkweɪntəns] *n* connaissance *f*

**acquire** [əˈkwaɪər] *vt* acquérir; **acquisition** [ækwɪˈzɪʃən] *n* acquisition *f*

**acquit** [əˈkwɪt] *vt* acquitter; **to ~ o.s. well** s'en tirer très honorablement

**acre** [ˈeɪkər] *n* acre *f* (= 4047 m²)

**acronym** [ˈækrənɪm] *n* acronyme *m*

**across** [əˈkrɒs] *prep* (*on the other side*) de l'autre côté de; (*crosswise*) en travers de ▷ *adv* de l'autre côté; en travers; **to run/swim ~** traverser en courant/à la nage; **~ from** en face de

**acrylic** [əˈkrɪlɪk] *adj*, *n* acrylique (*m*)

**act** [ækt] *n* acte *m*, action *f*; (*Theat: part of play*) acte; (: *of performer*) numéro *m*; (*Law*) loi *f* ▷ *vi* agir; (*Theat*) jouer; (*pretend*) jouer la comédie ▷ *vt* (*role*) jouer, tenir; **to catch sb in the ~** prendre qn sur le fait or en flagrant délit; **to ~ as** servir de; **act up** (*inf*) *vi* (*person*) se conduire mal; (*knee, back, injury*) jouer des tours; (*machine*) être capricieux(-ieuse); **acting** *adj* suppléant(e), par intérim ▷ *n* (*activity*): **to do some acting** faire du théâtre (*or* du cinéma)

**action** [ˈækʃən] *n* action *f*; (*Mil*) combat(s) *m(pl)*; (*Law*) procès *m*, action en justice; **out of ~** hors de

combat; (machine etc) hors d'usage;
**to take ~** agir, prendre des mesures;
**action replay** n (BRIT TV) ralenti m

**activate** ['æktɪveɪt] vt (mechanism)
actionner, faire fonctionner

**active** ['æktɪv] adj actif(-ive);
(volcano) en activité; **actively** adv
activement; (discourage) vivement

**activist** ['æktɪvɪst] n activiste m/f

**activity** [æk'tɪvɪtɪ] n activité f;
**activity holiday** n vacances actives

**actor** ['æktər] n acteur m

**actress** ['æktrɪs] n actrice f

**actual** ['æktjuəl] adj réel(le),
véritable; (emphatic use) lui-même
(elle-même)

> Be careful not to translate actual
> by the French word actuel.

**actually** ['æktjuəlɪ] adv réellement,
véritablement; (in fact) en fait

> Be careful not to translate
> actually by the French word
> actuellement.

**acupuncture** ['ækjupʌŋktʃər] n
acuponcture f

**acute** [ə'kjuːt] adj aigu(ë); (mind,
observer) pénétrant(e)

**ad** [æd] n abbr = **advertisement**

**A.D.** adv abbr (= Anno Domini) ap. J.-C.

**adamant** ['ædəmənt] adj inflexible

**adapt** [ə'dæpt] vt adapter ▷ vi: **to ~
(to)** s'adapter (à); **adapter, adaptor**
n (Elec) adaptateur m; (for several
plugs) prise f multiple

**add** [æd] vt ajouter; (figures: also: **to ~
up**) additionner; **it doesn't ~ up** (fig)
cela ne rime à rien; **add up to** vt fus
(Math) s'élever à; (fig: mean) signifier

**addict** ['ædɪkt] n toxicomane
m/f; (fig) fanatique m/f; **addicted**
[ə'dɪktɪd] adj: **to be addicted to**
(drink, drugs) être adonné(e) à; (fig:
football etc) être un(e) fanatique
de; **addiction** [ə'dɪkʃən] n (Med)
dépendance f; **addictive** [ə'dɪktɪv]
adj qui crée une dépendance

**addition** [ə'dɪʃən] n (adding up)
addition f; (thing added) ajout m; **in ~**

de plus, de surcroît; **in ~ to** en plus de;
**additional** adj supplémentaire

**additive** ['ædɪtɪv] n additif m

**address** [ə'drɛs] n adresse f; (talk)
discours m, allocution f ▷ vt adresser;
(speak to) s'adresser à; **my ~ is ...** mon
adresse, c'est ...; **address book** n
carnet m d'adresses

**adequate** ['ædɪkwɪt] adj
(enough) suffisant(e); (satisfactory)
satisfaisant(e)

**adhere** [əd'hɪər] vi: **to ~ to** adhérer à;
(fig: rule, decision) se tenir à

**adhesive** [əd'hiːzɪv] n adhésif m;
**adhesive tape** n (BRIT) ruban m
adhésif; (US Med) sparadrap m

**adjacent** [ə'dʒeɪsənt] adj
adjacent(e), contigu(ë); **~ to**
adjacent à

**adjective** ['ædʒɛktɪv] n adjectif m

**adjoining** [ə'dʒɔɪnɪŋ] adj voisin(e),
adjacent(e), attenant(e)

**adjourn** [ə'dʒəːn] vt ajourner ▷ vi
suspendre la séance; lever la séance;
clore la session

**adjust** [ə'dʒʌst] vt (machine) ajuster,
régler; (prices, wages) rajuster ▷ vi:
**to ~ (to)** s'adapter (à); **adjustable** adj
réglable; **adjustment** n (of machine)
ajustage m, réglage m; (of prices, wages)
rajustement m; (of person) adaptation f

**administer** [əd'mɪnɪstər] vt
administrer; **administration**
[ədmɪnɪs'treɪʃən] n (management)
administration f; (government)
gouvernement m; **administrative**
[əd'mɪnɪstrətɪv] adj
administratif(-ive)

**administrator** [əd'mɪnɪstreɪtər] n
administrateur(-trice)

**admiral** ['ædmərəl] n amiral m

**admiration** [ædmə'reɪʃən] n
admiration f

**admire** [əd'maɪər] vt admirer;
**admirer** n (fan) admirateur(-trice)

**admission** [əd'mɪʃən] n admission
f; (to exhibition, night club etc) entrée f;
(confession) aveu m

**admit** [əd'mɪt] vt laisser entrer; admettre; (agree) reconnaître, admettre; (crime) reconnaître avoir commis; **"children not ~ted"** "entrée interdite aux enfants"; **admit to** vt fus reconnaître, avouer; **admittance** n admission f, (droit d')entrée f; **admittedly** adv il faut en convenir

**adolescent** [ædəʊ'lɛsnt] adj, n adolescent(e)

**adopt** [ə'dɒpt] vt adopter; **adopted** adj adoptif(-ive), adopté(e); **adoption** [ə'dɒpʃən] n adoption f

**adore** [ə'dɔːʳ] vt adorer

**adorn** [ə'dɔːn] vt orner

**Adriatic (Sea)** [eɪdrɪ'ætɪk-] n: **the Adriatic (Sea)** la mer Adriatique, l'Adriatique f

**adrift** [ə'drɪft] adv à la dérive

**ADSL** n abbr (= asymmetric digital subscriber line) ADSL m

**adult** ['ædʌlt] n adulte m/f ▷ adj (grown-up) adulte; (for adults) pour adultes; **adult education** n éducation f des adultes

**adultery** [ə'dʌltərɪ] n adultère m

**advance** [əd'vɑːns] n avance f ▷ vt avancer ▷ vi s'avancer; **in ~** en avance, d'avance; **to make ~s to sb** (amorously) faire des avances à qn; **~ booking** location f; **~ notice, ~ warning** préavis m; (verbal) avertissement m; **do I need to book in ~?** est-ce qu'il faut réserver à l'avance?; **advanced** adj avancé(e); (Scol: studies) supérieur(e)

**advantage** [əd'vɑːntɪdʒ] n (also Tennis) avantage m; **to take ~ of** (person) exploiter; (opportunity) profiter de

**advent** ['ædvənt] n avènement m, venue f; **A~** (Rel) avent m

**adventure** [əd'vɛntʃəʳ] n aventure f; **adventurous** [əd'vɛntʃərəs] adj aventureux(-euse)

**adverb** ['ædvəːb] n adverbe m

**adversary** ['ædvəsərɪ] n adversaire m/f

**adverse** ['ædvəːs] adj adverse; (effect) négatif(-ive); (weather, publicity) mauvais(e); (wind) contraire

**advert** ['ædvəːt] n abbr (BRIT) = **advertisement**

**advertise** ['ædvətaɪz] vi faire de la publicité or de la réclame; (in classified ads etc) mettre une annonce ▷ vt faire de la publicité or de la réclame pour; (in classified ads etc) mettre une annonce pour vendre; **to ~ for** (staff) recruter par (voie d')annonce; **advertisement** [əd'vəːtɪsmənt] n publicité f, réclame f; (in classified ads etc) annonce f; **advertiser** n annonceur m; **advertising** n publicité f

**advice** [əd'vaɪs] n conseils mpl; (notification) avis m; **a piece of ~** un conseil; **to take legal ~** consulter un avocat

**advisable** [əd'vaɪzəbl] adj recommandable, indiqué(e)

**advise** [əd'vaɪz] vt conseiller; **to ~ sb of sth** aviser or informer qn de qch; **to ~ against sth/doing sth** déconseiller qch/conseiller de ne pas faire qch; **adviser, advisor** n conseiller(-ère); **advisory** adj consultatif(-ive)

**advocate** n ['ædvəkɪt] (lawyer) avocat (plaidant); (upholder) défenseur m, avocat(e) ▷ vt ['ædvəkeɪt] recommander, prôner; **to be an ~ of** être partisan(e) de

**Aegean** [iː'dʒiːən] n, adj: **the ~ (Sea)** la mer Égée, l'Égée f

**aerial** ['ɛərɪəl] n antenne f ▷ adj aérien(ne)

**aerobics** [ɛə'rəʊbɪks] n aérobic m

**aeroplane** ['ɛərəpleɪn] n (BRIT) avion m

**aerosol** ['ɛərəsɒl] n aérosol m

**affair** [ə'fɛəʳ] n affaire f; (also: **love ~**) liaison f, aventure f

**affect** [ə'fɛkt] vt affecter; (subj: disease) atteindre; **affected** adj affecté(e); **affection** n affection f; **affectionate** adj affectueux(-euse)

**afflict** [əˈflɪkt] vt affliger

**affluent** [ˈæfluənt] adj aisé(e), riche; **the ~ society** la société d'abondance

**afford** [əˈfɔːd] vt (behaviour) se permettre; (provide) fournir, procurer; **can we ~ a car?** avons-nous de quoi acheter or les moyens d'acheter une voiture?; **affordable** adj abordable

**Afghanistan** [æfˈɡænɪstæn] n Afghanistan m

**afraid** [əˈfreɪd] adj effrayé(e); **to be ~ of** or **to** avoir peur de; **I am ~ that** je crains que + sub; **I'm ~ so/not** oui/non, malheureusement

**Africa** [ˈæfrɪkə] n Afrique f; **African** adj africain(e) ▷ n Africain(e); **African-American** adj afro-américain(e) ▷ n Afro-Américain(e)

**after** [ˈɑːftəʳ] prep, adv après ▷ conj après que; **it's quarter ~ two** (US) il est deux heures et quart; **~ having done/~ he left** après avoir fait/après son départ; **to name sb ~ sb** donner à qn le nom de qn; **to ask ~ sb** demander des nouvelles de qn; **what/who are you ~?** que/qui cherchez-vous?; **~ you!** après vous!; **~ all** après tout; **after-effects** npl (of disaster, radiation, drink etc) répercussions fpl; (of illness) séquelles fpl, suites fpl; **aftermath** n conséquences fpl; **afternoon** n après-midi m/f; **after-shave (lotion)** n lotion f après-rasage; **aftersun (cream/lotion)** n après-soleil m inv; **afterwards**, (US) **afterward** [ˈɑːftəwəd(z)] adv après

**again** [əˈɡɛn] adv de nouveau, encore (une fois); **to do sth ~** refaire qch; **~ and ~** à plusieurs reprises

**against** [əˈɡɛnst] prep contre; (compared to) par rapport à

**age** [eɪdʒ] n âge m ▷ vt, vi vieillir; **he is 20 years of ~** il a 20 ans; **to come of ~** atteindre sa majorité; **it's been ~ since I saw you** ça fait une éternité que je ne t'ai pas vu

**aged** adj âgé(e); **~ 10** âgé de 10 ans

**age: age group** n tranche f d'âge; **age limit** n limite f d'âge

**agency** [ˈeɪdʒənsɪ] n agence f

**agenda** [əˈdʒɛndə] n ordre m du jour

> Be careful not to translate *agenda* by the French word *agenda*.

**agent** [ˈeɪdʒənt] n agent m; (firm) concessionnaire m

**aggravate** [ˈæɡrəveɪt] vt (situation) aggraver; (annoy) exaspérer, agacer

**aggression** [əˈɡrɛʃən] n agression f

**aggressive** [əˈɡrɛsɪv] adj agressif(-ive)

**agile** [ˈædʒaɪl] adj agile

**AGM** n abbr (= annual general meeting) AG f

**ago** [əˈɡəu] adv: **two days ~** il y a deux jours; **not long ~** il n'y a pas longtemps; **how long ~?** il y a combien de temps (de cela)?

**agony** [ˈæɡənɪ] n (pain) douleur f atroce; (distress) angoisse f; **to be in ~** souffrir le martyre

**agree** [əˈɡriː] vt (price) convenir de ▷ vi: **to ~ with** (person) être d'accord avec; (statements etc) concorder avec; (Ling) s'accorder avec; **to ~ to do** accepter de or consentir à faire; **to ~ to sth** consentir à qch; **to ~ that** (admit) convenir or reconnaître que; **garlic doesn't ~ with me** je ne supporte pas l'ail; **agreeable** adj (pleasant) agréable; (willing) consentant(e), d'accord; **agreed** adj (time, place) convenu(e); **agreement** n accord m; **in agreement** d'accord

**agricultural** [æɡrɪˈkʌltʃərəl] adj agricole

**agriculture** [ˈæɡrɪkʌltʃəʳ] n agriculture f

**ahead** [əˈhɛd] adv en avant; devant; **go right or straight ~** (direction) allez tout droit; **go ~!** (permission) allez-y!; **~ of** devant; (fig: schedule etc) en avance sur; **~ of time** en avance

**aid** [eɪd] n aide f; (device) appareil m ▷ vt aider; **in ~ of** en faveur de

**aide** [eɪd] n (person) assistant(e)

**AIDS** [eɪdz] n abbr (= acquired immune (or immuno-)deficiency syndrome) SIDA m

**ailing** ['eɪlɪŋ] adj (person) souffreteux(euse); (economy) malade

**ailment** ['eɪlmənt] n affection f

**aim** [eɪm] n (objective) but m; (skill): **his ~ is bad** il vise mal ▷ vi (also: **to take ~**) viser ▷ vt: **to ~ sth (at)** (gun, camera) braquer ou pointer qch (sur); (missile) lancer qch (à or contre or en direction de); (remark, blow) destiner or adresser qch (à); **to ~ at** viser; (fig) viser (à); **to ~ to do** avoir l'intention de faire

**ain't** [eɪnt] (inf) = **am not; aren't; isn't**

**air** [ɛəʳ] n air m ▷ vt aérer; (idea, grievance, views) mettre sur le tapis ▷ cpd (currents, attack etc) aérien(ne); **to throw sth into the ~** (ball etc) jeter qch en l'air; **by ~** par avion; **to be on the ~** (Radio, TV: programme) être diffusé(e) or (: station) émettre; **airbag** n airbag m; **airbed** n (BRIT) matelas m pneumatique; **airborne** adj (plane) en vol; **as soon as the plane was airborne** dès que l'avion eut décollé; **air-conditioned** adj climatisé(e), à air conditionné; **air conditioning** n climatisation f; **aircraft** n inv avion m; **airfield** n terrain m d'aviation; **Air Force** n Armée f de l'air; **air hostess** n (BRIT) hôtesse f de l'air; **airing cupboard** n (BRIT) placard qui contient la chaudière et dans lequel on met le linge à sécher; **airlift** n pont aérien; **airline** n ligne aérienne, compagnie aérienne; **airliner** n avion m de ligne; **airmail** n: **by airmail** par avion; **airplane** n (US) avion m; **airport** n aéroport m; **air raid** n attaque aérienne; **airsick** adj: **to be airsick** avoir le mal de l'air; **airspace** n espace m aérien; **airstrip** n terrain m d'atterrissage; **air terminal** n aérogare f; **airtight** adj hermétique; **air-traffic controller** n aiguilleur m du ciel; **airy** adj bien aéré(e); (manners) dégagé(e)

**aisle** [aɪl] n (of church: central) allée f centrale; (: side) nef f latérale, bas-côté m; (in theatre, supermarket) allée; (on plane) couloir m; **aisle seat** n place f côté couloir

**ajar** [əˈdʒɑːʳ] adj entrouvert(e)

**à la carte** [ælæˈkɑːt] adv à la carte

**alarm** [əˈlɑːm] n alarme f ▷ vt alarmer; **alarm call** n coup m de fil pour réveiller; **could I have an alarm call at 7 am, please?** pouvez-vous me réveiller à 7 heures, s'il vous plaît?; **alarm clock** n réveille-matin m inv, réveil m; **alarmed** adj (frightened) alarmé(e); (protected by an alarm) protégé(e) par un système d'alarme; **alarming** adj alarmant(e)

**Albania** [ælˈbeɪnɪə] n Albanie f

**albeit** [ɔːlˈbiːɪt] conj bien que + sub, encore que + sub

**album** ['ælbəm] n album m

**alcohol** ['ælkəhɔl] n alcool m; **alcohol-free** adj sans alcool; **alcoholic** [ælkəˈhɔlɪk] adj, n alcoolique (m/f)

**alcove** ['ælkəuv] n alcôve f

**ale** [eɪl] n bière f

**alert** [əˈlɜːt] adj alerte, vif (vive); (watchful) vigilant(e) ▷ n alerte f ▷ vt alerter; **on the ~** sur le qui-vive; (Mil) en état d'alerte

**algebra** ['ældʒɪbrə] n algèbre m

**Algeria** [ælˈdʒɪərɪə] n Algérie f

**Algerian** [ælˈdʒɪərɪən] adj algérien(ne) ▷ n Algérien(ne)

**Algiers** [ælˈdʒɪəz] n Alger

**alias** ['eɪlɪæs] adv alias ▷ n faux nom, nom d'emprunt

**alibi** ['ælɪbaɪ] n alibi m

**alien** ['eɪlɪən] n (from abroad) étranger(-ère); (from outer space) extraterrestre ▷ adj: **~ (to)** étranger(-ère) (à); **alienate** vt aliéner; (subj: person) s'aliéner

**alight** [əˈlaɪt] adj en feu ▷ vi mettre pied à terre; (passenger) descendre; (bird) se poser

**align** [əˈlaɪn] vt aligner

**alike** [ə'laɪk] *adj* semblable, pareil(le)
▷ *adv* de même; **to look ~** se
ressembler

**alive** [ə'laɪv] *adj* vivant(e); (*active*)
plein(e) de vie

KEYWORD

**all** [ɔːl] *adj* (*singular*) tout(e); (*plural*)
tous (toutes); **all day** toute la
journée; **all night** toute la nuit; **all
men** tous les hommes; **all five** tous
les cinq; **all the books** tous les livres;
**all his life** toute sa vie
▷ *pron* 1 tout; **I ate it all, I ate all
of it** j'ai tout mangé; **all of us went**
nous y sommes tous allés; **all of the
boys went** tous les garçons y sont
allés; **is that all?** c'est tout?; (*in shop*)
ce sera tout?
2 (*in phrases*): **above all** surtout,
par-dessus tout; **after all** après
tout; **at all: not at all** (*in answer to
question*) pas du tout; (*in answer to
thanks*) je vous en prie!; **I'm not at all
tired** je ne suis pas du tout fatigué(e);
**anything at all will do** n'importe
quoi fera l'affaire; **all in all** tout bien
considéré, en fin de compte
▷ *adv*: **all alone** tout(e) seul(e); **it's
not as hard as all that** ce n'est pas
si difficile que ça; **all the more/the
better** d'autant plus/mieux; **all but**
presque, pratiquement; **the score is 2**
all le score est de 2 partout

**Allah** ['ælə] *n* Allah *m*
**allegation** [ælɪ'geɪʃən] *n* allégation *f*
**alleged** [ə'ledʒd] *adj* prétendu(e);
**allegedly** *adv* à ce que l'on prétend,
paraît-il
**allegiance** [ə'liːdʒəns] *n* fidélité *f*,
obéissance *f*
**allergic** [ə'lɜːdʒɪk] *adj*: **~ to**
allergique à; **I'm ~ to penicillin** je
suis allergique à la pénicilline
**allergy** ['ælədʒɪ] *n* allergie *f*

**alleviate** [ə'liːvɪeɪt] *vt* soulager,
adoucir
**alley** ['ælɪ] *n* ruelle *f*
**alliance** [ə'laɪəns] *n* alliance *f*
**allied** ['ælaɪd] *adj* allié(e)
**alligator** ['ælɪgeɪtə'] *n* alligator *m*
**all-in** ['ɔːlɪn] *adj, adv* (BRIT: *charge*)
tout compris
**allocate** ['æləkeɪt] *vt* (*share out*)
répartir, distribuer; **to ~ sth to**
(*duties*) assigner or attribuer qch à;
(*sum, time*) allouer qch à
**allot** [ə'lɒt] *vt* (*share out*) répartir,
distribuer; **to ~ sth to** (*time*) allouer
qch à; (*duties*) assigner qch à
**all-out** ['ɔːlaut] *adj* (*effort etc*) total(e)
**allow** [ə'lau] *vt* (*practice, behaviour*)
permettre, autoriser; (*sum to spend
etc*) accorder, allouer; (*sum, time
estimated*) compter, prévoir; (*claim,
goal*) admettre; (*concede*): **to ~
that** convenir que; **to ~ sb to do**
permettre à qn de faire, autoriser qn
à faire; **he is ~ed to ...** on lui permet
de ...; **allow for** *vt fus* tenir compte
de; **allowance** *n* (*money received*)
allocation *f*; (*: from parent etc*) subside
*m*; (*: for expenses*) indemnité *f*; (*us:
pocket money*) argent *m* de poche; (*Tax*)
somme *f* déductible du revenu
imposable, abattement *m*; **to make
allowances for** (*person*) essayer de
comprendre; (*thing*) tenir compte de
**all right** *adv* (*feel, work*) bien; (*as
answer*) d'accord
**ally** ['ælaɪ] *n* allié *m* ▷ *vt* [ə'laɪ]: **to ~
o.s. with** s'allier avec
**almighty** [ɔːl'maɪtɪ] *adj* tout(e)-
puissant(e); (*tremendous*) énorme
**almond** ['ɑːmənd] *n* amande *f*
**almost** ['ɔːlməust] *adv* presque
**alone** [ə'ləun] *adj, adv* seul(e); **to
leave sb ~** laisser qn tranquille; **to
leave sth ~** ne pas toucher à qch; **let
~ ...** sans parler de ...; encore moins ...
**along** [ə'lɒŋ] *prep* le long de ▷ *adv*: **is
he coming ~ with us?** vient-il avec
nous?; **he was hopping/limping ~**

il venait or avançant en sautillant/boitant; **~ with** avec, en plus de; (person) en compagnie de; **all ~** (all the time) depuis le début; **alongside** prep (along) le long de; (beside) à côté de ▷ adv bord à bord; côte à côte

**aloof** [ə'lu:f] adj distant(e) ▷ adv: **to stand ~** se tenir à l'écart or à distance

**aloud** [ə'laud] adv à haute voix

**alphabet** ['ælfəbɛt] n alphabet m

**Alps** [ælps] npl: **the ~** les Alpes fpl

**already** [ɔːl'rɛdɪ] adv déjà

**alright** ['ɔːl'raɪt] adv (BRIT) = **all right**

**also** ['ɔːlsəu] adv aussi

**altar** ['ɔːltə'] n autel m

**alter** ['ɔːltə'] vt, vi changer; **alteration** [ɔːltə'reɪʃən] n changement m, modification f; **alterations** npl (Sewing) retouches fpl; (Archit) modifications fpl

**alternate** adj [ɔl'tə:nɪt] alterné(e), alternant(e), alternatif(-ive); (us) = **alternative** ▷ vi ['ɔltə:neɪt] alterner; **to ~ with** alterner avec; **on ~ days** un jour sur deux, tous les deux jours

**alternative** [ɔl'tə:nətɪv] adj (solution, plan) autre, de remplacement; (lifestyle) parallèle ▷ n (choice) alternative f; (other possibility) autre possibilité f; **~ medicine** médecine alternative, médecine douce; **alternatively** adv: **alternatively one could …** une autre or l'autre solution serait de …

**although** [ɔːl'ðəu] conj bien que + sub

**altitude** ['æltɪtjuːd] n altitude f

**altogether** [ɔːltə'gɛðə'] adv entièrement, tout à fait; (on the whole) tout compte fait; (in all) en tout

**aluminium** [ælju'mɪnɪəm], (us) **aluminum** [ə'luːmɪnəm] n aluminium m

**always** ['ɔːlweɪz] adv toujours

**Alzheimer's (disease)** ['æltshaɪməz-] n maladie f d'Alzheimer

**am** [æm] vb see **be**

**a.m.** adv abbr (= ante meridiem) du matin

**amalgamate** [ə'mælgəmeɪt] vt, vi fusionner

**amass** [ə'mæs] vt amasser

**amateur** ['æmətə'] n amateur m

**amaze** [ə'meɪz] vt stupéfier; **to be ~d (at)** être stupéfait(e) (de); **amazed** adj stupéfait(e); **amazement** n surprise f, étonnement m; **amazing** adj étonnant(e), incroyable; (bargain, offer) exceptionnel(le)

**Amazon** ['æməzən] n (Geo) Amazone f

**ambassador** [æm'bæsədə'] n ambassadeur m

**amber** ['æmbə'] n ambre m; **at ~** (BRIT Aut) à l'orange

**ambiguous** [æm'bɪgjuəs] adj ambigu(ë)

**ambition** [æm'bɪʃən] n ambition f; **ambitious** [æm'bɪʃəs] adj ambitieux(-euse)

**ambulance** ['æmbjuləns] n ambulance f; **call an ~!** appelez une ambulance!

**ambush** ['æmbuʃ] n embuscade f ▷ vt tendre une embuscade à

**amen** ['ɑː'mɛn] excl amen

**amend** [ə'mɛnd] vt (law) amender; (text) corriger; **to make ~s** réparer ses torts, faire amende honorable; **amendment** n (to law) amendement m; (to text) correction f

**amenities** [ə'miːnɪtɪz] npl aménagements mpl, équipements mpl

**America** [ə'mɛrɪkə] n Amérique f; **American** adj américain(e) ▷ n Américain(e); **American football** n (BRIT) football m américain

**amicable** ['æmɪkəbl] adj amical(e); (Law) à l'amiable

**amid(st)** [ə'mɪd(st)] prep parmi, au milieu de

**ammunition** [æmju'nɪʃən] n munitions fpl

**amnesty** ['æmnɪstɪ] n amnistie f

**among(st)** [ə'mʌŋ(st)] *prep* parmi, entre

**amount** [ə'maʊnt] *n (sum of money)* somme *f*; *(total)* montant *m*; *(quantity)* quantité *f*; nombre *m* ▷ *vi*: **to ~ to** *(total)* s'élever à; *(be same as)* équivaloir à, revenir à

**amp(ère)** ['æmp(ɛəʳ)] *n* ampère *m*

**ample** ['æmpl] *adj* ample, spacieux(-euse); *(enough)*: **this is ~** c'est largement suffisant; **to have ~ time/room** avoir bien assez de temps/place

**amplifier** ['æmplɪfaɪəʳ] *n* amplificateur *m*

**amputate** ['æmpjuteɪt] *vt* amputer

**Amtrak** ['æmtræk] *(us) n* société mixte de transports ferroviaires interurbains pour voyageurs

**amuse** [ə'mjuːz] *vt* amuser; **amusement** *n* amusement *m*; *(pastime)* distraction *f*; **amusement arcade** *n* salle *f* de jeu; **amusement park** *n* parc *m* d'attractions

**amusing** [ə'mjuːzɪŋ] *adj* amusant(e), divertissant(e)

**an** [æn, ən, n] *indef art see* **a**

**anaemia**, *(us)* **anemia** [ə'niːmɪə] *n* anémie *f*

**anaemic**, *(us)* **anemic** [ə'niːmɪk] *adj* anémique

**anaesthetic**, *(us)* **anesthetic** [ænɪs'θɛtɪk] *n* anesthésique *m*

**analog(ue)** ['ænəlɔg] *adj (watch, computer)* analogique

**analogy** [ə'nælədʒɪ] *n* analogie *f*

**analyse**, *(us)* **analyze** ['ænəlaɪz] *vt* analyser; **analysis** *(pl* **analyses)** [ə'næləsɪs, -siːz] *n* analyse *f*; **analyst** ['ænəlɪst] *n (political analyst etc)* analyste *m/f*; *(us)* psychanalyste *m/f*

**analyze** ['ænəlaɪz] *vt (us)* = **analyse**

**anarchy** ['ænəkɪ] *n* anarchie *f*

**anatomy** [ə'nætəmɪ] *n* anatomie *f*

**ancestor** ['ænsɪstəʳ] *n* ancêtre *m*, aïeul *m*

**anchor** ['æŋkəʳ] *n* ancre *f* ▷ *vi (also:* **to drop ~)** jeter l'ancre, mouiller ▷ *vt*

mettre à l'ancre; *(fig)*: **to ~ sth to** fixer qch à

**anchovy** ['æntʃəvɪ] *n* anchois *m*

**ancient** ['eɪnʃənt] *adj* ancien(ne), antique; *(person)* d'un âge vénérable; *(car)* antédiluvien(ne)

**and** [ænd] *conj* et; **~ so on** et ainsi de suite; **try ~ come** tâchez de venir; **come ~ sit here** venez vous asseoir ici; **he talked ~ talked** il a parlé pendant des heures; **better ~ better** de mieux en mieux; **more ~ more** de plus en plus

**Andorra** [æn'dɔːrə] *n (principauté f* d')Andorre *f*

**anemia** *etc* [ə'niːmɪə] *n (us)* = **anaemia** *etc*

**anesthetic** [ænɪs'θɛtɪk] *n, adj (us)* = **anaesthetic**

**angel** ['eɪndʒəl] *n* ange *m*

**anger** ['æŋgəʳ] *n* colère *f*

**angina** [æn'dʒaɪnə] *n* angine *f* de poitrine

**angle** ['æŋgl] *n* angle *m*; **from their ~** de leur point de vue

**angler** ['æŋgləʳ] *n* pêcheur(-euse) à la ligne

**Anglican** ['æŋglɪkən] *adj, n* anglican(e)

**angling** ['æŋglɪŋ] *n* pêche *f* à la ligne

**angrily** ['æŋgrɪlɪ] *adv* avec colère

**angry** ['æŋgrɪ] *adj* en colère, furieux(-euse); *(wound)* enflammé(e); **to be ~ with sb/at sth** être furieux contre qn/de qch; **to get ~** se fâcher, se mettre en colère

**anguish** ['æŋgwɪʃ] *n* angoisse *f*

**animal** ['ænɪməl] *n* animal *m* ▷ *adj* animal(e)

**animated** ['ænɪmeɪtɪd] *adj* animé(e)

**animation** [ænɪ'meɪʃən] *n (of person)* entrain *m*; *(of street, Cine)* animation *f*

**aniseed** ['ænɪsiːd] *n* anis *m*

**ankle** ['æŋkl] *n* cheville *f*

**annex** ['ænɛks] *n (BRIT: also:* **-e)** annexe *f* ▷ *vt* [ə'nɛks] annexer

**anniversary** [ænɪ'vɜːsərɪ] *n* anniversaire *m*

**announce** [əˈnaʊns] vt annoncer; (birth, death) faire part de; **announcement** n annonce f; (for births etc: in newspaper) avis m de faire-part; (: letter, card) faire-part m; **announcer** n (Radio, TV: between programmes) speaker(ine); (: in a programme) présentateur(-trice)

**annoy** [əˈnɔɪ] vt agacer, ennuyer, contrarier; **don't get ~ed!** ne vous fâchez pas!; **annoying** adj agaçant(e), contrariant(e)

**annual** [ˈænjʊəl] adj annuel(le) ▷ n (Bot) plante annuelle; (book) album m; **annually** adv annuellement

**annum** [ˈænəm] n see **per**

**anonymous** [əˈnɒnɪməs] adj anonyme

**anorak** [ˈænəræk] n anorak m

**anorexia** [ænəˈrɛksɪə] n (also: ~ **nervosa**) anorexie f

**anorexic** [ænəˈrɛksɪk] adj, n anorexique (m/f)

**another** [əˈnʌðəʳ] adj: ~ **book** (one more) un autre livre, encore un livre, un livre de plus; (a different one) un autre livre ▷ pron un(e) autre, encore un(e), un(e) de plus; see also **one**

**answer** [ˈɑːnsəʳ] n réponse f; (to problem) solution f ▷ vi répondre ▷ vt (reply to) répondre à; (problem) résoudre; (prayer) exaucer; **in ~ to your letter** suite à or en réponse à votre lettre; **to ~ the phone** répondre (au téléphone); **to ~ the bell** or **the door** aller or venir ouvrir (la porte); **answer back** vi répondre, répliquer; **answerphone** n (esp BRIT) répondeur m (téléphonique)

**ant** [ænt] n fourmi f

**Antarctic** [æntˈɑːktɪk] n: **the ~** l'Antarctique m

**antelope** [ˈæntɪləʊp] n antilope f

**antenatal** [ˈæntɪˈneɪtl] adj prénatal(e)

**antenna** (pl **antennae**) [ænˈtɛnə, -niː] n antenne f

**anthem** [ˈænθəm] n: **national ~** hymne national

**anthology** [ænˈθɒlədʒɪ] n anthologie f

**anthropology** [ænθrəˈpɒlədʒɪ] n anthropologie f

**anti** [ˈæntɪ] prefix anti-; **antibiotic** [ˈæntɪbaɪˈɒtɪk] n antibiotique m; **antibody** [ˈæntɪbɒdɪ] n anticorps m

**anticipate** [ænˈtɪsɪpeɪt] vt s'attendre à, prévoir; (wishes, request) aller au devant de, devancer; **anticipation** [æntɪsɪˈpeɪʃən] n attente f

**anticlimax** [ˈæntɪˈklaɪmæks] n déception f

**anticlockwise** [ˈæntɪˈklɒkwaɪz] (BRIT) adv dans le sens inverse des aiguilles d'une montre

**antics** [ˈæntɪks] npl singeries fpl

**anti-: antidote** [ˈæntɪdəʊt] n antidote m, contrepoison m; **antifreeze** [ˈæntɪfriːz] n antigel m; **anti-globalization** n antimondialisation f; **antihistamine** [æntɪˈhɪstəmɪn] n antihistaminique m; **antiperspirant** [æntɪˈpəːspɪrənt] n déodorant m

**antique** [ænˈtiːk] n (ornament) objet m d'art ancien; (furniture) meuble ancien ▷ adj ancien(ne); **antique shop** n magasin m d'antiquités

**antiseptic** [æntɪˈsɛptɪk] adj, n antiseptique m

**antisocial** [ˈæntɪˈsəʊʃəl] adj (unfriendly) insociable; (against society) antisocial(e)

**antivirus** [æntɪˈvaɪrəs] adj (Comput) antivirus inv; **~ software** (logiciel m) antivirus

**antlers** [ˈæntləz] npl bois mpl, ramure f

**anxiety** [æŋˈzaɪətɪ] n anxiété f; (keenness): **~ to do** grand désir or impatience f de faire

**anxious** [ˈæŋkʃəs] adj (très) inquiet(-ète); (always worried) anxieux(-euse); (worrying) angoissant(e); **~ to do/that** (keen) qui tient beaucoup à faire/à ce que + *sub*; impatient(e) de faire/que + *sub*

○ **KEYWORD**

**any** ['enɪ] *adj* **1** (*in questions etc*: *singular*) du, de l', de la; (: *plural*) des; **do you have any butter/children/ink?** avez-vous du beurre/des enfants/de l'encre?
**2** (*with negative*) de, d'; **I don't have any money/books** je n'ai pas d'argent/de livres
**3** (*no matter which*) n'importe quel(le); (*each and every*) tout(e), chaque; **choose any book you like** vous pouvez choisir n'importe quel livre; **any teacher you ask will tell you** n'importe quel professeur vous le dira
**4** (*in phrases*): **in any case** de toute façon; **any day now** d'un jour à l'autre; **at any moment** à tout moment, d'un instant à l'autre; **at any rate** en tout cas; **any time** n'importe quand; **he might come (at) any time** il pourrait venir n'importe quand; **come (at) any time** venez quand vous voulez
▶ *pron* **1** (*in questions etc*) en; **have you got any?** est-ce que vous en avez?; **can any of you sing?** est-ce que parmi vous il y en a qui savent chanter?
**2** (*with negative*) en; **I don't have any (of them)** je n'en ai pas, je n'en ai aucun
**3** (*no matter which one(s)*) n'importe lequel (or laquelle); (*anybody*) n'importe qui; **take any of those books (you like)** vous pouvez prendre n'importe lequel de ces livres
▶ *adv* **1** (*in questions etc*): **do you want any more soup/sandwiches?** voulez-vous encore de la soupe/des sandwichs?; **are you feeling any better?** est-ce que vous vous sentez mieux?
**2** (*with negative*): **I can't hear him**

**any more** je ne l'entends plus; **don't wait any longer** n'attendez pas plus longtemps; **anybody** *pron* n'importe qui; (*in interrogative sentences*) quelqu'un; (*in negative sentences*): **I don't see anybody** je ne vois personne; **if anybody should phone ...** si quelqu'un téléphone ...; **anyhow** *adv* quoi qu'il en soit; (*haphazardly*) n'importe comment; **do it anyhow you like** faites-le comme vous voulez; **she leaves things just anyhow** elle laisse tout traîner; **I shall go anyhow** j'irai de toute façon; **anyone** *pron* = **anybody**; **anything** *pron* (*no matter what*) n'importe quoi; (*in questions*) quelque chose; (*with negative*) ne ... rien; **can you see anything?** tu vois quelque chose?; **if anything happens to me ...** s'il m'arrive quoi que ce soit ...; **you can say anything you like** vous pouvez dire ce que vous voulez; **anything will do** n'importe quoi fera l'affaire; **he'll eat anything** il mange de tout; **anytime** *adv* (*at any moment*) d'un moment à l'autre; (*whenever*) n'importe quand; **anyway** *adv* de toute façon; **anyway, I couldn't come even if I wanted to** de toute façon, je ne pouvais pas venir même si je le voulais; **I shall go anyway** j'irai quand même; **why are you phoning, anyway?** au fait, pourquoi tu me téléphones?; **anywhere** *adv* n'importe où; (*in interrogative sentences*) quelque part; (*in negative sentences*): **I can't see him anywhere** je ne le vois nulle part; **can you see him anywhere?** tu le vois quelque part?; **put the books down anywhere** pose les livres n'importe où; **anywhere in the world** (*no matter where*) n'importe où dans le monde

**apart** [ə'pɑːt] *adv* (*to one side*) à part; de côté; à l'écart; (*separately*) séparément; **to take/pull ~** démonter; **10 miles/a long way ~** à 10 miles/très éloignés l'un de l'autre; **~ from** prep à part, excepté

**apartment** [ə'pɑ:tmənt] n (us) appartement m, logement m; (room) chambre f; **apartment building** n (us) immeuble m; maison divisée en appartements

**apathy** ['æpəθɪ] n apathie f, indifférence f

**ape** [eɪp] n (grand) singe ▷ vt singer

**aperitif** [ə'perɪtɪf] n apéritif m

**aperture** ['æpətʃjuə'] n orifice m, ouverture f; (Phot) ouverture (du diaphragme)

**APEX** ['eɪpeks] n abbr (Aviat: = advance purchase excursion) APEX m

**apologize** [ə'pɒlədʒaɪz] vi: **to ~ (for sth to sb)** s'excuser (de qch auprès de qn), présenter des excuses (à qn pour qch)

**apology** [ə'pɒlədʒɪ] n excuses fpl

**apostrophe** [ə'pɒstrəfɪ] n apostrophe f

**app** n abbr (inf: Comput: = application) appli f

**appal**, (us) **appall** [ə'pɔ:l] vt consterner, atterrer; horrifier; **appalling** adj épouvantable; (stupidity) consternant(e)

**apparatus** [æpə'reɪtəs] n appareil m, dispositif m; (in gymnasium) agrès mpl

**apparent** [ə'pærənt] adj apparent(e); **apparently** adv apparemment

**appeal** [ə'pi:l] vi (Law) faire ou interjeter appel ▷ n (Law) appel m; (request) appel; prière f; (charm) attrait m, charme m; **to ~ for** demander (instamment); implorer; **to ~ to** (beg) faire appel à; (be attractive) plaire à; **it doesn't ~ to me** cela ne m'attire pas; **appealing** adj (attractive) attrayant(e)

**appear** [ə'pɪə'] vi apparaître, se montrer; (Law) comparaître; (publication) paraître, sortir, être

publié(e); (seem) paraître, sembler; **it would ~ that** il semble que; **to ~ in Hamlet** jouer dans Hamlet; **to ~ on TV** passer à la télé; **appearance** n apparition f; parution f; (look, aspect) apparence f, aspect m

**appendices** [ə'pendɪsi:z] npl of **appendix**

**appendicitis** [əpendɪ'saɪtɪs] n appendicite f

**appendix** (pl **appendices**) [ə'pendɪks, -si:z] n appendice m

**appetite** ['æpɪtaɪt] n appétit m

**appetizer** ['æpɪtaɪzə'] n (food) amuse-gueule m; (drink) apéritif m

**applaud** [ə'plɔ:d] vt, vi applaudir

**applause** [ə'plɔ:z] n applaudissements mpl

**apple** [æpl] n pomme f; **apple pie** n tarte f aux pommes

**appliance** [ə'plaɪəns] n appareil m

**applicable** [ə'plɪkəbl] adj applicable; **to be ~ to** (relevant) valoir pour

**applicant** ['æplɪkənt] n: **~ (for)** candidat(e) (à)

**application** [æplɪ'keɪʃən] n (also Comput) application f; (for a job, a grant etc) demande f; candidature f; **application form** n formulaire m de demande

**apply** [ə'plaɪ] vt: **to ~ (to)** (paint, ointment) appliquer (sur); (law, etc) appliquer (à) ▷ vi: **to ~ to** (ask) s'adresser à; (be suitable for, relevant to) s'appliquer à; **to ~ (for)** (permit, grant) faire une demande (en vue d'obtenir); (job) poser sa candidature (pour), faire une demande d'emploi (concernant); **to ~ o.s. to** s'appliquer à

**appoint** [ə'pɔɪnt] vt (to post) nommer, engager; (date, place) fixer, désigner; **appointment** n (to post) nomination f; (job) poste m; (arrangement to meet) rendez-vous m; **to have an appointment** avoir un rendez-vous; **to make an appointment (with)** prendre rendez-vous (avec); **I'd like to make an appointment** je voudrais prendre rendez-vous

**appraisal** [ə'preɪzl] n évaluation f

**appreciate** [ə'priːʃɪeɪt] vt (like) apprécier, faire cas de; (be grateful for) être reconnaissant(e) de; (be aware of) comprendre, se rendre compte de ▷ vi (Finance) prendre de la valeur; **appreciation** [əpriːʃɪ'eɪʃən] n appréciation f; (gratitude) reconnaissance f; (Finance) hausse f, valorisation f

**apprehension** [æprɪ'henʃən] n appréhension f, inquiétude f

**apprehensive** [æprɪ'hensɪv] adj inquiet(-ète), appréhensif(-ive)

**apprentice** [ə'prentɪs] n apprenti m

**approach** [ə'prəʊtʃ] vi approcher ▷ vt (come near) approcher de; (ask, apply to) s'adresser à; (subject, passer-by) aborder ▷ n approche f; accès m, abord m; (intellectual) démarche f

**appropriate** adj [ə'prəʊprɪɪt] (tool etc) qui convient, approprié(e); (moment, remark) opportun(e) ▷ vt [ə'prəʊprɪeɪt] (take) s'approprier

**approval** [ə'pruːvəl] n approbation f, **on ~** (Comm) à l'examen

**approve** [ə'pruːv] vt approuver; **approve of** vt fus (thing) approuver; (person): **they don't ~ of her** ils n'ont pas bonne opinion d'elle

**approximate** [ə'prɒksɪmɪt] adj approximatif(-ive); **approximately** adv approximativement

**Apr.** abbr = **April**

**apricot** ['eɪprɪkɒt] n abricot m

**April** ['eɪprəl] n avril m; **April Fools' Day** n le premier avril

- APRIL FOOLS' DAY

- April Fools' Day est le 1er avril, à l'occasion duquel on fait des farces de toutes sortes. Les victimes de ces farces sont les "April fools".

- Traditionnellement, on n'est censé
- faire des farces que jusqu'à midi.

**apron** ['eɪprən] n tablier m

**apt** [æpt] adj (suitable) approprié(e); **~ to do** (likely) susceptible de faire; ayant tendance à faire

**aquarium** [ə'kwɛərɪəm] n aquarium m

**Aquarius** [ə'kwɛərɪəs] n le Verseau

**Arab** ['ærəb] n Arabe m/f ▷ adj arabe

**Arabia** [ə'reɪbɪə] n Arabie f; **Arabian** adj arabe; **Arabic** ['ærəbɪk] adj, n arabe (m)

**arbitrary** ['ɑːbɪtrərɪ] adj arbitraire

**arbitration** [ɑːbɪ'treɪʃən] n arbitrage m

**arc** [ɑːk] n arc m

**arcade** [ɑː'keɪd] n arcade f; (passage with shops) passage m, galerie f; (with games) salle f de jeu

**arch** [ɑːtʃ] n arche f; (of foot) cambrure f, voûte f plantaire ▷ vt arquer, cambrer

**archaeology**, (US) **archeology** [ɑːkɪ'ɒlədʒɪ] n archéologie f

**archbishop** [ɑːtʃ'bɪʃəp] n archevêque m

**archeology** [ɑːkɪ'ɒlədʒɪ] (US) n = **archaeology**

**architect** ['ɑːkɪtekt] n architecte m; **architectural** [ɑːkɪ'tektʃərəl] adj architectural(e); **architecture** ['ɑːkɪtektʃə] n architecture f

**archive** ['ɑːkaɪv] n (often pl) archives fpl

**Arctic** ['ɑːktɪk] adj arctique ▷ n: **the ~** l'Arctique m

**are** [ɑː] vb see **be**

**area** ['ɛərɪə] n (Geom) superficie f; (zone) région f; (: smaller) secteur m; (in room) coin m; (knowledge, research) domaine m; **area code** (US) n (Tel) indicatif m de zone

**arena** [ə'riːnə] n arène f

**aren't** [ɑːnt] = **are not**

**Argentina** [ɑːdʒən'tiːnə] n Argentine f; **Argentinian**

[ɑːdʒənˈtɪnɪən] *adj* argentin(e) ▷ *n* Argentin(e)

**arguably** [ˈɑːgjuəblɪ] *adv*: **it is ~ ...** on peut soutenir que c'est ...

**argue** [ˈɑːgjuː] *vi* (*quarrel*) se disputer; (*reason*) argumenter; **to ~ that** objecter or alléguer que, donner comme argument que

**argument** [ˈɑːgjumənt] *n* (*quarrel*) dispute *f*, discussion *f*; (*reasons*) argument *m*

**Aries** [ˈɛərɪz] *n* le Bélier

**arise** (*pt* **arose**, *pp* **arisen**) [əˈraɪz, əˈrəuz, əˈrɪzn] *vi* survenir, se présenter

**arithmetic** [əˈrɪθmətɪk] *n* arithmétique *f*

**arm** [ɑːm] *n* bras *m* ▷ *vt* armer; **arms** *npl* (*weapons, Heraldry*) armes *fpl*; **~ in ~** bras dessus bras dessous; **armchair** [ˈɑːmtʃɛəʳ] *n* fauteuil *m*

**armed** [ɑːmd] *adj* armé(e); **armed forces** *npl*; **the armed forces** les forces armées; **armed robbery** *n* vol *m* à main armée

**armour**, (*us*) **armor** [ˈɑːməʳ] *n* armure *f*; (*Mil: tanks*) blindés *mpl*

**armpit** [ˈɑːmpɪt] *n* aisselle *f*

**armrest** [ˈɑːmrest] *n* accoudoir *m*

**army** [ˈɑːmɪ] *n* armée *f*

**A road** *n* (*BRIT*) ≈ route nationale

**aroma** [əˈrəumə] *n* arôme *m*; **aromatherapy** *n* aromathérapie *f*

**arose** [əˈrəuz] *pt of* **arise**

**around** [əˈraund] *adv* (tout) autour; (*nearby*) dans les parages ▷ *prep* autour de; (*near*) près de; (*fig: about*) environ; (: *date, time*) vers; **is he ~?** est-il dans les parages or là?

**arouse** [əˈrauz] *vt* (*sleeper*) éveiller; (*curiosity, passions*) éveiller, susciter; (*anger*) exciter

**arrange** [əˈreɪndʒ] *vt* arranger; **to ~ to do sth** prévoir de faire qch; **arrangement** *n* arrangement *m*; **arrangements** *npl* (*plans etc*) arrangements *mpl*, dispositions *fpl*

**array** [əˈreɪ] *n* (*of objects*) déploiement *m*, étalage *m*

**arrears** [əˈrɪəz] *npl* arriéré *m*; **to be in ~ with one's rent** devoir un arriéré de loyer

**arrest** [əˈrest] *vt* arrêter; (*sb's attention*) retenir, attirer ▷ *n* arrestation *f*; **under ~** en état d'arrestation

**arrival** [əˈraɪvl] *n* arrivée *f*; **new ~** nouveau venu/nouvelle venue; (*baby*) nouveau-né(e)

**arrive** [əˈraɪv] *vi* arriver; **arrive at** *vt fus* (*decision, solution*) parvenir à

**arrogance** [ˈærəgəns] *n* arrogance *f*

**arrogant** [ˈærəgənt] *adj* arrogant(e)

**arrow** [ˈærəu] *n* flèche *f*

**arse** [ɑːs] *n* (*BRIT infl*) cul *m* (!)

**arson** [ˈɑːsn] *n* incendie criminel

**art** [ɑːt] *n* art *m*; **Arts** *npl* (*Scol*) les lettres *fpl*; **art college** *n* école *f* des beaux-arts

**artery** [ˈɑːtərɪ] *n* artère *f*

**art gallery** *n* musée *m* d'art; (*saleroom*) galerie *f* de peinture

**arthritis** [ɑːˈθraɪtɪs] *n* arthrite *f*

**artichoke** [ˈɑːtɪtʃəuk] *n* artichaut *m*; **Jerusalem ~** topinambour *m*

**article** [ˈɑːtɪkl] *n* article *m*

**articulate** *adj* [ɑːˈtɪkjulɪt] (*person*) qui s'exprime clairement et aisément; (*speech*) bien articulé(e), prononcé(e) clairement ▷ *vi* [ɑːˈtɪkjuleɪt] articuler, parler distinctement ▷ *vt* articuler

**artificial** [ɑːtɪˈfɪʃəl] *adj* artificiel(le)

**artist** [ˈɑːtɪst] *n* artiste *m/f*; **artistic** [ɑːˈtɪstɪk] *adj* artistique

**art school** *n* ≈ école *f* des beaux-arts

**KEYWORD**

**as** [æz] *conj* **1** (*time: moment*) comme, alors que; à mesure que; **he came in as I was leaving** il est arrivé comme je partais; **as the years went by** à mesure que les années passaient; **as from tomorrow** à partir de demain **2** (*because*) comme, puisque; **he left early as he had to be home by**

**10** comme il or puisqu'il devait être de retour avant 10h, il est parti de bonne heure

**3** (referring to manner, way) comme; **do as you wish** faites comme vous voudrez; **as she said** comme elle disait
▶ adv **1** (in comparisons): **as big as** aussi grand que; **twice as big as** deux fois plus grand que; **as much** or **many as** autant que; **as much money/many books as** autant d'argent/de livres que; **as soon as** dès que

**2** (concerning): **as for** or **to that** quant à cela, pour ce qui est de cela

**3** **as if** or **though** comme si; **he looked as if he was ill** il avait l'air d'être malade; see also **long**; **such**; **well**

▶ prep (in the capacity of) en tant que, en qualité de; **he works as a driver** il travaille comme chauffeur; **as chairman of the company, he …** en tant que président de la société, il …; **he gave me it as a present** il me l'a offert, il m'en a fait cadeau

**a.s.a.p.** abbr = as soon as possible
**asbestos** [æz'bɛstəs] n asbeste m, amiante m
**ascent** [ə'sɛnt] n (climb) ascension f
**ash** [æʃ] n (dust) cendre f; (also: ~ tree) frêne m
**ashamed** [ə'feɪmd] adj honteux(-euse), confus(e); **to be ~ of** avoir honte de
**ashore** [ə'ʃɔːʳ] adv à terre
**ashtray** [ˈæʃtreɪ] n cendrier m
**Ash Wednesday** n mercredi m des Cendres
**Asia** [ˈeɪʃə] n Asie f; **Asian** (from Asia) Asiatique m/f; (BRIT: from Indian subcontinent) Indo-Pakistanais(e) ▶ adj asiatique; indo-pakistanais(e)
**aside** [ə'saɪd] adv de côté; à l'écart ▶ n aparté m
**ask** [ɑːsk] vt demander; (invite) inviter; **to ~ sb sth/to do sth** demander à

qn qch/de faire qch; **to ~ sb about sth** questionner qn au sujet de qch; se renseigner auprès de qn au sujet de qch; **to ~ (sb) a question** poser une question (à qn); **to ~ sb out to dinner** inviter qn au restaurant; **ask for** vt fus demander; **it's just ~ing for trouble** or **for it** ce serait chercher des ennuis

**asleep** [ə'sliːp] adj endormi(e); **to fall ~** s'endormir
**AS level** n abbr (= Advanced Subsidiary level) première partie de l'examen équivalent au baccalauréat
**asparagus** [əs'pærəgəs] n asperges fpl
**aspect** [ˈæspɛkt] n aspect m; (direction in which a building etc faces) orientation f, exposition f
**aspire** [əs'paɪəʳ] vi: **to ~ to** aspirer à
**aspirin** [ˈæspriːn] n aspirine f
**ass** [æs] n âne m; (inf) imbécile m/f; (us inf!) cul m (!)
**assassin** [ə'sæsin] n assassin m; **assassinate** vt assassiner
**assault** [ə'sɔːlt] n (Mil) assaut m; (gen: attack) agression f ▷ vt attaquer; (sexually) violenter
**assemble** [ə'sɛmbl] vt assembler ▷ vi s'assembler, se rassembler
**assembly** [ə'sɛmblɪ] n (meeting) rassemblement m; (parliament) assemblée f; (construction) assemblage m
**assert** [ə'səːt] vt affirmer, déclarer; (authority) faire valoir; (innocence) protester de; **assertion** [ə'səːʃən] n assertion f, affirmation f
**assess** [ə'sɛs] vt évaluer, estimer; (tax, damages) établir or fixer le montant de; (person) juger la valeur de; **assessment** n évaluation f, estimation f; (of tax) fixation f
**asset** [ˈæsɛt] n avantage m, atout m; (person) atout; **assets** npl (Comm) capital m; (property m); actif m; actif m
**assign** [ə'saɪn] vt (date) fixer, arrêter; **to ~ sth to** (task) assigner

qch à; (*resources*) affecter qch à;
**assignment** *n* (*task*) mission *f*;
(*homework*) devoir *m*

**assist** [ə'sɪst] *vt* aider, assister;
**assistance** *n* aide *f*, assistance *f*;
**assistant** *n* assistant(e), adjoint(e);
(BRIT: *also*: **shop assistant**)
vendeur(-euse)

**associate** *adj*, *n* [ə'səʊʃɪɪt]
associé(e) ▷ *vt* [ə'səʊʃɪeɪt] associer
▷ *vi* [ə'səʊʃɪeɪt]: **to ~ with sb**
fréquenter qn

**association** [əsəʊsɪ'eɪʃən] *n*
association *f*

**assorted** [ə'sɔːtɪd] *adj* assorti(e)

**assortment** [ə'sɔːtmənt] *n*
assortiment *m*; (*of people*) mélange *m*

**assume** [ə'sjuːm] *vt* supposer;
(*responsibilities etc*) assumer; (*attitude,
name*) prendre, adopter

**assumption** [ə'sʌmpʃən] *n*
supposition *f*, hypothèse *f*; (*of power*)
assomption *f*, prise *f*

**assurance** [ə'ʃʊərəns] *n* assurance *f*

**assure** [ə'ʃʊəʳ] *vt* assurer

**asterisk** ['æstərɪsk] *n* astérisque *m*

**asthma** ['æsmə] *n* asthme *m*

**astonish** [ə'stɒnɪʃ] *vt* étonner,
stupéfier; **astonished** *adj*
étonné(e); **to be astonished at**
être étonné(e) de; **astonishing**
*adj* étonnant(e), stupéfiant(e);
**I find it astonishing that ...**
je trouve incroyable que ... + *sub*;
**astonishment** *n* (grand)
étonnement *m*, stupéfaction *f*

**astound** [ə'staund] *vt* stupéfier,
sidérer

**astray** [ə'streɪ] *adv*: **to go ~** s'égarer;
(*fig*) quitter le droit chemin; **to lead ~**
(*morally*) détourner du droit chemin

**astrology** [əs'trɒlədʒɪ] *n* astrologie *f*

**astronaut** ['æstrənɔːt] *n*
astronaute *m/f*

**astronomer** [əs'trɒnəməʳ] *n*
astronome *m*

**astronomical** [æstrə'nɒmɪkl] *adj*
astronomique

**astronomy** [əs'trɒnəmɪ] *n*
astronomie *f*

**astute** [əs'tjuːt] *adj* astucieux(-euse),
malin(-igne)

**asylum** [ə'saɪləm] *n* asile *m*; **asylum
seeker** [-siːkəʳ] *n* demandeur(-euse)
d'asile

**KEYWORD**

**at** [æt] *prep* 1 (*referring to position,
direction*) à; **at the top** au sommet;
**at home/school** à la maison ou chez
soi/à l'école; **at the baker's** à la
boulangerie, chez le boulanger; **to
look at sth** regarder qch
2 (*referring to time*): **at 4 o'clock** à 4
heures; **at Christmas** à Noël; **at night**
la nuit; **at times** par moments, parfois
3 (*referring to rates, speed etc*) à: **at £1
a kilo** une livre le kilo; **two at a time**
deux à la fois; **at 50 km/h** à 50 km/h
4 (*referring to manner*): **at a stroke**
d'un seul coup; **at peace** en paix
5 (*referring to activity*): **to be at
work** (*in the office etc*) être au travail;
(*working*) travailler; **to play at
cowboys** jouer aux cowboys; **to be
good at sth** être bon en qch
6 (*referring to cause*): **shocked/
surprised/annoyed at sth** choqué
par/étonné de/agacé par qch; **I went
at his suggestion** j'y suis allé sur
son conseil
▶ *n* (@ *symbol*) arobase *f*

**ate** [eɪt] *pt of* **eat**

**atheist** ['eɪθɪɪst] *n* athée *m/f*

**Athens** ['æθɪnz] *n* Athènes

**athlete** ['æθliːt] *n* athlète *m/f*

**athletic** [æθ'lɛtɪk] *adj* athlétique;
**athletics** *n* athlétisme *m*

**Atlantic** [ət'læntɪk] *adj* atlantique
▷ *n*: **the ~ (Ocean)** être au l'océan *m*)
Atlantique *m*

**atlas** ['ætləs] *n* atlas *m*

**A.T.M.** *n abbr* (= *Automated Telling
Machine*) guichet *m* automatique

**atmosphere** [ˈætməsfɪəʳ] n (air) atmosphère f; (fig: of place etc) atmosphère f, ambiance f

**atom** [ˈætəm] n atome m; **atomic** [əˈtɒmɪk] adj atomique; **atom(ic) bomb** n bombe f atomique

**atrocity** [əˈtrɒsɪtɪ] n atrocité f

**attach** [əˈtætʃ] vt (gen) attacher; (document, letter) joindre; **to be -ed to sb/sth** (to like) être attaché à qn/qch; **to - a file to an email** joindre un fichier à un e-mail; **attachment** n (tool) accessoire m; (Comput) fichier m joint; (love): **attachment (to)** affection f (pour), attachement m (à)

**attack** [əˈtæk] vt attaquer; (task etc) s'attaquer à ▷ n attaque f; **heart ~** crise f cardiaque; **attacker** n attaquant m; agresseur m

**attain** [əˈteɪn] vt (also: **to - to**) parvenir à, atteindre; (knowledge) acquérir

**attempt** [əˈtɛmpt] n tentative f ▷ vt essayer, tenter

**attend** [əˈtɛnd] vt (course) suivre; (meeting, talk) assister à; (school, church) aller à, fréquenter; (patient) soigner, s'occuper de; **attend to** vt fus (needs, affairs etc) s'occuper de; (customer) s'occuper de, servir; **attendance** n (being present) présence f; (people present) assistance f; **attendant** n employé(e); gardien(ne) ▷ adj concomitant(e), qui accompagne or s'ensuit

> Be careful not to translate attend by the French word attendre.

**attention** [əˈtɛnʃən] n attention f ▷ excl (Mil) garde-à-vous!; **for the - of** (Admin) à l'attention de

**attic** [ˈætɪk] n grenier m, combles mpl

**attitude** [ˈætɪtjuːd] n attitude f

**attorney** [əˈtəːnɪ] n (us: lawyer) avocat m; **Attorney General** (in BRIT) = procureur général; (us) = garde m des Sceaux, ministre m de la Justice

**attract** [əˈtrækt] vt attirer; **attraction** [əˈtrækʃən] n (gen pl:

pleasant things) attraction f, attrait m; (Physics) attraction f; (fig: towards sb, sth) attirance f; **attractive** adj séduisant(e), attrayant(e)

**attribute** n [ˈætrɪbjuːt] attribut m ▷ vt [əˈtrɪbjuːt]: **to - sth to** attribuer qch à

**aubergine** [ˈəʊbəʒiːn] n aubergine f

**auburn** [ˈɔːbən] adj auburn inv, châtain roux inv

**auction** [ˈɔːkʃən] n (also: **sale by ~**) vente f aux enchères ▷ vt (also: **to sell by ~**) vendre aux enchères

**audible** [ˈɔːdɪbl] adj audible

**audience** [ˈɔːdɪəns] n (people) assistance f, public m; (on radio) auditeurs mpl; (at theatre) spectateurs mpl; (interview) audience f

**audit** [ˈɔːdɪt] vt vérifier

**audition** [ɔːˈdɪʃən] n audition f

**auditor** [ˈɔːdɪtəʳ] n vérificateur m des comptes

**auditorium** [ɔːdɪˈtɔːrɪəm] n auditorium m, salle f de concert or de spectacle

**Aug.** abbr = **August**

**August** [ˈɔːɡəst] n août m

**aunt** [ɑːnt] n tante f; **auntie, aunty** n diminutive of **aunt**

**au pair** [ˈəʊˈpɛəʳ] n (also: **~ girl**) jeune fille f au pair

**aura** [ˈɔːrə] n atmosphère f; (of person) aura f

**austerity** [ɔsˈtɛrɪtɪ] n austérité f

**Australia** [ɔsˈtreɪlɪə] n Australie f; **Australian** adj australien(ne) ▷ n Australien(ne)

**Austria** [ˈɔstrɪə] n Autriche f; **Austrian** adj autrichien(ne) ▷ n Autrichien(ne)

**authentic** [ɔːˈθɛntɪk] adj authentique

**author** [ˈɔːθəʳ] n auteur m

**authority** [ɔːˈθɔrɪtɪ] n autorité f; (permission) autorisation (formelle); **the authorities** les autorités fpl, l'administration f

**authorize** [ˈɔːθəraɪz] vt autoriser

**auto** ['ɔːtəʊ] n (US) auto f, voiture f; **autobiography** [ɔːtəbaɪ'ɒɡrəfɪ] n autobiographie f; **autograph** ['ɔːtəɡrɑːf] n autographe m ▷ vt signer, dédicacer; **automatic** [ɔːtə'mætɪk] adj automatique ▷ n (gun) automatique m; (car) voiture f à transmission automatique; **automatically** adv automatiquement; **automobile** ['ɔːtəməbiːl] n (US) automobile f; **autonomous** [ɔː'tɒnəməs] adj autonome; **autonomy** [ɔː'tɒnəmɪ] n autonomie f

**autumn** ['ɔːtəm] n automne m

**auxiliary** [ɔːɡ'zɪlɪərɪ] adj, n auxiliaire (m/f)

**avail** [ə'veɪl] vt: **to ~ o.s. of** user de, profiter de ▷ n: **to no ~** sans résultat, en vain, en pure perte

**availability** [əveɪlə'bɪlɪtɪ] n disponibilité f

**available** [ə'veɪləbl] adj disponible

**avalanche** ['ævəlɑːnʃ] n avalanche f

**Ave.** abbr = **avenue**

**avenue** ['ævənjuː] n avenue f; (fig) moyen m

**average** ['ævərɪdʒ] n moyenne f ▷ adj moyen(ne) ▷ vt (a certain figure) atteindre or faire etc en moyenne; **on ~** en moyenne

**avert** [ə'vɜːt] vt (danger) prévenir, écarter; (one's eyes) détourner

**avid** ['ævɪd] adj avide

**avocado** [ævə'kɑːdəʊ] n (BRIT: also: ~ **pear**) avocat m

**avoid** [ə'vɔɪd] vt éviter

**await** [ə'weɪt] vt attendre

**awake** [ə'weɪk] (pt **awoke**, pp **awoken**) adj éveillé(e) ▷ vt éveiller ▷ vi s'éveiller; **to be ~** être réveillé(e)

**award** [ə'wɔːd] n (for bravery) récompense f, (prize) prix m; (Law: damages) dommages-intérêts mpl ▷ vt (prize) décerner; (Law: damages) accorder

**aware** [ə'wɛə'] adj: **~ of** (conscious) conscient(e) de; (informed) au courant de; **to become ~ of/that** prendre conscience de/que; se rendre compte de/que; **awareness** n conscience f, connaissance f

**away** [ə'weɪ] adv (au) loin; (movement): **she went ~** elle est partie ▷ adj (not in, not here) absent(e); **far ~** (au) loin; **two kilometres ~** à (une distance de) deux kilomètres; **two hours ~ by car** à deux heures de voiture or de route; **the holiday was two weeks ~** il restait deux semaines jusqu'aux vacances; **he's ~ for a week** il est parti (pour) une semaine; **to take sth ~ from sb** prendre qch à qn; **to take sth ~ from sth** (subtract) ôter qch de qch; **to work/pedal ~** travailler/pédaler à cœur joie; **to fade ~** (colour) s'estomper; (sound) s'affaiblir

**awe** [ɔː] n respect mêlé de crainte, effroi mêlé d'admiration; **awesome** ['ɔːsəm] (US) adj (inf: excellent) génial(e)

**awful** ['ɔːfəl] adj affreux(-euse); **an ~ lot of** énormément de; **awfully** adv (very) terriblement, vraiment

**awkward** ['ɔːkwəd] adj (clumsy) gauche, maladroit(e); (inconvenient) peu pratique; (embarrassing) gênant

**awoke** [ə'wəʊk] pt of **awake**

**awoken** [ə'wəʊkən] pp of **awake**

**axe**, (US) **ax** [æks] n hache f ▷ vt (project etc) abandonner; (jobs) supprimer

**axle** ['æksl] n essieu m

**ay(e)** [aɪ] excl (yes) oui

**azalea** [ə'zeɪlɪə] n azalée f

# b

**B** [biː] *n* (Mus) si *m*
**B.A.** *abbr* (Scol) = **Bachelor of Arts**
**baby** ['beɪbɪ] *n* bébé *m*; **baby carriage** *n* (US) voiture *f* d'enfant; **baby-sit** *vi* garder les enfants; **baby-sitter** *n* baby-sitter *m/f*; **baby wipe** *n* lingette *f* (pour bébé)
**bachelor** ['bætʃələʳ] *n* célibataire *m*; **B~ of Arts/Science** (BA/BSc) ≈ licencié(e) ès *or* en lettres/sciences
**back** [bæk] *n* (of person, horse) dos *m*; (of hand) revers *m*; (of house) derrière *m*; (of car, train) arrière *m*; (of chair) dossier *m*; (of page) verso *m*; (Football) arrière *m* ▷ *vt* (financially) soutenir (financièrement); (candidate: also: ~ **up**) soutenir, appuyer; (horse: at races) parier *or* miser sur; (car) (faire) reculer ▷ *vi* reculer; (car etc) faire marche arrière ▷ *adj* (in compounds) de derrière, à l'arrière ▷ *adv* (not forward) en arrière; (returned): **he's ~** il est rentré, il est de retour; **can**

the people at the **~** hear me **properly?** est-ce que les gens du fond m'entendent?; **~ to front** à l'envers; **~ seat/wheel** (Aut) siège *m*/roue *f* arrière *inv*; **~ payments/rent** arriéré *m* de paiements/loyer; **~ garden/room** jardin/pièce sur l'arrière; **he ran ~** il est revenu en courant; **throw the ball ~** renvoie la balle; **can I have it ~?** puis-je le ravoir?, peux-tu me le rendre?; **he called ~** (again) il a rappelé; **back down** *vi* rabattre de ses prétentions; **back out** *vi* (of promise) se dédire; **back up** *vt* (person) soutenir; (Comput) faire une copie de sauvegarde de; **backache** *n* mal *m* au dos; **backbencher** *n* (BRIT) membre du parlement sans portefeuille; **backbone** *n* colonne vertébrale, épine dorsale; **back door** *n* porte *f* de derrière; **backfire** *vi* (Aut) pétarader; (plans) mal tourner; **backgammon** *n* trictrac *m*; **background** *n* arrière-plan *m*; (of events) situation *f*, conjoncture *f*; (basic knowledge) éléments *mpl* de base; (experience) formation *f*; **family background** milieu familial; **backing** *n* (fig) soutien *m*, appui *m*; **backlash** *n*: **backlog** *n*: **backlog of work** travail *m* en retard; **backpack** *n* sac *m* à dos; **backpacker** *n* randonneur(-euse); **backslash** *n* barre oblique inversée; **backstage** *adv* dans les coulisses; **backstroke** *n* dos crawlé; **backup** *adj* (train, plane) supplémentaire, de réserve; (Comput) de sauvegarde ▷ *n* (support) appui *m*, soutien *m*; (Comput: also: **backup file**) sauvegarde *f*; **backward** *adj* (movement) en arrière; (person, country) arriéré(e), attardé(e); **backwards** *adv* (move, go) en arrière; (read a list) à l'envers, à rebours; (fall) à la renverse; (walk) à reculons; **backyard** *n* arrière-cour *f*
**bacon** ['beɪkən] *n* bacon *m*, lard *m*
**bacteria** [bæk'tɪərɪə] *npl* bactéries *fpl*
**bad** [bæd] *adj* mauvais(e); (child) vilain(e); (mistake, accident) grave;

*(meat, food)* gâté(e), avarié(e); **his ~ leg** sa jambe malade; **to go ~** *(meat, food)* se gâter; *(milk)* tourner

**bade** [bæd] *pt of* **bid**

**badge** [bædʒ] *n* insigne *m*; *(of policeman)* plaque *f*; *(stick-on, sew-on)* badge *m*

**badger** ['bædʒə'] *n* blaireau *m*

**badly** ['bædlɪ] *adv (work, dress etc)* mal; **to reflect ~ on sb** donner une mauvaise image de qn; **~ wounded** grièvement blessé; **he needs it ~** il en a absolument besoin; **~ off** *adj, adv* dans la gêne

**bad-mannered** ['bæd'mænəd] *adj* mal élevé(e)

**badminton** ['bædmɪntən] *n* badminton *m*

**bad-tempered** ['bæd'tɛmpəd] *adj (by nature)* ayant mauvais caractère; *(on one occasion)* de mauvaise humeur

**bag** [bæg] *n* sac *m*; **~s** *(inf: lots of)* des tas de; **baggage** *n* bagages *mpl*; **baggage allowance** *n* franchise *f* de bagages; **baggage reclaim** *n (at airport)* livraison *f* des bagages; **baggy** *adj* avachi(e), qui fait des poches; **bagpipes** *npl* cornemuse *f*

**bail** [beɪl] *n* caution *f* ▷ *vt (prisoner: also:* **grant ~ to)** mettre en liberté sous caution; *(boat: also:* **~ out)** écoper; **to be released on ~** être libéré(e) sous caution; **bail out** *vt (prisoner)* payer la caution de

**bait** [beɪt] *n* appât *m* ▷ *vt* appâter; *(fig: tease)* tourmenter

**bake** [beɪk] *vt* (faire) cuire au four ▷ *vi (bread etc)* cuire (au four); *(make cakes etc)* faire de la pâtisserie; **baked beans** *npl* haricots blancs à la sauce tomate; **baked potato** *n* pomme *f* de terre en robe des champs; **baker** *n* boulanger *m*; **bakery** *n* boulangerie *f*; **baking** *n (process)* cuisson *f*; **baking powder** *n* levure *f* (chimique)

**balance** ['bæləns] *n* équilibre *m*; *(Comm: sum)* solde *m*; *(remainder)* reste

*m*; *(scales)* balance *f* ▷ *vt* mettre en équilibre; *(pros and cons)* peser; *(budget)* équilibrer; *(account)* balancer; *(compensate)* compenser, contrebalancer; **~ of trade/payments** des comptes or paiements; **balanced** *adj (personality, diet)* équilibré(e); *(report)* objectif(-ive); **balance sheet** *n* bilan *m*

**balcony** ['bælkənɪ] *n* balcon *m*; **do you have a room with a ~?** avez-vous une chambre avec balcon?

**bald** [bɔːld] *adj* chauve; *(tyre)* lisse

**ball** [bɔːl] *n* boule *f*; *(football)* ballon *m*; *(for tennis, golf)* balle *f*; *(dance)* bal *m*; **to play ~** jouer au ballon *(or à la balle)*; *(fig)* coopérer

**ballerina** [bælə'riːnə] *n* ballerine *f*

**ballet** ['bæleɪ] *n* ballet *m*; *(art)* danse *f* (classique); **ballet dancer** *n* danseur(-euse) de ballet

**balloon** [bə'luːn] *n* ballon *m*

**ballot** ['bælət] *n* scrutin *m*

**ballpoint (pen)** ['bɔːlpɔɪnt-] *n* stylo *m* à bille

**ballroom** ['bɔːlrum] *n* salle *f* de bal

**Baltic** [bɔːltɪk] *n*: **the ~ (Sea)** la (mer) Baltique

**bamboo** [bæm'buː] *n* bambou *m*

**ban** [bæn] *n* interdiction *f* ▷ *vt* interdire

**banana** [bə'nɑːnə] *n* banane *f*

**band** [bænd] *n* bande *f*; *(at a dance)* orchestre *m*; *(Mil)* musique *f*, fanfare *f*

**bandage** ['bændɪdʒ] *n* bandage *m*, pansement *m* ▷ *vt (wound, leg)* mettre un pansement *or* un bandage sur

**Band-Aid®** ['bændeɪd] *n (us)* pansement adhésif

**B. & B.** *n abbr* = **bed and breakfast**

**bandit** ['bændɪt] *n* bandit *m*

**bang** [bæŋ] *n* détonation *f*; *(of door)* claquement *m*; *(blow)* coup *(violent)* ▷ *vt* frapper (violemment); *(door)* claquer ▷ *vi* détoner; claquer

**Bangladesh** [bæŋglə'dɛʃ] *n* Bangladesh *m*

**Bangladeshi** [bæŋɡləˈdɛʃɪ] adj
du Bangladesh ⊳ n habitant(e) du
Bangladesh

**bangle** [ˈbæŋɡl] n bracelet m

**bangs** [bæŋz] npl (us: fringe) frange f

**banish** [ˈbænɪʃ] vt bannir

**banister(s)** [ˈbænɪstə(z)] n(pl)
rampe f (d'escalier)

**banjo** [ˈbændʒəu] (pl **banjoes** or
**banjos**) n banjo m

**bank** [bæŋk] n banque f; (of river,
lake) bord m, rive f; (of earth) talus
m, remblai m ⊳ n (Aviat) virer sur
l'aile; **bank on** vt fus miser or tabler
sur; **bank account** n compte m en
banque; **bank balance** n solde m
bancaire; **bank card** n carte f
d'identité bancaire; **bank charges**
npl (BRIT) frais mpl de banque; **banker**
n banquier m; **bank holiday** (BRIT)
jour férié (où les banques sont fermées);
voir article **"bank holiday"**; **banking**
n opérations fpl bancaires; profession
f de banquier; **bank manager** n
directeur m d'agence (bancaire);
**banknote** n billet m de banque

○ **BANK HOLIDAY**

○ Le terme bank holiday s'applique
○ au Royaume-Uni aux jours fériés
○ pendant lesquels banques et
○ commerces sont fermés. Les
○ principaux bank holidays à part Noël
○ et Pâques se situent au mois de
○ mai et fin août, et contrairement
○ aux pays de tradition catholique,
○ ne coïncident pas nécessairement
○ avec une fête religieuse.

**bankrupt** [ˈbæŋkrʌpt] adj en faillite;
**to go ~** faire faillite; **bankruptcy**
n faillite f

**bank statement** n relevé m de
compte

**banner** [ˈbænəʳ] n bannière f

**bannister(s)** [ˈbænɪstə(z)] n(pl)
= **banister(s)**

**banquet** [ˈbæŋkwɪt] n banquet m,
festin m

**baptism** [ˈbæptɪzəm] n baptême m

**baptize** [bæpˈtaɪz] vt baptiser

**bar** [bɑːʳ] n (pub) bar m; (counter)
comptoir m, bar; (rod: of metal etc)
barre f; (: of window etc) barreau
m; (of chocolate) tablette f, plaque
f; (fig: obstacle) obstacle m;
(prohibition) mesure f d'exclusion;
(Mus) mesure f ⊳ vt (road) barrer;
(person) exclure; (activity) interdire;
**~ of soap** savonnette f; **behind ~s**
(prisoner) derrière les barreaux; **the
B~** (Law) le barreau; **~ none** sans
exception

**barbaric** [bɑːˈbærɪk] adj barbare

**barbecue** [ˈbɑːbɪkjuː] n barbecue m

**barbed wire** [ˈbɑːbd-] n fil m de fer
barbelé

**barber** [ˈbɑːbəʳ] n coiffeur m (pour
hommes); **barber's (shop)**, (us)
**barber shop** n salon m de coiffure
(pour hommes)

**bar code** n code m à barres, code-
barre m

**bare** [bɛəʳ] adj nu(e) ⊳ vt mettre à nu,
dénuder; (teeth) montrer; **barefoot**
adj, adv nu-pieds, (les) pieds nus;
**barely** adv à peine

**bargain** [ˈbɑːɡɪn] n (transaction)
marché m; (good buy) affaire f,
occasion f ⊳ vi (haggle) marchander;
(negotiate) négocier, traiter; **into
the ~** par-dessus le marché; **bargain
for** vt fus (inf): **he got more than he
~ed for!** il en a eu pour son argent

**barge** [bɑːdʒ] n péniche f; **barge in** vi
(walk in) faire irruption; (interrupt talk)
intervenir mal à propos

**bark** [bɑːk] n (of tree) écorce f; (of dog)
aboiement m ⊳ vi aboyer

**barley** [ˈbɑːlɪ] n orge f

**barmaid** [ˈbɑːmeɪd] n serveuse f (de
bar), barmaid f

**barman** [ˈbɑːmən] (irreg) n serveur m
(de bar), barman m

**barn** [bɑːn] n grange f

**barometer** [bəˈrɒmɪtəʳ] *n* baromètre *m*

**baron** [ˈbærən] *n* baron *m*; **baroness** *n* baronne *f*

**barracks** [ˈbærəks] *npl* caserne *f*

**barrage** [ˈbærɑːʒ] *n* (*Mil*) tir *m* de barrage; (*dam*) barrage *m*; (*of criticism*) feu *m*

**barrel** [ˈbærəl] *n* tonneau *m*; (*of gun*) canon *m*

**barren** [ˈbærən] *adj* stérile

**barrette** [bəˈrɛt] (*us*) *n* barrette *f*

**barricade** [ˈbærɪkeɪd] *n* barricade *f*

**barrier** [ˈbærɪəʳ] *n* barrière *f*

**barring** [ˈbɑːrɪŋ] *prep* sauf

**barrister** [ˈbærɪstəʳ] *n* (*brit*) avocat (plaidant)

**barrow** [ˈbærəʊ] *n* (*cart*) charrette *f* à bras

**bartender** [ˈbɑːtɛndəʳ] *n* (*us*) serveur *m* (*de bar*), barman *m*

**base** [beɪs] *n* base *f* ▷ *vt* (*opinion, belief*): **to ~ sth on** baser or fonder qch sur ▷ *adj* vil(e), bas(se)

**baseball** [ˈbeɪsbɔːl] *n* base-ball *m*; **baseball cap** *n* casquette *f* de base-ball

**Basel** [ˈbɑːl] *n* = **Basle**

**basement** [ˈbeɪsmənt] *n* sous-sol *m*

**bases** [ˈbeɪsiːz] *npl of* **basis**

**bash** [bæʃ] *vt* (*inf*) frapper, cogner

**basic** [ˈbeɪsɪk] *adj* (*precautions, rules*) élémentaire; (*principles, research*) fondamental(e); (*vocabulary, salary*) de base; (*minimal*) réduit(e) au minimum, rudimentaire; **basically** *adv* (*in fact*) en fait; (*essentially*) fondamentalement; **basics** *npl*: **the basics** l'essentiel *m*

**basil** [ˈbæzl] *n* basilic *m*

**basin** [ˈbeɪsn] *n* (*vessel, also Geo*) cuvette *f*, bassin *m*; (*brit: for food*) bol *m*; (*also:* **wash~**) lavabo *m*

**basis** (*pl* **bases**) [ˈbeɪsɪs, -siːz] *n* base *f*; **on a part-time/trial ~** à temps partiel/à l'essai

**basket** [ˈbɑːskɪt] *n* corbeille *f*; (*with handle*) panier *m*; **basketball** *n* basket-ball *m*

**Basle** [bɑːl] *n* Bâle

**Basque** [bæsk] *adj* basque ▷ *n* Basque *m/f*; **the ~ Country** le Pays basque

**bass** [beɪs] *n* (*Mus*) basse *f*

**bastard** [ˈbɑːstəd] *n* enfant naturel(le), bâtard(e); (*inf!*) salaud *m* (!)

**bat** [bæt] *n* chauve-souris *f*; (*for baseball etc*) batte *f*; (*brit: for table tennis*) raquette *f* ▷ *vt*: **he didn't ~ an eyelid** il n'a pas sourcillé or bronché

**batch** [bætʃ] *n* (*of bread*) fournée *f*; (*of papers*) liasse *f*; (*of applicants, letters*) paquet *m*

**bath** (*pl* **baths**) [bɑːθ, bɑːðz] *n* bain *m*; (*bathtub*) baignoire *f* ▷ *vt* baigner, donner un bain à; **to have a ~** prendre un bain; *see also* **baths**

**bathe** [beɪð] *vi* se baigner ▷ *vt* baigner; (*wound etc*) laver

**bathing** [ˈbeɪðɪŋ] *n* baignade *f*; **bathing costume**, (*us*) **bathing suit** *n* maillot *m* (de bain)

**bath**: **bathrobe** *n* peignoir *m* de bain; **bathroom** *n* salle *f* de bains; **baths** [bɑːðz] *npl* (*also:* **swimming baths**) piscine *f*; **bath towel** *n* serviette *f* de bain; **bathtub** *n* baignoire *f*

**baton** [ˈbætən] *n* bâton *m*; (*Mus*) baguette *f*; (*club*) matraque *f*

**batter** [ˈbætəʳ] *vt* battre ▷ *n* pâte *f* à frire; **battered** *adj* (*hat, pan*) cabossé(e); **battered wife/child** épouse/enfant maltraité(e) or martyr(e)

**battery** [ˈbætərɪ] *n* (*for torch, radio*) pile *f*; (*Aut, Mil*) batterie *f*; **battery farming** *n* élevage *m* en batterie

**battle** [ˈbætl] *n* bataille *f*, combat *m* ▷ *vi* se battre, lutter; **battlefield** *n* champ *m* de bataille

**bay** [beɪ] *n* (*of sea*) baie *f*; (*brit: for parking*) place *f* de stationnement; (*: for loading*) aire *f* de chargement; **B~ of Biscay** golfe *m* de Gascogne; **to hold sb at ~** tenir qn à distance or en échec

**bay leaf** n laurier m

**bazaar** [bə'zɑː'] n (shop, market) bazar m; (sale) vente f de charité

**BBC** n abbr (= British Broadcasting Corporation) office de la radiodiffusion et télévision britannique

**B.C.** adv abbr (= before Christ) av. J.-C.

 **KEYWORD**

**be** [biː] (pt **was**, **were**, pp **been**) aux vb **1** (with present participle, forming continuous tenses): **what are you doing?** que faites-vous?; **they're coming tomorrow** ils viennent demain; **I've been waiting for you for 2 hours** je t'attends depuis 2 heures

**2** (with pt, forming passives) être; **to be killed** être tué(e); **the box had been opened** la boîte avait été ouverte; **he was nowhere to be seen** on ne le voyait nulle part

**3** (in tag questions): **it was fun, wasn't it?** c'était drôle, n'est-ce pas?; **he's good-looking, isn't he?** il est beau, n'est-ce pas?; **she's back, is she?** elle est rentrée, n'est-ce pas or alors?

**4** (+to + infinitive): **the house is to be sold** (necessity) la maison doit être vendue; (future) la maison va être vendue; **he's not to open it** il ne doit pas l'ouvrir

▶ vb + complement **1** (gen) être; **I'm English** je suis anglais(e); **I'm tired** je suis fatigué(e); **I'm hot/cold** j'ai chaud/froid; **he's a doctor** il est médecin; **be careful/good/quiet!** faites attention/soyez sages/taisez-vous!; **2 and 2 are 4** 2 et 2 font 4

**2** (of health) aller; **how are you?** comment allez-vous?; **I'm better now** je vais mieux maintenant; **he's very ill** il est très malade

**3** (of age) avoir; **how old are you?** quel âge avez-vous?; **I'm sixteen (years old)** j'ai seize ans

**4** (cost) coûter; **how much was the meal?** combien a coûté le repas?; **that'll be £5,** please ça fera 5 livres, s'il vous plaît; **this shirt is £17** cette chemise coûte 17 livres

▶ vi **1** (exist, occur etc) être, exister; **the prettiest girl that ever was** la fille la plus jolie qui ait jamais existé; **is there a God?** y a-t-il un dieu?; **be that as it may** quoi qu'il en soit; **so be it** soit

**2** (referring to place) être, se trouver; **I won't be here tomorrow** je ne serai pas là demain

**3** (referring to movement) aller; **where have you been?** où êtes-vous allé(s)?

▶ impers vb **1** (referring to time) être; **it's 5 o'clock** il est 5 heures; **it's the 28th of April** nous sommes le 28 avril

**2** (referring to distance): **it's 10 km to the village** le village est à 10 km

**3** (referring to the weather) faire; **it's too hot/cold** il fait trop chaud/froid; **it's windy today** il y a du vent aujourd'hui

**4** (emphatic): **it's me/the postman** c'est moi/le facteur; **it was Maria who paid the bill** c'est Maria qui a payé la note

**beach** [biːtʃ] n plage f ▶ vt échouer

**beacon** ['biːkən] n (lighthouse) fanal m; (marker) balise f

**bead** [biːd] n perle f; (of dew, sweat) goutte f; **beads** npl (necklace) collier m

**beak** [biːk] n bec m

**beam** [biːm] n (Archit) poutre f; (of light) rayon m ▶ vi rayonner

**bean** [biːn] n haricot m; (of coffee) grain m; **beansprouts** npl pousses fpl or germes mpl de soja

**bear** [bɛə'] n ours m ▶ vt (pt **bore**, pp **borne**) porter; (endure) supporter; (interest) rapporter ▶ vi: **to ~ right/left** obliquer à droite/gauche, se diriger vers la droite/gauche

**beard** [bɪəd] n barbe f

**bearer** ['bɛərər] n porteur m; (of passport etc) titulaire m/f

**bearing** ['bɛərɪŋ] n maintien m, allure f; (connection) rapport m; **(ball) bearings** npl (Tech) roulement m (à billes)

**beast** [biːst] n bête f; (inf: person) brute f

**beat** [biːt] n battement m; (Mus) temps m, mesure f; (of policeman) ronde f ▷ vt, vi (pt **beat**, pp **beaten**) battre; **off the ~en track** hors des chemins or sentiers battus; **to ~ it** (inf) ficher le camp; **beat up** vt (inf: person) tabasser; **beating** n raclée f

**beautiful** ['bjuːtɪful] adj beau (belle); **beautifully** adv admirablement

**beauty** ['bjuːtɪ] n beauté f; **beauty parlour**, (US) **beauty parlor** n institut m de beauté; **beauty salon** n institut m de beauté; **beauty spot** n (on skin) grain m de beauté; (BRIT Tourism) site naturel (d'une grande beauté)

**beaver** ['biːvər] n castor m

**became** [bɪ'keɪm] pt of **become**

**because** [bɪ'kɔz] conj parce que; **~ of** prep à cause de

**beckon** ['bɛkən] vt (also: **~ to**) faire signe (de venir) à

**become** [bɪ'kʌm] vi devenir; **to ~ fat/thin** grossir/maigrir; **to ~ angry** se mettre en colère

**bed** [bɛd] n lit m; (of flowers) parterre m; (of coal, clay) couche f; (of sea, lake) fond m; **to go to ~** aller se coucher; **bed and breakfast** (terms) chambre et petit déjeuner; (place) ≈ chambre f d'hôte; voir article **"bed and breakfast"**; **bedclothes** npl couvertures fpl et draps mpl; **bedding** n literie f; **bed linen** n draps mpl de lit (et taies fpl d'oreillers), literie f; **bedroom** n chambre f (à coucher); **bedside** n: **at sb's bedside** au chevet de qn; **bedside lamp** n lampe f de chevet; **bedside table** n table f de chevet; **bedsit(ter)** n (BRIT) chambre

meublée, studio m; **bedspread** n couvre-lit m, dessus-de-lit m; **bedtime** n: **it's bedtime** c'est l'heure de se coucher

◇ **BED AND BREAKFAST**

- Un *bed and breakfast* est une
- petite pension dans une maison
- particulière ou une ferme où l'on
- peut louer une chambre avec
- petit déjeuner compris pour
- un prix modique par rapport
- à ce que l'on paierait dans un
- hôtel. Ces établissements sont
- communément appelés "B & B",
- et sont signalés par une pancarte
- dans le jardin ou au-dessus de
- la porte.

**bee** [biː] n abeille f

**beech** [biːtʃ] n hêtre m

**beef** [biːf] n bœuf m; **roast ~** rosbif m; **beefburger** n hamburger m

**been** [biːn] pp of **be**

**beer** [bɪər] n bière f; **beer garden** n (BRIT) jardin m d'un pub (où l'on peut emmener ses consommations)

**beet** [biːt] n (vegetable) betterave f; (US: also: **red ~**) betterave (potagère)

**beetle** ['biːtl] n scarabée m, coléoptère m

**beetroot** ['biːtruːt] n (BRIT) betterave f

**before** [bɪ'fɔːʳ] prep (of time) avant; (of space) devant ▷ conj avant que + sub; avant de ▷ adv avant; **~ going** avant de partir; **~ she goes** avant qu'elle (ne) parte; **the week ~** la semaine précédente or d'avant; **I've never seen it ~** c'est la première fois que je le vois; **beforehand** adv au préalable, à l'avance

**beg** [bɛg] vi mendier ▷ vt mendier; (forgiveness, mercy etc) demander; (entreat) supplier; **to ~ sb to do sth** supplier qn de faire qch; see also **pardon**

**began** [bɪˈɡæn] *pt of* **begin**

**beggar** [ˈbeɡəʳ] *n* mendiant(e)

**begin** [bɪˈɡɪn] (*pt* **began**, *pp* **begun**) *vt, vi* commencer; **to ~ doing** *or* **to do sth** commencer à faire qch; **beginner** *n* débutant(e); **beginning** *n* commencement *m*, début *m*

**begun** [bɪˈɡʌn] *pp of* **begin**

**behalf** [bɪˈhɑːf] *n* **on ~ of**, (us) **in ~ of** (*representing*) de la part de; (*for benefit of*) pour le compte de; **on my/his ~** de ma/sa part

**behave** [bɪˈheɪv] *vi* se conduire, se comporter; (*well: also:* **~ o.s.**) se conduire bien *or* comme il faut; **behaviour**, (us) **behavior** *n* comportement *m*, conduite *f*

**behind** [bɪˈhaɪnd] *prep* derrière; (*time*) en retard sur; (*supporting*): **to be ~ sb** soutenir qn ⊳ *adv* derrière; en retard ⊳ *n* derrière *m*; **~ the scenes** dans les coulisses; **to be ~** (*schedule*) **with sth** être en retard dans qch

**beige** [beɪʒ] *adj* beige

**Beijing** [ˈbeɪˈdʒɪŋ] *n* Pékin

**being** [ˈbiːɪŋ] *n* être *m*; **to come into ~** prendre naissance

**belated** [bɪˈleɪtɪd] *adj* tardif(-ive)

**belch** [bɛltʃ] *vi* avoir un renvoi, roter ⊳ *vt* (*smoke etc: also:* **~ out**) vomir, cracher

**Belgian** [ˈbɛldʒən] *adj* belge, de Belgique ⊳ *n* Belge *m/f*

**Belgium** [ˈbɛldʒəm] *n* Belgique *f*

**belief** [bɪˈliːf] *n* (*opinion*) conviction *f*; (*trust, faith*) foi *f*

**believe** [bɪˈliːv] *vt, vi* croire, estimer; **to ~ in** (*God*) croire en; (*ghosts, method*) croire à; **believer** *n* (*in idea, activity*) partisan(e); (*Rel*) croyant(e)

**bell** [bɛl] *n* cloche *f*; (*small*) clochette *f*, grelot *m*; (*on door*) sonnette *f*; (*electric*) sonnerie *f*

**bellboy** [ˈbɛlbɔɪ], (us) **bellhop** [ˈbɛlhɔp] *n* groom *m*, chasseur *m*

**bellow** [ˈbɛləu] *vi* (*bull*) meugler; (*person*) brailler

**bell pepper** *n* (*esp us*) poivron *m*

**belly** [ˈbɛlɪ] *n* ventre *m*; **belly button** (*inf*) *n* nombril *m*

**belong** [bɪˈlɔŋ] *vi*: **to ~ to** appartenir à; (*club etc*) faire partie de; **this book ~s here** ce livre va ici, la place de ce livre est ici; **belongings** *npl* affaires *fpl*, possessions *fpl*

**beloved** [bɪˈlʌvɪd] *adj* (bien-)aimé(e), chéri(e)

**below** [bɪˈləu] *prep* sous, au-dessous de ⊳ *adv* en dessous; en contre-bas; **see ~** voir plus bas *or* plus loin *or* ci-dessous

**belt** [bɛlt] *n* ceinture *f*; (*Tech*) courroie *f* ⊳ *vt* (*thrash*) donner une raclée à; **beltway** *n* (*us Aut*) route *f* de ceinture; (*: motorway*) périphérique *m*

**bemused** [bɪˈmjuːzd] *adj* médusé(e)

**bench** [bɛntʃ] *n* banc *m*; (*in workshop*) établi *m*; **the B~** (*Law: judges*) la magistrature, la Cour

**bend** [bɛnd] (*pt, pp* **bent**) *vt* courber; (*leg, arm*) plier ⊳ *vi* se courber ⊳ *n* (*in road*) virage *m*, tournant *m*; (*in pipe, river*) coude *m*; **bend down** *vi* se baisser; **bend over** *vi* se pencher

**beneath** [bɪˈniːθ] *prep* sous, au-dessous de; (*unworthy of*) indigne de ⊳ *adv* dessous, au-dessous, en bas

**beneficial** [bɛnɪˈfɪʃəl] *adj*: **~ (to)** salutaire (pour), bénéfique (à)

**benefit** [ˈbɛnɪfɪt] *n* avantage *m*, profit *m*; (*allowance of money*) allocation *f* ⊳ *vt* faire du bien à, profiter à ⊳ *vi*: **he'll ~ from it** cela lui fera du bien, il y gagnera *or* s'en trouvera bien

**Benelux** [ˈbɛnɪlʌks] *n* Bénélux *m*

**benign** [bɪˈnaɪn] *adj* (*person, smile*) bienveillant(e), affable; (*Med*) bénin(-igne)

**bent** [bɛnt] *pt, pp of* **bend** ⊳ *n* inclination *f*, penchant *m* ⊳ *adj*: **to be ~ on** être résolu(e) à

**bereaved** [bɪˈriːvd] *n*: **the ~** la famille du disparu

**beret** [ˈbɛreɪ] *n* béret *m*

**Berlin** [bəːˈlɪn] *n* Berlin

**Bermuda** [bəːˈmjuːdə] n Bermudes fpl

**Bern** [bəːn] n Berne

**berry** ['bɛrɪ] n baie f

**berth** [bəːθ] n (bed) couchette f; (for ship) poste m d'amarrage, mouillage m ▷ vi (in harbour) venir à quai; (at anchor) mouiller

**beside** [bɪˈsaɪd] prep à côté de; (compared with) par rapport à; **that's ~ the point** ça n'a rien à voir; **to be ~ o.s. (with anger)** être hors de soi; **besides** adv en outre, de plus ▷ prep en plus de; (except) excepté

**best** [bɛst] adj meilleur(e) ▷ adv le mieux; **the ~ part of** (quantity) le plus clair de, la plus grande partie de; **at ~ au mieux; to make the ~ of sth** s'accommoder de qch (du mieux que l'on peut); **to do one's ~** faire de son mieux; **to the ~ of my knowledge** pour autant que je sache; **to the ~ of my ability** du mieux que je pourrai; **best-before date** n date f de limite d'utilisation or de consommation; **best man** (irreg) n garçon m d'honneur; **bestseller** n best-seller m, succès m de librairie

**bet** [bɛt] n pari m ▷ vt, vi (pt **bet**, pp **betted**) parier; **to ~ sb sth** parier qch à qn

**betray** [bɪˈtreɪ] vt trahir

**better** ['bɛtəʳ] adj meilleur(e) ▷ adv mieux ▷ vt améliorer ▷ n: **to get the ~ of** triompher de, l'emporter sur; **you had ~ do it** vous feriez mieux de le faire; **he thought ~ of it** il s'est ravisé; **to get ~** (Med) aller mieux; (improve) s'améliorer

**betting** ['bɛtɪŋ] n paris mpl; **betting shop** n (BRIT) bureau m de paris

**between** [bɪˈtwiːn] prep entre ▷ adv au milieu, dans l'intervalle

**beverage** ['bɛvərɪdʒ] n boisson f (gén sans alcool)

**beware** [bɪˈwɛəʳ] vi: **to ~ (of)** prendre garde (à); **"~ of the dog"** (attention) chien méchant"

**bewildered** [bɪˈwɪldəd] adj dérouté(e), ahuri(e)

**beyond** [bɪˈjɔnd] prep (in space, time) au-delà de; (exceeding) au-dessus de ▷ adv au-delà; **~ doubt** hors de doute; **~ repair** irréparable

**bias** ['baɪəs] n (prejudice) préjugé m, parti pris; (preference) prévention f; **bias(s)ed** adj partial(e), montrant un parti pris

**bib** [bɪb] n bavoir m

**Bible** ['baɪbl] n Bible f

**bicarbonate of soda** [baɪˈkɑːbənɪt-] n bicarbonate m de soude

**biceps** ['baɪsɛps] n biceps m

**bicycle** ['baɪsɪkl] n bicyclette f; **bicycle pump** n pompe f à vélo

**bid** [bɪd] n offre f; (attempt) tentative f ▷ vi (pt, pp **bid**) faire une enchère or offre ▷ vt (pt **bade**, pp **bidden**) faire une enchère or offre de; **to ~ sb good day** souhaiter le bonjour à qn; **bidder** n: **the highest bidder** le plus offrant

**bidet** ['biːdeɪ] n bidet m

**big** [bɪg] adj (in height: person, building, tree) grand(e); (in bulk, amount: person, parcel, book) gros(se); **Big Apple** n voir article **"Big Apple"**; **bigheaded** adj prétentieux(-euse); **big toe** n gros orteil

**BIG APPLE**

Si l'on sait que "The Big Apple"
désigne la ville de New York ("apple"
est en réalité un terme d'argot
signifiant "grande ville"), on connaît
moins les surnoms donnés aux
autres grandes villes américaines.
Chicago est surnommée "Windy
City" à cause des rafales soufflant
du lac Michigan, La Nouvelle-
Orléans doit son sobriquet
de "Big Easy" à son style de
vie décontracté, et l'industrie

● automobile a donné à Detroit son
● surnom de "Motown".

**bike** [baɪk] n vélo m; **bike lane** n piste
f cyclable

**bikini** [bɪˈkiːnɪ] n bikini m

**bilateral** [baɪˈlætərl] adj bilatéral(e)

**bilingual** [baɪˈlɪŋgwəl] adj bilingue

**bill** [bɪl] n note f, facture f; (in
restaurant) addition f; (Pol)
projet m de loi; (us: banknote) billet m
(de banque); (notice) affiche f; (of bird)
bec m; **put it on my ~** mettez-le sur
mon compte; **"post no ~s"** défense
d'afficher"; **to fit** or **fill the ~** (fig)
faire l'affaire; **billboard** n (us) panneau m
d'affichage; **billfold** [ˈbɪlfəʊld] n (us)
portefeuille m

**billiards** [ˈbɪljədz] n billard m

**billion** [ˈbɪljən] n (BRIT) billion m
(million de millions); (us) milliard m

**bin** [bɪn] n boîte f; (BRIT: also: **dust~,
litter ~**) poubelle f; (for coal) coffre m

**bind** (pt, pp **bound**) [baɪnd, baʊnd] vt
attacher; (book) relier; (oblige) obliger,
contraindre ▷ n (inf: nuisance) scie f

**binge** [bɪndʒ] n (inf): **to go on a ~**
faire la bringue

**bingo** [ˈbɪŋgəʊ] n sorte de jeu de loto
pratiqué dans des établissements publics

**binoculars** [bɪˈnɔkjuləz] npl
jumelles fpl

**bio...**: **biochemistry** [baɪəˈkemɪstrɪ]
n biochimie f; **biodegradable**
[ˈbaɪəʊdɪˈgreɪdəbl] adj
biodégradable; **biofuel** [ˈbaɪəʊfjuəl]
n biocarburant; **biography**
[baɪˈɔgrəfɪ] n biographie f; **biological**
adj biologique; **biology** [baɪˈɔlədʒɪ] n
biologie f; **biometric** [baɪəˈmɛtrɪk]
adj biométrique

**bipolar** [baɪˈpəʊlə*] adj bipolaire

**birch** [bəːtʃ] n bouleau m

**bird** [bəːd] n oiseau m; (BRIT inf: girl)
nana f; **bird flu** n grippe f aviaire;
**bird of prey** n oiseau m de proie;
**birdwatching** n ornithologie f
(d'amateur)

**Biro®** [ˈbaɪərəʊ] n stylo m à bille

**birth** [bəːθ] n naissance f; **to
give ~** donner naissance
à, mettre au monde; (animal)
mettre bas; **birth certificate**
n acte m de naissance; **birth
control** n (policy) limitation f des
naissances; (methods) méthode(s)
contraceptive(s); **birthday** n
anniversaire m ▷ cpd (cake, card etc)
d'anniversaire; **birthmark** n envie
f, tache f de vin; **birthplace** n lieu m
de naissance

**biscuit** [ˈbɪskɪt] n (BRIT) biscuit m; (us)
petit pain au lait

**bishop** [ˈbɪʃəp] n évêque m; (Chess)
fou m

**bistro** [ˈbiːstrəʊ] n petit restaurant
m, bistrot m

**bit** [bɪt] pt of **bite** ▷ n morceau m;
(Comput) bit m, élément binaire; (of
tool) mèche f; (of horse) mors m; **a ~ of**
un peu de; **a ~ mad/dangerous** un
peu fou/risqué; **~ by ~** petit à petit

**bitch** [bɪtʃ] n (dog) chienne f; (infl)
salope f(!), garce f

**bite** [baɪt] vt, vi (pt **bit**, pp **bitten**)
mordre; (insect) piquer ▷ n morsure
f; (insect bite) piqûre f; (mouthful)
bouchée f; **let's have a ~ (to eat)**
mangeons un morceau; **to ~ one's
nails** se ronger les ongles

**bitten** [ˈbɪtn] pp of **bite**

**bitter** [ˈbɪtə*] adj amer(-ère);
(criticism) cinglant(e); (icy: weather,
wind) glacial(e) ▷ n (BRIT: beer) bière f
(à forte teneur en houblon)

**bizarre** [bɪˈzɑː*] adj bizarre

**black** [blæk] adj noir(e) ▷ n (colour)
noir m; (person): **B~** noir(e) ▷ vt (BRIT
Industry) boycotter; **to give sb a ~
eye** pocher l'œil à qn, faire un œil au
beurre noir à qn; **to be in the ~** (in
credit) avoir un compte créditeur;
**~ and blue** (bruised) couvert(e) de
bleus; **black out** vi (faint) s'évanouir;
**blackberry** n mûre f; **blackbird** n
merle m; **blackboard** n tableau

noir; **black coffee** n café noir; **blackcurrant** n cassis m; **black ice** n verglas m; **blackmail** n chantage m ▷ vt faire chanter, soumettre au chantage; **black market** n marché noir; **blackout** n panne f d'électricité; (in wartime) black-out m; (TV) interruption f d'émission; (fainting) syncope f; **black pepper** n poivre noir; **black pudding** n boudin (noir); **Black Sea** n: **the Black Sea** la mer Noire

**bladder** ['blædə'] n vessie f

**blade** [bleɪd] n lame f; (of propeller) pale f; **a ~ of grass** un brin d'herbe

**blame** [bleɪm] n faute f, blâme m ▷ vt: **to ~ sb/sth for sth** attribuer à qn/qch la responsabilité de qch; reprocher qch à qn/qch; **I'm not to ~** ce n'est pas ma faute

**bland** [blænd] adj (taste, food) doux (douce), fade

**blank** [blæŋk] adj blanc (blanche); (look) sans expression, dénué(e) d'expression ▷ n espace m blanc, blanc m; (cartridge) cartouche f à blanc; **his mind was a ~** il avait la tête vide

**blanket** ['blæŋkɪt] n couverture f; (of snow, cloud) couche f

**blast** [blɑːst] n explosion f; (shock wave) souffle m; (of air, steam) bouffée f ▷ vt faire sauter or exploser

**blatant** ['bleɪtənt] adj flagrant(e), criant(e)

**blaze** [bleɪz] n (fire) incendie m; (fig) flamboiement m ▷ vi (fire) flamber; (fig) flamboyer, resplendir ▷ vt: **to ~ a trail** (fig) montrer la voie; **in a ~ of publicity** à grand renfort de publicité

**blazer** ['bleɪzə'] n blazer m

**bleach** [bliːtʃ] n (also: **household ~**) eau f de Javel ▷ vt (linen) blanchir; **bleachers** npl (US Sport) gradins mpl (en plein soleil)

**bleak** [bliːk] adj morne, désolé(e); (weather) triste, maussade; (smile) lugubre; (prospect, future) morose

**bled** [blɛd] pt, pp of **bleed**

**bleed** (pt, pp **bled**) [bliːd, blɛd] vt saigner; (brakes, radiator) purger ▷ vi saigner; **my nose is ~ing** je saigne du nez

**blemish** ['blɛmɪʃ] n défaut m; (on reputation) tache f

**blend** [blɛnd] n mélange m ▷ vt mélanger ▷ vi (colours etc: also: **~ in**) se mélanger, se fondre, s'allier; **blender** n (Culin) mixeur m

**bless** (pt, pp **blessed** or **blest**) [blɛs, blɛst] vt bénir; **~ you!** (after sneeze) à tes souhaits!; **blessing** n bénédiction f; (godsend) bienfait m

**blew** [bluː] pt of **blow**

**blight** [blaɪt] vt (hopes etc) anéantir, briser

**blind** [blaɪnd] adj aveugle ▷ n (for window) store m ▷ vt aveugler; **the blind** npl les aveugles mpl; **blind alley** n impasse f; **blindfold** n bandeau m ▷ adj, adv les yeux bandés ▷ vt bander les yeux à

**blink** [blɪŋk] vi cligner des yeux; (light) clignoter

**bliss** [blɪs] n félicité f, bonheur m sans mélange

**blister** ['blɪstə'] n (on skin) ampoule f, cloque f; (on paintwork) boursouflure f ▷ vi (paint) se boursoufler, se cloquer

**blizzard** ['blɪzəd] n blizzard m, tempête f de neige

**bloated** ['bləutɪd] adj (face) bouffi(e); (stomach, person) gonflé(e)

**blob** [blɔb] n (drop) goutte f; (stain, spot) tache f

**block** [blɔk] n bloc m; (in pipes) obstruction f; (toy) cube m; (of buildings) pâté m (de maisons) ▷ vt bloquer; (fig) faire obstacle à; **the sink is ~ed** l'évier est bouché; **~ of flats** (BRIT) immeuble (locatif); **mental ~** blocage m; **block up** vt boucher; **blockade** [blɔ'keɪd] n blocus m ▷ vt faire le blocus de; **blockage** n obstruction f; **blockbuster** n (film, book) grand succès; **block capitals** npl majuscules *fpl* d'imprimerie; **block letters** *npl* majuscules *fpl*

**blog** [blɒɡ] *n* blog *m* ▷ *vi* bloguer

**blogger** ['blɒɡə] *n* blogueur(-euse)

**blogosphere** ['blɒɡəsfɪə] *n* blogosphère *f*

**bloke** [bləuk] *n* (BRIT inf) type *m*

**blond(e)** [blɒnd] *adj*, *n* blond(e)

**blood** [blʌd] *n* sang *m*; **blood donor** *n* donneur(-euse) de sang; **blood group** *n* groupe sanguin; **blood poisoning** *n* empoisonnement *m* du sang; **blood pressure** *n* tension (artérielle); **bloodshed** *n* effusion *f* de sang, carnage *m*; **bloodshot** *adj*: **bloodshot eyes** yeux injectés de sang; **bloodstream** *n* sang *m*, système sanguin; **blood test** *n* analyse *f* de sang; **blood transfusion** *n* transfusion *f* de sang; **blood type** *n* groupe sanguin; **blood vessel** *n* vaisseau sanguin; **bloody** *adj* sanglant(e); (BRIT inf!): **this bloody ...** ce foutu ..., ce putain de ... (!) ▷ *adv*: **bloody strong/good** (BRIT inf!) vachement or sacrément fort/bon

**bloom** [blu:m] *n* fleur *f* ▷ *vi* être en fleur

**blossom** ['blɒsəm] *n* fleur(s) *f(pl)* ▷ *vi* être en fleurs; (*fig*) s'épanouir

**blot** [blɒt] *n* tache *f* ▷ *vt* tacher; (*ink*) sécher

**blouse** [blauz] *n* (*feminine garment*) chemisier *m*, corsage *m*

**blow** [bləu] (*pt* **blew**, *pp* **blown**) *n* coup *m* ▷ *vi* souffler ▷ *vt* (*instrument*) jouer de; (*fuse*) faire sauter; **to ~ one's nose** se moucher; **blow away** *vi* s'envoler ▷ *vt* chasser, faire s'envoler; **blow out** *vi* (*fire, flame*) s'éteindre; (*tyre*) éclater; (*fuse*) sauter; **blow up** *vi* exploser, sauter ▷ *vt* faire sauter; (*tyre*) gonfler; (*Phot*) agrandir; **blow-dry** *n* (*hairstyle*) brushing *m*

**blue** [blu:] *adj* bleu(e); (*depressed*) triste; ~ **film/joke** film *m*/histoire *f* pornographique; **out of the ~** (*fig*) à l'improviste, sans qu'on s'y attende; **bluebell** *n* jacinthe *f* des bois;

**blueberry** *n* myrtille *f*, airelle *f*; **blue cheese** *n* (fromage) bleu *m*; **blues** *npl*: **the blues** (*Mus*) le blues; **to have the blues** (*inf*: feeling) avoir le cafard

**bluff** [blʌf] *vi* bluffer ▷ *n* bluff *m*; **to call sb's ~** mettre qn au défi d'exécuter ses menaces

**blunder** ['blʌndə] *n* gaffe *f*, bévue *f* ▷ *vi* faire une gaffe or une bévue

**blunt** [blʌnt] *adj* (*knife*) émoussé(e), peu tranchant(e); (*pencil*) mal taillé(e); (*person*) brusque, ne mâchant pas ses mots

**blur** [blə:] *n* (*shape*): **to become a ~** devenir flou *vt* brouiller, rendre flou(e); **blurred** *adj* flou(e)

**blush** [blʌʃ] *vi* rougir ▷ *n* rougeur *f*; **blusher** *n* rouge *m* à joues

**board** [bɔ:d] *n* (*wooden*) planche *f*; (*on wall*) panneau *m*; (*for chess etc*) plateau *m*; (*cardboard*) carton *m*; (*committee*) conseil *m*, comité *m*; (*in firm*) conseil d'administration; (*Naut, Aviat*): **on ~** à bord *m* (*ship*) monter à bord de; (*train*) monter dans; **full ~** (BRIT) pension complète; **half ~** (BRIT) demi-pension *f*; **~ and lodging** *n* chambre *f* avec pension; **to go by the ~** (*hopes, principles*) être abandonné(e); **board game** *n* jeu *m* de société; **boarding card** *n* (*Aviat, Naut*) carte *f* d'embarquement; **boarding pass** *n* (BRIT) = **boarding card**; **boarding school** *n* internat *m*, pensionnat *m*; **board room** *n* salle *f* du conseil d'administration

**boast** [bəust] *vi*: **to ~ (about or of)** se vanter (de)

**boat** [bəut] *n* bateau *m*; (*small*) canot *m*; barque *f*

**bob** [bɒb] *vi* (*boat, cork on water: also*: **~ up and down**) danser, se balancer

**bobby pin** ['bɒbɪ-] *n* (US) pince *f* à cheveux

**body** ['bɒdɪ] *n* corps *m*; (*of car*) carrosserie *f*; (*fig: society*) organe *m*, organisme *m*; **body-building** *n* body-building *m*, culturisme *m*; **bodyguard**

*n* garde *m* du corps; **bodywork** *n* carrosserie *f*

**bog** [bɒg] *n* tourbière *f* ⊳ *vt*: **to get ~ged down (in)** (*fig*) s'enliser (dans)

**bogus** ['bəʊgəs] *adj* bidon *inv*; fantôme

**boil** [bɔɪl] *vt* (faire) bouillir ⊳ *vi* bouillir ⊳ *n* (*Med*) furoncle *m*; **to come to the** or **(us) a ~** bouillir; **boil down** *vi* (*fig*): **to ~ down to** se réduire or ramener à; **boil over** *vi* déborder; **boiled egg** *n* œuf *m* à la coque; **boiler** *n* chaudière *f*; **boiling** ['bɔɪlɪŋ] *adj*: **I'm boiling (hot)** (*inf*) je crève de chaud; **boiling point** *n* point *m* d'ébullition

**bold** [bəʊld] *adj* hardi(e), audacieux(-euse); (*pej*) effronté(e); (*outline, colour*) franc (franche), tranché(e), marqué(e)

**bollard** ['bɒləd] *n* (*BRIT Aut*) borne lumineuse or de signalisation

**bolt** [bəʊlt] *n* verrou *m*; (*with nut*) boulon *m* ⊳ *adv*: **~ upright** droit(e) comme un piquet ⊳ *vt* (*door*) verrouiller; (*food*) engloutir ⊳ *vi* se sauver, filer (comme une flèche); (*horse*) s'emballer

**bomb** [bɒm] *n* bombe *f* ⊳ *vt* bombarder; **bombard** [bɒmˈbɑːd] *vt* bombarder; **bomber** *n* (*Aviat*) bombardier *m*; (*terrorist*) poseur *m* de bombes; **bomb scare** *n* alerte *f* à la bombe

**bond** [bɒnd] *n* lien *m*; (*binding promise*) engagement *m*, obligation *f*; (*Finance*) obligation; **bonds** *npl* (*chains*) chaînes *fpl*; **in ~** (*of goods*) en entrepôt

**bone** [bəʊn] *n* os *m*; (*of fish*) arête *f* ⊳ *vt* désosser; ôter les arêtes de

**bonfire** ['bɒnfaɪə²] *n* feu *m* (de joie); (*for rubbish*) feu

**bonnet** ['bɒnɪt] *n* bonnet *m*; (*BRIT: of car*) capot *m*

**bonus** ['bəʊnəs] *n* (*money*) prime *f*; (*advantage*) avantage *m*

**boo** [buː] *excl* hou!, peuh! ⊳ *vt* huer

**book** [buk] *n* livre *m*; (*of stamps, tickets etc*) carnet *m* ⊳ *vt* (*ticket*) prendre;

(*seat, room*) réserver; (*football player*) prendre le nom de, donner un carton à; **books** *npl* (*Comm*) comptes *mpl*, comptabilité *f*; **I ~ed a table in the name of ...** j'ai réservé une table au nom de ...; **book in** *vi* (*BRIT: at hotel*) prendre sa chambre; **book up** *vt* réserver; **the hotel is ~ed up** l'hôtel est complet; **bookcase** *n* bibliothèque *f* (*meuble*); **booking** *n* (*BRIT*) réservation *f*; **I confirmed my booking by fax/email** j'ai confirmé ma réservation par fax/e-mail; **booking office** *n* (*BRIT*) bureau *m* de location; **book-keeping** *n* comptabilité *f*; **booklet** *n* brochure *f*; **bookmaker** *n* bookmaker *m*; **bookmark** *n* (*for book*) marque-page *m*; (*Comput*) signet *m*; **bookseller** *n* libraire *m/f*; **bookshelf** *n* (*single*) étagère *f* (à livres); (*bookcase*) bibliothèque *f*; **bookshop**, **bookstore** *n* librairie *f*

**boom** [buːm] *n* (*noise*) grondement *m*; (*in prices, population*) forte augmentation; (*busy period*) boom *m*, vague *f* de prospérité ⊳ *vi* gronder; prospérer

**boost** [buːst] *n* stimulant *m*, remontant *m* ⊳ *vt* stimuler

**boot** [buːt] *n* botte *f*; (*for hiking*) chaussure *f* (de marche); (*ankle boot*) bottine *f*; (*BRIT: of car*) coffre *m* ⊳ *vt* (*Comput*) lancer, mettre en route; **to ~** (*in addition*) par-dessus le marché, en plus

**booth** [buːð] *n* (*at fair*) baraque (*foraine*); (*of telephone etc*) cabine *f*; (*also: voting ~*) isoloir *m*

**booze** [buːz] (*inf*) *n* boissons *fpl* alcooliques, alcool *m*

**border** ['bɔːdə²] *n* bordure *f*; bord *m*; (*of a country*) frontière *f*; **borderline** *n* (*fig*) ligne *f* de démarcation

**bore** [bɔː²] *pt of* **bear** ⊳ *vt* (*person*) ennuyer, raser; (*hole*) percer; (*well, tunnel*) creuser ⊳ *n* (*person*) raseur(-euse); (*boring thing*) barbe *f*;

(of gun) calibrer m; **bored** adj: **to be bored** s'ennuyer; **boredom** n ennui m
**boring** ['bɔːrɪŋ] adj ennuyeux(-euse)
**born** [bɔːn] adj: **to be ~** naître; **I was ~ in 1960** je suis né en 1960
**borne** [bɔːn] pp of **bear**
**borough** ['bʌrə] n municipalité f
**borrow** ['bɒrəʊ] vt: **to ~ sth (from sb)** emprunter qch (à qn)
**Bosnian** ['bɒznɪən] adj bosniaque, bosnien(ne) ▷ n Bosniaque m/f, Bosnien(ne)
**bosom** ['bʊzəm] n poitrine f; (fig) sein m
**boss** [bɒs] n patron(ne) ▷ vt (also: **~ about, ~ around**) mener à la baguette; **bossy** adj autoritaire
**both** [bəʊθ] adj les deux, l'un(e) et l'autre ▷ pron: **~ (of them)** les deux, tous (toutes) (les) deux, l'un(e) et l'autre; **~ of us went, we ~ went** nous y sommes allés tous les deux ▷ adv: **~ A and B** A et B
**bother** ['bɒðə] vt (worry) tracasser; (needle, bait) importuner, ennuyer; (disturb) déranger ▷ vi (gen: **~ o.s.**) se tracasser, se faire du souci ▷ n (trouble) ennuis mpl; **to ~ doing** prendre la peine de faire; **don't ~** ce n'est pas la peine; **it's no ~** aucun problème
**bottle** ['bɒtl] n bouteille f; (baby's) biberon m; (of perfume, medicine) flacon m ▷ vt mettre en bouteille(s); **bottle bank** n conteneur m (de bouteilles); **bottle-opener** n ouvre-bouteille m
**bottom** ['bɒtəm] n (of container, sea etc) fond m; (buttocks) derrière m; (of page, list) bas m; (of mountain, tree, hill) pied m ▷ adj (shelf, step) du bas
**bought** [bɔːt] pt, pp of **buy**
**boulder** ['bəʊldə'] n gros rocher (gén lisse, arrondi)
**bounce** [baʊns] vi (ball) rebondir; (cheque) être refusé (étant sans provision) ▷ vt faire rebondir ▷ n (rebound) rebond m; **bouncer** n (inf: at dance, club) videur m

**bound** [baʊnd] pt, pp of **bind** ▷ n (gen pl) limite f; (leap) bond m ▷ vi (leap) bondir ▷ vt (limit) borner ▷ adj: **to be ~ to do sth** (obliged) être obligé(e) or avoir obligation de faire qch; **he's ~ to fail** (likely) il est sûr d'échouer, son échec est inévitable or assuré; **~ by** (law, regulation) engagé(e) par; **~ for** à destination de; **out of ~s** dont l'accès est interdit
**boundary** ['baʊndrɪ] n frontière f
**bouquet** ['bʊkeɪ] n bouquet m
**bourbon** ['bʊəbən] n (us: also: **~ whiskey**) bourbon m
**bout** [baʊt] n période f; (of malaria etc) accès m, crise f, attaque f; (Boxing etc) combat m, match m
**boutique** [buːˈtiːk] n boutique f
**bow¹** [bəʊ] n nœud m; (weapon) arc m; (Mus) archet m
**bow²** [baʊ] n (with body) révérence f, inclination f (du buste or corps); (Naut: also: **~s**) proue f ▷ vi faire une révérence, s'incliner
**bowels** [baʊəlz] npl intestins mpl; (fig) entrailles fpl
**bowl** [bəʊl] n (for eating) bol m; (for washing) cuvette f; (ball) boule f ▷ vi (Cricket) lancer (la balle); **bowler** n (Cricket) lanceur m (de la balle); (BRIT: also: **bowler hat**) (chapeau m) melon m; **bowling** n (game) jeu m de boules, jeu de quilles; **bowling alley** n bowling m; **bowling green** n terrain m de boules (gazonné et carré); **bowls** n (jeu m de) boules fpl
**bow tie** [bəʊ-] n nœud m papillon
**box** [bɒks] n boîte f; (also: **cardboard ~**) carton m; (Theat) loge f ▷ vt mettre en boîte ▷ vi boxer, faire de la boxe; **boxer** ['bɒksə'] n (person) boxeur m; **boxer shorts** npl caleçon m; **boxing** ['bɒksɪŋ] n (sport) boxe f; **Boxing Day** n (BRIT) le lendemain de Noël; voir article **"Boxing Day"**; **boxing gloves** npl gants mpl de boxe; **boxing ring** n ring m; **box office** n bureau m de location

● BOXING DAY

*Boxing Day* est le lendemain de
Noël, férié en Grande-Bretagne. Ce
nom vient d'une coutume du XIXe
siècle qui consistait à donner des
cadeaux de Noël (dans des boîtes) à
ses employés etc le 26 décembre.

**boy** [bɔɪ] *n* garçon *m*; **boy band** *n*
boys band *m*

**boycott** ['bɔɪkɔt] *n* boycottage *m* ▷ *vt*
boycotter

**boyfriend** ['bɔɪfrɛnd] *n* (petit) ami

**bra** [brɑː] *n* soutien-gorge *m*

**brace** [breɪs] *n* (support) attache
*f*, agrafe *f*; (BRIT: *also*: **~s**: *on
teeth*) appareil *m* (dentaire);
(*tool*) vilebrequin *m* ▷ *vt* (support)
consolider, soutenir; **braces** *npl* (BRIT:
*for trousers*) bretelles *fpl*; **to ~ o.s.** (*fig*)
se préparer mentalement

**bracelet** ['breɪslɪt] *n* bracelet *m*

**bracket** ['brækɪt] *n* (Tech) tasseau
*m*, support *m*; (*group*) classe *f*,
tranche *f*; (*also*: **brace ~**) accolade *f*;
(*also*: **round ~**) parenthèse *f*; (*also*:
**square ~**) crochet *m* ▷ *vt* mettre entre
parenthèses; **in ~s** entre parenthèses
or crochets

**brag** [bræg] *vi* se vanter

**braid** [breɪd] *n* (*trimming*) galon *m*; (*of
hair*) tresse *f*, natte *f*

**brain** [breɪn] *n* cerveau *m*; **brains** *npl*
(*intellect*, *food*) cervelle *f*

**braise** [breɪz] *vt* braiser

**brake** [breɪk] *n* frein *m* ▷ *vt*, *vi* freiner;
**brake light** *n* feu *m* de stop

**bran** [bræn] *n* son *m*

**branch** [brɑːntʃ] *n* branche *f*; (*Comm*)
succursale *f*; (*: of bank*) agence *f*;
**branch off** *vi* (*road*) bifurquer;
**branch out** *vi* diversifier ses activités

**brand** [brænd] *n* marque
(commerciale) ▷ *vt* (*cattle*) marquer
(au fer rouge); **brand name** *n* nom *m*
de marque; **brand-new** *adj* tout(e)
neuf (neuve), flambant neuf (neuve)

**brandy** ['brændɪ] *n* cognac *m*

**brash** [bræʃ] *adj* effronté(e)

**brass** [brɑːs] *n* cuivre *m* (jaune), laiton
*m*; **the ~** (Mus) les cuivres; **brass
band** *n* fanfare *f*

**brat** [bræt] *n* (*pej*) mioche *m/f*,
môme *m/f*

**brave** [breɪv] *adj* courageux(-euse),
brave ▷ *vt* braver, affronter; **bravery**
*n* bravoure *f*, courage *m*

**brawl** [brɔːl] *n* rixe *f*, bagarre *f*

**Brazil** [brə'zɪl] *n* Brésil *m*; **Brazilian**
*adj* brésilien(ne) ▷ *n* Brésilien(ne)

**breach** [briːtʃ] *vt* ouvrir une brèche
dans ▷ *n* (*gap*) brèche *f*; (*breaking*): **~
of contract** rupture *f* de contrat; **~ of
the peace** attentat *m* à l'ordre public

**bread** [brɛd] *n* pain *m*; **breadbin**
*n* (BRIT) boîte *f* or huche *f* à pain;
**breadbox** *n* (US) boîte *f* or huche *f* à
pain; **breadcrumbs** *npl* miettes *fpl* de
pain; (Culin) chapelure *f*, panure *f*

**breadth** [brɛtθ] *n* largeur *f*

**break** [breɪk] (*pt* **broke**, *pp* **broken**)
*vt* casser, briser; (*promise*) rompre;
(*law*) violer ▷ *vi* se casser, se briser;
(*weather*) tourner; (*storm*) éclater;
(*day*) se lever ▷ *n* (*gap*) brèche *f*;
(*fracture*) cassure *f*; (*rest*) interruption
*f*, arrêt *m* (*: short*) pause *f*; (*: at school*)
récréation *f*; (*chance*) chance *f*,
occasion *f* favorable; **to ~ one's
leg** *etc* se casser la jambe *etc*; **to ~ a
record** battre un record; **to ~ the
news to sb** annoncer la nouvelle
à qn; **break down** *vt* (*door etc*)
enfoncer; (*figures*, *data*) décomposer,
analyser ▷ *vi* s'effondrer; (Med) faire
une dépression (nerveuse); (Aut)
tomber en panne; **my car has
broken down** ma voiture est en
panne; **break in** *vt* (*horse etc*) dresser
▷ *vi* (*burglar*) entrer par effraction;
(*interrupt*) interrompre; **break into**
*vt fus* (*house*) s'introduire or pénétrer
par effraction dans; **break off** *vi*
(*speaker*) s'interrompre; (*branch*)
se rompre ▷ *vt* (*talks*, *engagement*)

rompre; **break out** vi éclater, se
déclarer; (*prisoner*) s'évader; **to ~ out
in spots** se couvrir de boutons; **break
up** vi (*partnership*) cesser, prendre fin;
(*marriage*) se briser; (*crowd, meeting*)
se séparer; (*ship*) se disloquer; (*Scol:
pupils*) être en vacances; (*line*) couper
▷ vt fracasser, casser; (*fight etc*)
interrompre, faire cesser; (*marriage*)
désunir; **the line's or you're ~ing
up** ça coupe; **breakdown** n (*Aut*)
panne f; (*in communications, marriage*)
rupture f; (*Med: also:* **nervous
breakdown**) dépression (nerveuse);
(*of figures*) ventilation f, répartition f;
**breakdown van**, (*us*) **breakdown
truck** n dépanneuse f
**breakfast** ['brɛkfəst] n petit
déjeuner m; **what time is ~?** le petit
déjeuner à quelle heure?
**break-in** n cambriolage m;
**breakthrough** n percée f
**breast** [brɛst] n (*of woman*) sein m;
(*chest*) poitrine f; (*of chicken, turkey*)
blanc m; **breast-feed** vt, vi (*irreg:
like* **feed**) allaiter; **breast-stroke** n
brasse f
**breath** [brɛθ] n haleine f, souffle m;
**to take a deep ~** respirer à fond; **out
of ~** à bout de souffle, essoufflé(e)
**Breathalyser®** ['brɛθəlaɪzə'] (*BRIT*)
n alcootest m
**breathe** [briːð] vt, vi respirer;
**breathe in** vi inspirer ▷ vt aspirer;
**breathe out** vt, vi expirer; **breathing**
n respiration f
**breath: breathless** adj essoufflé(e),
haletant(e); **breathtaking** adj
stupéfiant(e), à vous couper le
souffle; **breath test** n alcootest m
**bred** [brɛd] pt, pp of **breed**
**breed** [briːd] (*pt, pp* **bred**) vt élever,
faire l'élevage de ▷ vi se reproduire ▷ n
race f, variété f
**breeze** [briːz] n brise f
**breezy** ['briːzɪ] adj (*day, weather*)
venteux(-euse); (*manner*) désinvolte;
(*person*) jovial(e)

**brew** [bruː] vt (*tea*) faire infuser; (*beer*)
brasser ▷ vi (*fig*) se préparer, couver;
**brewery** n brasserie f (*fabrique*)
**bribe** [braɪb] n pot-de-vin m ▷ vt
acheter; soudoyer; **bribery** n
corruption f
**bric-a-brac** ['brɪkəbræk] n bric-
à-brac m
**brick** [brɪk] n brique f; **bricklayer** n
maçon m
**bride** [braɪd] n mariée f, épouse f;
**bridegroom** n marié m, époux m;
**bridesmaid** n demoiselle f d'honneur
**bridge** [brɪdʒ] n pont m; (*Naut*)
passerelle f (de commandement); (*of
nose*) arête f; (*Cards, Dentistry*) bridge
m ▷ vt (*gap*) combler
**bridle** ['braɪdl] n bride f
**brief** [briːf] adj bref (brève) ▷ n
(*Law*) dossier m, cause f; (*gen*) tâche
f ▷ vt mettre au courant; **briefs**
npl slip m; **briefcase** n serviette f,
porte-documents m inv; **briefing** n
instructions fpl; (*Press*) briefing m;
**briefly** adv brièvement
**brigadier** [brɪgə'dɪə'] n brigadier
général
**bright** [braɪt] adj brillant(e); (*room,
weather*) clair(e); (*person: clever*)
intelligent(e), doué(e); (*: cheerful*)
gai(e); (*idea*) génial(e); (*colour*) vif
(vive)
**brilliant** ['brɪljənt] adj brillant(e);
(*light, sunshine*) éclatant(e); (*inf:
great*) super
**brim** [brɪm] n bord m
**brine** [braɪn] n (*Culin*) saumure f
**bring** (*pt, pp* **brought**) [brɪŋ, brɔːt]
vt (*thing*) apporter; (*person*) amener;
**bring about** vt provoquer, entraîner;
**bring back** vt rapporter; (*person*)
ramener; **bring down** vt (*lower*)
abaisser; (*shoot down*) abattre;
(*government*) faire s'effondrer; **bring
in** vt (*person*) faire entrer; (*object*)
rentrer; (*Pol: legislation*) introduire;
(*produce: income*) rapporter; **bring
on** vt (*illness, attack*) provoquer;

*(player, substitute)* amener; **bring out** vt sortir; *(meaning)* faire ressortir, mettre en relief; **bring up** vt élever; *(carry up)* monter; *(question)* soulever; *(food: vomit)* vomir, rendre

**brink** [brɪŋk] n bord m

**brisk** [brɪsk] adj vif (vive); *(abrupt)* brusque; *(trade etc)* actif(-ive)

**bristle** ['brɪsl] n poil m ▷ vi se hérisser

**Brit** [brɪt] n abbr (inf: = British person) Britannique m/f

**Britain** ['brɪtən] n (also: **Great ~**) la Grande-Bretagne

**British** ['brɪtɪʃ] adj britannique ▷ npl; **the ~** les Britanniques mpl; **British Isles** npl; **the British Isles** les îles fpl Britanniques

**Briton** ['brɪtən] n Britannique m/f

**Brittany** ['brɪtənɪ] n Bretagne f

**brittle** ['brɪtl] adj cassant(e), fragile

**broad** [brɔːd] adj large; *(distinction)* général(e); *(accent)* prononcé(e); **in ~ daylight** en plein jour

**B road** n (BRIT) ≈ route départementale

**broad**: **broadband** n transmission f à haut débit; **broad bean** n fève f; **broadcast** (pt, pp **broadcast**) n émission f ▷ vt *(Radio)* radiodiffuser; *(TV)* téléviser ▷ vi émettre; **broaden** vt élargir; **to broaden one's mind** élargir ses horizons ▷ vi s'élargir; **broadly** adv en gros, généralement; **broad-minded** adj large d'esprit

**broccoli** ['brɔkəlɪ] n brocoli m

**brochure** ['brəʊʃjʊə'] n prospectus m, dépliant m

**broil** [brɔɪl] vt (US) rôtir

**broke** [brəʊk] pt of **break** ▷ adj (inf) fauché(e)

**broken** ['brəʊkn] pp of **break** ▷ adj *(stick, leg etc)* cassé(e); *(machine: also: ~ down)* fichu(e); **in ~ French/ English** dans un français/anglais approximatif ou hésitant

**broker** ['brəʊkə'] n courtier m

**bronchitis** [brɔŋ'kaɪtɪs] n bronchite f

**bronze** [brɔnz] n bronze m

**brooch** [brəʊtʃ] n broche f

**brood** [bruːd] n couvée f ▷ vi *(person)* méditer (sombrement), ruminer

**broom** [brum] n balai m; *(Bot)* genêt m

**Bros.** abbr (Comm: = brothers) Frères

**broth** [brɔθ] n bouillon m de viande et de légumes

**brothel** ['brɔθl] n maison close, bordel m

**brother** ['brʌðə'] n frère m; **brother-in-law** n beau-frère m

**brought** [brɔːt] pt, pp of **bring**

**brow** [braʊ] n front m; *(eyebrow)* sourcil m; *(of hill)* sommet m

**brown** [braʊn] adj brun(e), marron inv; *(hair)* châtain inv; *(tanned)* bronzé(e) ▷ n *(colour)* brun m, marron m ▷ vt brunir; *(Culin)* faire dorer, faire roussir; **brown bread** n pain m bis

**Brownie** ['braʊnɪ] n jeannette f éclaireuse (cadette)

**brown rice** n riz m complet

**brown sugar** n cassonade f

**browse** [braʊz] vi *(in shop)* regarder *(sans acheter)*; **to ~ through a book** feuilleter un livre; **browser** n *(Comput)* navigateur m

**bruise** [bruːz] n bleu m, ecchymose f, contusion f ▷ vt contusionner, meurtrir

**brunette** [bruː'nɛt] n (femme) brune

**brush** [brʌʃ] n brosse f; *(for painting)* pinceau m; *(for shaving)* blaireau m; *(quarrel)* accrochage m, prise f de bec ▷ vt brosser; *(also: ~ past, ~ against)* effleurer, frôler

**Brussels** ['brʌslz] n Bruxelles

**Brussels sprout** n chou m de Bruxelles

**brutal** ['bruːtl] adj brutal(e)

**B.Sc.** n abbr = **Bachelor of Science**

**BSE** n abbr (= bovine spongiform encephalopathy) ESB f, BSE f

**bubble** ['bʌbl] n bulle f ▷ vi bouillonner, faire des bulles; *(sparkle, fig)* pétiller; **bubble bath** n bain moussant; **bubble gum** n chewing-gum m; **bubblejet printer** ['bʌbldʒet-] n imprimante f à bulle d'encre

**buck** [bʌk] n mâle m (d'un lapin, lièvre, daim etc); (us inf) dollar m ▷ vi ruer, lancer une ruade; **to pass the ~ (to sb)** se décharger de la responsabilité (sur qn)

**bucket** ['bʌkɪt] n seau m

**buckle** ['bʌkl] n boucle f ▷ vt (belt etc) boucler, attacher ▷ vi (warp) tordre, gauchir (: wheel) se voiler

**bud** [bʌd] n bourgeon m; (of flower) bouton m ▷ vi bourgeonner; (flower) éclore

**Buddhism** ['budɪzəm] n bouddhisme m

**Buddhist** ['budɪst] adj bouddhiste ▷ n Bouddhiste m/f

**buddy** ['bʌdɪ] n (us) copain m

**budge** [bʌdʒ] vt faire bouger ▷ vi bouger

**budgerigar** ['bʌdʒərɪgɑːʳ] n perruche f

**budget** ['bʌdʒɪt] n budget m ▷ vi: **to ~ for sth** inscrire qch au budget

**budgie** ['bʌdʒɪ] n = **budgerigar**

**buff** [bʌf] adj (couleur f) chamois m ▷ n (inf: enthusiast) mordu(e)

**buffalo** ['bʌfələu] (pl **buffalo** or **buffaloes**) n (BRIT) buffle m; (US) bison m

**buffer** ['bʌfəʳ] n tampon m; (Comput) mémoire f tampon

**buffet** n ['bufeɪ] (food, BRIT: bar) buffet m ▷ vt ['bʌfɪt] secouer, ébranler; **buffet car** n (BRIT Rail) voiture-bar f

**bug** [bʌg] n (bedbug etc) punaise f; (esp us: any insect) insecte m, bestiole f; (fig: germ) virus m, microbe m; (spy device) dispositif m d'écoute (électronique), micro clandestin; (Comput: of program) erreur f ▷ vt (room) poser des micros dans; (inf: annoy) embêter

**buggy** ['bʌgɪ] n poussette f

**build** [bɪld] n (of person) carrure f, charpente f ▷ vt (pt, pp **built**)

construire, bâtir; **build up** vt accumuler, amasser; (business) développer; (reputation) bâtir; **builder** n entrepreneur m; **building** n (trade) construction f; (structure) bâtiment m, construction f; (: residential, offices) immeuble m; **building site** n chantier m (de construction); **building society** n (BRIT) société f de crédit immobilier

**built** [bɪlt] pt, pp of **build**; **built-in** adj (cupboard) encastré(e); (device) incorporé(e); intégré(e); **built-up** adj: **built-up area** zone urbanisée

**bulb** [bʌlb] n (Bot) bulbe m, oignon m; (Elec) ampoule f

**Bulgaria** [bʌl'gɛərɪə] n Bulgarie f; **Bulgarian** adj bulgare ▷ n Bulgare m/f

**bulge** [bʌldʒ] n renflement m, gonflement m ▷ vi faire saillie; présenter un renflement; (pocket, file): **to be bulging with** être plein(e) à craquer de

**bulimia** [bəˈlɪmɪə] n boulimie f

**bulimic** [bjuːˈlɪmɪk] adj, n boulimique m/f

**bulk** [bʌlk] n masse f, volume m; **in ~** (Comm) en gros, en vrac; **the ~ of** la plus grande or grosse partie de; **bulky** adj volumineux(-euse), encombrant(e)

**bull** [bul] n taureau m; (male elephant, whale) mâle m

**bulldozer** ['buldəuzəʳ] n bulldozer m

**bullet** ['bulɪt] n balle f (de fusil etc)

**bulletin** ['bulɪtɪn] n bulletin m, communiqué m; (also: **news ~**) (bulletin d')informations fpl; **bulletin board** n (Comput) messagerie f (électronique)

**bullfight** ['bulfaɪt] n corrida f, course f de taureaux; **bullfighter** n torero m; **bullfighting** n tauromachie f

**bully** ['bulɪ] n brute f, tyran m ▷ vt tyranniser, rudoyer

**bum** [bʌm] n (inf: BRIT: backside) derrière m; (esp us: tramp)

vagabond(e), traîne-savates m/f inv;
(idler) glandeur m
**bumblebee** ['bʌmblbiː] n bourdon m
**bump** [bʌmp] n (blow) coup m, choc
m; (jolt) cahot m; (on road etc, on head)
bosse f ⊳ vt heurter, cogner; (car)
emboutir; **bump into** vt fus rentrer
dans, tamponner; (inf: meet) tomber
sur; **bumper** n pare-chocs m inv ⊳ adj:
**bumper crop/harvest** récolte/
moisson exceptionnelle; **bumpy**
adj (road) cahoteux(-euse); **it was a
bumpy flight/ride** on a été secoués
dans l'avion/la voiture
**bun** [bʌn] n (cake) petit gâteau; (bread)
petit pain au lait; (of hair) chignon m
**bunch** [bʌntʃ] n (of flowers) bouquet
m; (of keys) trousseau m; (of bananas)
régime m; (of people) groupe m;
**bunches** npl (in hair) couettes fpl; **~ of
grapes** grappe f de raisin
**bundle** ['bʌndl] n paquet m ⊳ vt (also:
**~ up**) faire un paquet de; (put): **to
~ sth/sb into** fourrer or enfourner
qch/qn dans
**bungalow** ['bʌŋgələu] n
bungalow m
**bungee jumping**
['bʌndʒiː'dʒʌmpɪŋ] n saut m à
l'élastique
**bunion** ['bʌnjən] n oignon m (au pied)
**bunk** [bʌŋk] n couchette f; **bunk
beds** npl lits superposés
**bunker** ['bʌŋkəʳ] n (coal store) soute f
à charbon; (Mil, Golf) bunker m
**bunny** ['bʌnɪ] n (also: **~ rabbit**)
lapin m
**buoy** [bɔɪ] n bouée f; **buoyant** adj
(ship) flottable; (carefree) gai(e),
plein(e) d'entrain; (Comm: market,
economy) actif(-ive)
**burden** ['bəːdn] n fardeau m, charge
f ⊳ vt charger; (oppress) accabler,
surcharger
**bureau** (pl **bureaux**) ['bjuərəu,
-z] n (BRIT: writing desk) bureau m,
secrétaire m; (us: chest of drawers)
commode f; (office) bureau, office m

**bureaucracy** [bjuə'rɔkrəsɪ] n
bureaucratie f
**bureaucrat** ['bjuərəkræt] n
bureaucrate m/f, rond-de-cuir m
**bureau de change** [-də'ʃɑ̃ʒ] (pl
**bureaux de change**) n bureau m
de change
**bureaux** ['bjuərəuz] npl of **bureau**
**burger** ['bəːgəʳ] n hamburger m
**burglar** ['bəːgləʳ] n cambrioleur m;
**burglar alarm** n sonnerie f d'alarme;
**burglary** n cambriolage m
**Burgundy** ['bəːgəndɪ] n Bourgogne f
**burial** ['bɛrɪəl] n enterrement m
**burn** [bəːn] vt, vi (pt **burned**, pp
**burnt**) brûler ⊳ n brûlure f; **burn
down** vt incendier, détruire par le feu;
**burn out** vt (writer etc): **to ~ o.s.
out** s'user (à force de travailler); **burning**
adj (building, forest) en flammes;
(issue, question) brûlant(e); (ambition)
dévorant(e)
**Burns' Night** [bəːnz-] n fête écossaise
à la mémoire du poète Robert Burns

> **BURNS' NIGHT**
>
> Burns' Night est une fête qui a lieu
> le 25 janvier, à la mémoire du poète
> écossais Robert Burns (1759–1796),
> à l'occasion de laquelle les Écossais
> partout dans le monde organisent
> un souper, en général arrosé
> de whisky. Le plat principal est
> toujours le haggis, servi avec de la
> purée de pommes de terre et de la
> purée de rutabagas. On apporte
> le haggis au son des cornemuses
> et au cours du repas on lit des
> poèmes de Burns et on chante ses
> chansons.

**burnt** [bəːnt] pt, pp of **burn**
**burp** [bəːp] (inf) n rot m ⊳ vi roter
**burrow** ['bʌrəu] n terrier m ⊳ vi (rabbit)
creuser un terrier; (rummage) fouiller
**burst** [bəːst] (pt, pp **burst**) vt faire
éclater; (river: banks etc) rompre ⊳ vi

# bury | 336

éclater; (tyre) crever ▷ n explosion f;
(also: **~ pipe**) fuite f (due à une rupture);
**a ~ of enthusiasm/energy** un accès
d'enthousiasme/d'énergie; **to ~ into
flames** s'enflammer soudainement;
**to ~ out laughing** éclater de rire;
**to ~ into tears** fondre en larmes;
**to ~ open** vi s'ouvrir violemment
or soudainement; **to be ~ing with**
(container) être plein(e) (à craquer) de,
regorger de; (fig) être débordant(e)
de; **burst into** vt fus (room etc) faire
irruption dans

**bury** ['berɪ] vt enterrer

**bus** (pl **buses**) [bʌs, 'bʌsɪz] n
(auto)bus m; **bus conductor** n
receveur(-euse) m/f de bus

**bush** [bʊʃ] n buisson m; (scrub land)
brousse f; **to beat about the ~**
tourner autour du pot

**business** ['bɪznɪs] n (matter, firm)
affaire f; (trading) affaires fpl; (job,
duty) travail m; **to be away on ~**
être en déplacement d'affaires; **it's
none of my ~** cela ne me regarde
pas, ce ne sont pas mes affaires;
**he means ~** il ne plaisante pas, il
est sérieux; **business class** n (on
plane) classe f affaires; **businesslike**
adj sérieux(-euse), efficace;
**businessman** (irreg) n homme m
d'affaires; **business trip** n voyage m
d'affaires; **businesswoman** (irreg) n
femme f d'affaires

**busker** ['bʌskə] n (BRIT) artiste
ambulant(e)

**bus:** **bus pass** n carte f de bus; **bus
shelter** n abribus m; **bus station** n
gare routière; **bus stop** n arrêt m
d'autobus

**bust** [bʌst] n buste m; (measurement)
tour m de poitrine ▷ adj (inf: broken)
fichu(e), fini(e); **to go ~** (inf) faire
faillite

**bustling** ['bʌslɪŋ] adj (town) très
animé(e)

**busy** ['bɪzɪ] adj occupé(e); (shop,
street) très fréquenté(e); (us:

telephone, line) occupé ▷ vt: **to ~ o.s.**
s'occuper; **busy signal** n (us) tonalité
f occupé inv

**KEYWORD**

**but** [bʌt] conj mais; **I'd love to come,
but I'm busy** j'aimerais venir mais
je suis occupé; **he's not English
but French** il n'est pas anglais
mais français; **but that's far too
expensive!** mais c'est bien trop cher!
▷ prep (apart from, except) sauf,
excepté; **nothing but** rien d'autre
que; **we've had nothing but
trouble** nous n'avons eu que des
ennuis; **no-one but him can do
it** lui seul peut le faire; **who but a
lunatic would do such a thing?**
qui sinon un fou ferait une chose
pareille?; **but for you/your help**
sans toi/ton aide; **anything but
that** tout sauf or excepté ça, tout
mais pas ça
▷ adv (just, only) ne ... que; **she's but
a child** elle n'est qu'une enfant; **had I
but known** si seulement j'avais su; **I
can but try** je peux toujours essayer;
**all but finished** pratiquement
terminé

**butcher** ['bʊtʃə] n boucher m ▷ vt
massacrer; (cattle etc for meat) tuer;
**butcher's (shop)** n boucherie f

**butler** ['bʌtlə] n maître m d'hôtel

**butt** [bʌt] n (cask) gros tonneau; (of
gun) crosse f; (of cigarette) mégot m;
(BRIT fig: target) cible f ▷ vt donner un
coup de tête à

**butter** ['bʌtə] n beurre m ▷ vt
beurrer; **buttercup** n bouton m d'or

**butterfly** ['bʌtəflaɪ] n papillon m;
(Swimming: also: **~ stroke**) brasse
f papillon

**buttocks** ['bʌtəks] npl fesses fpl

**button** ['bʌtn] n bouton m; (us:
badge) pin m ▷ vt (also: **~ up**)
boutonner ▷ vi se boutonner

**buy** [baɪ] (pt, pp **bought**) vt acheter
▷ n achat m; **to ~** acheter; **to ~ sth from
sb** acheter qch à qn; **to ~ sb a drink**
offrir un verre or à boire à qn; **can I ~
you a drink?** je vous offre un verre?;
**where can I ~ some postcards?**
où est-ce que je peux acheter des
cartes postales?; **buy out** vt (partner)
désintéresser; **buy up** vt acheter en
bloc, rafler; **buyer** n acheteur(-euse)
m/f

**buzz** [bʌz] n bourdonnement m; (inf:
phone call): **to give sb a ~** passer
un coup de fil à qn ▷ vi bourdonner;
**buzzer** n timbre m électrique

🔘 **KEYWORD**

**by** [baɪ] prep 1 (referring to cause, agent)
par, de; **killed by lightning** tué par
la foudre; **surrounded by a fence**
entouré d'une barrière; **a painting
by Picasso** un tableau de Picasso
2 (referring to method, manner, means):
**by bus/car** en autobus/voiture;
**by train** par le or en train; **to pay
by cheque** payer par chèque; **by
moonlight/candlelight** à la lueur
de la lune/d'une bougie; **by saving
hard, he …** à force d'économiser, il …
3 (via, through) par; **we came by
Dover** nous sommes venus par
Douvres
4 (close to, past) à côté de; **the house
by the school** la maison à côté de
l'école; **a holiday by the sea** des
vacances au bord de la mer; **she
went by me** elle est passée à côté de
moi; **I go by the post office every
day** je passe devant la poste tous
les jours
5 (with time: not later than) avant;
(: during): **by daylight** à la lumière du
jour; **by night** la nuit, de nuit; **by 4
o'clock** avant 4 heures; **by this time
tomorrow** d'ici demain à la même
heure; **by the time I got here it was
too late** lorsque je suis arrivé il était

déjà trop tard
6 (amount) à; **by the kilo/metre** au
kilo/au mètre; **paid by the hour**
payé à l'heure
7 (Math: measure): **to divide/
multiply by 3** diviser/multiplier par
3; **a room 3 metres by 4** une pièce
de 3 mètres sur 4; **it's broader by a
metre** c'est plus large d'un mètre
8 (according to) d'après, selon; **it's 3
o'clock by my watch** il est 3 heures
à ma montre; **it's all right by me** je
n'ai rien contre
9: **(all) by oneself** etc tout(e) seul(e)
▷ adv 1 see **go**; **pass** etc
2: **by and by** un peu plus tard,
bientôt; **by and large** dans
l'ensemble

**bye(-bye)** ['baɪ-] excl au revoir!, salut!
**by-election** ['baɪɪlekʃən] n (BRIT)
élection (législative) partielle
**bypass** ['baɪpɑːs] n rocade f; (Med)
pontage m ▷ vt éviter
**byte** [baɪt] n (Comput) octet m

# C

**C** [siː] n (Mus) do m

**cab** [kæb] n taxi m; (of train, truck) cabine f

**cabaret** ['kæbəreɪ] n (show) spectacle m de cabaret

**cabbage** ['kæbɪdʒ] n chou m

**cabin** ['kæbɪn] n (house) cabane f, hutte f; (on ship) cabine f; (on plane) compartiment m; **cabin crew** n (Aviat) équipage m

**cabinet** ['kæbɪnɪt] n (Pol) cabinet m; (furniture) petit meuble à tiroirs et rayons; (also: **display ~**) vitrine f, petite armoire vitrée; **cabinet minister** n ministre m (membre du cabinet)

**cable** ['keɪbl] n câble m ▷ vt câbler, télégraphier; **cable car** n téléphérique m; **cable television** n télévision f par câble

**cactus** (pl **cacti**) ['kæktəs, -taɪ] n cactus m

**café** ['kæfeɪ] n ≈ café(-restaurant) m (sans alcool)

**cafeteria** [kæfɪ'tɪərɪə] n cafétéria f

**caffeine** ['kæfiːn] n caféine f

**cage** [keɪdʒ] n cage f

**cagoule** [kə'guːl] n K-way® m

**Cairo** ['kaɪərəʊ] n Le Caire

**cake** [keɪk] n gâteau m; **~ of soap** savonnette f

**calcium** ['kælsɪəm] n calcium m

**calculate** ['kælkjuleɪt] vt calculer; (estimate: chances, effect) évaluer; **calculation** [kælkju'leɪʃən] n calcul m; **calculator** n calculatrice f

**calendar** ['kæləndə'] n calendrier m

**calf** (pl **calves**) [kɑːf, kɑːvz] n (of cow) veau m; (of other animals) petit m; (also: **~skin**) veau m, vachette f; (Anat) mollet m

**calibre**, (us) **caliber** ['kælɪbə'] n calibre m

**call** [kɔːl] vt appeler; (meeting) convoquer ▷ vi appeler; (visit: also: **~ in**, **~ round**) passer ▷ n (shout) appel m, cri m; (also: **telephone ~**) coup m de téléphone; **to be on ~** être de permanence; **to be ~ed** s'appeler; **can I make a ~ from here?** est-ce que je peux téléphoner d'ici?; **call back** vi (return) repasser; (Tel) rappeler ▷ vt (Tel) rappeler; **can you ~ back later?** pouvez-vous me rappeler plus tard?; **call for** vt fus (demand) demander; (fetch) passer prendre; **call in** vt (doctor, expert, police) appeler, faire venir; **call off** vt annuler; **call on** vt fus (visit) rendre visite à, passer voir; (request): **to ~ on sb to do** inviter qn à faire; **call out** vi pousser un cri or des cris; **call up** vt (Mil) appeler, mobiliser; (Tel) appeler; **call box** n (BRIT) cabine f téléphonique; **call centre**, (us) **call center** n centre m d'appels; **caller** n (Tel) personne f qui appelle; (visitor) visiteur m

**callous** ['kæləs] adj dur(e), insensible

**calm** [kɑːm] adj calme ▷ n calme m ▷ vt calmer, apaiser; **calm down** vi se calmer, s'apaiser ▷ vt calmer, apaiser; **calmly** ['kɑːmlɪ] adv calmement, avec calme

**Calor gas®** ['kælɑ⁻-] *n* (BRIT) butane *m*, butagaz® *m*

**calorie** ['kælərɪ] *n* calorie *f*

**calves** [kɑːvz] *npl of* **calf**

**Cambodia** [kæm'bəʊdɪə] *n* Cambodge *m*

**camcorder** ['kæmkɔːdə⁻] *n* caméscope *m*

**came** [keɪm] *pt of* **come**

**camel** ['kæməl] *n* chameau *m*

**camera** ['kæmərə] *n* appareil photo *m*; (Cine, TV) caméra *f*; **in ~** à huis clos, en privé; **cameraman** (*irreg*) *n* caméraman *m*; **camera phone** *n* téléphone *m* avec appareil photo

**camouflage** ['kæməflɑːʒ] *n* camouflage *m* ▷ *vt* camoufler

**camp** [kæmp] *n* camp *m* ▷ *vi* camper ▷ *adj* (*man*) efféminé(e)

**campaign** [kæm'peɪn] *n* (Mil, Pol) campagne *f* ▷ *vi* (*also fig*) faire campagne; **campaigner** *n*: **campaigner for** partisan(e) de; **campaigner against** opposant(e) à

**camp: camp bed** *n* (BRIT) lit *m* de camp; **camper** *n* campeur(-euse); (*vehicle*) camping-car *m*; **camping** *n* camping *m*; **to go camping** faire du camping; **campsite** *n* (terrain *m* de) camping *m*

**campus** ['kæmpəs] *n* campus *m*

**can¹** [kæn] *n* (*of milk, oil, water*) bidon *m*; (*tin*) boîte *f* (de conserve) ▷ *vt* mettre en conserve

**KEYWORD**

**can²** [kæn] (*negative* **cannot** *or* **can't**, *conditional, pt* **could**) *aux vb* **1** (*be able to*) pouvoir; **you can do it if you try** vous pouvez le faire si vous essayez; **I can't hear you** je ne t'entends pas **2** (*know how to*) savoir: **I can swim/play tennis/drive** je sais nager/jouer au tennis/conduire; **can you speak French?** parlez-vous français? **3** (*may*) pouvoir; **can I use your phone?** puis-je me servir de votre

téléphone?
**4** (*expressing disbelief, puzzlement etc*): **it can't be true!** ce n'est pas possible!; **what CAN he want?** qu'est-ce qu'il peut bien vouloir? **5** (*expressing possibility, suggestion etc*): **he could be in the library** il est peut-être dans la bibliothèque; **she could have been delayed** il se peut qu'elle ait été retardée

**Canada** ['kænədə] *n* Canada *m*; **Canadian** [kə'neɪdɪən] *adj* canadien(ne) ▷ *n* Canadien(ne)

**canal** [kə'næl] *n* canal *m*

**canary** [kə'neərɪ] *n* canari *m*, serin *m*

**cancel** ['kænsəl] *vt* annuler; (*train*) supprimer; (*party, appointment*) décommander; (*cross out*) barrer, rayer; (*cheque*) faire opposition à; **I would like to ~ my booking** je voudrais annuler ma réservation; **cancellation** [kænsə'leɪʃən] *n* annulation *f*; suppression *f*

**Cancer** ['kænsə⁻] *n* (Astrology) le Cancer

**cancer** ['kænsə⁻] *n* cancer *m*

**candidate** ['kændɪdeɪt] *n* candidat(e)

**candle** ['kændl] *n* bougie *f*; (*in church*) cierge *m*; **candlestick** *n* (*also*: **candle holder**) bougeoir *m*; (*bigger, ornate*) chandelier *m*

**candy** ['kændɪ] *n* sucre candi; (US) bonbon *m*; **candy bar** (US) *n* barre *f* chocolatée; **candyfloss** *n* (BRIT) barbe *f* à papa

**cane** [keɪn] *n* canne *f*; (*for baskets, chairs etc*) rotin *m* ▷ *vt* (BRIT Scol) administrer des coups de bâton à

**canister** ['kænɪstə⁻] *n* boîte *f* (gén en métal); (*of gas*) bombe *f*

**cannabis** ['kænəbɪs] *n* (*drug*) cannabis *m*

**canned** ['kænd] *adj* (*food*) en boîte, en conserve; (*inf: music*) enregistré(e); (BRIT *inf: drunk*) bourré(e); (US *inf: worker*) mis(e) à la porte

**cannon** ['kænən] (pl **cannon** or **cannons**) n (gun) canon m

**cannot** ['kænɒt] = **can not**

**canoe** [kə'nuː] n pirogue f; (Sport) canoë m; **canoeing** n (sport) canoë m

**canon** ['kænən] n (clergyman) chanoine m; (standard) canon m

**can-opener** [-'əupnər] n ouvre-boîte m

**can't** [kɑːnt] = **can not**

**canteen** [kæn'tiːn] n (eating place) cantine f; (BRIT: of cutlery) ménagère f

**canter** ['kæntər] vi aller au petit galop

**canvas** ['kænvəs] n toile f

**canvass** ['kænvəs] vi (Pol): **to ~ for** faire campagne pour ▷ vt sonder

**canyon** ['kænjən] n cañon m, gorge f (profonde)

**cap** [kæp] n casquette f; (for swimming) bonnet m de bain; (of pen) capuchon m; (of bottle) capsule f; (BRIT: contraceptive: also: **Dutch ~**) diaphragme m ▷ vt (outdo) surpasser; (put limit on) plafonner

**capability** [keɪpə'bɪlɪtɪ] n aptitude f, capacité f

**capable** ['keɪpəbl] adj capable

**capacity** [kə'pæsɪtɪ] n (of container) capacité f, contenance f; (ability) aptitude f

**cape** [keɪp] n (garment) cape f; (Geo) cap m

**caper** ['keɪpər] n (Culin: gen pl) câpre f; (prank) farce f

**capital** ['kæpɪtl] n (also: **~ city**) capitale f; (money) capital m; (also: **~ letter**) majuscule f; **capitalism** n capitalisme m; **capitalist** adj, n capitaliste m/f; **capital punishment** n peine capitale

**Capitol** ['kæpɪtl] n: **the ~** le Capitole

**Capricorn** ['kæprɪkɔːn] n le Capricorne

**capsize** [kæp'saɪz] vt faire chavirer ▷ vi chavirer

**capsule** ['kæpsjuːl] n capsule f

**captain** ['kæptɪn] n capitaine m

**caption** ['kæpʃən] n légende f

**captivity** [kæp'tɪvɪtɪ] n captivité f

**capture** ['kæptʃər] vt (prisoner, animal) capturer; (town) prendre; (attention) capter; (Comput) saisir ▷ n capture f; (of data) saisie f de données

**car** [kɑːr] n voiture f, auto f; (us Rail) wagon m, voiture

**caramel** ['kærəməl] n caramel m

**carat** ['kærət] n carat m

**caravan** ['kærəvæn] n caravane f; **caravan site** n (BRIT) camping m pour caravanes

**carbohydrate** [kɑːbəu'haɪdreɪt] n hydrate m de carbone; (food) féculent m

**carbon** ['kɑːbən] n carbone m; **carbon dioxide** [-daɪ'ɒksaɪd] n gaz m carbonique, dioxyde m de carbone; **carbon footprint** n empreinte f carbone; **carbon monoxide** [-mɒ'nɒksaɪd] n oxyde m de carbone; **carbon-neutral** adj neutre en carbone

**car boot sale** n voir article **"car boot sale"**

**carburettor**, (us) **carburetor** [kɑːbju'retər] n carburateur m

**card** [kɑːd] n carte f; (material) carton m; **cardboard** n carton m; **card game** n jeu m de cartes

**cardigan** ['kɑːdɪgən] n cardigan m

**cardinal** ['kɑːdɪnl] adj cardinal(e); (importance) capital(e) ▷ n cardinal m

**cardphone** ['kɑːdfəun] n téléphone m à carte (magnétique)

**care** [kɛəʳ] n soin m, attention f; (worry) souci m ▷ vi: **to ~ about** (feel interest for) se soucier de, s'intéresser à; (person: love) être attaché(e) à; **in sb's ~** à la garde de qn, confié à qn; **~ of** (on letter) chez; **to take ~ (to do)** faire attention (à faire); **to take ~ of** s'occuper de; **I don't ~** ça m'est bien égal, peu m'importe; **I couldn't ~ less** cela m'est complètement égal, je m'en fiche complètement; **care for** vt fus s'occuper de; (liking) aimer

**career** [kə'rɪəʳ] n carrière f ▷ vi (also: **~ along**) aller à toute allure

**care:** **carefree** adj sans souci, insouciant(e); **careful** adj soigneux(-euse); (cautious) prudent(e); **(be) careful!** (fais) attention!; **carefully** adv avec soin, soigneusement; prudemment; **caregiver** n (US) (professional) travailleur social; (unpaid) personne qui s'occupe d'un proche qui est malade; **careless** adj négligent(e); (heedless) insouciant(e); **carelessness** n manque m de soin, négligence f; insouciance f; **carer** [ˈkɛərəʳ] n (professional) travailleur social; (unpaid) personne qui s'occupe d'un proche qui est malade; **caretaker** n gardien(ne), concierge m/f

**car-ferry** [ˈkɑːfɛrɪ] n (on sea) ferry(-boat) m; (on river) bac m

**cargo** [ˈkɑːgəu] (pl **cargoes**) n cargaison f, chargement m

**car hire** (BRIT) n location f de voitures

**Caribbean** [kærɪˈbiːən] adj, n: **the ~ (Sea)** la mer des Antilles or des Caraïbes

**caring** [ˈkɛərɪŋ] adj (person) bienveillant(e); (society, organization) humanitaire

**carnation** [kɑːˈneɪʃən] n œillet m

**carnival** [ˈkɑːnɪvl] n (public celebration) carnaval m; (US: funfair) fête foraine

**carol** [ˈkærəl] n: **(Christmas) ~** chant m de Noël

**carousel** [kærəˈsel] n (for luggage) carrousel m; (US) manège m

**car park** (BRIT) n parking m, parc m de stationnement

**carpenter** [ˈkɑːpɪntəʳ] n charpentier m; (joiner) menuisier m

**carpet** [ˈkɑːpɪt] n tapis m ▷ vt recouvrir (d'un tapis); **fitted ~** (BRIT) moquette f

**car rental** n (US) location f de voitures

**carriage** [ˈkærɪdʒ] n (BRIT Rail) wagon m; (horse-drawn) voiture f; (of goods) transport m; (: cost) port m; **carriageway** n (BRIT: part of road) chaussée f

**carrier** [ˈkærɪəʳ] n transporteur m, camionneur m; (company) entreprise f de transport; (Med) porteur(-euse); **carrier bag** n (BRIT) sac m en papier or en plastique

**carrot** [ˈkærət] n carotte f

**carry** [ˈkærɪ] vt (subj: person) porter; (: vehicle) transporter; (involve: responsibilities etc) comporter, impliquer; (Med: disease) être porteur de ▷ vt (sound) porter; **to get carried away** (fig) s'emballer, s'enthousiasmer; **carry on** vi (continue) continuer ▷ vt (conduct: business) diriger; (: conversation) entretenir; (continue: business, conversation) continuer; **to ~ on with sth/doing** continuer qch/à faire; **carry out** vt (orders) exécuter; (investigation) effectuer

**cart** [kɑːt] n charrette f ▷ vt (inf) transporter

**carton** [ˈkɑːtən] n (box) carton m; (of yogurt) pot m (en carton)

**cartoon** [kɑːˈtuːn] n (Press) dessin m (humoristique); (satirical) caricature f; (comic strip) bande dessinée; (Cine) dessin animé

**cartridge** [ˈkɑːtrɪdʒ] n (for gun, pen) cartouche f

**carve** [kɑːv] vt (meat: also: **~ up**) découper; (wood, stone) tailler, sculpter; **carving** n (in wood etc) sculpture f

**car wash** n station f de lavage (de voitures)

**case** [keɪs] n cas m; (in) affaire f, procès m; (box) caisse f, boîte f; (for glasses) étui m; (BRIT: also: **suit~**) valise f; **in ~ of** en cas de; **in ~ he** au cas où il; **just in ~** à tout hasard; **in any ~** en tout cas, de toute façon

**cash** [kæʃ] n argent m; (Comm) (argent m) liquide m ▷ vt encaisser; **to pay (in) ~** payer (en argent) comptant or en espèces; **~ with order/on delivery** (Comm) payable or paiement à la commande/livraison; **I haven't got any ~** je n'ai pas de liquide; **cashback** n (discount) remise f; (at supermarket etc) retrait m (à la caisse); **cash card** n carte f de retrait; **cash desk** n (BRIT) caisse f; **cash dispenser** n distributeur m automatique de billets

**cashew** [kæ'ʃuː] n (also: **~ nut**) noix f de cajou

**cashier** [kæ'ʃɪər] n caissier(-ère)

**cashmere** ['kæʃmɪər] n cachemire m

**cash point** n distributeur m automatique de billets

**cash register** n caisse f enregistreuse

**casino** [kə'siːnəu] n casino m

**casket** ['kɑːskɪt] n coffret m; (us: coffin) cercueil m

**casserole** ['kæsərəul] n (pot) cocotte f; (food) ragoût m (en cocotte)

**cassette** [kæ'sɛt] n cassette f; **cassette player** n lecteur m de cassettes

**cast** [kɑːst] (vb: pt, pp **cast**) vt (throw) jeter; (shadow: lit) projeter; (: fig) jeter; (glance) jeter ▷ n (Theat) distribution f; (also: **plaster ~**) plâtre m; **to ~ sb as Hamlet** attribuer à qn le rôle d'Hamlet; **to ~ one's vote** voter, exprimer son suffrage; **to ~ doubt on** jeter un doute sur; **cast off** vi (Naut) larguer les amarres; (Knitting) arrêter les mailles

**castanets** [kæstə'nɛts] npl castagnettes fpl

**caster sugar** ['kɑːstə-] n (BRIT) sucre m semoule

**cast-iron** ['kɑːstaɪən] adj (lit) de or en fonte; (fig: will) de fer; (alibi) en béton

**castle** ['kɑːsl] n château m; (fortress) château-fort m; (Chess) tour f

**casual** ['kæʒjul] adj (by chance) de hasard, fait(e) au hasard, fortuit(e); (irregular: work etc) temporaire; (unconcerned) désinvolte; **~ wear** vêtements mpl sport inv

**casualty** ['kæʒjultɪ] n accidenté(e), blessé(e); (dead) victime f, mort(e); (BRIT Med: department) urgences fpl

**cat** [kæt] n chat m

**Catalan** ['kætəlæn] adj catalan(e)

**catalogue,** (us) **catalog** ['kætəlɒg] n catalogue m ▷ vt cataloguer

**catalytic converter** [kætə'lɪtɪkkən'vɜːtər] n pot m catalytique

**cataract** ['kætərækt] n (also Med) cataracte f

**catarrh** [kə'tɑːr] n rhume m chronique, catarrhe f

**catastrophe** [kə'tæstrəfɪ] n catastrophe f

**catch** [kætʃ] (pt, pp **caught**) vt attraper; (person: by surprise) prendre, surprendre; (understand) saisir; (get entangled) accrocher ▷ vi (fire) prendre; (get entangled) s'accrocher ▷ n (fish etc) prise f; (hidden problem) attrape f; (Tech) loquet m; cliquet m; **to ~ sb's attention** or **eye** attirer l'attention de qn; **to ~ fire** prendre feu; **to ~ sight of** apercevoir; **catch up** vi (with work) se rattraper, combler son retard ▷ vt (also: **~ up with**) rattraper; **catching** ['kætʃɪŋ] adj (Med) contagieux(-euse)

**category** ['kætɪgərɪ] n catégorie f

**cater** ['keɪtər] vi: **~ for** (BRIT: needs) satisfaire, pourvoir à; (readers, consumers) s'adresser à; pourvoir aux besoins de; (Comm: parties etc) préparer des repas pour

**caterpillar** ['kætəpɪlə<sup>r</sup>] n chenille f
**cathedral** [kə'θiːdrəl] n cathédrale f
**Catholic** ['kæθəlɪk] (Rel) adj catholique ▷ n catholique m/f
**cattle** ['kætl] npl bétail m, bestiaux mpl
**catwalk** ['kætwɔːk] n passerelle f; (for models) podium m (de défilé de mode)
**caught** [kɔːt] pt, pp of **catch**
**cauliflower** ['kɔlɪflauə<sup>r</sup>] n chou-fleur m
**cause** [kɔːz] n cause f ▷ vt causer
**caution** ['kɔːʃən] n prudence f; (warning) avertissement m ▷ vt avertir, donner un avertissement à; **cautious** adj prudent(e)
**cave** [keɪv] n caverne f, grotte f; **cave in** vi (roof etc) s'effondrer
**caviar(e)** ['kævɪɑː<sup>r</sup>] n caviar m
**cavity** ['kævɪtɪ] n cavité f; (Med) carie f
**cc** abbr (= cubic centimetre) cm³; (on letter etc = carbon copy) cc
**CCTV** n abbr = **closed-circuit television**
**CD** n abbr (= compact disc) CD m; **CD burner** n graveur m de CD; **CD player** n platine f laser; **CD-ROM** [siːdiː'rɔm] n abbr (= compact disc read-only memory) CD-ROM m inv; **CD writer** n graveur m de CD
**cease** [siːs] vt, vi cesser; **ceasefire** n cessez-le-feu m
**cedar** ['siːdə<sup>r</sup>] n cèdre m
**ceilidh** ['keɪlɪ] n bal m folklorique écossais or irlandais
**ceiling** ['siːlɪŋ] n (also fig) plafond m
**celebrate** ['sɛlɪbreɪt] vt, vi célébrer; **celebration** [sɛlɪ'breɪʃən] n célébration f
**celebrity** [sɪ'lɛbrɪtɪ] n célébrité f
**celery** ['sɛlərɪ] n céleri m (en branches)
**cell** [sɛl] n (gen) cellule f; (Elec) élément m (de pile)
**cellar** ['sɛlə<sup>r</sup>] n cave f
**cello** ['tʃɛləu] n violoncelle m
**Cellophane®** ['sɛləfeɪn] n cellophane® f

**cellphone** ['sɛlfəun] n (téléphone m) portable m, mobile m
**Celsius** ['sɛlsɪəs] adj Celsius inv
**Celtic** ['kɛltɪk, 'sɛltɪk] adj celte, celtique
**cement** [sə'mɛnt] n ciment m
**cemetery** ['sɛmɪtrɪ] n cimetière m
**censor** ['sɛnsə<sup>r</sup>] n censeur m ▷ vt censurer; **censorship** n censure f
**census** ['sɛnsəs] n recensement m
**cent** [sɛnt] n (unit of dollar, euro) cent m (= un centième du dollar, de l'euro); see also **per cent**
**centenary** [sɛn'tiːnərɪ], (us) **centennial** [sɛn'tɛnɪəl] n centenaire m
**center** ['sɛntə<sup>r</sup>] (us) = **centre**
**centi...** ['sɛntɪ]: **centigrade** adj centigrade; **centimetre**, (us) **centimeter** n centimètre m; **centipede** ['sɛntɪpiːd] n mille-pattes m inv
**central** ['sɛntrəl] adj central(e); **Central America** n Amérique centrale; **central heating** n chauffage central; **central reservation** n (BRIT Aut) terre-plein central
**centre**, (us) **center** ['sɛntə<sup>r</sup>] n centre m ▷ vt centrer; **centre-forward** n (Sport) avant-centre m; **centre-half** n (Sport) demi-centre m
**century** ['sɛntjurɪ] n siècle m; **in the twentieth ~** au vingtième siècle
**CEO** n abbr (= chief executive officer)
**ceramic** [sɪ'ræmɪk] adj céramique
**cereal** ['siːrɪəl] n céréale f
**ceremony** ['sɛrɪmənɪ] n cérémonie f; **to stand on ~** faire des façons
**certain** ['səːtən] adj certain(e); **to make ~ of** s'assurer de; **for ~** certainement, sûrement; **certainly** adv certainement; **certainty** n certitude f
**certificate** [sə'tɪfɪkɪt] n certificat m
**certify** ['səːtɪfaɪ] vt certifier; (award diploma to) conférer un diplôme etc

à; (*declare insane*) déclarer malade
mental(e)
**cf.** *abbr* (= *compare*) cf., voir
**CFC** *n abbr* (= *chlorofluorocarbon*) CFC *m*
**chain** [tʃeɪn] *n* (*gen*) chaîne *f* ▷ *vt*
(*also*: **~ up**) enchaîner, attacher (avec
une chaîne); **chain-smoke** *vi* fumer
cigarette sur cigarette
**chair** [tʃeəʳ] *n* chaise *f*; (*armchair*)
fauteuil *m*; (*of university*) chaire *f*; (*of
meeting*) présidence *f* ▷ *vt* (*meeting*)
présider; **chairlift** *n* télésiège *m*;
**chairman** (*irreg*) *n* président *m*;
**chairperson** (*irreg*) *n* président(e);
**chairwoman** (*irreg*) *n* présidente *f*
**chalet** ['ʃæleɪ] *n* chalet *m*
**chalk** [tʃɔːk] *n* craie *f*
**challenge** ['tʃælɪndʒ] *n* défi *m* ▷ *vt*
défier; (*statement, right*) mettre
en question, contester; **to ~ sb
to do** mettre qn au défi de faire;
**challenging** *adj* (*task, career*) qui
représente un défi *or* une gageure;
(*tone, look*) de défi, provocateur(-trice)
**chamber** ['tʃeɪmbəʳ] *n* chambre
*f*; (*BRIT Law: gen pl*) cabinet *m*; **~ of
commerce** chambre de commerce;
**chambermaid** *n* femme *f* de
chambre
**champagne** [ʃæm'peɪn] *n*
champagne *m*
**champion** ['tʃæmpɪən] *n* (*also of
cause*) champion(ne); **championship**
*n* championnat *m*
**chance** [tʃɑːns] *n* (*luck*) hasard *m*;
(*opportunity*) occasion *f*, possibilité *f*;
(*hope, likelihood*) chance *f*; (*risk*) risque
*m* ▷ *vt* (*risk*) risquer ▷ *adj* fortuit(e),
de hasard; **to take a ~** prendre
un risque; **by ~** par hasard; **to ~ it**
risquer le coup, essayer
**chancellor** ['tʃɑːnsələʳ] *n* chancelier
*m*; **Chancellor of the Exchequer**
[-ɪks'tʃɛkəʳ] (*BRIT*) *n* chancelier *m* de
l'Échiquier
**chandelier** [ʃændə'lɪəʳ] *n* lustre *m*
**change** [tʃeɪndʒ] *vt* (*alter, replace:
Comm: money*) changer; (*switch,*

*substitute: hands, trains, clothes,
one's name etc*) changer de ▷ *vi*
(*gen*) changer; (*change clothes*) se
changer; (*be transformed*): **to ~ into**
se changer *or* transformer en ▷ *n*
changement *m*; (*money*) monnaie *f*;
**to ~ gear** (*Aut*) changer de vitesse;
**to ~ one's mind** changer d'avis;
**a ~ of clothes** des vêtements de
rechange; **for a ~** pour changer; **do
you have ~ for £10?** vous avez de la
monnaie de 10 livres?; **where can
I ~ some money?** où est-ce que je
peux changer de l'argent?; **keep
the ~!** gardez la monnaie!; **change
over** *vi* (*swap*) échanger; (*change:
drivers etc*) changer; (*change sides:
players etc*) changer de côté; **to ~ over
from sth to sth** passer de qch à qch;
**changeable** *adj* (*weather*) variable;
**change machine** *n* distributeur *m* de
monnaie; **changing room** *n* (*BRIT:
in shop*) salon *m* d'essayage (: *Sport*)
vestiaire *m*
**channel** ['tʃænl] *n* (*TV*) chaîne
*f*; (*waveband, groove, fig: medium*)
canal *m*; (*of river, sea*) chenal *m* ▷ *vt*
canaliser; **the (English) C~** la
Manche; **Channel Islands** *npl*; **the
Channel Islands** les îles *fpl* Anglo-
Normandes; **Channel Tunnel** *n*:
**the Channel Tunnel** le tunnel sous
la Manche
**chant** [tʃɑːnt] *n* chant *m*; (*Rel*)
psalmodie *f* ▷ *vt* chanter, scander
**chaos** ['keɪɔs] *n* chaos *m*
**chaotic** [keɪ'ɔtɪk] *adj* chaotique
**chap** [tʃæp] *n* (*BRIT inf: man*) type *m*
**chapel** ['tʃæpl] *n* chapelle *f*
**chapped** [tʃæpt] *adj* (*skin, lips*)
gercé(e)
**chapter** ['tʃæptəʳ] *n* chapitre *m*
**character** ['kærɪktəʳ] *n* caractère *m*;
(*in novel, film*) personnage *m*; (*eccentric
person*) numéro *m*, phénomène *m*;
**characteristic** ['kærɪktə'rɪstɪk] *adj*,
*n* caractéristique (*f*); **characterize**
['kærɪktəraɪz] *vt* caractériser

**charcoal** ['tʃɑːkəʊl] n charbon m de bois; (Art) fusain m

**charge** [tʃɑːdʒ] n (accusation) accusation f; (Law) inculpation f; (cost) prix (demandé) ▷ vt (gun, battery, Mil: enemy) charger; (customer, sum) faire payer ▷ vi foncer; **charges** npl (costs) frais mpl; **to reverse the ~s** (BRIT Tel) téléphoner en PCV; **to take ~ of** se charger de; **to be in ~ of** être responsable de, s'occuper de; **to ~ sb (with)** (Law) inculper qn (de); **charge card** n carte f de client (émise par un grand magasin); **charger** n (also: **battery charger**) chargeur m

**charismatic** [kærɪz'mætɪk] adj charismatique

**charity** ['tʃærɪtɪ] n charité f; (organization) institution f charitable ou de bienfaisance, œuvre f (de charité); **charity shop** n (BRIT) boutique vendant des articles d'occasion au profit d'une organisation caritative

**charm** [tʃɑːm] n charme m; (on bracelet) breloque f ▷ vt charmer, enchanter; **charming** adj charmant(e)

**chart** [tʃɑːt] n tableau m, diagramme m; graphique m; (map) carte marine ▷ vt dresser ou établir la carte de; (sales, progress) établir la courbe de; **charts** npl (Mus) hit-parade m; **to be in the ~s** (record, pop group) figurer au hit-parade

**charter** ['tʃɑːtəʳ] vt (plane) affréter ▷ n (document) charte f; **chartered accountant** n (BRIT) expert-comptable m; **charter flight** n charter m

**chase** [tʃeɪs] vt poursuivre, pourchasser; (also: **~ away**) chasser ▷ n poursuite f, chasse f

**chat** [tʃæt] vi (also: **have a ~**) bavarder, causer; (on Internet) chatter ▷ n conversation f; (on Internet) chat m; **chat up** vt (BRIT inf: girl) baratiner; **chat room** n (Internet) salon m de discussion; **chat show** n (BRIT) talk-show m

**chatter** ['tʃætəʳ] vi (person) bavarder, papoter ▷ n bavardage m, papotage m; **my teeth are ~ing** je claque des dents

**chauffeur** ['ʃəʊfəʳ] n chauffeur m (de maître)

**chauvinist** ['ʃəʊvɪnɪst] n (also: **male ~**) phallocrate m, macho m; (nationalist) chauvin(e)

**cheap** [tʃiːp] adj bon marché inv, pas cher (chère); (reduced: ticket) à prix réduit; (: fare) réduit(e); (joke) facile, d'un goût douteux; (poor quality) à bon marché, de qualité médiocre ▷ adv à bon marché, pour pas cher; **can you recommend a ~ hotel/restaurant, please?** pourriez-vous m'indiquer un hôtel/restaurant bon marché?; **cheap day return** n billet m d'aller et retour réduit (valable pour la journée); **cheaply** adv à bon marché, à bon compte

**cheat** [tʃiːt] vi tricher; (in exam) copier ▷ vt tromper, duper; (rob): **to ~ sb out of sth** escroquer qch à qn ▷ n tricheur(-euse) m/f; escroc m; **cheat on** vt fus tromper

**Chechnya** [tʃɪtʃ'njɑː] n Tchétchénie f

**check** [tʃɛk] vt vérifier; (passport, ticket) contrôler; (halt) enrayer; (restrain) maîtriser ▷ vi (official etc) se renseigner ▷ n vérification f; contrôle m; (curb) frein m; (BRIT: bill) addition f; (US) = **cheque**; (pattern: gen pl) carreaux mpl; **to ~ with** sb demander à qn; **check in** vi (in hotel) remplir sa fiche (d'hôtel); (at airport) se présenter à l'enregistrement ▷ vt (luggage) faire enregistrer; **check off** vt (tick off) cocher; **check out** vi (in hotel) régler sa note ▷ vt (investigate: story) vérifier; **check up** vi: **to ~ up (on sth)** vérifier (qch); **to ~ up on sb** se renseigner sur le compte de qn; **checkbook** n (US) = **chequebook**; **checked** adj (pattern, cloth) à carreaux; **checkers** n (US) jeu m de dames; **check-in** n (at airport: also:

**check-in desk)** enregistrement m;
**checking account** n (US) compte
courant; **checklist** n liste f de
contrôle; **checkmate** n échec et
mat m; **checkout** n (in supermarket)
caisse f; **checkpoint** n contrôle
m; **checkroom**(US) n consigne f;
**checkup** n (Med) examen médical,
check-up m

**cheddar** ['tʃɛdə'] n (also: ~ **cheese**)
cheddar m

**cheek** [tʃiːk] n joue f; (impudence)
toupet m, culot m; **what a ~!** quel
toupet!; **cheekbone** n pommette f;
**cheeky** adj effronté(e), culotté(e)

**cheer** [tʃɪə'] vt acclamer, applaudir;
(gladden) réjouir, réconforter ▷ vi
applaudir ▷ n (gen pl) acclamations
fpl, applaudissements mpl; bravos
mpl, hourras mpl; **~s!** à la vôtre!;
**cheer up** vi se dérider, reprendre
courage ▷ vt remonter le moral à
or de, dérider, égayer; **cheerful** adj
gai(e), joyeux(-euse)

**cheerio** [tʃɪərɪ'əu] excl (BRIT) salut!,
au revoir!

**cheerleader** ['tʃɪəliːdə'] n membre
d'un groupe de majorettes qui chantent
et dansent pour soutenir leur équipe
pendant les matchs de football américain

**cheese** [tʃiːz] n fromage m;
**cheeseburger** n cheeseburger m;
**cheesecake** n tarte f au fromage

**chef** [ʃɛf] n chef (cuisinier)

**chemical** ['kɛmɪkl] adj chimique ▷ n
produit m chimique

**chemist** ['kɛmɪst] n (BRIT:
pharmacist) pharmacien(ne);
(scientist) chimiste m/f; **chemistry** n
chimie f; **chemist's (shop)** n (BRIT)
pharmacie f

**cheque**, (US) **check** [tʃɛk] n chèque
m; **chequebook**, (US) **checkbook** n
chéquier m, carnet m de chèques;
**cheque card** n (BRIT) carte f
(d'identité) bancaire

**cherry** ['tʃɛrɪ] n cerise f; (also: ~ **tree**)
cerisier m

**chess** [tʃɛs] n échecs mpl

**chest** [tʃɛst] n poitrine f; (box) coffre
m, caisse f

**chestnut** ['tʃɛsnʌt] n châtaigne f;
(also: ~ **tree**) châtaignier m

**chest of drawers** n commode f

**chew** [tʃuː] vt mâcher; **chewing gum**
n chewing-gum m

**chic** [ʃiːk] adj chic inv, élégant(e)

**chick** [tʃɪk] n poussin m; (inf) fille f

**chicken** ['tʃɪkɪn] n poulet m; (inf:
coward) poule mouillée; **chicken out**
vi (inf) se dégonfler; **chickenpox** n
varicelle f

**chickpea** ['tʃɪkpiː] n pois m chiche

**chief** [tʃiːf] n chef m ▷ adj
principal(e); **chief executive**, (US)
**chief executive officer** n
directeur(-trice) général(e); **chiefly**
adv principalement, surtout

**child** (pl **children**) [tʃaɪld,
'tʃɪldrən] n enfant m/f; **child
abuse** n maltraitance f d'enfants;
(sexual) abus mpl sexuels sur des
enfants; **child benefit** n (BRIT) ≈
allocations familiales; **childbirth** n
accouchement m; **childcare** n (for
working parents) garde f des enfants
(pour les parents qui travaillent);
**childhood** n enfance f; **childish** adj
puéril(e), enfantin(e); **child minder**
n (BRIT) garde f d'enfants; **children**
['tʃɪldrən] npl of **child**

**Chile** ['tʃɪlɪ] n Chili m

**chill** [tʃɪl] n (of water) froid m; (of air)
fraîcheur f; (Med) refroidissement
m, coup m de froid ▷ vt (person) faire
frissonner; (Culin) mettre au frais,
rafraîchir; **chill out** vi (inf: esp US)
se relaxer

**chil(l)i** ['tʃɪlɪ] n piment m (rouge)

**chilly** ['tʃɪlɪ] adj froid(e), glacé(e);
(sensitive to cold) frileux(-euse)

**chimney** ['tʃɪmnɪ] n cheminée f

**chimpanzee** [tʃɪmpæn'ziː] n
chimpanzé m

**chin** [tʃɪn] n menton m

**China** ['tʃaɪnə] n Chine f

**china** ['tʃaɪnə] n (material) porcelaine f; (crockery) vaisselle f en) porcelaine
**Chinese** [tʃaɪ'niːz] adj chinois(e) ⊳ n (pl inv) Chinois(e); (Ling) chinois m
**chip** [tʃɪp] n (gen pl: Culin: BRIT) frite f (: US: also: **potato ~**) chip m; (of wood) copeau m; (of glass, stone) éclat m; (also: **micro~**) puce f; (in gambling) fiche f ⊳ vt (cup, plate) ébrécher; **chip shop** n (BRIT) friterie f

• **CHIP SHOP**
•
• Un *chip shop*, que l'on appelle
• également un "fish-and-chip shop",
• est un magasin où l'on vend des
• plats à emporter. Les *chip shops* sont
• d'ailleurs à l'origine des "takeaways".
• On y achète en particulier du
• poisson frit et des frites, mais
• on y trouve également des plats
• traditionnels britanniques ("steak
• pies", saucisses, etc). Tous les plats
• étaient à l'origine emballés dans du
• papier journal. Dans certains de ces
• magasins, on peut s'asseoir pour
• consommer sur place.

**chiropodist** [kɪ'rɒpədɪst] n (BRIT) pédicure m/f
**chisel** ['tʃɪzl] n ciseau m
**chives** [tʃaɪvz] npl ciboulette f, civette f
**chlorine** ['klɔːriːn] n chlore m
**choc-ice** ['tʃɒkaɪs] n (BRIT) esquimau® m
**chocolate** ['tʃɒklɪt] n chocolat m
**choice** [tʃɔɪs] n choix m ⊳ adj de choix
**choir** ['kwaɪə'] n chœur m, chorale f
**choke** [tʃəuk] vi étouffer ⊳ vt étrangler; étouffer; (block) boucher, obstruer ⊳ n (Aut) starter m
**cholesterol** [kə'lestərɔl] n cholestérol m
**chook** [tʃuk] n (AUST, NZ inf) poule f
**choose** (pt **chose**, pp **chosen**) [tʃuːz, tʃəuz, 'tʃəuzn] vt choisir; **to ~ to do** décider de faire, juger bon de faire

**chop** [tʃɒp] vt (wood) couper (à la hache); (Culin: also: **~ up**) couper (fin), émincer, hacher (en morceaux) ⊳ n (Culin) côtelette f; **chop down** vt (tree) abattre; **chop off** vt trancher; **chopsticks** ['tʃɒpstɪks] npl baguettes fpl
**chord** [kɔːd] n (Mus) accord m
**chore** [tʃɔː'] n travail m de routine; **household ~s** travaux mpl du ménage
**chorus** ['kɔːrəs] n chœur m; (repeated part of song, also fig) refrain m
**chose** [tʃəuz] pt of **choose**
**chosen** ['tʃəuzn] pp of **choose**
**Christ** [kraɪst] n Christ m
**christen** ['krɪsn] vt baptiser; **christening** n baptême m
**Christian** ['krɪstɪən] adj, n chrétien(ne); **Christianity** [krɪstɪ'ænɪtɪ] n christianisme m; **Christian name** n prénom m
**Christmas** ['krɪsməs] n Noël m or f; **happy** or **merry ~!** joyeux Noël!; **Christmas card** n carte f de Noël; **Christmas carol** n chant m de Noël; **Christmas Day** n le jour de Noël; **Christmas Eve** n la veille de Noël; la nuit de Noël; **Christmas pudding** n (esp BRIT) Christmas m pudding; **Christmas tree** n arbre m de Noël
**chrome** [krəum] n chrome m
**chronic** ['krɔnik] adj chronique
**chrysanthemum** [krɪ'sænθəməm] n chrysanthème m
**chubby** ['tʃʌbɪ] adj potelé(e), rondelet(te)
**chuck** [tʃʌk] vt (inf) lancer, jeter; (job) lâcher; **chuck out** vt (inf: person) flanquer dehors or à la porte; (: rubbish etc) jeter
**chuckle** ['tʃʌkl] vi glousser
**chum** [tʃʌm] n copain (copine)
**chunk** [tʃʌŋk] n gros morceau
**church** [tʃəːtʃ] n église f; **churchyard** n cimetière m
**churn** [tʃəːn] n (for butter) baratte f; (also: **milk ~**) (grand) bidon m à lait

**chute** [ʃuːt] n goulotte f; (also:
   **rubbish ~**) vide-ordures m inv; (BRIT:
   children's slide) toboggan m
**chutney** ['tʃʌtnɪ] n chutney m
**CIA** n abbr (= Central Intelligence
   Agency) CIA f
**CID** n abbr (= Criminal Investigation
   Department) ≈ P.J. f
**cider** ['saɪdəʳ] n cidre m
**cigar** [sɪ'ɡɑːʳ] n cigare m
**cigarette** [sɪɡə'rɛt] n cigarette f;
   **cigarette lighter** n briquet m
**cinema** ['sɪnəmə] n cinéma m
**cinnamon** ['sɪnəmən] n cannelle f
**circle** ['səːkl] n cercle m; (in cinema)
   balcon m ▷ vi faire or décrire des
   cercles ▷ vt (surround) entourer,
   encercler; (move round) faire le tour
   de, tourner autour de
**circuit** ['səːkɪt] n circuit m; (lap)
   tour m
**circular** ['səːkjuləʳ] adj circulaire
   ▷ n circulaire f; (as advertisement)
   prospectus m
**circulate** ['səːkjuleɪt] vi circuler
   ▷ vt faire circuler; **circulation**
   [səːkju'leɪʃən] n circulation f; (of
   newspaper) tirage m
**circumstances** ['səːkəmstənsɪz]
   npl circonstances fpl; (financial
   condition) moyens mpl, situation
   financière
**circus** ['səːkəs] n cirque m
**cite** [saɪt] vt citer
**citizen** ['sɪtɪzn] n (Pol) citoyen(ne);
   (resident): **the ~s of this town** les
   habitants de cette ville; **citizenship** n
   citoyenneté f; (BRIT Scol) = éducation
   f civique
**citrus fruits** ['sɪtrəs-] npl agrumes
   mpl
**city** ['sɪtɪ] n (grande) ville f; **the
   C~** la Cité de Londres (centre des
   affaires); **city centre** n centre ville
   m; **city technology college** n (BRIT)
   établissement m d'enseignement
   technologique (situé dans un quartier
   défavorisé)

**civic** ['sɪvɪk] adj civique; (authorities)
   municipal(e)
**civil** ['sɪvɪl] adj civil(e); (polite) poli(e),
   civil(e); **civilian** [sɪ'vɪlɪən] adj, n
   civil(e)
**civilization** [sɪvɪlaɪ'zeɪʃən] n
   civilisation f
**civilized** ['sɪvɪlaɪzd] adj civilisé(e);
   (fig) où règnent les bonnes manières
**civil**: **civil law** n code civil; (study)
   droit civil; **civil rights** npl droits
   mpl civiques; **civil servant** n
   fonctionnaire m/f; **Civil Service** n
   fonction publique, administration f;
   **civil war** n guerre civile
**CJD** n abbr (= Creutzfeldt-Jakob disease)
   MCJ f
**claim** [kleɪm] vt (rights etc)
   revendiquer; (compensation)
   réclamer; (assert) déclarer,
   prétendre ▷ vi (for insurance) faire
   une déclaration de sinistre ▷ n
   revendication f; prétention f; (right)
   droit m; **(insurance) ~** demande
   f d'indemnisation, déclaration f
   de sinistre; **claim form** n (gen)
   formulaire m de demande
**clam** [klæm] n palourde f
**clamp** [klæmp] n crampon m; (on
   workbench) valet m; (on car) sabot m
   de Denver ▷ vt attacher; (car) mettre
   un sabot à; **clamp down on** vt fus
   sévir contre, prendre des mesures
   draconiennes à l'égard de
**clan** [klæn] n clan m
**clap** [klæp] vi applaudir
**claret** ['klærət] n (vin m de) bordeaux
   m (rouge)
**clarify** ['klærɪfaɪ] vt clarifier
**clarinet** [klærɪ'nɛt] n clarinette f
**clarity** ['klærɪtɪ] n clarté f
**clash** [klæʃ] n (sound) choc m, fracas
   m; (with police) affrontement m; (fig)
   conflit m ▷ vi se heurter; être or entrer
   en conflit; (colours) jurer; (dates,
   events) tomber en même temps
**clasp** [klɑːsp] n (of necklace, bag)
   fermoir m ▷ vt serrer, étreindre

**class** [klɑːs] n (gen) classe f; (group, category) catégorie f ▷ vt classer, classifier

**classic** ['klæsɪk] adj classique ▷ n (author, work) classique m; **classical** adj classique

**classification** [klæsɪfɪ'keɪʃən] n classification f

**classify** ['klæsɪfaɪ] vt classifier, classer

**classmate** ['klɑːsmeɪt] n camarade m/f de classe

**classroom** ['klɑːsrum] n (salle f de) classe f; **classroom assistant** n assistant(e) d'éducation

**classy** ['klɑːsɪ] (inf) adj classe (inf)

**clatter** ['klætəʳ] n cliquetis m ▷ vi cliqueter

**clause** [klɔːz] n clause f; (Ling) proposition f

**claustrophobic** [klɔːstrə'fəʊbɪk] adj (person) claustrophobe; (place) où l'on se sent claustrophobe

**claw** [klɔː] n griffe f; (of bird of prey) serre f; (of lobster) pince f

**clay** [kleɪ] n argile f

**clean** [kliːn] adj propre; (clear, smooth) net(te); (record, reputation) sans tache; (joke, story) correct(e) ▷ vt nettoyer; **clean up** vt nettoyer; (fig) remettre de l'ordre dans; **cleaner** n (person) nettoyeur(-euse), femme f de ménage; (product) détachant m; **cleaner's** n (also: **dry cleaner's**) teinturier m; **cleaning** n nettoyage m

**cleanser** ['klenzəʳ] n (for face) démaquillant m

**clear** [klɪəʳ] adj clair(e); (glass, plastic) transparent(e); (road, way) libre, dégagé(e); (profit, majority) net(te); (conscience) tranquille; (skin) frais (fraîche); (sky) dégagé(e) ▷ vt (road) dégager, déblayer; (table) débarrasser; (room etc: of people) faire évacuer; (cheque) compenser; (Law: suspect) innocenter; (obstacle) franchir or sauter sans heurter ▷ vi (weather) s'éclaircir; (fog) se dissiper

▷ adv: **~ of** à distance de, à l'écart de; **to ~ the table** débarrasser la table, desservir; **clear away** vt (things, clothes etc) enlever, retirer; **to ~ away the dishes** débarrasser la table; **clear up** vt ranger, mettre en ordre; (mystery) éclaircir, résoudre

**clearance** [klɪərəns] n (removal) déblayage m; (permission) autorisation f

**clear-cut** adj précis(e), nettement défini(e);

**clearing** n (in forest) clairière f

**clearly** adv clairement; (obviously) de toute évidence; **clearway** n (BRIT) route f à stationnement interdit

**clench** [klɛntʃ] vt serrer

**clergy** ['klɜːdʒɪ] n clergé m

**clerk** [klɑːk, us klɜːrk] n (BRIT) employé e de bureau; (us: salesman/woman) vendeur(-euse) m

**clever** ['klɛvəʳ] adj (intelligent) intelligent(e); (skilful) habile, adroit(e); (device, arrangement) ingénieux(-euse), astucieux(-euse)

**cliché** ['kliːʃeɪ] n cliché m

**click** [klɪk] n (Comput) clic m ▷ vi (Comput) cliquer ▷ vt: **to ~ one's tongue** faire claquer sa langue; **to ~ one's heels** claquer des talons; **to ~ on an icon** cliquer sur une icône

**client** ['klaɪənt] n client(e)

**cliff** [klɪf] n falaise f

**climate** ['klaɪmɪt] n climat m; **climate change** n changement m climatique

**climax** ['klaɪmæks] n apogée m, point culminant; (sexual) orgasme m

**climb** [klaɪm] vi grimper, monter; (plane) prendre de l'altitude ▷ vt (stairs) monter; (mountain) escalader; (tree) grimper à ▷ n montée f, escalade f; **to ~ over a wall** passer par dessus un mur; **climb down** vi (re)descendre; (BRIT fig) rabattre de ses prétentions; **climber** n (also: **rock climber**) grimpeur(-euse), varappeur(-euse); (plant) plante grimpante; **climbing** n (also: **rock climbing**) escalade f, varappe f

**clinch** [klɪntʃ] vt (deal) conclure, sceller
**cling** (pt, pp **clung**) [klɪŋ, klʌŋ] vi: **to ~ (to)** se cramponner (à), s'accrocher (à); (clothes) coller (à); **clingfilm** n film m alimentaire
**clinic** [ˈklɪnɪk] n clinique f; centre médical
**clip** [klɪp] n (for hair) barrette f; (also: **paper ~**) trombone m; (TV, Cine) clip m ▷ vt (also: **~ together**: papers) attacher; (hair, nails) couper; (hedge) tailler; **clipping** n (from newspaper) coupure f de journal
**cloak** [kləʊk] n grande cape ▷ vt (fig) masquer, cacher; **cloakroom** n (for coats etc) vestiaire m; (BRIT: W.C.) toilettes fpl
**clock** [klɔk] n (large) horloge f; (small) pendule f; **clock in, clock on**(BRIT) vi (with card) pointer (en arrivant); (start work) commencer à travailler; **clock off, clock out**(BRIT) vi (with card) pointer (en partant); (leave work) quitter le travail; **clockwise** adv dans le sens des aiguilles d'une montre; **clockwork** n rouages mpl, mécanisme m; (of clock) mouvement m (d'horlogerie) ▷ adj (toy, train) mécanique
**clog** [klɔg] n sabot m ▷ vt encrasser ▷ vi (also: **~ up**) se boucher, s'encrasser
**clone** [kləʊn] n clone m ▷ vt cloner
**close¹** [kləʊs] adj (contact, link, watch) étroit(e); (examination) attentif(-ive), minutieux(-euse); (contest) très serré(e); (weather) lourd(e), étouffant(e); (near): **~ (to)** près (de), proche (de) ▷ adv près, à proximité; **~ to** prep près de; **~ by**, **~ at hand** adj, adv tout(e) près; **a ~ friend** un ami intime; **to have a ~ shave** (fig) l'échapper belle
**close²** [kləʊz] vt fermer ▷ vi (shop etc) fermer; (lid, door etc) se fermer; (end) se terminer, se conclure ▷ n (end) conclusion f; **what time do you ~?** à quelle heure fermez-vous?; **close**

**down** vi fermer (définitivement); **closed** adj (shop etc) fermé(e)
**closely** [ˈkləʊslɪ] adv (examine, watch) de près
**closet** [ˈklɔzɪt] n (cupboard) placard m, réduit m
**close-up** [ˈkləʊsʌp] n gros plan
**closing time** n heure f de fermeture
**closure** [ˈkləʊʒəʳ] n fermeture f
**clot** [klɔt] n (of blood, milk) caillot m; (inf: person) ballot m ▷ vi (external bleeding) se coaguler
**cloth** [klɔθ] n (material) tissu m, étoffe f; (BRIT: also: **tea ~**) torchon m; lavette f; (also: **table~**) nappe f
**clothes** [kləʊðz] npl vêtements mpl, habits mpl; **clothes line** n corde f (à linge); **clothes peg**, (US) **clothes pin** n pince f à linge
**clothing** [ˈkləʊðɪŋ] n = **clothes**
**cloud** [klaʊd] n (also Comput) nuage m; **cloud computing** n (Comput) informatique f en nuage; **cloud over** vi se couvrir; (fig) s'assombrir; **cloudy** adj nuageux(-euse), couvert(e); (liquid) trouble
**clove** [kləʊv] n clou m de girofle; **a ~ of garlic** une gousse d'ail
**clown** [klaʊn] n clown m ▷ vi (also: **~ about, ~ around**) faire le clown
**club** [klʌb] n (society) club m; (weapon) massue f, matraque f; (also: **golf ~**) club ▷ vt matraquer ▷ vi: **to ~ together** s'associer; **clubs**npl (Cards) trèfle m; **club class** n (Aviat) classe f club
**clue** [kluː] n indice m; (in crosswords) définition f; **I haven't a ~** je n'en ai pas la moindre idée
**clump** [klʌmp] n: **~ of trees** bouquet m d'arbres
**clumsy** [ˈklʌmzɪ] adj (person) gauche, maladroit(e); (object) malcommode, peu maniable
**clung** [klʌŋ] pt, pp of **cling**
**cluster** [ˈklʌstəʳ] n (petit) groupe; (of flowers) grappe f ▷ vi se rassembler
**clutch** [klʌtʃ] n (in Aut) embrayage m; (grasp): **~es** étreinte f, prise f ▷ vt

(grasp) agripper; (hold tightly) serrer fort; (hold on to) se cramponner à

**cm** abbr (= centimetre) cm

**Co.** abbr = **company, county**

**c/o** abbr (= care of) c/o, aux bons soins de

**coach** [kəutʃ] n (bus) autocar m; (horse-drawn) diligence f; (of train) voiture f, wagon m; (Sport: trainer) entraîneur(-euse); (school: tutor) répétiteur(-trice) ▷ vt (Sport) entraîner; (student) donner des leçons particulières à; **coach station** (BRIT) n gare routière; **coach trip** n excursion f en car

**coal** [kəul] n charbon m

**coalition** [kəuə'lɪʃən] n coalition f

**coarse** [kɔːs] adj grossier(-ère), rude; (vulgar) vulgaire

**coast** [kəust] n côte f ▷ vi (car, cycle) descendre en roue libre; **coastal** adj côtier(-ère); **coastguard** n garde-côte m; **coastline** n côte f, littoral m

**coat** [kəut] n manteau m; (of animal) pelage m, poil m; (of paint) couche f ▷ vt couvrir, enduire; **coat hanger** n cintre m; **coating** n couche f, enduit m

**coax** [kəuks] vt persuader par des cajoleries

**cob** [kɔb] n see **corn**

**cobbled** ['kɔbld] adj pavé(e)

**cobweb** ['kɔbwɛb] n toile f d'araignée

**cocaine** [kə'keɪn] n cocaïne f

**cock** [kɔk] n (rooster) coq m; (male bird) mâle m ▷ vt (gun) armer; **cockerel** n jeune coq m

**cockney** ['kɔknɪ] n cockney m/f (habitant des quartiers populaires de l'East End de Londres), ≈ faubourien(ne)

**cockpit** ['kɔkpɪt] n (in aircraft) poste m de pilotage, cockpit m

**cockroach** ['kɔkrəutʃ] n cafard m, cancrelat m

**cocktail** ['kɔkteɪl] n cocktail m

**cocoa** ['kəukəu] n cacao m

**coconut** ['kəukənʌt] n noix f de coco

**cod** [kɔd] n morue fraîche, cabillaud m

**C.O.D.** abbr = **cash on delivery**

**code** [kəud] n code m; (Tel: area code) indicatif m

**coeducational** ['kəuɛdju'keɪʃənl] adj mixte

**coffee** ['kɔfɪ] n café m; **coffee bar** n (BRIT) café m; **coffee bean** n grain m de café; **coffee break** n pause-café f; **coffee maker** n cafetière f; **coffeepot** n cafetière f; **coffee shop** n café m; **coffee table** n (petite) table basse

**coffin** ['kɔfɪn] n cercueil m

**cog** [kɔg] n (wheel) roue dentée; (tooth) dent f (d'engrenage)

**cognac** ['kɔnjæk] n cognac m

**coherent** [kəu'hɪərənt] adj cohérent(e)

**coil** [kɔɪl] n rouleau m, bobine f; (contraceptive) stérilet m ▷ vt enrouler

**coin** [kɔɪn] n pièce f (de monnaie) ▷ vt (word) inventer

**coincide** [kəuɪn'saɪd] vi coïncider; **coincidence** [kəu'ɪnsɪdəns] n coïncidence f

**Coke®** [kəuk] n coca m

**coke** [kəuk] n (coal) coke m

**colander** ['kɔləndər] n passoire f (à légumes)

**cold** [kəuld] adj froid(e) ▷ n froid m; (Med) rhume m; **it's** ~ il fait froid; **to be** ~ (person) avoir froid; **to catch a** ~ s'enrhumer, attraper un rhume; **in** ~ **blood** de sang-froid; **cold sore** n bouton m de fièvre

**coleslaw** ['kəulslɔː] n sorte de salade de chou cru

**colic** ['kɔlɪk] n colique(s) f(pl)

**collaborate** [kə'læbəreɪt] vi collaborer

**collapse** [kə'læps] vi s'effondrer, s'écrouler; (Med) avoir un malaise ▷ n effondrement m, écroulement m; (of government) chute f

**collar** ['kɔlər] n (of coat, shirt) col m; (for dog) collier m; **collarbone** n clavicule f

**colleague** ['kɔliːg] n collègue m/f

**collect** [kə'lɛkt] vt rassembler; (pick up) ramasser; (as a hobby) collectionner; (BRIT: call for) (passer) prendre; (mail) faire la levée de, ramasser; (money owed) encaisser; (donations, subscriptions) recueillir ▷ vi (people) se rassembler; (dust, dirt) s'amasser; **to call ~** (US Tel) téléphoner en PCV; **collection** [kə'lɛkʃən] n collection f; (of mail) levée f; (for money) collecte f, quête f; **collective** [kə'lɛktɪv] adj collectif(-ive); **collector** n collectionneur m

**college** ['kɔlɪdʒ] n collège m; (of technology, agriculture etc) institut m

**collide** [kə'laɪd] vi: **to ~ (with)** entrer en collision (avec)

**collision** [kə'lɪʒən] n collision f, heurt m

**cologne** [kə'ləun] n (also: **eau de ~**) eau f de cologne

**colon** ['kəulən] n (sign) deux-points mpl; (Med) côlon m

**colonel** ['kə:nl] n colonel m

**colonial** [kə'ləunɪəl] adj colonial(e)

**colony** ['kɔlənɪ] n colonie f

**colour,** (US) **color** ['kʌlə'] n couleur f ▷ vt colorier; (dye) teindre; (paint) peindre; (with crayons) colorier; (news) fausser, exagérer ▷ vi (blush) rougir; **I'd like a different ~** je le voudrais dans une autre coloris; **colour in** vt colorier; **colour-blind,** (US) **color-blind** adj daltonien(ne); **coloured,** (US) **colored** adj coloré(e); (photo) en couleur; **colour film,** (US) **color film** n (for camera) pellicule f (en) couleur; **colourful,** (US) **colorful** adj coloré(e), vif (vive); (personality) pittoresque, haut(e) en couleurs; **colouring,** (US) **coloring** n colorant m; (complexion) teint m; **colour television,** (US) **color television** n télévision f (en) couleur

**column** ['kɔləm] n colonne f; (fashion column, sports column etc) rubrique f

**coma** ['kəumə] n coma m

**comb** [kəum] n peigne m ▷ vt (hair) peigner; (area) ratisser, passer au peigne fin

**combat** ['kɔmbæt] n combat m ▷ vt combattre, lutter contre

**combination** [kɔmbɪ'neɪʃən] n (gen) combinaison f

**combine** [kəm'baɪn] vt combiner ▷ vi s'associer; (Chem) se combiner ▷ n ['kɔmbaɪn] (Econ) trust m; (also: **~ harvester**) moissonneuse-batteuse(-lieuse) f; **to ~ sth with sth** (one quality with another) joindre ou allier qch à qch

**KEYWORD**

**come** (pt **came**, pp **come**) [kʌm, keɪm] vi **1** (movement towards) venir; **to come running** arriver en courant; **he's come here to work** il est venu ici pour travailler; **come with me** suivez-moi

**2** (arrive) arriver; **to come home** rentrer (chez soi ou à la maison); **we've just come from Paris** nous arrivons de Paris

**3** (reach): **to come to** (decision etc) parvenir à, arriver à; **the bill came to £40** la note s'est élevée à 40 livres

**4** (occur): **an idea came to me** il m'est venu une idée

**5** (be, become): **to come loose/undone** se défaire/desserrer; **I've come to like him** j'ai fini par bien l'aimer

**come across** vt fus rencontrer par hasard, tomber sur

**come along** vi (BRIT: pupil, work) faire des progrès, avancer

**come back** vi revenir

**come down** vi descendre; (prices) baisser; (buildings) s'écrouler; (: be demolished) être démoli(e)

**come from** vt fus (source) venir de; (place) venir de, être originaire de

**come in** vi entrer; (train) arriver;

(fashion) entrer en vogue; (on deal etc) participer

**come off** vi (button) se détacher; (attempt) réussir

**come on** vi (lights, electricity) s'allumer; (central heating) se mettre en marche; (pupil, work, project) faire des progrès, avancer; **come on!** viens!; allons!; allez!

**come out** vi sortir; (sun) se montrer; (book) paraître; (stain) s'enlever; (strike) cesser le travail, se mettre en grève

**come round** vi (after faint, operation) revenir à soi, reprendre connaissance

**come to** vi revenir à soi

**come up** vi monter; (sun) se lever; (problem) se poser; (event) survenir; (in conversation) être soulevé

**come up with** vt fus (money) fournir; **he came up with an idea** a eu une idée, il a proposé quelque chose

**comeback** ['kʌmbæk] n (Theat) rentrée f

**comedian** [kə'miːdiən] n (comic) comique m; (Theat) comédien m

**comedy** ['kɒmɪdɪ] n comédie f; (humour) comique m

**comet** ['kɒmɪt] n comète f

**comfort** ['kʌmfət] n confort m, bien-être m; (solace) consolation f, réconfort m ▷ vt consoler, réconforter; **comfortable** adj confortable; (person) à l'aise; (financially) aisé(e); (patient) dont l'état est stationnaire; **comfort station** n (us) toilettes fpl

**comic** ['kɒmɪk] adj (also: **~al**) comique ▷ n (person) comique m; (BRIT: magazine: for children) magazine m de bandes dessinées or de BD; (: for adults) illustré m; **comic book** n (us: for children) magazine m de bandes dessinées or de BD; (: for adults) illustré m; **comic strip** n bande dessinée

**comma** ['kɒmə] n virgule f

**command** [kə'mɑːnd] n ordre m, commandement m; (Mil: authority)

commandement; (mastery) maîtrise f ▷ vt (troops) commander; **to ~ sb to do** donner l'ordre or commander à qn de faire; **commander** n (Mil) commandant m

**commemorate** [kə'mɛməreɪt] vt commémorer

**commence** [kə'mɛns] vt, vi commencer

**commend** [kə'mɛnd] vt louer; (recommend) recommander

**comment** ['kɒmɛnt] n commentaire m ▷ vi faire des remarques sur; **"no ~"** "je n'ai rien à déclarer"; **commentary** ['kɒməntərɪ] n commentaire m; (Sport) reportage m (en direct); **commentator** ['kɒmənteɪtə'] n commentateur m; (Sport) reporter m

**commerce** ['kɒmɜːs] n commerce m

**commercial** [kə'mɜːʃəl] adj commercial(e) ▷ n (Radio, TV) annonce f publicitaire, spot m (publicitaire); **commercial break** n (Radio, TV) spot m (publicitaire)

**commission** [kə'mɪʃən] n (committee, fee) commission f ▷ vt (work of art) commander, charger un artiste de l'exécution de; **out of ~** (machine) hors service; **commissioner** n (Police) préfet m (de police)

**commit** [kə'mɪt] vt (act) commettre; (resources) consacrer; (to sb's care) confier (à); **to ~ o.s. (to do)** s'engager (à faire); **to ~ suicide** se suicider; **commitment** n engagement m, (obligation) responsabilité(s) f(pl)

**committee** [kə'mɪtɪ] n comité m, commission f

**commodity** [kə'mɒdɪtɪ] n produit m, marchandise f, article m

**common** ['kɒmən] adj (gen) commun(e); (usual) courant(e) ▷ n terrain communal; **commonly** adv communément, généralement, couramment; **commonplace** adj banal(e), ordinaire; **Commons**

*npl* (BRIT Pol): **the (House of) Commons** la chambre des Communes; **common sense** *n* bon sens; **Commonwealth** *n*: **the Commonwealth** le Commonwealth

**communal** ['kɒmjuːnl] *adj* (*life*) communautaire; (*for common use*) commun(e)

**commune** *n* ['kɒmjuːn] (*group*) communauté *f* ▷ *vi* [kə'mjuːn]: **to ~ with** (*nature*) communier avec

**communicate** [kə'mjuːnɪkeɪt] *vt* communiquer, transmettre ▷ *vi*: **to ~ (with)** communiquer (avec)

**communication** [kəmjuːnɪ'keɪʃən] *n* communication *f*

**communion** [kə'mjuːnɪən] *n* (*also*: **Holy C~**) communion *f*

**communism** ['kɒmjunɪzəm] *n* communisme *m*; **communist** *adj*, *n* communiste *m/f*

**community** [kə'mjuːnɪtɪ] *n* communauté *f*; **community centre**, (*us*) **community center** *n* foyer socio-éducatif, centre *m* de loisirs; **community service** *n* ≈ travail *m* d'intérêt général, TIG *m*

**commute** [kə'mjuːt] *vi* faire le trajet journalier (*de son domicile à un lieu de travail assez éloigné*) ▷ *vt* (*Law*) commuer; **commuter** *n* banlieusard(e) (*qui fait un trajet journalier pour se rendre à son travail*)

**compact** *adj* [kəm'pækt] compact(e) ▷ *n* ['kɒmpækt] (*also*: **powder ~**) poudrier *m*; **compact disc** *n* disque compact; **compact disc player** *n* lecteur *m* de disques compacts

**companion** [kəm'pænjən] *n* compagnon (compagne)

**company** ['kʌmpənɪ] *n* compagnie *f*; **to keep sb ~** tenir compagnie à qn; **company car** *n* voiture *f* de fonction; **company director** *n* administrateur(-trice)

**comparable** ['kɒmpərəbl] *adj* comparable

**comparative** [kəm'pærətɪv] *adj* (*study*) comparatif(-ive); (*relative*) relatif(-ive); **comparatively** *adv* (*relatively*) relativement

**compare** [kəm'pɛəʳ] *vt*: **to ~ sth/sb with** *or* **to** comparer qch/ qn avec *or* à ▷ *vi*: **to ~ (with)** se comparer (à); être comparable (à); **comparison** [kəm'pærɪsn] *n* comparaison *f*

**compartment** [kəm'pɑːtmənt] *n* (*also Rail*) compartiment *m*; **a non-smoking ~** un compartiment non-fumeurs

**compass** ['kʌmpəs] *n* boussole *f*; **compasses** *npl* (*Math*) compas *m*

**compassion** [kəm'pæʃən] *n* compassion *f*, humanité *f*

**compatible** [kəm'pætɪbl] *adj* compatible

**compel** [kəm'pel] *vt* contraindre, obliger; **compelling** *adj* (*fig*: *argument*) irrésistible

**compensate** ['kɒmpənseɪt] *vt* indemniser, dédommager ▷ *vi*: **to ~ for** compenser; **compensation** [kɒmpən'seɪʃən] *n* compensation *f*; (*money*) dédommagement *m*, indemnité *f*

**compete** [kəm'piːt] *vi* (*take part*) concourir; (*vie*): **to ~ (with)** rivaliser (avec), faire concurrence (à)

**competent** ['kɒmpɪtənt] *adj* compétent(e), capable

**competition** [kɒmpɪ'tɪʃən] *n* (*contest*) compétition *f*, concours *m*; (*Econ*) concurrence *f*

**competitive** [kəm'petɪtɪv] *adj* (*Econ*) concurrentiel(le); (*sports*) de compétition; (*person*) qui a l'esprit de compétition

**competitor** [kəm'petɪtəʳ] *n* concurrent(e)

**complacent** [kəm'pleɪsnt] *adj* (*trop*) content(e) de soi

**complain** [kəm'pleɪn] *vi*: **to ~ (about)** se plaindre (de); (*in shop etc*) réclamer (au sujet de); **complaint** *n*

plainte f; (in shop etc) réclamation f;
(Med) affection f
**complement** ['kɒmplɪmənt] n
complément m; (esp of ship's crew
etc) effectif complet ▷ vt (enhance)
compléter; **complementary**
[kɒmplɪ'mɛntərɪ] adj complémentaire
**complete** [kəm'pliːt] adj
complet(-ète); (finished) achevé(e)
▷ vt achever, parachever; (set,
group) compléter; (a form) remplir;
**completely** adv complètement;
**completion** [kəm'pliːʃən] n
achèvement m; (of contract)
exécution f
**complex** ['kɒmplɛks] adj complexe
▷ n (Psych, buildings etc) complexe m
**complexion** [kəm'plɛkʃən] n (of
face) teint m
**compliance** [kəm'plaɪəns] n
(submission) docilité f; (agreement):
~ **with** le fait de se conformer
à; **in ~ with** en conformité avec,
conformément à
**complicate** ['kɒmplɪkeɪt] vt
compliquer; **complicated** adj
compliqué(e); **complication**
[kɒmplɪ'keɪʃən] n complication f
**compliment** n ['kɒmplɪmənt]
compliment m ▷ vt ['kɒmplɪmənt]
complimenter; **complimentary**
[kɒmplɪ'mɛntərɪ] adj flatteur(-euse);
(free) à titre gracieux
**comply** [kəm'plaɪ] vi: **to ~ with** se
soumettre à, se conformer à
**component** [kəm'pəʊnənt] adj
composant(e), constituant(e) ▷ n
composant m, élément m
**compose** [kəm'pəʊz] vt composer;
(form): **to be ~d of** se composer de;
**to ~ o.s.** se calmer, se maîtriser;
**composer** n (Mus) compositeur m;
**composition** [kɒmpə'zɪʃən] n
composition f
**composure** [kəm'pəʊʒə'] n calme m,
maîtrise f de soi
**compound** ['kɒmpaʊnd] n (Chem,
Ling) composé m; (enclosure) enclos m,

enceinte f ▷ adj composé(e); (fracture)
compliqué(e)
**comprehension** [kɒmprɪ'hɛnʃən] n
compréhension f
**comprehensive** [kɒmprɪ'hɛnsɪv]
adj (très) complet(-ète); **~ policy**
(Insurance) assurance f tous risques;
**comprehensive (school)** n (BRIT)
école secondaire non sélective avec
libre circulation d'une section à l'autre,
≈ CES m

> Be careful not to translate
> comprehensive by the French word
> compréhensif.

**compress** vt [kəm'prɛs] comprimer;
(text, information) condenser ▷ n
['kɒmprɛs] (Med) compresse f
**comprise** [kəm'praɪz] vt (also: **be
~d of**) comprendre; (constitute)
constituer, représenter
**compromise** ['kɒmprəmaɪz] n
compromis m ▷ vt compromettre ▷ vi
transiger, accepter un compromis
**compulsive** [kəm'pʌlsɪv] adj
(Psych) compulsif(-ive); (book, film etc)
captivant(e)
**compulsory** [kəm'pʌlsərɪ] adj
obligatoire
**computer** [kəm'pjuːtə'] n ordinateur
m; **computer game** n jeu m vidéo;
**computer-generated** adj de
synthèse; **computerize** vt (data)
traiter par ordinateur; (system,
office) informatiser; **computer
programmer** n programmeur(-euse);
**computer programming** n
programmation f; **computer science**
n informatique f; **computer studies**
npl informatique f; **computing**
[kəm'pjuːtɪŋ] n informatique f
**con** [kɒn] vt duper; (cheat) escroquer
▷ n escroquerie f
**conceal** [kən'siːl] vt cacher,
dissimuler
**concede** [kən'siːd] vt concéder
▷ vi céder
**conceited** [kən'siːtɪd] adj
vaniteux(-euse), suffisant(e)

**conceive** [kən'siːv] vt, vi concevoir

**concentrate** ['kɒnsəntreɪt] vi se concentrer ▷ vt concentrer

**concentration** [kɒnsən'treɪʃən] n concentration f

**concept** ['kɒnsept] n concept m

**concern** [kən'sɜːn] n affaire f; (Comm) entreprise f, firme f; (anxiety) inquiétude f, souci m ▷ vt (worry) inquiéter; (involve) concerner; (relate to) se rapporter à; **to be ~ed (about)** s'inquiéter (de), être inquiet(-ète) (au sujet de); **concerning** prep en ce qui concerne, à propos de

**concert** ['kɒnsət] n concert m; **concert hall** n salle f de concert

**concerto** [kən'tʃɜːtəu] n concerto m

**concession** [kən'seʃən] n (compromise) concession f; (reduced price) réduction f; **tax ~** dégrèvement fiscal; **"~s"** tarif réduit

**concise** [kən'saɪs] adj concis(e)

**conclude** [kən'kluːd] vt conclure; **conclusion** [kən'kluːʒən] n conclusion f

**concrete** ['kɒnkriːt] n béton m ▷ adj concret(-ète); (Constr) en béton

**concussion** [kən'kʌʃən] n (Med) commotion (cérébrale)

**condemn** [kən'dem] vt condamner

**condensation** [kɒndən'seɪʃən] n condensation f

**condense** [kən'dens] vi se condenser ▷ vt condenser

**condition** [kən'dɪʃən] n condition f; (disease) maladie f ▷ vt déterminer, conditionner; **on ~ that** à condition que + sub, à condition de; **conditional** [kən'dɪʃənl] adj conditionnel(le); **conditioner** n (for hair) baume démêlant; (for fabrics) assouplissant m

**condo** ['kɒndəu] n (us inf) = **condominium**

**condom** ['kɒndəm] n préservatif m

**condominium** [kɒndə'mɪnɪəm] n (us: building) immeuble m (en copropriété); (: rooms) appartement m (dans un immeuble en copropriété)

**condone** [kən'dəun] vt fermer les yeux sur, approuver (tacitement)

**conduct** n ['kɒndʌkt] conduite f ▷ vt [kən'dʌkt] (manage) mener, diriger; (Mus) diriger; **to ~ o.s.** se conduire, se comporter; **conductor** n (of orchestra) chef m d'orchestre; (on bus) receveur m; (us: on train) chef m de train; (Elec) conducteur m

**cone** [kəun] n cône m; (for ice-cream) cornet m; (Bot) pomme f de pin, cône

**confectionery** [kən'fekʃənrɪ] n (sweets) confiserie f

**confer** [kən'fɜː] vt: **to ~ sth on** conférer qch à ▷ vi conférer, s'entretenir

**conference** ['kɒnfərns] n conférence f

**confess** [kən'fes] vt confesser, avouer ▷ vi (admit sth) avouer; (Rel) se confesser; **confession** [kən'feʃən] n confession f

**confide** [kən'faɪd] vi: **to ~ in** s'ouvrir à, se confier à

**confidence** ['kɒnfɪdns] n confiance f; (also: **self-~**) assurance f, confiance en soi; (secret) confidence f; **in ~** (speak, write) en confidence, confidentiellement; **confident** adj (self-assured) sûr(e) de soi; (sure) sûr; **confidential** [kɒnfɪ'denʃəl] adj confidentiel(le)

**confine** [kən'faɪn] vt limiter, borner; (shut up) confiner, enfermer; **confined** adj (space) restreint(e), réduit(e)

**confirm** [kən'fɜːm] vt (report, Rel) confirmer; (appointment) ratifier; **confirmation** [kɒnfə'meɪʃən] n confirmation f; ratification f

**confiscate** ['kɒnfɪskeɪt] vt confisquer

**conflict** n ['kɒnflɪkt] conflit m, lutte f ▷ vi [kən'flɪkt] (opinions) s'opposer, se heurter

**conform** [kən'fɔːm] vi: **to ~ (to)** se conformer (à)

confront [kənˈfrʌnt] vt (two people)
confronter; (enemy, danger) affronter,
faire face à; (problem) faire face à;
confrontation [kɒnfrənˈteɪʃən] n
confrontation f

confuse [kənˈfjuːz] vt (person)
troubler; (situation) embrouiller;
(one thing with another) confondre;
confused adj (person) dérouté(e),
désorienté(e); (situation)
embrouillé(e); confusing adj peu
clair(e), déroutant(e); confusion
[kənˈfjuːʒən] n confusion f

congestion [kənˈdʒɛstʃən] n
(Med) congestion f; (fig: traffic)
encombrement m

congratulate [kənˈɡrætjuleɪt]
vt: to ~ sb (on) féliciter
qn (de); congratulations
[kənɡrætjuˈleɪʃənz] npl;
congratulations (on) félicitations
fpl (pour) ▷ excl: congratulations!
(toutes mes) félicitations!

congregation [kɒŋɡrɪˈɡeɪʃən] n
assemblée f (des fidèles)

congress [ˈkɒŋɡrɛs] n congrès m;
(Pol): C~ Congrès m; congressman
(irreg) n membre m du Congrès;
congresswoman (irreg) n membre
m du Congrès

conifer [ˈkɒnɪfəʳ] n conifère m

conjugate [ˈkɒndʒugeɪt] vt
conjuguer

conjugation [kɒndʒəˈgeɪʃən] n
conjugaison f

conjunction [kənˈdʒʌŋkʃən]
n conjonction f; in ~ with
(conjointement) avec

conjure [ˈkʌndʒəʳ] vi faire des tours
de passe-passe

connect [kəˈnɛkt] vt joindre, relier;
(Elec) connecter; (Tel: caller) mettre
en connexion; (: subscriber) brancher;
(fig) établir un rapport entre, faire
un rapprochement entre ▷ vi (train):
to ~ with assurer la correspondance
avec; to be ~ed with avoir un
rapport avec; (have dealings with) avoir

des rapports avec, être en relation
avec; connecting flight (vol m
de) correspondance f; connection
[kəˈnɛkʃən] n relation f, lien m; (Elec)
connexion f; (Tel) communication f;
(train etc) correspondance f

conquer [ˈkɒŋkəʳ] vt conquérir;
(feelings) vaincre, surmonter

conquest [ˈkɒŋkwɛst] n conquête f

cons [kɒnz] npl see convenience; pro

conscience [ˈkɒnʃəns] n conscience f

conscientious [kɒnʃɪˈɛnʃəs] adj
consciencieux(-euse)

conscious [ˈkɒnʃəs] adj conscient(e);
(deliberate: insult, error) délibéré(e);
consciousness n conscience f; (Med)
connaissance f

consecutive [kənˈsɛkjutɪv]
adj consécutif(-ive); on three ~
occasions trois fois de suite

consensus [kənˈsɛnsəs] n
consensus m

consent [kənˈsɛnt] n consentement
m ▷ vi: to ~ (to) consentir (à)

consequence [ˈkɒnsɪkwəns] n
suites fpl, conséquence f; (significance)
importance f

consequently [ˈkɒnsɪkwəntlɪ] adv
par conséquent, donc

conservation [kɒnsəˈveɪʃən]
n préservation f, protection f;
(also: nature ~) défense f de
l'environnement

Conservative [kənˈsəːvətɪv] adj, n
(BRIT Pol) conservateur(-trice)

conservative adj conservateur(-
trice); (cautious) prudent(e)

conservatory [kənˈsəːvətrɪ]
n (room) jardin m d'hiver; (Mus)
conservatoire m

consider [kənˈsɪdəʳ] vt (study)
considérer, réfléchir à; (take into
account) penser à, prendre en
considération; (regard, judge)
considérer, estimer; to ~ doing sth
envisager de faire qch; considerable
adj considérable; considerably
adv nettement; considerate adj

prévenant(e), plein(e) d'égards;
**consideration** [kənsɪdə'reɪʃən] n
considération f; (reward) rétribution
f, rémunération f; **considering**
prep: **considering (that)** étant
donné (que)
**consignment** [kən'saɪnmənt] n
arrivage m, envoi m
**consist** [kən'sɪst] vi: **to ~ of** consister
en, se composer de
**consistency** [kən'sɪstənsɪ] n
(thickness) consistance f; (fig)
cohérence f
**consistent** [kən'sɪstənt] adj logique,
cohérent(e)
**consolation** [kɒnsə'leɪʃən] n
consolation f
**console¹** [kən'səʊl] vt consoler
**console²** ['kɒnsəʊl] n console f
**consonant** ['kɒnsənənt] n
consonne f
**conspicuous** [kən'spɪkjʊəs] adj
voyant(e), qui attire l'attention
**conspiracy** [kən'spɪrəsɪ] n
conspiration f, complot m
**constable** ['kʌnstəbl] n (BRIT) ≈
agent m de police, gendarme m; **chief
~** ≈ préfet m de police
**constant** ['kɒnstənt] adj
constant(e); incessant(e);
**constantly** adv constamment,
sans cesse
**constipated** ['kɒnstɪpeɪtɪd]
adj constipé(e); **constipation**
[kɒnstɪ'peɪʃən] n constipation f
**constituency** [kən'stɪtjʊənsɪ] n
(Pol: area) circonscription électorale;
(: electors) électorat m
**constitute** ['kɒnstɪtjuːt] vt
constituer
**constitution** [kɒnstɪ'tjuːʃən] n
constitution f
**constraint** [kən'streɪnt] n
contrainte f
**construct** [kən'strʌkt] vt construire;
**construction** [kən'strʌkʃən] n
construction f; **constructive** adj
constructif(-ive)

**consul** ['kɒnsl] n consul m;
**consulate** ['kɒnsjʊlɪt] n consulat m
**consult** [kən'sʌlt] vt consulter;
**consultant** n (Med) médecin
consultant; (other specialist)
consultant m, (expert-)conseil m;
**consultation** [kɒnsəl'teɪʃən] n
consultation f; **consulting room** n
(BRIT) cabinet m de consultation
**consume** [kən'sjuːm] vt
consommer; (subj: flames, hatred,
desire) consumer; **consumer** n
consommateur(-trice)
**consumption** [kən'sʌmpʃən] n
consommation f
**cont.** abbr (= continued) suite
**contact** ['kɒntækt] n contact m;
(person) connaissance f, relation f ▷ vt
se mettre en contact or en rapport
avec; **~ number** numéro m de
téléphone; **contact lenses** npl verres
mpl de contact
**contagious** [kən'teɪdʒəs] adj
contagieux(-euse)
**contain** [kən'teɪn] vt contenir;
**to ~ o.s.** se contenir, se maîtriser;
**container** n récipient m; (for shipping
etc) conteneur m
**contaminate** [kən'tæmɪneɪt] vt
contaminer
**cont'd** abbr (= continued) suite
**contemplate** ['kɒntəmpleɪt] vt
contempler; (consider) envisager
**contemporary** [kən'tempərərɪ] adj
contemporain(e); (design, wallpaper)
moderne ▷ n contemporain(e)
**contempt** [kən'tempt] n mépris m,
dédain m; **~ of court** (Law) outrage m
à l'autorité de la justice
**contend** [kən'tend] vt: **to ~ that**
soutenir or prétendre que ▷ vi: **to
~ with** (compete) rivaliser avec;
(struggle) lutter avec
**content** [kən'tent] adj content(e),
satisfait(e) ▷ vt contenter, satisfaire
▷ n ['kɒntent] contenu m; (of fat,
moisture) teneur f; **contents** npl (of
container etc) contenu m; **(table of)**

**~s** table f des matières; **contented** adj content(e), satisfait(e)

**contest** n ['kɒntest] combat m, lutte f; (competition) concours m ▷ vt [kən'test] contester, discuter; (compete for) disputer; (Law) attaquer; **contestant** [kən'testənt] n concurrent(e); (in fight) adversaire m/f

**context** ['kɒntekst] n contexte m

**continent** ['kɒntɪnənt] n continent m; **the C~** (BRIT) l'Europe continentale; **continental** [kɒntɪ'nentl] adj continental(e); **continental breakfast** n café (or thé) complet; **continental quilt** (BRIT) couette f

**continual** [kən'tɪnjuəl] adj continuel(le); **continually** adv continuellement, sans cesse

**continue** [kən'tɪnju:] vi continuer ▷ vt continuer; (start again) reprendre

**continuity** [kɒntɪ'nju:ɪtɪ] n continuité f; (TV) enchaînement m

**continuous** [kən'tɪnjuəs] adj continu(e), permanent(e); (Ling) progressif(-ive); **continuous assessment** (BRIT) n contrôle continu; **continuously** adv (repeatedly) continuellement; (uninterruptedly) sans interruption

**contour** ['kɒntuə] n contour m, profil m; (also: **~ line**) courbe f de niveau

**contraception** [kɒntrə'sepʃən] n contraception f

**contraceptive** [kɒntrə'septɪv] adj contraceptif(-ive), anticonceptionnel(le) ▷ n contraceptif m

**contract** n ['kɒntrækt] contrat m ▷ vi [kən'trækt] (become smaller) se contracter, se resserrer ▷ vt contracter; (Comm): **to ~ to do sth** s'engager (par contrat) à faire qch; **contractor** n entrepreneur m

**contradict** [kɒntrə'dɪkt] vt contredire; **contradiction** [kɒntrə'dɪkʃən] n contradiction f

**contrary¹** ['kɒntrərɪ] adj contraire, opposé(e) ▷ n contraire m; **on the ~** au contraire; **unless you hear to the ~** sauf avis contraire

**contrary²** [kən'treərɪ] adj (perverse) contrariant(e), entêté(e)

**contrast** n ['kɒntrɑ:st] contraste m ▷ vt [kən'trɑ:st] mettre en contraste, contraster; **in ~ to** or **with** contrairement à, par opposition à

**contribute** [kən'trɪbju:t] vi contribuer ▷ vt: **to ~ £10/an article to** donner 10 livres/un article à; **to ~ to** (gen) contribuer à; (newspaper) collaborer à; (discussion) prendre part à; **contribution** [kɒntrɪ'bju:ʃən] n contribution f; (BRIT: for social security) cotisation f; (to publication) article m; **contributor** n (to newspaper) collaborateur(-trice); (of money, goods) donateur(-trice)

**control** [kən'trəul] vt (process, machinery) commander; (temper) maîtriser; (disease) enrayer ▷ n maîtrise f; (power) autorité f; **controls** npl (of machine etc) commandes fpl; (on radio) boutons mpl de réglage; **to be in ~ of** être maître de, maîtriser; (in charge of) être responsable de; **everything is under ~** j'ai (or il a etc) la situation en main; **the car went out of ~** j'ai (or il a etc) perdu le contrôle du véhicule; **control tower** n (Aviat) tour f de contrôle

**controversial** [kɒntrə'və:ʃl] adj discutable, controversé(e)

**controversy** ['kɒntrəvə:sɪ] n controverse f, polémique f

**convenience** [kən'vi:nɪəns] n commodité f; **at your ~** quand or comme cela vous convient; **all modern ~s, all mod cons** (BRIT) avec tout le confort moderne, tout confort

**convenient** [kən'vi:nɪənt] adj commode

**convent** ['kɒnvənt] n couvent m

**convention** [kən'vɛnʃən] n
convention f; (custom) usage m;
**conventional** adj conventionnel(le)

**conversation** [kɒnvə'seɪʃən] n
conversation f

**conversely** [kɒn'vɜːslɪ] adv
inversement, réciproquement

**conversion** [kən'vɜːʃən] n
conversion f; (BRIT: of house)
transformation f, aménagement m;
(Rugby) transformation f

**convert** vt [kən'vɜːt] (Rel, Comm)
convertir; (alter) transformer; (house)
aménager ▷ n ['kɒnvɜːt] converti(e);
**convertible** adj convertible ▷ n
(voiture f) décapotable f

**convey** [kən'veɪ] vt transporter;
(thanks) transmettre; (idea)
communiquer; **conveyor belt** n
convoyeur m tapis roulant

**convict** vt [kən'vɪkt] déclarer (or
reconnaître) coupable ▷ n ['kɒnvɪkt]
forçat m, convict m; **conviction**
[kən'vɪkʃən] n (Law) condamnation f;
(belief) conviction f

**convince** [kən'vɪns] vt convaincre,
persuader; **convinced** adj:
**convinced of/that** convaincu(e) de/
que; **convincing** adj persuasif(-ive),
convaincant(e)

**convoy** ['kɒnvɔɪ] n convoi m

**cook** [kʊk] vt (faire) cuire ▷ vi
cuire; (person) faire la cuisine ▷ n
cuisinier(-ière); **cookbook** n livre
m de cuisine; **cooker** n cuisinière f;
**cookery** n cuisine f; **cookery book**
n (BRIT) = **cookbook**; **cookie** n (US)
biscuit m, petit gâteau sec; **cooking**
n cuisine f

**cool** [kuːl] adj frais (fraîche); (not
afraid) calme; (unfriendly) froid(e);
(inf: trendy) cool inv (inf); (: great)
super inv (inf) ▷ vt, vi rafraîchir,
refroidir; **cool down** vi refroidir; (fig:
person, situation) se calmer; **cool off**
vi (become calmer) se calmer; (fig: lose
enthusiasm) perdre son enthousiasme

**cop** [kɒp] n (inf) flic m

**cope** [kəʊp] vi s'en sortir, tenir le
coup; **to ~ with** (problem) faire face à

**copper** ['kɒpə'] n cuivre m; (BRIT inf:
policeman) flic m

**copy** ['kɒpɪ] n copie f; (book etc)
exemplaire m ▷ vt copier; (imitate)
imiter; **copyright** n droit m d'auteur,
copyright m

**coral** ['kɒrəl] n corail m

**cord** [kɔːd] n corde f; (fabric)
velours côtelé; (Elec) cordon m
(d'alimentation), fil m (électrique);
**cords** npl (trousers) pantalon m de
velours côtelé; **cordless** adj sans fil

**corduroy** ['kɔːdərɔɪ] n velours côtelé

**core** [kɔː'] n (of fruit) trognon m,
cœur m; (fig: of problem etc) cœur ▷ vt
enlever le trognon or le cœur de

**coriander** [kɒrɪ'ændə'] n coriandre f

**cork** [kɔːk] n (material) liège m; (of
bottle) bouchon m; **corkscrew** n
tire-bouchon m

**corn** [kɔːn] n (BRIT: wheat) blé m; (US:
maize) maïs m; (on foot) cor m; **~ on the
cob** (Culin) épi m de maïs au naturel

**corned beef** ['kɔːnd-] n corned-
beef m

**corner** ['kɔːnə'] n coin m; (in road)
tournant m, virage m; (Football)
corner m ▷ vt (trap: prey) acculer; (fig)
coincer; (Comm: market) accaparer
▷ vi prendre un virage; **corner shop**
(BRIT) n magasin m du coin

**cornflakes** ['kɔːnfleɪks] npl
cornflakes mpl

**cornflour** ['kɔːnflaʊə'] n (BRIT) farine
f de maïs, maïzena® f

**cornstarch** ['kɔːnstɑːtʃ] n (US) farine
f de maïs, maïzena® f

**Cornwall** ['kɔːnwəl] n Cornouailles f

**coronary** ['kɒrənərɪ] n:
**~ (thrombosis)** infarctus m (du
myocarde), thrombose f coronaire

**coronation** [kɒrə'neɪʃən] n
couronnement m

**coroner** ['kɒrənə'] n coroner m,
officier de police judiciaire chargé de
déterminer les causes d'un décès

**corporal** ['kɔːpərl] n caporal m, brigadier m ▷ adj: **~ punishment** châtiment corporel

**corporate** ['kɔːpərɪt] adj (action, ownership) en commun; (Comm) de la société

**corporation** [kɔːpə'reɪʃən] n (of town) municipalité f, conseil municipal; (Comm) société f

**corps** (pl corps) [kɔːʳ, kɔːz] n corps m; **the diplomatic ~** le corps diplomatique; **the press ~** la presse

**corpse** [kɔːps] n cadavre m

**correct** [kə'rekt] adj (accurate) correct(e), exact(e); (proper) correct, convenable ▷ vt corriger; **correction** [kə'rekʃən] n correction f

**correspond** [kɔrɪs'pɔnd] vi correspondre; **to ~ to sth** (be equivalent to) correspondre à qch; **correspondence** n correspondance f; **correspondent** n correspondant(e); **corresponding** adj correspondant(e)

**corridor** ['kɔrɪdɔːʳ] n couloir m, corridor m

**corrode** [kə'rəud] vt corroder, ronger ▷ vi se corroder

**corrupt** [kə'rʌpt] adj corrompu(e); (Comput) altéré(e) ▷ vt corrompre; (Comput) altérer; **corruption** n corruption f; (Comput) altération f (de données)

**Corsica** ['kɔːsɪkə] n Corse f

**cosmetic** [kɔz'metɪk] n produit m de beauté, cosmétique m ▷ adj (fig: reforms) symbolique, superficiel(le); **cosmetic surgery** n chirurgie f esthétique

**cosmopolitan** [kɔzmə'pɔlɪtn] adj cosmopolite

**cost** [kɔst] (pt, pp cost) n coût m ▷ vi coûter ▷ vt établir or calculer le prix de revient de; **costs** npl (Comm) frais mpl; (Law) dépens mpl; **how much does it ~?** combien ça coûte?; **to ~ sb time/effort** demander du temps/un effort à qn; **it ~ him his life/job** ça lui

a coûté la vie/son emploi; **at all ~s** coûte que coûte, à tout prix

**co-star** ['kəustɑːʳ] n partenaire m/f

**costly** ['kɔstlɪ] adj coûteux(-euse)

**cost of living** n coût m de la vie

**costume** ['kɔstjuːm] n costume m; (BRIT: also: **swimming ~**) maillot m (de bain)

**cosy**, (US) **cozy** ['kəuzɪ] adj (room, bed) douillet(te); **to be ~** (person) être bien (au chaud)

**cot** [kɔt] n (BRIT: child's) lit m d'enfant, petit lit; (US: campbed) lit de camp

**cottage** ['kɔtɪdʒ] n petite maison à la campagne), cottage m; **cottage cheese** n fromage blanc (maigre)

**cotton** ['kɔtn] n coton m; (thread) fil m (de coton); **cotton on** vi (inf): **to ~ on (to sth)** piger (qch); **cotton bud** (BRIT) n coton-tige m; **cotton candy** (US) n barbe f à papa; **cotton wool** n (BRIT) ouate f, coton m hydrophile

**couch** [kautʃ] n canapé m; divan m

**cough** [kɔf] vi tousser ▷ n toux f; **I've got a ~** j'ai la toux; **cough mixture**, **cough syrup** n sirop m pour la toux

**could** [kud] pt of **can²**; **couldn't** = **could not**

**council** ['kaunsl] n conseil m; **city** or **town ~** conseil municipal; **council estate** n (BRIT) (quartier m or zone f de) logements loués à/par la municipalité; **council house** n (BRIT) maison f (à loyer modéré) louée par la municipalité; **councillor**, (US) **councilor** n conseiller(-ère); **council tax** n (BRIT) impôts locaux

**counsel** ['kaunsl] n conseil m; (lawyer) avocat(e) ▷ vt: **to ~ (sb to do sth)** conseiller (à qn de faire qch); **counselling**, (US) **counseling** n (Psych) aide psychosociale; **counsellor**, (US) **counselor** n conseiller(-ère); (US Law) avocat m

**count** [kaunt] vt, vi compter ▷ n compte m; (nobleman) comte m; **count in** vt (inf): **to ~ sb in on sth**

inclure qn dans qch; **count on** vt fus
compter sur; **countdown** n compte
m à rebours

**counter** ['kaʊntə'] n comptoir m; (in
post office, bank) guichet m; (in game)
jeton m ▷ vt aller à l'encontre de,
opposer ▷ adv: ~ **to** à l'encontre de;
contrairement à; **counteract** vt
contrecarrer; **counterclockwise**
(us) adv en sens inverse des aiguilles
d'une montre

**counterfeit** ['kaʊntəfɪt] n faux m,
contrefaçon f ▷ vt contrefaire ▷ adj
faux (fausse)

**counterpart** ['kaʊntəpɑ:t] n (of
person) homologue m/f

**countess** ['kaʊntɪs] n comtesse f

**countless** ['kaʊntlɪs] adj
innombrable

**country** ['kʌntrɪ] n pays m; (native
land) patrie f; (as opposed to town)
campagne f; (region) région f, pays;
**country and western (music)**
n musique f country; **country
house** n manoir m, (petit) château;
**countryside** n campagne f

**county** ['kaʊntɪ] n comté m

**coup** (pl **coups**) [ku:, ku:z] n
(achievement) beau coup; (also: ~
**d'état**) coup d'état

**couple** ['kʌpl] n couple m; **a ~ of** (two)
deux; (a few) deux ou trois

**coupon** ['ku:pɔn] n (voucher) bon m de
réduction; (detachable form) coupon m
détachable, coupon-réponse m

**courage** ['kʌrɪdʒ] n courage m;
**courageous** [kə'reɪdʒəs] adj
courageux(-euse)

**courgette** [kuə'ʒet] n (BRIT)
courgette f

**courier** ['kurɪə'] n messager
m, courrier m; (for tourists)
accompagnateur(-trice)

**course** [kɔ:s] n cours m; (for golf)
terrain m; (part of meal)
plat m; **of ~** adv bien sûr; **(no,) of ~
not!** bien sûr que non!, évidemment
que non!; **~ of treatment** (Med)
traitement m

**court** [kɔ:t] n cour f; (Law) cour,
tribunal m; (Tennis) court m ▷ vt
(woman) courtiser, faire la cour à; **to
take to ~** actionner or poursuivre
en justice

**courtesy** ['kə:təsɪ] n courtoisie f,
politesse f; **(by) ~ of** avec l'aimable
autorisation de; **courtesy bus,
courtesy coach** n navette gratuite

**court: ~ court-house** ['kɔ:thaus] n
(us) palais m de justice; **courtroom**
['kɔ:trum] n salle f de tribunal;
**courtyard** ['kɔ:tjɑ:d] n cour f

**cousin** ['kʌzn] n cousin(e); **first ~**
cousin(e) germain(e)

**cover** ['kʌvə'] vt couvrir; (Press: report
on) faire un reportage sur; (feelings,
mistake) cacher; (include) englober;
(discuss) traiter ▷ n (of book, Comm)
couverture f; (of pan) couvercle m;
(over furniture) housse f; (shelter) abri
m; **covers** npl (on bed) couvertures;
**to take ~** se mettre à l'abri; **under
~** à l'abri; **under ~ of darkness** à la
faveur de la nuit; **under separate
~** (Comm) sous pli séparé; **cover up**
vi: **to ~ up for sb** (fig) couvrir qn;
**coverage** n (in media) reportage
m; **cover charge** n couvert m
(supplément à payer); **cover-up** n
tentative f pour étouffer une affaire

**cow** [kau] n vache f ▷ vt effrayer,
intimider

**coward** ['kauəd] n lâche m/f;
**cowardly** adj lâche

**cowboy** ['kaubɔɪ] n cow-boy m

**cozy** ['kəuzɪ] adj (us) = **cosy**

**crab** [kræb] n crabe m

**crack** [kræk] n (split) fente f, fissure
f; (in cup, bone) fêlure f; (in wall)
lézarde f; (noise) craquement m, coup
(sec); (Drugs) crack m ▷ vt fendre,
fissurer; fêler; lézarder; (whip) faire
claquer; (nut) casser; (problem)
résoudre; (code) déchiffrer ▷ cpd
(athlete) de première classe, d'élite;
**crack down on** vt fus (crime) sévir
contre, réprimer; **cracked** adj (cup,

*bone)* fêlé(e); *(broken)* cassé(e); *(wall)* lézardé(e); *(surface)* craquelé(e); *(inf)* toqué(e), timbré(e); **cracker** n *(also:* **Christmas cracker***)* pétard m; *(biscuit)* biscuit (salé), craquelin m

**crackle** ['krækl] vi crépiter, grésiller

**cradle** ['kreidl] n berceau m

**craft** [krɑ:ft] n métier m *(artisanal)*; *(cunning)* ruse f, astuce f; *(boat: pl inv)* embarcation f, barque f; *(plane: pl inv)* appareil m; **craftsman** *(irreg)* n artisan m ouvrier (qualifié); **craftsmanship** n métier m, habileté f

**cram** [kræm] vt: **to ~ sth with** *(fill)* bourrer qch de; **to ~ sth into** *(put)* fourrer qch dans ▷ vi *(for exams)* bachoter

**cramp** [kræmp] n crampe f; **I've got ~ in my leg** j'ai une crampe à la jambe; **cramped** adj à l'étroit, très serré(e)

**cranberry** ['krænbəri] n canneberge f

**crane** [krein] n grue f

**crap** [kræp] n *(inf!: nonsense)* conneries fpl (!); *(: excrement)* merde f

**crash** [kræʃ] n *(noise)* fracas m; *(of car, plane)* collision f; *(of business)* faillite f ▷ vt *(plane)* écraser ▷ vi *(plane)* s'écraser; *(two cars)* se percuter, s'emboutir; *(business)* s'effondrer; **to ~ into** se jeter or se fracasser contre; **crash course** n cours intensif; **crash helmet** n casque (protecteur)

**crate** [kreit] n cageot m; *(for bottles)* caisse f

**crave** [kreiv] vt, vi: **to ~ (for)** avoir une envie irrésistible de

**crawl** [krɔːl] vi ramper; *(vehicle)* avancer au pas ▷ n *(Swimming)* crawl m

**crayfish** ['kreifiʃ] n *(pl inv: freshwater)* écrevisse f; *(: saltwater)* langoustine f

**crayon** ['kreiən] n crayon m *(de couleur)*

**craze** [kreiz] n engouement m

**crazy** ['kreizi] adj fou (folle); **to be ~ about sb/sth** *(inf)* être fou de qn/qch

**creak** [kriːk] vi *(hinge)* grincer; *(floor, shoes)* craquer

**cream** [kriːm] n crème f ▷ adj *(colour)* crème inv; **cream cheese** n fromage m à la crème, fromage blanc; **creamy** adj crémeux(-euse)

**crease** [kriːs] n pli m ▷ vt froisser, chiffonner ▷ vi se froisser, se chiffonner

**create** [kriːˈeit] vt créer; **creation** [kriːˈeiʃən] n création f; **creative** adj créatif(-ive); **creator** n créateur(-trice)

**creature** ['kriːtʃə*] n créature f

**crèche** [krɛʃ] n garderie f, crèche f

**credentials** [krɪˈdɛnʃlz] npl *(references)* références fpl; *(identity papers)* pièce f d'identité

**credibility** [krɛdɪˈbɪlɪtɪ] n crédibilité f

**credible** ['krɛdɪbl] adj digne de foi, crédible

**credit** ['krɛdɪt] n crédit m; *(recognition)* honneur m; *(Scol)* unité f de valeur ▷ vt *(Comm)* créditer; *(believe: also:* **give ~ to***)* ajouter foi à, croire; **credits** npl *(Cine)* générique m; **to be in ~** *(person, bank account)* être créditeur(-trice); **to ~ sb with** *(fig)* prêter or attribuer à qn; **credit card** n carte f de crédit; **do you take credit cards?** acceptez-vous les cartes de crédit?; **credit crunch** n crise f du crédit

**creek** [kriːk] n *(inlet)* crique f, anse f; *(us: stream)* ruisseau m, petit cours d'eau

**creep** (pt, pp **crept**) [kriːp, krɛpt] vi ramper

**cremate** [krɪˈmeit] vt incinérer

**crematorium** *(pl* **crematoria***)* [krɛməˈtɔːriəm, -ˈtɔːriə] n four m crématoire

**crept** [krɛpt] pt, pp of **creep**

**crescent** ['krɛsnt] n croissant m; *(street)* rue f *(en arc de cercle)*

**cress** [krɛs] n cresson m

**crest** [krɛst] n crête f; *(of coat of arms)* timbre m

**crew** [kru:] n équipage m; (Cine) équipe f (de tournage); **crew-neck** n col ras

**crib** [krɪb] n lit m d'enfant; (for baby) berceau m ▷ vt (inf) copier

**cricket** ['krɪkɪt] n (insect) grillon m, cri-cri m; (game) cricket m; **cricketer** n joueur m de cricket

**crime** [kraɪm] n crime m; **criminal** ['krɪmɪnl] adj, n criminel(le)

**crimson** ['krɪmzn] adj cramoisi(e)

**cringe** [krɪndʒ] vi avoir un mouvement de recul

**cripple** ['krɪpl] n boiteux(-euse), infirme m/f ▷ vt (person) estropier, paralyser; (ship, plane) immobiliser; (production, exports) paralyser

**crisis** (pl **crises**) ['kraɪsɪs, -si:z] n crise f

**crisp** [krɪsp] adj croquant(e); (weather) vif (vive); (manner etc) brusque; **crisps** (BRIT) npl (pommes fpl) chips fpl; **crispy** adj croustillant(e)

**criterion** (pl **criteria**) [kraɪˈtɪərɪən, -ˈtɪərɪə] n critère m

**critic** ['krɪtɪk] n critique m/f; **critical** adj critique; **criticism** ['krɪtɪsɪzəm] n critique f; **criticize** ['krɪtɪsaɪz] vt critiquer

**Croat** ['krəuæt] adj, n = **Croatian**

**Croatia** [krəuˈeɪʃə] n Croatie f; **Croatian** adj croate ▷ n Croate m/f; (Ling) croate m

**crockery** ['krɔkərɪ] n vaisselle f

**crocodile** ['krɔkədaɪl] n crocodile m

**crocus** ['krəukəs] n crocus m

**croissant** ['krwasɑ̃] n croissant m

**crook** [kruk] n (inf) escroc m; (of shepherd) houlette f; **crooked** ['krukɪd] adj courbé(e), tordu(e); (action) malhonnête

**crop** [krɔp] n (produce) culture f; (amount produced) récolte f; (riding crop) cravache f ▷ vt (hair) tondre; **crop up** vi surgir, se présenter, survenir

**cross** [krɔs] n croix f; (Biol) croisement m ▷ vt (street etc) traverser; (arms,

legs, Biol) croiser; (cheque) barrer ▷ adj en colère, fâché(e); **cross off**, **cross out** vt barrer, rayer; **cross over** vi traverser; **cross-Channel ferry** ['krɔsˈtʃænl-] n ferry m qui fait la traversée de la Manche; **cross-country (race)** n cross(-country) m; **crossing** n (sea passage) traversée f; (also: **pedestrian crossing**) passage clouté; **how long does the crossing take?** combien de temps dure la traversée?; **crossing guard** n (US) contractuel qui fait traverser la rue aux enfants; **crossroads** n carrefour m; **crosswalk** n (US) passage clouté; **crossword** n mots mpl croisés

**crotch** [krɔtʃ] n (of garment) entrejambe m; (Anat) entrecuisse m

**crouch** [krautʃ] vi s'accroupir; (hide) se tapir; (before springing) se ramasser

**crouton** ['kru:tɔn] n croûton m

**crow** [krəu] n (bird) corneille f; (of cock) chant m du coq, cocorico m ▷ vi (cock) chanter

**crowd** [kraud] n foule f ▷ vt bourrer, remplir ▷ vi affluer, s'attrouper, s'entasser; **crowded** adj bondé(e)

**crown** [kraun] n couronne f; (of head) sommet m de la tête; (of hill) sommet m ▷ vt (also tooth) couronner; **crown jewels** npl joyaux mpl de la Couronne

**crucial** ['kru:ʃl] adj crucial(e), décisif(-ive)

**crucifix** ['kru:sɪfɪks] n crucifix m

**crude** [kru:d] adj (materials) brut(e), non raffiné(e); (basic) rudimentaire, sommaire; (vulgar) cru(e), grossier(-ière) ▷ n (also: **~ oil**) (pétrole m) brut m

**cruel** ['kruəl] adj cruel(le); **cruelty** n cruauté f

**cruise** [kru:z] n croisière f ▷ vi (ship) croiser; (car) rouler; (aircraft) voler

**crumb** [krʌm] n miette f

**crumble** ['krʌmbl] vt émietter ▷ vi (plaster etc) s'effriter; (land, earth) s'ébouler; (building) s'écrouler, crouler; (fig) s'effondrer

**crumpet** [ˈkrʌmpɪt] n petite crêpe (épaisse)

**crumple** [ˈkrʌmpl] vt froisser, friper

**crunch** [krʌntʃ] vt croquer; (underfoot) faire craquer, écraser; faire crisser ⊳ n (fig) instant m or moment m critique, moment de vérité; **crunchy** adj croquant(e), croustillant(e)

**crush** [krʌʃ] n (crowd) foule f, cohue f; (love): **to have a ~ on sb** avoir le béguin pour qn; (drink): **lemon ~** citron pressé ⊳ vt écraser; (crumple) froisser; (grind, break up: garlic, ice) piler; (: grapes) presser; (hopes) anéantir

**crust** [krʌst] n croûte f; **crusty** adj (bread) croustillant(e); (inf: person) revêche, bourru(e)

**crutch** [krʌtʃ] n béquille f; (of garment) entrejambe m; (Anat) entrecuisse m

**cry** [kraɪ] vi pleurer; (shout: also: ~ **out**) crier ⊳ n cri m; **cry out** vi (call out, shout) pousser un cri ⊳ vt crier

**crystal** [ˈkrɪstl] n cristal m

**cub** [kʌb] n petit m (d'un animal); (also: ~ **scout**) louveteau m

**Cuba** [ˈkjuːbə] n Cuba m

**cube** [kjuːb] n cube m ⊳ vt (Math) élever au cube

**cubicle** [ˈkjuːbɪkl] n (in hospital) box m; (at pool) cabine f

**cuckoo** [ˈkukuː] n coucou m

**cucumber** [ˈkjuːkʌmbər] n concombre m

**cuddle** [ˈkʌdl] vt câliner, caresser ⊳ vi se blottir l'un contre l'autre

**cue** [kjuː] n queue f de billard; (Theat etc) signal m

**cuff** [kʌf] n (BRIT: of shirt, coat etc) poignet m, manchette f; (us: on trousers) revers m; (blow) gifle f; **off the ~** adv à l'improviste; **cufflinks** npl boutons m de manchette

**cuisine** [kwiˈziːn] n cuisine f

**cul-de-sac** [ˈkʌldəsæk] n cul-de-sac m, impasse f

**cull** [kʌl] vt sélectionner ⊳ n (of animals) abattage sélectif

**culminate** [ˈkʌlmɪneɪt] vi: **to ~ in** finir or se terminer par; (lead to) mener à

**culprit** [ˈkʌlprɪt] n coupable m/f

**cult** [kʌlt] n culte m

**cultivate** [ˈkʌltɪveɪt] vt cultiver

**cultural** [ˈkʌltʃərəl] adj culturel(le)

**culture** [ˈkʌltʃər] n culture f

**cumin** [ˈkʌmɪn] n (spice) cumin m

**cunning** [ˈkʌnɪŋ] n ruse f, astuce f ⊳ adj rusé(e), malin(-igne); (clever: device, idea) astucieux(-euse)

**cup** [kʌp] n tasse f; (prize, event) coupe f; (of bra) bonnet m

**cupboard** [ˈkʌbəd] n placard m

**cup final** [ˈkʌp-] n (BRIT Football) finale f de la coupe

**curator** [kjuəˈreɪtər] n conservateur m (d'un musée etc)

**curb** [kɜːb] vt refréner, mettre un frein à ⊳ n (fig) frein m; (us) bord m du trottoir

**curdle** [ˈkɜːdl] vi (se) cailler

**cure** [kjuər] vt guérir; (Culin: salt) saler; (: smoke) fumer; (: dry) sécher ⊳ n remède m

**curfew** [ˈkɜːfjuː] n couvre-feu m

**curiosity** [kjuərɪˈɒsɪtɪ] n curiosité f

**curious** [ˈkjuərɪəs] adj curieux(-euse); **I'm ~ about him** il m'intrigue

**curl** [kɜːl] n boucle f (de cheveux) ⊳ vt, vi (tightly) friser; **curl up** vi s'enrouler; (person) se pelotonner

**curler** [ˈkɜːlər] n bigoudi m, rouleau m; **curly** adj bouclé(e); (tightly curled) frisé(e)

**currant** [ˈkʌrnt] n raisin m de Corinthe, raisin sec; (fruit) groseille f

**currency** [ˈkʌrnsɪ] n monnaie f; **to gain ~** (fig) s'accréditer

**current** [ˈkʌrnt] n courant m ⊳ adj (common) courant(e); (tendency, price, event) actuel(le); **current account** n (BRIT) compte courant; **current affairs** npl (questions fpl d')actualité f; **currently** adv actuellement

**curriculum** (*pl* **curriculums** *or* **curricula**) [kə'rɪkjuləm, -lə] *n* programme *m* d'études; **curriculum vitae** [-'vi:taɪ] *n* curriculum vitae (CV) *m*

**curry** ['kʌrɪ] *n* curry *m* ▷ *vt*: **to ~ favour with** chercher à gagner la faveur *or* à s'attirer les bonnes grâces de; **curry powder** *n* poudre *f* de curry

**curse** [kə:s] *vi* jurer, blasphémer ▷ *vt* maudire ▷ *n* (*spell*) malédiction *f*; (*problem, scourge*) fléau *m*; (*swearword*) juron *m*

**cursor** ['kə:sə'] *n* (*Comput*) curseur *m*

**curt** [kə:t] *adj* brusque, sec (sèche)

**curtain** ['kə:tn] *n* rideau *m*

**curve** [kə:v] *n* courbe *f*; (*in the road*) tournant *m*, virage *m* ▷ *vi* se courber; (*road*) faire une courbe; **curved** *adj* courbe

**cushion** ['kuʃən] *n* coussin *m* ▷ *vt* (*fall, shock*) amortir

**custard** ['kʌstəd] *n* (*for pouring*) crème anglaise

**custody** ['kʌstədɪ] *n* (*of child*) garde *f*; (*for offenders*): **to take sb into ~** placer qn en détention préventive

**custom** ['kʌstəm] *n* coutume *f*, usage *m*; (*Comm*) clientèle *f*

**customer** ['kʌstəmə'] *n* client(e)

**customized** ['kʌstəmaɪzd] *adj* personnalisé(e); (*car etc*) construit(e) sur commande

**customs** ['kʌstəmz] *npl* douane *f*; **customs officer** *n* douanier *m*

**cut** [kʌt] (*pt, pp* **cut**) *vt* couper; (*meat*) découper; (*reduce*) réduire ▷ *vi* couper ▷ *n* (*gen*) coupure *f*; (*of clothes*) coupe *f*; (*in salary etc*) réduction *f*; (*of meat*) morceau *m*; **to ~ a tooth** percer une dent; **to ~ one's finger** se couper le doigt; **to get one's hair ~** se faire couper les cheveux; **I've ~ myself** je me suis coupé; **cut back** *vt* (*plants*) tailler; (*production, expenditure*) réduire; **cut down** *vt* (*tree*) abattre; (*reduce*) réduire; **cut off** *vt* couper; (*fig*) isoler; **cut out** *vt* (*picture etc*)

découper; (*remove*) supprimer; **cut up** *vt* découper; **cutback** *n* réduction *f*

**cute** [kju:t] *adj* mignon(ne), adorable

**cutlery** ['kʌtlərɪ] *n* couverts *mpl*

**cutlet** ['kʌtlɪt] *n* côtelette *f*

**cut-price** ['kʌt'praɪs], (*us*) **cut-rate** ['kʌt'reɪt] *adj* au rabais, à prix réduit

**cutting** ['kʌtɪŋ] *adj* (*fig*) cinglant(e) ▷ *n* (*BRIT: from newspaper*) coupure *f* (*de journal*); (*from plant*) bouture *f*

**CV** *n abbr* = **curriculum vitae**

**cyberbullying** ['saɪbəbulɪɪŋ] *n* harcèlement *m* virtuel

**cyberspace** ['saɪbəspeɪs] *n* cyberespace *m*

**cycle** ['saɪkl] *n* cycle *m*; (*bicycle*) bicyclette *f*, vélo *m* ▷ *vi* faire de la bicyclette; **cycle hire** *n* location *f* de vélos; **cycle lane, cycle path** *n* piste *f* cyclable; **cycling** *n* cyclisme *m*; **cyclist** *n* cycliste *m/f*

**cyclone** ['saɪkləun] *n* cyclone *m*

**cylinder** ['sɪlɪndə'] *n* cylindre *m*

**cymbals** ['sɪmblz] *npl* cymbales *fpl*

**cynical** ['sɪnɪkl] *adj* cynique

**Cypriot** ['sɪprɪət] *adj* cypriote, chypriote ▷ *n* Cypriote *m/f*, Chypriote *m/f*

**Cyprus** ['saɪprəs] *n* Chypre *f*

**cyst** [sɪst] *n* kyste *m*; **cystitis** [sɪs'taɪtɪs] *n* cystite *f*

**czar** [zɑ:'] *n* tsar *m*

**Czech** [tʃɛk] *adj* tchèque ▷ *n* Tchèque *m/f*; (*Ling*) tchèque *m*; **Czech Republic** *n*: **the Czech Republic** la République tchèque

# d

**D** [di:] *n (Mus)* ré *m*

**dab** [dæb] *vt (eyes, wound)* tamponner; *(paint, cream)* appliquer (par petites touches or rapidement)

**dad, daddy** [dæd, 'dædɪ] *n* papa *m*

**daffodil** ['dæfədɪl] *n* jonquille *f*

**daft** [dɑ:ft] *adj (inf)* idiot(e), stupide

**dagger** ['dægə'] *n* poignard *m*

**daily** ['deɪlɪ] *adj* quotidien(ne), journalier(-ière) ▷ *adv* tous les jours

**dairy** ['dɛərɪ] *n (shop)* crémerie *f*, laiterie *f*; *(on farm)* laiterie *f*; **dairy produce** *n* produits laitiers

**daisy** ['deɪzɪ] *n* pâquerette *f*

**dam** [dæm] *n (wall)* barrage *m*; *(water)* réservoir *m*, lac *m* de retenue ▷ *vt* endiguer

**damage** ['dæmɪdʒ] *n* dégâts *mpl*, dommages *mpl*; *(fig)* tort *m* ▷ *vt* endommager, abîmer; *(fig)* faire du tort à; **damages** *npl (Law)* dommages-intérêts *mpl*

**damn** [dæm] *vt* condamner; *(curse)* maudire ▷ *n (inf)*: **I don't give a ~** je m'en fous ▷ *adj (inf: also:* **~ed**): **this ~ ...** ce sacré or foutu ...; **~ (it)!** zut!

**damp** [dæmp] *adj* humide ▷ *n* humidité *f* ▷ *vt (also:* **~en**): *(cloth, rag)* humecter; *(: enthusiasm etc)* refroidir

**dance** [dɑ:ns] *n* danse *f*; *(ball)* bal *m* ▷ *vi* danser; **dance floor** *n* piste *f* de danse; **dancer** *n* danseur(-euse); **dancing** *n* danse *f*

**dandelion** ['dændɪlaɪən] *n* pissenlit *m*

**dandruff** ['dændrəf] *n* pellicules *fpl*

**D & T** *n abbr (BRIT Scol)* = **design and technology**

**Dane** [deɪn] *n* Danois(e)

**danger** ['deɪndʒə'] *n* danger *m*; **~!** *(on sign)* danger!; **in ~** en danger; **he was in ~ of falling** il risquait de tomber; **dangerous** *adj* dangereux(-euse)

**dangle** ['dæŋgl] *vt* balancer ▷ *vi* pendre, se balancer

**Danish** ['deɪnɪʃ] *adj* danois(e) ▷ *n (Ling)* danois *m*

**dare** [dɛə'] *vt*: **to ~ sb to do** défier qn or mettre qn au défi de faire ▷ *vi*: **to ~ (to) do sth** oser faire qch; **I ~ say he'll turn up** il est probable qu'il viendra; **daring** *adj* hardi(e), audacieux(-euse) ▷ *n* audace *f*, hardiesse *f*

**dark** [dɑ:k] *adj (night, room)* obscur(e), sombre; *(colour, complexion)* foncé(e), sombre ▷ *n*: **in the ~** dans le noir; **to be in the ~ about** *(fig)* ignorer tout de; **after ~** après la tombée de la nuit; **darken** *vt* obscurcir, assombrir ▷ *vi* s'obscurcir, s'assombrir; **darkness** *n* obscurité *f*; **darkroom** *n* chambre noire

**darling** ['dɑ:lɪŋ] *adj, n* chéri(e)

**dart** [dɑ:t] *n* fléchette *f*; *(in sewing)* pince *f* ▷ *vi*: **to ~ towards** se précipiter or s'élancer vers; **dartboard** *n* cible *f* (de jeu de fléchettes); **darts** *n* jeu *m* de fléchettes

**dash** [dæʃ] *n (sign)* tiret *m*; *(small quantity)* goutte *f*, larme *f* ▷ *vt (throw)* jeter or lancer violemment; (hopes) anéantir ▷ vi: **to ~ towards** se précipiter or se ruer vers

**dashboard** ['dæʃbɔːd] n (Aut) tableau m de bord

**data** ['deɪtə] npl données fpl; **database** n base f de données; **data processing** n traitement m des données

**date** [deɪt] n date f; (with sb) rendez-vous m; (fruit) datte f ▷ vt dater; (person) sortir avec; **~ of birth** date de naissance; **to ~** adv à ce jour; **out of ~** périmé(e); **up to ~** à la page, mis(e) à jour, moderne; **dated** adj démodé(e)

**daughter** ['dɔːtəʳ] n fille f; **daughter-in-law** n belle-fille f, bru f

**daunting** ['dɔːntɪŋ] adj décourageant(e), intimidant(e)

**dawn** [dɔːn] n aube f, aurore f ▷ vi (day) se lever, poindre; **it ~ed on him that …** il lui vint à l'esprit que …

**day** [deɪ] n jour m; (as duration) journée f; (period of time, age) époque f, temps m; **the ~ before** la veille, le jour précédent; **the ~ after, the following ~** le lendemain, le jour suivant; **the ~ before yesterday** avant-hier; **the ~ after tomorrow** après-demain; **by ~** de jour; **day-care centre** ['deɪkɛə-] n (for elderly etc) centre m d'accueil de jour; (for children) garderie f; **daydream** vi rêver (tout éveillé); **daylight** n (lumière f du) jour m; **day return** n (BRIT) billet m d'aller-retour (valable pour la journée); **daytime** n jour m, journée f; **day-to-day** adj (routine, expenses) journalier(-ière); **day trip** n excursion f (d'une journée)

**dazed** [deɪzd] adj abruti(e)

**dazzle** ['dæzl] vt éblouir, aveugler; **dazzling** adj (light) aveuglant(e), éblouissant(e); (fig) éblouissant(e)

**DC** abbr (Elec) = **direct current**

**dead** [dɛd] adj mort(e); (numb) engourdi(e), insensible; (battery) à plat ▷ adv (completely) absolument,

complètement; (exactly) juste; **he was shot ~** il a été tué d'un coup de revolver; **~ tired** éreinté(e), complètement fourbu(e); **to stop ~** s'arrêter pile or net; **the line is ~** (Tel) la ligne est coupée; **dead end** n impasse f; **deadline** n date or heure f limite; **deadly** adj mortel(le); (weapon) meurtrier(-ière); **Dead Sea** n: **the Dead Sea** la mer Morte

**deaf** [dɛf] adj sourd(e); **deafen** vt rendre sourd(e); **deafening** adj assourdissant(e)

**deal** [diːl] n affaire f, marché m ▷ vt (pt, pp **dealt**) (blow) porter; (cards) donner, distribuer; **a great ~ of** beaucoup de; **deal with** vt fus (handle) s'occuper or se charger de; (be about) traiter de; **dealer** n (Comm) marchand m; (Cards) donneur m; **dealings** npl (in goods, shares) opérations fpl, transactions fpl; (relations) relations fpl, rapports mpl

**dealt** [dɛlt] pt, pp of **deal**

**dean** [diːn] n (Rel, BRIT Scol) doyen m; (us Scol) conseiller principal (conseillère principale) d'éducation

**dear** [dɪəʳ] adj cher (chère); (expensive) cher, coûteux(-euse) ▷ n: **my ~** mon cher (ma chère) ▷ excl: **~ me!** mon Dieu!; **D~ Sir/Madam** (in letter) Monsieur/Madame; **D~ Mr/Mrs X** Cher Monsieur/Chère Madame X; **dearly** adv (love) tendrement; (pay) cher

**death** [dɛθ] n mort f; (Admin) décès m; **death penalty** n peine f de mort; **death sentence** n condamnation f à mort

**debate** [dɪˈbeɪt] n discussion f, débat m ▷ vt discuter, débattre

**debit** ['dɛbɪt] n débit m ▷ vt: **to ~ a sum to sb** or **to sb's account** porter une somme au débit de qn, débiter qn d'une somme; **debit card** n carte f de paiement

**debris** ['dɛbriː] n débris mpl, décombres mpl

**debt** [dɛt] n dette f; **to be in ~** avoir des dettes, être endetté(e)

**debug** [diːˈbʌg] vt (Comput) déboguer

**debut** [ˈdeɪbjuː] n début(s) m(pl)

**Dec.** abbr (= December) déc

**decade** [ˈdɛkeɪd] n décennie f, décade f

**decaffeinated** [dɪˈkæfɪneɪtɪd] adj décaféiné(e)

**decay** [dɪˈkeɪ] n (of food, wood etc) décomposition f, pourriture f; (of building) délabrement m; (also: **tooth ~**) carie f (dentaire) ▷ vi (rot) se décomposer, pourrir; (teeth) se carier

**deceased** [dɪˈsiːst] n: **the ~** le (la) défunt(e)

**deceit** [dɪˈsiːt] n tromperie f, supercherie f; **deceive** [dɪˈsiːv] vt tromper

**December** [dɪˈsɛmbəʳ] n décembre m

**decency** [ˈdiːsənsɪ] n décence f

**decent** [ˈdiːsənt] adj (proper) décent(e), convenable

**deception** [dɪˈsɛpʃən] n tromperie f

**deceptive** [dɪˈsɛptɪv] adj trompeur(-euse)

**decide** [dɪˈsaɪd] vt (subj: person) décider; (question, argument) trancher, régler ▷ vi se décider, décider; **to ~ to do/that** décider de faire/que; **to ~ on** décider, se décider pour

**decimal** [ˈdɛsɪməl] adj décimal(e) ▷ n décimale f

**decision** [dɪˈsɪʒən] n décision f

**decisive** [dɪˈsaɪsɪv] adj décisif(-ive); (manner, person) décidé(e), catégorique

**deck** [dɛk] n (Naut) pont m; (of cards) jeu m; (record deck) platine f; (of bus): **top ~** impériale f; **deckchair** n chaise longue

**declaration** [dɛkləˈreɪʃən] n déclaration f

**declare** [dɪˈklɛəʳ] vt déclarer

**decline** [dɪˈklaɪn] n (decay) déclin m; (lessening) baisse f ▷ vt refuser, décliner ▷ vi décliner; (business) baisser

**decorate** [ˈdɛkəreɪt] vt (adorn, give a medal to) décorer; (paint and paper) peindre et tapisser; **decoration** [dɛkəˈreɪʃən] n (medal etc, adornment) décoration f; **decorator** n peintre m en bâtiment

**decrease** n [ˈdiːkriːs] diminution f ▷ vt, vi [diːˈkriːs] diminuer

**decree** [dɪˈkriː] n (Pol, Rel) décret m; (Law) arrêt m, jugement m

**dedicate** [ˈdɛdɪkeɪt] vt consacrer; (book etc) dédier; **dedicated** adj (person) dévoué(e); (Comput) spécialisé(e), dédié(e); **dedicated word processor** station f de traitement de texte; **dedication** [dɛdɪˈkeɪʃən] n (devotion) dévouement m; (in book) dédicace f

**deduce** [dɪˈdjuːs] vt déduire, conclure

**deduct** [dɪˈdʌkt] vt: **to ~ sth (from)** déduire qch (de), retrancher qch (de); **deduction** [dɪˈdʌkʃən] n (deducting, deducing) déduction f; (from wage etc) prélèvement m, retenue f

**deed** [diːd] n action f, acte m; (Law) acte notarié, contrat m

**deem** [diːm] vt (formal) juger, estimer

**deep** [diːp] adj profond(e); (voice) grave ▷ adv: **spectators stood 20 ~** il y avait 20 rangs de spectateurs; **4 metres ~** de 4 mètres de profondeur; **how ~ is the water?** l'eau a quelle profondeur; **deep-fry** vt faire frire (dans une friteuse); **deeply** adv profondément; (regret, interested) vivement

**deer** [dɪəʳ] n (pl inv) (**red**) ~ cerf m; (**fallow**) ~ daim m; (**roe**) ~ chevreuil m

**default** [dɪˈfɔːlt] n (Comput: also: ~ **value**) valeur f par défaut; **by ~** (Law) par défaut, par contumace; (Sport) par forfait

**defeat** [dɪˈfiːt] n défaite f ▷ vt (team, opponents) battre

**defect** n [ˈdiːfɛkt] défaut m ▷ vi [dɪˈfɛkt]: **to ~ to the enemy/the West** passer à l'ennemi/l'Ouest;

**defective** [dɪˈfektɪv] *adj* défectueux(-euse)

**defence**, *(us)* **defense** [dɪˈfens] *n* défense *f*

**defend** [dɪˈfend] *vt* défendre;
**defendant** *n* défendeur(-deresse); *(in criminal case)* accusé(e), prévenu(e);
**defender** *n* défenseur *m*

**defense** [dɪˈfens] *n (us)* = **defence**

**defensive** [dɪˈfensɪv] *adj* défensif(-ive)
▷ *n*: **on the ~** sur la défensive

**defer** [dɪˈfəːʳ] *vt (postpone)* différer,
ajourner

**defiance** [dɪˈfaɪəns] *n* défi *m*; **in ~ of**
au mépris de; **defiant** [dɪˈfaɪənt] *adj*
provocant(e), de défi; *(person)* rebelle,
intraitable

**deficiency** [dɪˈfɪʃənsɪ] *n (lack)*
insuffisance *f*; *(Med)* carence *f*; *(flaw)*
faiblesse *f*; **deficient** [dɪˈfɪʃənt] *adj*
*(inadequate)* insuffisant(e); **to be**
**deficient in** manquer de

**deficit** [ˈdefɪsɪt] *n* déficit *m*

**define** [dɪˈfaɪn] *vt* définir

**definite** [ˈdefɪnɪt] *adj (fixed)* défini(e),
(bien) déterminé(e); *(clear, obvious)*
net(te), manifeste; *(certain)* sûr(e); **he**
**was ~ about it** il a été catégorique;
**definitely** *adv* sans aucun doute

**definition** [defɪˈnɪʃən] *n* définition *f*;
*(clearness)* netteté *f*

**deflate** [diːˈfleɪt] *vt* dégonfler

**deflect** [dɪˈflekt] *vt* détourner, faire
dévier

**defraud** [dɪˈfrɔːd] *vt*: **to ~ sb of sth**
escroquer qch à qn

**defriend** [diːˈfrend] *vt (Internet)*
supprimer de sa liste d'amis

**defrost** [diːˈfrɒst] *vt (fridge)* dégivrer;
*(frozen food)* décongeler

**defuse** [diːˈfjuːz] *vt* désamorcer

**defy** [dɪˈfaɪ] *vt* défier; *(efforts etc)*
résister à; **it defies description** cela
défie toute description

**degree** [dɪˈɡriː] *n* degré *m*; *(Scol)*
diplôme *m* (universitaire); **a (first)**
**~ in maths** *(BRIT)* une licence en
maths; **by ~s** *(gradually)* par degrés;

**to some ~** jusqu'à un certain point,
dans une certaine mesure

**dehydrated** [diːhaɪˈdreɪtɪd] *adj*
déshydraté(e); *(milk, eggs)* en poudre

**de-icer** [ˈdiːˈaɪsəʳ] *n* dégivreur *m*

**delay** [dɪˈleɪ] *vt* retarder; *(payment)*
différer ▷ *vi* s'attarder ▷ *n* délai *m*,
retard *m*; **to be ~ed** être en retard

**delegate** *n* [ˈdelɪɡɪt] délégué(e) ▷ *vt*
[ˈdelɪɡeɪt] déléguer

**delete** [dɪˈliːt] *vt* rayer, supprimer;
*(Comput)* effacer

**deli** [ˈdelɪ] *n* épicerie fine

**deliberate** *adj* [dɪˈlɪbərɪt]
*(intentional)* délibéré(e); *(slow)*
mesuré(e) ▷ *vi* [dɪˈlɪbəreɪt] délibérer,
réfléchir; **deliberately** *adv (on*
*purpose)* exprès, délibérément

**delicacy** [ˈdelɪkəsɪ] *n* délicatesse *f*;
*(choice food)* mets fin or délicat,
friandise *f*

**delicate** [ˈdelɪkɪt] *adj* délicat(e)

**delicatessen** [delɪkəˈtesn] *n*
épicerie fine

**delicious** [dɪˈlɪʃəs] *adj* délicieux(-euse)

**delight** [dɪˈlaɪt] *n* (grande) joie, grand
plaisir ▷ *vt* enchanter; **she's a ~ to**
**work with** c'est un plaisir de travailler
avec elle; **to take ~ in** prendre grand
plaisir à; **delighted** *adj*: **delighted**
**(at** or **with sth)** ravi(e) (de qch); **to**
**be delighted to do sth/that** être
enchanté(e) or ravi(e) de faire qch/
que; **delightful** *adj (person)* adorable;
*(meal, evening)* merveilleux(-euse)

**delinquent** [dɪˈlɪŋkwənt] *adj, n*
délinquant(e)

**deliver** [dɪˈlɪvəʳ] *vt (mail)* distribuer;
*(goods)* livrer; *(message)* remettre;
*(speech)* prononcer; *(Med: baby)*
mettre au monde; **delivery** *n (of*
*mail)* distribution *f*; *(of goods)* livraison
*f*; *(of speaker)* élocution *f*; *(Med)*
accouchement *m*; **to take delivery**
**of** prendre livraison de

**delusion** [dɪˈluːʒən] *n* illusion *f*

**de luxe** [dəˈlʌks] *adj* de luxe

**delve** [delv] *vi*: **to ~ into** fouiller dans

**demand** [dɪˈmɑːnd] vt réclamer, exiger ▷ n exigence f; (claim) revendication f; (Econ) demande f; in ~ demandé(e), recherché(e); on ~ sur demande; **demanding** adj (person) exigeant(e); (work) astreignant(e)

⚠ Be careful not to translate to demand by the French word demander.

**demise** [dɪˈmaɪz] n décès m

**demo** [ˈdɛməʊ] n abbr (inf: = demonstration) (protest) manif f; (Comput) démonstration f

**democracy** [dɪˈmɒkrəsɪ] n démocratie f; **democrat** [ˈdɛməkræt] n démocrate m/f; **democratic** [dɛməˈkrætɪk] adj démocratique

**demolish** [dɪˈmɒlɪʃ] vt démolir

**demolition** [dɛməˈlɪʃən] n démolition f

**demon** [ˈdiːmən] n démon m

**demonstrate** [ˈdɛmənstreɪt] vt démontrer, prouver; (show) faire une démonstration de ▷ vi: to ~ (for/against) manifester (en faveur de/contre); **demonstration** [dɛmənˈstreɪʃən] n démonstration f; (Pol etc) manifestation f; **demonstrator** n (Pol etc) manifestant(e)

**demote** [dɪˈməʊt] vt rétrograder

**den** [dɛn] n (of lion) tanière f; (room) repaire m

**denial** [dɪˈnaɪəl] n (of accusation) démenti m; (of rights, guilt, truth) dénégation f

**denim** [ˈdɛnɪm] n jean m; **denims** npl (blue-)jeans mpl

**Denmark** [ˈdɛnmɑːk] n Danemark m

**denomination** [dɪnɒmɪˈneɪʃən] n (money) valeur f; (Rel) confession f

**denounce** [dɪˈnaʊns] vt dénoncer

**dense** [dɛns] adj dense; (inf: stupid) obtus(e)

**density** [ˈdɛnsɪtɪ] n densité f

**dent** [dɛnt] n bosse f ▷ vt (also: **make a ~ in**) cabosser

**dental** [ˈdɛntl] adj dentaire; **dental floss** [-flɒs] n fil m dentaire; **dental surgery** n cabinet m de dentiste

**dentist** [ˈdɛntɪst] n dentiste m/f

**dentures** [ˈdɛntʃəz] npl dentier msg

**deny** [dɪˈnaɪ] vt nier; (refuse) refuser

**deodorant** [diːˈəʊdərənt] n déodorant m

**depart** [dɪˈpɑːt] vi partir; **to ~ from** (fig: differ from) s'écarter de

**department** [dɪˈpɑːtmənt] n (Comm) rayon m; (Scol) section f; (Pol) ministère m, département m; **department store** n grand magasin

**departure** [dɪˈpɑːtʃəʳ] n départ m; **a new ~** une nouvelle voie; **departure lounge** n salle f de départ

**depend** [dɪˈpɛnd] vi: **to ~ (up)on** dépendre de; (rely on) compter sur; **it ~s** cela dépend; **-ing on the result ...** selon le résultat ...; **dependant** n personne f à charge; **dependent** adj: **to be dependent (on)** dépendre (de) ▷ n = **dependant**

**depict** [dɪˈpɪkt] vt (in picture) représenter; (in words) (dé)peindre, décrire

**deport** [dɪˈpɔːt] vt déporter, expulser

**deposit** [dɪˈpɒzɪt] n (Chem, Comm, Geo) dépôt m; (of ore, oil) gisement m; (part payment) arrhes fpl, acompte m; (on bottle etc) consigne f; (for hired goods etc) cautionnement m, garantie f ▷ vt déposer; **deposit account** n compte m sur livret

**depot** [ˈdɛpəʊ] n dépôt m; (us Rail) gare f

**depreciate** [dɪˈpriːʃɪeɪt] vi se déprécier, se dévaloriser

**depress** [dɪˈprɛs] vt déprimer; (press down) appuyer sur, abaisser; (wages etc) faire baisser; **depressed** adj (person) déprimé(e); (area) en déclin, touché(e) par le sous-emploi; **depressing** adj déprimant(e); **depression** [dɪˈprɛʃən] n dépression f

**deprive** [dɪˈpraɪv] vt: **to ~ sb of** priver qn de; **deprived** adj déshérité(e)

# dept. | 372

**dept.** abbr (= department) dép, dépt

**depth** [depθ] n profondeur f; **to be in the ~s of despair** être au plus profond du désespoir; **to be out of one's ~** (BRIT: swimmer) ne plus avoir pied; (fig) être dépassé(e), nager

**deputy** ['depjutɪ] n (second in command) adjoint(e); (Pol) député m; (US: also: **~ sheriff**) shérif adjoint ▷ adj: **~ head** (Scol) directeur(-trice) adjoint(e), sous-directeur(-trice)

**derail** [dɪ'reɪl] vt: **to be ~ed** dérailler

**derelict** ['derɪlɪkt] adj abandonné(e), à l'abandon

**derive** [dɪ'raɪv] vt: **to ~ sth from** tirer qch de; trouver qch dans ▷ vi: **to ~ from** provenir de, dériver de

**descend** [dɪ'sɛnd] vt, vi descendre; **to ~ from** descendre de, être issu(e) de; **to ~ to** s'abaisser à; **descendant** n descendant(e); **descent** n descente f; (origin) origine f

**describe** [dɪs'kraɪb] vt décrire; **description** [dɪs'krɪpʃən] n description f; (sort) sorte f, espèce f

**desert** n ['dezət] désert m ▷ vt [dɪ'zəːt] déserter, abandonner ▷ vi (Mil) déserter; **deserted** [dɪ'zəːtɪd] adj désert(e)

**deserve** [dɪ'zəːv] vt mériter

**design** [dɪ'zaɪn] n (sketch) plan m, dessin m; (layout, shape) conception f, ligne f; (pattern) dessin, motif(s) m(pl); (of dress, car) modèle m; (art) design m, stylisme m; (intention) dessein m ▷ vt dessiner; (plan) concevoir; **design and technology** n (BRIT Scol) technologie f

**designate** vt ['dezɪgneɪt] désigner ▷ adj ['dezɪgnɪt] désigné(e)

**designer** [dɪ'zaɪnə'] n (Archit, Art) dessinateur(-trice); (Industry) concepteur m, designer m; (Fashion) styliste m/f

**desirable** [dɪ'zaɪərəbl] adj (property, location, purchase) attrayant(e)

**desire** [dɪ'zaɪə'] n désir m ▷ vt désirer, vouloir

**desk** [dɛsk] n (in office) bureau m; (for pupil) pupitre m; (BRIT: in shop, restaurant) caisse f; (in hotel, at airport) réception f; **desk-top publishing** ['dɛsktɔp-] n publication assistée par ordinateur, PAO f

**despair** [dɪs'pɛə'] n désespoir m ▷ vi: **to ~ of** désespérer de

**despatch** [dɪs'pætʃ] n, vt = **dispatch**

**desperate** ['dɛspərɪt] adj désespéré(e); (fugitive) prêt(e) à tout; **to be ~ for sth/to do sth** avoir désespérément besoin de qch/de faire qch; **desperately** adv désespérément; (very) terriblement, extrêmement; **desperation** [dɛspə'reɪʃən] n désespoir m; **in (sheer) desperation** en désespoir de cause

**despise** [dɪs'paɪz] vt mépriser

**despite** [dɪs'paɪt] prep malgré, en dépit de

**dessert** [dɪ'zəːt] n dessert m; **dessertspoon** n cuiller f à dessert

**destination** [dɛstɪ'neɪʃən] n destination f

**destined** ['destɪnd] adj: **~ for London** à destination de Londres

**destiny** ['destɪnɪ] n destinée f, destin m

**destroy** [dɪs'trɔɪ] vt détruire; (injured horse) abattre; (dog) faire piquer

**destruction** [dɪs'trʌkʃən] n destruction f

**destructive** [dɪs'trʌktɪv] adj destructeur(-trice)

**detach** [dɪ'tætʃ] vt détacher; **detached** adj (attitude) détaché(e); **detached house** n pavillon m maison(nette) (individuelle)

**detail** ['diːteɪl] n détail m ▷ vt raconter en détail, énumérer; **in ~** en détail; **detailed** adj détaillé(e)

**detain** [dɪ'teɪn] vt retenir; (in captivity) détenir

**detect** [dɪ'tɛkt] vt déceler, percevoir; (Med, Police) dépister; (Mil, Radar, Tech) détecter; **detection** [dɪ'tɛkʃən] n

découverte f; **detective** n policier m;
**private detective** détective privé;
**detective story** n roman policier

**detention** [dɪ'tɛnʃən] n détention f;
(Scol) retenue f, consigne f

**deter** [dɪ'tə:ʳ] vt dissuader

**detergent** [dɪ'tə:dʒənt] n détersif m,
détergent m

**deteriorate** [dɪ'tɪərɪəreɪt] vi se
détériorer, se dégrader

**determination** [dɪtə:mɪ'neɪʃən] n
détermination f

**determine** [dɪ'tə:mɪn] vt
déterminer; **to ~ to do** résoudre
de faire, se déterminer à faire;
**determined** adj (person)
déterminé(e), décidé(e);
**determined to do** bien décidé à faire

**deterrent** [dɪ'tɛrənt] n effet m de
dissuasion; force f de dissuasion

**detest** [dɪ'tɛst] vt détester, avoir
horreur de

**detour** ['di:tuəʳ] n détour m; (us Aut:
diversion) déviation f

**detox** ['di:tɔks] n détox f

**detract** [dɪ'trækt] vt: **to ~ from**
(quality, pleasure) diminuer;
(reputation) porter atteinte à

**detrimental** [dɛtrɪ'mɛntl] adj: **~ to**
préjudiciable or nuisible à

**devastating** ['dɛvəsteɪtɪŋ] adj
dévastateur(-trice); (news) accablant(e)

**develop** [dɪ'vɛləp] vt (gen)
développer; (disease) commencer
à souffrir de; (resources) mettre en
valeur, exploiter; (land) aménager
▷ vi se développer; (situation,
disease: evolve) évoluer; (facts,
symptoms: appear) se manifester,
se produire; **can you ~ this film?**
pouvez-vous développer cette
pellicule?; **developing country** n
pays m en voie de développement;
**development** n développement m;
(of land) exploitation f; (new fact, event)
rebondissement m, fait(s) nouveau(x)

**device** [dɪ'vaɪs] n (apparatus) appareil
m, dispositif m

**devil** ['dɛvl] n diable m; démon m

**devious** ['di:vɪəs] adj (person)
sournois(e), dissimulé(e)

**devise** [dɪ'vaɪz] vt imaginer,
concevoir

**devote** [dɪ'vəut] vt: **to ~ sth to**
consacrer qch à; **devoted** adj
dévoué(e); **to be devoted to** être
dévoué(e) or très attaché(e) à; (book
etc) être consacré(e) à; **devotion** n
dévouement m, attachement m; (Rel)
dévotion f, piété f

**devour** [dɪ'vauəʳ] vt dévorer

**devout** [dɪ'vaut] adj pieux(-euse)

**dew** [dju:] n rosée f

**diabetes** [daɪə'bi:ti:z] n diabète m

**diabetic** [daɪə'bɛtɪk] n diabétique
m/f ▷ adj (person) diabétique

**diagnose** [daɪəg'nəuz] vt
diagnostiquer

**diagnosis** (pl **diagnoses**)
[daɪəg'nəusɪs, -si:z] n diagnostic m

**diagonal** [daɪ'ægənl] adj diagonal(e)
▷ n diagonale f

**diagram** ['daɪəgræm] n diagramme
m, schéma m

**dial** ['daɪəl] n cadran m ▷ vt (number)
faire, composer

**dialect** ['daɪəlɛkt] n dialecte m

**dialling code** ['daɪəlɪŋ-], (us) **dial
code** n indicatif m (téléphonique);
**what's the ~ for Paris?** quel est
l'indicatif de Paris?

**dialling tone** ['daɪəlɪŋ-], (us) **dial
tone** n tonalité f

**dialogue**, (us) **dialog** ['daɪəlɔg] n
dialogue m

**diameter** [daɪ'æmɪtəʳ] n diamètre m

**diamond** ['daɪəmənd] n diamant
m; (shape) losange m; **diamonds** npl
(Cards) carreau m

**diaper** ['daɪəpəʳ] n (us) couche f

**diarrhoea**, (us) **diarrhea** [daɪə'ri:ə]
n diarrhée f

**diary** ['daɪərɪ] n (daily account) journal
m; (book) agenda m

**dice** [daɪs] n (pl inv) dé m ▷ vt (Culin)
couper en dés or en cubes

**dictate** vt [dɪk'teɪt] dicter; **dictation**
[dɪk'teɪʃən] n dictée f

**dictator** [dɪk'teɪtəʳ] n dictateur m

**dictionary** ['dɪkʃənrɪ] n
dictionnaire m

**did** [dɪd] pt of **do**

**didn't** [dɪdnt] = **did not**

**die** [daɪ] vi mourir; **to be dying for
sth** avoir une envie folle de qch; **to
be dying to do sth** mourir d'envie
de faire qch; **die down** vi se calmer,
s'apaiser; **die out** vi disparaître,
s'éteindre

**diesel** ['diːzl] n (vehicle) diesel m; (also:
~ **oil**) carburant m diesel, gas-oil m

**diet** ['daɪət] n alimentation f;
(restricted food) régime m ▷ vi (also: **be
on a ~**) suivre un régime

**differ** ['dɪfəʳ] vi: **to ~ from sth** (be
different) être différent(e) de qch,
différer de qch; **to ~ from sb over
sth** ne pas être d'accord avec qn au
sujet de qch; **difference** n différence
f; (quarrel) différend m, désaccord
m; **different** adj différent(e);
**differentiate** [dɪfə'renʃɪeɪt] vi: **to ~
between** faire une
différence entre; **differently** adv
différemment

**difficult** ['dɪfɪkəlt] adj difficile;
**difficulty** n difficulté f

**dig** [dɪg] vt (pt, pp **dug**) (hole) creuser;
(garden) bêcher ▷ n (prod) coup m de
coude; (fig: remark) coup de griffe or
de patte; (Archaeology) fouille f; **to ~
one's nails into** enfoncer ses ongles
dans; **dig up** vt déterrer

**digest** vt [daɪ'dʒest] digérer ▷ n
['daɪdʒest] sommaire m, résumé m;
**digestion** [dɪ'dʒestʃən] n digestion f

**digit** ['dɪdʒɪt] n (number) chiffre m
(de 0 à 9); (finger) doigt m; **digital** adj
(system, recording, radio) numérique,
digital(e); (watch) à affichage
numérique or digital; **digital camera**
n appareil m photo numérique;
**digital TV** n télévision f numérique

**dignified** ['dɪgnɪfaɪd] adj digne

**dignity** ['dɪgnɪtɪ] n dignité f

**digs** [dɪgz] npl (BRIT inf) piaule f,
chambre meublée

**dilemma** [daɪ'lemə] n dilemme m

**dill** [dɪl] n aneth m

**dilute** [daɪ'luːt] vt diluer

**dim** [dɪm] adj (light, eyesight) faible;
(memory, outline) vague, indécis(e);
(room) sombre; (inf: stupid) borné(e),
obtus(e) ▷ vt (light) réduire, baisser;
(US Aut) mettre en code, baisser

**dime** [daɪm] n (US) pièce f de 10 cents

**dimension** [daɪ'menʃən] n
dimension f

**diminish** [dɪ'mɪnɪʃ] vt, vi diminuer

**din** [dɪn] n vacarme m

**dine** [daɪn] vi dîner; **diner** n (person)
dîneur(-euse); (US: eating place) petit
restaurant

**dinghy** ['dɪŋgɪ] n youyou m;
(inflatable) canot m pneumatique;
(also: **sailing ~**) voilier m, dériveur m

**dingy** ['dɪndʒɪ] adj miteux(-euse),
minable

**dining car** ['daɪnɪŋ-] n (BRIT)
voiture-restaurant f, wagon-
restaurant m

**dining room** ['daɪnɪŋ-] n salle f à
manger

**dining table** [daɪnɪŋ-] n table f de
(la) salle à manger

**dinkum** ['dɪŋkʌm] adj (AUST, NZ inf)
vrai(e); **fair ~** vrai(e)

**dinner** ['dɪnəʳ] n (evening meal)
dîner m; (lunch) déjeuner m; (public)
banquet m; **dinner jacket** n smoking
m; **dinner party** n dîner m; **dinner
time** n (evening) heure f du dîner;
(midday) heure du déjeuner

**dinosaur** ['daɪnəsɔːʳ] n dinosaure m

**dip** [dɪp] n (slope) déclivité f; (in sea)
baignade f, bain m; (Culin) ≈ sauce
f ▷ vt tremper, plonger; (BRIT Aut:
lights) mettre en code, baisser ▷ vi
plonger

**diploma** [dɪ'pləumə] n diplôme m

**diplomacy** [dɪ'pləuməsɪ] n
diplomatie f

**diplomat** ['dɪpləmæt] n diplomate m; **diplomatic** [dɪplə'mætɪk] adj diplomatique

**dipstick** ['dɪpstɪk] n (BRIT Aut) jauge f de niveau d'huile

**dire** [daɪə*] adj (poverty) extrême; (awful) affreux(-euse)

**direct** [daɪ'rɛkt] adj direct(e) ▷ vt (tell way) diriger, orienter; (letter, remark) adresser; (Cine, TV) réaliser; (Theat) mettre en scène; (order): **to ~ sb to do sth** ordonner à qn de faire qch ▷ adv directement; **can you ~ me to ...?** pouvez-vous m'indiquer le chemin de ...?; **direct debit** n (BRIT Banking) prélèvement m automatique

**direction** [dɪ'rɛkʃən] n direction f; **directions** npl (to a place) indications fpl; **~s for use** mode m d'emploi; **sense of ~** sens m de l'orientation

**directly** [dɪ'rɛktlɪ] adv (in straight line) directement, tout droit; (at once) tout de suite, immédiatement

**director** [dɪ'rɛktə*] n directeur m; (Theat) metteur m en scène; (Cine, TV) réalisateur(-trice)

**directory** [dɪ'rɛktərɪ] n annuaire m; (Comput) répertoire m; **directory enquiries**, (US) **directory assistance** n (Tel: service) renseignements mpl

**dirt** [də:t] n saleté f; (mud) boue f; **dirty** adj sale; (joke) cochon(ne) ▷ vt salir

**disability** [dɪsə'bɪlɪtɪ] n invalidité f, infirmité f

**disabled** [dɪs'eɪbld] adj handicapé(e); (maimed) mutilé(e)

**disadvantage** [dɪsəd'vɑ:ntɪdʒ] n désavantage m, inconvénient m

**disagree** [dɪsə'gri:] vi (differ) ne pas concorder; (be against, think otherwise): **to ~ (with)** ne pas être d'accord (avec); **disagreeable** adj désagréable; **disagreement** n désaccord m, différend m

**disappear** [dɪsə'pɪə*] vi disparaître; **disappearance** n disparition f

**disappoint** [dɪsə'pɔɪnt] vt décevoir; **disappointed** adj déçu(e); **disappointing** adj décevant(e); **disappointment** n déception f

**disapproval** [dɪsə'pru:vəl] n désapprobation f

**disapprove** [dɪsə'pru:v] vi: **to ~ of** désapprouver

**disarm** [dɪs'ɑ:m] vt désarmer; **disarmament** [dɪs'ɑ:məmənt] n désarmement m

**disaster** [dɪ'zɑ:stə*] n catastrophe f, désastre m; **disastrous** adj désastreux(-euse)

**disbelief** ['dɪsbə'li:f] n incrédulité f

**disc** [dɪsk] n disque m; (Comput) = **disk**

**discard** [dɪs'kɑ:d] vt (old things) se débarrasser de; (fig) écarter, renoncer à

**discharge** vt [dɪs'tʃɑ:dʒ] (duties) s'acquitter de; (waste etc) déverser, décharger; (patient) renvoyer (chez lui); (employee, soldier) congédier, licencier ▷ n ['dɪstʃɑ:dʒ] (Elec, Med) émission f; (dismissal) renvoi m licenciement m

**discipline** ['dɪsɪplɪn] n discipline f ▷ vt discipliner; (punish) punir

**disc jockey** n disque-jockey m (DJ)

**disclose** [dɪs'kləuz] vt révéler, divulguer

**disco** ['dɪskəu] n abbr discothèque f

**discoloured**, (US) **discolored** [dɪs'kʌləd] adj décoloré(e), jauni(e)

**discomfort** [dɪs'kʌmfət] n malaise m, gêne f; (lack of comfort) manque m de confort

**disconnect** [dɪskə'nɛkt] vt (Elec, Radio) débrancher; (gas, water) couper

**discontent** [dɪskən'tɛnt] n mécontentement m

**discontinue** [dɪskən'tɪnju:] vt cesser, interrompre; **"~d"** (Comm) "fin de série"

**discount** n ['dɪskaunt] remise f, rabais m ▷ vt [dɪs'kaunt] (report etc) ne pas tenir compte de

**discourage** [dɪsˈkʌrɪdʒ] *vt* décourager

**discover** [dɪsˈkʌvəʳ] *vt* découvrir; **discovery** *n* découverte *f*

**discredit** [dɪsˈkrɛdɪt] *vt* (*idea*) mettre en doute; (*person*) discréditer

**discreet** [dɪˈskriːt] *adj* discret(-ète)

**discrepancy** [dɪˈskrɛpənsɪ] *n* divergence *f*, contradiction *f*

**discretion** [dɪˈskrɛʃən] *n* discrétion *f*; **at the ~ of** à la discrétion de

**discriminate** [dɪˈskrɪmɪnɛɪt] *vi*: **to ~ between** établir une distinction entre, faire la différence entre; **to ~ against** pratiquer une discrimination contre; **discrimination** [dɪskrɪmɪˈnɛɪʃən] *n* discrimination *f*; (*judgment*) discernement *m*

**discuss** [dɪsˈkʌs] *vt* discuter de; (*debate*) discuter; **discussion** [dɪsˈkʌʃən] *n* discussion *f*

**disease** [dɪˈziːz] *n* maladie *f*

**disembark** [dɪsɪmˈbɑːk] *vt, vi* débarquer

**disgrace** [dɪsˈɡreɪs] *n* honte *f*; (*disfavour*) disgrâce *f* ⊳ *vt* déshonorer, couvrir de honte; **disgraceful** *adj* scandaleux(-euse), honteux(-euse)

**disgruntled** [dɪsˈɡrʌntld] *adj* mécontent(e)

**disguise** [dɪsˈɡaɪz] *n* déguisement *m* ⊳ *vt* déguiser; **in ~** déguisé(e)

**disgust** [dɪsˈɡʌst] *n* dégoût *m*, aversion *f* ⊳ *vt* dégoûter, écœurer; **disgusted** [dɪsˈɡʌstɪd] *adj* dégoûté(e), écœuré(e); **disgusting** [dɪsˈɡʌstɪŋ] *adj* dégoûtant(e)

**dish** [dɪʃ] *n* plat *m*; **to do** *or* **wash the ~es** faire la vaisselle; **dishcloth** *n* (*for drying*) torchon *m*; (*for washing*) lavette *f*

**dishonest** [dɪsˈɔnɪst] *adj* malhonnête

**dishtowel** [ˈdɪʃtauəl] *n* (*us*) torchon *m* (à vaisselle)

**dishwasher** [ˈdɪʃwɔʃəʳ] *n* lave-vaisselle *m*

**disillusion** [dɪsɪˈluːʒən] *vt* désabuser, désenchanter

**disinfectant** [dɪsɪnˈfɛktənt] *n* désinfectant *m*

**disintegrate** [dɪsˈɪntɪɡreɪt] *vi* se désintégrer

**disk** [dɪsk] *n* (*Comput*) disquette *f*; **single-/double-sided ~** disquette une face/double face; **disk drive** *n* lecteur *m* de disquette; **diskette** *n* (*Comput*) disquette *f*

**dislike** [dɪsˈlaɪk] *n* aversion *f*, antipathie *f* ⊳ *vt* ne pas aimer

**dislocate** [ˈdɪsləkeɪt] *vt* disloquer, déboîter

**disloyal** [dɪsˈlɔɪəl] *adj* déloyal(e)

**dismal** [ˈdɪzml] *adj* (*gloomy*) lugubre, maussade; (*very bad*) lamentable

**dismantle** [dɪsˈmæntl] *vt* démonter

**dismay** [dɪsˈmeɪ] *n* consternation *f* ⊳ *vt* consterner

**dismiss** [dɪsˈmɪs] *vt* congédier, renvoyer; (*idea*) écarter; (*Law*) rejeter; **dismissal** *n* renvoi *m*

**disobedient** [dɪsəˈbiːdɪənt] *adj* désobéissant(e), indiscipliné(e)

**disobey** [dɪsəˈbeɪ] *vt* désobéir à

**disorder** [dɪsˈɔːdəʳ] *n* désordre *m*; (*rioting*) désordres *mpl*; (*Med*) troubles *mpl*

**disorganized** [dɪsˈɔːɡənaɪzd] *adj* désorganisé(e)

**disown** [dɪsˈəun] *vt* renier

**dispatch** [dɪsˈpætʃ] *vt* expédier, envoyer ⊳ *n* envoi *m*, expédition *f*; (*Mil, Press*) dépêche *f*

**dispel** [dɪsˈpɛl] *vt* dissiper, chasser

**dispense** [dɪsˈpɛns] *vt* (*medicine*) préparer (et vendre); **dispense with** *vt fus* se passer de; **dispenser** *n* (*device*) distributeur *m*

**disperse** [dɪsˈpəːs] *vt* disperser ⊳ *vi* se disperser

**display** [dɪsˈpleɪ] *n* (*of goods*) étalage *m*; affichage *m*; (*Comput: information*) visualisation *f*; (: *device*) visuel *m*; (*of feeling*) manifestation *f* ⊳ *vt* montrer; (*goods*) mettre à l'étalage, exposer;

*(results, departure times)* afficher; *(pej)*
faire étalage de
**displease** [dɪsˈpliːz] *vt* mécontenter,
contrarier
**disposable** [dɪsˈpəʊzəbl] *adj (pack
etc)* jetable; *(income)* disponible
**disposal** [dɪsˈpəʊzl] *n (of rubbish)*
évacuation *f*, destruction *f*; *(of
property etc: by selling)* vente *f*; *(: by
giving away)* cession *f*; **at one's ~** à sa
disposition
**dispose** [dɪsˈpəʊz] *vi*: **to ~ of**
*(unwanted goods)* se débarrasser de,
se défaire de; *(problem)* expédier;
**disposition** [dɪspəˈzɪʃən] *n*
disposition *f*; *(temperament)* naturel *m*
**disproportionate** [dɪsprəˈpɔːʃənət]
*adj* disproportionné(e)
**dispute** [dɪsˈpjuːt] *n* discussion *f*;
*(also*: **industrial ~**) conflit *m* ▷ *vt*
*(question)* contester; *(matter)* discuter
**disqualify** [dɪsˈkwɒlɪfaɪ] *vt (Sport)*
disqualifier; **to ~ sb for sth/from
doing** rendre qn inapte à qch/à faire
**disregard** [dɪsrɪˈɡɑːd] *vt* ne pas tenir
compte de
**disrupt** [dɪsˈrʌpt] *vt (plans, meeting,
lesson)* perturber, déranger;
**disruption** [dɪsˈrʌpʃən] *n*
perturbation *f*, dérangement *m*
**dissatisfaction** [dɪssætɪsˈfækʃən] *n*
mécontentement *m*, insatisfaction *f*
**dissatisfied** [dɪsˈsætɪsfaɪd] *adj*:
**~ (with)** insatisfait(e) (de)
**dissect** [dɪˈsɛkt] *vt* disséquer
**dissent** [dɪˈsɛnt] *n* dissentiment *m*,
différence *f* d'opinion
**dissertation** [dɪsəˈteɪʃən] *n (Scol)*
mémoire *m*
**dissolve** [dɪˈzɒlv] *vt* dissoudre ▷ *vi* se
dissoudre, fondre; **to ~ in(to) tears**
fondre en larmes
**distance** [ˈdɪstns] *n* distance *f*; **in
the ~** au loin
**distant** [ˈdɪstnt] *adj* lointain(e),
éloigné(e); *(manner)* distant(e), froid(e)
**distil**, *(us)* **distill** [dɪsˈtɪl] *vt* distiller;
**distillery** *n* distillerie *f*

**distinct** [dɪsˈtɪŋkt] *adj* distinct(e);
*(clear)* marqué(e); **as ~ from**
par opposition à; **distinction**
[dɪsˈtɪŋkʃən] *n* distinction *f*; *(in exam)*
mention *f* très bien; **distinctive** *adj*
distinctif(-ive)
**distinguish** [dɪsˈtɪŋɡwɪʃ] *vt*
distinguer; **to ~ o.s.** se distinguer;
**distinguished** *adj (eminent, refined)*
distingué(e)
**distort** [dɪsˈtɔːt] *vt* déformer
**distract** [dɪsˈtrækt] *vt* distraire,
déranger; **distracted** *adj (not
concentrating)* distrait(e); *(worried)*
affolé(e); **distraction** [dɪsˈtrækʃən]
*n* distraction *f*
**distraught** [dɪsˈtrɔːt] *adj* éperdu(e)
**distress** [dɪsˈtrɛs] *n* détresse
*f* ▷ *vt* affliger; **distressing** *adj*
douloureux(-euse), pénible
**distribute** [dɪsˈtrɪbjuːt] *vt* distribuer;
**distribution** [dɪstrɪˈbjuːʃən] *n*
distribution *f*; **distributor** *n (gen,
Tech)* distributeur *m*; *(Comm)*
concessionnaire *m/f*
**district** [ˈdɪstrɪkt] *n (of country)*
région *f*; *(of town)* quartier *m*; *(Admin)*
district *m*; **district attorney** *n (us)* ≈
procureur de la République
**distrust** [dɪsˈtrʌst] *n* méfiance *f*,
doute *m* ▷ *vt* se méfier de
**disturb** [dɪsˈtɜːb] *vt* troubler;
*(inconvenience)* déranger;
**disturbance** *n* dérangement *m*;
*(political etc)* troubles *mpl*; **disturbed**
*adj (worried, upset)* agité(e), troublé(e);
**to be emotionally disturbed** avoir
des problèmes affectifs; **disturbing**
*adj* troublant(e), inquiétant(e)
**ditch** [dɪtʃ] *n* fossé *m*; *(for irrigation)*
rigole *f* ▷ *vt (inf)* abandonner; *(person)*
plaquer
**ditto** [ˈdɪtəʊ] *adv* idem
**dive** [daɪv] *n* plongeon *m*; *(of
submarine)* plongée *f* ▷ *vi* plonger; **to
~ into** *(bag etc)* plonger la main dans;
*(place)* se précipiter dans; **diver** *n*
plongeur *m*

**diverse** [daɪ'vəːs] *adj* divers(e)
**diversion** [daɪ'vəːʃən] *n* (BRIT
Aut) déviation *f*; (distraction, Mil)
diversion *f*
**diversity** [daɪ'vəːsɪtɪ] *n* diversité
*f*, variété *f*
**divert** [daɪ'vəːt] *vt* (BRIT: traffic)
dévier; (plane) dérouter; (train, river)
détourner
**divide** [dɪ'vaɪd] *vt* diviser; (separate)
séparer ▷ *vi* se diviser; **divided
highway** (US) *n* route *f* à quatre voies
**divine** [dɪ'vaɪn] *adj* divin(e)
**diving** ['daɪvɪŋ] *n* plongée (sous-
marine); **diving board** *n* plongeoir *m*
**division** [dɪ'vɪʒən] *n* division *f*;
(separation) séparation *f*; (Comm)
service *m*
**divorce** [dɪ'vɔːs] *n* divorce *m* ▷ *vt*
divorcer d'avec; **divorced** *adj*
divorcé(e); **divorcee** [dɪvɔː'siː] *n*
divorcé(e)
**DIY** *adj, n abbr* (BRIT) = **do-it-yourself**
**dizzy** ['dɪzɪ] *adj*: **I feel ~** la tête me
tourne, j'ai la tête qui tourne
**DJ** *n abbr* = **disc jockey**
**DNA** *n abbr* (= deoxyribonucleic acid)
ADN *m*

**KEYWORD**

**do** [duː] *n* (inf: party etc) soirée *f*, fête *f*
▷ *aux vb* (pt **did**, pp **done**) **1** (in negative
constructions) non traduit; **I don't
understand** je ne comprends pas
**2** (to form questions) non traduit;
**didn't you know?** vous ne le saviez
pas?; **what do you think?** qu'en
pensez-vous?
**3** (for emphasis, in polite expressions):
**people do make mistakes
sometimes** on peut toujours se
tromper; **she does seem rather
late** je trouve qu'elle est bien en
retard; **do sit down/help yourself**
asseyez-vous/servez-vous je vous
en prie; **do take care!** faites bien
attention à vous!

**4** (used to avoid repeating vb): **she
swims better than I do** elle nage
mieux que moi; **do you agree?
— yes, I do/no I don't** vous êtes
d'accord? — oui/non; **she lives
in Glasgow — so do I** elle habite
Glasgow — moi aussi; **he didn't like
it and neither did we** il n'a pas aimé
ça, et nous non plus; **who broke
it? — I did** c'est moi — c'est moi;
**he asked me to help him and I did**
il m'a demandé de l'aider, et c'est ce
que j'ai fait
**5** (in question tags): **you like him,
don't you?** vous l'aimez bien, n'est-ce
pas?; **I don't know him, do I?** je ne
crois pas le connaître
▷ *vt* (pt **did**, pp **done**) **1** (gen: carry out,
perform etc) faire; (visit: city, museum)
faire, visiter; **what are you doing
tonight?** qu'est-ce que vous faites
ce soir?; **what do you do?** (job)
que faites-vous dans la vie?; **what
can I do for you?** que puis-je faire
pour vous?; **to do the cooking/
washing-up** faire la cuisine/la
vaisselle; **to do one's teeth/hair/
nails** se brosser les dents/se coiffer/
se faire les ongles
**2** (Aut etc: distance) faire; (: speed) faire
du; **we've done 200 km already**
nous avons déjà fait 200 km; **the
car was doing 100** la voiture faisait
du 100 (à l'heure); **he can do 100 in
that car** il peut faire du 100 (à l'heure)
dans cette voiture-là
▷ *vi* (pt **did**, pp **done**) **1** (act, behave)
faire; **do as I do** faites comme moi
**2** (get on, fare) marcher; **the firm
is doing well** l'entreprise marche
bien; **he's doing well/badly at
school** ça marche bien/mal pour lui
à l'école; **how do you do?** comment
allez-vous?; (on being introduced)
enchanté(e)!
**3** (suit) aller; **will it do?** est-ce que
ça ira?
**4** (be sufficient) suffire, aller; **will £10**

**do?** est-ce que 10 livres suffiront?; **that'll do** ça suffit, ça ira; **that'll do!** (*in annoyance*) ça va or suffit comme ça!; **to make do (with)** se contenter (de)

**do up** *vt* (*laces, dress*) attacher; (*buttons*) boutonner; (*zip*) fermer; (*renovate: room*) refaire; (: *house*) remettre à neuf

**do with** *vt fus* (*need*): **I could do with a drink/some help** quelque chose à boire/un peu d'aide ne serait pas de refus; **it could do with a wash** ça ne lui ferait pas de mal d'être lavé; (*be connected with*): **that has nothing to do with you** cela ne vous concerne pas; **I won't have anything to do with it** je ne veux pas m'en mêler

**do without** *vi* s'en passer; **if you're late for tea then you'll do without** si vous êtes en retard pour le dîner il faudra vous en passer ▷ *vt fus* se passer de; **I can do without a car** je peux me passer de voiture

**dock** [dɔk] *n* dock *m*; (*wharf*) quai *m*; (*Law*) banc *m* des accusés ▷ *vi* se mettre à quai; (*Space*) s'arrimer; **docks** *npl* (*Naut*) dock

**doctor** ['dɔktə'] *n* médecin *m*, docteur *m*; (*PhD etc*) docteur *m* ▷ *vt* (*drink*) frelater; **call a ~!** appelez un docteur or un médecin!; **Doctor of Philosophy** (*n* (*degree*) doctorat *m*; (*person*) titulaire *m/f* d'un doctorat

**document** ['dɔkjumənt] *n* document *m*; **documentary** [dɔkju'mɛntərɪ] *adj, n* documentaire (*m*); **documentation** [dɔkjumən'teɪʃən] *n* documentation *f*

**dodge** [dɔdʒ] *n* truc *m*; combine *f* ▷ *vt* esquiver, éviter

**dodgy** ['dɔdʒɪ] *adj* (BRIT *inf: uncertain*) douteux(-euse); (: *shady*) louche

**does** [dʌz] *vb see* **do**

**doesn't** ['dʌznt] = **does not**

**dog** [dɔg] *n* chien(ne) *m* ▷ *vt* (*follow closely*) suivre de près; (*fig: memory etc*) poursuivre, harceler; **doggy bag** ['dɔgɪ-] *n* petit sac pour emporter les restes

**do-it-yourself** ['duːɪtjɔː'sɛlf] *n* bricolage *m*

**dole** [dəʊl] *n* (BRIT: *payment*) allocation *f* de chômage; **on the ~** au chômage

**doll** [dɔl] *n* poupée *f*

**dollar** ['dɔlə'] *n* dollar *m*

**dolphin** ['dɔlfɪn] *n* dauphin *m*

**dome** [dəʊm] *n* dôme *m*

**domestic** [də'mɛstɪk] *adj* (*duty, happiness*) familial(e); (*policy, affairs, flight*) intérieur(e); (*animal*) domestique

**dominant** ['dɔmɪnənt] *adj* dominant(e)

**dominate** ['dɔmɪneɪt] *vt* dominer

**domino** ['dɔmɪnəʊ] (*pl* **dominoes**) *n* domino *m*; **dominoes** *n* (*game*) dominos *mpl*

**donate** [də'neɪt] *vt* faire don de, donner; **donation** [də'neɪʃən] *n* donation *f*, don *m*

**done** [dʌn] *pp of* **do**

**dongle** ['dɔŋgl] *n* (*Comput*) dongle *m*

**donkey** ['dɔŋkɪ] *n* âne *m*

**donor** ['dəʊnə'] *n* (*of blood etc*) donneur(-euse); (*to charity*) donateur(-trice); **donor card** *n* carte *f* de don d'organes

**don't** [dəʊnt] = **do not**

**donut** ['dəʊnʌt] (*us*) *n* = **doughnut**

**doodle** ['duːdl] *vi* gribouiller

**doom** [duːm] *n* (*fate*) destin *m* ▷ *vt*: **to be ~ed to failure** être voué(e) à l'échec

**door** [dɔː'] *n* porte *f*; (*Rail, car*) portière *f*; **doorbell** *n* sonnette *f*; **door handle** *n* poignée *f* de porte; (*of car*) poignée de portière; **doorknob** *n* poignée *f* or bouton *m* de porte; **doorstep** *n* pas *m* de (la) porte, seuil *m*; **doorway** *n* (*embrasure f de) porte *f*

**dope** [dəʊp] *n* (*inf: drug*) drogue *f*; (: *person*) andouille *f* ▷ *vt* (*horse etc*) doper

**dormitory** [ˈdɔːmɪtri] n (BRIT) dortoir m; (US: hall of residence) résidence f universitaire

**DOS** [dɔs] n abbr (= disk operating system) DOS m

**dosage** [ˈdəʊsɪdʒ] n dose f; dosage m; (on label) posologie f

**dose** [dəʊs] n dose f

**dot** [dɔt] n point m; (on material) pois m ▷ vt: **~ted with** parsemé(e) de; **on the ~** à l'heure tapante; **dotcom** n point com m, pointcom m; **dotted line** [ˈdɔtɪd-] n ligne pointillée; **to sign on the dotted line** signer à l'endroit indiqué or sur la ligne pointillée

**double** [ˈdʌbl] adj double ▷ adv (twice): **to cost ~ (sth)** coûter le double (de qch) or deux fois plus (que qch) ▷ n double m; (Cine) doublure f ▷ vt doubler; (fold) plier en deux ▷ vi doubler; **on the ~, at the ~** au pas de course; **double back** vi (person) revenir sur ses pas; **double bass** n contrebasse f; **double bed** n grand lit; **double-check** vt, vi revérifier; **double-click** vi (Comput) double-cliquer; **double-cross** vt doubler, trahir; **double-decker** n autobus m à impériale; **double glazing** (BRIT) n double vitrage m; **double room** n chambre f pour deux; **doubles** n (Tennis) double m; **double yellow lines** npl (BRIT Aut) double bande jaune marquant l'interdiction de stationner

**doubt** [daʊt] n doute m ▷ vt douter de; **no ~** sans doute; **to ~ that** douter que + sub; **doubtful** adj douteux(-euse); (person) incertain(e); **doubtless** adv sans doute, sûrement

**dough** [dəʊ] n pâte f; **doughnut**, (US) **donut** n beignet m

**dove** [dʌv] n colombe f

**Dover** [ˈdəʊvəʳ] n Douvres

**down** [daʊn] n (fluff) duvet m ▷ adv en bas, vers le bas; (on the ground) par terre ▷ prep en bas de; (along) le long de ▷ vt (inf: drink) siffler; **to walk ~**

**a hill** descendre une colline; **to run ~ the street** descendre la rue en courant; **~ with X!** à bas X!; **down-and-out** n (tramp) clochard(e); **downfall** n chute f; ruine f; **downhill** adv: **to go downhill** descendre; (business) péricliter

**Downing Street** [ˈdaʊnɪŋ-] n (BRIT): **10 ~** résidence du Premier ministre

● **DOWNING STREET**
●
● Downing Street est une rue de
● Westminster (à Londres) où se
● trouvent la résidence officielle
● du Premier ministre et celle du
● ministre des Finances. Le nom
● Downing Street est souvent utilisé
● pour désigner le gouvernement
● britannique.

**down: download** vt (Comput) télécharger; **downloadable** adj (Comput) téléchargeable; **downright** adj (lie etc) effronté(e); (refusal) catégorique

**Down's syndrome** [daʊnz-] n trisomie f

**down: downstairs** adv (on or to ground floor) au rez-de-chaussée; (on or to floor below) à l'étage inférieur; **down-to-earth** adj terre à terre inv; **downtown** adv en ville; **down under** adv en Australie or Nouvelle Zélande; **downward** [ˈdaʊnwəd] adj, adv vers le bas; **downwards** [ˈdaʊnwədz] adv vers le bas

**doz.** abbr = **dozen**

**doze** [dəʊz] vi sommeiller

**dozen** [ˈdʌzn] n douzaine f; **a ~ books** une douzaine de livres; **~s of** des centaines de

**Dr.** abbr (= doctor) Dr; (in street names); = **drive**

**drab** [dræb] adj terne, morne

**draft** [drɑːft] n (of letter, school work) brouillon m; (of literary work) ébauche f; (Comm) traite f; (US Mil: call-up)

**drag** [dræg] *vt* traîner; (*river*) draguer ▷ *vi* traîner ▷ *n* (*inf*) casse-pieds *m/f*; (: *women's clothing*): **in ~** (*en*) travesti; **to ~ and drop** (*Comput*) glisser-poser

**dragonfly** ['drægənflaɪ] *n* libellule *f*

**drain** [dreɪn] *n* égout *m*; (*on resources*) saignée *f* ▷ *vt* (*land, marshes*) assécher; (*vegetables*) égoutter; (*reservoir etc*) vider ▷ *vi* (*water*) s'écouler; **drainage** *n* (*system*) système *m* d'égouts; (*act*) drainage *m*; **drainpipe** *n* tuyau *m* d'écoulement

**drama** ['drɑːmə] *n* (*art*) théâtre *m*, art *m* dramatique; (*play*) pièce *f*; (*event*) drame *m*; **dramatic** [drə'mætɪk] *adj* (*Theat*) dramatique; (*impressive*) spectaculaire

**drank** [dræŋk] *pt of* **drink**

**drape** [dreɪp] *vt* draper; **drapes** *npl* (*us*) rideaux *mpl*

**drastic** ['dræstɪk] *adj* (*measures*) d'urgence, énergique; (*change*) radical(e)

**draught**, (*US*) **draft** [drɑːft] *n* courant *m* d'air; **on ~** (*beer*) à la pression; **draught beer** *n* bière *f* (à la) pression; **draughts** *n* (*BRIT*: *game*) (jeu *m* de) dames *fpl*

**draw** [drɔː] (*vb*: *pt* **drew**, *pp* **drawn**) *vt* tirer; (*picture*) dessiner; (*attract*) attirer; (*line, circle*) tracer; (*money*) retirer; (*wages*) toucher ▷ *n* (*Sport*) faire match nul ▷ *n* match nul; (*lottery*) loterie *f*; (*picking of ticket*) tirage *m* au sort; **draw out** *vi* (*lengthen*) s'allonger ▷ *vt* (*money*) retirer; **draw up** *vi* (*stop*) s'arrêter ▷ *vt* (*document*) établir, dresser; (*plan*) formuler, dessiner; (*chair*) approcher; **drawback** *n* inconvénient *m*, désavantage *m*

**drawer** [drɔːᵊ] *n* tiroir *m*

**drawing** ['drɔːɪŋ] *n* dessin *m*; **drawing pin** *n* (*BRIT*) punaise *f*; **drawing room** *n* salon *m*

**drawn** [drɔːn] *pp of* **draw**

**dread** [drɛd] *n* épouvante *f*, effroi *m* ▷ *vt* redouter, appréhender; **dreadful** *adj* épouvantable, affreux(-euse)

**dream** [driːm] *n* rêve *m* ▷ *vt*, *vi* (*pt* **dreamed**, *pp* **dreamt**) rêver; **dreamer** *n* rêveur(-euse)

**dreamt** [drɛmt] *pt*, *pp of* **dream**

**dreary** ['drɪərɪ] *adj* triste; monotone

**drench** [drɛntʃ] *vt* tremper

**dress** [drɛs] *n* robe *f*; (*clothing*) habillement *m*, tenue *f* ▷ *vt* habiller; (*wound*) panser ▷ *vi*: **to get ~ed** s'habiller; **dress up** *vi* s'habiller; (*in fancy dress*) se déguiser; **dress circle** *n* (*BRIT*) premier balcon; **dresser** *n* (*furniture*) vaisselier *m* (: *US*) coiffeuse *f*, commode *f*; **dressing** *n* (*Med*) pansement *m*; (*Culin*) sauce *f*, assaisonnement *m*; **dressing gown** *n* (*BRIT*) robe *f* de chambre; **dressing room** *n* (*Theat*) loge *f*; (*Sport*) vestiaire *m*; **dressing table** *n* coiffeuse *f*; **dressmaker** *n* couturière *f*

**drew** [druː] *pt of* **draw**

**dribble** ['drɪbl] *vi* (*baby*) baver ▷ *vt* (*ball*) dribbler

**dried** [draɪd] *adj* (*fruit, beans*) sec (sèche); (*eggs, milk*) en poudre

**drier** ['draɪᵊ] *n* = **dryer**

**drift** [drɪft] *n* (*of current etc*) force *f*; direction *f*; (*of snow*) rafale *f*; coulée *f* (on ground) congère *f*; (*general meaning*) sens général ▷ *vi* (*boat*) aller à la dérive, dériver; (*sand, snow*) s'amonceler, s'entasser

**drill** [drɪl] *n* perceuse *f*; (*bit*) foret *m*; (*of dentist*) roulette *f*, fraise *f*; (*Mil*) exercice *m* ▷ *vt* percer; (*troops*) entraîner ▷ *vi* (*for oil*) faire un or des forage(s)

**drink** [drɪŋk] *n* boisson *f*; (*alcoholic*) verre *m* ▷ *vt*, *vi* (*pt* **drank**, *pp* **drunk**) boire; **to have a ~** boire quelque chose, boire un verre; **a ~ of water** un verre d'eau; **would you like a ~?** tu veux boire quelque chose?; **drink-driving** *n* conduite *f* en état d'ivresse;

**drinker** n buveur(-euse); **drinking water** n eau f potable

**drip** [drɪp] n (drop) goutte f; (Med: device) goutte-à-goutte m inv; (: liquid) perfusion f ▷ vi tomber goutte à goutte; (tap) goutter

**drive** [draɪv] (pt **drove**, pp **driven**) n promenade f or trajet m en voiture; (also: **~way**) allée f; (energy) dynamisme m, énergie f; (push) effort (concerté) campagne f; (Comput: also: **disk ~**) lecteur m de disquette ▷ vt conduire; (nail) enfoncer; (push) chasser, pousser; (Tech: motor) actionner; entraîner ▷ vi (be at the wheel) conduire; (travel by car) aller en voiture; **left-/right-hand ~** (Aut) conduite f à gauche/droite; **to ~ sb mad** rendre qn fou (folle); **drive out** vt (force out) chasser; **drive-in** adj, n (esp us) drive-in m

**driven** ['drɪvn] pp of **drive**

**driver** ['draɪvə'] n conducteur(-trice); (of taxi, bus) chauffeur m; **driver's license** n (us) permis m de conduire

**driveway** ['draɪvweɪ] n allée f

**driving** ['draɪvɪŋ] n conduite f; **driving instructor** n moniteur n d'auto-école; **driving lesson** n leçon f de conduite; **driving licence** n (BRIT) permis m de conduire; **driving test** n examen m du permis de conduire

**drizzle** ['drɪzl] n bruine f, crachin m

**droop** [dru:p] vi (flower) commencer à se faner; (shoulders, head) tomber

**drop** [drɔp] n (of liquid) goutte f; (fall) baisse f; (also: **parachute ~**) saut m ▷ vt laisser tomber; (voice, eyes, price) baisser; (passenger) déposer ▷ vi tomber; **drop in** vi (inf: visit): **to ~ in (on)** faire un saut (chez), passer (chez); **drop off** vi (sleep) s'assoupir ▷ vt (passenger) déposer; **drop out** vi (withdraw) se retirer; (student etc) abandonner; décrocher

**drought** [draut] n sécheresse f

**drove** [drauv] pt of **drive**

**drown** [draun] vt noyer ▷ vi se noyer

**drowsy** ['drauzi] adj somnolent(e)

**drug** [drʌg] n médicament m; (narcotic) drogue f ▷ vt droguer; **to be on ~s** se droguer; **drug addict** n toxicomane m/f; **drug dealer** n revendeur(-euse) de drogue; **druggist** n (us) pharmacien(ne)-droguiste; **drugstore** n (us) pharmacie-droguerie f, drugstore m

**drum** [drʌm] n tambour m; (for oil, petrol) bidon m; **drums** npl (Mus) batterie f; **drummer** n (joueur m de) tambour m

**drunk** [drʌŋk] pp of **drink** ▷ adj ivre, soûl(e) n (also: **~ard**) ivrogne m/f; **to get ~** se soûler; **drunken** adj ivre, soûl(e); (rage, stupor) ivrogne, d'ivrogne

**dry** [draɪ] adj sec (sèche); (day) sans pluie ▷ vt sécher; (clothes) faire sécher ▷ vi sécher; **dry off** vi, vt sécher; **dry up** vi (river, supplies) se tarir; **dry-cleaner's** n teinturerie f; **dry-cleaning** n (process) nettoyage m à sec; **dryer** n (tumble-dryer) sèche-linge m inv; (for hair) sèche-cheveux m inv

**DSS** n abbr (BRIT) = **Department of Social Security**

**DTP** n abbr (= desktop publishing) PAO f

**dual** ['djuəl] adj double; **dual carriageway** n (BRIT) route f à quatre voies

**dubious** ['dju:biəs] adj hésitant(e), incertain(e); (reputation, company) douteux(-euse)

**duck** [dʌk] n canard m ▷ vi se baisser vivement, baisser subitement la tête

**due** [dju:] adj (money, payment) dû (due); (expected) attendu(e); (fitting) qui convient ▷ adv: **~ north** droit vers le nord; **~ to** (because of) en raison de; (caused by) dû à; **the train is ~ at 8 a.m.** le train est attendu à 8 h; **she is ~ back tomorrow** elle doit rentrer demain; **he is ~ £10** on lui doit 10 livres; **to give sb his** or **her ~** être juste envers qn

**duel** ['djuəl] n duel m

**duet** [dju:'ɛt] n duo m

**dug** [dʌɡ] pt, pp of **dig**

**duke** [dju:k] n duc m

**dull** [dʌl] adj (boring) ennuyeux(-euse); (not bright) morne, terne; (sound, pain) sourd(e); (weather, day) gris(e), maussade ▷ vt (pain, grief) atténuer; (mind, senses) engourdir

**dumb** [dʌm] adj muet(te); (stupid) bête

**dummy** ['dʌmɪ] n (tailor's model) mannequin m; (mock-up) factice m, maquette f; (BRIT: for baby) tétine f ▷ adj faux (fausse), factice

**dump** [dʌmp] n (also: **rubbish ~**) décharge (publique); (inf: place) trou m ▷ vt (put down) déposer; déverser; (get rid of) se débarrasser de; (Comput) lister

**dumpling** ['dʌmplɪŋ] n boulette f (de pâte)

**dune** [dju:n] n dune f

**dungarees** [dʌŋɡə'ri:z] npl bleu(s) m(pl); (for child, woman) salopette f

**dungeon** ['dʌndʒən] n cachot m

**duplex** ['dju:plɛks] n (us: also: **~ apartment**) duplex m

**duplicate** n ['dju:plɪkət] double m ▷ vt ['dju:plɪkeɪt] faire un double de; (on machine) polycopier; **in ~** en deux exemplaires, en double

**durable** ['djuərəbl] adj durable; (clothes, metal) résistant(e), solide

**duration** [djuə'reɪʃən] n durée f

**during** ['djuərɪŋ] prep pendant, au cours de

**dusk** [dʌsk] n crépuscule m

**dust** [dʌst] n poussière f ▷ vt (furniture) essuyer, épousseter; (cake etc) **to ~ with** saupoudrer de; **dustbin** n (BRIT) poubelle f; **duster** n chiffon m; **dustman** (irreg) n (BRIT) boueux m, éboueur m; **dustpan** n pelle f à poussière; **dusty** adj poussiéreux(-euse)

**Dutch** [dʌtʃ] adj hollandais(e), néerlandais(e) ▷ n (Ling) hollandais m, néerlandais m ▷ adv: **to go ~** or **dutch** (inf) partager les frais; **the Dutch** npl les Hollandais, les Néerlandais; **Dutchman** (irreg) n Hollandais m; **Dutchwoman** (irreg) n Hollandaise f

**duty** ['dju:tɪ] n devoir m; (tax) droit m, taxe f; **on ~** de service; (at night etc) de garde; **off ~** libre, pas de service or de garde; **duty-free** adj exempté(e) de douane, hors-taxe

**duvet** ['du:veɪ] n (BRIT) couette f

**DVD** n abbr (= digital versatile or video disc) DVD m; **DVD burner** n graveur m de DVD; **DVD player** n lecteur m de DVD; **DVD writer** n graveur m de DVD

**dwarf** (pl **dwarves**) [dwɔ:f, dwɔ:vz] n nain(e) ▷ vt écraser

**dwell** (pt, pp **dwelt**) [dwɛl, dwɛlt] vi demeurer; **dwell on** vt fus s'étendre sur

**dwelt** [dwɛlt] pt, pp of **dwell**

**dwindle** ['dwɪndl] vi diminuer, décroître

**dye** [daɪ] n teinture f ▷ vt teindre

**dying** ['daɪɪŋ] adj mourant(e), agonisant(e)

**dynamic** [daɪ'næmɪk] adj dynamique

**dynamite** ['daɪnəmaɪt] n dynamite f

**dyslexia** [dɪs'lɛksɪə] n dyslexie f

**dyslexic** [dɪs'lɛksɪk] adj, n dyslexique m/f

# e

**E** [i:] n (Mus) mi m

**each** [i:tʃ] adj chaque ▷ pron chacun(e); **~ other** l'un l'autre; **they hate ~ other** ils se détestent (mutuellement); **they have 2 books ~** ils ont 2 livres chacun; **they cost £5 ~** ils coûtent 5 livres (la) pièce

**eager** ['i:gə^r] adj (person, buyer) empressé(e); (keen: pupil, worker) enthousiaste; **to be ~ to do sth** (impatient) brûler de faire qch; (keen) désirer vivement faire qch; **to be ~ for** (event) désirer vivement; (vengeance, affection, information) être avide de

**eagle** ['i:gl] n aigle m

**ear** [ɪə^r] n oreille f; (of corn) épi m; **earache** n mal m aux oreilles; **eardrum** n tympan m

**earl** [ə:l] n comte m

**earlier** ['ə:lɪə^r] adj (date etc) plus rapproché(e); (edition etc) plus ancien(ne), antérieur(e) ▷ adv plus tôt

**early** ['ə:lɪ] adv tôt, de bonne heure; (ahead of time) en avance; (near the beginning) au début ▷ adj précoce, qui se manifeste (or se fait) tôt or de bonne heure; (Christians, settlers) premier(-ière); (reply) rapide; (death) prématuré(e); (work) de jeunesse; **to have an ~ night/start** se coucher/ partir tôt or de bonne heure; **in the ~** or **~ in the spring/19th century** au début or commencement du printemps/19ème siècle; **early retirement** n retraite anticipée

**earmark** ['ɪəmɑ:k] vt: **to ~ sth for** réserver or destiner qch à

**earn** [ə:n] vt gagner; (Comm: yield) rapporter; **to ~ one's living** gagner sa vie

**earnest** ['ə:nɪst] adj sérieux(-euse) ▷ n: **in ~** sérieusement, pour de bon

**earnings** ['ə:nɪŋz] npl salaire m; gains mpl; (of company etc) profits mpl, bénéfices mpl

**ear: earphones** npl écouteurs mpl; **earplugs** npl boules fpl Quiès®; (to keep out water) protège-tympans mpl; **earring** n boucle f d'oreille

**earth** [ə:θ] n (gen, also BRIT Elec) terre f ▷ vt (BRIT Elec) relier à la terre; **earthquake** n tremblement m de terre, séisme m

**ease** [i:z] n facilité f, aisance f; (comfort) bien-être m ▷ vt (soothe: mind) tranquilliser; (reduce: pain, problem) atténuer; (: tension) réduire; (loosen) relâcher, détendre; (help pass): **to ~ sth in/out** faire pénétrer/sortir qch délicatement or avec douceur, faciliter la pénétration/la sortie de qch; **at ~** à l'aise; (Mil) au repos

**easily** ['i:zɪlɪ] adv facilement; (by far) de loin

**east** [i:st] n est m ▷ adj (wind) d'est; (side) est inv ▷ adv à l'est, vers l'est; **the E~** l'Orient m; (Pol) les pays mpl de l'Est; **eastbound** adj en direction de l'est; (carriageway) est inv

**Easter** ['i:stə'] n Pâques fpl; **Easter egg** n œuf m de Pâques

**eastern** ['i:stən] adj de l'est, oriental(e)

**Easter Sunday** n le dimanche de Pâques

**easy** ['i:zi] adj facile; (manner) aisé(e) ▷ adv: **to take it** or **things ~** (rest) ne pas se fatiguer; (not worry) ne pas (trop) s'en faire; **easy-going** adj accommodant(e), facile à vivre

**eat** (pt **ate**, pp **eaten**) [i:t, eɪt, 'i:tn] vt, vi manger; **can we have something to ~?** est-ce qu'on peut manger quelque chose?; **eat out** vi manger au restaurant

**eavesdrop** ['i:vzdrɔp] vi: **to ~ (on)** écouter de façon indiscrète

**e-bike** ['i:baɪk] n VAE m

**e-book** ['i:buk] n livre m électronique

**e-business** ['i:bɪznɪs] n (company) entreprise f électronique; (commerce) commerce m électronique

**eccentric** [ɪk'sɛntrɪk] adj, n excentrique m/f

**echo** ['ɛkəʊ] (pl **echoes**) n écho m ▷ vt répéter ▷ vi résonner; faire écho

**e-cigarette** ['i:sɪɡəret] n cigarette f électronique

**eclipse** [ɪ'klɪps] n éclipse f

**eco-friendly** ['i:kəʊ'frɛndlɪ] adj non nuisible à l'environnement

**ecological** [i:kə'lɔdʒɪkəl] adj écologique

**ecology** [ɪ'kɔlədʒɪ] n écologie f

**e-commerce** ['i:kəmə:s] n commerce m électronique

**economic** [i:kə'nɔmɪk] adj économique; (profitable) rentable; **economical** adj économique; (person) économe; **economics** n (Scol) économie f politique ▷ npl (of project etc) côté m or aspect m économique

**economist** [ɪ'kɔnəmɪst] n économiste m/f

**economize** [ɪ'kɔnəmaɪz] vi économiser, faire des économies

**economy** [ɪ'kɔnəmɪ] n économie f; **economy class** n (Aviat) classe f touriste; **economy class syndrome** n syndrome m de la classe économique

**ecstasy** ['ɛkstəsɪ] n extase f; (Drugs) ecstasy m; **ecstatic** [ɛks'tætɪk] adj extatique, en extase

**eczema** ['ɛksɪmə] n eczéma m

**edge** [ɛdʒ] n bord m; (of knife etc) tranchant m, fil m ▷ vt border; **on ~** (fig) crispé(e), tendu(e)

**edgy** ['ɛdʒɪ] adj crispé(e), tendu(e)

**edible** ['ɛdɪbl] adj comestible; (meal) mangeable

**Edinburgh** ['ɛdɪnbərə] n Édimbourg; voir article **"Edinburgh Festival"**

● **EDINBURGH FESTIVAL**

● Le Festival d'Édimbourg, qui se tient
● chaque année durant trois semaines
● au mois d'août, est l'un des grands
● festivals européens. Il est réputé
● pour son programme officiel mais
● aussi pour son festival "off" (the
● Fringe) qui propose des spectacles
● aussi bien traditionnels que
● résolument d'avant-garde. Pendant
● la durée du Festival se tient par
● ailleurs, sur l'esplanade du château,
● un grand spectacle de musique
● militaire, le "Military Tattoo".

**edit** ['ɛdɪt] vt (text, book) éditer; (report) préparer; (film) monter; (magazine) diriger; (newspaper) être le rédacteur or la rédactrice en chef de; **edition** [ɪ'dɪʃən] n édition f; **editor** n (of newspaper) rédacteur(-trice), rédacteur(-trice) en chef; (of sb's work) éditeur(-trice); (also: **film editor**) monteur(-euse); **political/foreign editor** rédacteur politique/au service étranger; **editorial** [ɛdɪ'tɔ:rɪəl] adj de la rédaction ▷ n éditorial m

**educate** ['edjukeɪt] vt (teach) instruire; (bring up) éduquer; **educated** ['edjukeɪtɪd] adj (person) cultivé(e)

**education** [edju'keɪʃən] n éducation f; (studies) études fpl; (teaching) enseignement m, instruction f; **educational** adj pédagogique; (institution) scolaire; (game, toy) éducatif(-ive)

**eel** [iːl] n anguille f

**eerie** ['ɪərɪ] adj inquiétant(e), spectral(e), surnaturel(le)

**effect** [ɪ'fekt] n effet m ▷ vt effectuer; **effects** npl (property) effets, affaires fpl; **to take ~** (Law) entrer en vigueur, prendre effet; (drug) agir, faire son effet; **in ~** en fait; **effective** adj efficace; (actual) véritable; **effectively** adv efficacement; (in reality) effectivement, en fait

**efficiency** [ɪ'fɪʃənsɪ] n efficacité f; (of machine, car) rendement m

**efficient** [ɪ'fɪʃənt] adj efficace; (machine, car) d'un bon rendement; **efficiently** adv efficacement

**effort** ['efət] n effort m; **effortless** adj sans effort, aisé(e); (achievement) facile

**e.g.** adv abbr (= exempli gratia) par exemple, p. ex.

**egg** [eg] n œuf m; **hard-boiled/soft-boiled ~** œuf dur/à la coque; **eggcup** n coquetier m; **egg plant** (us) n aubergine f; **eggshell** n coquille f d'œuf; **egg white** n blanc m d'œuf; **egg yolk** n jaune m d'œuf

**ego** ['iːgəu] n (self-esteem) amour-propre m; (Psych) moi m

**Egypt** ['iːdʒɪpt] n Égypte f; **Egyptian** [ɪ'dʒɪpʃən] adj égyptien(ne) ▷ n Égyptien(ne)

**Eiffel Tower** ['aɪfəl-] n tour f Eiffel

**eight** [eɪt] num huit; **eighteen** num dix-huit; **eighteenth** num dix-huitième; **eighth** num huitième; **eightieth** ['eɪtɪɪθ] num quatre-vingtième; **eighty** ['eɪtɪ] num quatre-vingt(s)

**Eire** ['eərə] n République f d'Irlande

**either** ['aɪðə] adj l'un ou l'autre; (both, each) chaque ▷ pron: **~ (of them)** l'un ou l'autre ▷ adv non plus ▷ conj: **~ good or bad** soit bon soit mauvais; **on ~ side** de chaque côté; **I don't like ~** je n'aime ni l'un ni l'autre; **no, I don't ~** moi non plus; **which bike do you want? — ~ will do** quel vélo voulez-vous? — n'importe lequel; **answer with ~ yes or no** répondez par oui ou par non

**eject** [ɪ'dʒekt] vt (tenant etc) expulser; (object) éjecter

**elaborate** adj [ɪ'læbərɪt] compliqué(e), recherché(e), minutieux(-euse) ▷ vt [ɪ'læbəreɪt] élaborer ▷ vi entrer dans les détails

**elastic** [ɪ'læstɪk] adj, n élastique (m); **elastic band** n (BRIT) élastique m

**elbow** ['elbəu] n coude m

**elder** ['eldə] adj aîné(e) ▷ n (tree) sureau m; **one's ~s** ses aînés; **elderly** adj âgé(e) ▷ npl: **the elderly** les personnes âgées

**eldest** ['eldɪst] adj, n: **the ~** (child) l'aîné(e) (des enfants)

**elect** [ɪ'lekt] vt élire; (choose): **to ~ to do** choisir de faire ▷ adj: **the president ~** le président désigné; **election** n élection f; **electoral** adj électoral(e); **electorate** n électorat m

**electric** [ɪ'lektrɪk] adj électrique; **electrical** adj électrique; **electric blanket** n couverture chauffante; **electric fire** n (BRIT) radiateur m électrique; **electrician** [ɪlek'trɪʃən] n électricien m; **electricity** [ɪlek'trɪsɪtɪ] n électricité f; **electric shock** n choc m ou décharge f électrique; **electrify** [ɪ'lektrɪfaɪ] vt (Rail) électrifier; (audience) électriser

**electronic** [ɪlek'trɒnɪk] adj électronique; **electronic mail** n courrier m électronique; **electronics** n électronique f

**elegance** ['eligəns] n élégance f

**elegant** ['ɛlɪgənt] *adj* élégant(e)
**element** ['ɛlɪmənt] *n* (*gen*) élément *m*; (*of heater, kettle etc*) résistance *f*
**elementary** [ɛlɪ'mɛntərɪ] *adj* élémentaire; (*school, education*) primaire; **elementary school** *n* (*us*) école *f* primaire
**elephant** ['ɛlɪfənt] *n* éléphant *m*
**elevate** ['ɛlɪveɪt] *vt* élever
**elevator** ['ɛlɪveɪtər] *n* (*in warehouse etc*) élévateur *m*, monte-charge *m inv*; (*us*: lift) ascenseur *m*
**eleven** [ɪ'lɛvn] *num* onze; **eleventh** *num* onzième
**eligible** ['ɛlɪdʒəbl] *adj* éligible; (*for membership*) admissible; **an ~ young man** un beau parti; **to be ~ for sth** remplir les conditions requises pour qch
**eliminate** [ɪ'lɪmɪneɪt] *vt* éliminer
**elm** [ɛlm] *n* orme *m*
**eloquent** ['ɛləkwənt] *adj* éloquent(e)
**else** [ɛls] *adv*: **something ~** quelque chose d'autre, autre chose; **somewhere ~** ailleurs, autre part; **everywhere ~** partout ailleurs; **everyone ~** tous les autres; **nothing ~** rien d'autre; **where ~?** à quel autre endroit?; **little ~** pas grand-chose d'autre; **elsewhere** *adv* ailleurs, autre part
**elusive** [ɪ'luːsɪv] *adj* insaisissable
**email** ['iːmeɪl] *n abbr* (= *electronic mail*) (e-)mail *m*, courriel *m* ▷ *vt*: **to ~ sb** envoyer un (e-)mail or un courriel à qn; **email account** *n* compte *m* (e-)mail; **email address** *n* adresse *f* (e-)mail or électronique
**embankment** [ɪm'bæŋkmənt] *n* (*of road, railway*) remblai *m*, talus *m*; (*of river*) berge *f*, quai *m*; (*dyke*) digue *f*
**embargo** [ɪm'bɑːgəʊ] (*pl* **embargoes**) *n* (*Comm, Naut*) embargo *m*; (*prohibition*) interdiction *f*
**embark** [ɪm'bɑːk] *vi* embarquer ▷ *vt* embarquer; **to ~ on** (*journey etc*) commencer, entreprendre; (*fig*) se lancer or s'embarquer dans

**embarrass** [ɪm'bærəs] *vt* embarrasser, gêner; **embarrassed** *adj* gêné(e); **embarrassing** *adj* gênant(e), embarrassant(e); **embarrassment** *n* embarras *m*, gêne *f*; (*embarrassing thing, person*) source *f* d'embarras
**embassy** ['ɛmbəsɪ] *n* ambassade *f*
**embrace** [ɪm'breɪs] *vt* embrasser, étreindre; (*include*) embrasser ▷ *vi* s'embrasser, s'étreindre ▷ *n* étreinte *f*
**embroider** [ɪm'brɔɪdər] *vt* broder; **embroidery** *n* broderie *f*
**embryo** ['ɛmbrɪəʊ] *n* (*also fig*) embryon *m*
**emerald** ['ɛmərəld] *n* émeraude *f*
**emerge** [ɪ'mɜːdʒ] *vi* apparaître; (*from room, car*) surgir; (*from sleep, imprisonment*) sortir
**emergency** [ɪ'mɜːdʒənsɪ] *n* (*crisis*) cas *m* d'urgence; (*Med*) urgence *f*; **in an ~** en cas d'urgence; **state of ~** état *m* d'urgence; **emergency brake** (*us*) *n* frein *m* à main; **emergency exit** *n* sortie *f* de secours; **emergency landing** *n* atterrissage forcé; **emergency room** *n* (*us Med*) urgences *fpl*; **emergency services** *npl*: **the emergency services** (*fire, police, ambulance*) les services *mpl* d'urgence
**emigrate** ['ɛmɪgreɪt] *vi* émigrer; **emigration** [ɛmɪ'greɪʃən] *n* émigration *f*
**eminent** ['ɛmɪnənt] *adj* éminent(e)
**emissions** [ɪ'mɪʃənz] *npl* émissions *fpl*
**emit** [ɪ'mɪt] *vt* émettre
**emoticon** [ɪ'məʊtɪkɒn] *n* (*Comput*) émoticone *m*
**emotion** [ɪ'məʊʃən] *n* sentiment *m*; **emotional** *adj* (*person*) émotif(-ive), très sensible; (*needs*) affectif(-ive); (*scene*) émouvant(e); (*tone, speech*) qui fait appel aux sentiments
**emperor** ['ɛmpərər] *n* empereur *m*
**emphasis** (*pl* **emphases**) ['ɛmfəsɪs, -siːz] *n* accent *m*; **to lay** or **place**

**~ on sth** (fig) mettre l'accent sur, insister sur

**emphasize** ['emfəsaɪz] vt (syllable, word, point) appuyer or insister sur; (feature) souligner, accentuer

**empire** ['empaɪə'] n empire m

**employ** [ɪm'plɔɪ] vt employer; **employee** [ɪmplɔɪ'iː] n employé(e); **employer** n employeur(-euse); **employment** n emploi m; **employment agency** n agence for bureau m de placement

**empower** [ɪm'pauə'] vt: **to ~ sb to do** autoriser or habiliter à qn à faire

**empress** ['emprɪs] n impératrice f

**emptiness** ['emptɪnɪs] n vide m; (of area) aspect m désertique

**empty** ['emptɪ] adj vide; (street, area) désert(e); (threat, promise) en l'air, vain(e) ▷ vt vider ▷ vi se vider; (liquid) s'écouler; **empty-handed** adj les mains vides

**EMU** n abbr (= European Monetary Union) UME f

**emulsion** [ɪ'mʌlʃən] n émulsion f; (also: **~ paint**) peinture mate

**enable** [ɪ'neɪbl] vt: **to ~ sb to do** permettre à qn de faire

**enamel** [ɪ'næməl] n émail m; (also: **~ paint**) (peinture f) laque f

**enchanting** [ɪn'tʃɑːntɪŋ] adj ravissant(e), enchanteur(-eresse)

**encl.** abbr (on letters etc: = enclosed) ci-joint(e); (: = enclosure) PJ f

**enclose** [ɪn'kləuz] vt (land) clôturer; (space, object) entourer; (letter etc): **to ~ (with)** joindre (à); **please find ~d** veuillez trouver ci-joint

**enclosure** [ɪn'kləuʒə'] n enceinte f

**encore** [ɔŋ'kɔː'] excl, n bis (m)

**encounter** [ɪn'kauntə'] n rencontre f ▷ vt rencontrer

**encourage** [ɪn'kʌrɪdʒ] vt encourager

**encouraging** [ɪn'kʌrɪdʒɪŋ] adj encourageant(e)

**encyclop(a)edia** [ensaɪkləu'piːdɪə] n encyclopédie f

**end** [end] n fin f; (of table, street, rope etc) bout m, extrémité f ▷ vt terminer; (also: **bring to an ~**, **put an ~ to**) mettre fin à ▷ vi se terminer, finir; **in the ~** finalement; **on ~** (object) debout, dressé(e); **to stand on ~** (hair) se dresser sur la tête; **for hours on ~** pendant des heures (et des heures); **end up** vi: **to ~ up in** (condition) finir or se trouver par; (place) finir or aboutir à

**endanger** [ɪn'deɪndʒə'] vt mettre en danger; **an ~ed species** une espèce en voie de disparition

**endearing** [ɪn'dɪərɪŋ] adj attachant(e)

**endeavour**, (US) **endeavor** [ɪn'devə'] n effort m; (attempt) tentative f ▷ vt: **to ~ to do** tenter or s'efforcer de faire

**ending** ['endɪŋ] n dénouement m, conclusion f; (Ling) terminaison f

**endless** ['endlɪs] adj sans fin, interminable

**endorse** [ɪn'dɔːs] vt (cheque) endosser; (approve) appuyer, approuver, sanctionner; **endorsement** n (approval) appui m, aval m; (BRIT: on driving licence) contravention f (portée au permis de conduire)

**endurance** [ɪn'djuərəns] n endurance f

**endure** [ɪn'djuə'] vt (bear) supporter, endurer ▷ vi (last) durer

**enemy** ['enəmɪ] adj, n ennemi(e)

**energetic** [enə'dʒetɪk] adj énergique; (activity) très actif(-ive), qui fait se dépenser (physiquement)

**energy** ['enədʒɪ] n énergie f

**enforce** [ɪn'fɔːs] vt (law) appliquer, faire respecter

**engaged** [ɪn'geɪdʒd] adj (BRIT: busy, in use) occupé(e); (betrothed) fiancé(e); **to get ~** se fiancer; **the line's ~** la ligne est occupée; **engaged tone** n (BRIT Tel) tonalité f occupé inv

**engagement** [ɪnˈɡeɪdʒmənt] n (undertaking) obligation f; engagement m; (appointment) rendez-vous m inv; (to marry) fiançailles fpl; **engagement ring** n bague f de fiançailles

**engaging** [ɪnˈɡeɪdʒɪn] adj engageant(e), attirant(e)

**engine** [ˈɛndʒɪn] n (Aut) moteur m; (Rail) locomotive f
> Be careful not to translate engine by the French word engin.

**engineer** [ɛndʒɪˈnɪəʳ] n ingénieur m; (BRIT: repairer) dépanneur m; (Navy, US Rail) mécanicien m; **engineering** n engineering m, ingénierie f; (of bridges, ships) génie m; (of machine) mécanique f

**England** [ˈɪŋɡlənd] n Angleterre f

**English** [ˈɪŋɡlɪʃ] adj anglais(e) ⊳ n (Ling) anglais m; **the ~** npl les Anglais; **English Channel** n: **the English Channel** la Manche; **Englishman** (irreg) n Anglais m; **Englishwoman** (irreg) n Anglaise f

**engrave** [ɪnˈɡreɪv] vt graver

**engraving** [ɪnˈɡreɪvɪn] n gravure f

**enhance** [ɪnˈhɑːns] vt rehausser, mettre en valeur

**enjoy** [ɪnˈdʒɔɪ] vt aimer, prendre plaisir à; (have benefit of: health, fortune) jouir de; (: success) connaître; **to ~ o.s.** s'amuser; **enjoyable** adj agréable; **enjoyment** n plaisir m

**enlarge** [ɪnˈlɑːdʒ] vt accroître; (Phot) agrandir ⊳ vi: **to ~ on** (subject) s'étendre sur; **enlargement** n (Phot) agrandissement m

**enlist** [ɪnˈlɪst] vt recruter; (support) s'assurer ⊳ vi s'engager

**enormous** [ɪˈnɔːməs] adj énorme

**enough** [ɪˈnʌf] adj: **~ time/books** assez or suffisamment de temps/livres ⊳ adv: **big ~** assez or suffisamment grand ⊳ pron: **have you got ~?** (en) avez-vous assez?; **~ to eat** assez à manger; **that's ~, thanks** cela suffit or c'est assez,

merci; **I've had ~ of him** j'en ai assez de lui; **he has not worked ~** il n'a pas assez or suffisamment travaillé, il n'a pas travaillé assez or suffisamment; **... which, funnily or oddly or strangely ~ ...** qui, chose curieuse, ...

**enquire** [ɪnˈkwaɪəʳ] vt, vi = **inquire**

**enquiry** [ɪnˈkwaɪərɪ] n = **inquiry**

**enrage** [ɪnˈreɪdʒ] vt mettre en fureur or en rage, rendre furieux(-euse)

**enrich** [ɪnˈrɪtʃ] vt enrichir

**enrol**, (US) **enroll** [ɪnˈrəʊl] vt inscrire ⊳ vi s'inscrire; **enrolment**, (US) **enrollment** n inscription f

**en route** [ɒnˈruːt] adv en route, en chemin

**en suite** [ˈɒnswiːt] adj: **with ~ bathroom** avec salle de bain en attenante

**ensure** [ɪnˈʃʊəʳ] vt assurer, garantir

**entail** [ɪnˈteɪl] vt entraîner, nécessiter

**enter** [ˈɛntəʳ] vt (room) entrer dans, pénétrer dans; (club, army) entrer dans; (competition) s'inscrire à or pour; (sb for a competition) (faire) inscrire; (write down) inscrire, noter; (Comput) entrer, introduire ⊳ vi entrer

**enterprise** [ˈɛntəpraɪz] n (company, undertaking) entreprise f; (initiative) (esprit m d')initiative f; **free ~** libre entreprise; **enterprising** adj entreprenant(e), dynamique; (scheme) audacieux(-euse)

**entertain** [ɛntəˈteɪn] vt amuser, distraire; (invite) recevoir (à dîner); (idea, plan) envisager; **entertainer** n artiste m/f de variétés; **entertaining** adj amusant(e), distrayant(e); **entertainment** n (amusement) distraction f, divertissement m, amusement m; (show) spectacle m

**enthusiasm** [ɪnˈθuːzɪæzəm] n enthousiasme m

**enthusiast** [ɪnˈθuːzɪæst] n enthousiaste m/f; **enthusiastic** [ɪnθuːzɪˈæstɪk] adj enthousiaste;

**to be enthusiastic about** être enthousiasmé(e) par

**entire** [ɪnˈtaɪər] adj (tout) entier(-ère); **entirely** adv entièrement

**entitle** [ɪnˈtaɪtl] vt: **to ~ sb to sth** donner droit à qch à qn; **entitled** adj (book) intitulé(e); **to be entitled to do** avoir le droit de faire

**entrance** n [ˈɛntrns] entrée f ▷ vt [ɪnˈtrɑːns] enchanter, ravir; **where's the ~?** où est l'entrée?; **to gain ~ to** (university etc) être admis à; **entrance examination** n examen m d'entrée or d'admission; **entrance fee** n (to museum etc) prix m d'entrée; (to join club etc) droit m d'inscription; **entrance ramp** n (us Aut) bretelle f d'accès; **entrant** n (in race etc) participant(e), concurrent(e); (BRIT: in exam) candidat(e)

**entrepreneur** [ˈɔntrəprəˈnəːʳ] n entrepreneur m

**entrust** [ɪnˈtrʌst] vt: **to ~ sth to** confier qch à

**entry** [ˈɛntrɪ] n entrée f; (in register, diary) inscription f; **"no~"** "défense d'entrer", "entrée interdite"; (Aut) "sens interdit"; **entry phone** n (BRIT) interphone m (à l'entrée d'un immeuble)

**envelope** [ˈɛnvələup] n enveloppe f

**envious** [ˈɛnvɪəs] adj envieux(-euse)

**environment** [ɪnˈvaɪərnmənt] n (social, moral) milieu m; (natural world): **the ~** l'environnement m; **environmental** [ɪnvaɪərnˈmɛntl] adj (of surroundings) du milieu; (issue, disaster) écologique; **environmentally** [ɪnvaɪərnˈmɛntlɪ] adv: **environmentally sound/friendly** qui ne nuit pas à l'environnement

**envisage** [ɪnˈvɪzɪdʒ] vt (foresee) prévoir

**envoy** [ˈɛnvɔɪ] n envoyé(e); (diplomat) ministre m plénipotentiaire

**envy** [ˈɛnvɪ] n envie f ▷ vt envier; **to ~ sb sth** envier qch à qn

**epic** [ˈɛpɪk] n épopée f ▷ adj épique

**epidemic** [ɛpɪˈdɛmɪk] n épidémie f

**epilepsy** [ˈɛpɪlɛpsɪ] n épilepsie f; **epileptic** adj, n épileptique m/f; **epileptic fit** n crise f d'épilepsie

**episode** [ˈɛpɪsəud] n épisode m

**equal** [ˈiːkwl] adj égal(e) ▷ vt égaler; **~ to** (task) à la hauteur de; **equality** [iːˈkwɔlɪtɪ] n égalité f; **equalize** vt, vi (Sport) égaliser; **equally** adv également; (share) en parts égales; (treat) de la même façon; (pay) autant; (just as) tout aussi

**equation** [ɪˈkweɪʃən] n (Math) équation f

**equator** [ɪˈkweɪtəʳ] n équateur m

**equip** [ɪˈkwɪp] vt équiper; **to ~ sb/sth with** équiper or munir qn/qch de; **equipment** n équipement m; (electrical etc) appareillage m, installation f

**equivalent** [ɪˈkwɪvələnt] adj équivalent(e) ▷ n équivalent m; **to be ~ to** équivaloir à, être équivalent(e) à

**ER** abbr (BRIT: = Elizabeth Regina) la reine Élisabeth; (us Med: = emergency room) urgences fpl

**era** [ˈɪərə] n ère f, époque f

**erase** [ɪˈreɪz] vt effacer; **eraser** n gomme f

**e-reader** [ˈiːrɪːdəʳ] n liseuse f

**erect** [ɪˈrɛkt] adj droit(e) ▷ vt construire; (monument) ériger, élever; (tent etc) dresser; **erection** [ɪˈrɛkʃən] n (Physiol) érection f; (of building) construction f

**ERM** n abbr (= Exchange Rate Mechanism) mécanisme m des taux de change

**erode** [ɪˈraud] vt éroder; (metal) ronger

**erosion** [ɪˈrauʒən] n érosion f

**erotic** [ɪˈrɔtɪk] adj érotique

**errand** [ˈɛrnd] n course f, commission f

**erratic** [ɪˈrætɪk] adj irrégulier(-ière), inconstant(e)

**error** [ˈɛrəʳ] n erreur f

**erupt** [ɪˈrʌpt] vi entrer en éruption; (fig) éclater; **eruption** [ɪˈrʌpʃən] n éruption f; (of anger, violence) explosion f

**escalate** [ˈɛskəleɪt] vi s'intensifier; (costs) monter en flèche

**escalator** [ˈɛskəleɪtə] n escalier roulant

**escape** [ɪˈskeɪp] n évasion f, fuite f; (of gas etc) fuite ▷ vi s'échapper, fuir; (from jail) s'évader; (fig) s'en tirer; (leak) s'échapper ▷ vt échapper à; **to ~ from** (person) échapper à; (place) s'échapper de; (fig) fuir; **his name ~s me** son nom m'échappe

**escort** vt [ɪˈskɔːt] escorter ▷ n [ˈɛskɔːt] (Mil) escorte f

**especially** [ɪˈspɛʃlɪ] adv (particularly) particulièrement; (above all) surtout

**espionage** [ˈɛspɪənɑːʒ] n espionnage m

**essay** [ˈɛseɪ] n (Scol) dissertation f; (Literature) essai m

**essence** [ˈɛsns] n essence f; (Culin) extrait m

**essential** [ɪˈsɛnʃl] adj essentiel(le); (basic) fondamental(e); **essentials** npl éléments essentiels; **essentially** adv essentiellement

**establish** [ɪˈstæblɪʃ] vt établir; (business) fonder, créer; (one's power etc) asseoir, affermir; **establishment** n établissement m; (founding) création f; (institution) établissement m; **the Establishment** les pouvoirs établis; l'ordre établi

**estate** [ɪˈsteɪt] n (land) domaine m, propriété f; (Law) biens mpl, succession f; (BRIT: also: **housing ~**) lotissement m; **estate agent** n (BRIT) agent immobilier; **estate car** n (BRIT) break m

**estimate** n [ˈɛstɪmət] estimation f; (Comm) devis m ▷ vt [ˈɛstɪmeɪt] estimer

**etc** abbr (= et cetera) etc

**eternal** [ɪˈtəːnl] adj éternel(le)

**eternity** [ɪˈtəːnɪtɪ] n éternité f

**ethical** [ˈɛθɪkl] adj moral(e); **ethics** [ˈɛθɪks] n éthique f ▷ npl moralité f

**Ethiopia** [iːθɪˈəupɪə] n Éthiopie f

**ethnic** [ˈɛθnɪk] adj ethnique; (clothes, food) folklorique, exotique, propre aux minorités ethniques non-occidentales; **ethnic minority** n minorité f ethnique

**e-ticket** [ˈiːtɪkɪt] n billet m électronique

**etiquette** [ˈɛtɪkɛt] n convenances fpl, étiquette f

**EU** n abbr (= European Union) UE f

**euro** [ˈjuərəu] n (currency) euro m

**Europe** [ˈjuərəp] n Europe f; **European** [juərəˈpiːən] adj européen(ne) ▷ n Européen(ne); **European Community** n Communauté européenne; **European Union** n Union européenne

**Eurostar®** [ˈjuərəustɑː] n Eurostar® m

**evacuate** [ɪˈvækjueɪt] vt évacuer

**evade** [ɪˈveɪd] vt échapper à; (question etc) éluder; (duties) se dérober à

**evaluate** [ɪˈvæljueɪt] vt évaluer

**evaporate** [ɪˈvæpəreɪt] vi s'évaporer; (fig: hopes, fear) s'envoler; (anger) se dissiper

**eve** [iːv] n: **on the ~ of** à la veille de

**even** [ˈiːvn] adj (level, smooth) régulier-ière); (equal) égal(e); (number) pair(e) ▷ adv même; **~ if** même si + indic; **~ though** alors même que + cond; **~ more** encore plus; **~ faster** encore plus vite; **~ so** quand même; **not ~** pas même; **~ he was there** même lui était là; **~ on Sundays** même le dimanche; **to get ~ with sb** prendre sa revanche sur qn

**evening** [ˈiːvnɪŋ] n soir m; (as duration, event) soirée f; **in the ~** le soir; **evening class** n cours m du soir; **evening dress** n (man's) tenue f de soirée, smoking m; (woman's) robe f de soirée

**event** [ɪ'vɛnt] n événement m; (Sport)
épreuve f; **in the ~ of** en cas de;
**eventful** adj mouvementé(e)

**eventual** [ɪ'vɛntʃuəl] adj final(e)

> Be careful not to translate
> *eventual* by the French word
> *éventuel*.

**eventually** [ɪ'vɛntʃuəlɪ] adv
finalement

> Be careful not to translate
> *eventually* by the French word
> *éventuellement*.

**ever** ['ɛvə'] adv jamais; (at all times)
toujours; **why ~ not?** mais enfin,
pourquoi pas?; **the best ~** le meilleur
qu'on ait jamais vu; **have you ~ seen
it?** l'as-tu déjà vu?, as-tu eu l'occasion
or t'est-il arrivé de le voir?; **~ since** (as
adv) depuis; (as conj) depuis que; **~ so
pretty** si joli; **evergreen** n arbre m à
feuilles persistantes

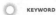

**KEYWORD**

**every** ['ɛvrɪ] adj **1** (each) chaque;
**every one of them** tous (sans
exception); **every shop in town
was closed** tous les magasins en ville
étaient fermés
**2** (all possible) tous (toutes) les; **I
gave you every assistance** j'ai fait
tout mon possible pour vous aider; **I
have every confidence in him** j'ai
entièrement or pleinement confiance
en lui; **we wish you every success**
nous vous souhaitons beaucoup
de succès
**3** (showing recurrence) tous les; **every
day** tous les jours, chaque jour;
**every other car** une voiture sur
deux; **every other/third day** tous
les deux/trois jours; **every now and
then** de temps en temps; **everybody**
pron = **everyone**; **everyday** adj
(expression) courant(e), d'usage
courant; (use) courant; (clothes, life)
de tous les jours; (occurrence, problem)
quotidien(ne); **everyone** pron tout

le monde, tous pl; **everything** pron
tout; **everywhere** adv partout;
**everywhere you go you meet ...** où
qu'on aille on rencontre ...

**evict** [ɪ'vɪkt] vt expulser
**evidence** ['ɛvɪdns] n (proof)
preuve(s) f(pl); (of witness)
témoignage m; (sign): **to show ~
of** donner des signes de; **to give ~**
témoigner, déposer
**evident** ['ɛvɪdnt] adj évident(e);
**evidently** adv de toute évidence;
(apparently) apparemment
**evil** ['iːvl] adj mauvais(e) ▷ n mal m
**evoke** [ɪ'vəuk] vt évoquer
**evolution** [iːvə'luːʃən] n évolution f
**evolve** [ɪ'vɔlv] vt élaborer ▷ vi
évoluer, se transformer
**ewe** [juː] n brebis f
**ex** [ɛks] n (inf): **my ex** mon ex
**ex-** [ɛks] prefix ex-
**exact** [ɪg'zækt] adj exact(e) ▷ vt: **to
~ sth (from)** (signature, confession)
extorquer qch (à); (apology) exiger qch
(de); **exactly** adv exactement
**exaggerate** [ɪg'zædʒəreɪt]
vt, vi exagérer; **exaggeration**
[ɪgzædʒə'reɪʃən] n exagération f
**exam** [ɪg'zæm] n abbr (Scol);
= **examination**
**examination** [ɪgzæmɪ'neɪʃən] n
(Scol, Med) examen m; **to take or sit
an ~** (BRIT) passer un examen
**examine** [ɪg'zæmɪn] vt (gen)
examiner; (Scol, Law: person)
interroger; **examiner** n
examinateur(-trice)
**example** [ɪg'zɑːmpl] n exemple m;
**for ~** par exemple
**exasperated** [ɪg'zɑːspəreɪtɪd] adj
exaspéré(e)
**excavate** ['ɛkskəveɪt] vt (site)
fouiller, excaver; (object) mettre
au jour
**exceed** [ɪk'siːd] vt dépasser; (one's
powers) outrepasser; **exceedingly**
adv extrêmement

**excel** [ɪkˈsɛl] *vi* exceller ▷ *vt* surpasser; **to ~ o.s.** se surpasser

**excellence** [ˈɛksələns] *n* excellence *f*

**excellent** [ˈɛksələnt] *adj* excellent(e)

**except** [ɪkˈsɛpt] *prep* (*also:* **~ for, ~ing**) sauf, excepté, à l'exception de ▷ *vt* excepter; **~ if/when** sauf si/quand; **~ that** excepté que, si ce n'est que; **exception** [ɪkˈsɛpʃən] *n* exception *f*; **to take exception to** s'offusquer de; **exceptional** [ɪkˈsɛpʃənl] *adj* exceptionnel(le); **exceptionally** [ɪkˈsɛpʃənəlɪ] *adv* exceptionnellement

**excerpt** [ˈɛksəːpt] *n* extrait *m*

**excess** [ɪkˈsɛs] *n* excès *m*; **excess baggage** *n* excédent *m* de bagages; **excessive** *adj* excessif(-ive)

**exchange** [ɪksˈtʃeɪndʒ] *n* échange *m*; (*also:* **telephone ~**) central *m* ▷ *vt*: **to ~ (for)** échanger (contre); **could I ~ this, please?** est-ce que je peux échanger ceci, s'il vous plaît?; **exchange rate** *n* taux *m* de change

**excite** [ɪkˈsaɪt] *vt* exciter; **excited** *adj* (tout) excité(e); **to get excited** s'exciter; **excitement** *n* excitation *f*; **exciting** *adj* passionnant(e)

**exclaim** [ɪkˈskleɪm] *vi* s'exclamer; **exclamation** [ɛkskləˈmeɪʃən] *n* exclamation *f*; **exclamation mark**, (*us*) **exclamation point** *n* point *m* d'exclamation

**exclude** [ɪkˈskluːd] *vt* exclure

**excluding** [ɪkˈskluːdɪŋ] *prep*: **~ VAT** la TVA non comprise

**exclusion** [ɪkˈskluːʒən] *n* exclusion *f*

**exclusive** [ɪkˈskluːsɪv] *adj* exclusif(-ive); (*club, district*) sélect(e); (*item of news*) en exclusivité; **~ of VAT** TVA non comprise; **exclusively** *adv* exclusivement

**excruciating** [ɪkˈskruːʃɪeɪtɪŋ] *adj* (*pain*) atroce, déchirant(e); (*embarrassing*) pénible

**excursion** [ɪkˈskəːʃən] *n* excursion *f*

**excuse** *n* [ɪkˈskjuːs] excuse *f* ▷ *vt* [ɪkˈskjuːz] (*forgive*) excuser; **to ~ sb**

**from** (*activity*) dispenser qn de; **~ me!** excusez-moi!, pardon!; **now if you will ~ me, ...** maintenant, si vous (le) permettez ...

**ex-directory** [ˈɛksdɪˈrɛktərɪ] *adj* (BRIT) sur la liste rouge

**execute** [ˈɛksɪkjuːt] *vt* exécuter; **execution** [ɛksɪˈkjuːʃən] *n* exécution *f*

**executive** [ɪgˈzɛkjutɪv] *n* (*person*) cadre *m*; (*managing group*) bureau *m*; (*Pol*) exécutif *m* ▷ *adj* exécutif(-ive); (*position, role*) de cadre

**exempt** [ɪgˈzɛmpt] *adj*: **~ from** exempté(e) or dispensé(e) de ▷ *vt*: **to ~ sb from** exempter or dispenser qn de

**exercise** [ˈɛksəsaɪz] *n* exercice *m* ▷ *vt* exercer; (*patience etc*) faire preuve de; (*dog*) promener ▷ *vi* (*also:* **to take ~**) prendre de l'exercice; **exercise book** *n* cahier *m*

**exert** [ɪgˈzəːt] *vt* exercer, employer; **to ~ o.s.** se dépenser; **exertion** [ɪgˈzəːʃən] *n* effort *m*

**exhale** [ɛksˈheɪl] *vt* exhaler ▷ *vi* expirer

**exhaust** [ɪgˈzɔːst] *n* (*also:* **~ fumes**) gaz *mpl* d'échappement; (*also:* **~ pipe**) tuyau *m* d'échappement ▷ *vt* épuiser; **exhausted** *adj* épuisé(e); **exhaustion** [ɪgˈzɔːstʃən] *n* épuisement *m*; **nervous exhaustion** fatigue nerveuse

**exhibit** [ɪgˈzɪbɪt] *n* (*Art*) objet exposé, pièce exposée; (*Law*) pièce à conviction ▷ *vt* (*Art*) exposer; (*courage, skill*) faire preuve de; **exhibition** [ɛksɪˈbɪʃən] *n* exposition *f*

**exhilarating** [ɪgˈzɪləreɪtɪŋ] *adj* grisant(e), stimulant(e)

**exile** [ˈɛksaɪl] *n* exil *m*; (*person*) exilé(e) ▷ *vt* exiler

**exist** [ɪgˈzɪst] *vi* exister; **existence** *n* existence *f*; **existing** *adj* actuel(le)

**exit** [ˈɛksɪt] *n* sortie *f* ▷ *vi* (*Comput, Theat*) sortir; **where's the ~?** où est la sortie?; **exit ramp** *n* (*us Aut*) bretelle *f* d'accès

**exotic** [ɪg'zɔtɪk] adj exotique

**expand** [ɪk'spænd] vt (area) agrandir; (quantity) accroître ▷ vi (trade, etc) se développer, s'accroître; (gas, metal) se dilater

**expansion** [ɪk'spænʃən] n (territorial, economic) expansion f; (of trade, influence etc) développement m; (of production) accroissement m; (of population) croissance f; (of gas, metal) expansion, dilatation f

**expect** [ɪk'spekt] vt (anticipate) s'attendre à, s'attendre à ce que + sub; (count on) compter sur, escompter; (require) demander, exiger; (suppose) supposer; (await: also baby) attendre ▷ vi: **to be ~ing** (pregnant woman) être enceinte; **expectation** [ekspek'teɪʃən] n (hope) attente f, espérance(s) f(pl); (belief) attente f

**expedition** [ekspə'dɪʃən] n expédition f

**expel** [ɪk'spel] vt chasser, expulser; (Scol) renvoyer, exclure

**expenditure** [ɪk'spendɪtʃəʳ] n (act of spending) dépense f; (money spent) dépenses fpl

**expense** [ɪk'spens] n (high cost) coût m; (spending) dépense f, frais mpl; **expenses** npl frais mpl; dépenses; **at the ~ of** (fig) aux dépens de; **expense account** n (note f de) frais mpl

**expensive** [ɪk'spensɪv] adj cher (chère), coûteux(-euse); **it's too ~** ça coûte trop cher

**experience** [ɪk'spɪərɪəns] n expérience f ▷ vt connaître; (feeling) éprouver; **experienced** adj expérimenté(e)

**experiment** [ɪk'sperɪmənt] n expérience f ▷ vi faire une expérience; **experimental** [ɪksperɪ'mentl] adj expérimental(e)

**expert** ['ekspəːt] adj expert(e) ▷ n expert m; **expertise** [ekspəː'tiːz] n (grande) compétence

**expire** [ɪk'spaɪəʳ] vi expirer; **expiry** n expiration f; **expiry date** n date

f d'expiration; (on label) à utiliser avant ...

**explain** [ɪk'spleɪn] vt expliquer; **explanation** [eksplə'neɪʃən] n explication f

**explicit** [ɪk'splɪsɪt] adj explicite; (definite) formel(le)

**explode** [ɪk'spləʊd] vi exploser

**exploit** n ['eksplɔɪt] exploit m ▷ vt [ɪk'splɔɪt] exploiter; **exploitation** [eksplɔɪ'teɪʃən] n exploitation f

**explore** [ɪk'splɔːʳ] vt explorer; (possibilities) étudier, examiner; **explorer** n explorateur(-trice)

**explosion** [ɪk'spləʊʒən] n explosion f; **explosive** [ɪk'spləʊsɪv] adj explosif(-ive) ▷ n explosif m

**export** vt [ek'spɔːt] exporter ▷ n ['ekspɔːt] exportation f ▷ cpd ['ekspɔːt] d'exportation; **exporter** n exportateur m

**expose** [ɪk'spəʊz] vt exposer; (unmask) démasquer, dévoiler; **exposed** adj (land, house) exposé(e); **exposure** [ɪk'spəʊʒəʳ] n exposition f; (publicity) couverture f; (Phot: speed) (temps m de) pose f; (: shot) pose; **to die of exposure** (Med) mourir de froid

**express** [ɪk'spres] adj (definite) formel(le), exprès(-esse); (BRIT: letter etc) exprès inv ▷ n (train) rapide m ▷ vt exprimer; **expression** [ɪk'spreʃən] n expression f; **expressway** n (us) voie f express (à plusieurs files)

**exquisite** [ek'skwɪzɪt] adj exquis(e)

**extend** [ɪk'stend] vt (visit, street) prolonger; remettre; (building) agrandir; (offer) présenter, offrir; (hand, arm) tendre ▷ vi (land) s'étendre; **extension** n (of visit, street) prolongation f; (building) annexe f; (telephone: in offices) poste m; (: in private house) téléphone m supplémentaire; **extension cable, extension lead** n (Elec) rallonge f; **extensive** adj étendu(e), vaste; (damage, alterations) considérable; (inquiries) approfondi(e)

**extent** [ɪk'stɛnt] n étendue f; **to some ~** dans une certaine mesure; **to the ~ of ...** au point de ...; **to what ~?** dans quelle mesure?, jusqu'à quel point?; **to such an ~ that ...** à tel point que ...

**exterior** [ɛk'stɪərɪə'] adj extérieur(e) ▷ n extérieur m

**external** [ɛk'stə:nl] adj externe

**extinct** [ɪk'stɪŋkt] adj (volcano) éteint(e); (species) disparu(e); **extinction** n extinction f

**extinguish** [ɪk'stɪŋgwɪʃ] vt éteindre

**extra** ['ɛkstrə] adj supplémentaire, de plus ▷ adv (in addition) en plus ▷ n supplément m; (perk) à-coté m; (Cine, Theat) figurant(e)

**extract** vt [ɪk'strækt] extraire; (tooth) arracher; (money, promise) soutirer ▷ n ['ɛkstrækt] extrait m

**extradite** ['ɛkstrədaɪt] vt extrader

**extraordinary** [ɪk'strɔ:dnrɪ] adj extraordinaire

**extravagance** [ɪk'strævəgəns] n (excessive spending) prodigalités fpl; (thing bought) folie f, dépense excessive; **extravagant** adj extravagant(e); (in spending: person) prodigue, dépensier(-ière); (: tastes) dispendieux(-euse)

**extreme** [ɪk'stri:m] adj, n extrême (m); **extremely** adv extrêmement

**extremist** [ɪk'stri:mɪst] adj, n extrémiste m/f

**extrovert** ['ɛkstrəvə:t] n extraverti(e)

**eye** [aɪ] n œil m; (of needle) trou m, chas m ▷ vt examiner; **to keep an ~ on** surveiller; **eyeball** n globe m oculaire; **eyebrow** n sourcil m; **eye drops** npl gouttes fpl pour les yeux; **eyelash** n cil m; **eyelid** n paupière f; **eyeliner** n eye-liner m; **eye shadow** n ombre f à paupières; **eyesight** n vue f; **eye witness** n témoin m oculaire

**F** [ɛf] n (Mus) fa m

**fabric** ['fæbrɪk] n tissu m

**fabulous** ['fæbjuləs] adj fabuleux(-euse); (inf: super) formidable, sensationnel(le)

**face** [feɪs] n visage m, figure f; (expression) air m; (of clock) cadran m; (of cliff) paroi f; (of mountain) face f; (of building) façade f ▷ vt faire face à; (facts etc) accepter; **~ down** (person) à plat ventre; (card) face en dessous; **to lose/save ~** perdre/sauver la face; **to pull a ~** faire une grimace; **in the ~ of** (difficulties etc) face à, devant; **on the ~ of it** à première vue; **~ to ~** face à face; **face up to** vt fus faire face à, affronter; **face cloth** n (BRIT) gant m de toilette; **face pack** n (BRIT) masque m (de beauté)

**facial** ['feɪʃl] adj facial(e) ▷ n soin complet du visage

**facilitate** [fə'sɪlɪteɪt] vt faciliter

**facilities** [fə'sɪlɪtɪz] *npl* installations *fpl*, équipement *m*; **credit ~** facilités de paiement

**fact** [fækt] *n* fait *m*; **in ~** en fait

**faction** ['fækʃən] *n* faction *f*

**factor** ['fæktə<sup>r</sup>] *n* facteur *m*; (*of sun cream*) indice *m* (de protection); **I'd like a ~ 15 suntan lotion** je voudrais une crème solaire d'indice 15

**factory** ['fæktərɪ] *n* usine *f*, fabrique *f*

**factual** ['fæktʃuəl] *adj* basé(e) sur les faits

**faculty** ['fækəltɪ] *n* faculté *f*; (*us: teaching staff*) corps enseignant

**fad** [fæd] *n* (*personal*) manie *f*; (*craze*) engouement *m*

**fade** [feɪd] *vi* se décolorer, passer; (*light, sound*) s'affaiblir; (*flower*) se faner; **fade away** *vi* (*sound*) s'affaiblir

**fag** [fæg] *n* (*BRIT inf: cigarette*) clope *f*

**Fahrenheit** ['fɑːrənhaɪt] *n* Fahrenheit *m* inv

**fail** [feɪl] *vt* (*exam*) échouer à; (*candidate*) recaler; (*subj: courage, memory*) faire défaut à ▷ *vi* échouer; (*eyesight, health, light: also: **be ~ing**) baisser, s'affaiblir; (*brakes*) lâcher; **to ~ to do sth** (*neglect*) négliger de or ne pas faire qch; (*be unable*) ne pas arriver or parvenir à faire qch; **without ~** à coup sûr; sans faute; **failing** *n* défaut *m* ▷ *prep* faute de; **failing that** à défaut, sinon; **failure** ['feɪljə<sup>r</sup>] *n* échec *m*; (*person*) raté(e) *f*; (*mechanical etc*) défaillance *f*

**faint** [feɪnt] *adj* faible; (*recollection*) vague; (*mark*) à peine visible ▷ *n* évanouissement *m* ▷ *vi* s'évanouir; **to feel ~** défaillir; **faintest** *adj*: **I haven't the faintest idea** je n'en ai pas la moindre idée; **faintly** *adv* faiblement; (*vaguely*) vaguement

**fair** [feə<sup>r</sup>] *adj* équitable, juste; (*hair*) blond(e); (*skin, complexion*) pâle, blanc (blanche); (*weather*) beau (belle); (*good enough*) assez bon(ne); (*sizeable*) considérable ▷ *adv*: **to play ~** jouer franc jeu ▷ *n* foire *f*; (*BRIT: funfair*) fête

(*foraine*); **fairground** *n* champ *m* de foire; **fair-haired** *adj* (*person*) aux cheveux clairs, blond(e); **fairly** *adv* (*justly*) équitablement; (*quite*) assez; **fair trade** *n* commerce *m* équitable; **fairway** *n* (*Golf*) fairway *m*

**fairy** ['feərɪ] *n* fée *f*; **fairy tale** *n* conte *m* de fées

**faith** [feɪθ] *n* foi *f*; (*trust*) confiance *f*; (*sect*) culte *m*, religion *f*; **faithful** *adj* fidèle; **faithfully** *adv* fidèlement; **yours faithfully** (*BRIT: in letters*) veuillez agréer l'expression de mes salutations les plus distinguées

**fake** [feɪk] *n* (*painting etc*) faux *m*; (*person*) imposteur *m* ▷ *adj* faux (fausse) ▷ *vt* (*emotions*) simuler; (*painting*) faire un faux de

**falcon** ['fɔːlkən] *n* faucon *m*

**fall** [fɔːl] *n* chute *f*; (*decrease*) baisse *f*; (*us: autumn*) automne *m* ▷ *vi* (*pt* **fell**, *pp* **fallen**) tomber; (*price, temperature, dollar*) baisser; **falls** *npl* (*waterfall*) chute *f* d'eau, cascade *f*; **to ~ flat** *vi* (*on one's face*) tomber de tout son long, s'étaler; (*joke*) tomber à plat; (*plan*) échouer; **fall apart** *vi* (*object*) tomber en morceaux; **fall down** *vi* (*person*) tomber; (*building*) s'effondrer, s'écrouler; **fall for sth** *vi fus* (*trick*) se laisser prendre à; (*person*) tomber amoureux(-euse) de; **fall off** *vi* tomber; (*diminish*) baisser, diminuer; **fall out** *vi* (*friends etc*) se brouiller; (*hair, teeth*) tomber; **fall over** *vi* tomber (par terre); **fall through** *vi* (*plan, project*) tomber à l'eau

**fallen** ['fɔːlən] *pp of* **fall**

**fallout** ['fɔːlaut] *n* retombées (radioactives)

**false** [fɔːls] *adj* faux (fausse); **under ~ pretences** sous un faux prétexte; **false alarm** *n* fausse alerte; **false teeth** *npl* (*BRIT*) fausses dents, dentier *m*

**fame** [feɪm] *n* renommée *f*, renom *m*

**familiar** [fə'mɪlɪə<sup>r</sup>] *adj* familier(-ière); **to be ~ with sth** connaître qch;

**familiarize** [fəˈmɪlɪəraɪz] vt: **to familiarize o.s. with** se familiariser avec

**family** [ˈfæmɪlɪ] n famille f; **family doctor** n médecin m de famille; **family planning** n planning familial

**famine** [ˈfæmɪn] n famine f

**famous** [ˈfeɪməs] adj célèbre

**fan** [fæn] n (folding) éventail m; (Elec) ventilateur m; (person) fan m, admirateur(-trice); (Sport) supporter m/f ▷ vt éventer; (fire, quarrel) attiser

**fanatic** [fəˈnætɪk] n fanatique m/f

**fan belt** n courroie f de ventilateur

**fan club** n fan-club m

**fancy** [ˈfænsɪ] n (whim) fantaisie f, envie f; (imagination) imagination f ▷ adj (luxury) de luxe; (elaborate: jewellery, packaging) fantaisie inv ▷ vt (feel like, want) avoir envie de; (imagine) imaginer; **to take a ~ to** se prendre d'affection pour; s'enticher de; **he fancies her** elle lui plaît; **fancy dress** n déguisement m, travesti m

**fan heater** n (BRIT) radiateur soufflant

**fantasize** [ˈfæntəsaɪz] vi fantasmer

**fantastic** [fænˈtæstɪk] adj fantastique

**fantasy** [ˈfæntəsɪ] n imagination f, fantaisie f; (unreality) fantasme m

**fanzine** [ˈfænziːn] n fanzine m

**FAQ** n abbr (= frequently asked question) FAQ f inv, faq f inv

**far** [fɑːʳ] adj (distant) lointain(e), éloigné(e) ▷ adv loin; **the ~ side/ end** l'autre côté/bout; **it's not ~ (from here)** ce n'est pas loin (d'ici); **~ away, ~ off** au loin, dans le lointain; **~ better** beaucoup mieux; **~ from** loin de; **by ~** de beaucoup; **go as ~ as the bridge** allez jusqu'au pont; **as ~ as I know** pour autant que je sache; **how ~ is it to ...?** combien y a-t-il jusqu'à ...?; **how ~ have you got with your work?** où en êtes-vous dans votre travail?

**farce** [fɑːs] n farce f

**fare** [fɛəʳ] n (on trains, buses) prix m du billet; (in taxi) prix m de la course; (food) table f, chère f; **half-** demi-tarif; **full-** plein tarif

**Far East** n: **the ~** l'Extrême-Orient m

**farewell** [fɛəˈwɛl] excl, n adieu m

**farm** [fɑːm] n ferme f ▷ vt cultiver; **farmer** n fermier(-ière); **farmhouse** n (maison f de) ferme f; **farming** n agriculture f; (of animals) élevage m; **farmyard** n cour f de ferme

**far-reaching** [ˈfɑːˈriːtʃɪŋ] adj d'une grande portée

**fart** [fɑːt] (inf!) vi péter

**farther** [ˈfɑːðəʳ] adv plus loin ▷ adj plus éloigné(e), plus lointain

**farthest** [ˈfɑːðɪst] superlative of **far**

**fascinate** [ˈfæsɪneɪt] vt fasciner, captiver

**fascinating** [ˈfæsɪneɪtɪŋ] adj fascinant(e)

**fascination** [fæsɪˈneɪʃən] n fascination f

**fascist** [ˈfæʃɪst] adj, n fasciste m/f

**fashion** [ˈfæʃən] n mode f; (manner) façon f, manière f ▷ vt façonner; **in ~** à la mode; **out of ~** démodé(e); **fashionable** adj à la mode; **fashion show** n défilé m de mannequins or de mode

**fast** [fɑːst] adj rapide; (clock): **to be ~** avancer; (dye, colour) grand or bon teint inv ▷ adv vite, rapidement; (stuck, held) solidement ▷ n jeûne m ▷ vi jeûner; **~ asleep** profondément endormi

**fasten** [ˈfɑːsn] vt attacher, fixer; (coat) attacher, fermer ▷ vi se fermer, s'attacher

**fast food** n fast food m, restauration f rapide

**fat** [fæt] adj gros(se) ▷ n graisse f; (on meat) gras m; (for cooking) matière f grasse

**fatal** [ˈfeɪtl] adj (mistake) fatal(e); (injury) mortel(le); **fatality** [fəˈtælɪtɪ] n (road death etc) victime f, décès m;

**fatally** adv fatalement; (injured) mortellement

**fate** [feɪt] n destin m; (of person) sort m

**father** ['fɑːðəʳ] n père m; **Father Christmas** n le Père Noël; **father-in-law** n beau-père m

**fatigue** [fə'tiːg] n fatigue f

**fattening** ['fætnɪŋ] adj (food) qui fait grossir

**fatty** ['fætɪ] adj (food) gras(se) ▷ n (inf) gros (grosse)

**faucet** ['fɔːsɪt] n (us) robinet m

**fault** [fɔːlt] n faute f; (defect) défaut m; (Geo) faille f ▷ vt trouver des défauts à, prendre en défaut; **it's my** ~ c'est de ma faute; **to find** ~ **with** trouver à redire or à critiquer à; **at** ~ fautif(-ive), coupable; **faulty** adj défectueux(-euse)

**fauna** ['fɔːnə] n faune f

**favour**, (us) **favor** ['feɪvəʳ] n faveur f; (help) service m ▷ vt (proposition) être en faveur de; (pupil etc) favoriser; (team, horse) donner gagnant; **to do sb a** ~ rendre un service à qn; **in** ~ **of** en faveur de; **to find** ~ **with sb** trouver grâce aux yeux de qn; **favourable**, (us) **favorable** adj favorable; **favourite**, (us) **favorite** ['feɪvrɪt] adj, n favori(te)

**fawn** [fɔːn] n (animal) faon m ▷ adj (also: **~-coloured**) fauve ▷ vi: **to** ~ **(up)on** flatter servilement

**fax** [fæks] n (document) télécopie f; (machine) télécopieur m ▷ vt envoyer par télécopie

**FBI** n abbr (us: = Federal Bureau of Investigation) FBI m

**fear** [fɪəʳ] n crainte f, peur f ▷ vt craindre; **for** ~ **of** de peur que + sub or de + infinitive; **fearful** adj craintif(-ive); (sight, noise) affreux(-euse), épouvantable; **fearless** adj intrépide

**feasible** ['fiːzəbl] adj faisable, réalisable

**feast** [fiːst] n festin m, banquet m; (Rel: also: ~ **day**) fête f ▷ vi festoyer

**feat** [fiːt] n exploit m, prouesse f

**feather** ['fɛðəʳ] n plume f

**feature** ['fiːtʃəʳ] n caractéristique f; (article) chronique f, rubrique f ▷ vt (film) avoir pour vedette(s) ▷ vi figurer (en bonne place); **features** npl (of face) traits mpl; **a (special)** ~ **on sth/sb** un reportage sur qch/qn; **feature film** n long métrage

**Feb.** abbr (= February) fév

**February** ['fɛbruərɪ] n février m

**fed** [fɛd] pt, pp of **feed**

**federal** ['fɛdərəl] adj fédéral(e)

**federation** [fɛdə'reɪʃən] n fédération f

**fed up** adj: **to be** ~ **(with)** en avoir marre or plein le dos (de)

**fee** [fiː] n rémunération f; (of doctor, lawyer) honoraires mpl; (of school, college etc) frais mpl de scolarité; (for examination) droits mpl

**feeble** ['fiːbl] adj faible; (attempt, excuse) pauvre; (joke) piteux(-euse)

**feed** [fiːd] n (of animal) nourriture f, pâture f; (on printer) mécanisme m d'alimentation ▷ vt (pt, pp **fed**) (person) nourrir; (BRIT: baby: breastfeed) allaiter; (: with bottle) donner le biberon à; (horse etc) donner à manger à; (machine) alimenter; (data etc): **to** ~ **sth into** enregistrer qch dans; **feedback** n (Elec) effet m Larsen; (from person) réactions fpl

**feel** [fiːl] n (sensation) sensation f; (impression) impression f ▷ vt (pt, pp **felt**) (touch) toucher; (explore) palper; (cold, pain) sentir; (grief, anger) ressentir, éprouver; (think, believe): **to** ~ **(that)** trouver que; **to** ~ **hungry/cold** avoir faim/froid; **to** ~ **lonely/better** se sentir seul/mieux; **I don't** ~ **well** je ne me sens pas bien; **it** ~**s soft** c'est doux au toucher; **to** ~ **like** (want) avoir envie de; **feeling** n (physical) sensation f; (emotion, impression) sentiment m; **to hurt sb's feelings** froisser qn

**feet** [fiːt] npl of **foot**

**fell** [fɛl] pt of **fall** ▷ vt (tree) abattre

**fellow** ['fɛləu] n type m; (comrade) compagnon m; (of learned society) membre m ▷ cpd: **their ~ prisoners/students** leurs camarades prisonniers/étudiants; **fellow citizen** n concitoyen(ne); **fellow countryman** n compatriote m; **fellow men** npl semblables mpl; **fellowship** n (society) association f; (comradeship) amitié f, camaraderie f; (Scol) sorte de bourse universitaire

**felony** ['fɛlənɪ] n crime m, forfait m

**felt** [fɛlt] pt, pp of **feel** ▷ n feutre m; **felt-tip** n (also: **felt-tip pen**) stylo-feutre m

**female** ['fiːmeɪl] n (Zool) femelle f; (pej: woman) bonne femme ▷ adj (Biol) femelle; (sex, character) féminin(e); (vote etc) des femmes

**feminine** ['fɛmɪnɪn] adj féminin(e)

**feminist** ['fɛmɪnɪst] n féministe m/f

**fence** [fɛns] n barrière f ▷ vi faire de l'escrime; **fencing** n (sport) escrime m

**fend** [fɛnd] vi: **to ~ for o.s.** se débrouiller (tout seul); **fend off** vt (attack etc) parer; (questions) éluder

**fender** ['fɛndər] n garde-feu m inv; (on boat) défense f; (us: of car) aile f

**fennel** ['fɛnl] n fenouil m

**ferment** vi [fə'mɛnt] fermenter ▷ n ['fɜːmɛnt] (fig) agitation f, effervescence f

**fern** [fɜːn] n fougère f

**ferocious** [fə'rəuʃəs] adj féroce

**ferret** ['fɛrɪt] n furet m

**ferry** ['fɛrɪ] n (small) bac m; (large: also: ~**boat**) ferry(-boat m) m ▷ vt transporter

**fertile** ['fɜːtaɪl] adj fertile; (Biol) fécond(e); **fertilize** ['fɜːtɪlaɪz] vt fertiliser; (Biol) féconder; **fertilizer** n engrais m

**festival** ['fɛstɪvəl] n (Rel) fête f; (Art, Mus) festival m

**festive** ['fɛstɪv] adj de fête; **the ~ season** (BRIT: Christmas) la période des fêtes

**fetch** [fɛtʃ] vt aller chercher; (BRIT: sell for) rapporter

**fête** [feɪt] n fête f, kermesse f

**fetus** ['fiːtəs] n (us) = **foetus**

**feud** [fjuːd] n querelle f, dispute f

**fever** ['fiːvər] n fièvre f; **feverish** adj fiévreux(-euse), fébrile

**few** [fjuː] adj (not many) peu de ▷ pron peu; **a ~** (as adj) quelques; (as pron) quelques-uns(-unes); **quite a ~ ...** adj un certain nombre de ..., pas mal de ...; **in the past ~ days** ces derniers jours; **fewer** adj moins de; **fewest** adj le moins nombreux

**fiancé** [fɪ'ãːŋseɪ] n fiancé m; **fiancée** n fiancée f

**fiasco** [fɪ'æskəu] n fiasco m

**fib** [fɪb] n bobard m

**fibre**, (us) **fiber** ['faɪbər] n fibre f; **fibreglass**, (us) **Fiberglass®** n fibre f de verre

**fickle** ['fɪkl] adj inconstant(e), volage, capricieux(-euse)

**fiction** ['fɪkʃən] n romans mpl, littérature f romanesque; (invention) fiction f; **fictional** adj fictif(-ive)

**fiddle** ['fɪdl] n (Mus) violon m; (cheating) combine f; escroquerie f ▷ vt (BRIT: accounts) falsifier, maquiller; **fiddle with** vt fus tripoter

**fidelity** [fɪ'dɛlɪtɪ] n fidélité f

**fidget** ['fɪdʒɪt] vi se trémousser, remuer

**field** [fiːld] n champ m; (fig) domaine m, champ; (Sport: ground) terrain m; **field marshal** n maréchal m

**fierce** [fɪəs] adj (look, animal) féroce, sauvage; (wind, attack, person) (très) violent(e); (fighting, enemy) acharné(e)

**fifteen** [fɪf'tiːn] num quinze; **fifteenth** num quinzième

**fifth** [fɪfθ] num cinquième

**fiftieth** ['fɪftɪɪθ] num cinquantième

**fifty** ['fɪftɪ] num cinquante; **fifty-fifty** adv moitié-moitié ▷ adj: **to have a fifty-fifty chance (of success)** avoir une chance sur deux (de réussir)

**fig** | 400

**fig** [fɪg] n figue f

**fight** [faɪt] (pt, pp **fought**) n (between persons) bagarre f; (argument) dispute f; (Mil) combat m; (against cancer etc) lutte f ▷ vt se battre contre; (cancer, alcoholism, emotion) combattre, lutter contre; (election) se présenter à ▷ vi se battre; (argue) se disputer; (fig): **to ~ (for/against)** lutter (pour/contre); **fight back** vi rendre les coups; (after illness) reprendre le dessus ▷ vt (tears) réprimer; **fight off** vt repousser; (disease, sleep, urge) lutter contre; **fighting** n combats mpl; (brawls) bagarres fpl

**figure** ['fɪgə'] n (Drawing, Geom) figure f; (number) chiffre m; (body, outline) silhouette f; (person's shape) ligne f, formes fpl; (person) personnage m ▷ vt (us: make sense) s'expliquer; figurer; (us: make sense) s'expliquer; **figure out** vt (understand) arriver à comprendre; (plan) calculer

**file** [faɪl] n (tool) lime f; (dossier) dossier m; (folder) dossier, chemise f; (: binder) classeur m; (Comput) fichier m; (row) file f ▷ vt (nails, wood) limer; (papers) classer; (Law: claim) faire enregistrer; déposer; **filing cabinet** n classeur m (meuble)

**Filipino** [fɪlɪ'piːnəu] adj philippin(e) ▷ n (person) Philippin(e)

**fill** [fɪl] vt remplir; (vacancy) pourvoir à ▷ n: **to eat one's ~** manger à sa faim; **to ~ with** remplir de; **fill in** vt (hole) boucher; (form) remplir; **fill out** vt (form, receipt) remplir; **fill up** vt remplir ▷ vi (Aut) faire le plein

**fillet** ['fɪlɪt] n filet m; **fillet steak** n filet m de bœuf, tournedos m

**filling** ['fɪlɪŋ] n (Culin) garniture f, farce f; (for tooth) plombage m; **filling station** n station-service f, station f d'essence

**film** [fɪlm] n film m; (Phot) pellicule f, film m; (of powder, liquid) couche f, pellicule f▷ vt (scene) filmer ▷ vi tourner; **I'd like a 36-exposure ~** je voudrais une pellicule de 36 poses; **film star** n vedette f de cinéma

**filter** ['fɪltə'] n filtre m ▷ vt filtrer; **filter lane** n (BRIT Aut: at traffic lights) voie f de dégagement; (: on motorway) voie f de sortie

**filth** [fɪlθ] n saleté f; **filthy** adj sale, dégoûtant(e); (language) ordurier(-ière), grossier(-ière)

**fin** [fɪn] n (of fish) nageoire f; (of shark) aileron m; (of diver) palme f

**final** ['faɪnl] adj final(e), dernier(-ière); (decision, answer) définitif(-ive) ▷ n (BRIT Sport) finale f; **finals** npl (US) (Scol) examens mpl de dernière année; (Sport) finale f; **finale** [fɪ'nɑːlɪ] n finale m; **finalist** n (Sport) finaliste m/f; **finalize** vt mettre au point; **finally** adv (eventually) enfin, finalement; (lastly) en dernier lieu

**finance** [faɪ'næns] n finance f ▷ vt financer; **finances** npl finances fpl; **financial** [faɪ'nænʃəl] adj financier(-ière); **financial year** n année f budgétaire

**find** [faɪnd] vt (pt, pp **found**) trouver; (lost object) retrouver ▷ n trouvaille f, découverte f; **to ~ sb guilty** (Law) déclarer qn coupable; **find out** vt se renseigner sur; (truth, secret) découvrir; (person) démasquer ▷ vi: **to ~ out about** (make enquiries) se renseigner sur; (by chance) apprendre; **findings** npl (Law) conclusions fpl, verdict m; (of report) constatations fpl

**fine** [faɪn] adj (weather) beau (belle); (excellent) excellent(e); (thin, subtle, not coarse) fin(e); (acceptable) bien inv ▷ adv (well) très bien; (small) fin, finement ▷ n (Law) amende f, contravention f ▷ vt (Law) condamner à une amende; donner une contravention à; **he's ~** il va bien; **the weather is ~** il fait beau; **fine arts** npl beaux-arts mpl

**finger** ['fɪŋgə'] n doigt m ▷ vt palper, toucher; **index ~** index m; **fingernail** n ongle m (de la main); **fingerprint** n empreinte digitale; **fingertip** n bout m du doigt

**finish** ['fɪnɪʃ] n fin f; (Sport) arrivée f; (polish etc) finition f ▷ vt finir, terminer ▷ vi finir, se terminer; **to ~ doing sth** finir de faire qch; **to ~ third** arriver or terminer troisième; **when does the show ~?** quand est-ce que le spectacle se termine?; **finish off** vt finir, terminer; (kill) achever; **finish up** vi, vt finir

**Finland** ['fɪnlænd] n Finlande f; **Finn** n Finnois(e), Finlandais(e); **Finnish** adj finnois(e), finlandais(e) ▷ n (Ling) finnois m

**fir** [fə:ʳ] n sapin m

**fire** ['faɪəʳ] n feu m; (accidental) incendie m; (heater) radiateur m ▷ vt (discharge): **to ~ a gun** tirer un coup de feu; (fig: interest) enflammer, animer; (inf: dismiss) mettre à la porte, renvoyer ▷ vi (shoot) tirer, faire feu; **~!** au feu!; **on ~** en feu; **to set ~ to sth, set sth on ~** mettre le feu à qch; **fire alarm** n avertisseur m d'incendie; **firearm** n arme f à feu; **fire brigade** n (régiment m de sapeurs-)pompiers mpl; **fire engine** n (BRIT) pompe f à incendie; **fire escape** n escalier m de secours; **fire exit** n issue f or sortie f de secours; **fire extinguisher** n extincteur m; **fireman** (irreg) n pompier m; **fireplace** n cheminée f; **fire station** n caserne f de pompiers; **fire truck** n (US) = **fire engine**; **firewall** n (Internet) pare-feu m; **firewood** n bois m de chauffage; **fireworks** npl (display) feu(x) m(pl) d'artifice

**firm** [fə:m] adj ferme ▷ n compagnie f, firme f; **firmly** adv fermement

**first** [fə:st] adj premier(-ière) ▷ adv (before other people) le premier, la première; (before other things) en premier, d'abord; (when listing reasons etc) en premier lieu, premièrement; (in the beginning) au début ▷ n (person: in race)

premier(-ière); (BRIT Scol) mention f très bien; (Aut) première f; **the ~ of January** le premier janvier; **at ~** au commencement, au début; **~ of all** tout d'abord, pour commencer; **first aid** n premiers secours or soins; **first-aid kit** n trousse f à pharmacie; **first-class** adj (ticket etc) de première classe; (excellent) excellent(e), exceptionnel(le); (post) en tarif prioritaire; **first-hand** adj de première main; **first lady** n (US) femme f du président; **firstly** adv premièrement, en premier lieu; **first name** n prénom m; **first-rate** adj excellent(e)

**fiscal** ['fɪskl] adj fiscal(e); **fiscal year** n exercice financier

**fish** [fɪʃ] n (pl inv) poisson m ▷ vt, vi pêcher; **~ and chips** poisson frit et frites; **fisherman** (irreg) n pêcheur m; **fish fingers** npl (BRIT) bâtonnets mpl de poisson (congelés); **fishing** n pêche f; **to go fishing** aller à la pêche; **fishing boat** n barque f de pêche; **fishing line** n ligne f (de pêche); **fishmonger** n (BRIT) marchand m de poisson; **fishmonger's (shop)** n (BRIT) poissonnerie f; **fish sticks** npl (US) = **fish fingers**; **fishy** adj (inf) suspect(e), louche

**fist** [fɪst] n poing m

**fit** [fɪt] adj (Med, Sport) en (bonne) forme; (proper) convenable, approprié(e) ▷ vt (subj: clothes) aller à; (put in, attach) installer, poser; (equip) équiper, garnir, munir; (suit) convenir à ▷ vi (clothes) aller; (parts) s'adapter; (in space, gap) entrer, s'adapter ▷ n (Med) accès m, crise f; (of anger) accès; (of hysterics, jealousy) crise; **~ to** (ready to) en état de; **~ for** (worthy) digne de; (capable) apte à; **to keep ~** se maintenir en forme; **this dress is a tight/good ~** cette robe est un peu juste/(me) va très bien; **a ~ of coughing** une quinte de toux; **by ~s and starts** par à-coups;

**fit in** vi (add up) cadrer; (integrate) s'intégrer; (to new situation) s'adapter; **fitness** n (Med) forme f physique; **fitted** adj (jacket, shirt) ajusté(e); **fitted carpet** n moquette f; **fitted kitchen** n (BRIT) cuisine équipée; **fitted sheet** n drap-housse m; **fitting** adj approprié(e) ▷ n (of dress) essayage m; (of piece of equipment) pose f, installation f; **fitting room** n (in shop) cabine f d'essayage; **fittings** npl installations fpl

**five** [faɪv] num cinq; **fiver** n (inf: US) billet de cinq dollars; (: BRIT) billet de cinq livres

**fix** [fɪks] vt (date, amount etc) fixer; (sort out) arranger; (mend) réparer; (make ready: meal, drink) préparer ▷ n: **to be in a ~** être dans le pétrin; **fix up** vt (meeting) arranger; **to ~ sb up with sth** faire avoir qch à qn; **fixed** adj (prices etc) fixe; **fixture** n installation f (fixe); (Sport) rencontre f (au programme)

**fizzy** ['fɪzɪ] adj pétillant(e), gazeux(-euse)

**flag** [flæɡ] n drapeau m; (also: **~stone**) dalle f ▷ vi faiblir, fléchir; **flag down** vt héler, faire signe (de s'arrêter) à; **flagpole** n mât m

**flair** [flɛəʳ] n flair m

**flak** [flæk] n (Mil) tir antiaérien; (inf: criticism) critiques fpl

**flake** [fleɪk] n (of rust, paint) écaille f; (of snow, soap powder) flocon m ▷ vi (also: **~ off**) s'écailler

**flamboyant** [flæmˈbɔɪənt] adj flamboyant(e), éclatant(e); (person) haut(e) en couleur

**flame** [fleɪm] n flamme f

**flamingo** [fləˈmɪŋɡəu] n flamant m (rose)

**flammable** ['flæməbl] adj inflammable

**flan** [flæn] n (BRIT) tarte f

**flank** [flæŋk] n flanc m ▷ vt flanquer

**flannel** ['flænl] n (BRIT: also: **face ~**) gant m de toilette; (fabric) flanelle f

**flap** [flæp] n (of pocket, envelope) rabat m ▷ vt (wings) battre (de) ▷ vi (sail, flag) claquer

**flare** [flɛəʳ] n (signal) signal lumineux; (Mil) fusée éclairante; (in skirt etc) évasement m; **flares** npl (trousers) pantalon m à pattes d'éléphant; **flare up** vi s'embraser; (fig: person) se mettre en colère, s'emporter; (: revolt) éclater

**flash** [flæʃ] n éclair m; (also: **news ~**) flash m (d'information); (Phot) flash ▷ vt (switch on) allumer (brièvement); (direct: message) câbler; (smile) lancer ▷ vi briller; jeter des éclairs; (light on ambulance etc) clignoter; **a ~ of lightning** un éclair; **in a ~** en un clin d'œil; **to ~ one's headlights** faire un appel de phares; **he ~ed by or past** il passa (devant nous) comme un éclair; **flashback** n flashback m, retour m en arrière; **flashbulb** n ampoule f de flash; **flashlight** n lampe f de poche

**flask** [flɑːsk] n flacon m, bouteille f; (also: **vacuum ~**) bouteille f thermos®

**flat** [flæt] adj plat(e); (tyre) dégonflé(e), à plat; (beer) éventé(e); (battery) à plat; (denial) catégorique; (Mus) bémol m: (voice) faux (fausse) ▷ n (BRIT: apartment) appartement m; (Aut) crevaison f, pneu crevé; (Mus) bémol m; **~ out** (work) sans relâche; (race) à fond; **flatten** vt (also: **flatten out**) aplatir; (crop) coucher; (house, city) raser

**flatter** ['flætəʳ] vt flatter; **flattering** adj flatteur(-euse); (clothes etc) seyant(e)

**flaunt** [flɔːnt] vt faire étalage de

**flavour,** (US) **flavor** ['fleɪvəʳ] n goût m, saveur f; (of ice cream etc) parfum m ▷ vt parfumer, aromatiser; **vanilla-~ed** à l'arôme de vanille, vanillé(e); **what ~s do you have?** quels parfums avez-vous?; **flavouring,** (US) **flavoring** n arôme m (synthétique)

**flaw** [flɔ:] n défaut m; **flawless** adj sans défaut

**flea** [fli:] n puce f; **flea market** n marché m aux puces

**fled** [flɛd] pt, pp of **flee**

**flee** (pt, pp **fled**) [fli:, flɛd] vt fuir, s'enfuir de ▷ vi fuir, s'enfuir

**fleece** [fli:s] n (of sheep) toison f; (top) (laine f) polaire f ▷ vt (inf) voler, filouter

**fleet** [fli:t] n flotte f; (of lorries, cars etc) parc m; convoi m

**fleeting** ['fli:tɪŋ] adj fugace, fugitif(-ive); (visit) très bref (brève)

**Flemish** ['flɛmɪʃ] adj flamand(e) ▷ n (Ling) flamand m; **the ~** npl les Flamands

**flesh** [flɛʃ] n chair f

**flew** [flu:] pt of **fly**

**flex** [flɛks] n fil m or câble m électrique (souple) ▷ vt (knee) fléchir; (muscles) bander; **flexibility** n flexibilité f; **flexible** adj flexible; (person, schedule) souple; **flexitime**, (us) **flextime** n horaire m variable or à la carte

**flick** [flɪk] n petit coup; (with finger) chiquenaude f ▷ vt donner un petit coup à; (switch) appuyer sur; **flick through** vt fus feuilleter

**flicker** ['flɪkə'] vi (light, flame) vaciller

**flies** [flaɪz] npl of **fly**

**flight** [flaɪt] n vol m; (escape) fuite f; (also: **~ of steps**) escalier m; **flight attendant** n steward m, hôtesse f de l'air

**flimsy** ['flɪmzɪ] adj peu solide; (clothes) trop léger(-ère); (excuse) pauvre, mince

**flinch** [flɪntʃ] vi tressaillir; **to ~ from** se dérober à, reculer devant

**fling** [flɪŋ] vt (pt, pp **flung**) jeter, lancer

**flint** [flɪnt] n silex m; (in lighter) pierre f (à briquet)

**flip** [flɪp] vt (throw) donner une chiquenaude à; (switch) appuyer sur; (us: pancake) faire sauter; **to ~ sth over** retourner qch

**flip-flops** ['flɪpflɔps] npl (esp BRIT) tongs fpl

**flipper** ['flɪpə'] n (of animal) nageoire f; (for swimmer) palme f

**flirt** [flə:t] vi flirter ▷ n flirteur(-euse)

**float** [fləut] n flotteur m; (in procession) char m; (sum of money) réserve f ▷ vi flotter

**flock** [flɔk] n (of sheep) troupeau m; (of birds) vol m; (of people) foule f

**flood** [flʌd] n inondation f; (of letters, refugees etc) flot m ▷ vt inonder ▷ vi (place) être inondé; (people): **to ~ into** envahir; **flooding** n inondation f; **floodlight** n projecteur m

**floor** [flɔ:'] n sol m; (storey) étage m; (of sea, valley) fond m ▷ vt (knock down) terrasser; (baffle) désorienter; **ground ~**, (us) **first ~** rez-de-chaussée m; **first ~**, (us) **second ~** premier étage; **what ~ is it on?** c'est à quel étage?; (us) **second ~** premier étage; **floorboard** n planche f (du plancher); **flooring** n sol m; (wooden) plancher m; (covering) revêtement m de sol; **floor show** n spectacle m de variétés

**flop** [flɔp] n fiasco m ▷ vi (fail) faire fiasco; (fall) s'affaler, s'effondrer; **floppy** adj lâche, flottant(e) ▷ n (Comput: also: **floppy disk**) disquette f

**flora** ['flɔ:rə] n flore f

**floral** ['flɔ:rl] adj floral(e); (dress) à fleurs

**florist** ['flɔrɪst] n fleuriste m/f; **florist's (shop)** n magasin m or boutique f de fleuriste

**flotation** [fləu'teɪʃən] n (of shares) émission f; (of company) lancement m (en Bourse)

**flour** ['flauə'] n farine f

**flourish** ['flʌrɪʃ] vi prospérer ▷ n (gesture) moulinet m

**flow** [fləu] n (of water, traffic etc) écoulement m; (tide, influx) flux m; (of blood, Elec) circulation f; (of river) courant m ▷ vi couler; (traffic) s'écouler; (robes, hair) flotter

**flower** ['flauə<sup>r</sup>] n fleur f ▷ vi fleurir; **flower bed** n plate-bande f; **flowerpot** n pot m (à fleurs)

**flown** [fləun] pp of **fly**

**fl. oz.** abbr = **fluid ounce**

**flu** [flu:] n grippe f

**fluctuate** ['flʌktjueɪt] vi varier, fluctuer

**fluent** ['flu:ənt] adj (speech, style) coulant(e), aisé(e); **he speaks ~ French, he's ~ in French** il parle le français couramment

**fluff** [flʌf] n duvet m; (on jacket, carpet) peluche f; **fluffy** adj duveteux(-euse); (toy) en peluche

**fluid** ['flu:ɪd] n fluide m; (in diet) liquide m ▷ adj fluide; **fluid ounce** n (BRIT) = 0.028 l; 0.05 pints

**fluke** [flu:k] n coup m de veine

**flung** [flʌŋ] pt, pp of **fling**

**fluorescent** [fluə'rɛsnt] adj fluorescent(e)

**fluoride** ['fluəraɪd] n fluor m

**flurry** ['flʌrɪ] n (of snow) rafale f, bourrasque f; **a ~ of activity** un affairement soudain

**flush** [flʌʃ] n (on face) rougeur f; (fig: of youth etc) éclat m ▷ vt nettoyer à grande eau ▷ vi rougir ▷ adj (level): **~ with** au ras de, de niveau avec; **to ~ the toilet** tirer la chasse (d'eau)

**flute** [flu:t] n flûte f

**flutter** ['flʌtə<sup>r</sup>] n (of panic, excitement) agitation f; (of wings) battement m ▷ vi (bird) battre des ailes, voleter

**fly** [flaɪ] (pt **flew**, pp **flown**) n (insect) mouche f; (on trousers: also: **flies**) braguette f ▷ vt (plane) piloter; (passengers, cargo) transporter (par avion); (distance) parcourir ▷ vi voler; (passengers) aller en avion; (escape) s'enfuir, fuir; (flag) se déployer; **fly away, fly off** vi s'envoler; **fly-drive** n formule f avion plus voiture; **flying** n (activity) aviation f; (action) vol m ▷ adj: **flying visit** visite f éclair inv; **with flying colours** haut la main; **flying saucer** n soucoupe f

volante; **flyover** n (BRIT: overpass) pont routier

**FM** abbr (Radio: = frequency modulation) FM

**foal** [fəul] n poulain m

**foam** [fəum] n écume f; (on beer) mousse f; (also: **~ rubber**) caoutchouc m mousse ▷ vi (liquid) écumer; (soapy water) mousser

**focus** ['fəukəs] n (pl **focuses**) foyer m; (of interest) centre m ▷ vt (field glasses etc) mettre au point ▷ vi: **to ~ on** (with camera) régler la mise au point (sur); (with eyes) fixer son regard (sur); (fig: concentrate) se concentrer (sur); **out of/in ~** (picture) flou(e)/ net(te); (camera) pas au point/ au point

**foetus**, (US) **fetus** ['fi:təs] n fœtus m

**fog** [fɔg] n brouillard m; **foggy** adj: **it's foggy** il y a du brouillard; **fog lamp**, (US) **fog light** n (Aut) phare m anti-brouillard

**foil** [fɔɪl] vt déjouer, contrecarrer ▷ n feuille f de métal; (kitchen foil) papier m d'alu(minium); **to act as a ~ to** (fig) servir de repoussoir à

**fold** [fəuld] n (bend, crease) pli m; (Agr) parc m à moutons; (fig) bercail m ▷ vt plier; **to ~ one's arms** croiser les bras; **fold up** vi (map etc) se plier, se replier; (business) fermer boutique ▷ vt (map etc) plier, replier; **folder** n (for papers) chemise f; (: binder) classeur m; (Comput) dossier m; **folding** adj (chair, bed) pliant(e)

**foliage** ['fəulɪdʒ] n feuillage m

**folk** [fəuk] npl gens mpl ▷ cpd folklorique; **folks** npl (inf: parents) famille f, parents mpl; **folklore** ['fəuklɔ:<sup>r</sup>] n folklore m; **folk music** n musique f folklorique; (contemporary) musique folk, folk m; **folk song** n chanson f folklorique; (contemporary) chanson folk inv

**follow** ['fɔləu] vt suivre; (on Twitter) s'abonner aux tweets de ▷ vi suivre; (result) s'ensuivre; **to ~ suit** (fig) faire de même; **follow up** vt (letter, offer) donner suite à; (case) suivre; **follower** n disciple m/f, partisan(e); **following** adj suivant(e) ▷ n partisans mpl, disciples mpl; **follow-up** n suite f, (of file, case) suivi m

**fond** [fɔnd] adj (memory, look) tendre, affectueux(-euse); (hopes, dreams) un peu fou (folle); **to be ~** aimer beaucoup

**food** [fuːd] n nourriture f, food **mixer** n mixeur m; **food poisoning** n intoxication f alimentaire; **food processor** n robot m de cuisine; **food stamp** n (us) bon m de nourriture (pour indigents)

**fool** [fuːl] n idiot(e); (Culin) mousse f de fruits ▷ vt berner, duper; (feed) **fool about, fool around** vi (pej: waste time) traînailler, glandouiller; (: behave foolishly) faire l'idiot or l'imbécile; **foolish** adj idiot(e), stupide; (rash) imprudent(e); **foolproof** adj (plan etc) infaillible

**foot** [pl **feet**] n pied m; (of animal) patte f; (measure) pied (= 30.48 cm; 12 inches) ▷ vt (bill) payer; **on ~** à pied; **footage** n (Cine: length) ≈ métrage m; (: material) séquences fpl; **foot-and-mouth (disease)** [fʊtənd'mauθ-] n fièvre aphteuse; **football** n (ball) ballon m (de football); (sport: BRIT) football m; (: us) football américain; **footballer** n (BRIT) = **football player**; **football match** n (BRIT) match m de foot(ball); **football player** n footballeur(-euse), joueur(-euse) de football; (us) joueur(-euse) de football américain; **footbridge** n passerelle f; **foothills** npl contreforts mpl; **foothold** n prise f (de pied); **footing** n (fig) position f; **to lose one's footing** perdre pied; **footnote** n note f (en bas de page); **footpath** n sentier m; **footprint** n trace f (de pied); **footstep** n pas m; **footwear** n chaussures fpl

**for** [fɔːʳ] prep **1** (indicating destination, intention, purpose) pour; **the train for London** le train pour (or à destination de) Londres; **he left for Rome** il est parti pour Rome; **he went for the paper** il est allé chercher le journal; **is this for me?** c'est pour moi?; **it's time for lunch** c'est l'heure du déjeuner; **what is it for?** ça sert à quoi?; **what for?** (why?) pourquoi?; (to what end?) pour quoi faire?, à quoi bon?; **for sale** à vendre; **to pray for peace** prier pour la paix

**2** (on behalf of, representing) pour; **the MP for Hove** le député de Hove; **to work for sb/sth** travailler pour qn/qch; **I'll ask him for you** je vais lui demander pour toi; **G for George** G comme Georges

**3** (because of) pour; **for this reason** pour cette raison; **for fear of being criticized** de peur d'être critiqué

**4** (with regard to) pour; **it's cold for July** il fait froid pour juillet; **a gift for languages** un don pour les langues

**5** (in exchange for) **I sold it for £5** je l'ai vendu 5 livres; **to pay 50 pence for a ticket** payer un billet 50 pence

**6** (in favour of) pour; **are you for or against us?** êtes-vous pour ou contre nous?; **I'm all for it** je suis tout à fait pour; **vote for X** votez pour X

**7** (referring to distance) pendant, sur; **there are roadworks for 5 km** il y a des travaux sur or pendant 5 km; **we walked for miles** nous avons marché pendant des kilomètres

**8** (referring to time) pendant; depuis; pour; **he was away for 2 years** il a été absent pendant 2 ans; **she will be away for a month** elle sera absente (pendant) un mois; **it hasn't rained for 3 weeks** ça fait 3 semaines qu'il ne pleut pas, il ne pleut pas depuis 3 semaines; **I have known her for years** je la connais

depuis des années; **can you do it for tomorrow?** est-ce que tu peux le faire pour demain?
**9** (with infinitive clauses): **it is not for me to decide** ce n'est pas à moi de décider; **it would be best for you to leave** le mieux serait que vous partiez; **there is still time for you to do it** vous avez encore le temps de le faire; **for this to be possible …** pour que cela soit possible ..
**10** (in spite of): **for all that** malgré cela, néanmoins; **for all his work/efforts** malgré tout son travail/tous ses efforts; **for all his complaints, he's very fond of her** il a beau se plaindre, il l'aime beaucoup
▶ conj (since, as: formal) car

**forbid** (pt **forbad** or **forbade**, pp **forbidden**) [fə'bɪd, -'bæd, -'bɪdn] vt défendre, interdire; **to ~ sb to do** défendre or interdire à qn de faire; **forbidden** adj défendu(e)
**force** [fɔːs] n force f ▶ vt forcer; (push) pousser (de force); **to ~ o.s. to do** se forcer à faire; **in ~** (rule, law, prices) en vigueur; (in large numbers) en force; **forced** adj forcé(e); **forceful** adj énergique
**ford** [fɔːd] n gué m
**fore** [fɔːr] n: **to the ~** en évidence; **forearm** n avant-bras m inv; **forecast** n prévision f; (also: **weather forecast**) prévisions fpl météorologiques, météo f ▶ vt (irreg: like **cast**) prévoir; **forecourt** n (of garage) devant m; **forefinger** n index m; **forefront** n: **in the forefront of** au premier rang or plan de; **foreground** n premier plan; **forehead** ['fɔrɪd] n front m
**foreign** ['fɔrɪn] adj étranger(-ère); (trade) extérieur(e); (travel) à l'étranger; **foreign currency** n devises étrangères; **foreigner** n étranger(-ère); **foreign exchange** n (system) change m; (money) devises

fpl; **Foreign Office** n (BRIT) ministère m des Affaires étrangères; **Foreign Secretary** n (BRIT) ministre m des Affaires étrangères
**fore-**: **foreman** (irreg) n (in construction) contremaître m; **foremost** adj le (la) plus en vue, premier(-ière) ▶ adv: **first and foremost** avant tout, tout d'abord; **forename** n prénom m
**forensic** [fə'rɛnsɪk] adj: **~ medicine** médecine légale
**foresee** (pt **foresaw**, pp **foreseen**) [fɔː'siː, -'sɔː, -'siːn] vt prévoir; **foreseeable** adj prévisible
**foreseen** [fɔː'siːn] pp of **foresee**
**forest** ['fɔrɪst] n forêt f; **forestry** n sylviculture f
**forever** [fə'rɛvər] adv pour toujours; (fig: endlessly) continuellement
**foreword** ['fɔːwəːd] n avant-propos m inv
**forfeit** ['fɔːfɪt] vt perdre
**forgave** [fə'geɪv] pt of **forgive**
**forge** [fɔːdʒ] n forge f ▶ vt (signature) contrefaire; (wrought iron) forger; **to ~ money** (BRIT) fabriquer de la fausse monnaie; **forger** n faussaire m; **forgery** n faux m, contrefaçon f
**forget** (pt **forgot**, pp **forgotten**) [fə'gɛt, -'gɔt, -'gɔtn] vt, vi oublier; **I've forgotten my key/passport** j'ai oublié ma clé/mon passeport; **forgetful** adj distrait(e), étourdi(e)
**forgive** (pt **forgave**, pp **forgiven**) [fə'gɪv, -'geɪv, -'gɪvn] vt pardonner; **to ~ sb for sth/for doing sth** pardonner qch à qn/à qn de faire qch
**forgot** [fə'gɔt] pt of **forget**
**forgotten** [fə'gɔtn] pp of **forget**
**fork** [fɔːk] n (for eating) fourchette f; (for gardening) fourche f; (of roads) bifurcation f ▶ vi (road) bifurquer
**forlorn** [fə'lɔːn] adj (deserted) abandonné(e); (hope, attempt) désespéré(e)
**form** [fɔːm] n forme f; (Scol) classe f; (questionnaire) formulaire m ▶ vt former; (habit) contracter; **to ~ part**

**of sth** faire partie de qch; **on top ~** en pleine forme

**formal** ['fɔːməl] *adj (offer, receipt)* en bonne et due forme; *(person)* cérémonieux(-euse); *(occasion, dinner)* officiel(le); *(garden)* à la française; *(clothes)* de soirée; **formality** [fɔː'mælɪtɪ] *n* formalité *f*

**format** ['fɔːmæt] *n* format *m* ⊳ *vt (Comput)* formater

**formation** [fɔː'meɪʃən] *n* formation *f*

**former** ['fɔːmə'] *adj* ancien(ne); *(before n)* précédent(e); **the ~ ... the latter** le premier ... le second, celui-là ... celui-ci; **formerly** *adv* autrefois

**formidable** ['fɔːmɪdəbl] *adj* redoutable

**formula** ['fɔːmjulə] *n* formule *f*

**fort** [fɔːt] *n* fort *m*

**forthcoming** [fɔːθ'kʌmɪŋ] *adj* qui va paraître ou avoir lieu prochainement; *(character)* ouvert(e), communicatif(-ive); *(available)* disponible

**fortieth** ['fɔːtɪɪθ] *num* quarantième

**fortify** ['fɔːtɪfaɪ] *vt (city)* fortifier; *(person)* remonter

**fortnight** ['fɔːtnaɪt] *n (BRIT)* quinzaine *f*, quinze jours *mpl*; **fortnightly** *adj* bimensuel(le) ⊳ *adv* tous les quinze jours

**fortress** ['fɔːtrɪs] *n* forteresse *f*

**fortunate** ['fɔːtʃənɪt] *adj* heureux(-euse); *(person)* chanceux(-euse); **it is ~ that** c'est une chance que, il est heureux que; **fortunately** *adv* heureusement, par bonheur

**fortune** ['fɔːtʃən] *n* chance *f*; *(wealth)* fortune *f*; **fortune-teller** *n* diseuse *f* de bonne aventure

**forty** ['fɔːtɪ] *num* quarante

**forum** ['fɔːrəm] *n* forum *m*, tribune *f*

**forward** ['fɔːwəd] *adj (movement, position)* en avant, vers l'avant; *(not shy)* effronté(e); *(in time)* en avance ⊳ *adv (also:* **~s)** en avant ⊳ *n (Sport)* avant *m* ⊳ *vt (letter)* faire suivre; *(parcel, goods)* expédier; *(fig)* promouvoir, favoriser; **to move ~**

avancer; **forwarding address** *n* adresse *f* de réexpédition; **forward slash** *n* barre oblique

**fossick** ['fɔsɪk] *vi (AUST, NZ inf)* chercher; **to ~ around for** fouiner *(inf)* pour trouver

**fossil** ['fɔsl] *adj*, *n* fossile *m*

**foster** ['fɔstə'] *vt (encourage)* encourager, favoriser; *(child)* élever *(sans adopter)*; **foster child** *n* enfant élevé dans une famille d'accueil

**fought** [fɔːt] *pt*, *pp* of **fight**

**foul** [faul] *adj (weather, smell, food)* infect(e); *(language)* ordurier(-ière) ⊳ *n (Football)* faute *f* ⊳ *vt (dirty)* salir, encrasser; **he's got a ~ temper** il a un caractère de chien; **foul play** *n (Law)* acte criminel

**found** [faund] *pt*, *pp* of **find** ⊳ *vt (establish)* fonder; **foundation** [faun'deɪʃən] *n (act)* fondation *f*; *(base)* fondement *m*; *(also:* **foundation cream)** fond *m* de teint; **foundations** *npl (of building)* fondations *fpl*

**founder** ['faundə'] *n* fondateur *m* ⊳ *vi* couler, sombrer

**fountain** ['fauntɪn] *n* fontaine *f*; **fountain pen** *n* stylo *m* (à encre)

**four** [fɔː'] *num* quatre; **on all ~s** à quatre pattes; **four-letter word** *n* obscénité *f*, gros mot; **four-poster** *n (also:* **four-poster bed)** lit à baldaquin; **fourteen** *num* quatorze; **fourteenth** *num* quatorzième; **fourth** *num* quatrième ⊳ *n (Aut: also* **fourth gear)** quatrième *f*; **four-wheel drive** *n (Aut: car)* voiture *f* à quatre roues motrices

**fowl** [faul] *n* volaille *f*

**fox** [fɔks] *n* renard *m* ⊳ *vt* mystifier

**foyer** ['fɔɪeɪ] *n (in hotel)* vestibule *m*; *(Theat)* foyer *m*

**fracking** ['frækɪŋ] *n* fracturation *f* hydraulique

**fraction** ['frækʃən] *n* fraction *f*

**fracture** ['fræktʃə'] *n* fracture *f* ⊳ *vt* fracturer

## fragile | 408

**fragile** ['frædʒaɪl] *adj* fragile
**fragment** ['frægmənt] *n* fragment *m*
**fragrance** ['freɪgrəns] *n* parfum *m*
**frail** [freɪl] *adj* fragile, délicat(e);
(*person*) frêle
**frame** [freɪm] *n* (*of building*)
charpente *f*; (*of human, animal*)
charpente *f*, ossature *f*; (*of
picture*) cadre *m*; (*of door, window*)
encadrement *m*, chambranle *m*;
(*of spectacles: also:* **~s**) monture *f*
▷ *vt* (*picture*) encadrer; **~ of mind**
disposition *f* d'esprit; **framework** *n*
structure *f*
**France** [frɑːns] *n* la France
**franchise** ['fræntʃaɪz] *n* (*Pol*) droit *m*
de vote; (*Comm*) franchise *f*
**frank** [fræŋk] *adj* franc (franche)
▷ *vt* (*letter*) affranchir; **frankly** *adv*
franchement
**frantic** ['fræntɪk] *adj* (*hectic*)
frénétique; (*distraught*) hors de soi
**fraud** [frɔːd] *n* supercherie *f*, fraude *f*,
tromperie *f*; (*person*) imposteur *m*
**fraught** [frɔːt] *adj* (*tense: person*)
très tendu(e); (*: situation*) pénible;
**~ with** (*difficulties etc*) chargé(e) de,
plein(e) de
**fray** [freɪ] *vt* effilocher ▷ *vi* s'effilocher
**freak** [friːk] *n* (*eccentric person*)
phénomène *m*; (*unusual event*) hasard
*m* extraordinaire; (*pej: fanatic*):
**health freak** ~ fana *m/f* or obsédé(e)
de l'alimentation saine ▷ *adj* (*storm*)
exceptionnel(le); (*accident*) bizarre
**freckle** ['frɛkl] *n* tache *f* de rousseur
**free** [friː] *adj* libre; (*gratis*) gratuit(e)
▷ *vt* (*prisoner etc*) libérer; (*jammed
object or person*) dégager; **is this seat
~?** la place est libre?; **~ (of charge)**
gratuitement; **freedom** *n* liberté *f*;
**Freefone®** *n* numéro vert; **free gift**
*n* prime *f*; **free kick** *n* (*Sport*) coup
franc; **freelance** *adj* (*journalist etc*)
indépendant(e), free-lance *inv* ▷ *adv*
en free-lance; **freely** *adv* librement;
(*liberally*) libéralement; **Freepost®** *n*
(*BRIT*) port payé; **free-range** *adj* (*egg*)

de ferme; (*chicken*) fermier; **freeway**
*n* (*US*) autoroute *f*; **free will** *n* libre
arbitre *m*; **of one's own free will** de
son plein gré
**freeze** [friːz] (*pt* **froze**, *pp* **frozen**)
*vi* geler ▷ *vt* geler; (*food*) congeler;
(*prices, salaries*) bloquer, geler ▷ *n*
gel *m*; (*of prices, salaries*) blocage *m*;
**freezer** *n* congélateur *m*; **freezing**
*adj*: **freezing (cold)** (*room etc*)
glacial(e); (*person, hands*) gelé(e),
glacé(e) ▷ *n*: **3 degrees below
freezing** 3 degrés au-dessous de
zéro; **it's freezing** il fait un froid
glacial; **freezing point** *n* point *m* de
congélation
**freight** [freɪt] *n* (*goods*) fret *m*,
cargaison *f*; (*money charged*) fret, prix
*m* du transport; **freight train** *n* (*US*)
train *m* de marchandises
**French** [frɛntʃ] *adj* français(e)
▷ *n* (*Ling*) français *m*; **the ~** *npl* les
Français; **what's the ~ (word) for
…?** comment dit-on … en français?;
**French bean** *n* (*BRIT*) haricot vert;
**French bread** *n* pain *m* français;
**French dressing** *n* (*Culin*) vinaigrette
*f*; **French fried potatoes, French
fries** (*US*) *npl* (pommes de terre
fpl) frites fpl; **Frenchman** (*irreg*)
*n* Français *m*; **French stick** *n* ~
baguette *f*; **French window** *n* porte-
fenêtre *f*; **Frenchwoman** (*irreg*) *n*
Française *f*
**frenzy** ['frɛnzɪ] *n* frénésie *f*
**frequency** ['friːkwənsɪ] *n*
fréquence *f*
**frequent** *adj* ['friːkwənt] fréquent(e)
▷ *vt* [frɪ'kwɛnt] fréquenter;
**frequently** ['friːkwəntlɪ] *adv*
fréquemment
**fresh** [frɛʃ] *adj* frais (fraîche);
(*new*) nouveau (nouvelle); (*cheeky*)
familier(-ière), culotté(e); **freshen** *vi*
(*wind, air*) fraîchir; **freshen up** *vi* faire
un brin de toilette; **fresher** *n* (*BRIT
University: inf*) bizuth *m*, étudiant(e)
de première année; **freshly** *adv*

nouvellement, récemment;
**freshman** (irreg) n (us) = **fresher**;
**freshwater** adj (fish) d'eau douce
**fret** [frɛt] vi s'agiter, se tracasser
**friction** [ˈfrɪkʃən] n friction f,
frottement m
**Friday** [ˈfraɪdɪ] n vendredi m
**fridge** [frɪdʒ] n (BRIT) frigo m,
frigidaire® m
**fried** [fraɪd] adj frit(e); ~ **egg** œuf m
sur le plat
**friend** [frɛnd] n ami(e) ▷ vt (Internet)
ajouter comme ami(e); **friendly**
adj amical(e); (kind) sympathique,
gentil(le); (place) accueillant(e); (Pol:
country) ami(e) ▷ n (also: **friendly**
**match**) match amical; **friendship**
n amitié f
**fries** [fraɪz] (esp us) npl = **chips**
**frigate** [ˈfrɪgɪt] n frégate f
**fright** [fraɪt] n peur f, effroi m; **to**
**give sb a ~** faire peur à qn; **to take**
**~** prendre peur, s'effrayer; **frighten**
vt effrayer, faire peur à; **frightened**
adj: **to be frightened (of)** avoir peur
(de); **frightening** adj effrayant(e);
**frightful** adj affreux(-euse)
**frill** [frɪl] n (of dress) volant m; (of shirt)
jabot m
**fringe** [frɪndʒ] n (BRIT: of hair) frange
f; (edge: of forest etc) bordure f
**Frisbee®** [ˈfrɪzbɪ] n Frisbee® m
**fritter** [ˈfrɪtər] n beignet m
**frivolous** [ˈfrɪvələs] adj frivole
**fro** [frəu] adv see **to**
**frock** [frɔk] n robe f
**frog** [frɔg] n grenouille f; **frogman**
(irreg) n homme-grenouille m

**KEYWORD**

**from** [frɔm] prep 1 (indicating starting
place, origin etc) de; **where do you**
**come from?, where are you**
**come from?** d'où venez-vous?; **where has he**
**come from?** d'où arrive-t-il?; **from**
**London to Paris** de Londres à Paris;
**to escape from sb/sth** échapper

à qn/qch; **a letter/telephone call**
**from my sister** une lettre/un appel
de ma sœur; **to drink from the**
**bottle** boire à (même) la bouteille;
**tell him from me that …** dites-lui de
ma part que …
2 (indicating time) (à partir) de; **from**
**one o'clock** to or **until** or **till two**
d'une heure à deux heures; **from**
**January (on)** à partir de janvier
3 (indicating distance) de; **the hotel**
**is one kilometre from the beach**
l'hôtel est à un kilomètre de la plage
4 (indicating price, number etc) de;
**prices range from £10 to £50** les prix
varient entre 10 livres et 50 livres; **the**
**interest rate was increased from**
**9% to 10%** le taux d'intérêt est passé
de 9% à 10%
5 (indicating difference) de; **he can't**
**tell red from green** il ne peut pas
distinguer le rouge du vert; **to be**
**different from sb/sth** être différent
de qn/qch
6 (because of, on the basis of): **from**
**what he says** d'après ce qu'il dit;
**weak from hunger** affaibli par
la faim

**front** [frʌnt] n (of house, dress)
devant m; (of coach, train) avant m;
(promenade: also: **sea ~**) bord m de
mer; (Mil, Pol, Meteorology) front
m; (fig: appearances) contenance f,
façade f ▷ adj de devant; (seat, wheel)
avant ▷ vi: **in ~ (of)** devant;
**front door** n porte f d'entrée; (of car)
portière f avant; **frontier** [ˈfrʌntɪər]
n frontière f; **front page** n première
page; **front-wheel drive** n traction f
avant

**frost** [frɔst] n gel m, gelée f; (also:
**hoar~**) givre m; **frostbite** n gelures
fpl; **frosting** n (esp us: on cake)
glaçage m; **frosty** adj (window)
couvert(e) de givre; (weather, welcome)
glacial(e)

**froth** [frɔθ] n mousse f; écume f

**frown** [fraun] n froncement m de sourcils ▷ vi froncer les sourcils

**froze** [frəuz] pt of **freeze**

**frozen** ['frəuzn] pp of **freeze** ▷ adj (food) congelé(e); (person, also assets) gelé(e)

**fruit** [fru:t] n (pl inv) fruit m; **fruit juice** n jus m de fruit; **fruit machine** n (BRIT) machine f à sous; **fruit salad** n salade f de fruits

**frustrate** [frʌs'treɪt] vt frustrer; **frustrated** adj frustré(e)

**fry** (pt, pp **fried**) [fraɪ, -d] vt (faire) frire ▷ n: **small ~** le menu fretin; **frying pan** n poêle f (à frire)

**ft.** abbr = **foot; feet**

**fudge** [fʌdʒ] n (Culin) sorte de confiserie à base de sucre, de beurre et de lait

**fuel** [fjuəl] n (for heating) combustible m; (for engine) carburant m; **fuel tank** n (in vehicle) réservoir m de or à carburant

**fulfil**, (US) **fulfill** [ful'fɪl] vt (function, condition) remplir; (order) exécuter; (wish, desire) satisfaire, réaliser

**full** [ful] adj plein(e); (details, price, bus) complet(-ète); (busy: day) chargé(e); (skirt) ample, large ▷ adv: **to know ~ well that** savoir fort bien que; **I'm ~ (up)** j'ai trop mangé; **~ employment/fare** plein emploi/tarif; **a ~ two hours** deux bonnes heures; **at ~ speed** à toute vitesse; **in ~** (reproduce, quote, pay) intégralement; (write name etc) en toutes lettres; (portrait) en pied; (coat) long(ue); **full-length** adj (film) long métrage; **full moon** n pleine lune; **full-scale** adj (model) grandeur nature inv; (search, retreat) complet(-ète), total(e); **full stop** n point m; **full-time** adj, adv (work) à plein temps; **fully** adv entièrement, complètement

**fumble** ['fʌmbl] vi fouiller, tâtonner; **fumble with** vt fus tripoter

**fume** [fju:m] vi (rage) rager; **fumes** [fju:mz] npl vapeurs fpl, émanations fpl, gaz mpl

**fun** [fʌn] n amusement m, divertissement m; **to have ~** s'amuser; **for ~** pour rire; **to make ~ of** se moquer de

**function** ['fʌŋkʃən] n fonction f; (reception, dinner) cérémonie f, soirée officielle ▷ vi fonctionner

**fund** [fʌnd] n caisse f, fonds m; (source, store) source f, mine f; **funds** npl (money) fonds mpl

**fundamental** [fʌndə'mentl] adj fondamental(e)

**funeral** ['fju:nərəl] n enterrement m, obsèques fpl (more formal occasion); **funeral director** n entrepreneur m des pompes funèbres; **funeral parlour** n (BRIT) dépôt m mortuaire

**funfair** ['fʌnfɛəʳ] n (BRIT) fête (foraine)

**fungus** (pl **fungi**) ['fʌŋgəs, -gaɪ] n champignon m; (mould) moisissure f

**funnel** ['fʌnl] n entonnoir m; (of ship) cheminée f

**funny** ['fʌnɪ] adj amusant(e), drôle; (strange) curieux(-euse), bizarre

**fur** [fəːʳ] n fourrure f; (BRIT: in kettle etc) (dépôt m de) tartre m; **fur coat** n manteau m de fourrure

**furious** ['fjuərɪəs] adj furieux(-euse); (effort) acharné(e)

**furnish** ['fəːnɪʃ] vt meubler; (supply) fournir; **furnishings** npl mobilier m, articles mpl d'ameublement

**furniture** ['fəːnɪtʃəʳ] n meubles mpl, mobilier m; **piece of ~** meuble m

**furry** ['fəːrɪ] adj (animal) à fourrure; (toy) en peluche

**further** ['fəːðəʳ] adj supplémentaire, autre; nouveau (nouvelle) ▷ adv plus loin; (more) davantage; (moreover) de plus ▷ vt faire avancer or progresser, promouvoir; **further education** n enseignement m postscolaire (recyclage, formation professionnelle); **furthermore** adv de plus, en outre

**furthest** ['fəːðɪst] superlative of **far**

**fury** ['fjuərɪ] n fureur f

**fuse**, (US) **fuze** [fju:z] n fusible m; (for bomb etc) amorce f, détonateur m ▷ vt, vi (metal) fondre; (BRIT Elec): **to ~ the lights** faire sauter les fusibles or les plombs; **fuse box** n boîte f à fusibles

**fusion** ['fju:ʒən] n fusion f

**fuss**, [fʌs] n (anxiety, excitement) chichis mpl, façons fpl; (commotion) tapage m; (complaining, trouble) histoire(s) f(pl); **to make a ~** faire des façons (or des histoires); **to make a ~ of sb** dorloter qn; **fussy** adj (person) tatillon(ne), difficile, chichiteux(-euse); (dress, style) tarabiscoté(e)

**future** ['fju:tʃə'] adj futur(e) ▷ n avenir m; (Ling) futur m; **futures** npl (Comm) opérations fpl à terme; **in (the) ~** à l'avenir

**fuze** [fju:z] n, vt, vi (US) = **fuse**

**fuzzy** ['fʌzı] adj (Phot) flou(e); (hair) crépu(e)

**FYI** abbr = **for your information**

# g

**G** [dʒi:] n (Mus) sol m

**g.** abbr (= gram) g

**gadget** ['gædʒıt] n gadget m

**Gaelic** ['geılık] adj, n (Ling) gaélique (m)

**gag** [gæg] n (on mouth) bâillon m; (joke) gag m ▷ vt (prisoner etc) bâillonner

**gain** [geın] n (improvement) gain m; (profit) gain, profit m ▷ vt gagner ▷ vi (watch) avancer; **to ~ from/by** gagner de/à; **to ~ on sb** (catch up) rattraper qn; **to ~ 3lbs (in weight)** prendre 3 livres; **to ~ ground** gagner du terrain

**gal.** abbr = **gallon**

**gala** ['gɑ:lə] n gala m

**galaxy** ['gæləksı] n galaxie f

**gale** [geıl] n coup m de vent

**gall bladder** ['gɔ:l-] n vésicule f biliaire

**gallery** ['gælərı] n (also: **art ~**) musée m; (private) galerie f; (in theatre) dernier balcon

**gallon** ['gælən] n gallon m (Brit = 4.543 l;
US = 3.785 l)

**gallop** ['gæləp] n galop m ▷ vi galoper

**gallstone** ['gɔ:lstəun] n calcul m
(biliaire)

**gamble** ['gæmbl] n pari m, risque
calculé ▷ vt, vi jouer; **to ~ on** (fig)
miser sur; **gambler** n joueur m;
**gambling** n jeu m

**game** [geɪm] n jeu m; (event) match
m; (of tennis, chess, cards) partie f;
(Hunting) gibier m ▷ adj (willing): **to
be ~ (for)** être prêt(e) (à or pour);
**games** npl (Scol) sport m; (sport
event) jeux; **big ~** gros gibier; **games
console** ['geɪmz-] n console f de jeux
vidéo; **game show** n jeu télévisé

**gammon** ['gæmən] n (bacon)
quartier m de lard fumé; (ham)
jambon fumé or salé

**gang** [gæŋ] n bande f; (of workmen)
équipe f

**gangster** ['gæŋstə'] n gangster m

**gap** [gæp] n trou m; (in time) intervalle m;
(difference): **~ (between)** écart m (entre)

**gape** [geɪp] vi (person) être ou rester
bouche bée; (hole, shirt) être ouvert(e)

**gap year** n année que certains étudiants
prennent pour voyager ou pour travailler
avant d'entrer à l'université

**garage** ['gæra:ʒ] n garage m; **garage
sale** n vide-grenier m

**garbage** ['gɑ:bɪdʒ] n (US: rubbish)
ordures fpl, détritus mpl; (inf:
nonsense) âneries fpl; **garbage can**
n (US) poubelle f, boîte f à ordures.
**garbage collector** n (US) éboueur m

**garden** ['gɑ:dn] n jardin m; **gardens**
npl (public) jardin public; (private) parc
m; **garden centre** (Brit) n pépinière
f, jardinerie f; **gardener** n jardinier m;
**gardening** n jardinage m

**garlic** ['gɑ:lɪk] n ail m

**garment** ['gɑ:mənt] n vêtement m

**garnish** ['gɑ:nɪʃ] (Culin) vt garnir ▷ n
décoration f

**gas** [gæs] n gaz m; (US: gasoline)
essence f ▷ vt asphyxier; **I can**

**smell ~** ça sent le gaz; **gas cooker** n
(Brit) cuisinière f à gaz; **gas cylinder**
n bouteille f de gaz; **gas fire** n (Brit)
radiateur m à gaz

**gasket** ['gæskɪt] n (Aut) joint m de
culasse

**gasoline** ['gæsəli:n] n (US) essence f

**gasp** [gɑ:sp] n halètement m; (of
shock etc): **she gave a small ~ of
pain** la douleur lui coupa le souffle
▷ vi haleter; (fig) avoir le souffle
coupé

**gas: gas pedal** n (US) accélérateur m;
**gas station** n (US) station-service
f; **gas tank** n (US Aut) réservoir m
d'essence

**gastric band** ['gæstrɪk-] n anneau
m gastrique

**gate** [geɪt] n (of garden) portail m; (of
field, at level crossing) barrière f; (of
building, town, at airport) porte f

**gateau** (pl **gateaux**) ['gætəu, -z] n
gros gâteau à la crème

**gatecrash** ['geɪtkræʃ] vt s'introduire
sans invitation dans

**gateway** ['geɪtweɪ] n porte f

**gather** ['gæðə'] vt (flowers, fruit)
cueillir; (pick up) ramasser; (assemble:
objects) rassembler; (: people) réunir;
(: information) recueillir; (understand)
comprendre; (Sewing) froncer ▷ vi
(assemble) se rassembler; **to ~ speed**
prendre de la vitesse; **gathering** n
rassemblement m

**gauge** [geɪdʒ] n (instrument) jauge f
▷ vt jauger; (fig) juger de

**gave** [geɪv] pt of **give**

**gay** [geɪ] adj (homosexual)
homosexuel(le); (colour) gai, vif (vive)

**gaze** [geɪz] n regard m fixe ▷ vi: **to ~ at**
fixer du regard

**GB** abbr = **Great Britain**

**GCSE** n abbr (Brit) = General Certificate
of Secondary Education) examen passé
à l'âge de 16 ans sanctionnant les
connaissances de l'élève

**gear** [gɪə'] n matériel m, équipement
m; (Tech) engrenage m; (Aut) vitesse

f ▷ vt (fig: adapt) adapter; **top or (us) high/low** vi: **~ up (to do)** se
préparer (à faire); **gear box** n boîte f de vitesse; **gear lever** n levier m de
cinquième)/première vitesse; **in ~** prise; **gear up** vi: **~ up (to do)** se
préparer (à faire); **gear box** n boîte f de vitesse; **gear lever** n levier m de
vitesse; **gear shift** (us), **gear stick** (BRIT) n = **gear lever**

**geese** [giːs] npl of **goose**

**gel** [dʒɛl] n gelée f

**gem** [dʒɛm] n pierre précieuse

**Gemini** [ˈdʒɛmɪnaɪ] n les Gémeaux mpl

**gender** [ˈdʒɛndəʳ] n genre m; (person's sex) sexe m

**gene** [dʒiːn] n (Biol) gène m

**general** [ˈdʒɛnərl] n général m ▷ adj général(e); **in ~** en général;
**general anaesthetic**, (us) **general anesthetic** n anesthésie
générale; **general election** n élection(s) législative(s); **generalize** vi généraliser; **generally** adv généralement; **general practitioner** n généraliste m/f; **general store** n épicerie f

**generate** [ˈdʒɛnəreɪt] vt engendrer; (electricity) produire

**generation** [dʒɛnəˈreɪʃən] n génération f; (of electricity etc) production f

**generator** [ˈdʒɛnəreɪtəʳ] n générateur m

**generosity** [dʒɛnəˈrɒsɪtɪ] n générosité f

**generous** [ˈdʒɛnərəs] adj généreux(-euse); (copious) copieux(-euse)

**genetic** [dʒɪˈnɛtɪk] adj génétique; **~ engineering** ingénierie m génétique; **~ fingerprinting** système m d'empreinte génétique; **genetically modified** adj (food etc) génétiquement modifié(e); **genetics** n génétique f

**Geneva** [dʒɪˈniːvə] n Genève

**genitals** [ˈdʒɛnɪtlz] npl organes génitaux

**genius** [ˈdʒiːnɪəs] n génie m

**genome** [ˈdʒiːnəʊm] n génome m

**gent** [dʒɛnt] n abbr (BRIT inf) = **gentleman**

**gentle** [ˈdʒɛntl] adj doux (douce); (breeze, touch) léger(-ère)

**gentleman** [ˈdʒɛntlmən] (irreg) n monsieur m; (well-bred man) gentleman m

**gently** [ˈdʒɛntlɪ] adv doucement

**gents** [dʒɛnts] n W.-C. mpl (pour hommes)

**genuine** [ˈdʒɛnjuɪn] adj véritable, authentique; (person, emotion) sincère; **genuinely** adv sincèrement, vraiment

**geographic(al)** [dʒɪəˈɡræfɪk(l)-] adj géographique

**geography** [dʒɪˈɒɡrəfɪ] n géographie f

**geology** [dʒɪˈɒlədʒɪ] n géologie f

**geometry** [dʒɪˈɒmətrɪ] n géométrie f

**geranium** [dʒɪˈreɪnɪəm] n géranium m

**geriatric** [dʒɛrɪˈætrɪk] adj gériatrique ▷ n patient(e) gériatrique

**germ** [dʒəːm] n (Med) microbe m

**German** [ˈdʒəːmən] adj allemand(e) ▷ n Allemand(e); (Ling) allemand m; **German measles** n rubéole f

**Germany** [ˈdʒəːmənɪ] n Allemagne f

**gesture** [ˈdʒɛstjəʳ] n geste m

**KEYWORD**

**get** [ɡɛt] (pt, pp **got**, (us) pp **gotten**) vi 1 (become, be) devenir; **to get old/ tired** devenir vieux/fatigué, vieillir/se fatiguer; **to get drunk** s'enivrer; **to get dirty** se salir; **to get married** se marier; **when do I get paid?** quand est-ce que je serai payé?; **it's getting late** il se fait tard

2 (go): **to get to/from** aller à/de; **to get home** rentrer chez soi; **how did you get here?** comment es-tu arrivé ici?

3 (begin) commencer or se mettre à; **to get to know sb** apprendre à

connaître qn; **I'm getting to like him** je commence à l'apprécier; **let's get going** or **started** allons-y

**4** (*modal aux vb*): **you've got to do it** il faut que vous le fassiez; **I've got to tell the police** je dois le dire à la police

▸ *vt* **1**: **to get sth done** (*do*) faire qch; (*have done*) faire faire qch; **to get sth/sb ready** préparer qch/qn; **to get one's hair cut** se faire couper les cheveux; **to get the car going** or **to go** (faire) démarrer la voiture; **to get sb to do sth** faire faire qch à qn

**2** (*obtain: money, permission, results*) obtenir, avoir; (*buy*) acheter; (*find: job, flat*) trouver; (*fetch: person, doctor, object*) aller chercher; **to get sth for sb** procurer qch à qn; **get me Mr Jones, please** (*on phone*) passez-moi Mr Jones, s'il vous plaît; **can I get you a drink?** est-ce que je peux vous servir à boire?

**3** (*receive: present, letter*) recevoir, avoir; (*acquire: reputation*) avoir; (*: prize*) obtenir; **what did you get for your birthday?** qu'est-ce que tu as eu pour ton anniversaire?; **how much did you get for the painting?** combien avez-vous vendu le tableau?

**4** (*catch*) prendre, saisir, attraper; (*hit: target etc*) atteindre; **to get sb by the arm/throat** prendre or saisir or attraper qn par le bras/à la gorge; **get him!** arrête-le!; **the bullet got him in the leg** il a pris la balle dans la jambe

**5** (*take, move*): **to get sth to sb** faire parvenir qch à qn; **do you think we'll get it through the door?** on arrivera à la faire passer par la porte?

**6** (*catch: plane, bus etc*) prendre; **where do I get the train for Birmingham?** où prend-on le train pour Birmingham?

**7** (*understand*) comprendre, saisir (*hear*) entendre; **I've got it!** j'ai compris!; **I don't get your meaning**

je ne vois or comprends pas ce que vous voulez dire; **I didn't get your name** je n'ai pas entendu votre nom

**8** (*have, possess*): **to have got** avoir; **how many have you got?** vous en avez combien?

**9** (*illness*) avoir; **I've got a cold** j'ai le rhume; **she got pneumonia and died** elle a fait une pneumonie et elle en est morte

**get away** *vi* partir, s'en aller; (*escape*) s'échapper

**get away with** *vt fus* (*punishment*) en être quitte pour; (*crime etc*) se faire pardonner

**get back** *vi* (*return*) rentrer ▸ *vt* récupérer, recouvrer; **when do we get back?** quand serons-nous de retour?

**get in** *vi* entrer; (*arrive home*) rentrer; (*train*) arriver

**get into** *vt fus* entrer dans; (*car, train etc*) monter dans; (*clothes*) mettre, enfiler, endosser; **to get into bed/a rage** se mettre au lit/en colère

**get off** *vi* (*from train etc*) descendre; (*depart: person, car*) s'en aller ▸ *vt* (*remove: clothes, stain*) enlever ▸ *vt fus* (*train, bus*) descendre de; **where do I get off?** où est-ce que je dois descendre?

**get on** *vi* (*at exam etc*) se débrouiller; (*agree*): **to get on (with)** s'entendre (avec); **how are you getting on?** comment ça va? ▸ *vt fus* monter dans; (*horse*) monter sur

**get out** *vi* sortir; (*of vehicle*) descendre ▸ *vt* sortir

**get out of** *vt fus* sortir de; (*duty etc*) échapper à, se soustraire à

**get over** *vt fus* (*illness*) se remettre de

**get through** *vi* (*Tel*) avoir la communication; **to get through to sb** atteindre qn

**get up** *vi* (*rise*) se lever ▸ *vt fus* monter

**getaway** ['gɛtəweɪ] *n* fuite *f*

**Ghana** ['gɑːnə] n Ghana m

**ghastly** ['gɑːstlɪ] adj atroce, horrible

**ghetto** ['gɛtəu] n ghetto m

**ghost** [gəust] n fantôme m, revenant m

**giant** ['dʒaɪənt] n géant(e) ▷ adj géant(e), énorme

**gift** [gɪft] n cadeau m; (donation, talent) don m; **gifted** adj doué(e); **gift shop**, (US) **gift store** n boutique f de cadeaux; **gift token, gift voucher** n chèque-cadeau m

**gig** [gɪg] n (inf: concert) concert m

**gigabyte** ['dʒɪgəbaɪt] n gigaoctet m

**gigantic** [dʒaɪˈgæntɪk] adj gigantesque

**giggle** ['gɪgl] vi pouffer, ricaner sottement

**gills** [gɪlz] npl (of fish) ouïes fpl, branchies fpl

**gilt** [gɪlt] n dorure f ▷ adj doré(e)

**gimmick** ['gɪmɪk] n truc m

**gin** [dʒɪn] n gin m

**ginger** ['dʒɪndʒəʳ] n gingembre m

**gipsy** ['dʒɪpsɪ] n = **gypsy**

**giraffe** [dʒɪˈrɑːf, n girafe f

**girl** [gəːl] n fille f, fillette f; (young unmarried woman) jeune fille; (daughter) fille; **an English ~** une jeune Anglaise; **girl band** n girls band m; **girlfriend** n (of girl) amie f; (of boy) petite amie; **Girl Guide** n (BRIT) éclaireuse f; (Roman Catholic) guide f; **Girl Scout** n (US) = **Girl Guide**

**gist** [dʒɪst] n essentiel m

**give** [gɪv] (pt **gave**, pp **given**) vt donner ▷ vi (break) céder; (stretch: fabric) se prêter; **to ~ sb sth, ~ sth to sb** donner qch à qn; (gift) offrir qch à qn; (message) transmettre qch à qn; **to ~ sb a call/kiss** appeler/ embrasser qn; **to ~ a cry/sigh** pousser un cri/un soupir; **give away** vt donner; (give free) faire cadeau de; (betray) donner, trahir; (disclose) révéler; **give back** vt rendre; **give in** vi céder ▷ vt donner; **give out** vt (food etc) distribuer; **give up** vi

renoncer ▷ vt renoncer à; **to ~ up smoking** arrêter de fumer; **to ~ o.s. up** se rendre

**given** ['gɪvn] pp of **give** ▷ adj (fixed: time, amount) donné(e), déterminé(e) ▷ conj: **~ the circumstances ...** étant donné les circonstances ..., vu les circonstances ...; **~ that ...** étant donné que ...

**glacier** ['glæsɪəʳ] n glacier m

**glad** [glæd] adj content(e); **gladly** ['glædlɪ] adv volontiers

**glamorous** ['glæmərəs] adj (person) séduisant(e); (job) prestigieux(-euse)

**glamour**, (US) **glamor** ['glæməʳ] n éclat m, prestige m

**glance** [glɑːns] n coup m d'œil ▷ vi: **to ~ at** jeter un coup d'œil à

**gland** [glænd] n glande f

**glare** [glɛəʳ] n (of anger) regard furieux; (of light) lumière éblouissante; (of publicity) feux mpl ▷ vi briller d'un éclat aveuglant; **to ~ at** lancer un regard or des regards furieux à; **glaring** adj (mistake) criant(e), qui saute aux yeux

**glass** [glɑːs] n verre m; **glasses** npl (spectacles) lunettes fpl

**glaze** [gleɪz] vt (door) vitrer; (pottery) vernir ▷ n vernis m

**gleam** [gliːm] vi luire, briller

**glen** [glɛn] n vallée f

**glide** [glaɪd] vi glisser; (Aviat, bird) planer; **glider** n (Aviat) planeur m

**glimmer** ['glɪməʳ] n lueur f

**glimpse** [glɪmps] n vision passagère, aperçu m ▷ vt entrevoir, apercevoir

**glint** [glɪnt] vi étinceler

**glisten** ['glɪsn] vi briller, luire

**glitter** ['glɪtəʳ] vi scintiller, briller

**global** ['gləubl] adj (world-wide) mondial(e); (overall) global(e); **globalization** n mondialisation f; **global warming** n réchauffement m de la planète

**globe** [gləub] n globe m

**gloom** [gluːm] n obscurité f; (sadness) tristesse f, mélancolie f; **gloomy**

*adj* (person) morose; (place, outlook) sombre

**glorious** ['glɔːrɪəs] *adj* glorieux(-euse); (beautiful) splendide

**glory** ['glɔːrɪ] *n* gloire *f*; splendeur *f*

**gloss** [glɒs] *n* (shine) brillant *m*, vernis *m*; (also: **~ paint**) peinture brillante

**glossary** ['glɒsərɪ] *n* glossaire *m*, lexique *m*

**glossy** ['glɒsɪ] *adj* brillant(e), luisant(e) ▷ *n* (also: **~ magazine**) revue *f* de luxe

**glove** [glʌv] *n* gant *m*; **glove compartment** *n* (Aut) boîte *f* à gants, vide-poches *m inv*

**glow** [gləʊ] *vi* rougeoyer; (face) rayonner; (eyes) briller

**glucose** ['gluːkəʊs] *n* glucose *m*

**glue** [gluː] *n* colle *f* ▷ *vt* coller

**GM** *abbr* (= genetically modified) génétiquement modifié(e)

**gm** *abbr* (= gram) g

**GM crop** *n* culture *f* OGM

**GMO** *n abbr* (= genetically modified organism) OGM *m*

**GMT** *abbr* (= Greenwich Mean Time) GMT

**gnaw** [nɔː] *vt* ronger

**go** [gəʊ] (pt **went**, pp **gone**) *vi* aller; (depart) partir, s'en aller; (work) marcher; (break) céder; (time) passer; (be sold): **to ~** se vendre 10 livres; (become): **to go pale/mouldy** pâlir/moisir ▷ *n* (pl **goes**): **to have a go (at)** essayer (de faire); **to be on the go** être en mouvement; **whose go is it?** à qui est-ce de jouer?; **he's going to do it** il va le faire, il est sur le point de le faire; **to go for a walk** aller se promener; **to go dancing/shopping** aller danser/ faire les courses; **to go and see sb, go to see sb** aller voir qn; **how did it go?** comment est-ce que ça s'est passé?; **to go round the back/by the shop** passer par derrière/devant le magasin; **... to go** (us: food) ... à emporter; **go ahead** *vi* (take place) avoir lieu; (get going) y aller; **go away**

*vi* partir, s'en aller; **go back** *vi* rentrer; revenir; (go again) retourner; **go by** *vi* (years, time) passer, s'écouler ▷ *vt fus* s'en tenir à; (believe) en croire; **go down** *vi* descendre; (number, price, amount) baisser; (ship) couler; (sun) se coucher ▷ *vt fus* descendre; **go for** *vt fus* (fetch) aller chercher; (like) aimer; (attack) s'en prendre à; attaquer; **go in** *vi* entrer; **go into** *vt fus* entrer dans; (investigate) étudier, examiner; (embark on) se lancer dans; **go off** *vi* partir, s'en aller; (food) se gâter; (milk) tourner; (bomb) sauter; (alarm clock) sonner; (alarm) se déclencher; (lights etc) s'éteindre; (event) se dérouler ▷ *vt fus* ne plus aimer; **the gun went off** le coup est parti; **go on** *vi* continuer; (happen) se passer; (lights) s'allumer ▷ *vt fus* **to go on doing** continuer à faire; **go out** *vi* sortir; (fire, light) s'éteindre; (tide) descendre; **to go out with sb** sortir avec qn; **go over** *vi*, *vt fus* (check) revoir, vérifier; **go past** *vt fus*: **to go past sth** passer devant qch; **go round** *vi* (circulate: news, rumour) circuler; (revolve) tourner; (suffice) suffire (pour tout le monde); (visit): **to go round (to sb's)** passer chez qn; aller chez qn; (make a detour): **to go round (by)** faire un détour (par); **go through** *vt fus* (town etc) traverser; (search through) fouiller; (suffer) subir; **go up** *vi* monter; (price) augmenter ▷ *vt fus* gravir; **go with** *vt fus* aller avec; **go without** *vt fus* se passer de

**go-ahead** ['gəʊəhɛd] *adj* dynamique, entreprenant(e) ▷ *n* feu vert

**goal** [gəʊl] *n* but *m*; **goalkeeper** *n* gardien *m* de but; **goal-post** *n* poteau *m* de but

**goat** [gəʊt] *n* chèvre *f*

**gobble** ['gɒbl] *vt* (also: **~ down, ~ up**) engloutir

**god** [gɒd] *n* dieu *m*; **God** Dieu; **godchild** *n* filleul(e); **goddaughter**

**n** filleule f; **goddess** n déesse f;
**godfather** n parrain m; **godmother**
n marraine f; **godson** n filleul m
**goggles** ['gɒglz] npl (for skiing etc)
lunettes (protectrices); (for swimming)
lunettes de piscine
**going** ['gəʊɪŋ] n (conditions) état m
du terrain ▷ adj: **the ~ rate** le tarif
(en vigueur)
**gold** [gəʊld] n or m ▷ adj en or;
(reserves) d'or; **golden** adj (made of
gold) en or; (gold in colour) doré(e);
**goldfish** n poisson m rouge;
**goldmine** n mine f d'or; **gold-plated**
adj plaqué(e) or inv
**gone** [gɒn] pp of **go**
**gong** [gɒŋ] n gong m
**good** [gʊd] adj bon(ne); (kind)
gentil(le); (child) sage; (weather)
beau (belle) ▷ n bien m; **goods** npl
marchandise f, articles mpl; **~!** bon!,
très bien!; **to be ~ at** être bon en;
**to be ~ for** être bon pour; **it's no
~ complaining** cela ne sert à rien
de se plaindre; **to make ~** (deficit)
combler; (losses) compenser; **for ~**
(for ever) pour de bon, une fois pour
toutes; **would you be ~ enough to
...?** auriez-vous la bonté or l'amabilité
de ...?; **is this any ~?** (will it do?)
est-ce que ceci fera l'affaire?, est-ce
que cela peut vous rendre service?;
(what's it like?) qu'est-ce que ça vaut?;
**a ~ deal (of)** beaucoup (de); **a ~
many** beaucoup (de); **~ morning/
afternoon!** bonjour!; **~ evening!**
bonsoir!; **~ night!** bonsoir!; (on going
to bed) bonne nuit!; **goodbye** excl au
revoir!; **to say goodbye to sb** dire au
revoir à qn; **Good Friday** n Vendredi
saint; **good-looking** adj beau (belle),
bien inv; **good-natured** adj (person)

qui a un bon naturel; **goodness** n (of
person) bonté f; **for goodness sake!**
je vous en prie!; **goodness gracious!**
mon Dieu!; **goods train** n (BRIT)
train m de marchandises; **goodwill** n
bonne volonté
**google** ['gu:gl] (R) **vi** faire une recherche
Google® ▷ **vt** googler
**goose** (pl **geese**) [gu:s, gi:s] n oie f
**gooseberry** ['guzbərɪ] n groseille f
à maquereau; **to play ~** (BRIT) tenir
la chandelle
**goose bumps, goose pimples**
npl chair f de poule
**gorge** [gɔ:dʒ] n gorge f ▷ vt: **to ~ o.s.
(on)** se gorger (de)
**gorgeous** ['gɔ:dʒəs] adj splendide,
superbe
**gorilla** [gə'rɪlə] n gorille m
**gosh** [gɒʃ] (inf) excl mince alors!
**gospel** ['gɒspl] n évangile m
**gossip** ['gɒsɪp] n (chat) bavardages
mpl; (malicious) commérage m,
cancans mpl; (person) commère
f ▷ vi bavarder; cancaner, faire des
commérages; **gossip column** n
(Press) échos mpl
**got** [gɒt] pt, pp of **get**
**gotten** ['gɒtn] (us) pp of **get**
**gourmet** ['guəmeɪ] n gourmet m,
gastronome m/f
**govern** ['gʌvən] vt gouverner;
(influence) déterminer; **government**
n gouvernement m; (BRIT: ministers)
ministère m; **governor** n (of colony,
state, bank) gouverneur m; (of school,
hospital etc) administrateur(-trice);
(BRIT: of prison) directeur(-trice)
**gown** [gaʊn] n robe f; (of teacher, BRIT:
of judge) toge f
**GP** n abbr (Med) = **general
practitioner**
**GPS** n abbr (= global positioning system)
GPS m
**grab** [græb] vt saisir, empoigner ▷ vi:
**to ~ at** essayer de saisir
**grace** [greɪs] n grâce f ▷ vt (honour)
honorer; (adorn) orner; **5 days'**

**~** un répit de 5 jours; **graceful** *adj*
gracieux(-euse), élégant(e); **gracious**
['greɪʃəs] *adj* bienveillant(e)

**grade** [greɪd] *n* (Comm: quality)
qualité *f*; (: size) calibre *m*; (: type)
catégorie *f*; (in hierarchy) grade *m*,
échelon *m*; (Scol) note *f*; (us: school
class) classe *f*; (: gradient) pente *f*
▷ *vt* classer; (by size) calibrer; **grade
crossing** *n* (us) passage *m* à niveau;
**grade school** *n* (us) école *f* primaire

**gradient** ['greɪdɪənt] *n* inclinaison
*f*, pente *f*

**gradual** ['grædjuəl] *adj* graduel(le),
progressif(-ive); **gradually** *adv* peu à
peu, graduellement

**graduate** *n* ['grædjuɪt] diplômé(e)
d'université; (us: of high school)
diplômé(e) de fin d'études ▷ *vi*
['grædjueɪt] obtenir un diplôme
d'université or de fin d'études);
**graduation** [grædjuˈeɪʃən] *n*
cérémonie *f* de remise des diplômes

**graffiti** [grəˈfiːtɪ] *npl* graffiti *mpl*

**graft** [grɑːft] *n* (Agr, Med) greffe *f*;
(bribery) corruption *f* ▷ *vt* greffer;
**hard ~** (BRIT inf) boulot acharné

**grain** [greɪn] *n* (single piece) grain
*m*; (no pl: cereals) céréales *fpl*; (us:
corn) blé *m*

**gram** [græm] *n* gramme *m*

**grammar** ['græmə*] *n* grammaire *f*;
**grammar school** *n* (BRIT) = lycée *m*

**gramme** [græm] *n* = **gram**

**gran** [græn] (*inf*) *n* (BRIT) mamie *f* (inf),
mémé *f* (inf)

**grand** [grænd] *adj* magnifique,
splendide; (gesture etc) noble;
**grandad** *n* (inf) = **granddad**;
**grandchild** (*pl* **grandchildren**)
*n* petit-fils *m*, petite-fille *f*;
**grandchildren** *npl* petits-enfants;
**granddad** *n* (inf) papy *m* (inf), papi *m*
(inf), pépé *m* (inf); **granddaughter** *n*
petite-fille *f*; **grandfather** *n* grand-
père *m*; **grandma** *n* (inf) = **gran**;
**grandmother** *n* grand-mère *f*;
**grandpa** *n* (inf) = **granddad**;

**grandparents** *npl* grands-parents
*mpl*; **grand piano** *n* piano *m* à queue;
**Grand Prix** ['grɑ̃ːˈpriː] *n* (Aut)
grand prix automobile; **grandson** *n*
petit-fils *m*

**granite** ['grænɪt] *n* granit *m*

**granny** ['grænɪ] *n* (inf) = **gran**

**grant** [grɑːnt] *vt* accorder; (a request)
accéder à; (admit) concéder ▷ *n*
(Scol) bourse *f*; (Admin) subside *m*,
subvention *f*; **to take sth for ~ed**
considérer qch comme acquis;
**to take sb for ~ed** considérer qn
comme faisant partie du décor

**grape** [greɪp] *n* raisin *m*

**grapefruit** ['greɪpfruːt] *n*
pamplemousse *m*

**graph** [grɑːf] *n* graphique *m*, courbe
*f*; **graphic** ['græfɪk] *adj* graphique;
(vivid) vivant(e); **graphics** *n* (art) arts
*mpl* graphiques; (process) graphisme
*m* ▷ *npl* (drawings) illustrations *fpl*

**grasp** [grɑːsp] *vt* saisir ▷ *n* (grip)
prise *f*; (fig) compréhension *f*,
connaissance *f*

**grass** [grɑːs] *n* herbe *f*; (lawn) gazon
*m*; **grasshopper** *n* sauterelle *f*

**grate** [greɪt] *n* grille *f* de cheminée
▷ *vi* grincer ▷ *vt* (Culin) râper

**grateful** ['greɪtful] *adj*
reconnaissant(e)

**grater** ['greɪtə*] *n* râpe *f*

**gratitude** ['grætɪtjuːd] *n* gratitude *f*

**grave** [greɪv] *n* tombe *f* ▷ *adj* grave,
sérieux(-euse)

**gravel** ['grævl] *n* gravier *m*

**gravestone** ['greɪvstəʊn] *n* pierre
tombale

**graveyard** ['greɪvjɑːd] *n*
cimetière *m*

**gravity** ['grævɪtɪ] *n* (Physics) gravité *f*;
pesanteur *f*; (seriousness) gravité

**gravy** ['greɪvɪ] *n* jus *m* (de viande),
sauce *f* (au jus de viande)

**gray** [greɪ] *adj* us = **grey**

**graze** [greɪz] *vi* paître, brouter ▷ *vt*
(touch lightly) frôler, effleurer; (scrape)
écorcher ▷ *n* écorchure *f*

**grease** [gri:s] n (fat) graisse f; (lubricant) lubrifiant m ▷ vt graisser; lubrifier; **greasy** adj gras(se), graisseux(-euse); (hands, clothes) graisseux

**great** [greɪt] adj grand(e); (heat, pain etc) très fort(e), intense; (inf) formidable; **Great Britain** n Grande-Bretagne f; **great-grandfather** n arrière-grand-père m; **great-grandmother** n arrière-grand-mère f; **greatly** adv très, grandement; (with verbs) beaucoup

**Greece** [gri:s] n Grèce f

**greed** [gri:d] n (also: **~iness**) avidité f; (for food) gourmandise f; **greedy** adj avide; (for food) gourmand(e)

**Greek** [gri:k] adj grec (grecque) ▷ n Grec (Grecque); (Ling) grec m

**green** [gri:n] adj vert(e); (inexperienced) bleu, naïf(-ive); (ecological: product etc) écologique ▷ n (colour) vert m; (on golf course) green m; (stretch of grass) pelouse f; **greens** npl (vegetables) légumes verts; **green card** n (Aut) carte verte; (us: work permit) permis de travail; **greengage** n reine-claude f; **greengrocer** n (BRIT) marchand m de fruits et légumes; **greengrocer's (shop)** n magasin m de fruits et légumes; **greenhouse** n serre f; **the greenhouse effect** l'effet m de serre

**Greenland** ['gri:nlənd] n Groenland m

**green salad** n salade verte

**green tax** n écotaxe f

**greet** [gri:t] vt accueillir; **greeting** n salutation f; **Christmas/birthday greetings** souhaits mpl de Noël/de bon anniversaire; **greeting(s) card** n carte f de vœux

**grew** [gru:] pt of **grow**

**grey**, (us) **gray** [greɪ] adj gris(e); (dismal) sombre; **grey-haired**, (us) **gray-haired** adj aux cheveux gris; **greyhound** n lévrier m

**grid** [grɪd] n grille f; (Elec) réseau m; **gridlock** n (traffic jam) embouteillage m

**grief** [gri:f] n chagrin m, douleur f

**grievance** ['gri:vəns] n doléance f, grief m; (cause for complaint) motif

**grieve** [gri:v] vi avoir du chagrin; se désoler ▷ vt faire de la peine à, affliger; **to ~ for sb** pleurer qn

**grill** [grɪl] n (on cooker) gril m; (also: **mixed ~**) grillade(s) f(pl) ▷ vt (Culin) griller; (inf: question) cuisiner

**grille** [grɪl] n grillage m; (Aut) calandre f

**grim** [grɪm] adj sinistre, lugubre; (serious, stern) sévère

**grime** [graɪm] n crasse f

**grin** [grɪn] n large sourire m ▷ vi sourire

**grind** [graɪnd] (pt, pp **ground**) vt écraser; (coffee, pepper etc) moudre; (us: meat) hacher ▷ n (work) corvée f

**grip** [grɪp] n (handclasp) poigne f; (control) prise f; (handle) poignée f; (holdall) sac m de voyage ▷ vt saisir, empoigner; (viewer, reader) captiver; **to come to ~s with** se colleter avec, en venir aux prises avec; **to ~ the road** (Aut) adhérer à la route; **gripping** adj prenant(e), palpitant(e)

**grit** [grɪt] n gravillon m; (courage) cran m ▷ vt (road) sabler; **to ~ one's teeth** serrer les dents

**grits** [grɪts] npl (us) gruau m de maïs

**groan** [grəun] n (of pain) gémissement m ▷ vi gémir

**grocer** ['grəusəʳ] n épicier m; **groceries** npl provisions fpl; **grocer's (shop), grocery** n épicerie f

**groin** [grɔɪn] n aine f

**groom** [gru:m] n (for horses) palefrenier m; (also: **bride~**) marié m ▷ vt (horse) panser; (fig): **to ~ sb for** former qn pour

**groove** [gru:v] n sillon m, rainure f

**grope** [grəup] vi tâtonner; **to ~ for** chercher à tâtons

**gross** [grəʊs] *adj* grossier(-ière); (Comm) brut(e); **grossly** *adv* (greatly) très, grandement

**grotesque** [grə'tesk] *adj* grotesque

**ground** [graʊnd] *pt, pp of* **grind** ▷ *n* sol *m*, terre *f*; (land) terrain *m*, terres *fpl*; (Sport) terrain; (reason: gen pl) raison *f*; (us: also: **~ wire**) terre *f* ▷ *vt* (plane) empêcher de décoller, retenir au sol; (us Elec) équiper d'une prise de terre; **grounds** *npl* (gardens etc) parc *m*, domaine *m*; (of coffee) marc *m*; **on the ~, to the ~** par terre; **to gain/lose ~** gagner/perdre du terrain; **ground floor** *n* (BRIT) rez-de-chaussée *m*; **groundsheet** *n* (BRIT) tapis *m* de sol; **groundwork** *n* préparation *f*

**group** [gruːp] *n* groupe *m* ▷ *vt* (also: **~ together**) grouper ▷ *vi* (also: **~ together**) se grouper

**grouse** [graʊs] *n* (pl inv: bird) grouse *f* (sorte de coq de bruyère) ▷ *vi* (complain) rouspéter, râler

**grovel** ['grɒvl] *vi* (fig): **to ~ (before)** ramper (devant)

**grow** (pt **grew**, pp **grown**) [grəʊ, gruː, grəʊn] *vi* (plant) pousser, croître; (person) grandir; (increase) augmenter, se développer; (become) devenir; **to ~ rich/weak** s'enrichir/ s'affaiblir ▷ *vt* cultiver, faire pousser; (hair, beard) laisser pousser; **grow on** *vt fus*: **that painting is ~ing on me** je finirai par aimer ce tableau; **grow up** *vi* grandir

**growl** [graʊl] *vi* grogner

**grown** [grəʊn] *pp of* **grow**; **grown-up** *n* adulte *m/f*, grande personne

**growth** [grəʊθ] *n* croissance *f*, développement *m*; (what has grown) poussée *f*, pousse *f*; (Med) grosseur *f*, tumeur *f*

**grub** [grʌb] *n* larve *f*; (inf: food) bouffe *f*

**grubby** ['grʌbɪ] *adj* crasseux(-euse)

**grudge** [grʌdʒ] *n* rancune *f* ▷ *vt*: **to ~ sb sth** (in giving) donner qch à qn à contre-cœur; (resent) reprocher

qch à qn; **to bear sb a ~ (for)** garder rancune or en vouloir à qn (de)

**gruelling**, (us) **grueling** ['grʊəlɪŋ] *adj* exténuant(e)

**gruesome** ['gruːsəm] *adj* horrible

**grumble** ['grʌmbl] *vi* rouspéter, ronchonner

**grumpy** ['grʌmpɪ] *adj* grincheux(-euse)

**grunt** [grʌnt] *vi* grogner

**guarantee** [gærən'tiː] *n* garantie *f* ▷ *vt* garantir

**guard** [gɑːd] *n* garde *f*; (one man) garde *m*; (BRIT Rail) chef *m* de train; (safety device: on machine) dispositif *m* de sûreté; (also: **fire~**) garde-feu *m inv* ▷ *vt* garder, surveiller; (protect): **to ~ sb/sth (against or from)** protéger qn/qch (contre); **to be on one's ~** (fig) être sur ses gardes; **guardian** *n* gardien(ne); (of minor) tuteur(-trice)

**guerrilla** [gə'rɪlə] *n* guérillero *m*

**guess** [ges] *vi* deviner ▷ *vt* deviner; (estimate) évaluer; (us) croire, penser ▷ *n* supposition *f*, hypothèse *f*; **to take** or **have a ~** essayer de deviner

**guest** [gest] *n* invité(e); (in hotel) client(e); **guest house** *n* pension *f*; **guest room** *n* chambre *f* d'amis

**guidance** ['gaɪdəns] *n* (advice) conseils *mpl*

**guide** [gaɪd] *n* (person) guide *m/f*; (book) guide *m*; (also: **Girl G~**) éclaireuse *f*; (Roman Catholic) guide *f* ▷ *vt* guider; **is there an English-speaking ~?** est-ce que l'un des guides parle anglais?; **guidebook** *n* guide *m*; **guide dog** *n* chien *m* d'aveugle; **guided tour** *n* visite guidée; **what time does the guided tour start?** la visite guidée commence à quelle heure?; **guidelines** *npl* (advice) instructions générales, conseils *mpl*

**guild** [gɪld] *n* (Hist) corporation *f*; (sharing interests) cercle *m*, association *f*

**guilt** [gɪlt] *n* culpabilité *f*; **guilty** *adj* coupable

**guinea pig** [ˈgɪnɪ-] *n* cobaye *m*

**guitar** [gɪˈtɑːʳ] *n* guitare *f*; **guitarist** *n* guitariste *m/f*

**gulf** [gʌlf] *n* golfe *m*; (*abyss*) gouffre *m*

**gull** [gʌl] *n* mouette *f*

**gulp** [gʌlp] *vi* avaler sa salive; (*from emotion*) avoir la gorge serrée, s'étrangler ▷ *vt* (*also*: **~ down**) avaler

**gum** [gʌm] *n* (*Anat*) gencive *f*; (*glue*) colle *f*; (*also*: **chewing-~**) chewing-gum *m* ▷ *vt* coller

**gun** [gʌn] *n* (*small*) revolver *m*, pistolet *m*; (*rifle*) fusil *m*, carabine *f*; (*cannon*) canon *m*; **gunfire** *n* fusillade *f*; **gunman** (*irreg*) *n* bandit armé; **gunpoint** *n*: **at gunpoint** sous la menace du pistolet (*or* fusil); **gunpowder** *n* poudre *f* à canon; **gunshot** *n* coup *m* de feu

**gush** [gʌʃ] *vi* jaillir; (*fig*) se répandre en effusions

**gust** [gʌst] *n* (*of wind*) rafale *f*

**gut** [gʌt] *n* intestin *m*, boyau *m*; **guts** *npl* (*inf: Anat*) boyaux *mpl*; (: *courage*) cran *m*

**gutter** [ˈgʌtəʳ] *n* (*of roof*) gouttière *f*; (*in street*) caniveau *m*

**guy** [gaɪ] *n* (*inf: man*) type *m*; (*also*: **~rope**) corde *f*; (*figure*) effigie de Guy Fawkes

**Guy Fawkes' Night** [gaɪˈfɔːks-] *n* voir article **"Guy Fawkes' Night"**

- GUY FAWKES' NIGHT

- *Guy Fawkes' Night*, que l'on appelle
- également "bonfire night",
- commémore l'échec du complot (le
- "Gunpowder Plot") contre James
- Ier et son parlement le 5 novembre
- 1605. L'un des conspirateurs, Guy
- Fawkes, avait été surpris dans
- les caves du parlement alors
- qu'il s'apprêtait à y mettre le feu.
- Chaque année pour le 5 novembre,
- les enfants préparent à l'avance

- une effigie de Guy Fawkes et ils
- demandent aux passants "un
- penny pour le guy" avec lequel ils
- pourront s'acheter des fusées de
- feu d'artifice. Beaucoup de gens
- font encore un feu dans leur jardin
- sur lequel ils brûlent le "guy".

**gym** [dʒɪm] *n* (*also*: **~nasium**) gymnase *m*; (*also*: **~nastics**) gym *f*; **gymnasium** *n* gymnase *m*; **gymnast** *n* gymnaste *m/f*; **gymnastics** *n*, *npl* gymnastique *f*; **gym shoes** *npl* chaussures *fpl* de gym(nastique)

**gynaecologist**, (*us*) **gynecologist** [gaɪnɪˈkɔlədʒɪst] *n* gynécologue *m/f*

**gypsy** [ˈdʒɪpsɪ] *n* gitan(e), bohémien(ne)

# h

**haberdashery** [hæbə'dæʃərɪ] n (BRIT) mercerie f

**habit** ['hæbɪt] n habitude f; (costume: Rel) habit m

**habitat** ['hæbɪtæt] n habitat m

**hack** [hæk] vt hacher, tailler ▷ n (pej: writer) nègre m; **hacker** n (Comput) pirate m (informatique)

**had** [hæd] pt, pp of **have**

**haddock** ['hædək] (pl **haddock** or **haddocks**) n églefin m; **smoked ~** haddock m

**hadn't** ['hædnt] = **had not**

**haemorrhage**, (US) **hemorrhage** ['hɛmərɪdʒ] n hémorragie f

**haemorrhoids**, (US) **hemorrhoids** ['hɛmərɔɪdz] npl hémorroïdes fpl

**haggle** ['hægl] vi marchander

**Hague** [heɪg] n: **The ~** La Haye

**hail** [heɪl] n grêle f ▷ vt (call) héler; (greet) acclamer ▷ vi grêler; **hailstone** n grêlon m

**hair** [hɛəʳ] n cheveux mpl; (on body) poils mpl; (of animal) pelage m; (single hair: on head) cheveu m; (: on body, of animal) poil m; **to do one's ~** se coiffer; **hairband** n (elasticated) bandeau m; (plastic) serre-tête m; **hairbrush** n brosse f à cheveux; **haircut** n coupe f (de cheveux); **hairdo** n coiffure f; **hairdresser** n coiffeur(-euse); **hairdresser's** n salon m de coiffure, coiffeur m; **hair dryer** n sèche-cheveux m, séchoir m; **hair gel** n gel m pour cheveux; **hair spray** n laque f (pour les cheveux); **hairstyle** n coiffure f; **hairy** adj poilu(e), chevelu(e); (inf: frightening) effrayant(e)

**haka** ['hɑːkə] n (NZ) haka m

**hake** [heɪk] (pl **hake** or **hakes**) n colin m, merlu m

**half** [hɑːf] n (pl **halves**) moitié f; (of beer: also: ~ **pint**) ≈ demi m; (Rail, bus: also: ~ **fare**) demi-tarif m; (Sport: of match) mi-temps f ▷ adj demi(e) ▷ adv (à) moitié, à demi; **~ an hour** une demi-heure; **~ a dozen** une demi-douzaine; **~ a pound** une demi-livre, ≈ 250 g; **two and a ~** deux et demi; **to cut sth in ~** couper qch en deux; **half board** n (BRIT: in hotel) demi-pension f; **half-brother** n demi-frère m; **half day** n demi-journée f; **half fare** n demi-tarif m; **half-hearted** adj tiède, sans enthousiasme; **half-hour** n demi-heure f; **half-price** adj à moitié prix ▷ adv (also: **at half-price**) à moitié prix; **half term** n (BRIT Scol) vacances fpl (de demi-trimestre); **half-time** n mi-temps f; **halfway** adv à mi-chemin; **halfway through sth** au milieu de qch

**hall** [hɔːl] n salle f; (entrance way: big) hall m; (: small) entrée f; (US: corridor) couloir m; (mansion) château m, manoir m

**hallmark** ['hɔːlmɑːk] n poinçon m; (fig) marque f

**hallo** [hə'ləu] excl = **hello**

**hall of residence** n (BRIT) pavillon m or résidence f universitaire

**Hallowe'en, Halloween** ['hæləʊ'iːn] n veille f de la Toussaint

- HALLOWE'EN
-
- Selon la tradition, *Hallowe'en* est la
  nuit des fantômes et des sorcières.
  En Écosse et aux États-Unis surtout
  (et de plus en plus en Angleterre) les
  enfants, pour fêter *Hallowe'en*, se
  déguisent ce soir-là et ils vont ainsi
  de porte en porte en demandant de
  petits cadeaux (du chocolat, etc).

**hallucination** [həluːsɪˈneɪʃən] n hallucination f

**hallway** ['hɔːlweɪ] n (entrance) vestibule m; (corridor) couloir m

**halo** ['heɪləʊ] n (of saint etc) auréole f

**halt** [hɔːlt] n halte f, arrêt m ▷ vt faire arrêter; (progress etc) interrompre ▷ vi faire halte, s'arrêter

**halve** [hɑːv] vt (apple etc) partager or diviser en deux; (reduce by half) réduire de moitié

**halves** [hɑːvz] npl of **half**

**ham** [hæm] n jambon m

**hamburger** ['hæmbɜːgə'] n hamburger m

**hamlet** ['hæmlɪt] n hameau m

**hammer** ['hæmə'] n marteau m ▷ vt (nail) enfoncer; (fig) éreinter, démolir ▷ vi (at door) frapper à coups redoublés; **to ~ a point home to sb** faire rentrer qch dans la tête de qn

**hammock** ['hæmək] n hamac m

**hamper** ['hæmpə'] vt gêner ▷ n panier m (d'osier)

**hamster** ['hæmstə'] n hamster m

**hamstring** ['hæmstrɪŋ] n (Anat) tendon m du jarret

**hand** [hænd] n main f; (of clock) aiguille f; (handwriting) écriture f; (at cards) jeu m; (worker) ouvrier(-ière) ▷ vt passer, donner; **to give sb a ~** donner un coup de main à qn; **at ~**
à portée de la main; **in ~** (situation) en main; (work) en cours; **to be on ~** (person) être disponible; (emergency services) se tenir prêt(e) (à intervenir); **to ~** (information etc) sous la main, à portée de la main; **on the one ~ ..., on the other ~** d'une part ..., d'autre part; **hand down** vt passer; (tradition, heirloom) transmettre; (us: sentence, verdict) prononcer; **hand in** vt remettre; **hand out** vt distribuer; **hand over** vt remettre; (powers etc) transmettre; **handbag** n sac m à main; **handbook** n manuel m; **handbrake** n frein m à main; **hand baggage** n = **hand luggage**; **handcuffs** npl menottes fpl; **handful** n poignée f

**handicap** ['hændɪkæp] n handicap m ▷ vt handicaper; **mentally/physically ~ped** handicapé(e) mentalement/physiquement

**handkerchief** ['hæŋkətʃɪf] n mouchoir m

**handle** ['hændl] n (of door etc) poignée f; (of cup etc) anse f; (of knife etc) manche m; (of saucepan etc) queue f; (for winding) manivelle f ▷ vt toucher, manier; (deal with) s'occuper de; (treat: people) prendre; **"~ with care"** "fragile"; **to fly off the ~** s'énerver; **handlebar(s)** n(pl) guidon m

**hand**: **hand luggage** n bagages mpl à main; **handmade** adj fait(e) à la main; **handout** n (money) aide f, don m; (leaflet) prospectus m; (at lecture) polycopié m; **hands-free** adj mains libres inv ▷ n (also: **hands-free kit**) kit m mains libres inv

**handsome** ['hænsəm] adj beau (belle); (profit) considérable

**handwriting** ['hændraɪtɪŋ] n écriture f

**handy** ['hændɪ] adj (person) adroit(e); (close at hand) sous la main; (convenient) pratique

**hang** (pt, pp **hung**) [hæŋ, hʌŋ] vt accrocher; (criminal) pendre ▷ vi pendre; (hair, drapery) tomber ▷ n: **to get the ~ of (doing) sth** (inf) attraper le coup pour faire qch; **hang about, hang around** vi traîner; **hang down** vi pendre; **hang on** vi (wait) attendre; **hang out** vt (washing) étendre (dehors) ▷ vi (inf: live) habiter, percher; (: spend time) traîner; **hang round** vi = **hang about**; **hang up** vi (Tel) raccrocher ▷ vt (coat, painting etc) accrocher, suspendre

**hanger** ['hæŋəʳ] n cintre m, portemanteau m

**hang-gliding** ['hæŋglaɪdɪŋ] n vol m libre or sur aile delta

**hangover** ['hæŋəʊvəʳ] n (after drinking) gueule f de bois

**hankie, hanky** ['hæŋkɪ] n abbr = **handkerchief**

**happen** ['hæpən] vi arriver, se passer, se produire; **what's ~ing?** que se passe-t-il?; **she ~ed to be free** il s'est trouvé (or se trouvait) qu'elle était libre; **as it ~s** justement

**happily** ['hæpɪlɪ] adv heureusement; (cheerfully) joyeusement

**happiness** ['hæpɪnɪs] n bonheur m

**happy** ['hæpɪ] adj heureux(-euse); **~ with** (arrangements etc) satisfait(e) de; **to be ~ to do** faire volontiers; **~ birthday!** bon anniversaire!

**harass** ['hærəs] vt accabler, tourmenter; **harassment** n tracasseries fpl

**harbour**, (us) **harbor** ['hɑ:bəʳ] n port m ▷ vt héberger, abriter; (hopes, suspicions) entretenir

**hard** [hɑ:d] adj dur(e); (question, problem) difficile; (facts, evidence) concret(-ète) ▷ adv (work) dur; (think, try) sérieusement; **to look ~ at** regarder fixement; (thing) regarder de près; **no ~ feelings!** sans rancune!; **to be ~ of hearing** être dur(e) d'oreille; **to be ~ done by** être traité(e) injustement; **hardback** n livre relié; **hardboard** n Isorel® m; **hard disk** n (Comput) disque dur;

**harden** vt durcir; (fig) endurcir ▷ vi (substance) durcir

**hardly** ['hɑ:dlɪ] adv (scarcely) à peine; (harshly) durement; **~ anywhere/ ever** presque nulle part/jamais

**hard**: **hardship** n (difficulties) épreuves fpl; (deprivation) privations fpl; **hard shoulder** n (BRIT Aut) accotement stabilisé; **hard-up** adj (inf) fauché(e); **hardware** n quincaillerie f; (Comput, Mil) matériel m; **hardware shop**, (us) **hardware store** n quincaillerie f; **hard-working** adj travailleur(-euse)

**hardy** ['hɑ:dɪ] adj robuste; (plant) résistant(e) au gel

**hare** [hɛəʳ] n lièvre m

**harm** [hɑ:m] n mal m; (wrong) tort m ▷ vt (person) faire du mal or du tort à; (thing) endommager; **out of ~'s way** à l'abri du danger, en lieu sûr; **harmful** adj nuisible; **harmless** adj inoffensif(-ive)

**harmony** ['hɑ:mənɪ] n harmonie f

**harness** ['hɑ:nɪs] n harnais m ▷ vt (horse) harnacher; (resources) exploiter

**harp** [hɑ:p] n harpe f ▷ vi: **~ on about** revenir toujours sur

**harsh** [hɑ:ʃ] adj dur(e); (severe) sévère; (unpleasant: sound) discordant(e); (: light) cru(e)

**harvest** ['hɑ:vɪst] n (of corn) moisson f; (of fruit) récolte f; (of grapes) vendange f ▷ vt moissonner; récolter; vendanger

**has** [hæz] vb see **have**

**hashtag** ['hæʃtæg] n (on Twitter) mot-dièse m, hashtag m

**hasn't** ['hæznt] = **has not**

**hassle** ['hæsl] n (inf: fuss) histoire(s) f(pl)

**haste** [heɪst] n hâte f, précipitation f; **hasten** ['heɪsn] vt hâter, accélérer ▷ vi se hâter, s'empresser; **hastily** adv à la hâte; (leave) précipitamment; **hasty** adj (decision, action) hâtif(-ive); (departure, escape) précipité(e)

**hat** [hæt] n chapeau m

**hatch** [hætʃ] n (Naut: also: **~way**) écoutille f; (BRIT: also: **service ~**) passe-plats m inv ▷ vi éclore

**hatchback** ['hætʃbæk] n (Aut) modèle m avec hayon arrière

**hate** [heɪt] vt haïr, détester ▷ n haine f; **hatred** ['heɪtrɪd] n haine f

**haul** [hɔːl] vt traîner, tirer ▷ n (of fish) prise f; (of stolen goods etc) butin m

**haunt** [hɔːnt] vt (subj: ghost, fear) hanter; (: person) fréquenter ▷ n repaire m; **haunted** adj (castle etc) hanté(e); (look) égaré(e), hagard(e)

○ **KEYWORD**

**have** [hæv] (pt, pp **had**) aux vb
**1** (gen) avoir; être; **to have eaten/slept** avoir mangé/dormi; **to have arrived/gone** être arrivé(e)/allé(e); **having finished** or **when he had finished**, **he left** quand il a eu fini, il est parti; **we'd already eaten** nous avions déjà mangé
**2** (in tag questions): **you've done it, haven't you?** vous l'avez fait, n'est-ce pas?
**3** (in short answers and questions): **no I haven't!/yes we have!** mais non!/ mais si!; **so I have!** ah oui!, oui c'est vrai!; **I've been there before, have you?** j'y suis déjà allé, et vous?
▶ modal aux vb (be obliged): **to have (got) to do sth** devoir faire qch, être obligé(e) de faire qch; **she has (got) to do it** elle doit le faire, il faut qu'elle le fasse; **you mustn't have her** vous n'êtes pas obligé de la voir dire; (must not) ne le lui dites surtout pas; **do you have to book?** il faut réserver?
▶ vt **1** (possess) avoir: **to have (got) blue eyes/dark hair** il a les yeux bleus/les cheveux bruns
**2** (referring to meals etc): **to have breakfast** prendre le petit déjeuner; **to have dinner/lunch** dîner/ déjeuner; **to have a drink** prendre

un verre; **to have a cigarette** fumer une cigarette
**3** (receive) avoir, recevoir; (obtain) avoir; **may I have your address?** puis-je avoir votre adresse?; **you can have it for £5** vous pouvez l'avoir pour 5 livres; **I must have it for tomorrow** il me le faut pour demain; **to have a baby** avoir un bébé
**4** (maintain, allow): **I won't have it!** ça ne se passera pas comme ça!; **we can't have that** nous ne tolérerons pas ça
**5** (by sth else): **to have sth done** faire faire qch; **to have one's hair cut** se faire couper les cheveux; **to have sb do sth** faire faire qch à qn
**6** (experience, suffer) avoir; **to have a cold/flu** avoir un rhume/la grippe; **to have an operation** se faire opérer; **she had her bag stolen** elle s'est fait voler son sac
**7** (+noun): **to have a swim/walk** nager/se promener; **to have a bath/shower** prendre un bain/une douche; **let's have a look** regardons; **to have a meeting** se réunir; **to have a party** organiser une fête; **let me have a try** laissez-moi essayer

**haven** ['heɪvn] n port m; (fig) havre m

**haven't** ['hævnt] = **have not**

**havoc** ['hævək] n ravages mpl

**Hawaii** [hə'waɪ:] n (îles fpl) Hawaï m

**hawk** [hɔːk] n faucon m

**hawthorn** ['hɔːθɔːn] n aubépine f

**hay** [heɪ] n foin m; **hay fever** n rhume m des foins; **haystack** n meule f de foin

**hazard** ['hæzəd] n (risk) danger m, risque m ▷ vt risquer, hasarder; **hazardous** adj hasardeux(-euse), risqué(e); **hazard warning lights** npl (Aut) feux mpl de détresse

**haze** [heɪz] n brume f

**hazel** [heɪzl] n (tree) noisetier m ▷ adj (eyes) noisette inv; **hazelnut** n noisette f

**hazy** ['heɪzɪ] adj brumeux(-euse); (idea) vague

**he** [hi:] pron il; **it is he who ...** c'est lui qui ...; **here he is** le voici

**head** [hɛd] n tête f; (leader) chef m; (of school) directeur(-trice); (of secondary school) proviseur m ▷ vt (list) être en tête de; (group, company) être à la tête de; **~s or tails** pile ou face; **~ first** la tête la première; **~ over heels in love** follement or éperdument amoureux(-euse); **to ~ the ball** faire une tête; **head for** vt fus se diriger vers; (disaster) aller à; **head off** vt (threat, danger) détourner; **headache** n mal m de tête; **to have a headache** avoir mal à la tête; **heading** n titre m; (subject title) rubrique f; **headlamp** (BRIT) n = **headlight**; **headlight** n phare m; **headline** n titre m; **head office** n siège m, bureau m central; **headphones** npl casque m (à écouteurs); **headquarters** npl (of business) bureau or siège central; (Mil) quartier général; **headroom** n (in car) hauteur f de plafond; (under bridge) hauteur limite; **headscarf** n foulard m; **headset** n = **headphones**; **headteacher** n directeur(-trice); (of secondary school) proviseur m; **head waiter** n maître m d'hôtel

**heal** [hi:l] vt, vi guérir

**health** [hɛlθ] n santé f; **health care** n services médicaux; **health centre** n (BRIT) centre m de santé; **health food** n aliment(s) naturel(s); **Health Service** n: **the Health Service** (BRIT) ≈ la Sécurité Sociale; **healthy** adj (person) en bonne santé; (climate, food, attitude etc) sain(e)

**heap** [hi:p] n tas m ▷ vt (also: **~ up**) entasser, amonceler; **she ~ed her plate with cakes** elle a chargé son assiette de gâteaux; **~s (of)** (inf: lots) des tas (de)

**hear** (pt, pp **heard**) [hɪəʳ, həːd] vt entendre; (news) apprendre ▷ vi entendre; **to ~ about** entendre

parler de; (have news of) avoir des nouvelles de; **to ~ from sb** recevoir des nouvelles de qn

**heard** [həːd] pt, pp of **hear**

**hearing** ['hɪərɪŋ] n (sense) ouïe f; (of witnesses) audition f; (of a case) audience f; **hearing aid** n appareil m acoustique

**hearse** [həːs] n corbillard m

**heart** [hɑːt] n cœur m; **hearts** npl (Cards) cœur; **at ~** au fond; **by ~** (learn, know) par cœur; **to lose/take ~** perdre/prendre courage; **heart attack** n crise f cardiaque; **heartbeat** n battement m de cœur; **heartbroken** adj: **to be heartbroken** avoir beaucoup de chagrin; **heartburn** n brûlures fpl d'estomac; **heart disease** n maladie f cardiaque

**hearth** [hɑːθ] n foyer m, cheminée f

**heartless** ['hɑːtlɪs] adj (person) sans cœur, insensible; (treatment) cruel(le)

**hearty** ['hɑːtɪ] adj chaleureux(-euse); (appetite) solide; (dislike) cordial(e); (meal) copieux(-euse)

**heat** [hiːt] n chaleur f; (Sport: also: **qualifying ~**) éliminatoire f ▷ vt chauffer; **heat up** vi (liquid) chauffer; (room) se réchauffer ▷ vt réchauffer; **heated** adj chauffé(e); (fig) passionné(e), échauffé(e), excité(e); **heater** n appareil m de chauffage; radiateur m; (in car) chauffage m; (water heater) chauffe-eau m

**heather** ['hɛðəʳ] n bruyère f

**heating** ['hiːtɪŋ] n chauffage m

**heatwave** ['hiːtweɪv] n vague f de chaleur

**heaven** ['hɛvn] n ciel m, paradis m; (fig) paradis; **heavenly** adj céleste, divin(e)

**heavily** ['hɛvɪlɪ] adv lourdement; (drink, smoke) beaucoup; (sleep, sigh) profondément

**heavy** ['hɛvɪ] adj lourd(e); (work, rain, user, eater) gros(se); (drinker, smoker) grand(e); (schedule, week) chargé(e)

**Hebrew** ['hi:bru:] *adj* hébraïque ▷ *n* (*Ling*) hébreu *m*

**Hebrides** ['hɛbrɪdi:z] *npl*: **the ~** les Hébrides *fpl*

**hectare** ['hɛktɑːʳ] *n* (*BRIT*) hectare *m*

**hectic** ['hɛktɪk] *adj* (*schedule*) très chargé(e); (*day*) mouvementé(e); (*lifestyle*) trépidant(e)

**he'd** [hi:d] = **he would; he had**

**hedge** [hɛdʒ] *n* haie *f* ▷ *vi* se dérober ▷ *vt*: **to ~ one's bets** (*fig*) se couvrir

**hedgehog** ['hɛdʒhɔg] *n* hérisson *m*

**heed** [hi:d] *vt* (*also*: **take ~ of**) tenir compte de, prendre garde à

**heel** [hi:l] *n* talon *m* ▷ *vt* retalonner

**hefty** ['hɛftɪ] *adj* (*person*) costaud(e); (*parcel*) lourd(e); (*piece, price*) gros(se)

**height** [haɪt] *n* (*of person*) taille *f*, grandeur *f*; (*of object*) hauteur *f*; (*of plane, mountain*) altitude *f*; (*high ground*) hauteur, éminence *f*; (*fig: of glory, fame, power*) sommet *m*; (*: of luxury, stupidity*) comble *m*; **at the ~ of summer** au cœur de l'été; **heighten** *vt* hausser, surélever; (*fig*) augmenter

**heir** [ɛəʳ] *n* héritier *m*; **heiress** *n* héritière *f*

**held** [hɛld] *pt, pp of* **hold**

**helicopter** ['hɛlɪkɔptəʳ] *n* hélicoptère *m*

**hell** [hɛl] *n* enfer *m*; **oh ~!** (*inf*) merde!

**he'll** [hi:l] = **he will; he shall**

**hello** [hə'ləu] *excl* bonjour!; (*to attract attention*) hé!; (*surprise*) tiens!

**helmet** ['hɛlmɪt] *n* casque *m*

**help** [hɛlp] *n* aide *f*; (*cleaner etc*) femme *f* de ménage ▷ *vt, vi* aider; **~!** au secours!; **~ yourself** servez-vous; **can you ~ me?** pouvez-vous m'aider?; **can I ~ you?** (*in shop*) vous désirez?; **he can't ~ it** il n'y peut rien; **help out** *vi* aider ▷ *vt*: **to ~ sb out** aider qn; **helper** *n* aide *m/f*, assistant(e); **helpful** *adj* serviable, obligeant(e); (*useful*) utile; **helping** *n* portion *f*; **helpless** *adj* impuissant(e); (*baby*) sans défense; **helpline** *n* service *m*

d'assistance téléphonique; (*free*) ≈ numéro vert

**hem** [hɛm] *n* ourlet *m* ▷ *vt* ourler

**hemisphere** ['hɛmɪsfɪəʳ] *n* hémisphère *m*

**hemorrhage** ['hɛmərɪdʒ] *n* (*US*) = **haemorrhage**

**hemorrhoids** ['hɛmərɔɪdz] *npl* (*US*) = **haemorrhoids**

**hen** [hɛn] *n* poule *f*; (*female bird*) femelle *f*

**hence** [hɛns] *adv* (*therefore*) d'où, de là; **2 years ~** d'ici 2 ans

**hen night, hen party** *n* soirée *f* entre filles (*avant le mariage de l'une d'elles*)

**hepatitis** [hɛpə'taɪtɪs] *n* hépatite *f*

**her** [həːʳ] *pron* (*direct*) la, l' + *vowel or h mute*; (*indirect*) lui; (*stressed, after prep*) elle ▷ *adj* son (sa), ses *pl*; *see also* **me, my**

**herb** [həːb] *n* herbe *f*; **herbal** *adj* à base de plantes; **herbal tea** *n* tisane *f*

**herd** [həːd] *n* troupeau *m*

**here** [hɪəʳ] *adv* ici; (*time*) alors ▷ *excl* tiens!, tenez!; **~!** (*present*) présent!; **~ is, ~ are** voici; **~ he/she is** le (la) voici

**hereditary** [hɪ'rɛdɪtrɪ] *adj* héréditaire

**heritage** ['hɛrɪtɪdʒ] *n* héritage *m*, patrimoine *m*

**hernia** ['həːnɪə] *n* hernie *f*

**hero** ['hɪərəu] (*pl* **heroes**) *n* héros *m*; **heroic** [hɪ'rəuɪk] *adj* héroïque

**heroin** ['hɛrəuɪn] *n* héroïne *f* (*drogue*)

**heroine** ['hɛrəuɪn] *n* héroïne *f* (*femme*)

**heron** ['hɛrən] *n* héron *m*

**herring** ['hɛrɪŋ] *n* hareng *m*

**hers** [həːz] *pron* le sien(ne), les siens (siennes); *see also* **mine¹**

**herself** [həː'sɛlf] *pron* (*reflexive*) se; (*emphatic*) elle-même; (*after prep*) elle; *see also* **oneself**

**he's** [hi:z] = **he is; he has**

**hesitant** ['hɛzɪtənt] *adj* hésitant(e), indécis(e)

**hesitate** ['hezɪteɪt] *vi*: **to ~ (about/to do)** hésiter (sur/à faire); **hesitation** [hezɪ'teɪʃən] *n* hésitation *f*

**heterosexual** ['hetərəu'seksjuəl] *adj*, *n* hétérosexuel(le)

**hexagon** ['heksəgən] *n* hexagone *m*

**hey** [heɪ] *excl* hé!

**heyday** ['heɪdeɪ] *n*: **the ~ of** l'âge m d'or de, les beaux jours de

**HGV** *n abbr* = **heavy goods vehicle**

**hi** [haɪ] *excl* salut!; (*to attract attention*) hé!

**hibernate** ['haɪbəneɪt] *vi* hiberner

**hiccough, hiccup** ['hɪkʌp] *vi* hoqueter ▷ *n*: **to have (the) ~s** avoir le hoquet

**hid** [hɪd] *pt of* **hide**

**hidden** ['hɪdn] *pp of* **hide** ▷ *adj*: **~ agenda** intentions non déclarées

**hide** [haɪd] (*pt* **hid**, *pp* **hidden**) *n* (*skin*) peau *f* ▷ *vt* cacher ▷ *vi*: **to ~ (from sb)** se cacher (de qn)

**hideous** ['hɪdɪəs] *adj* hideux(-euse), atroce

**hiding** ['haɪdɪŋ] *n* (*beating*) correction *f*, volée *f* de coups; **to be in ~** (*concealed*) se tenir caché(e)

**hi-fi** ['haɪfaɪ] *adj*, *n abbr* (= *high fidelity*) hi-fi *f inv*

**high** [haɪ] *adj* haut(e); (*speed, respect, number*) grand(e); (*price*) élevé(e); (*wind*) fort(e), violent(e); (*voice*) aigu(ë) ▷ *adv* haut, en haut; **20 m ~** haut(e) de 20 m; **~ in the air** haut dans le ciel; **highchair** *n* (*child's*) chaise haute; **high-class** *adj* (*neighbourhood, hotel*) chic inv, de grand standing; **higher education** *n* études supérieures; **high heels** *npl* talons hauts, hauts talons; **high jump** *n* (*Sport*) saut m en hauteur; **highlands** ['haɪləndz] *npl* région montagneuse; **the Highlands** (*in Scotland*) les Highlands *mpl*; **highlight** *n* (*fig*: *of event*) point culminant ▷ *vt* (*emphasize*) faire ressortir, souligner; **highlights** *npl*

(*in hair*) reflets *mpl*; **highlighter** *n* (*pen*) surligneur (lumineux); **highly** *adv* extrêmement, très; (*unlikely*) fort; (*recommended, skilled, qualified*) hautement; **to speak highly of** dire beaucoup de bien de; **highness** *n*: **His/Her Highness** son Altesse *f*; **high-rise** *n* (*also*: **high-rise block, high-rise building**) tour *f* (d'habitation); **high school** *n* lycée m; (*us*) établissement m d'enseignement supérieur; **high season** *n* (*BRIT*) haute saison; **high street** *n* (*BRIT*) grand-rue *f*; **high-tech** (*inf*) *adj* de pointe; **highway** *n* (*BRIT*) route *f*; (*us*) route nationale; **Highway Code** *n* (*BRIT*) code m de la route

**hijack** ['haɪdʒæk] *vt* détourner (*par la force*); **hijacker** *n* auteur m d'un détournement d'avion, pirate m de l'air

**hike** [haɪk] *vi* faire des excursions à pied ▷ *n* excursion *f* à pied, randonnée *f*; **hiker** *n* promeneur(-euse), excursionniste *m/f*; **hiking** *n* excursions *fpl* à pied, randonnée *f*

**hilarious** [hɪ'leərɪəs] *adj* (*behaviour, event*) désopilant(e)

**hill** [hɪl] *n* colline *f*; (*fairly high*) montagne *f*; (*on road*) côte *f*; **hillside** *n* (*flanc m de*) coteau *m*; **hill walking** *n* randonnée *f* de basse montagne; **hilly** *adj* vallonné(e), montagneux(-euse)

**him** [hɪm] *pron* (*direct*) le, l' + *vowel or h mute*; (*stressed, indirect, after prep*) lui; *see also* **me**; **himself** *pron* (*reflexive*) se; (*emphatic*) lui-même; (*after prep*) lui; *see also* **oneself**

**hind** [haɪnd] *adj* de derrière

**hinder** ['hɪndər] *vt* gêner, (*delay*) retarder

**hindsight** ['haɪndsaɪt] *n*: **with (the benefit of) ~** avec du recul, rétrospectivement

**Hindu** ['hɪnduː] *n* Hindou(e); **Hinduism** *n* (*Rel*) hindouisme m

**hinge** [hɪndʒ] n charnière f ▷ vi (fig): **to ~ on** dépendre de

**hint** [hɪnt] n allusion f; (advice) conseil m; (clue) indication f ▷ vt: **to ~ that** insinuer que ▷ vi: **to ~ at** faire une allusion à

**hip** [hɪp] n hanche f

**hippie, hippy** ['hɪpɪ] n hippie m/f

**hippo** ['hɪpəʊ] (pl **hippos**) n hippopotame m

**hippopotamus** (pl **hippopotamuses** or **hippopotami**) [hɪpə'pɒtəməs, hɪpə'pɒtəmaɪ] n hippopotame m

**hippy** ['hɪpɪ] n = **hippie**

**hire** ['haɪə'] vt (BRIT: car, equipment) louer; (worker) embaucher, engager ▷ n location f; **for ~** à louer; (taxi) libre; **I'd like to ~ a car** je voudrais louer une voiture; **hire(d) car** n (BRIT) voiture f de location; **hire purchase** n (BRIT) achat m (or vente f) à tempérament or crédit

**his** [hɪz] pron le sien(ne), les siens (siennes) ▷ adj son (sa), ses pl; **mine¹; my**

**Hispanic** [hɪs'pænɪk] adj (in US) hispano-américain(e) ▷ n Hispano-Américain(e)

**hiss** [hɪs] vi siffler

**historian** [hɪ'stɔːrɪən] n historien(ne)

**historic(al)** [hɪ'stɔrɪk(l)] adj historique

**history** ['hɪstərɪ] n histoire f

**hit** [hɪt] vt (pt, pp **hit**) frapper; (reach: target) atteindre, toucher; (collide with: car) entrer en collision avec, heurter; (fig: affect) toucher ▷ n coup m; (success) succès m; (song) tube m; (to website) visite f; (on search engine) résultat m de recherche; **to ~ it off with sb** bien s'entendre avec qn; **hit back** vi: **to ~ back at sb** prendre sa revanche sur qn

**hitch** [hɪtʃ] vt (fasten) accrocher, attacher; (also: ~ **up**) remonter d'une saccade ▷ vi faire de l'autostop ▷ n (difficulty) anicroche f, contretemps m; **to ~ a lift** faire du stop; **hitch-hike** vi faire de l'auto-stop; **hitch-hiker** n auto-stoppeur(-euse); **hitch-hiking** n auto-stop m, stop m (inf)

**hi-tech** ['haɪ'tek] adj de pointe

**hitman** ['hɪtmæn] (irreg) n (inf) tueur m à gages

**HIV** n abbr (= human immunodeficiency virus) HIV m, VIH m; **~-negative** séronégatif(-ive); **~-positive** séropositif(-ive)

**hive** [haɪv] n ruche f

**hoard** [hɔːd] n (of food) provisions fpl, réserves fpl; (of money) trésor m ▷ vt amasser

**hoarse** [hɔːs] adj enroué(e)

**hoax** [həʊks] n canular m

**hob** [hɒb] n plaque chauffante

**hobble** ['hɒbl] vi boitiller

**hobby** ['hɒbɪ] n passe-temps favori

**hobo** ['həʊbəʊ] n (US) vagabond m

**hockey** ['hɒkɪ] n hockey m; **hockey stick** n crosse f de hockey

**hog** [hɒg] n porc (châtré) ▷ vt (fig) accaparer; **to go the whole ~** aller jusqu'au bout

**Hogmanay** [hɔgmə'neɪ] n réveillon m du jour de l'An, Saint-Sylvestre f

> HOGMANAY
>
> La Saint-Sylvestre ou "New Year's Eve" se nomme *Hogmanay* en Écosse. En cette occasion, la famille et les amis se réunissent pour entendre sonner les douze coups de minuit et pour fêter le "first-footing", une coutume qui veut qu'on se rende chez ses amis et voisins en apportant quelque chose à boire (du whisky en général) et un morceau de charbon en gage de prospérité pour la nouvelle année.

**hoist** [hɔɪst] n palan m ▷ vt hisser

**hold** [həʊld] (pt, pp **held**) vt tenir; (contain) contenir; (meeting) tenir; (*keep back*) retenir; (*believe*) considérer; (*possess*) avoir ▷ vi (*withstand pressure*) tenir (bon); (*be valid*) valoir; (*on telephone*) attendre ▷ n prise f; (*find*) influence f; (*Naut*) cale f; **to catch or get (a) ~ of** saisir; **to get ~ of** (*find*) trouver; **~ the line!** (*Tel*) ne quittez pas!; **to ~ one's own** (*fig*) (bien) se défendre; **hold back** vt retenir; (*secret*) cacher; **hold on** vi tenir bon; (*wait*) attendre; **~ on!** (*Tel*) ne quittez pas!; **to ~ on to sth** (*grasp*) se cramponner à qch; (*keep*) conserver or garder qch; **hold out** vt offrir ▷ vi (*resist*) **to ~ out (against)** résister (devant), tenir bon (devant); **hold up** vt (*raise*) lever; (*support*) soutenir; (*delay*) retarder; (*traffic*) ralentir; (*rob*) braquer; **holdall** n (BRIT) fourre-tout m inv; **holder** n (*container*) support m; (*of ticket, record*) détenteur(-trice); (*of office, title, passport etc*) titulaire m/f

**hole** [həʊl] n trou m

**holiday** ['hɒlədɪ] n (BRIT: *vacation*) vacances fpl; (*day off*) jour m de congé; (*public*) jour férié; **to be on ~** être en vacances; **I'm here on ~** je suis ici en vacances; **holiday camp** n (also: **holiday centre**) camp m de vacances; **holiday job** n (BRIT) boulot m (*inf*) de vacances; **holiday-maker** n (BRIT) vacancier(-ière); **holiday resort** n centre m de villégiature or de vacances

**Holland** ['hɒlənd] n Hollande f

**hollow** ['hɒləʊ] adj creux(-euse); (*fig*) faux (fausse) ▷ n creux m; (*in land*) dépression f (de terrain), cuvette f ▷ vt: **to ~ out** creuser, évider

**holly** ['hɒlɪ] n houx m

**holocaust** ['hɒləkɔːst] n holocauste m

**holy** ['həʊlɪ] adj saint(e); (*bread, water*) bénit(e); (*ground*) sacré(e)

**home** [həʊm] n foyer m, maison f; (*country*) pays natal, patrie f; (*institution*) maison ▷ adj de famille; (*Econ, Pol*) national(e), intérieur(e);

(*Sport: team*) qui reçoit (: *match, win*) sur leur (or notre) terrain ▷ adv chez soi, à la maison; au pays natal; (*right in: nail etc*) à fond; **at ~** chez soi, à la maison; **to go (or come) ~** rentrer (chez soi), rentrer à la maison (or au pays); **make yourself at ~** faites comme chez vous; **home address** n domicile permanent; **homeland** n patrie f; **homeless** adj sans foyer, sans abri; **homely** adj (*plain*) simple, sans prétention; (*welcoming*) accueillant(e); **home-made** adj fait(e) à la maison; **home match** n match m à domicile; **Home Office** n (BRIT) ministère m de l'Intérieur; **home owner** n propriétaire occupant; **home page** n (*Comput*) page f d'accueil; **Home Secretary** n (BRIT) ministre m de l'Intérieur; **homesick** adj: **to be homesick** avoir le mal du pays; (*missing one's family*) s'ennuyer de sa famille; **home town** n ville natale; **homework** n devoirs mpl

**homicide** ['hɒmɪsaɪd] n (US) homicide m

**homoeopathic**, (US) **homeopathic** [həʊmɪəʊ'pæθɪk] adj (*medicine*) homéopathique; (*doctor*) homéopathe

**homoeopathy**, (US) **homeopathy** [həʊmɪ'ɒpəθɪ] n homéopathie f

**homosexual** [hɒməʊ'sɛksjʊəl] adj, n homosexuel(le)

**honest** ['ɒnɪst] adj honnête; (*sincere*) franc (franche); **honestly** adv honnêtement; franchement; **honesty** n honnêteté f

**honey** ['hʌnɪ] n miel m; **honeymoon** n lune f de miel, voyage m de noces; **we're on honeymoon** nous sommes en voyage de noces; **honeysuckle** n chèvrefeuille m

**Hong Kong** ['hɒŋ'kɒŋ] n Hong Kong

**honorary** ['ɒnərərɪ] adj honoraire; (*duty, title*) honorifique; **~ degree** diplôme m honoris causa

**honour**, (US) **honor** ['ɒnəʳ] vt honorer ▷ n honneur m; **to graduate with ~s** obtenir sa licence avec mention; **honourable**, (US) **honorable** adj honorable; **honours degree** n (Scol) ≈ licence f avec mention

**hood** [hud] n capuchon m; (of cooker) hotte f; (BRIT Aut) capote f; (US Aut) capot m; **hoodie** ['hudɪ] n (top) sweat m à capuche

**hoof** (pl **hoofs** or **hooves**) [hu:f, hu:vz] n sabot m

**hook** [huk] n crochet m; (on dress) agrafe f; (for fishing) hameçon m ▷ vt accrocher; **off the ~** (Tel) décroché

**hooligan** ['hu:lɪgən] n voyou m

**hoop** [hu:p] n cerceau m

**hoot** [hu:t] vi (BRIT Aut) klaxonner; (siren) mugir; (owl) hululer

**Hoover®** ['hu:vəʳ] n aspirateur m ▷ vt: **to hoover** (room) passer l'aspirateur dans; (carpet) passer l'aspirateur sur

**hooves** [hu:vz] npl of **hoof**

**hop** [hɒp] vi sauter; (on one foot) sauter à cloche-pied; (bird) sautiller

**hope** [həup] vt, vi espérer ▷ n espoir m; **I ~ so** je l'espère; **I ~ not** j'espère que non; **hopeful** adj (person) plein(e) d'espoir; (situation) prometteur(-euse), encourageant(e); **hopefully** adv (expectantly) avec espoir, avec optimisme; (one hopes) avec un peu de chance; **hopeless** adj désespéré(e); (useless) nul(le)

**hops** [hɒps] npl houblon m

**horizon** [hə'raɪzn] n horizon m; **horizontal** [hɔrɪ'zɒntl] adj horizontal(e)

**hormone** ['hɔ:məun] n hormone f

**horn** [hɔ:n] n corne f; (Mus) cor m; (Aut) klaxon m

**horoscope** ['hɒrəskəup] n horoscope m

**horrendous** [hə'rendəs] adj horrible, affreux(-euse)

**horrible** ['hɒrɪbl] adj horrible, affreux(-euse)

**horrid** ['hɒrɪd] adj (person) détestable; (weather, place, smell) épouvantable

**horrific** [hɒ'rɪfɪk] adj horrible

**horrifying** ['hɒrɪfaɪɪŋ] adj horrifiant(e)

**horror** ['hɒrəʳ] n horreur f; **horror film** n film m d'épouvante

**hors d'œuvre** [ɔ:'də:vrə] n hors d'œuvre m

**horse** [hɔ:s] n cheval m; **horseback: on horseback** adj, adv à cheval; **horse chestnut** n (nut) marron m (d'Inde); (tree) marronnier m (d'Inde); **horsepower** n puissance f (en chevaux); (unit) cheval-vapeur m (CV); **horse-racing** n courses fpl de chevaux; **horseradish** n raifort m; **horse riding** n (BRIT) équitation f

**hose** [həuz] n tuyau m; (also: **garden ~**) tuyau d'arrosage; **hosepipe** n tuyau m; (in garden) tuyau d'arrosage

**hospital** ['hɒspɪtl] n hôpital m; **in ~** à l'hôpital; **where's the nearest ~?** où est l'hôpital le plus proche?

**hospitality** [hɒspɪ'tælɪtɪ] n hospitalité f

**host** [həust] n hôte m; (TV, Radio) présentateur(-trice); (large number): **a ~ of** une foule de; (Rel) hostie f

**hostage** ['hɒstɪdʒ] n otage m

**hostel** ['hɒstl] n foyer m; (also: **youth ~**) auberge f de jeunesse

**hostess** ['həustɪs] n hôtesse f; (BRIT: also: **air ~**) hôtesse de l'air; (TV, Radio) présentatrice f

**hostile** ['hɒstaɪl] adj hostile

**hostility** [hɒ'stɪlɪtɪ] n hostilité f

**hot** [hɒt] adj chaud(e); (as opposed to only warm) très chaud; (spicy) fort(e); (fig: contest) acharné(e); (topic) brûlant(e); (temper) violent(e), passionné(e); **to be ~** (person) avoir chaud; (thing) être (très) chaud; **it's ~** (weather) il fait chaud; **hot dog** n hot-dog m

**hotel** [həu'tɛl] n hôtel m

h

**hotspot** ['hɒtspɒt] n (Comput: also: **wireless ~**) borne f wifi, hotspot m

**hot-water bottle** [hɔt'wɔːtə-] n bouillotte f

**hound** [haund] vt poursuivre avec acharnement ▷ n chien courant

**hour** ['auə] n heure f; **hourly** adj toutes les heures; (rate) horaire

**house** n [haus] maison f; (Pol) chambre f; (Theat) salle f; auditoire m ▷ vt [hauz] (person) loger, héberger; **on the ~** (fig) aux frais de la maison; **household** n (Admin etc) ménage m; (people) famille f, maisonnée f; **householder** n propriétaire m/f; (head of house) chef m de famille; **housekeeper** n gouvernante f; **housekeeping** n (work) ménage m; **housewife** (irreg) n ménagère f; femme f au foyer; **house wine** n cuvée f maison or du patron; **housework** n (travaux mpl du) ménage m

**housing** ['hauzɪŋ] n logement m; **housing development**, **housing estate** (BRIT) n (blocks of flats) cité f; (houses) lotissement m

**hover** ['hɒvə] vi planer; **hovercraft** n aéroglisseur m, hovercraft m

**how** [hau] adv comment; **~ are you?** comment allez-vous?; **~ do you do?** bonjour; (on being introduced) enchanté(e); **~ long have you been here?** depuis combien de temps êtes-vous là?; **~ lovely/awful!** que or comme c'est joli/affreux!; **~ much time/many people?** combien de temps/gens?; **~ much does it cost?** ça coûte combien?; **~ old are you?** quel âge avez-vous?; **~ tall is he?** combien mesure-t-il?; **~ is school?** ça va à l'école?; **~ was the film?** comment était le film?

**however** [hau'evə] conj pourtant, cependant ▷ adv: **~ I do it** de quelque manière que je m'y prenne; **~ cold it is** même s'il fait très froid; **~ did you do it?** comment y êtes-vous donc arrivé?

**howl** [haul] n hurlement m ▷ vi hurler; (wind) mugir

**H.P.** n abbr (BRIT) = **hire purchase**

**h.p.** abbr (Aut) = **horsepower**

**HQ** n abbr (= headquarters) QG m

**hr** abbr (= hour) h

**hrs** abbr (= hours) h

**HTML** n abbr (= hypertext markup language) HTML m

**hubcap** ['hʌbkæp] n (Aut) enjoliveur m

**huddle** ['hʌdl] vi: **to ~ together** se blottir les uns contre les autres

**huff** [hʌf] n: **in a ~** fâché(e)

**hug** [hʌg] vt serrer dans ses bras; (shore, kerb) serrer ▷ n: **to give sb a ~** serrer qn dans ses bras

**huge** [hjuːdʒ] adj énorme, immense

**hull** [hʌl] n (of ship) coque f

**hum** [hʌm] vt (tune) fredonner ▷ vi fredonner; (insect) bourdonner; (plane, tool) vrombir

**human** ['hjuːmən] adj humain(e) ▷ n (also: **~ being**) être humain

**humane** [hjuːˈmeɪn] adj humain(e), humanitaire

**humanitarian** [hjuːmænɪˈtɛərɪən] adj humanitaire

**humanity** [hjuːˈmænɪtɪ] n humanité f

**human rights** npl droits mpl de l'homme

**humble** ['hʌmbl] adj humble, modeste

**humid** ['hjuːmɪd] adj humide; **humidity** [hjuːˈmɪdɪtɪ] n humidité f

**humiliate** [hjuːˈmɪlɪeɪt] vt humilier

**humiliating** [hjuːˈmɪlɪeɪtɪŋ] adj humiliant(e)

**humiliation** [hjuːmɪlɪˈeɪʃən] n humiliation f

**hummus** ['huməs] n houm(m)ous m

**humorous** ['hjuːmərəs] adj humoristique

**humour**, (us) **humor** ['hjuːmə] n humour m; (mood) humeur f ▷ vt (person) faire plaisir à; se prêter aux caprices de

**hump** [hʌmp] n bosse f
**hunch** [hʌntʃ] n (premonition) intuition f
**hundred** ['hʌndrəd] num cent; **~s of** des centaines de; **hundredth** ['hʌndrədIθ] num centième
**hung** [hʌŋ] pt, pp of **hang**
**Hungarian** [hʌŋ'gɛərɪən] adj hongrois(e) ▷ n Hongrois(e); (Ling) hongrois m
**Hungary** ['hʌŋgərɪ] n Hongrie f
**hunger** ['hʌŋgəʳ] n faim f ▷ vi: **to ~ for** avoir faim de, désirer ardemment
**hungry** ['hʌŋgrɪ] adj affamé(e); **to be ~** avoir faim; **~ for** (fig) avide de
**hunt** [hʌnt] vt (seek) chercher; (Sport) chasser ▷ vi (search): **to ~ for** chercher (partout); (Sport) chasser ▷ n (Sport) chasse f; **hunter** n chasseur m; **hunting** n chasse f
**hurdle** ['həːdl] n (Sport) haie f; (fig) obstacle m
**hurl** [həːl] vt lancer (avec violence); (abuse, insults) lancer
**hurrah, hurray** [hu'rɑː, hu'reɪ] excl hourra!
**hurricane** ['hʌrɪkən] n ouragan m
**hurry** ['hʌrɪ] n hâte f, précipitation f ▷ vi se presser, se dépêcher ▷ vt (person) faire presser, faire se dépêcher; (work) presser; **to be in a ~** être pressé(e); **to do sth in a ~** faire qch en vitesse; **hurry up** vi se dépêcher
**hurt** [həːt] (pt, pp **hurt**) vt (cause pain to) faire mal à; (injure, fig) blesser ▷ vi faire mal ▷ adj blessé(e); **my arm ~s** j'ai mal au bras; **to ~ o.s.** se faire mal
**husband** ['hʌzbənd] n mari m
**hush** [hʌʃ] n calme m, silence m ▷ vt faire taire; **~!** chut!
**husky** ['hʌskɪ] adj (voice) rauque ▷ n chien m esquimau or de traîneau
**hut** [hʌt] n hutte f; (shed) cabane f
**hyacinth** ['haɪəsɪnθ] n jacinthe f
**hydrofoil** ['haɪdrəfɔɪl] n hydrofoil m
**hydrogen** ['haɪdrədʒən] n hydrogène m

**hygiene** ['haɪdʒiːn] n hygiène f; **hygienic** [haɪ'dʒiːnɪk] adj hygiénique
**hymn** [hɪm] n hymne m; cantique m
**hype** [haɪp] n (inf) matraquage m publicitaire or médiatique
**hyperlink** ['haɪpəlɪŋk] n hyperlien m
**hypermarket** ['haɪpəmɑːkɪt] (BRIT) n hypermarché m
**hyphen** ['haɪfn] n trait m d'union
**hypnotize** ['hɪpnətaɪz] vt hypnotiser
**hypocrite** ['hɪpəkrɪt] n hypocrite m/f
**hypocritical** [hɪpə'krɪtɪkl] adj hypocrite
**hypothesis** (pl **hypotheses**) [haɪ'pɔθɪsɪs, -siːz] n hypothèse f
**hysterical** [hɪ'stɛrɪkl] adj hystérique; (funny) hilarant(e)
**hysterics** [hɪ'stɛrɪks] npl: **to be in/have ~** (anger, panic) avoir une crise de nerfs; (laughter) attraper un fou rire

**h**

**I** [aɪ] *pron* je; *(before vowel)* j'; *(stressed)* moi

**ice** [aɪs] *n* glace *f*; *(on road)* verglas *m* ▷ *vt* (*cake*) glacer ▷ *vi* (*also:* **~ over**) geler; (*also:* **~ up**) se givrer; **iceberg** *n* iceberg *m*; **ice cream** *n* glace *f*; **ice cube** *n* glaçon *m*; **ice hockey** *n* hockey *m* sur glace

**Iceland** ['aɪslənd] *n* Islande *f*; **Icelander** *n* Islandais(e); **Icelandic** [aɪs'lændɪk] *adj* islandais(e) ▷ *n* (*Ling*) islandais *m*

**ice: ice lolly** *n* (*BRIT*) esquimau *m*; **ice rink** *n* patinoire *f*; **ice skating** *n* patinage *m* (sur glace)

**icing** ['aɪsɪŋ] *n* (*Culin*) glaçage *m*; **icing sugar** *n* (*BRIT*) sucre *m* glace

**icon** ['aɪkɔn] *n* icône *f*

**ICT** *n abbr* (*BRIT Scol:* = *information and communications technology*) TIC *fpl*

**icy** ['aɪsɪ] *adj* glacé(e); (*road*) verglacé(e); (*weather, temperature*) glacial(e)

**I'd** [aɪd] = **I would; I had**

**ID card** *n* carte *f* d'identité

**idea** [aɪ'dɪə] *n* idée *f*

**ideal** [aɪ'dɪəl] *n* idéal *m* ▷ *adj* idéal(e); **ideally** [aɪ'dɪəlɪ] *adv* (*preferably*) dans l'idéal; (*perfectly*): **he is ideally suited to the job** il est parfait pour ce poste

**identical** [aɪ'dentɪkl] *adj* identique

**identification** [aɪdentɪfɪ'keɪʃən] *n* identification *f*; **means of ~** pièce *f* d'identité

**identify** [aɪ'dentɪfaɪ] *vt* identifier

**identity** [aɪ'dentɪtɪ] *n* identité *f*; **identity card** *n* carte *f* d'identité; **identity theft** *n* usurpation *f* d'identité

**ideology** [aɪdɪ'ɔlədʒɪ] *n* idéologie *f*

**idiom** ['ɪdɪəm] *n* (*phrase*) expression *f* idiomatique; (*style*) style *m*

**idiot** ['ɪdɪət] *n* idiot(e), imbécile *m/f*

**idle** ['aɪdl] *adj* (*doing nothing*) sans occupation, désœuvré(e); (*lazy*) oisif(-ive), paresseux(-euse); (*unemployed*) au chômage; (*machinery*) au repos; (*question, pleasures*) vain(e), futile ▷ *vi* (*engine*) tourner au ralenti

**idol** ['aɪdl] *n* idole *f*

**idyllic** [ɪ'dɪlɪk] *adj* idyllique

**i.e.** *abbr* (= *id est: that is*) c. à d., c'est-à-dire

**if** [ɪf] *conj* si; **if necessary** si nécessaire, le cas échéant; **if so** si c'est le cas; **if not** sinon; **if only I could!** si seulement je pouvais!; *see also* **as; even**

**ignite** [ɪg'naɪt] *vt* mettre le feu à, enflammer ▷ *vi* s'enflammer

**ignition** [ɪg'nɪʃən] *n* (*Aut*) allumage *m*; **to switch on/off the ~** mettre/couper le contact

**ignorance** ['ɪgnərəns] *n* ignorance *f*

**ignorant** ['ɪgnərənt] *adj* ignorant(e); **to be ~ of** (*subject*) ne rien connaître en; (*events*) ne pas être au courant de

**ignore** [ɪg'nɔːʳ] *vt* ne tenir aucun compte de; (*mistake*) ne pas relever;

(person: pretend to not see) faire semblant de ne pas reconnaître; (: pay no attention to) ignorer

**ill** [ɪl] adj (sick) malade; (bad) mauvais(e) ▷ n mal m ▷ adv: **to speak/think ~ of sb** dire/penser du mal de qn; **to be taken ~** tomber malade

**I'll** [aɪl] = **I will; I shall**

**illegal** [ɪ'liːgl] adj illégal(e)

**illegible** [ɪ'lɛdʒɪbl] adj illisible

**illegitimate** [ɪlɪ'dʒɪtɪmət] adj illégitime

**ill health** n mauvaise santé

**illiterate** [ɪ'lɪtərət] adj illettré(e)

**illness** [ɪlnɪs] n maladie f

**illuminate** [ɪ'luːmɪneɪt] vt (room, street) éclairer; (for special effect) illuminer

**illusion** [ɪ'luːʒən] n illusion f

**illustrate** [ɪləstreɪt] vt illustrer

**illustration** [ɪlə'streɪʃən] n illustration f

**I'm** [aɪm] = **I am**

**image** [ɪmɪdʒ] n image f; (public face) image de marque

**imaginary** [ɪ'mædʒɪnərɪ] adj imaginaire

**imagination** [ɪmædʒɪ'neɪʃən] n imagination f

**imaginative** [ɪ'mædʒɪnətɪv] adj imaginatif(-ive); (person) plein(e) d'imagination

**imagine** [ɪ'mædʒɪn] vt s'imaginer; (suppose) imaginer, supposer

**imam** [ɪ'mɑːm] n imam m

**imbalance** [ɪm'bæləns] n déséquilibre m

**imitate** [ɪmɪteɪt] vt imiter

**imitation** [ɪmɪ'teɪʃən] n imitation f

**immaculate** [ɪ'mækjulət] adj impeccable; (Rel) immaculé(e)

**immature** [ɪmə'tjuə*] adj (fruit) qui n'est pas mûr(e); (person) qui manque de maturité

**immediate** [ɪ'miːdɪət] adj immédiat(e); **immediately** adv (at once) immédiatement; **immediately next to** juste à côté de

**immense** [ɪ'mɛns] adj immense, énorme

**immerse** [ɪ'məːs] vt immerger, plonger; **to be ~d in** (fig) être plongé dans

**immigrant** [ɪmɪgrənt] n immigrant(e); (already established) immigré(e); **immigration** [ɪmɪ'greɪʃən] n immigration f

**imminent** [ɪmɪnənt] adj imminent(e)

**immoral** [ɪ'mɔrl] adj immoral(e)

**immortal** [ɪ'mɔːtl] adj, n immortel(le)

**immune** [ɪ'mjuːn] adj: **~ (to)** immunisé(e) (contre); **immune system** n système m immunitaire

**immunize** [ɪmjunaɪz] vt immuniser

**impact** [ɪmpækt] n choc m, impact m; (fig) impact

**impair** [ɪm'pɛə*] vt détériorer, diminuer

**impartial** [ɪm'pɑːʃl] adj impartial(e)

**impatience** [ɪm'peɪʃəns] n impatience f

**impatient** [ɪm'peɪʃənt] adj impatient(e); **to get** or **grow ~** s'impatienter

**impeccable** [ɪm'pɛkəbl] adj impeccable, parfait(e)

**impending** [ɪm'pɛndɪŋ] adj imminent(e)

**imperative** [ɪm'pɛrətɪv] adj (need) urgent(e), pressant(e); (tone) impérieux(-euse) ▷ n (Ling) impératif m

**imperfect** [ɪm'pəːfɪkt] adj imparfait(e); (goods etc) défectueux(-euse) ▷ n (Ling: also: **~ tense**) imparfait m

**imperial** [ɪm'pɪərɪəl] adj impérial(e); (BRIT: measure) légal(e)

**impersonal** [ɪm'pəːsənl] adj impersonnel(le)

**impersonate** [ɪm'pəːsəneɪt] vt se faire passer pour; (Theat) imiter

**impetus** [ɪmpətəs] n impulsion f; (of runner) élan m

**implant** [ɪmˈplɑːnt] vt (Med)
implanter; (fig: idea, principle)
inculquer

**implement** n [ˈɪmplɪmənt] outil m,
instrument m; (for cooking) ustensile
m ▷ vt [ˈɪmplɪment] exécuter

**implicate** [ˈɪmplɪkeɪt] vt impliquer,
compromettre

**implication** [ɪmplɪˈkeɪʃən] n
implication f; **by ~** indirectement

**implicit** [ɪmˈplɪsɪt] adj implicite;
(complete) absolu(e), sans réserve

**imply** [ɪmˈplaɪ] vt (hint) suggérer,
laisser entendre; (mean) indiquer,
supposer

**impolite** [ɪmpəˈlaɪt] adj impoli(e)

**import** vt [ɪmˈpɔːt] importer ▷ n
[ˈɪmpɔːt] (Comm) importation f;
(meaning) portée f, signification f

**importance** [ɪmˈpɔːtns] n
importance f

**important** [ɪmˈpɔːtnt] adj
important(e); **it's not ~** c'est sans
importance, ce n'est pas important

**importer** [ɪmˈpɔːtəʳ] n
importateur(-trice)

**impose** [ɪmˈpəʊz] vt imposer ▷ vi:
**to ~ on sb** abuser de la gentillesse
de qn; **imposing** adj imposant(e),
impressionnant(e)

**impossible** [ɪmˈpɒsɪbl] adj
impossible

**impotent** [ˈɪmpətnt] adj
impuissant(e)

**impoverished** [ɪmˈpɒvərɪʃt] adj
pauvre, appauvri(e)

**impractical** [ɪmˈpræktɪkl] adj pas
pratique; (person) qui manque d'esprit
pratique

**impress** [ɪmˈpres] vt impressionner,
faire impression sur; (mark) imprimer,
marquer; **to ~ sth on sb** faire bien
comprendre qch à qn

**impression** [ɪmˈpreʃən] n
impression f; (of stamp, seal)
empreinte f; (imitation) imitation
f; **to be under the ~ that** avoir
l'impression que

**impressive** [ɪmˈpresɪv] adj
impressionnant(e)

**imprison** [ɪmˈprɪzn] vt emprisonner,
mettre en prison; **imprisonment**
n emprisonnement m; (period):
**to sentence sb to 10 years'
imprisonment** condamner qn à 10
ans de prison

**improbable** [ɪmˈprɒbəbl] adj
improbable; (excuse) peu plausible

**improper** [ɪmˈprɒpəʳ] adj (unsuitable)
déplacé(e), de mauvais goût;
(indecent) indécent(e); (dishonest)
malhonnête

**improve** [ɪmˈpruːv] vt améliorer
▷ vi s'améliorer; (pupil etc) faire
des progrès; **improvement** n
amélioration f; (of pupil etc)
progrès m

**improvise** [ˈɪmprəvaɪz] vt, vi
improviser

**impulse** [ˈɪmpʌls] n impulsion f;
**on ~** impulsivement, sur un coup
de tête; **impulsive** [ɪmˈpʌlsɪv] adj
impulsif(-ive)

⊙ **KEYWORD**

**in** [ɪn] prep 1 (indicating place, position)
dans; **in the house/the fridge** dans
la maison/le frigo; **in the garden**
dans le or au jardin; **in town** en ville;
**in the country** à la campagne; **in
school** à l'école; **in here/there** ici/là
2 (with place names, of town, region,
country): **in London** à Londres, **in
England** en Angleterre; **in Japan**
au Japon; **in the United States** aux
États-Unis
3 (indicating time: during): **in spring**
au printemps; **in summer** en été; **in
May/2005** en mai/2005; **in the
afternoon** (dans) l'après-midi; **at 4
o'clock in the afternoon** à 4 heures
de l'après-midi
4 (indicating time: in the space of) en;
(: future) dans; **I did it in 3 hours/
days** je l'ai fait en 3 heures/jours; **I'll**

**see you in 2 weeks** or **in 2 weeks' time** je te verrai dans 2 semaines
5 (indicating manner etc) à; **in a loud/ soft voice** à voix haute/basse; **in pencil** au crayon; **in writing** par écrit; **in French** en français; **the boy in the blue shirt** le garçon à or avec la chemise bleue
6 (indicating circumstances): **in the sun** au soleil; **in the shade** à l'ombre; **in the rain** sous la pluie; **a change in policy** un changement de politique
7 (indicating mood, state): **in tears** en larmes; **in anger** sous le coup de la colère; **in despair** au désespoir; **in good condition** en bon état; **to live in luxury** vivre dans le luxe
8 (with ratios, numbers): **1 in 10 households, 1 household in 10** 1 ménage sur 10; **20 pence in the pound** 20 pence par livre sterling; **they lined up in twos** ils se mirent en rangs (deux) par deux; **in hundreds** par centaines
9 (referring to people, works) chez; **the disease is common in children** c'est une maladie courante chez les enfants; **in (the works of) Dickens** chez Dickens, dans (l'œuvre de) Dickens
10 (indicating profession etc) dans; **to be in teaching** être dans l'enseignement
11 (after superlative) de; **the best pupil in the class** le meilleur élève de la classe
12 (with present participle): **in saying this** en disant ceci
▶ adv: **to be in** (person: at home, work) être là; (train, ship, plane) être arrivé(e); (in fashion) être à la mode; **to ask sb in** inviter qn à entrer; **to run/limp** etc **in** entrer en courant/boitant etc
▶ n: **the ins and outs (of)** (of proposal, situation etc) les tenants et aboutissants (de)

**inability** [ɪnə'bɪlɪtɪ] n incapacité f; **~ to pay** incapacité de payer
**inaccurate** [ɪn'ækjʊrət] adj inexact(e); (person) qui manque de précision
**inadequate** [ɪn'ædɪkwət] adj insuffisant(e), inadéquat(e)
**inadvertently** [ɪnəd'vɜːtntlɪ] adv par mégarde
**inappropriate** [ɪnə'prəʊprɪət] adj inopportun(e), mal à propos; (word, expression) impropre
**inaugurate** [ɪ'nɔːgjʊreɪt] vt inaugurer; (president, official) investir de ses fonctions
**Inc.** abbr = **incorporated**
**incapable** [ɪn'keɪpəbl] adj: **~ (of)** incapable (de)
**incense** n ['ɪnsɛns] encens m ▷ vt [ɪn'sɛns] (anger) mettre en colère
**incentive** [ɪn'sɛntɪv] n encouragement m, raison f de se donner de la peine
**inch** [ɪntʃ] n pouce m (= 25 mm; 12 in a foot); **within an ~ of** à deux doigts de; **he wouldn't give an ~** (fig) il n'a pas voulu céder d'un pouce
**incidence** ['ɪnsɪdns] n (of crime, disease) fréquence f
**incident** ['ɪnsɪdnt] n incident m
**incidentally** [ɪnsɪ'dɛntəlɪ] adv (by the way) à propos
**inclination** [ɪnklɪ'neɪʃən] n inclination f; (desire) envie f
**incline** n ['ɪnklaɪn] pente f, plan incliné ▷ vt [ɪn'klaɪn] incliner ▷ vi (surface) s'incliner; **to be ~d to do** (have a tendency to do) avoir tendance à faire
**include** [ɪn'kluːd] vt inclure, comprendre; **service is/is not ~d** le service est compris/n'est pas compris; **including** prep y compris; **inclusion** n inclusion f; **inclusive** adj inclus(e), compris(e); **inclusive of tax** taxes comprises
**income** ['ɪnkʌm] n revenu m; (from property etc) rentes fpl; **income**

**support** n (BRIT) ≈ revenu m minimum d'insertion, RMI m; **income tax** n impôt m sur le revenu

**incoming** ['ɪnkʌmɪŋ] adj (passengers, mail) à l'arrivée; (government, tenant) nouveau (nouvelle)

**incompatible** [ɪnkəm'pætɪbl] adj incompatible

**incompetence** [ɪn'kɒmpɪtns] n incompétence f, incapacité f

**incompetent** [ɪn'kɒmpɪtnt] adj incompétent(e), incapable

**incomplete** [ɪnkəm'pli:t] adj incomplet(-ète)

**inconsistent** [ɪnkən'sɪstnt] adj qui manque de constance; (work) irrégulier(-ière); (statement) peu cohérent(e); **~ with** en contradiction avec

**inconvenience** [ɪnkən'vi:njəns] n inconvénient m; (trouble) dérangement m ▷ vt déranger

**inconvenient** [ɪnkən'vi:njənt] adj malcommode; (time, place) mal choisi(e), qui ne convient pas; (visitor) importun(e)

**incorporate** [ɪn'kɔ:pəreɪt] vt incorporer; (contain) contenir

**incorporated** [ɪn'kɔ:pəreɪtd] adj: **~ company** (US) = société f anonyme

**incorrect** [ɪnkə'rekt] adj incorrect(e); (opinion, statement) inexact(e)

**increase** n ['ɪnkri:s] augmentation f ▷ vi, vt [ɪn'kri:s] augmenter; **increasingly** adv de plus en plus

**incredible** [ɪn'kredɪbl] adj incroyable; **incredibly** adv incroyablement

**incur** [ɪn'kə:r] vt (expenses) encourir; (anger, risk) s'exposer à; (debt) contracter; (loss) subir

**indecent** [ɪn'di:snt] adj indécent(e), inconvenant(e)

**indeed** [ɪn'di:d] adv (confirming, agreeing) en effet, effectivement; (for emphasis) vraiment; (furthermore) d'ailleurs; **yes ~!** certainement!

**indefinitely** [ɪn'defɪnɪtlɪ] adv (wait) indéfiniment

**independence** [ɪndɪ'pendns] n indépendance f; **Independence Day** n (US) fête de l'Indépendance américaine

---

**● INDEPENDENCE DAY**

● L'*Independence Day* est la fête
● nationale aux États-Unis, le 4
● juillet. Il commémore l'adoption de
● la déclaration d'Indépendance, en
● 1776, écrite par Thomas Jefferson
● et proclamant la séparation des 13
● colonies américaines de la Grande-
● Bretagne.

---

**independent**
adj indépendant(e); (radio) libre; **independent school** n (BRIT) école privée

**index** ['ɪndeks] n (pl **indexes**) (in book) index m; (in library etc) catalogue m; (pl **indices**) (ratio, sign) indice m

**India** ['ɪndɪə] n Inde f; **Indian** adj indien(ne) ▷ n Indien(ne); **(American) Indian** Indien(ne) (d'Amérique)

**indicate** ['ɪndɪkeɪt] vt indiquer ▷ vi (BRIT Aut): **to ~ left/right** mettre son clignotant à gauche/à droite; **indication** [ɪndɪ'keɪʃən] n indication f, signe m; **indicative** [ɪn'dɪkətɪv] adj: **to be indicative of sth** être symptomatique de qch ▷ n (Ling) indicatif m; **indicator** n (sign) indicateur m; (Aut) clignotant m

**indices** ['ɪndɪsi:z] npl of **index**

**indict** [ɪn'daɪt] vt accuser; **indictment** n accusation f

**indifference** [ɪn'dɪfrəns] n indifférence f

**indifferent** [ɪn'dɪfrənt] adj indifférent(e); (poor) médiocre, quelconque

**indigenous** [ɪn'dɪdʒɪnəs] adj indigène

**indigestion** [ɪndɪˈdʒɛstʃən] n
indigestion f, mauvaise digestion
**indignant** [ɪnˈdɪɡnənt] adj: **~ (at
sth/with sb)** indigné(e) (de qch/
contre qn)
**indirect** [ɪndɪˈrɛkt] adj indirect(e)
**indispensable** [ɪndɪˈspɛnsəbl] adj
indispensable
**individual** [ɪndɪˈvɪdjuəl] n individu
m ▷ adj individuel(le); (characteristic)
particulier(-ière), original(e);
**individually** adv individuellement
**Indonesia** [ɪndəˈniːzɪə] n Indonésie f
**indoor** [ˈɪndɔː*] adj d'intérieur; (plant)
d'appartement; (swimming pool)
couvert(e); (sport, games) pratiqué(e)
en salle; **indoors** [ɪnˈdɔːz] adv à
l'intérieur
**induce** [ɪnˈdjuːs] vt (persuade)
persuader; (bring about) provoquer;
(labour) déclencher
**indulge** [ɪnˈdʌldʒ] vt (whim) céder à,
satisfaire; (child) gâter ▷ vi: **to ~ in
sth** (luxury) s'offrir qch, se permettre
qch; (fantasies etc) se livrer à qch;
**indulgent** adj indulgent(e)
**industrial** [ɪnˈdʌstrɪəl] adj
industriel(le); (injury) du travail;
(dispute) ouvrier(-ière); **industrial
estate** n (BRIT) zone industrielle;
**industrialist** n industriel m;
**industrial park** n (US) zone
industrielle
**industry** [ˈɪndəstrɪ] n industrie f;
(diligence) zèle m, application f
**inefficient** [ɪnɪˈfɪʃənt] adj inefficace
**inequality** [ɪnɪˈkwɔlɪtɪ] n inégalité f
**inevitable** [ɪnˈɛvɪtəbl] adj inévitable;
**inevitably** adv inévitablement,
fatalement
**inexpensive** [ɪnɪkˈspɛnsɪv] adj bon
marché inv
**inexperienced** [ɪnɪkˈspɪərɪənst] adj
inexpérimenté(e)
**inexplicable** [ɪnɪkˈsplɪkəbl] adj
inexplicable
**infamous** [ˈɪnfəməs] adj infâme,
abominable

**infant** [ˈɪnfənt] n (baby) nourrisson m;
(young child) petit(e) enfant
**infantry** [ˈɪnfəntrɪ] n infanterie f
**infant school** n (BRIT) classes fpl
préparatoires (entre 5 et 7 ans)
**infect** [ɪnˈfɛkt] vt (wound) infecter;
(person, blood) contaminer; **infection**
[ɪnˈfɛkʃən] n infection f; (contagion)
contagion f; **infectious** [ɪnˈfɛkʃəs]
adj infectieux(-euse); (also fig)
contagieux(-euse)
**infer** [ɪnˈfəː*] vt: **to ~ (from)** conclure
(de), déduire (de)
**inferior** [ɪnˈfɪərɪə*] adj inférieur(e);
(goods) de qualité inférieure ▷ n
inférieur(e); (in rank) subalterne m/f
**infertile** [ɪnˈfəːtaɪl] adj stérile
**infertility** [ɪnfəːˈtɪlɪtɪ] n infertilité
f, stérilité f
**infested** [ɪnˈfɛstɪd] adj: **~ (with)**
infesté(e) (de)
**infinite** [ˈɪnfɪnɪt] adj infini(e); (time,
money) illimité(e); **infinitely** adv
infiniment
**infirmary** [ɪnˈfəːmərɪ] n hôpital m;
(in school, factory) infirmerie f
**inflamed** [ɪnˈfleɪmd] adj
enflammé(e)
**inflammation** [ɪnfləˈmeɪʃən] n
inflammation f
**inflatable** [ɪnˈfleɪtəbl] adj gonflable
**inflate** [ɪnˈfleɪt] vt (tyre, balloon)
gonfler; (fig: exaggerate) grossir;
(: increase) gonfler; **inflation**
[ɪnˈfleɪʃən] n (Econ) inflation f
**inflexible** [ɪnˈflɛksɪbl] adj inflexible,
rigide
**inflict** [ɪnˈflɪkt] vt: **to ~ on** infliger à
**influence** [ˈɪnfluəns] n influence f
▷ vt influencer; **under the ~ of
alcohol** en état d'ébriété; **influential**
[ɪnfluˈɛnʃl] adj influent(e)
**influenza** [ɪnfluˈɛnzə] n grippe f
**influx** [ˈɪnflʌks] n afflux m
**info** [ˈɪnfəu] (inf) n (= information)
renseignements mpl
**inform** [ɪnˈfɔːm] vt: **to ~ sb (of)**
informer or avertir qn (de) ▷ vi: **to**

**~ sb** dénoncer qn, informer contre qn

**informal** [ɪnˈfɔːml] *adj* (*person, manner, party*) simple; (*visit, discussion*) dénué(e) de formalités; (*announcement, invitation*) non officiel(le); (*colloquial*) familier(-ère)

**information** [ɪnfəˈmeɪʃən] *n* information(s) *f(pl)*; renseignements *mpl*; (*knowledge*) connaissances *fpl*; **a piece of ~** un renseignement; **information office** *n* bureau *m* de renseignements; **information technology** *n* informatique *f*

**informative** [ɪnˈfɔːmətɪv] *adj* instructif(-ive)

**infra-red** [ɪnfrəˈrɛd] *adj* infrarouge

**infrastructure** [ˈɪnfrəstrʌktʃəʳ] *n* infrastructure *f*

**infrequent** [ɪnˈfriːkwənt] *adj* peu fréquent(e), rare

**infuriate** [ɪnˈfjuərɪeɪt] *vt* mettre en fureur

**infuriating** [ɪnˈfjuərɪeɪtɪŋ] *adj* exaspérant(e)

**ingenious** [ɪnˈdʒiːnjəs] *adj* ingénieux(-euse)

**ingredient** [ɪnˈgriːdɪənt] *n* ingrédient *m*; (*fig*) élément *m*

**inhabit** [ɪnˈhæbɪt] *vt* habiter; **inhabitant** *n* habitant(e)

**inhale** [ɪnˈheɪl] *vt* inhaler; (*perfume*) respirer; (*smoke*) avaler ▷ *vi* (*breathe in*) aspirer; (*in smoking*) avaler la fumée; **inhaler** *n* inhalateur *m*

**inherent** [ɪnˈhɪərənt] *adj*: **~ (in** *or* **to)** inhérent(e) (à)

**inherit** [ɪnˈhɛrɪt] *vt* hériter (de); **inheritance** *n* héritage *m*

**inhibit** [ɪnˈhɪbɪt] *vt* (*Psych*) inhiber; (*growth*) freiner; **inhibition** [ɪnhɪˈbɪʃən] *n* inhibition *f*

**initial** [ɪˈnɪʃl] *adj* initial(e) ▷ *n* initiale *f* ▷ *vt* parafer; **initials** *npl* initiales *fpl*; (*as signature*) parafe *m*; **initially** *adv* initialement, au début

**initiate** [ɪˈnɪʃɪeɪt] *vt* (*start*) entreprendre; amorcer; (*enterprise*)

lancer; (*person*) initier; **to ~ proceedings against sb** (*Law*) intenter une action à qn, engager des poursuites contre qn

**initiative** [ɪˈnɪʃɪətɪv] *n* initiative *f*

**inject** [ɪnˈdʒɛkt] *vt* injecter; (*person*): **to ~ sb with sth** faire une piqûre de qch à qn; **injection** [ɪnˈdʒɛkʃən] *n* injection *f*, piqûre *f*

**injure** [ˈɪndʒəʳ] *vt* blesser; (*damage: reputation etc*) compromettre; **to ~ o.s.** se blesser; **injured** *adj* (*person, leg etc*) blessé(e); **injury** *n* blessure *f*; (*wrong*) tort *m*

**injustice** [ɪnˈdʒʌstɪs] *n* injustice *f*

**ink** [ɪŋk] *n* encre *f*; **ink-jet printer** [ˈɪŋkdʒɛt-] *n* imprimante *f* à jet d'encre

**inland** *adj* [ˈɪnlənd] intérieur(e) ▷ *adv* [ɪnˈlænd] à l'intérieur, dans les terres; **Inland Revenue** *n* (BRIT) fisc *m*

**in-laws** [ˈɪnlɔːz] *npl* beaux-parents *mpl*; belle famille

**inmate** [ˈɪnmeɪt] *n* (*in prison*) détenu(e); (*in asylum*) interné(e)

**inn** [ɪn] *n* auberge *f*

**inner** [ˈɪnəʳ] *adj* intérieur(e); **inner-city** *adj* (*schools, problems*) de quartiers déshérités

**inning** [ˈɪnɪŋ] *n* (US *Baseball*) tour *m* de batte; **innings** (*Cricket*) tour de batte

**innocence** [ˈɪnəsns] *n* innocence *f*

**innocent** [ˈɪnəsnt] *adj* innocent(e)

**innovation** [ɪnəuˈveɪʃən] *n* innovation *f*

**innovative** [ˈɪnəuˈveɪtɪv] *adj* novateur(-trice); (*product*) innovant(e)

**in-patient** [ˈɪnpeɪʃənt] *n* malade hospitalisé(e)

**input** [ˈɪnput] *n* (*contribution*) contribution *f*; (*resources*) ressources *fpl*; (*Comput*) entrée *f* (de données) (: *data*) données *fpl* ▷ *vt* (*Comput*) introduire, entrer

**inquest** [ˈɪnkwest] *n* enquête (criminelle); (*coroner's*) enquête judiciaire

**inquire** [ɪnˈkwaɪəʳ] vi demander ▷ vt demander; **to ~ about** s'informer de, se renseigner sur; **to ~ when/where/whether** demander quand/où/si; **inquiry** n demande f de renseignements; (Law) enquête f, investigation f; **"inquiries"** "renseignements"

**ins.** abbr = **inches**

**insane** [ɪnˈseɪn] adj fou (folle); (Med) aliéné(e)

**insanity** [ɪnˈsænɪtɪ] n folie f; (Med) aliénation (mentale)

**insect** [ˈɪnsɛkt] n insecte m; **insect repellent** n crème f anti-insectes

**insecure** [ɪnsɪˈkjuəʳ] adj (person) anxieux(-euse); (job) précaire; (building etc) peu sûr(e)

**insecurity** [ɪnsɪˈkjuərɪtɪ] n insécurité f

**insensitive** [ɪnˈsɛnsɪtɪv] adj insensible

**insert** vt [ɪnˈsəːt] insérer ▷ n [ˈɪnsəːt] insertion f

**inside** [ɪnˈsaɪd] n intérieur m ▷ adj intérieur(e) ▷ adv à l'intérieur, dedans ▷ prep à l'intérieur de; (of time): **~ 10 minutes** en moins de 10 minutes; **to go ~** rentrer; **inside lane** n (Aut: in Britain) voie f de gauche; (in US, Europe) voie f de droite; **inside out** adv à l'envers; (know) à fond; **to turn sth inside out** retourner qch

**insight** [ˈɪnsaɪt] n perspicacité f; (glimpse, idea) aperçu m

**insignificant** [ɪnsɪɡˈnɪfɪkənt] adj insignifiant(e)

**insincere** [ɪnsɪnˈsɪəʳ] adj hypocrite

**insist** [ɪnˈsɪst] vi insister; **to ~ on doing** insister pour faire; **to ~ on sth** exiger qch; **to ~ that** insister pour que + sub; (claim) maintenir ou soutenir que; **insistent** adj insistant(e), pressant(e); (noise, action) ininterrompu(e)

**insomnia** [ɪnˈsɒmnɪə] n insomnie f

**inspect** [ɪnˈspɛkt] vt inspecter; (BRIT: ticket) contrôler; **inspection** [ɪnˈspɛkʃən] n inspection f; (BRIT: of tickets) contrôle m; **inspector** n inspecteur(-trice); (BRIT: on buses, trains) contrôleur(-euse)

**inspiration** [ɪnspəˈreɪʃən] n inspiration f; **inspire** [ɪnˈspaɪəʳ] vt inspirer; **inspiring** adj inspirant(e)

**instability** [ɪnstəˈbɪlɪtɪ] n instabilité f

**install**, (US) **instal** [ɪnˈstɔːl] vt installer; **installation** [ɪnstəˈleɪʃən] n installation f

**instalment**, (US) **installment** [ɪnˈstɔːlmənt] n (payment) acompte m, versement échelonné; (of TV serial etc) épisode m; **in ~s** (pay) à tempérament; (receive) en plusieurs fois

**instance** [ˈɪnstəns] n exemple m; **for ~** par exemple; **in the first ~** tout d'abord, en premier lieu

**instant** [ˈɪnstənt] n instant m ▷ adj immédiat(e), urgent(e); (coffee, food) instantané(e), en poudre; **instantly** adv immédiatement, tout de suite; **instant messaging** n messagerie f instantanée

**instead** [ɪnˈstɛd] adv au lieu de cela; **~ of** au lieu de; **~ of sb** à la place de qn

**instinct** [ˈɪnstɪŋkt] n instinct m; **instinctive** adj instinctif(-ive)

**institute** [ˈɪnstɪtjuːt] n institut m ▷ vt instituer, établir; (inquiry) ouvrir; (proceedings) entamer

**institution** [ɪnstɪˈtjuːʃən] n institution f; (school) établissement m (scolaire); (for care) établissement (psychiatrique etc)

**instruct** [ɪnˈstrʌkt] vt: **to ~ sb in sth** enseigner qch à qn; **to ~ sb to do** charger qn ou ordonner à qn de faire; **instruction** [ɪnˈstrʌkʃən] n instruction f; **instructions** npl (orders) directives fpl; **instructions for use** mode m d'emploi; **instructor** n professeur m; (for skiing, driving) moniteur m

**instrument** [ˈɪnstrumənt] n instrument m; **instrumental**

[ɪnstru'mentl] *adj* (Mus) instrumental(e); **to be instrumental in sth/in doing sth** contribuer à qch/à faire qch

**insufficient** [ɪnsə'fɪʃənt] *adj* insuffisant(e)

**insulate** ['ɪnsjʊleɪt] *vt* isoler; (against sound) insonoriser; **insulation** [ɪnsjʊ'leɪʃən] *n* isolation *f*; (against sound) insonorisation *f*

**insulin** ['ɪnsjʊlɪn] *n* insuline *f*

**insult** *n* ['ɪnsʌlt] insulte *f*, affront *m* ▷ *vt* [ɪn'sʌlt] insulter, faire un affront à; **insulting** *adj* insultant(e), injurieux(-euse)

**insurance** [ɪn'ʃʊərəns] *n* assurance *f*; **fire/life ~** assurance-incendie/-vie; **insurance company** *n* compagnie *f* or société *f* d'assurances; **insurance policy** *n* police *f* d'assurance

**insure** [ɪn'ʃʊəʳ] *vt* assurer; **to ~ (o.s.) against** (fig) parer à

**intact** [ɪn'tækt] *adj* intact(e)

**intake** ['ɪnteɪk] *n* (Tech) admission *f*; (consumption) consommation *f*; (BRIT Scol) **an ~ of 200 a year** 200 admissions par an

**integral** ['ɪntɪɡrəl] *adj* (whole) intégral(e); (part) intégrant(e)

**integrate** ['ɪntɪɡreɪt] *vt* intégrer ▷ *vi* s'intégrer

**integrity** [ɪn'tɛɡrɪtɪ] *n* intégrité *f*

**intellect** ['ɪntəlɛkt] *n* intelligence *f*; **intellectual** [ɪntə'lɛktjʊəl] *adj*, *n* intellectuel(le)

**intelligence** [ɪn'tɛlɪdʒəns] *n* intelligence *f*; (Mil) informations *fpl*, renseignements *mpl*

**intelligent** [ɪn'tɛlɪdʒənt] *adj* intelligent(e)

**intend** [ɪn'tɛnd] *vt* (gift etc) **to ~ sth for** destiner qch à; **to ~ to do** avoir l'intention de faire

**intense** [ɪn'tɛns] *adj* intense; (person) véhément(e)

**intensify** [ɪn'tɛnsɪfaɪ] *vt* intensifier

**intensity** [ɪn'tɛnsɪtɪ] *n* intensité *f*

**intensive** [ɪn'tɛnsɪv] *adj* intensif(-ive); **intensive care** *n*: **to be in intensive care** être en réanimation; **intensive care unit** *n* service *m* de réanimation

**intent** [ɪn'tɛnt] *n* intention *f* ▷ *adj* attentif(-ive), absorbé(e); **to all ~s and purposes** en fait, pratiquement; **to be ~ on doing sth** être (bien) décidé à faire qch

**intention** [ɪn'tɛnʃən] *n* intention *f*; **intentional** *adj* intentionnel(le), délibéré(e)

**interact** [ɪntər'ækt] *vi* avoir une action réciproque; (people) communiquer; **interaction** [ɪntər'ækʃən] *n* interaction *f*; **interactive** *adj* (Comput) interactif, conversationnel(le)

**intercept** [ɪntə'sɛpt] *vt* intercepter; (person) arrêter au passage

**interchange** *n* ['ɪntətʃeɪndʒ] (exchange) échange *m*; (on motorway) échangeur *m*

**intercourse** ['ɪntəkɔːs] *n*: **sexual ~** rapports sexuels

**interest** ['ɪntrɪst] *n* intérêt *m*; (Comm: stake, share) participation *f*, intérêts *mpl* ▷ *vt* intéresser; **interested** *adj* intéressé(e); **to be interested in sth** s'intéresser à qch; **I'm interested in going** ça m'intéresse d'y aller; **interesting** *adj* intéressant(e); **interest rate** *n* taux *m* d'intérêt

**interface** ['ɪntəfeɪs] *n* (Comput) interface *f*

**interfere** [ɪntə'fɪəʳ] *vi*: **to ~ in** (quarrel) s'immiscer dans; (other people's business) se mêler de; **to ~ with** (object) tripoter, toucher à; (plans) contrecarrer; (duty) être en conflit avec; **interference** *n* (gen) ingérence *f*; (Radio, TV) parasites *mpl*

**interim** ['ɪntərɪm] *adj* provisoire; (post) intérimaire *n* ▷ *n*: **in the ~** dans l'intérim

**interior** [ɪn'tɪərɪəʳ] *n* intérieur *m* ▷ *adj* intérieur(e); (minister, department)

de l'intérieur; **interior design** n
architecture f d'intérieur
**intermediate** [ɪntəˈmiːdɪət] adj
intermédiaire; (Scol: course, level)
moyen(ne)
**intermission** [ɪntəˈmɪʃən] n pause f;
(Theat, Cine) entracte m
**intern** vt [ɪnˈtəːn] interner ▷ n
[ˈɪntəːn] (us) interne m f
**internal** [ɪnˈtəːnl] adj interne; (dispute,
reform etc) intérieur(e); **Internal
Revenue Service** n (us) fisc m
**international** [ɪntəˈnæʃənl] adj
international(e) ▷ n (BRIT Sport)
international m
**Internet** [ɪntəˈnet] n: **the ~** l'Internet
m; **Internet café** n cybercafé m;
**Internet Service Provider** n
fournisseur m d'accès à Internet;
**Internet user** n internaute m/f
**interpret** [ɪnˈtəːprɪt] vt
interpréter ▷ vi servir d'interprète;
**interpretation** [ɪntəːprɪˈteɪʃən]
n interprétation f; **interpreter** n
interprète m/f; **could you act as an
interpreter for us?** pourriez-vous
nous servir d'interprète?
**interrogate** [ɪnˈterəʊgeɪt] vt
interroger; (suspect etc) soumettre
à un interrogatoire; **interrogation**
[ɪnterəʊˈgeɪʃən] n interrogation f; (by
police) interrogatoire m
**interrogative** [ɪntəˈrɒgətɪv] adj
interrogateur(-trice) ▷ n (Ling)
interrogatif m
**interrupt** [ɪntəˈrʌpt] vt, vi
interrompre; **interruption**
[ɪntəˈrʌpʃən] n interruption f
**intersection** [ɪntəˈsekʃən] n (of
roads) croisement m
**interstate** [ˈɪntəsteɪt] (us) n
autoroute f (qui relie plusieurs États)
**interval** [ˈɪntəvl] n intervalle m;
(BRIT: Theat) entracte m; (: Sport)
mi-temps f; **at ~s** par intervalles
**intervene** [ɪntəˈviːn] vi (time)
s'écouler (entre-temps); (event)
survenir; (person) intervenir

**interview** [ˈɪntəvjuː] n (Radio, TV)
interview f; (for job) entrevue f ▷ vt
interviewer, avoir une entrevue
avec; **interviewer** n (Radio, TV)
interviewer m
**intimate** adj [ˈɪntɪmət] intime;
(friendship) profond(e); (knowledge)
approfondi(e) ▷ vt [ˈɪntɪmeɪt]
suggérer, laisser entendre; (announce)
faire savoir
**intimidate** [ɪnˈtɪmɪdeɪt] vt intimider
**intimidating** [ɪnˈtɪmɪdeɪtɪŋ] adj
intimidant(e)
**into** [ˈɪntu] prep dans; **~ pieces/
French** en morceaux/français
**intolerant** [ɪnˈtɒlərnt] adj: **~ (of)**
intolérant(e) (de)
**intranet** [ˈɪntrənet] n intranet m
**intransitive** [ɪnˈtrænsɪtɪv] adj
intransitif(-ive)
**intricate** [ˈɪntrɪkət] adj complexe,
compliqué(e)
**intrigue** [ɪnˈtriːg] n intrigue f ▷ vt
intriguer; **intriguing** adj fascinant(e)
**introduce** [ɪntrəˈdjuːs] vt introduire;
(TV show etc) présenter; **to ~ sb
(to sb)** présenter qn (à qn); **to ~
sb to** (pastime, technique) initier qn
à; **introduction** [ɪntrəˈdʌkʃən]
n introduction f; (of person)
présentation f; (to new experience)
initiation f; **introductory**
[ɪntrəˈdʌktərɪ] adj préliminaire,
introductif(-ive)
**intrude** [ɪnˈtruːd] vi (person) être
importun(e); **to ~ on** or **into**
(conversation etc) s'immiscer dans;
**intruder** n intrus(e)
**intuition** [ɪntjuːˈɪʃən] n intuition f
**inundate** [ˈɪnʌndeɪt] vt: **to ~ with**
inonder de
**invade** [ɪnˈveɪd] vt envahir
**invalid** n [ˈɪnvəlɪd] malade m/f;
(with disability) invalide m/f ▷ adj
[ɪnˈvælɪd] (not valid) invalide, non
valide
**invaluable** [ɪnˈvæljuəbl] adj
inestimable, inappréciable

**invariably** [ɪnˈvɛərɪəblɪ] *adv*
invariablement; **she is ~ late** elle est
toujours en retard

**invasion** [ɪnˈveɪʒən] *n* invasion *f*

**invent** [ɪnˈvɛnt] *vt* inventer;
**invention** [ɪnˈvɛnʃən] *n* invention *f*;
**inventor** *n* inventeur(-trice)

**inventory** [ˈɪnvəntrɪ] *n* inventaire *m*

**inverted commas** [ɪnˈvəːtɪd-] *npl*
(BRIT) guillemets *mpl*

**invest** [ɪnˈvɛst] *vt* investir ▷ *vi*: **to ~ in**
placer de l'argent ou investir dans; (*fig*:
*acquire*) s'offrir, faire l'acquisition de

**investigate** [ɪnˈvɛstɪgeɪt] *vt* étudier,
examiner; (*crime*) faire une enquête
sur; **investigation** [ɪnvɛstɪˈgeɪʃən] *n*
(*of crime*) enquête *f*, investigation *f*

**investigator** [ɪnˈvɛstɪgeɪtəʳ] *n*
investigateur(-trice); **private ~**
détective privé

**investment** [ɪnˈvɛstmənt] *n*
investissement *m*, placement *m*

**investor** [ɪnˈvɛstəʳ] *n* épargnant(e);
(*shareholder*) actionnaire *m/f*

**invisible** [ɪnˈvɪzɪbl] *adj* invisible

**invitation** [ɪnvɪˈteɪʃən] *n*
invitation *f*

**invite** [ɪnˈvaɪt] *vt* inviter; (*opinions
etc*) demander; **inviting** *adj*
engageant(e), attrayant(e)

**invoice** [ˈɪnvɔɪs] *n* facture *f* ▷ *vt*
facturer

**involve** [ɪnˈvɔlv] *vt* (*entail*) impliquer;
(*concern*) concerner; (*require*)
nécessiter; **to ~ sb in** (*theft etc*)
impliquer qn dans; (*activity, meeting*)
faire participer qn à; **involved** *adj*
(*complicated*) complexe; **to be
involved in** (*take part*) participer à;
**involvement** *n* (*personal role*) rôle
*m*; (*participation*) participation *f*;
(*enthusiasm*) enthousiasme *m*

**inward** [ˈɪnwəd] *adj* (*movement*)
vers l'intérieur; (*thought, feeling*)
profond(e), intime ▷ *adv* = **inwards**;
**inwards** *adv* vers l'intérieur

**iPod®** [ˈaɪpɔd] *n* iPod® *m*

**IQ** *n abbr* (= *intelligence quotient*) Q.I. *m*

**IRA** *n abbr* (= *Irish Republican Army*) IRA *f*

**Iran** [ɪˈrɑːn] *n* Iran *m*; **Iranian**
[ɪˈreɪnɪən] *adj* iranien(ne) ▷ *n*
Iranien(ne)

**Iraq** [ɪˈrɑːk] *n* Irak *m*; **Iraqi** *adj*
irakien(ne) ▷ *n* Irakien(ne)

**Ireland** [ˈaɪələnd] *n* Irlande *f*

**iris, irises** [ˈaɪrɪs, -ɪz] *n* iris *m*

**Irish** [ˈaɪrɪʃ] *adj* irlandais(e) ▷ *npl*:
**the ~** les Irlandais; **Irishman** (*irreg*)
*n* Irlandais *m*; **Irishwoman** (*irreg*) *n*
Irlandaise *f*

**iron** [ˈaɪən] *n* fer *m*; (*for clothes*) fer à
repasser ▷ *adj* de ou en fer ▷ *vt* (*clothes*)
repasser

**ironic(al)** [aɪˈrɔnɪk(l)] *adj* ironique;
**ironically** *adv* ironiquement

**ironing** [ˈaɪənɪŋ] *n* (*activity*)
repassage *m*; (*clothes: ironed*) linge
repassé; (: *to be ironed*) linge à
repasser; **ironing board** *n* planche
*f* à repasser

**irony** [ˈaɪrənɪ] *n* ironie *f*

**irrational** [ɪˈræʃənl] *adj*
irrationnel(le); (*person*) qui n'est pas
rationnel

**irregular** [ɪˈrɛgjuləʳ] *adj*
irrégulier(-ière); (*surface*) inégal(e);
(*action, event*) peu orthodoxe

**irrelevant** [ɪˈrɛləvənt] *adj* sans
rapport, hors de propos

**irresistible** [ɪrɪˈzɪstɪbl] *adj*
irrésistible

**irresponsible** [ɪrɪˈspɔnsɪbl] *adj* (*act*)
irréfléchi(e); (*person*) qui n'a pas le
sens des responsabilités

**irrigation** [ɪrɪˈgeɪʃən] *n* irrigation *f*

**irritable** [ˈɪrɪtəbl] *adj* irritable

**irritate** [ˈɪrɪteɪt] *vt* irriter; **irritating**
*adj* irritant(e); **irritation** [ɪrɪˈteɪʃən]
*n* irritation *f*

**IRS** *n abbr* (US) = **Internal Revenue
Service**

**is** [ɪz] *vb see* **be**

**ISDN** *n abbr* (= *Integrated Services Digital
Network*) RNIS *m*

**Islam** [ˈɪzlɑːm] *n* Islam *m*; **Islamic**
[ɪzˈlɑːmɪk] *adj* islamique

**island** ['aɪlənd] n île f; (also: **traffic ~**) refuge m (pour piétons); **islander** n habitant(e) d'une île, insulaire m/f

**isle** [aɪl] n île f

**isn't** ['ɪznt] = **is not**

**isolated** ['aɪsəleɪtɪd] adj isolé(e)

**isolation** [aɪsə'leɪʃən] n isolement m

**ISP** n abbr = **Internet Service Provider**

**Israel** ['ɪzreɪl] n Israël m; **Israeli** [ɪz'reɪlɪ] adj israélien(ne) ▷ n Israélien(ne)

**issue** ['ɪʃu:] n question f, problème m; (of banknotes) émission f; (of newspaper) numéro m; (of book) publication f, parution f ▷ vt (rations, equipment) distribuer; (orders) donner; (statement) publier, faire; (certificate, passport) délivrer; (banknotes, cheques, stamps) émettre, mettre en circulation; **at ~** en jeu, en cause; **to take ~ with sb (over sth)** exprimer son désaccord avec qn (sur qch)

**IT** n abbr = **information technology**

**KEYWORD**

**it** [ɪt] pron **1** (specific: subject) il (elle); (: direct object) le (la, l'); (: indirect object) lui; **it's on the table** c'est or il (or elle) est sur la table; **I can't find it** je n'arrive pas à le trouver; **give it to me** donne-le-moi

**2** (after prep): **about/from/of it** en; **I spoke to him about it** je lui en ai parlé; **what did you learn from it?** qu'est-ce que vous en avez retiré?; **I'm proud of it** j'en suis fier; **in/to it** y; **put the book in it** mettez-y le livre; **he agreed to it** il y a consenti; **did you go to it?** (party, concert etc) est-ce que vous y êtes allé(s)?

**3** (impersonal) il; ce, cela, ça; **it's Friday tomorrow** demain, c'est vendredi or nous sommes vendredi; **it's 6 o'clock** il est 6 heures; **how far is it? — it's 10 miles** c'est loin? — c'est à 10 miles; **who is it? — it's me** qui

est-ce? — c'est moi; **it's raining** il pleut

**Italian** [ɪ'tæljən] adj italien(ne) ▷ n Italien(ne); (Ling) italien m

**italics** [ɪ'tælɪks] npl italique m

**Italy** ['ɪtəlɪ] n Italie f

**itch** [ɪtʃ] n démangeaison f ▷ vi (person) éprouver des démangeaisons; (part of body) démanger; **I'm ~ing to do** l'envie me démange de faire; **itchy** adj: **my back is itchy** j'ai le dos qui me démange

**it'd** ['ɪtd] = **it would; it had**

**item** ['aɪtəm] n (gen) article m; (on agenda) question f, point m; (also: **news ~**) nouvelle f

**itinerary** [aɪ'tɪnərərɪ] n itinéraire m

**it'll** ['ɪtl] = **it will; it shall**

**its** [ɪts] adj son (sa), ses pl

**it's** [ɪts] = **it is; it has**

**itself** [ɪt'sɛlf] pron (reflexive) se; (emphatic) lui-même (elle-même)

**ITV** n abbr (BRIT: = Independent Television) chaîne de télévision commerciale

**I've** [aɪv] = **I have**

**ivory** ['aɪvərɪ] n ivoire m

**ivy** ['aɪvɪ] n lierre m

**jab** [dʒæb] vt: **to ~ sth into** enfoncer or planter qch dans ▷ n (Med: inf) piqûre f

**jack** [dʒæk] n (Aut) cric m; (Cards) valet m

**jacket** ['dʒækɪt] n veste f, veston m; (of book) couverture f, jaquette f; **jacket potato** n pomme de terre en robe des champs

**jackpot** ['dʒækpɔt] n gros lot

**Jacuzzi®** [dʒə'ku:zɪ] n jacuzzi® m

**jagged** ['dʒægɪd] adj dentelé(e)

**jail** [dʒeɪl] n prison f ▷ vt emprisonner, mettre en prison; **jail sentence** n peine f de prison

**jam** [dʒæm] n confiture f; (also: **traffic ~**) embouteillage m ▷ vt (passage etc) encombrer, obstruer; (mechanism, drawer etc) bloquer, coincer; (Radio) brouiller ▷ vi (mechanism, sliding part) se coincer, se bloquer; (gun) s'enrayer; **to be in a ~** (inf) être dans le pétrin; **to ~ sth into** (stuff) entasser or comprimer qch dans; (thrust) enfoncer qch dans

**Jamaica** [dʒə'meɪkə] n Jamaïque f

**jammed** [dʒæmd] adj (window etc) coincé(e)

**janitor** ['dʒænɪtə'] n (caretaker) concierge m

**January** ['dʒænjuərɪ] n janvier m

**Japan** [dʒə'pæn] n Japon m; **Japanese** [dʒæpə'ni:z] adj japonais(e) ▷ n (pl inv) Japonais(e); (Ling) japonais m

**jar** [dʒɑ:'] n (stone, earthenware) pot m; (glass) bocal m ▷ vi (sound) produire un son grinçant or discordant; (colours etc) détonner, jurer

**jargon** ['dʒɑ:gən] n jargon m

**javelin** ['dʒævlɪn] n javelot m

**jaw** [dʒɔ:] n mâchoire f

**jazz** [dʒæz] n jazz m

**jealous** ['dʒɛləs] adj jaloux(-ouse); **jealousy** n jalousie f

**jeans** [dʒi:nz] npl jean m

**Jello®** ['dʒɛləu] (us) n gelée f

**jelly** ['dʒɛlɪ] n (dessert) gelée f; (us: jam) confiture f; **jellyfish** n méduse f

**jeopardize** ['dʒɛpədaɪz] vt mettre en danger or péril

**jerk** [dʒə:k] n secousse f, saccade f; (of muscle) spasme m; (inf) pauvre type m ▷ vt (shake) donner une secousse à; (pull) tirer brusquement ▷ vi (vehicles) cahoter

**jersey** ['dʒə:zɪ] n tricot m; (fabric) jersey m

**Jesus** ['dʒi:zəs] n Jésus m

**jet** [dʒɛt] n (of gas, liquid) jet m; (Aviat) avion m à réaction, jet m; **jet lag** n décalage m horaire; **jet-ski** vi faire du jet-ski or scooter des mers

**jetty** ['dʒɛtɪ] n jetée f, digue f

**Jew** [dʒu:] n juif m

**jewel** ['dʒu:əl] n bijou m, joyau m; (in watch) rubis m; **jeweller**, (us) **jeweler** n bijoutier(-ière), joaillier m; **jeweller's (shop)** (BRIT) n bijouterie f, joaillerie f; **jewellery**, (us) **jewelry** n bijoux mpl

**Jewish** ['dʒu:ɪʃ] adj juif (juive)

**jigsaw** ['dʒɪgsɔː] n (also: ~ puzzle) puzzle m

**job** [dʒɔb] n (chore, task) travail m, tâche f; (employment) emploi m, poste m, place f; **it's a good ~ that …** c'est heureux or c'est une chance que … + sub; **just the ~!** (c'est) juste or exactement ce qu'il faut!; **job centre** (BRIT) n ≈ ANPE f, ≈ Agence nationale pour l'emploi; **jobless** adj sans travail, au chômage

**jockey** ['dʒɔkɪ] n jockey m ▷ vi: **~ for position** manœuvrer pour être bien placé

**jog** [dʒɔg] vt secouer ▷ vi (Sport) faire du jogging; **to ~ sb's memory** rafraîchir la mémoire de qn; **jogging** n jogging m

**join** [dʒɔɪn] vt (put together) unir, assembler; (become member of) s'inscrire à; (meet) retrouver, rejoindre; (queue) se joindre à ▷ vi (roads, rivers) se rejoindre, se rencontrer ▷ n raccord m; **join in** vi se mettre à la partie ▷ vt fus se mêler à; **join up** vi (meet) se rejoindre; (Mil) s'engager

**joiner** ['dʒɔɪnə'] (BRIT) n menuisier m

**joint** [dʒɔɪnt] n (Tech) jointure f; joint m; (Anat) articulation f, jointure; (BRIT Culin) rôti m; (inf: place) boîte f; (of cannabis) joint m ▷ adj commun(e); (committee) mixte, paritaire; (winner) ex aequo; **joint account** n compte joint; **jointly** adv ensemble, en commun

**joke** [dʒəʊk] n plaisanterie f; (also: **practical ~**) farce f ▷ vi plaisanter; **to play a ~ on** jouer un tour à, faire une farce à; **joker** n (Cards) joker m

**jolly** ['dʒɔlɪ] adj gai(e), enjoué(e); (enjoyable) amusant(e), plaisant(e) ▷ adv (BRIT inf) rudement, drôlement

**jolt** [dʒəʊlt] n cahot m, secousse f; (shock) choc m ▷ vt cahoter, secouer

**Jordan** [dʒɔːdən] n (country) Jordanie f

**journal** ['dʒɜːnl] n journal m; **journalism** n journalisme m; **journalist** n journaliste m/f

**journey** ['dʒɜːnɪ] n voyage m; (distance covered) trajet m; **the ~ takes two hours** le trajet dure deux heures; **how was your ~?** votre voyage s'est bien passé?

**joy** [dʒɔɪ] n joie f; **joyrider** n voleur(-euse) de voiture (qui fait une virée dans le véhicule volé); **joy stick** n (Aviat) manche m à balai; (Comput) manche à balai, manette f (de jeu)

**Jr** abbr = **junior**

**judge** [dʒʌdʒ] n juge m ▷ vt juger; (estimate: weight, size etc) apprécier; (consider) estimer

**judo** ['dʒuːdəʊ] n judo m

**jug** [dʒʌg] n pot m, cruche f

**juggle** ['dʒʌgl] vi jongler; **juggler** n jongleur m

**juice** [dʒuːs] n jus m; **juicy** adj juteux(-euse)

**July** [dʒuːˈlaɪ] n juillet m

**jumble** ['dʒʌmbl] n fouillis m ▷ vt (also: ~ **up**, ~ **together**) mélanger, brouiller; **jumble sale** n (BRIT) vente f de charité

• **JUMBLE SALE**

  • Les *jumble sales* ont lieu dans les
  • églises, salles des fêtes ou halls
  • d'écoles, et l'on y vend des articles
  • de toutes sortes, en général bon
  • marché et surtout d'occasion, pour
  • collecter des fonds pour une œuvre
  • de charité, une école (par exemple,
  • pour acheter des ordinateurs), ou
  • encore une église (pour réparer
  • un toit etc).

**jumbo** ['dʒʌmbəʊ] adj (also: ~ **jet**) (avion) gros porteur (à réaction)

**jump** [dʒʌmp] vi sauter, bondir; (with fear etc) sursauter; (increase) monter en flèche ▷ vt sauter, franchir ▷ n saut m, bond m; (with fear etc) sursaut m; (fence) obstacle m; **to ~ the queue** (BRIT) passer avant son tour

**jumper** ['dʒʌmpə'] n (BRIT: *pullover*) pull-over m; (US: *pinafore dress*) robe-chasuble f

**jump leads**, (US)**jumper cables** npl câbles mpl de démarrage

**Jun.** abbr = **June; junior**

**junction** ['dʒʌŋkʃən] n (BRIT: *of roads*) carrefour m; (*of rails*) embranchement m

**June** [dʒu:n] n juin m

**jungle** ['dʒʌŋgl] n jungle f

**junior** ['dʒu:nıə'] adj, n: **he's ~ to me (by two years), he's my ~ (by two years)** il est mon cadet (de deux ans), il est plus jeune que moi (de deux ans); **he's ~ to me** (*seniority*) il est en dessous de moi (dans la hiérarchie), j'ai plus d'ancienneté que lui; **junior high school** n (US) ≈ collège m d'enseignement secondaire; *see also* **high school; junior school** n (BRIT) école f primaire

**junk** [dʒʌŋk] n (*rubbish*) camelote f; (*cheap goods*) bric-à-brac m inv; **junk food** n snacks vite prêts (*sans valeur nutritive*)

**junkie** ['dʒʌŋkı] n (*inf*) junkie m, drogué(e)

**junk mail** n prospectus mpl; (*Comput*) messages mpl publicitaires

**Jupiter** ['dʒu:pıtə'] n (*planet*) Jupiter f

**jurisdiction** [dʒuərıs'dıkʃən] n juridiction f; **it falls** or **comes within/outside our ~** cela est/n'est pas de notre compétence or ressort

**jury** ['dʒuərı] n jury m

**just** [dʒʌst] adj juste ▷ adv: **he's ~ done it/left** il vient de le faire/partir; **~ right/two o'clock** exactement or juste ce qu'il faut/deux heures; **we were ~ going** nous partions; **I was ~ about to phone** j'allais téléphoner; **~ as he was leaving** au moment or à l'instant précis où il partait; **~ before/enough/here** juste avant/assez/là; **it's ~ me/a mistake** ce n'est que moi/(rien) qu'une erreur; **~ missed/caught** manqué/attrapé

de justesse; **~ listen to this!** écoutez un peu ça!; **she's ~ as clever as you** elle est tout aussi intelligente que vous; **it's ~ as well that you ...** heureusement que vous ...; **~ a minute!, ~ one moment!** un instant (s'il vous plaît!)

**justice** ['dʒʌstıs] n justice f; (US: *judge*) juge m de la Cour suprême

**justification** [dʒʌstıfı'keıʃən] n justification f

**justify** ['dʒʌstıfaı] vt justifier

**jut** [dʒʌt] vi (*also*: ~ **out**) dépasser, faire saillie

**juvenile** ['dʒu:vənaıl] adj juvénile; (*court, books*) pour enfants ▷ n adolescent(e)

# K

**K, k** [keɪ] *abbr* (= *one thousand*) K
**kangaroo** [kæŋɡəˈruː] *n* kangourou *m*
**karaoke** [kɑːrəˈəʊkɪ] *n* karaoké *m*
**karate** [kəˈrɑːtɪ] *n* karaté *m*
**kebab** [kəˈbæb] *n* kebab *m*
**keel** [kiːl] *n* quille *f*; **on an even ~**
(*fig*) à flot
**keen** [kiːn] *adj* (*eager*) plein(e)
d'enthousiasme; (*interest, desire,
competition*) vif (vive); (*eye, intelligence*)
pénétrant(e); (*edge*) effilé(e); **to
be ~ to do** *or* **on doing sth** désirer
vivement faire qch, tenir beaucoup
à faire qch; **to be ~ on sth/sb** aimer
beaucoup qch/qn
**keep** [kiːp] (*pt, pp* **kept**) *vt* (*retain,
preserve*) garder; (*hold back*) retenir;
(*shop, accounts, promise, diary*) tenir;
(*support*) entretenir (*chickens, bees,
pigs etc*) élever ▷ *vi* (*food*) se conserver;
(*remain: in a certain state or place*)
rester ▷ *n* (*of castle*) donjon *m*; (*food
etc*): **enough for his ~** assez pour

(*assurer*) (sa) subsistance; **to ~ doing
sth** (*continue*) continuer à faire qch;
(*repeatedly*) ne pas arrêter de faire
qch; **to ~ sb from doing/sth from
happening** empêcher qn (ne) fasse/que
que qch (n')arrive; **to ~ sb happy/a place happy** faire
que qn soit content/qu'un endroit
reste propre; **to ~ sth to o.s.** garder
qch pour soi, tenir qch secret; **to
~ sth from sb** cacher qch à qn; **to
~ time** (*clock*) être à l'heure, ne pas
retarder; **for ~s** (*inf*) pour de bon,
pour toujours; **keep away** *vt*: **to ~
sth/sb away from sb** tenir qch/qn
éloigné de qn ▷ *vi*: **to ~ away (from)**
ne pas s'approcher (de); **keep back** *vt*
(*crowds, tears, money*) retenir; (*conceal:
information*): **to ~ sth back from sb**
cacher qch à qn ▷ *vi* rester en arrière;
**keep off** *vt* (*dog, person*) éloigner ▷ *vi*:
**if the rain ~s off** s'il ne pleut pas; **~
your hands off!** pas touche! (*inf*);
**"~ off the grass"** "pelouse interdite";
**keep on** *vi* continuer; **to ~ on doing**
continuer à faire; **don't ~ on about
it!** arrête (d'en parler)!; **keep out** *vt*
empêcher d'entrer ▷ *vi* (*stay out*) rester
en dehors; **"~ out"** "défense d'entrer";
**keep up** *vi* (*in comprehension*)
suivre ▷ *vt* continuer, maintenir; **to ~
up with sb** (*in work etc*) se maintenir
au même niveau que qn; (*in race etc*)
aller aussi vite que qn; **keeper** *n*
gardien(ne); **keep-fit** *n* gymnastique *f*
(d'entretien); **keeping** *n* (*care*) garde *f*;
**in keeping with** en harmonie avec
**kennel** [ˈkɛnl] *n* niche *f*; **kennels** *npl*
(*for boarding*) chenil *m*
**Kenya** [ˈkɛnjə] *n* Kenya *m*
**kept** [kɛpt] *pt, pp of* **keep**
**kerb** [kɜːb] *n* (*BRIT*) bordure *f* du trottoir
**kerosene** [ˈkɛrəsiːn] *n* kérosène *m*
**ketchup** [ˈkɛtʃəp] *n* ketchup *m*
**kettle** [ˈkɛtl] *n* bouilloire *f*
**key** [kiː] *n* (*gen, Mus*) clé *f*; (*of piano,
typewriter*) touche *f*; (*on map*) légende
*f* ▷ *adj* (*factor, role, area*) clé *inv* ▷ *vt*

(*also*: **~ in**) (*text*) saisir; **can I have my ~?** je peux avoir ma clé?; **a ~ issue** un problème fondamental; **keyboard** *n* clavier *m*; **keyhole** *n* trou *m* de la serrure; **keyring** *n* porte-clés *m*

**kg** *abbr* (= *kilogram*) K

**khaki** ['kɑːkɪ] *adj*, *n* kaki *m*

**kick** [kɪk] *vt* donner un coup de pied à ▷ *vi* (*horse*) ruer ▷ *n* coup *m* de pied; (*inf*: *thrill*): **he does it for ~s** il le fait parce que ça l'excite, il le fait pour le plaisir; **to ~ the habit** (*inf*) arrêter; **kick off** *vi* (*Sport*) donner le coup d'envoi; **kick-off** *n* (*Sport*) coup *m* d'envoi

**kid** [kɪd] *n* (*inf*: *child*) gamin(e), gosse *m/f*; (*animal, leather*) chevreau *m* ▷ *vi* (*inf*) plaisanter, blaguer

**kidnap** ['kɪdnæp] *vt* enlever, kidnapper; **kidnapping** *n* enlèvement *m*

**kidney** ['kɪdnɪ] *n* (*Anat*) rein *m*; (*Culin*) rognon *m*; **kidney bean** *n* haricot *m* rouge

**kill** [kɪl] *vt* tuer ▷ *n* mise à mort; **to ~ time** tuer le temps; **killer** *n* tueur(-euse); (*murderer*) meurtrier(-ière); **killing** *n* meurtre *m*; (*of group of people*) tuerie *f*, massacre *m*; (*inf*): **to make a killing** se remplir les poches, réussir un beau coup

**kiln** [kɪln] *n* four *m*

**kilo** ['kiːləu] *n* kilo *m*; **kilobyte** *n* (*Comput*) kilo-octet *m*; **kilogram(me)** *n* kilogramme *m*; **kilometre**, (*US*) **kilometer** ['kɪləmiːtə*r*] *n* kilomètre *m*; **kilowatt** *n* kilowatt *m*

**kilt** [kɪlt] *n* kilt *m*

**kin** [kɪn] *n* see **next-of-kin**

**kind** [kaɪnd] *adj* gentil(le), aimable ▷ *n* sorte *f*, espèce *f*; (*species*) genre *m*; **to be two of a ~** se ressembler; **in ~** (*Comm*) en nature; **~ of** (*inf*: *rather*) plutôt; **a ~ of** une sorte de; **what ~ of ...?** quelle sorte de ...?

**kindergarten** ['kɪndəgɑːtn] *n* jardin *m* d'enfants

**kindly** ['kaɪndlɪ] *adj* bienveillant(e), plein(e) de gentillesse ▷ *adv* avec

bonté; **will you ~ ...** auriez-vous la bonté or l'obligeance de ...

**kindness** ['kaɪndnɪs] *n* (*quality*) bonté *f*, gentillesse *f*

**king** [kɪŋ] *n* roi *m*; **kingdom** *n* royaume *m*; **kingfisher** *n* martin-pêcheur *m*; **king-size(d) bed** *n* grand lit (*de 1,95 m de large*)

**kiosk** ['kiːɔsk] *n* kiosque *m*; (*BRIT*: *telephone ~*) cabine *f* (téléphonique)

**kipper** ['kɪpə*r*] *n* hareng fumé et salé

**kiss** [kɪs] *n* baiser *m* ▷ *vt* embrasser; **to ~ (each other)** s'embrasser; **kiss of life** *n* (*BRIT*) bouche à bouche *m*

**kit** [kɪt] *n* équipement *m*, matériel *m*; (*set of tools etc*) trousse *f*; (*for assembly*) kit *m*

**kitchen** ['kɪtʃɪn] *n* cuisine *f*

**kite** [kaɪt] *n* (*toy*) cerf-volant *m*

**kitten** ['kɪtn] *n* petit chat, chaton *m*

**kitty** ['kɪtɪ] *n* (*money*) cagnotte *f*

**kiwi** ['kiːwiː] *n* (*also*: **~ fruit**) kiwi *m*

**km** *abbr* (= *kilometre*) km

**km/h** *abbr* (= *kilometres per hour*) km/h

**knack** [næk] *n*: **to have the ~ (of doing)** avoir le coup (pour faire)

**knee** [niː] *n* genou *m*; **kneecap** *n* rotule *f*

**kneel** (*pt*, *pp* **knelt**) [niːl, nɛlt] *vi* (*also*: **~ down**) s'agenouiller

**knelt** [nɛlt] *pt*, *pp* of **kneel**

**knew** [njuː] *pt* of **know**

**knickers** ['nɪkəz] *npl* (*BRIT*) culotte *f* (de femme)

**knife** (*pl* **knives**) [naɪf, naɪvz] *n* couteau *m* ▷ *vt* poignarder, frapper d'un coup de couteau

**knight** [naɪt] *n* chevalier *m*; (*Chess*) cavalier *m*

**knit** [nɪt] *vt* tricoter ▷ *vi* tricoter; (*broken bones*) se ressouder; **to ~ one's brows** froncer les sourcils; **knitting** *n* tricot *m*; **knitting needle** *n* aiguille *f* à tricoter; **knitwear** *n* tricots *mpl*, lainages *mpl*

**knives** [naɪvz] *npl* of **knife**

**knob** [nɔb] *n* bouton *m*; (*BRIT*): **a ~ of butter** une noix de beurre

**knock** [nɔk] *vt* frapper; (*bump into*) heurter; (*inf*: *fig*) dénigrer ▷ *vi* (*at door*) *etc*): **to ~ at/on** frapper à/sur ▷ *n* coup *m*; **knock down** *vt* renverser; (*price*) réduire; **knock off** *vi* (*inf: finish*) s'arrêter (de travailler) ▷ *vt* (*vase, object*) faire tomber; (*inf: steal*) piquer; (*fig: from price etc*): **to ~ off £10** faire une remise de 10 livres; **knock out** *vt* assommer; (*Boxing*) mettre k.-o.; (*in competition*) éliminer; **knock over** *vt* (*object*) faire tomber; (*pedestrian*) renverser; **knockout** *n* (*Boxing*) knock-out *m*, K.-O. *m*; **knockout competition** (BRIT) compétition *f* avec épreuves éliminatoires

**knot** [nɔt] *n* (*gen*) nœud *m* ▷ *vt* nouer

**know** [nəu] (*pt* **knew**, *pp* **known**) *vt* savoir; (*person, place*) connaître; **to ~ that** savoir que; **to ~ how to do** savoir faire; **to ~ how to swim** savoir nager; **to ~ about/of sth** (*event*) être au courant de qch; (*subject*) connaître qch; **I don't ~** je ne sais pas; **do you ~ where I can ...?** savez-vous où je peux ...?; **know-all** *n* (BRIT *pej*) je-sais-tout *m/f*; **know-how** *n* savoir-faire *m*, technique *f*, compétence *f*; **knowing** *adj* (*look etc*) entendu(e); **knowingly** *adv* (*on purpose*) sciemment; (*smile, look*) d'un air entendu; **know-it-all** *n* (US) = **know-all**

**knowledge** [ˈnɔlɪdʒ] *n* connaissance *f*; (*learning*) connaissances, savoir *m*; **without my ~** à mon insu; **knowledgeable** *adj* bien informé(e)

**known** [nəun] *pp of* **know** ▷ *adj* (*thief, facts*) notoire; (*expert*) célèbre

**knuckle** [ˈnʌkl] *n* articulation *f* (des phalanges), jointure *f*

**koala** [kəuˈɑːlə] *n* (*also: ~ bear*) koala *m*

**Koran** [kɔˈrɑːn] *n* Coran *m*

**Korea** [kəˈrɪə] *n* Corée *f*; **Korean** *adj* coréen(ne) ▷ *n* Coréen(ne)

**kosher** [ˈkəuʃəʳ] *adj* kascher *inv*

**Kosovar, Kosovan** [ˈkɔsəvɑːʳ, ˈkɔsəvən] *adj* kosovar(e)

**Kosovo** [ˈkɔsəvəu] *n* Kosovo *m*

**Kuwait** [kuˈweɪt] *n* Koweït *m*

**L** *abbr* (BRIT *Aut: = learner*) signale un conducteur débutant

**l.** *abbr* (*= litre*) l

**lab** [læb] *n abbr* (*= laboratory*) labo *m*

**label** [ˈleɪbl] *n* étiquette *f*; (*brand: of record*) marque *f* ▷ *vt* étiqueter

**labor** *etc* [ˈleɪbəʳ] (US) *n* = **labour**

**laboratory** [ləˈbɔrətərɪ] *n* laboratoire *m*

**Labor Day** *n* (US, CANADA) fête *f* du travail (*le premier lundi de septembre*)

○ **LABOR DAY**

○ *Labor Day* aux États-Unis et au
○ Canada est fixée au premier lundi
○ de septembre. Instituée par le
○ Congrès en 1894 après avoir été
○ réclamée par les mouvements
○ ouvriers pendant douze ans, elle
○ a perdu une grande partie de son
○ caractère politique pour devenir
○ un jour férié assez ordinaire et

l'occasion de partir pour un long week-end avant la rentrée des classes.

**labor union** n (US) syndicat m

**Labour** ['leɪbəʳ] n (BRIT Pol: also: **the ~ Party**) le parti travailliste, les travaillistes mpl

**labour**, (US) **labor** ['leɪbəʳ] n (work) travail m; (workforce) main-d'œuvre f ▷ vi: **to ~ (at)** travailler dur (à), peiner (sur) ▷ vt: **to ~ a point** insister sur un point; **in ~** (Med) en travail; **labourer**, (US) **laborer** n manœuvre m; **farm labourer** ouvrier m agricole

**lace** [leɪs] n dentelle f; (of shoe etc) lacet m ▷ vt (shoe: also: **~ up**) lacer

**lack** [læk] n manque m ▷ vt manquer de; **through** or **for ~ of** faute de, par manque de; **to be ~ing** manquer, faire défaut; **to be ~ing in** manquer de

**lacquer** ['lækəʳ] n laque f

**lacy** ['leɪsɪ] adj (made of lace) en dentelle; (like lace) comme de la dentelle

**lad** [læd] n garçon m, gars m

**ladder** ['lædəʳ] n échelle f; (BRIT: in tights) maille filée ▷ vt, vi (BRIT: tights) filer

**ladle** ['leɪdl] n louche f

**lady** ['leɪdɪ] n dame f; **"ladies and gentlemen ..."** "Mesdames (et) Messieurs ..."; **young ~** jeune fille f; (married) jeune femme f; **the ladies' (room)** les toilettes fpl des dames; **ladybird** n, (US) **ladybug** n coccinelle f

**lag** [læg] n retard m ▷ vi (also: **~ behind**) rester en arrière, traîner; (fig) rester à la traîne ▷ vt (pipes) calorifuger

**lager** ['lɑ:gəʳ] n bière blonde

**lagoon** [lə'gu:n] n lagune f

**laid** [leɪd] pt, pp of **lay**; **laid back** adj (inf) relaxe, décontracté(e)

**lain** [leɪn] pp of **lie**

**lake** [leɪk] n lac m

**lamb** [læm] n agneau m

**lame** [leɪm] adj (also fig) boiteux(-euse)

**lament** [lə'mɛnt] n lamentation f ▷ vt pleurer, se lamenter sur

**lamp** [læmp] n lampe f; **lamppost** n (BRIT) réverbère m; **lampshade** n abat-jour m inv

**land** [lænd] n (as opposed to sea) terre f (ferme); (country) pays m; (soil) terre; (piece of land) terrain m; (estate) terre(s), domaine(s) m(pl) ▷ vi (from ship) débarquer; (Aviat) atterrir; (fig: fall) (re)tomber ▷ vt (passengers, goods) débarquer; (obtain) décrocher; **to ~ sb with sth** (inf) coller qch à qn; **landing** n (from ship) débarquement m; (Aviat) atterrissage m; (of staircase) palier m; **landing card** n carte f de débarquement; **landlady** n propriétaire f, logeuse f; (of pub) patronne f; **landline** n ligne f fixe; **landlord** n propriétaire m, logeur m; (of pub etc) patron m; **landmark** n (point m de) repère m; **to be a landmark** (fig) faire date or époque; **landowner** n propriétaire foncier or terrien; **landscape** n paysage m; **landslide** n (Geo) glissement m (de terrain); (fig: Pol) raz-de-marée (électoral)

**lane** [leɪn] n (in country) chemin m; (Aut: of road) voie f; (: line of traffic) file f; (in race) couloir m

**language** ['læŋgwɪdʒ] n langue f; (way one speaks) langage m; **what ~s do you speak?** quelles langues parlez-vous?; **bad ~** grossièretés fpl, langage grossier; **language laboratory** n laboratoire m de langues; **language school** n école f de langue

**lantern** ['læntn] n lanterne f

**lap** [læp] n (of track) tour m (de piste); (of body): **in** or **on one's ~** sur les genoux ▷ vt (also: **~ up**) laper ▷ vi (waves) clapoter

**lapel** [lə'pɛl] n revers m

**lapse** [læps] n défaillance f; (in behaviour) écart m (de conduite)

▷ *vi* (*Law*) cesser d'être en vigueur; (*contract*) expirer; **to ~ into bad habits** prendre de mauvaises habitudes; **~ of time** laps *m* de temps, intervalle *m*

**laptop (computer)** ['læptɔp-] *n* (ordinateur *m*) portable *m*

**lard** [lɑːd] *n* saindoux *m*

**larder** ['lɑːdə<sup>r</sup>] *n* garde-manger *m inv*

**large** [lɑːdʒ] *adj* grand(e); (*person, animal*) gros (grosse); **at ~** (*free*) en liberté; (*generally*) en général; pour la plupart; *see also* **by**; **largely** *adv* en grande partie; (*principally*) surtout; **large-scale** (*map, drawing etc*) à grande échelle; (*fig*) important(e)

**lark** [lɑːk] *n* (*bird*) alouette *f*; (*joke*) blague *f*, farce *f*

**larrikin** ['lærɪkɪn] *n* (*AUST, NZ inf*) fripon *m* (*inf*)

**laryngitis** [lærɪn'dʒaɪtɪs] *n* laryngite *f*

**lasagne** [lə'zænjə] *n* lasagne *f*

**laser** ['leɪzə<sup>r</sup>] *n* laser *m*; **laser printer** *n* imprimante *f* laser

**lash** [læʃ] *n* coup *m* de fouet; (*also:* **eye~**) cil *m* ▷ *vt* fouetter; (*tie*) attacher; **lash out** *vi:* **to ~ out** (**at** *or* **against sb/sth**) attaquer violemment (qn/qch)

**lass** [læs] (*BRIT*) *n* (jeune) fille *f*

**last** [lɑːst] *adj* dernier(-ière) ▷ *adv* en dernier; (*most recently*) la dernière fois; (*finally*) finalement ▷ *vi* durer; **~ week** la semaine dernière; **~ night** (*evening*) hier soir; (*night*) la nuit dernière; **at ~** enfin; **~ but one** avant-dernier(-ière); **lastly** *adv* en dernier lieu, pour finir; **last-minute** *adj* de dernière minute

**latch** [lætʃ] *n* loquet *m*; **latch onto** *vt fus* (*cling to: person, group*) s'accrocher à; (: *idea*) se mettre en tête

**late** [leɪt] *adj* (*not on time*) en retard; (*far in on day etc*) tardif(-ive) (: *edition, delivery*) dernier(-ière); (*dead*) défunt(e) ▷ *adv* tard; (*behind time, schedule*) en retard; **to be 10**

**minutes ~** avoir 10 minutes de retard; **sorry I'm ~** désolé d'être en retard; **it's too ~** il est trop tard; **of ~** dernièrement; **in ~ May** vers la fin (du mois) de mai, fin mai; **the ~ Mr X** feu M. X; **latecomer** *n* retardataire *m/f*; **lately** *adv* récemment; **later** *adj* (*date etc*) ultérieur(e); (*version etc*) plus récent(e) ▷ *adv* plus tard; **latest** ['leɪtɪst] *adj* tout(e) dernier(-ière); **at the latest** au plus tard

**lather** ['lɑːðə<sup>r</sup>] *n* mousse *f* (de savon) ▷ *vt* savonner

**Latin** ['lætɪn] *n* latin *m* ▷ *adj* latin(e); **Latin America** *n* Amérique latine; **Latin American** *adj* latino-américain(e), d'Amérique latine ▷ *n* Latino-Américain(e)

**latitude** ['lætɪtjuːd] *n* (*also fig*) latitude *f*

**latter** ['lætə<sup>r</sup>] *adj* deuxième, dernier(-ière) ▷ *n:* **the ~** ce dernier, celui-ci

**laugh** [lɑːf] *n* rire *m* ▷ *vi* rire; (**to do sth**) **for a ~** (faire qch) pour rire; **laugh at** *vt fus* se moquer de; (*joke*) rire de; **laughter** *n* rire *m*; (*of several people*) rires *mpl*

**launch** [lɔːntʃ] *n* lancement *m*; (*also:* **motor~**) vedette *f* ▷ *vt* (*ship, rocket, plan*) lancer; **launch into** *vt fus* se lancer dans

**launder** ['lɔːndə<sup>r</sup>] *vt* laver; (*fig: money*) blanchir

**Launderette®** [lɔːn'dret], (*US*) **Laundromat®** ['lɔːndrəmæt] *n* laverie *f* (automatique)

**laundry** ['lɔːndrɪ] *n* (*clothes*) linge *m*; (*business*) blanchisserie *f*; (*room*) buanderie *f*; **to do the ~** faire la lessive

**lava** ['lɑːvə] *n* lave *f*

**lavatory** ['lævətərɪ] *n* toilettes *fpl*

**lavender** ['lævəndə<sup>r</sup>] *n* lavande *f*

**lavish** ['lævɪʃ] *adj* (*amount*) copieux(-euse); (*person: giving freely*): **~ with** prodigue de ▷ *vt:* **to ~ sth on sb** prodiguer qch à qn; (*money*) dépenser qch sans compter pour qn

**law** [lɔ:] n loi f; (science) droit m; **lawful** adj légal(e), permis(e); **lawless** adj (action) illégal(e); (place) sans loi

**lawn** [lɔːn] n pelouse f; **lawnmower** n tondeuse f à gazon

**lawsuit** ['lɔːsuːt] n procès m

**lawyer** ['lɔːjə'] n (consultant, with company) juriste m; (for sales, wills etc) ≈ notaire m; (partner, in court) ≈ avocat m

**lax** [læks] adj relâché(e)

**laxative** ['læksətɪv] n laxatif m

**lay** [leɪ] pt of **lie** ▷ adj laïque; (not expert) profane ▷ vt (pt, pp **laid**) poser, mettre; (eggs) pondre; (trap) tendre; (plans) élaborer; **to ~ the table** mettre la table; **lay down** vt poser; (rules etc) établir; **to ~ down the law** (fig) faire la loi; **lay off** vt (workers) licencier; **lay on** vt (provide: meal etc) fournir; **lay out** vt (design) dessiner, concevoir; (display) disposer; (spend) dépenser; **lay-by** n (BRIT) aire f de stationnement (sur le bas-côté)

**layer** ['leɪə'] n couche f

**layman** ['leɪmən] (irreg) n (Rel) laïque m; (non-expert) profane m

**layout** ['leɪaut] n disposition f, plan m, agencement m; (Press) mise f en page

**lazy** ['leɪzɪ] adj paresseux(-euse)

**lb.** abbr (weight) = **pound**

**lead**¹ (pt, pp **led**) [liːd, lɛd] n (front position) tête f; (distance, time ahead) avance f; (clue) piste f; (Elec) fil m; (for dog) laisse f; (Theat) rôle principal ▷ vt (guide) mener, conduire; (be leader of) être à la tête de ▷ vi (Sport) mener, être en tête; **to ~ to** (road, pipe) mener à, conduire à; (result in) aboutir à; **to be in the ~** (Sport) (in race) mener, être en tête; (in match) mener (à la marque); **to ~ sb to do sth** amener qn à faire qch; **to ~ the way** montrer le chemin; **lead up to** vt conduire à; (in conversation) en venir à

**lead**² [lɛd] n (metal) plomb m; (in pencil) mine f

**leader** ['liːdə'] n (of team) chef m; (of party etc) dirigeant(e), leader m; (Sport: in race) leader; (: in race) coureur m de tête; (in league) leader; **leadership** n (position) direction f; **under the leadership of ...** sous la direction de ...; **qualities of leadership** qualités fpl de chef or de meneur

**lead-free** ['lɛdfriː] adj sans plomb

**leading** ['liːdɪŋ] adj de premier plan; (main) principal(e); (in race) de tête

**lead singer** [liːd-] n (in pop group) (chanteur m) vedette f

**leaf** (pl **leaves**) [liːf, liːvz] n feuille f; (of table) rallonge f; **to turn over a new ~** (fig) changer de conduite or d'existence; **leaf through** vt (book) feuilleter

**leaflet** ['liːflɪt] n prospectus m, brochure f; (Pol, Rel) tract m

**league** [liːg] n ligue f; (Football) championnat m; **to be in ~ with** avoir partie liée avec, être de mèche avec

**leak** [liːk] n (lit, fig) fuite f ▷ vi (pipe, liquid etc) fuir; (shoes) prendre l'eau; (ship) faire eau ▷ vt (liquid) répandre; (information) divulguer

**lean** (pt, pp **leaned** or **leant**) [liːn, lɛnt] adj maigre ▷ vt: **to ~ sth on** appuyer qch sur ▷ vi (slope) pencher; (rest): **to ~ against** s'appuyer contre; être appuyé(e) contre; **to ~ on** s'appuyer sur; **lean forward** vi se pencher en avant; **lean over** vi se pencher; **leaning** n: **leaning (towards)** penchant m (pour)

**leant** [lɛnt] pt, pp of **lean**

**leap** [liːp] (pt, pp **leaped** or **leapt**) [liːp, lɛpt] n bond m, saut m ▷ vi bondir, sauter

**leapt** [lɛpt] pt, pp of **leap**

**leap year** n année f bissextile

**learn** (pt, pp **learned** or **learnt**) [ləːn, ləːnt] vt, vi apprendre; **to ~ (how) to do sth** apprendre à faire qch; **to ~ about sth** (Scol) étudier qch; (hear, read) apprendre qch; **learner** n débutant(e); (BRIT: also: **learner**

driver) (conducteur(-trice))
débutant(e); **learning** n savoir m
**learnt** [lɜːnt] pp of **learn**
**lease** [liːs] n bail m ▷ vt louer à bail
**leash** [liːʃ] n laisse f
**least** [liːst] adj: **the ~** (+ noun) le (la)
plus petit(e), le (la) moindre; (smallest
amount of) le moins de ▷ pron: **(the)**
**~** le moins ▷ adv (+ verb) le moins (+
adj): **the ~** le (la) moins; **the ~ money**
le moins d'argent; **the ~ expensive** le
(la) moins cher (chère) **the ~ possible
effort** le moins d'effort possible; **at
~** au moins; (or rather) du moins; **you
could at ~ have written** tu aurais au
moins pu écrire; **not in the ~** pas le
moins du monde
**leather** ['lɛðəʳ] n cuir m
**leave** (pt, pp **left**) [liːv, lɛft] vt
laisser; (go away from) quitter; (forget)
oublier ▷ vi partir, s'en aller ▷ n
(time off) congé m; (Mil, also consent)
permission f; **what time does the
train/bus ~?** le train/le bus part à
quelle heure?; **to ~ sth to sb** (money
etc) laisser qch à qn; **to be left** rester;
**there's some milk left over** il reste
du lait; **~ it to me!** laissez-moi faire!,
je m'en occupe!; **on ~** en permission;
**leave behind** vt (also fig) laisser;
(forget) laisser, oublier; **leave out** vt
oublier, omettre
**leaves** [liːvz] npl of **leaf**
**Lebanon** ['lɛbənən] n Liban m
**lecture** ['lɛktʃəʳ] n conférence f;
(Scol) cours (magistral) m ▷ vi donner
des cours; enseigner ▷ vt (scold)
sermonner, réprimander; **to give
a ~ (on)** faire une conférence (sur),
faire un cours (sur); **lecture hall**
n amphithéâtre m; **lecturer** n
(speaker) conférencier(-ière); (BRIT: at
university) professeur m (d'université),
prof m/f de fac (inf); **lecture theatre**
n = **lecture hall**

Be careful not to translate lecture
by the French word lecture.

**led** [lɛd] pt, pp of **lead¹**

**ledge** [lɛdʒ] n (of window, on wall)
rebord m; (of mountain) saillie f,
corniche f
**leek** [liːk] n poireau m
**left** [lɛft] pt, pp of **leave** ▷ adj gauche
▷ adv à gauche ▷ n gauche f; **there
are two ~** il en reste deux; **on the
~, to the ~** à gauche; **the L~** (Pol)
la gauche; **left-hand** adj: **the left-
hand side** la gauche, le côté gauche;
**left-hand drive** n (vehicle) véhicule
m avec la conduite à gauche; **left-
handed** adj gaucher(-ère); (scissors
etc) pour gauchers; **left-luggage
locker** n (BRIT) (casier m à) consigne f
automatique; **left-luggage (office)**
n (BRIT) consigne f; **left-overs** npl
restes mpl; **left-wing** adj (Pol) de
gauche
**leg** [lɛg] n jambe f; (of animal) patte f;
(of furniture) pied m; (Culin: of chicken)
cuisse f; (of journey) étape f; **1st/2nd
~** (Sport) match m aller/retour; **~ of
lamb** (Culin) gigot m d'agneau
**legacy** ['lɛgəsɪ] n (also fig) héritage
m, legs m
**legal** ['liːgl] adj (permitted by law)
légal(e); (relating to law) juridique;
**legal holiday** (us) n jour férié;
**legalize** vt légaliser; **legally** adv
légalement
**legend** ['lɛdʒənd] n légende f;
**legendary** ['lɛdʒəndərɪ] adj
légendaire
**leggings** ['lɛgɪŋz] npl caleçon m
**legible** ['lɛdʒəbl] adj lisible
**legislation** [lɛdʒɪs'leɪʃən] n
législation f
**legislative** ['lɛdʒɪslətɪv] adj
législatif(-ive)
**legitimate** [lɪ'dʒɪtɪmət] adj
légitime
**leisure** ['lɛʒəʳ] n (free time) temps
libre, loisirs mpl; **at ~** (tout) à loisir;
**at your ~** (later) à tête reposée; **leisure
centre** n (BRIT) centre m de loisirs;
**leisurely** adj tranquille, fait(e) sans
se presser

**lemon** ['lɛmən] *n* citron *m*;
**lemonade** *n* (fizzy) limonade *f*;
**lemon tea** *n* thé *m* au citron

**lend** (*pt, pp* **lent**) [lɛnd, lɛnt] *vt*: **to ~
sth (to sb)** prêter qch (à qn); **could
you ~ me some money?** pourriez-
vous me prêter de l'argent?

**length** [lɛŋθ] *n* longueur *f*; (section:
of road, pipe etc) morceau *m*, bout *m*;
**~ of time** durée *f*; **it is 2 metres in ~**
cela fait 2 mètres de long; **at ~** (at last)
enfin, à la fin; (lengthily) longuement;
**lengthen** *vt* allonger, prolonger ▷ *vi*
s'allonger; **lengthways** *adv* dans le
sens de la longueur, en long; **lengthy**
*adj* (très) long (longue)

**lens** [lɛnz] *n* lentille *f*; (of spectacles)
verre *m*; (of camera) objectif *m*

**Lent** [lɛnt] *n* carême *m*

**lent** [lɛnt] *pt, pp* of **lend**

**lentil** ['lɛntl] *n* lentille *f*

**Leo** ['li:əu] *n* le Lion

**leopard** ['lɛpəd] *n* léopard *m*

**leotard** ['li:ətɑ:d] *n* justaucorps *m*

**leprosy** ['lɛprəsi] *n* lèpre *f*

**lesbian** ['lɛzbiən] *n* lesbienne *f* ▷ *adj*
lesbien(ne)

**less** [lɛs] *adj* moins de ▷ *pron, adv*
moins ▷ *prep*: **~ tax/10% discount**
avant impôt/moins 10% de remise;
**~ than that/you** moins que cela/
vous; **~ than half** moins de la moitié;
**~ than ever** moins que jamais; **~ and
~** de moins en moins; **the ~ he works
...** moins il travaille ...; **lessen** *vi*
diminuer, s'amoindrir, s'atténuer ▷ *vt*
diminuer, réduire, atténuer; **lesser**
['lɛsə*] *adj* moindre; **to a lesser
extent** *or* **degree** à un degré moindre

**lesson** ['lɛsn] *n* leçon *f*; **to teach sb a
~** (fig) donner une bonne leçon à qn

**let** (*pt, pp* **let**) [lɛt] *vt* laisser; (BRIT:
lease) louer; **to ~ sb do sth** laisser
qn faire qch; **to ~ sb know sth**
faire savoir qch à qn, prévenir qn de
qch; **to ~ go** lâcher prise; **to ~ go of
sth, to ~ sth go** lâcher qch; **~'s go**
allons-y; **~ him come** qu'il vienne;

**"to ~"** (BRIT) "à louer"; **let down** *vt*
(lower) baisser; (BRIT: tyre) dégonfler;
(disappoint) décevoir; **let in** *vt* laisser
entrer; (visitor etc) faire entrer; **let
off** *vt* (allow to leave) laisser partir;
(not punish) ne pas punir; (firework etc)
faire partir; (bomb) faire exploser; **let
out** *vt* laisser sortir; (scream) laisser
échapper; (BRIT: rent out) louer

**lethal** ['li:θl] *adj* mortel(le), fatal(e);
(weapon) meurtrier(-ère)

**letter** ['lɛtə*] *n* lettre *f*; **letterbox** *n*
(BRIT) boîte *f* aux *or* à lettres

**lettuce** ['lɛtɪs] *n* laitue *f*, salade *f*

**leukaemia**, (US) **leukemia**
[lu:'ki:mɪə] *n* leucémie *f*

**level** ['lɛvl] *adj* (flat) plat(e), plan(e),
uni(e); (horizontal) horizontal(e) ▷ *n*
niveau *m* ▷ *vt* niveler, aplanir; **A ~s**
*npl* (BRIT) = baccalauréat *m*; **to be ~
with** être au même niveau que; **to
draw ~ with** (runner, car) arriver à la
hauteur de, rattraper; **on the ~** (fig:
honest) régulier(-ère); **level crossing**
*n* (BRIT) passage *m* à niveau

**lever** ['li:və*] *n* levier *m*; **leverage** *n*
(influence): **leverage (on** *or* **with)**
prise *f* (sur)

**levy** ['lɛvi] *n* taxe *f*, impôt *m* ▷ *vt* (tax)
lever; (fine) infliger

**liability** [laɪə'bɪlətɪ] *n* responsabilité
*f*; (handicap) handicap *m*

**liable** ['laɪəbl] *adj* (subject): **~ to**
sujet(te) à, passible de; (responsible):
**~ (for)** responsable (de); (likely): **~ to
do** susceptible de faire

**liaise** [li:'eɪz] *vi*: **to ~ with** assurer la
liaison avec

**liar** ['laɪə*] *n* menteur(-euse)

**libel** ['laɪbl] *n* diffamation *f*;
(document) écrit *m* diffamatoire ▷ *vt*
diffamer

**liberal** ['lɪbərl] *adj* libéral(e);
(generous): **~ with** prodigue de,
généreux(-euse) avec; **L ~** (Pol)
libéral(e); **Liberal Democrat** *n* (BRIT)
libéral(e)-démocrate *m/f*

**liberate** ['lɪbəreɪt] *vt* libérer

**liberation** [lɪbə'reɪʃən] n libération f
**liberty** ['lɪbətɪ] n liberté f; **to be at ~** (criminal) être en liberté; **at ~ to do** libre de faire; **to take the ~ of** prendre la liberté de, se permettre de
**Libra** ['liːbrə] n la Balance
**librarian** [laɪ'breərɪən] n bibliothécaire m/f
**library** ['laɪbrərɪ] n bibliothèque f
> Be careful not to translate library by the French word librairie.

**Libya** ['lɪbɪə] n Libye f
**lice** [laɪs] npl of **louse**
**licence**, (US) **license** ['laɪsns] n autorisation f, permis m; (Comm) licence f; (Radio, TV) redevance f; **driving ~**, (US) **driver's license** permis m (de conduire)
**license** ['laɪsns] n (US) = **licence** ▷ vt (for alcohol) patenté(e) pour la vente des spiritueux, qui a une patente de débit de boissons; (car) muni(e) de la vignette; **license plate** n (US Aut) plaque f minéralogique; **licensing hours** npl heures fpl d'ouvertures (des pubs)
**lick** [lɪk] vt lécher; (inf: defeat) écraser, flanquer une piquette or raclée à; **to ~ one's lips** (fig) se frotter les mains
**lid** [lɪd] n couvercle m; (eyelid) paupière f
**lie** [laɪ] n mensonge m ▷ vi (pt, pp **lied**) (tell lies) mentir; (pt, **lay**, pp **lain**) (rest) être étendu(e) or allongé(e) or couché(e); (of object: be situated) se trouver, être; **to ~ low** (fig) se tenir caché(e), rester caché(e); **to tell ~s** mentir; **lie about, lie around** vi (things) traîner; (BRIT: person) traînasser, flemmarder; **lie down** vi se coucher, s'étendre
**Liechtenstein** ['lɪktənstaɪn] n Liechtenstein m
**lie-in** ['laɪɪn] n (BRIT): **to have a ~** faire la grasse matinée
**lieutenant** [lɛf'tɛnənt, US luː'tɛnənt] n lieutenant m
**life** (pl **lives**) [laɪf, laɪvz] n vie f; **to come to ~** (fig) s'animer; **life**

**assurance** n (BRIT) = **life insurance**; **lifeboat** n canot m or chaloupe f de sauvetage; **lifeguard** n surveillant m de baignade; **life insurance** n assurance-vie f; **life jacket** n gilet m or ceinture f de sauvetage; **lifelike** adj qui semble vrai(e) or vivant(e), ressemblant(e); (painting) réaliste; **life preserver** n (US) gilet m or ceinture f de sauvetage; **life sentence** n condamnation f à vie or à perpétuité; **lifestyle** n style m de vie; **lifetime** n: **in his lifetime** de son vivant
**lift** [lɪft] vt soulever, lever; (end) supprimer, lever ▷ vi (fog) se lever ▷ n (BRIT: elevator) ascenseur m; **to give sb a ~** (BRIT) emmener or prendre qn en voiture; **can you give me a ~ to the station?** pouvez-vous m'emmener à la gare?; **lift up** vt soulever; **lift-off** n décollage m
**light** [laɪt] n lumière f; (lamp) lampe f; (Aut: rear light) feu m; (: headlamp) phare m; (for cigarette etc): **have you got a ~?** avez-vous du feu? ▷ vt (pt, pp **lit**) (candle, cigarette, fire) allumer; (room) éclairer ▷ adj (room, colour) clair(e); (not heavy, also fig) léger(-ère); (not strenuous) peu fatigant(e); **lights** npl (traffic lights) feux mpl; **to come to ~** être dévoilé(e) or découvert(e); **in the ~ of** à la lumière de; étant donné; **light up** vi s'allumer; (face) s'éclairer; (smoke) allumer une cigarette or une pipe etc ▷ vt (illuminate) éclairer, illuminer; **light bulb** n ampoule f; **lighten** vt (light up) éclairer; (make lighter) éclaircir; (make less heavy) alléger; **lighter** n (also: **cigarette lighter**) briquet m; **light-hearted** adj gai(e), joyeux(-euse), enjoué(e); **lighthouse** n phare m; **lighting** n éclairage m; (in theatre) éclairages; **lightly** adv légèrement; **to get off lightly** s'en tirer à bon compte
**lightning** ['laɪtnɪŋ] n foudre f; (flash) éclair m

**lightweight** ['laɪtweɪt] adj (suit) léger(-ère) ▷ n (Boxing) poids léger

**like** [laɪk] vt aimer (bien) ▷ prep comme ▷ adj semblable, pareil(le) ▷ n: **the ~** (pej) (d')autres du même genre or acabit; **his ~s and dislikes** ses goûts mpl or préférences fpl; **I would ~, I'd ~** je voudrais, j'aimerais; **would you ~ a coffee?** voulez-vous du café?; **to like/look ~ sb/sth** ressembler à qn/qch; **what's he ~?** comment est-il?; **what does it look ~?** de quoi est-ce que ça a l'air?; **what does it taste ~?** quel goût est-ce que ça a?; **that's just ~ him** c'est bien de lui, ça lui ressemble; **do it ~ this** fais-le comme ceci; **it's nothing ~ ...** ce n'est pas du tout comme ...; **likeable** adj sympathique, agréable

**likelihood** ['laɪklɪhʊd] n probabilité f

**likely** ['laɪklɪ] adj (result, outcome) probable; (excuse) plausible; **he's ~ to leave** il va sûrement partir, il risque fort de partir; **not ~!** (inf) pas de danger!

**likewise** ['laɪkwaɪz] adv de même, pareillement

**liking** ['laɪkɪŋ] n (for person) affection f; (for thing) penchant m, goût m; **to be to sb's ~** être au goût de qn, plaire à qn

**lilac** ['laɪlək] n lilas m

**Lilo®** ['laɪləʊ] n matelas m pneumatique

**lily** ['lɪlɪ] n lis m; **~ of the valley** muguet m

**limb** [lɪm] n membre m

**limbo** ['lɪmbəʊ] n: **to be in ~** (fig) être tombé(e) dans l'oubli

**lime** [laɪm] n (tree) tilleul m; (fruit) citron vert, lime f; (Geo) chaux f

**limelight** ['laɪmlaɪt] n: **in the ~** (fig) en vedette, au premier plan

**limestone** ['laɪmstəʊn] n pierre f à chaux; (Geo) calcaire m

**limit** ['lɪmɪt] n limite f ▷ vt limiter; **limited** adj limité(e), restreint(e);

**to be limited to** se limiter à, ne concerner que

**limousine** ['lɪməziːn] n limousine f

**limp** [lɪmp] n: **to have a ~** boiter ▷ vi boiter ▷ adj mou (molle)

**line** [laɪn] n (gen) ligne f; (stroke) trait m; (wrinkle) ride f; (rope) corde f; (wire) fil m; (of poem) vers m; (row, series) rangée f; (of people) file f, queue f; (railway track) voie f; (Comm: series of goods) article(s) m(pl), ligne de produits; (work) métier m ▷ vt (subj: trees, crowd) border; **to ~ (with)** (clothes) doubler (de); (box) garnir or tapisser (de); **to stand in ~** (us) faire la queue; **in his ~ of business** dans sa partie, dans son rayon; **to be in ~ for sth** (fig) être en lice pour qch; **~ with** en accord avec, en conformité avec; **in a ~** aligné(e); **line up** vi s'aligner, se mettre en rang(s); (in queue) faire la queue ▷ vt aligner; (event) prévoir; (find) trouver; **to have sb/sth ~d up** avoir qn/qch en vue or de prévu(e)

**linear** ['lɪnɪəʳ] adj linéaire

**linen** ['lɪnɪn] n linge m (de corps or de maison); (cloth) lin m

**liner** ['laɪnəʳ] n (ship) paquebot m de ligne; (for bin) sac-poubelle m

**line-up** ['laɪnʌp] n (us: queue) file f; (also: **police ~**) parade f d'identification; (Sport) (composition f de l') équipe f

**linger** ['lɪŋɡəʳ] vi s'attarder; traîner; (smell, tradition) persister

**lingerie** ['lænʒəriː] n lingerie f

**linguist** ['lɪŋɡwɪst] n linguiste m/f; **to be a good ~** être doué(e) pour les langues; **linguistic** adj linguistique

**lining** ['laɪnɪŋ] n doublure f; (of brakes) garniture f

**link** [lɪŋk] n (connection) lien m, rapport m; (Internet) lien; (of a chain) maillon m ▷ vt relier, lier, unir; **links** npl (Golf) (terrain m de) golf m; **link up** vt relier ▷ vi (people) se rejoindre; (companies etc) s'associer

**lion** ['laɪən] n lion m; **lioness** n lionne f

**lip** [lɪp] n lèvre f; (of cup etc) rebord m; **lip-read** vi (irreg: like **read**) lire sur les lèvres; **lip salve** [-sælv] n pommade f pour les lèvres, pommade rosat; **lipstick** n rouge m à lèvres

**liqueur** [lɪ'kjuər] n liqueur f

**liquid** ['lɪkwɪd] n liquide m ⊳ adj liquide; **liquidizer** ['lɪkwɪdaɪzər] n (BRIT Culin) mixer m

**liquor** ['lɪkər] n spiritueux m, alcool m; **liquor store** (US) n magasin m de vins et spiritueux

**Lisbon** ['lɪzbən] n Lisbonne

**lisp** [lɪsp] n zézaiement m ⊳ vi zézayer

**list** [lɪst] n liste f ⊳ vt (write down) inscrire; (make list of) faire la liste de; (enumerate) énumérer

**listen** ['lɪsn] vi écouter; **to ~ to** écouter; **listener** n auditeur(-trice)

**lit** [lɪt] pt, pp of **light**

**liter** ['liːtər] n (US) = **litre**

**literacy** ['lɪtərəsɪ] n degré m d'alphabétisation, fait m de savoir lire et écrire; (BRIT Scol) enseignement m de la lecture et de l'écriture

**literal** ['lɪtərl] adj littéral(e); **literally** adv littéralement; (really) réellement

**literary** ['lɪtərərɪ] adj littéraire

**literate** ['lɪtərət] adj qui sait lire et écrire; (educated) instruit(e)

**literature** ['lɪtrɪtʃər] n littérature f; (brochures etc) copie f publicitaire, prospectus mpl

**litre**, (US) **liter** ['liːtər] n litre m

**litter** ['lɪtər] n (rubbish) détritus mpl; (dirtier) ordures fpl; (young animals) portée f; **litter bin** n (BRIT) poubelle f

**little** ['lɪtl] adj (small) petit(e); (not much): **~ milk** peu de lait ⊳ adv peu; **a ~** un peu (de); **a ~ milk** un peu de lait; **a ~ bit** un peu; **as ~ as possible** le moins possible; **~ by ~** petit à petit, peu à peu; **little finger** n auriculaire m, petit doigt

**live¹** [laɪv] adj (animal) vivant(e), en vie; (wire) sous tension; (broadcast) (transmis(e)) en direct; (unexploded) non explosé(e)

**live²** [lɪv] vi (reside) vivre, habiter; **to ~ in London** habiter (à) Londres; **where do you ~?** où habitez-vous?; **live together** vi vivre ensemble, cohabiter; **live up to** vt fus se montrer à la hauteur de

**livelihood** ['laɪvlɪhud] n moyens mpl d'existence

**lively** ['laɪvlɪ] adj vif (vive), plein(e) d'entrain; (place, book) vivant(e)

**liven up** ['laɪvn-] vt (room etc) égayer; (discussion, evening) animer ⊳ vi s'animer

**liver** ['lɪvər] n foie m

**lives** [laɪvz] npl of **life**

**livestock** ['laɪvstɔk] n cheptel m, bétail m

**living** ['lɪvɪŋ] adj vivant(e), en vie ⊳ n: **to earn** or **make a ~** gagner sa vie; **living room** n salle f de séjour

**lizard** ['lɪzəd] n lézard m

**load** [ləud] n (weight) poids m; (thing carried) manuscrit m, charge f; (Elec, Tech) charge f ⊳ vt charger; (also: **~ up**): **to ~ (with)** (lorry, ship) charger (de); (gun, camera) charger (avec); **a ~ of, ~s of** (fig) un or des tas de, des masses de; **to talk a ~ of rubbish** (inf) dire des bêtises; **loaded** adj (dice) pipé(e); (question) insidieux(-euse); (inf: rich) bourré(e) de fric

**loaf** (pl **loaves**) [ləuf, ləuvz] n pain m, miche f ⊳ vi (also: **~ about, ~ around**) fainéanter, traîner

**loan** [ləun] n prêt m ⊳ vt prêter; **on ~** prêté(e), en prêt

**loathe** [ləuð] vt détester, avoir en horreur

**loaves** [ləuvz] npl of **loaf**

**lobby** ['lɔbɪ] n hall m, entrée f; (Pol) groupe m de pression, lobby m ⊳ vt faire pression sur

**lobster** ['lɔbstər] n homard m

**local** ['ləukl] adj local(e) ⊳ n (BRIT: pub) pub m or café m du coin; **the locals** npl les gens mpl du pays or du coin; **local anaesthetic**, (us) **local anesthetic** n anesthésie locale; **local authority** n collectivité locale, municipalité f; **local government** n administration locale or municipale; **locally** [ˈləʊkəlɪ] adv localement; dans les environs or la région

**locate** [ləʊˈkeɪt] vt (find) trouver, repérer; (situate) situer; **to be ~d in** être situé à or en

**location** [ləʊˈkeɪʃən] n emplacement m; **on ~** (Cine) en extérieur

> Be careful not to translate *location* by the French word *location*.

**loch** [lɒx] n lac m, loch m

**lock** [lɒk] n (of door, box) serrure f; (of canal) écluse f; (of hair) mèche f, boucle f ▷ vt (with key) fermer à clé ▷ vi (door etc) fermer à clé; (wheels) se bloquer; **lock in** vt enfermer; **lock out** vt enfermer dehors; (on purpose) mettre à la porte; **lock up** vt (person) enfermer; (house) fermer à clé ▷ vi tout fermer (à clé)

**locker** [ˈlɒkəʳ] n casier m; (in station) consigne f automatique; **locker-room** [ˈlɒkəˈruːm] (us) n (Sport) vestiaire m

**locksmith** [ˈlɒksmɪθ] n serrurier m

**locomotive** [ləʊkəˈməʊtɪv] n locomotive f

**locum** [ˈləʊkəm] n (Med) suppléant(e) de médecin etc

**lodge** [lɒdʒ] n pavillon m (de gardien); (also: **hunting ~**) pavillon de chasse ▷ vi (person): **to ~ with** être logé(e) chez, être en pension chez; (bullet) se loger ▷ vt (appeal etc) présenter; déposer; **to ~ a complaint** porter plainte; **lodger** n locataire m/f; (with room and meals) pensionnaire m/f

**lodging** [ˈlɒdʒɪŋ] n logement m

**loft** [lɒft] n grenier m; (apartment) grenier aménagé (en appartement) (gén dans ancien entrepôt ou fabrique)

**log** [lɒg] n (of wood) bûche f; (Naut) livre m or journal m de bord; (of car) =

carte grise ▷ vt enregistrer; **log in**, **log on** vi (Comput) ouvrir une session, entrer dans le système; **log off**, **log out** vi (Comput) clore une session, sortir du système

**logic** [ˈlɒdʒɪk] n logique f; **logical** adj logique

**login** [ˈlɒɡɪn] n (Comput) identifiant m

**Loire** [lwaː] n: **the (River) ~** la Loire

**lollipop** [ˈlɒlɪpɒp] n sucette f; **lollipop man/lady** (irreg) (brit) n contractuel(le) qui fait traverser la rue aux enfants

**lolly** [ˈlɒlɪ] n (inf: ice) esquimau m; (: lollipop) sucette f

**London** [ˈlʌndən] n Londres; **Londoner** n Londonien(ne)

**lone** [ləʊn] adj solitaire

**loneliness** [ˈləʊnlɪnɪs] n solitude f, isolement m

**lonely** [ˈləʊnlɪ] adj seul(e); (childhood etc) solitaire; (place) solitaire, isolé(e)

**long** [lɒŋ] adj long (longue) ▷ adv longtemps ▷ n: **to ~ for sth/to do sth** avoir très envie de qch/de faire qch, attendre qch avec impatience/ attendre avec impatience de faire qch; **how ~ is this river/course?** quelle est la longueur de ce fleuve/ la durée de ce cours?; **6 metres ~** (long) de 6 mètres; **6 months ~** qui dure 6 mois, de 6 mois; **all night ~** toute la nuit; **he no ~er comes** il ne vient plus; **I can't stand it any ~er** je ne peux plus le supporter; **before ~** longtemps avant; **before ~** (+ future) avant peu, dans peu de temps; (+ past) peu de temps après; **don't be ~!** fais vite!, dépêche-toi!; **I shan't be ~** = je n'en ai pas pour longtemps; **at ~ last** enfin; **so** or **as ~ as** à condition que + subj (race) de fond; (call) interurbain(e); **long-haul** adj (flight) long-courrier; **longing** n désir m, envie f; (nostalgia) nostalgie f ▷ adj plein(e) d'envie or de nostalgie

**longitude** [ˈlɒŋɡɪtjuːd] n longitude f

**long**: **long jump** n saut m en longueur; **long-life** adj (batteries etc) longue durée inv; (milk) longue conservation; **long-sighted** adj (BRIT) presbyte; (fig) prévoyant(e); **long-standing** adj de longue date; **long-term** adj à long terme

**loo** [luː] n (BRIT inf) w.-c. mpl, petit coin m

**look** [luk] vi regarder; (seem) sembler, paraître, avoir l'air; (building etc): **to ~ south/on to the sea** donner au sud/sur la mer ▷ n regard m; (appearance) air m, allure f, aspect m; **looks** npl (good looks) physique m, beauté f; **to ~ like** ressembler à; **to have a ~** regarder; **to have a ~ at sth** jeter un coup d'œil à qch; **~ (here)!** (annoyance) écoutez!; **look after** vt fus s'occuper de; (luggage etc: watch over) garder, surveiller; **look around** vi regarder autour de soi; **look at** vt fus regarder; (problem etc) examiner; **look back** vi: **to ~ back at sth/sb** se retourner pour regarder qch/qn; **to ~ back on** (event, period) évoquer, repenser à; **look down on** vt fus (fig) regarder de haut, dédaigner; **look for** vt fus chercher; **we're ~ing for a hotel/restaurant** nous cherchons un hôtel/restaurant; **look forward to** vt fus attendre avec impatience; **~ing forward to hearing from you** (in letter) dans l'attente de vous lire; **look into** vt fus (matter, possibility) examiner, étudier; **look out** vi (beware): **to ~ out (for)** prendre garde (à), faire attention (à); **~ out!** attention!; **look out for** vt fus (seek) être à la recherche de; (try to spot) guetter; **look round** vt fus (house, shop) faire le tour de ▷ vi (turn) regarder derrière soi, se retourner; **look through** vt fus (papers, book) examiner (: briefly) parcourir; **look up** vi lever les yeux; (improve) s'améliorer ▷ vt (word) chercher; **look up to** vt fus avoir du respect pour; **lookout** n (tower etc) poste m de guet; (person)

guetteur m; **to be on the lookout (for)** guetter

**loom** [luːm] vi (also: **~ up**) surgir; (event) paraître imminent(e); (threaten) menacer

**loony** ['luːnɪ] adj, n (inf) timbré(e), cinglé(e) m/f

**loop** [luːp] n boucle f ▷ vt: **to ~ sth round sth** passer qch autour de qch; **loophole** n (fig) porte f de sortie; échappatoire f

**loose** [luːs] adj (knot, screw) desserré(e); (clothes) vague, ample, lâche; (hair) dénoué(e), épars(e); (not firmly fixed) pas solide; (morals, discipline) relâché(e); (translation) approximatif(-ive) ▷ n: **to be on the ~** être en liberté; **~ connection** (Elec) mauvais contact; **to be at a ~ end** or (us) **at ~ ends** (fig) ne pas trop savoir quoi faire; **loosely** adv sans serrer; (imprecisely) approximativement; **loosen** vt desserrer, relâcher, défaire

**loot** [luːt] n butin m ▷ vt piller

**lop-sided** ['lɔp'saɪdɪd] adj de travers, asymétrique

**lord** [lɔːd] n seigneur m; **L~ Smith** lord Smith; **the L~** (Rel) le Seigneur; **my L~** (to noble) Monsieur le comte/le baron; (to judge) Monsieur le juge; (to bishop) Monseigneur; **good L~!** mon Dieu!; **Lords** npl (BRIT Pol): **the (House of) Lords** la Chambre des Lords

**lorry** ['lɔrɪ] n (BRIT) camion m; **lorry driver** n (BRIT) camionneur m, routier m

**lose** (pt, pp **lost**) [luːz, lɔst] vt perdre ▷ vi perdre; **I've lost my wallet/passport** j'ai perdu mon portefeuille/passeport; **to ~ (time)** (clock) retarder; **lose out** vi être perdant(e); **loser** n perdant(e)

**loss** [lɔs] n perte f; **to make a ~** enregistrer une perte; **to be at a ~** être perplexe ou embarrassé(e)

**lost** [lɔst] pt, pp of **lose** ▷ adj perdu(e); **to get ~** vi se perdre;

**I'm ~** je me suis perdu; **~ and found property** n (US) objets trouvés; **~ and found** n (US) objets trouvés; **lost property** n (BRIT) objets trouvés; **lost property office** or **department** (bureau m des) objets trouvés

**lot** [lɔt] n (at auctions, set) lot m; (destiny) sort m, destinée f; **the ~** (everything) le tout; (everyone) tous mpl, toutes fpl; **a ~** beaucoup; **a ~ of** beaucoup de; **~s of** des tas de; **to draw ~s (for sth)** tirer (qch) au sort

**lotion** ['ləʊʃən] n lotion f

**lottery** ['lɔtəri] n loterie f

**loud** [laʊd] adj bruyant(e), sonore; (voice) fort(e); (condemnation etc) vigoureux(-euse); (gaudy) voyant(e), tapageur(-euse) ▷ adv (speak etc) fort; **out ~** tout haut; **loudly** adv fort, bruyamment; **loudspeaker** n haut-parleur m

**lounge** [laʊndʒ] n salon m; (of airport) salle f; (BRIT: also: **~ bar**) (salle de) café m or bar m ▷ vi (also: **~ about, ~ around**) se prélasser, paresser

**louse** (pl **lice**) [laʊs, laɪs] n pou m

**lousy** ['laʊzi] (inf) adj (bad quality) infect(e), moche; **I feel ~** je suis mal fichu(e)

**love** [lʌv] n amour m ▷ vt aimer; (caringly, kindly) aimer beaucoup; **I ~ chocolate** j'adore le chocolat; **to ~ to do** aimer beaucoup or adorer faire; **"15 ~"** (Tennis) "15 à rien or zéro"; **to be/fall in ~ with** être/ tomber amoureux(-euse) de; **to make ~** faire l'amour; **~ from Anne, ~, Anne** affectueusement, Anne; **I ~ you** je t'aime; **love affair** n liaison (amoureuse); **love life** n vie sentimentale

**lovely** ['lʌvli] adj (pretty) ravissant(e); (friend, wife) charmant(e); (holiday, surprise) très agréable, merveilleux(-euse)

**lover** ['lʌvər] n amant m; (person in love) amoureux(-euse); (amateur): **a ~**

**of** un(e) ami(e) de, un(e) amoureux(-euse) de

**loving** ['lʌvɪŋ] adj affectueux(-euse), tendre, aimant(e)

**low** [ləʊ] adj bas (basse); (quality) mauvais(e), inférieur(e) ▷ adv bas ▷ n (Meteorology) dépression f; **to feel ~** se sentir déprimé(e); **he's very ~** (ill) il est bien bas or très affaibli; **to turn (down)** ▷ vt baisser; **to be ~ on** (supplies etc) être à court de; **to reach a new** or **an all-time ~** tomber au niveau le plus bas; **lowalcohol** adj à faible teneur en alcool, peu alcoolisé(e); **low-calorie** adj hypocalorique

**lower** ['ləʊər] adj inférieur(e) ▷ vt baisser; (resistance) diminuer; **to ~ o.s.** to s'abaisser à

**low-fat** ['ləʊ'fæt] adj maigre

**loyal** ['lɔɪəl] adj loyal(e), fidèle; **loyalty** n loyauté f, fidélité f; **loyalty card** n carte f de fidélité

**L-plates** ['elpleɪts] npl (BRIT) plaques fpl (obligatoires) d'apprenti conducteur

**Lt** abbr (= lieutenant) Lt.

**Ltd** abbr (Comm: = limited) ≈ SA

**luck** [lʌk] n chance f; **bad ~** malchance f, malheur m; **good ~!** bonne chance!; **bad** or **hard ~!** pas de chance!; **tough ~!** pas de chance!; **luckily** adv heureusement, par bonheur; **lucky** adj (person) qui a de la chance; (coincidence) heureux(-euse); (number etc) qui porte bonheur

**lucrative** ['lu:krətɪv] adj lucratif(-ive), rentable, qui rapporte

**ludicrous** ['lu:dɪkrəs] adj ridicule, absurde

**luggage** ['lʌgɪdʒ] n bagages mpl; **our ~ hasn't arrived** nos bagages ne sont pas arrivés; **could you send someone to collect our ~?** pourriez-vous envoyer quelqu'un chercher nos bagages?; **luggage rack** n (in train) porte-bagages m inv; (on car) galerie f

**lukewarm** ['lu:kwɔ:m] adj tiède

**lull** [lʌl] n accalmie f; (in conversation) pause f ▷ vt: **to ~ sb to sleep** bercer qn pour qu'il s'endorme; **to be ~ed into a false sense of security** s'endormir dans une fausse sécurité

**lullaby** ['lʌləbaɪ] n berceuse f

**lumber** ['lʌmbər] n (wood) bois m de charpente; (junk) bric-à-brac m inv ▷ vt (BRIT inf): **to ~ sb with sth/sb** coller or refiler qch/qn à qn

**luminous** ['lu:mɪnəs] adj lumineux(-euse)

**lump** [lʌmp] n morceau m; (in sauce) grumeau m; (swelling) grosseur f ▷ vt (also: **~ together**) réunir, mettre en tas; **lump sum** n somme globale or forfaitaire; **lumpy** adj (sauce) qui a des grumeaux; (bed) défoncé(e), peu confortable

**lunatic** ['lu:nətɪk] n fou (folle), dément(e) ▷ adj fou (folle), dément(e)

**lunch** [lʌntʃ] n déjeuner m ▷ vi déjeuner; **lunch break, lunch hour** n pause f de midi, heure f du déjeuner; **lunchtime** n: **it's lunchtime** c'est l'heure du déjeuner

**lung** [lʌŋ] n poumon m

**lure** [luər] n (attraction) attrait m, charme m; (in hunting) appât m, leurre m ▷ vt attirer or persuader par la ruse

**lurk** [lə:k] vi se tapir, se cacher

**lush** [lʌʃ] adj luxuriant(e)

**lust** [lʌst] n (sexual) désir (sexuel); (Rel) luxure f; (fig): **~ for** soif f de

**Luxembourg** ['lʌksəmbə:g] n Luxembourg m

**luxurious** [lʌg'zjuərɪəs] adj luxueux(-euse)

**luxury** ['lʌkʃərɪ] n luxe m ▷ cpd de luxe

**Lycra®** ['laɪkrə] n Lycra® m

**lying** ['laɪɪŋ] n mensonge(s) m(pl) ▷ adj (statement, story) mensonger(-ère), faux (fausse); (person) menteur(-euse)

**Lyons** ['ljɔ̃] n Lyon

**lyrics** ['lɪrɪks] npl (of song) paroles fpl

**m.** abbr (= metre) m; (= million) M; (= mile) mi

**ma** [mɑ:] n (inf) maman f

**M.A.** n abbr (Scol) = **Master of Arts**

**mac** [mæk] n (BRIT) imper(méable m) m

**macaroni** [mækə'rəʊnɪ] n macaronis mpl

**Macedonia** [mæsɪ'dəʊnɪə] n Macédoine f; **Macedonian** [mæsɪ'dəʊnɪən] adj macédonien(ne) ▷ n Macédonien(ne); (Ling) macédonien m

**machine** [mə'ʃi:n] n machine f ▷ vt (dress etc) coudre à la machine; (Tech) usiner; **machine gun** n mitrailleuse f; **machinery** n machinerie f, machines fpl; (fig) mécanisme(s) m(pl); **machine washable** adj (garment) lavable en machine

**macho** ['mætʃəʊ] adj macho inv

**mackerel** ['mækrl] n (pl inv) maquereau m

**mackintosh** ['mækɪntɔʃ] n (BRIT) imperméable m

**mad** [mæd] *adj* fou (folle); *(foolish)* insensé(e); *(angry)* furieux(-euse); **to be ~ (keen) about** *or* **on sth** *(inf)* être follement passionné de qch, être fou de qch

**Madagascar** [mædə'gæskə²] *n* Madagascar *m*

**madam** [mædəm] *n* madame *f*

**mad cow disease** *n* maladie *f* des vaches folles

**made** [meɪd] *pt, pp of* **make; made-to-measure** *adj* (BRIT) fait(e) sur mesure; **made-up** ['meɪdʌp] *adj (story)* inventé(e), fabriqué(e)

**madly** [mædlɪ] *adv* follement; **~ in love** éperdument amoureux, -euse)

**madman** [mædmən] *(irreg)* *n* fou *m*, aliéné *m*

**madness** [mædnɪs] *n* folie *f*

**Madrid** [mə'drɪd] *n* Madrid

**Mafia** ['mæfɪə] *n* maf(f)ia *f*

**mag** [mæg] *n abbr* (BRIT *inf*: = *magazine*) magazine *m*

**magazine** [mægə'ziːn] *n (Press)* magazine *m*, revue *f*; *(Radio, TV)* magazine

**maggot** [mægət] *n* ver *m*, asticot *m*

**magic** [mædʒɪk] *n* magie *f* ▷ *adj* magique; **magical** *adj* magique; *(experience, evening)* merveilleux(-euse); **magician** [mə'dʒɪʃən] *n* magicien(ne)

**magistrate** [mædʒɪstreɪt] *n* magistrat *m*; juge *m*

**magnet** [mægnɪt] *n* aimant *m*; **magnetic** [mæg'nɛtɪk] *adj* magnétique

**magnificent** [mæg'nɪfɪsnt] *adj* superbe, magnifique; *(splendid: robe, building)* somptueux(-euse), magnifique

**magnify** [mægnɪfaɪ] *vt* grossir; *(sound)* amplifier; **magnifying glass** *n* loupe *f*

**magpie** [mægpaɪ] *n* pie *f*

**mahogany** [mə'hɔgənɪ] *n* acajou *m*

**maid** [meɪd] *n* bonne *f*, *(in hotel)* femme *f* de chambre; **old ~** *(pej)* vieille fille

**maiden name** *n* nom *m* de jeune fille

**mail** [meɪl] *n* poste *f*; *(letters)* courrier *m* ▷ *vt* envoyer (par la poste); **by ~** par la poste; **mailbox** *n* (US, *also Comput*) boîte *f* aux lettres; **mailing list** *n* liste *f* d'adresses; **mailman** *(irreg)* *n* (US) facteur *m*; **mail-order** *n* vente *f* par correspondance

**main** [meɪn] *adj* principal(e) ▷ *n (pipe)* conduite principale, canalisation *f*; **the ~s** *(Elec)* le secteur; **the ~ thing** l'essentiel *m*; **in the ~** dans l'ensemble; **main course** *n (Culin)* plat *m* de résistance; **mainland** *n* continent *m*; **mainly** *adv* principalement, surtout; **main road** *n* grand axe, route nationale; **mainstream** *n (fig)* courant principal; **main street** *n* rue *f* principale

**maintain** [meɪn'teɪn] *vt* entretenir; *(continue)* maintenir, préserver; *(affirm)* soutenir; **maintenance** ['meɪntənəns] *n* entretien *m*; *(Law: alimony)* pension *f* alimentaire

**maisonette** [meɪzə'nɛt] *n* (BRIT) appartement *m* en duplex

**maize** [meɪz] *n* (BRIT) maïs *m*

**majesty** [mædʒɪstɪ] *n* majesté *f*; *(title)*: **Your M~** Votre Majesté

**major** [meɪdʒə²] *n* (Mil) commandant *m* ▷ *adj (important)* important(e); *(most important)* principal(e); *(Mus)* majeur(e) ▷ *vi* (US Scol): **to ~ (in)** se spécialiser (en)

**Majorca** [mə'jɔːkə] *n* Majorque *f*

**majority** [mə'dʒɔrɪtɪ] *n* majorité *f*

**make** [meɪk] *vt* (*pt, pp* **made**) faire; *(manufacture)* faire, fabriquer; *(earn)* gagner; *(decision)* prendre; *(friend)* se faire; *(speech)* faire, prononcer; *(cause to be)*: **to ~ sb sad** *etc* rendre qn triste *etc*; *(force)*: **to ~ sb do sth** obliger qn à faire qch, faire faire qch à qn; *(equal)*: **2 and 2 ~ 4** 2 et 2 font 4 ▷ *n (manufacture)* fabrication *f*; *(brand)* marque *f*; **to ~ the bed** faire le lit; **to ~ a fool of sb** *(ridicule)* ridiculiser qn; *(trick)* avoir *or* duper qn; **to ~ a profit** faire un or des bénéfice(s); **to ~ a loss** essuyer une perte; **to ~ it** (in time etc) y arriver; (succeed) réussir; **what time do you ~ it?** quelle heure avez-vous?; **I ~ it £249** d'après mes calculs ça fait 249 livres; **to be made of** être en; **to ~ do with** se contenter de; se débrouiller avec; **make off** vi filer; **make out** vt (write out: cheque) faire; (decipher) déchiffrer; (understand) comprendre; (see) distinguer; (claim, imply) prétendre, vouloir faire croire; **make up** vt (invent) inventer, imaginer; (constitute) constituer; (parcel, bed) faire ▷ vi se réconcilier; (with cosmetics) se maquiller, se farder; **to be made up of** se composer de; **make up for** vt fus compenser; (lost time) rattraper; **makeover** ['meɪkəʊvə⁰] n (by beautician) soins mpl de maquillage; (change of image) changement m d'image; **maker** n fabricant m (of film, programme) réalisateur(-trice); **makeshift** adj provisoire, improvisé(e); **make-up** n maquillage m

**making** ['meɪkɪŋ] n (fig): **in the ~** en formation or gestation; **to have the ~s of** (actor, athlete) avoir l'étoffe de

**malaria** [mə'lɛərɪə] n malaria f, paludisme m

**Malaysia** [mə'leɪzɪə] n Malaisie f

**male** [meɪl] n (Biol, Elec) mâle m ▷ adj (sex, attitude) masculin(e); (animal) mâle; (child etc) du sexe masculin

**malicious** [mə'lɪʃəs] adj méchant(e), malveillant(e)

    Be careful not to translate *malicious* by the French word *malicieux*.

**malignant** [mə'lɪgnənt] adj (Med) malin(-igne)

**mall** [mɔ:l] n (also: **shopping ~**) centre commercial

**mallet** ['mælɪt] n maillet m

**malnutrition** [mælnju:'trɪʃən] n malnutrition f

**malpractice** [mæl'præktɪs] n faute professionnelle; négligence f

**malt** [mɔ:lt] n malt m ▷ cpd (whisky) pur malt

**Malta** ['mɔ:ltə] n Malte f; **Maltese** [mɔ:l'ti:z] adj maltais(e) ▷ n (pl inv) Maltais(e)

**mammal** ['mæml] n mammifère m

**mammoth** ['mæməθ] n mammouth m ▷ adj géant(e), monstre

**man** (pl **men**) [mæn, mɛn] n homme m; (Sport) joueur m; (Chess) pièce f ▷ vt (Naut: ship) garnir d'hommes; (machine) assurer le fonctionnement de; (Mil: gun) servir; (: post) être de service à; **an old ~** un vieillard; **~ and wife** mari et femme

**manage** ['mænɪdʒ] vi se débrouiller; (succeed) y arriver, réussir ▷ vt (business) gérer; (team, operation) diriger; (control: ship) manier, manœuvrer; (: person) savoir s'y prendre avec; **to ~ to do** se débrouiller pour faire; (succeed) réussir à faire; **manageable** adj maniable; (task etc) faisable; (number) raisonnable; **management** n (running) administration f, direction f; (people in charge: of business, firm) dirigeants mpl, cadres mpl; (: of hotel, shop, theatre) direction; **manager** n (of business) directeur m; (of institution etc) administrateur m; (of department, unit) responsable m/f, chef m; (of hotel etc) gérant m; (Sport) manager m; (of artist) impresario m; **manageress** n directrice f; (of hotel etc) gérante f; **managerial** [mænɪ'dʒɪərɪəl] adj directorial(e); (skills) de cadre, de gestion; **managing director** n directeur général

**mandarin** ['mændərɪn] n (also: **~ orange**) mandarine f

**mandate** ['mændeɪt] n mandat m

**mandatory** ['mændətərɪ] adj obligatoire

**mane** [meɪn] n crinière f

**maneuver** [məˈnuːvər] (US) n
= **manoeuvre**

**mangetout** [ˈmɒnʒtuː] n mangetout m inv

**mango** [ˈmæŋgəʊ] (pl **mangoes**) n
mangue f

**man: manhole** n trou m d'homme;
**manhood** n (age) âge m d'homme;
(manliness) virilité f

**mania** [ˈmeɪnɪə] n manie f; **maniac**
[ˈmeɪnɪæk] n maniaque m/f; (fig)
fou (folle)

**manic** [ˈmænɪk] adj maniaque

**manicure** [ˈmænɪkjʊər] n manicure f

**manifest** [ˈmænɪfest] vt manifester
▷ adj manifeste, évident(e)

**manifesto** [mænɪˈfestəʊ] n (Pol)
manifeste m

**manipulate** [məˈnɪpjuleɪt] vt
manipuler; (system, situation)
exploiter

**man: mankind** [mænˈkaɪnd] n
humanité f, genre humain; **manly** adj
viril(e); **man-made** adj artificiel(le);
(fibre) synthétique

**manner** [ˈmænər] n manière f,
façon f; (behaviour) attitude f,
comportement m; **manners** npl
(good) ~s (bonnes) manières f;
**bad ~s** mauvaises manières; **all ~ of** toutes
sortes de

**manoeuvre**, (US) **maneuver**
[məˈnuːvər] vt (move) manœuvrer;
(manipulate: person) manipuler;
(: situation) exploiter ▷ n manœuvre f

**manpower** [ˈmænpauər] n main-
d'œuvre f

**mansion** [ˈmænʃən] n château m,
manoir m

**manslaughter** [ˈmænslɔːtər] n
homicide m involontaire

**mantelpiece** [ˈmæntlpiːs] n
cheminée f

**manual** [ˈmænjuəl] adj manuel(le)
▷ n manuel m

**manufacture** [mænjuˈfæktʃər]
vt fabriquer ▷ n fabrication f;
**manufacturer** n fabricant m

**manure** [məˈnjuər] n fumier m;
(artificial) engrais m

**manuscript** [ˈmænjuskrɪpt] n
manuscrit m

**many** [ˈmenɪ] adj beaucoup de, de
nombreux(-euses) ▷ pron beaucoup,
un grand nombre; **a great ~**
un grand nombre (de); **~ a ...** bien des ..., plus
d'un(e) ...

**map** [mæp] n carte f; (of town) plan
m; **can you show it to me on the
~?** pouvez-vous me l'indiquer sur la
carte?; **map out** vt tracer; (fig: task)
planifier

**maple** [ˈmeɪpl] n érable m

**mar** [mɑːr] vt gâcher, gâter

**marathon** [ˈmærəθən] n
marathon m

**marble** [ˈmɑːbl] n marbre m; (toy)
bille f

**March** [mɑːtʃ] n mars m

**march** [mɑːtʃ] vi marcher au pas;
(demonstrators) défiler ▷ n marche f;
(demonstration) manifestation f

**mare** [mɛər] n jument f

**margarine** [mɑːdʒəˈriːn] n
margarine f

**margin** [ˈmɑːdʒɪn] n marge f;
**marginal** adj marginal(e); **marginal
seat** (Pol) siège disputé; **marginally**
adv très légèrement, sensiblement

**marigold** [ˈmærɪgəʊld] n souci m

**marijuana** [mærɪˈwɑːnə] n
marijuana f

**marina** [məˈriːnə] n marina f

**marinade** n [mærɪˈneɪd] marinade f

**marinate** [ˈmærɪneɪt] vt (faire)
mariner

**marine** [məˈriːn] adj marin(e) ▷ n
fusilier marin; (US) marine m

**marital** [ˈmærɪtl] adj matrimonial(e);
**marital status** n situation f de
famille

**maritime** [ˈmærɪtaɪm] adj maritime

**marjoram** [ˈmɑːdʒərəm] n
marjolaine f

**mark** [mɑːk] n marque f; (of skid
etc) trace f; (BRIT Scol) note f; (oven

*temperature*): **(gas) ~** thermostat m 4 ▷ vt (*also Sport: player*) marquer; (*stain*) tacher; (ʙʀɪᴛ Scol) corriger, noter; **to ~ time** marquer le pas; **marked** adj (*obvious*) marqué(e), net(te); **marker** n (*sign*) jalon m; (*bookmark*) signet m

**market** ['mɑːkɪt] n marché m ▷ vt (*Comm*) commercialiser; **marketing** n marketing m; **marketplace** n place f du marché; (*Comm*) marché m; **market research** n étude f de marché

**marmalade** ['mɑːməleɪd] n confiture f d'oranges

**maroon** [mə'ruːn] vt: **to be ~ed** être abandonné(e); (*fig*) être bloqué(e) ▷ adj (*colour*) bordeaux inv

**marquee** [mɑː'kiː] n chapiteau m

**marriage** ['mærɪdʒ] n mariage m; **marriage certificate** n extrait m d'acte de mariage

**married** ['mærɪd] adj marié(e); (*life, love*) conjugal(e)

**marrow** ['mærəu] n (*of bone*) moelle f; (*vegetable*) courge f

**marry** ['mærɪ] vt épouser, se marier avec; (*subj: father, priest etc*) marier ▷ vi (*also: **get married***) se marier

**Mars** [mɑːz] n (*planet*) Mars f

**Marseilles** [mɑː'seɪ] n Marseille

**marsh** [mɑːʃ] n marais m, marécage m

**marshal** ['mɑːʃl] n maréchal m; (*us: fire, police*) ≈ capitaine m; (*for demonstration, meeting*) membre m du service d'ordre ▷ vt rassembler

**martyr** ['mɑːtə*] n martyr(e)

**marvel** ['mɑːvl] n merveille f ▷ vi: **to ~ (at)** s'émerveiller (de); **marvellous**, (*us*) **marvelous** adj merveilleux(-euse)

**Marxism** ['mɑːksɪzəm] n marxisme m

**Marxist** ['mɑːksɪst] adj, n marxiste (m/f)

**marzipan** ['mɑːzɪpæn] n pâte f d'amandes

**mascara** [mæs'kɑːrə] n mascara m

**mascot** ['mæskət] n mascotte f

**masculine** ['mæskjulɪn] adj masculin(e) ▷ n masculin m

**mash** [mæʃ] vt (*Culin*) faire une purée de; **mashed potato(es)** n(pl) purée f de pommes de terre

**mask** [mɑːsk] n masque m ▷ vt masquer

**mason** ['meɪsn] n (*also: **stone~***) maçon m; (*also: **free~***) franc-maçon m; **masonry** n maçonnerie f

**mass** [mæs] n multitude f, masse f; (*Physics*) masse; (*Rel*) messe f ▷ cpd (*communication*) de masse; (*unemployment*) massif(-ive) ▷ vi se masser; **masses** npl: **the ~s** les masses; **~es of** (*inf*) des tas de

**massacre** ['mæsəkə*] n massacre m

**massage** ['mæsɑːʒ] n massage m ▷ vt masser

**massive** ['mæsɪv] adj énorme, massif(-ive)

**mass media** npl mass-media mpl

**mass-produce** ['mæsprə'djuːs] vt fabriquer en série

**mast** [mɑːst] n mât m; (*Radio, TV*) pylône m

**master** ['mɑːstə*] n maître m; (*in secondary school*) professeur m; (*in primary school*) instituteur m; (*title for boys*): **M~ X** Monsieur X ▷ vt maîtriser; (*learn*) apprendre à fond; **M~ of Arts/ Science (MA/MSc)** n = titulaire m/f d'une maîtrise (en lettres/science); **M~ of Arts/Science degree (MA/ MSc)** n = maîtrise f; **mastermind** n esprit supérieur ▷ vt diriger, être le cerveau de; **masterpiece** n chef-d'œuvre m

**masturbate** ['mæstəbeɪt] vi se masturber

**mat** [mæt] n petit tapis; (*also: **door~***) paillasson m; (*also: **table~***) set m de table ▷ adj = **matt**

**match** [mætʃ] n allumette f; (*game*) match m, partie f; (*fig*) égal(e) ▷ vt (*also: **~ up***) assortir; (*go well with*)

aller bien avec, s'assortir à; (*equal*)
égaler, valoir ▷ vi être assorti(e); **to
be a good ~** être bien assorti(e);
**matchbox** n boîte f d'allumettes;
**matching** adj assorti(e)
**mate** [meɪt] n (*inf*) copain (copine);
(*animal*) partenaire m/f, mâle
(femelle); (*in merchant navy*) second m
▷ vi s'accoupler
**material** [mə'tɪərɪəl] n (*substance*)
matière f, matériau m; (*cloth*) tissu m,
étoffe f; (*information, data*) données
fpl ▷ adj matériel(le); (*relevant:
evidence*) pertinent(e); **materials** npl
(*equipment*) matériaux mpl
**materialize** [mə'tɪərɪəlaɪz] vi se
matérialiser, se réaliser
**maternal** [mə'tɜ:nl] adj maternel(le)
**maternity** [mə'tɜ:nɪtɪ] n maternité
f; **maternity hospital** n maternité
f; **maternity leave** n congé m de
maternité
**math** [mæθ] n (us: = **mathematics**)
maths fpl
**mathematical** [mæθə'mætɪkl] adj
mathématique
**mathematician** [mæθəmə'tɪʃən] n
mathématicien(ne)
**mathematics** [mæθə'mætɪks] n
mathématiques fpl
**maths** [mæθs] n abbr (BRIT:
= **mathematics**) maths fpl
**matinée** ['mætɪneɪ] n matinée f
**matron** ['meɪtrən] n (*in hospital*)
infirmière-chef f; (*in school*) infirmière f
**matt** [mæt] adj mat(e)
**matter** ['mætəʳ] n question f;
(*Physics*) matière f, substance f; (*Med:
pus*) pus m ▷ vi importer; **matters**
npl (*affairs, situation*) la situation; **it
doesn't ~** cela n'a pas d'importance;
(*I don't mind*) cela ne fait rien; **what's
the ~?** qu'est-ce qu'il y a?, qu'est-ce
qui ne va pas?; **no ~ what** quoi
qu'il arrive; **as a ~ of course** tout
naturellement; **as a ~ of fact** en
fait; **reading ~** (BRIT) de quoi lire, de
la lecture

**mattress** ['mætrɪs] n matelas m
**mature** [mə'tjuəʳ] adj mûr(e);
(*cheese*) fait(e); (*wine*) arrivé(e) à
maturité ▷ vi mûrir; (*cheese, wine*) se
faire; **mature student** n étudiant(e)
plus âgé(e) que la moyenne; **maturity**
n maturité f
**maul** [mɔ:l] vt lacérer
**mauve** [məuv] adj mauve
**max** abbr = **maximum**
**maximize** ['mæksɪmaɪz] vt (*profits
etc, chances*) maximiser
**maximum** (*pl* **maxima**)
['mæksɪməm, -mə] adj maximum
▷ n maximum m
**May** [meɪ] n mai m
**may** [meɪ] (*conditional* **might**) vi
(*indicating possibility*): **he ~ come** il
se peut qu'il vienne; (*be allowed to*):
**~ I smoke?** puis-je fumer?; (*wishes*):
**~ God bless you!** (que) Dieu vous
bénisse!; **you ~ as well go** vous feriez
aussi bien d'y aller
**maybe** ['meɪbi:] adv peut-être;
**~ he'll ...** peut-être qu'il ...
**May Day** n le Premier mai
**mayhem** ['meɪhem] n grabuge m
**mayonnaise** [meɪə'neɪz] n
mayonnaise f
**mayor** ['mεəʳ] n maire m; **mayoress**
n (*female mayor*) maire m; (*wife of mayor*)
épouse f du maire
**maze** [meɪz] n labyrinthe m, dédale m
**MD** n abbr (Comm) = **managing
director**
**me** [mi:] pron me, m' + *vowel or h mute*;
(*stressed, after prep*) moi; **it's me** c'est
moi; **he heard me** il m'a entendu;
**give me a book** donnez-moi un livre;
**it's for me** c'est pour moi
**meadow** ['mεdəu] n prairie f, pré m
**meagre**, (US) **meager** ['mi:gəʳ]
adj maigre
**meal** [mi:l] n repas m; (*flour*) farine f;
**mealtime** n heure f du repas
**mean** [mi:n] adj (*with money*) avare,
radin(e); (*unkind*) mesquin(e),
méchant(e); (*shabby*) misérable;

(average) moyen(ne) ▷ vt (pt, pp **meant**) (signify) signifier, vouloir dire; (refer to) faire allusion à, parler de; (intend): **to ~ to do** avoir l'intention de faire ▷ n moyenne f; **means** npl (way, money) moyens mpl; **to be ~t for** être destiné(e) à; **do you ~ it?** vous êtes sérieux?; **what do you ~?** que voulez-vous dire?; **by ~s of** (instrument) au moyen de; **by all ~s** je vous en prie

**meaning** ['miːnɪŋ] n signification f, sens m; **meaningful** adj significatif(-ive); (relationship) valable; **meaningless** adj dénué(e) de sens

**meant** [ment] pt, pp de **mean**

**meantime** ['miːntaɪm] adv (also: **in the ~**) pendant ce temps

**meanwhile** ['miːnwaɪl] adv = **meantime**

**measles** ['miːzlz] n rougeole f

**measure** ['mɛʒəʳ] vt, vi mesurer ▷ n mesure f; (ruler) règle (graduée)

**measurements** ['mɛʒəməntz] npl mesures fpl; **chest/hip ~** tour m de poitrine/hanches

**meat** [miːt] n viande f; **I don't eat ~** je ne mange pas de viande; **cold ~s** (BRIT) viandes froides; **meatball** n boulette f de viande

**Mecca** ['mɛkə] n la Mecque

**mechanic** [mɪ'kænɪk] n mécanicien m; **can you send a ~?** pouvez-vous nous envoyer un mécanicien?; **mechanical** adj mécanique

**mechanism** ['mɛkənɪzəm] n mécanisme m

**medal** ['mɛdl] n médaille f; **medallist**, (US) **medalist** n (Sport) médaillé(e)

**meddle** ['mɛdl] vi: **to ~ in** se mêler de, s'occuper de; **to ~ with** toucher à

**media** ['miːdɪə] npl media mpl ▷ npl of **medium**

**mediaeval** [mɛdɪ'iːvl] adj = **medieval**

**mediate** ['miːdɪeɪt] vi servir d'intermédiaire

**medical** ['mɛdɪkl] adj médical(e) ▷ n (also: **~ examination**) visite médicale; (private) examen médical; **medical certificate** n certificat médical

**medicated** ['mɛdɪkeɪtɪd] adj traitant(e), médicamenteux(-euse)

**medication** [mɛdɪ'keɪʃən] n (drugs etc) médication f

**medicine** ['mɛdsɪn] n médecine f; (drug) médicament m

**medieval** [mɛdɪ'iːvl] adj médiéval(e)

**mediocre** [miːdɪ'əʊkəʳ] adj médiocre

**meditate** ['mɛdɪteɪt] vi: **to ~ (on)** méditer (sur)

**meditation** [mɛdɪ'teɪʃən] n méditation f

**Mediterranean** [mɛdɪtə'reɪnɪən] adj méditerranéen(ne); **the ~ (Sea)** la (mer) Méditerranée

**medium** ['miːdɪəm] adj moyen(ne) ▷ n pl (in **media**) (means) moyen m; (person) médium m; **the happy ~** le juste milieu; **medium-sized** adj de taille moyenne; **medium wave** n (Radio) ondes moyennes, petites ondes

**meek** [miːk] adj doux (douce), humble

**meet** (pt, pp **met**) [miːt, mɛt] vt rencontrer; (by arrangement) retrouver, rejoindre; (for the first time) faire la connaissance de; (go and fetch): **I'll ~ you at the station** j'irai te chercher à la gare; (opponent, danger, problem) faire face à; (requirements) satisfaire à, répondre à ▷ vi (friends) se rencontrer; se retrouver; (in session) se réunir; (join: lines, roads) se joindre; **nice ~ing you** ravi d'avoir fait votre connaissance; **meet up** vi: **to ~ up with sb** rencontrer qn; **meet with** vt fus (difficulty) rencontrer; **to ~ with success** être couronné(e) de succès; **meeting** n (of group of people) réunion f; (between individuals) rendez-vous m; **she's at** or **in a meeting** (Comm) elle est en réunion; **meeting place** n lieu *m* de (la) réunion; (*for appointment*) lieu de rendez-vous

**megabyte** ['megəbaɪt] *n* (*Comput*) méga-octet *m*

**megaphone** ['megəfəʊn] *n* porte-voix *m inv*

**megapixel** ['megəpiksl] *n* mégapixel *m*

**melancholy** ['melənkəlɪ] *n* mélancolie *f* ▷ *adj* mélancolique

**melody** ['melədɪ] *n* mélodie *f*

**melon** ['melən] *n* melon *m*

**melt** [melt] *vi* fondre ▷ *vt* faire fondre

**member** ['membə<sup>r</sup>] *n* membre *m*; **M~ of the European Parliament** eurodéputé *m*; **M~ of Parliament** (*BRIT*) député *m*; **membership** *n* (*becoming a member*) adhésion *f*; admission *f*; (*members*) membres *mpl*, adhérents *mpl*; **membership card** *n* carte *f* de membre

**memento** [mə'mentəʊ] *n* souvenir *m*

**memo** ['meməʊ] *n* note *f* (de service)

**memorable** ['memərəbl] *adj* mémorable

**memorandum** (*pl* **memoranda**) [memə'rændəm, -də] *n* note *f* (de service)

**memorial** [mɪ'mɔːrɪəl] *n* mémorial *m* ▷ *adj* commémoratif(-ive)

**memorize** ['meməraɪz] *vt* apprendre *or* retenir par cœur

**memory** ['memərɪ] *n* (*also Comput*) mémoire *f*; (*recollection*) souvenir *m*; **in ~ of** à la mémoire de; **memory card** *n* (*for digital camera*) carte *f* mémoire; **memory stick** *n* (*Comput*: *flash pen*) clé *f* USB; (: *card*) carte *f* mémoire

**men** [men] *npl of* **man**

**menace** ['menɪs] *n* menace *f*; (*inf: nuisance*) peste *f*, plaie *f* ▷ *vt* menacer

**mend** [mend] *vt* réparer; (*darn*) raccommoder, repriser ▷ *n*: **on the ~** en voie de guérison; **to ~ one's ways** s'amender

**meningitis** [menɪn'dʒaɪtɪs] *n* méningite *f*

**menopause** ['menəʊpɔːz] *n* ménopause *f*

**men's room** (*US*) *n*: **the ~** les toilettes *fpl* pour hommes

**menstruation** [menstru'eɪʃən] *n* menstruation *f*

**menswear** ['menzwεə<sup>r</sup>] *n* vêtements *mpl* d'hommes

**mental** ['mentl] *adj* mental(e); **mental hospital** *n* hôpital *m* psychiatrique; **mentality** [men'tælɪtɪ] *n* mentalité *f*; **mentally** *adv*: **to be mentally handicapped** être handicapé(e) mental(e); **the mentally ill** les malades mentaux

**menthol** ['menθɒl] *n* menthol *m*

**mention** ['menʃən] *n* mention *f* ▷ *vt* mentionner, faire mention de; **don't ~ it!** je vous en prie, il n'y a pas de quoi

**menu** ['menjuː] *n* (*set menu*, *Comput*) menu *m*; (*list of dishes*) carte *f*

**MEP** *n abbr* = **Member of the European Parliament**

**mercenary** ['məːsɪnərɪ] *adj* (*person*) intéressé(e), mercenaire ▷ *n* mercenaire *m*

**merchandise** ['məːtʃəndaɪz] *n* marchandises *fpl*

**merchant** ['məːtʃənt] *n* négociant *m*, marchand *m*; **merchant bank** *n* (*BRIT*) banque *f* d'affaires; **merchant navy**, (*US*) **merchant marine** *n* marine marchande

**merciless** ['məːsɪlɪs] *adj* impitoyable, sans pitié

**mercury** ['məːkjurɪ] *n* mercure *m*

**mercy** ['məːsɪ] *n* pitié *f*, merci *f*; (*Rel*) miséricorde *f*; **at the ~ of** à la merci de

**mere** [mɪə<sup>r</sup>] *adj* simple; (*chance*) pur(e); **a ~ two hours** seulement deux heures; **merely** *adv* simplement, purement

**merge** [məːdʒ] *vt* unir; (*Comput*) fusionner, interclasser ▷ *vi* (*colours*, *shapes*, *sounds*) se mêler; (*roads*) se joindre; (Comm) fusionner; **merger** n (Comm) fusion f

**meringue** [mə'ræŋ] n meringue f

**merit** ['merɪt] n mérite m, valeur f ▷ vt mériter

**mermaid** ['mə:meɪd] n sirène f

**merry** ['merɪ] adj gai(e); **M~ Christmas!** joyeux Noël; **merry-go-round** n manège m

**mesh** [meʃ] n mailles fpl

**mess** [mes] n désordre m, fouillis m, pagaille f; (muddle: of life) gâchis m; (: of economy) pagaille f; (dirt) saleté f; (Mil) mess m, cantine f; **to be (in) a ~** être en désordre; **to be/get o.s. in a ~** (fig) être/se mettre dans le pétrin; **mess about, mess around** (inf) vi perdre son temps; **mess up** vt (inf: dirty) salir; (spoil) gâcher; **mess with** (inf) vt fus (challenge, confront) se frotter à; (interfere with) toucher à

**message** ['mesɪdʒ] n message m; **can I leave a ~?** est-ce que je peux laisser un message?; **are there any ~s for me?** est-ce que j'ai des messages?

**messenger** ['mesɪndʒə'] n messager m

**Messrs, Messrs.** ['mesəz] abbr (on letters: = messieurs) MM

**messy** ['mesɪ] adj (dirty) sale; (untidy) en désordre

**met** [met] pt, pp of **meet**

**metabolism** [me'tæbəlɪzəm] n métabolisme m

**metal** ['metl] n métal m ▷ cpd en métal; **metallic** [me'tælɪk] adj métallique

**metaphor** ['metəfə'] n métaphore f

**meteor** ['mi:tɪə'] n météore m; **meteorite** ['mi:tɪəraɪt] n météorite m/f

**meteorology** [mi:tɪə'rɔlədʒɪ] n météorologie f

**meter** ['mi:tə'] n (instrument) compteur m; (also: **parking ~**) parc(o)mètre m; (us: unit) = **metre** ▷ vt (us Post) affranchir à la machine

**method** ['meθəd] n méthode f; **methodical** [mɪ'θɔdɪkl] adj méthodique

**methylated spirit** ['meθɪleɪtɪd-] n (BRIT) alcool m à brûler

**meticulous** [me'tɪkjuləs] adj méticuleux(-euse)

**metre**, (us) **meter** ['mi:tə'] n mètre m

**metric** ['metrɪk] adj métrique

**metro** ['metrəu] n métro m

**metropolitan** [metrə'pɔlɪtən] adj métropolitain(e); **the M~ Police** (BRIT) la police londonienne

**Mexican** ['meksɪkən] adj mexicain(e) ▷ n Mexicain(e)

**Mexico** ['meksɪkəu] n Mexique m

**mg** abbr (= milligram) mg

**mice** [maɪs] npl of **mouse**

**micro...** [maɪkrəu] prefix micro...; **microchip** n (Elec) puce f; **microphone** n microphone m; **microscope** n microscope m

**mid** [mɪd] adj: **~ May** la mi-mai; **~ afternoon** le milieu de l'après-midi; **in ~ air** en plein ciel; **he's in his ~ thirties** il a dans les trente-cinq ans; **midday** n midi m

**middle** ['mɪdl] n milieu m; (waist) ceinture f, taille f ▷ adj du milieu; (average) moyen(ne); **in the ~ of the night** au milieu de la nuit; **middle-aged** adj d'un certain âge, ni vieux ni jeune; **Middle Ages** npl: **the Middle Ages** le moyen âge; **middle class(es)** n(pl): **the middle class(es)** = les classes moyennes; **middle-class** adj bourgeois(e); **Middle East** n: **the Middle East** le Proche-Orient, le Moyen-Orient; **middle name** n second prénom; **middle school** n (us) école pour les enfants de 11 à 14 ans = collège m; (BRIT) école pour les enfants de 8 à 14 ans

**midge** [mɪdʒ] n moucheron m

**midget** ['mɪdʒɪt] n nain(e)

**midnight** ['mɪdnaɪt] n minuit m

**midst** [mɪdst] n: **in the ~ of** au milieu de

**midsummer** [mɪd'sʌmə<sup>r</sup>] n milieu m de l'été

**midway** [mɪd'weɪ] adj, adv: **~ (between)** à mi-chemin (entre); **~ through ...** au milieu de ..., en plein(e) ...

**midweek** [mɪd'wiːk] adv au milieu de la semaine, en pleine semaine

**midwife** (pl **midwives**) ['mɪdwaɪf, -vz] n sage-femme f

**midwinter** [mɪd'wɪntə<sup>r</sup>] n milieu m de l'hiver

**might** [maɪt] vb see **may** ▷ n puissance f, force f; **mighty** adj puissant(e)

**migraine** ['miːgreɪn] n migraine f

**migrant** ['maɪgrənt] n (bird, animal) migrateur m; (person) migrant(e) ▷ adj migrateur(-trice); migrant(e); (worker) saisonnier(-ière)

**migrate** [maɪ'greɪt] vi migrer

**migration** [maɪ'greɪʃən] n migration f

**mike** [maɪk] n abbr (= microphone) micro m

**mild** [maɪld] adj doux (douce); (reproach, infection) léger(-ère); (illness) bénin(-igne); (interest) modéré(e); (taste) peu relevé(e); **mildly** ['maɪldlɪ] adv doucement; légèrement; **to put it mildly** (inf) c'est le moins qu'on puisse dire

**mile** [maɪl] n mil(l)e m (= 1609 m); **mileage** n distance f en milles, ≈ kilométrage m; **mileometer** [maɪ'lɒmɪtə<sup>r</sup>] n compteur m kilométrique; **milestone** n borne f; (fig) jalon m

**military** ['mɪlɪtərɪ] adj militaire

**militia** [mɪ'lɪʃə] n milice f

**milk** [mɪlk] n lait m ▷ vt (cow) traire; (fig: person) dépouiller, plumer; (: situation) exploiter à fond; **milk chocolate** n chocolat m au lait; **milkman** (irreg) n laitier m; **milky** adj (drink) au lait; (colour) laiteux(-euse)

**mill** [mɪl] n moulin m; (factory) usine f, fabrique f; (spinning mill) filature f;

(flour mill) minoterie f ▷ vt moudre, broyer ▷ vi (also: **~ about**) grouiller

**millennium** (pl **millenniums** or **millennia**) [mɪ'lenɪəm, -'lenɪə] n millénaire m

**milli...** ['mɪlɪ] prefix milli...; **milligram(me)** n milligramme m; **millilitre**, (us) **milliliter** n millilitre m; **millimetre**, (us) **millimeter** n millimètre m

**million** ['mɪljən] n million m; **a ~ pounds** un million de livres sterling; **millionaire** [mɪljə'neə<sup>r</sup>] n millionnaire m; **millionth** [mɪljə'nθ] num millionième

**milometer** [maɪ'lɒmɪtə<sup>r</sup>] n = **mileometer**

**mime** [maɪm] n mime m ▷ vt, vi mimer

**mimic** ['mɪmɪk] n imitateur(-trice) ▷ vt, vi imiter, contrefaire

**min.** abbr (= minute(s)) mn.; (= minimum) min.

**mince** [mɪns] vt hacher ▷ n (BRIT Culin) viande hachée, hachis m; **mincemeat** n hachis de fruits secs utilisés en pâtisserie; (us) viande hachée, hachis m; **mince pie** n sorte de tarte aux fruits secs

**mind** [maɪnd] n esprit m ▷ vt (attend to, look after) s'occuper de; (be careful) faire attention à; (object to): **I don't ~ the noise** je ne crains pas le bruit, le bruit ne me dérange pas; **it is on my ~** cela me préoccupe; **to change one's ~** changer d'avis; **to my ~** à mon avis, selon moi; **to bear sth in ~** tenir compte de qch; **to have sb/sth in ~** avoir qn/qch en tête; **to make up one's ~** se décider; **do you ~ if ...?** est-ce que cela vous gêne si ...?; **I don't ~** cela ne me dérange pas; (don't care) ça m'est égal; **~ you, ...** remarquez, ...; **never ~** peu importe, ça ne fait rien; (don't worry) ne vous en faites pas; **"~ the step"** "attention à la marche"; **mindless** adj irréfléchi(e); (violence, crime) insensé(e); (boring: job) idiot(e)

**mine¹** [maɪn] *pron* le (la) mien(ne), les miens (miennes); **a friend of ~** de mes amis, un ami à moi; **this book is ~** ce livre est à moi

**mine²** [maɪn] *n* mine *f* ▷ *vt* (*coal*) extraire; (*ship, beach*) miner; **minefield** *n* champ *m* de mines; **miner** *n* mineur *m*

**mineral** ['mɪnərəl] *adj* minéral(e) ▷ *n* minéral *m*; **mineral water** *n* eau *f* minérale

**mingle** ['mɪŋɡl] *vi*: **to ~ with** se mêler à

**miniature** ['mɪnətʃəʳ] *adj* (en) miniature ▷ *n* miniature *f*

**minibar** ['mɪnɪbɑːʳ] *n* minibar *m*

**minibus** ['mɪnɪbəs] *n* minibus *m*

**minicab** ['mɪnɪkæb] *n* (BRIT) taxi *m* indépendant

**minimal** ['mɪnɪml] *adj* minimal(e)

**minimize** ['mɪnɪmaɪz] *vt* (*reduce*) réduire au minimum; (*play down*) minimiser

**minimum** ['mɪnɪməm] *n* (*pl* **minima**) minimum *m* ▷ *adj* minimum

**mining** ['maɪnɪŋ] *n* exploitation minière

**miniskirt** ['mɪnɪskəːt] *n* mini-jupe *f*

**minister** ['mɪnɪstəʳ] *n* (BRIT Pol) ministre *m*; (Rel) pasteur *m*

**ministry** ['mɪnɪstrɪ] *n* (BRIT Pol) ministère *m*; (Rel): **to go into the ~** devenir pasteur

**minor** ['maɪnəʳ] *adj* petit(e), de peu d'importance; (Mus, poet, problem) mineur(e) ▷ *n* (Law) mineur(e)

**minority** [maɪ'nɔrɪtɪ] *n* minorité *f*

**mint** [mɪnt] *n* (plant) menthe *f*; (sweet) bonbon *m* à la menthe ▷ *vt* (coins) battre; **the (Royal) M~, the (US) M~** ≈ l'hôtel *m* de la Monnaie; **in ~ condition** à l'état de neuf

**minus** ['maɪnəs] *n* (also: **~ sign**) signe *m* moins ▷ *prep* moins; **12 ~ 6 equals 6** 12 moins 6 égal 6; **~ 24°C** moins 24°C

**minute¹** ['mɪnɪt] *n* minute *f*; **minutes** *npl* (*of meeting*) procès-verbal *m*, compte rendu;

(*attendez*) un instant!; **at the last ~** à la dernière minute

**minute²** [maɪ'njuːt] *adj* minuscule; (*detailed*) minutieux(-euse); **in ~ detail** par le menu

**miracle** ['mɪrəkl] *n* miracle *m*

**miraculous** [mɪ'rækjʊləs] *adj* miraculeux(-euse)

**mirage** ['mɪrɑːʒ] *n* mirage *m*

**mirror** ['mɪrəʳ] *n* miroir *m*, glace *f*; (in car) rétroviseur *m*

**misbehave** [mɪsbɪ'heɪv] *vi* mal se conduire

**misc.** *abbr* = **miscellaneous**

**miscarriage** ['mɪskærɪdʒ] *n* (Med) fausse couche; **~ of justice** erreur *f* judiciaire

**miscellaneous** [mɪsɪ'leɪnɪəs] *adj* (items, expenses) divers(es); (selection) varié(e)

**mischief** ['mɪstʃɪf] *n* (naughtiness) sottises *fpl*; (playfulness) espièglerie *f*; (harm) mal *m*, dommage *m*; (maliciousness) méchanceté *f*

**mischievous** ['mɪstʃɪvəs] *adj* (playful, naughty) coquin(e), espiègle

**misconception** ['mɪskən'sɛpʃən] *n* idée fausse

**misconduct** [mɪs'kɔndʌkt] *n* inconduite *f*; **professional ~** faute professionnelle

**miser** ['maɪzəʳ] *n* avare *m/f*

**miserable** ['mɪzərəbl] *adj* (person, expression) malheureux(-euse); (conditions) misérable; (weather) maussade; (offer, donation) minable; (failure) pitoyable

**misery** ['mɪzərɪ] *n* (unhappiness) tristesse *f*; (pain) souffrances *fpl*; (wretchedness) misère *f*

**misfortune** [mɪs'fɔːtʃən] *n* malchance *f*, malheur *m*

**misgiving** [mɪs'ɡɪvɪŋ] *n* (apprehension) craintes *fpl*; **to have ~s about sth** avoir des doutes quant à qch

**misguided** [mɪs'ɡaɪdɪd] *adj* malavisé(e)

**mishap** ['mɪʃhæp] n mésaventure f

**misinterpret** [mɪsɪn'tɜːprɪt] vt mal interpréter

**misjudge** [mɪs'dʒʌdʒ] vt méjuger, se méprendre sur le compte de

**mislay** [mɪs'leɪ] vt (irreg: like **lay**) égarer

**mislead** [mɪs'liːd] vt (irreg: like **lead¹**) induire en erreur; **misleading** adj trompeur(-euse)

**misplace** [mɪs'pleɪs] vt égarer; **to be ~d** (trust etc) être mal placé(e)

**misprint** ['mɪsprɪnt] n faute f d'impression

**misrepresent** [mɪsreprɪ'zent] vt présenter sous un faux jour

**Miss** [mɪs] n Mademoiselle f

**miss** [mɪs] vt (fail to get, attend, see) manquer, rater; (regret the absence of): **I ~ him/it** il/cela me manque ▷ vi manquer ▷ n (shot) coup manqué; **we ~ed our train** nous avons raté notre train; **you can't ~ it** vous ne pouvez pas vous tromper; **miss out** vt (BRIT) oublier; **miss out on** vt fus (fun, party) rater, manquer; (chance, bargain) laisser passer

**missile** ['mɪsaɪl] n (Aviat) missile m; (object thrown) projectile m

**missing** ['mɪsɪŋ] adj manquant(e); (after escape, disaster: person) disparu(e); **to go ~** disparaître; **~ in action** (Mil) porté(e) disparu(e)

**mission** ['mɪʃən] n mission f; **on a ~ to sb** en mission auprès de qn; **missionary** n missionnaire m/f

**misspell** ['mɪs'spel] vt (irreg: like **spell**) mal orthographier

**mist** [mɪst] n brume f ▷ vi (also: **~ over**, **~ up**) devenir brumeux(-euse); (BRIT: windows) s'embuer

**mistake** [mɪs'teɪk] n erreur f, faute f ▷ vt (irreg: like **take**) (meaning) mal comprendre; (intentions) se méprendre sur; **to ~ for** prendre pour; **by ~** par erreur, par inadvertance; **to make a ~** (in writing) faire une faute; (in calculating

etc) faire une erreur; **there must be some ~** il doit y avoir une erreur, se tromper; **mistaken** pp of **mistake** ▷ adj (idea etc) erroné(e); **to be mistaken** faire erreur, se tromper

**mister** ['mɪstə'] n (inf) Monsieur m; see **Mr**

**mistletoe** ['mɪsltəʊ] n gui m

**mistook** [mɪs'tʊk] pt of **mistake**

**mistress** ['mɪstrɪs] n maîtresse f; (BRIT: in primary school) institutrice f; (: in secondary school) professeur m

**mistrust** [mɪs'trʌst] vt se méfier de

**misty** ['mɪstɪ] adj brumeux(-euse); (glasses, window) embué(e)

**misunderstand** [mɪsʌndə'stænd] vt, vi (irreg: like **understand**) mal comprendre; **misunderstanding** n méprise f, malentendu m; **there's been a misunderstanding** il y a eu un malentendu

**misunderstood** [mɪsʌndə'stʊd] pt, pp of **misunderstand** ▷ adj (person) incompris(e)

**misuse** n [mɪs'juːs] mauvais emploi; (of power) abus m ▷ vt [mɪs'juːz] mal employer; abuser de

**mitt(en)** ['mɪt(n)] n moufle f; (fingerless) mitaine f

**mix** [mɪks] vt mélanger; (sauce, drink etc) préparer ▷ vi se mélanger; (socialize): **he doesn't ~ well** il est peu sociable ▷ n mélange m; **to ~ sth with sth** mélanger qch à qch; **cake ~** préparation f pour gâteau; **mix up** vt mélanger; (confuse) confondre; **to be ~ed up in sth** être mêlé(e) à qch or impliqué(e) dans qch; **mixed** adj (feelings, reactions) contradictoire; (school, marriage) mixte; **mixed grill** n (BRIT) assortiment m de grillades; **mixed salad** n salade f de crudités; **mixed-up** adj (person) désorienté(e), embrouillé(e); **mixer** n (for food) batteur m, mixeur m; (drink) boisson gazeuse (servant à couper un alcool); (person): **he is a good mixer** il est très sociable; **mixture** n assortiment

*m*, mélange *m*; (*Med*) préparation *f*;
**mix-up** *n*: **there was a mix-up** il y a
eu confusion

**ml** *abbr* (= *millilitre(s)*) ml

**mm** *abbr* (= *millimetre*) mm

**moan** [məʊn] *n* gémissement *m* ▷ *vi*
gémir; (*inf*: *complain*): **to ~ (about)** se
plaindre (de)

**moat** [məʊt] *n* fossé *m*, douves *fpl*

**mob** [mɔb] *n* foule *f*; (*disorderly*) cohue
*f* ▷ *vt* assaillir

**mobile** ['məʊbaɪl] *adj* mobile ▷ *n*
(*Art*) mobile *m*; (*BRIT inf*: *phone*)
(téléphone *m*) portable *m*, mobile *m*;
**mobile home** *n* caravane *f*; **mobile
phone** *n* (téléphone *m*) portable *m*,
mobile *m*

**mobility** [məʊˈbɪlɪtɪ] *n* mobilité *f*

**mobilize** ['məʊbɪlaɪz] *vt*, *vi* mobiliser

**mock** [mɔk] *vt* ridiculiser; (*laugh at*)
se moquer de ▷ *adj* faux (fausse);
**mocks** *npl* (*BRIT Scol*) examens blancs;
**mockery** *n* moquerie *f*, raillerie *f*

**mod cons** ['mɔd'kɔnz] *npl abbr*
(*BRIT*) = **modern conveniences**; *see*
**convenience**

**mode** [məʊd] *n* mode *m*; (*of transport*)
moyen *m*

**model** ['mɔdl] *n* modèle *m*; (*person:
for fashion*) mannequin *m*; (: *for artist*)
modèle ▷ *vt* (*with clay etc*) modeler
▷ *vi* travailler comme mannequin
▷ *adj* (*railway*: *toy*) modèle réduit *inv*;
(*child, factory*) modèle; **to ~ clothes**
présenter des vêtements; **to ~ o.s.
on** imiter

**modem** ['məʊdεm] *n* modem *m*

**moderate** ['mɔdərət] *adj* modéré(e);
(*amount, change*) peu important(e)
▷ *vi* ['mɔdəreɪt] se modérer, se calmer
▷ *vt* ['mɔdəreɪt] modérer

**moderation** [mɔdəˈreɪʃən] *n*
modération *f*, mesure *f*; **in ~** à dose
raisonnable, pris(e) or pratiqué(e)
modérément

**modern** ['mɔdən] *adj* moderne;
**modernize** *vt* moderniser; **modern
languages** *npl* langues vivantes

**modest** ['mɔdɪst] *adj* modeste;
**modesty** *n* modestie *f*

**modification** [mɔdɪfɪˈkeɪʃən] *n*
modification *f*

**modify** ['mɔdɪfaɪ] *vt* modifier

**module** ['mɔdjuːl] *n* module *m*

**mohair** ['məʊhɛər] *n* mohair *m*

**Mohammed** [məˈhæmɛd] *n*
Mahomet *m*

**moist** [mɔɪst] *adj* humide, moite;
**moisture** ['mɔɪstʃər] *n* humidité
*f*; (*on glass*) buée *f*; **moisturizer**
['mɔɪstʃəraɪzər] *n* crème hydratante

**mold** *etc* [məʊld] (*us*) = **mould**

**mole** [məʊl] *n* (*animal, spy*) taupe *f*;
(*spot*) grain *m* de beauté

**molecule** ['mɔlɪkjuːl] *n* molécule *f*

**molest** [məʊˈlɛst] *vt* (*assault sexually*)
attenter à la pudeur de

**molten** ['məʊltən] *adj* fondu(e);
(*rock*) en fusion

**mom** [mɔm] *n* (*us*) = **mum**

**moment** ['məʊmənt] *n* moment *m*,
instant *m*; **at the ~** en ce moment;
**momentarily** *adv* momentanément;
(*us*: *soon*) bientôt; **momentary** *adj*
momentané(e), passager(-ère);
**momentous** [məʊˈmɛntəs] *adj*
important(e), capital(e)

**momentum** [məʊˈmɛntəm] *n* élan
*m*, vitesse acquise; (*fig*) dynamique *f*;
**to gather ~** prendre de la vitesse; (*fig*)
gagner du terrain

**mommy** ['mɔmɪ] *n* (*us*: *mother*)
maman *f*

**Monaco** ['mɔnəkəʊ] *n* Monaco *f*

**monarch** ['mɔnək] *n* monarque *m*;
**monarchy** *n* monarchie *f*

**monastery** ['mɔnəstəri] *n*
monastère *m*

**Monday** ['mʌndɪ] *n* lundi *m*

**monetary** ['mʌnɪtəri] *adj* monétaire

**money** ['mʌnɪ] *n* argent *m*; **to
make ~** (*person*) gagner de l'argent;
(*business*) rapporter; **money belt** *n*
ceinture-portefeuille *f*; **money order**
*n* mandat *m*

**mongrel** ['mʌngrəl] *n* (*dog*) bâtard *m*

**monitor** ['mɒnɪtəˀ] n (TV, Comput) écran m, moniteur m ▷ vt contrôler; (foreign station) être à l'écoute de; (progress) suivre de près

**monk** [mʌŋk] n moine m

**monkey** ['mʌŋkɪ] n singe m

**monologue** ['mɒnəlɒg] n monologue m

**monopoly** [mə'nɒpəlɪ] n monopole m

**monosodium glutamate** [mɒnə'səʊdɪəm 'gluːtəmeɪt] n glutamate m de sodium

**monotonous** [mə'nɒtənəs] adj monotone

**monsoon** [mɒn'suːn] n mousson f

**monster** ['mɒnstəˀ] n monstre m

**month** [mʌnθ] n mois m; **monthly** adj mensuel(le) ▷ adv mensuellement

**Montreal** [mɒntrɪ'ɔːl] n Montréal

**monument** ['mɒnjumənt] n monument m

**mood** [muːd] n humeur f, disposition f; **to be in a good/bad ~** être de bonne/mauvaise humeur; **moody** adj (variable) d'humeur changeante, lunatique; (sullen) morose, maussade

**moon** [muːn] n lune f; **moonlight** n clair m de lune

**moor** [muəˀ] n lande f ▷ vt (ship) amarrer ▷ vi mouiller

**moose** [muːs] n (pl inv) élan m

**mop** [mɒp] n balai m à laver; (for dishes) lavette f à vaisselle ▷ vt éponger, essuyer; **~ of hair** tignasse f; **mop up** vt éponger

**mope** [məʊp] vi avoir le cafard, se morfondre

**moped** ['məʊpɛd] n cyclomoteur m

**moral** ['mɒrl] adj moral(e) ▷ n morale f; **morals** npl moralité f

**morale** [mɒ'rɑːl] n moral m

**morality** [mə'rælɪtɪ] n moralité f

**morbid** ['mɔːbɪd] adj morbide

**KEYWORD**

**more** [mɔːˀ] adj 1 (greater in number etc) plus (de), davantage (de); **more people/work (than)** plus de gens/de travail (que)

2 (additional) encore (de); **do you want (some) more tea?** voulez-vous encore du thé?; **is there any more wine?** reste-t-il du vin?; **I have no** or **I don't have any more money** je n'ai plus d'argent; **it'll take a few more weeks** ça prendra encore quelques semaines

▷ pron plus, davantage; **more than 10** plus de 10; **it cost more than we expected** cela a coûté plus que prévu; **I want more** j'en veux plus or davantage; **is there any more?** est-ce qu'il en reste?; **there's no more** il n'y en a plus; **a little more** un peu plus; **many/much more** beaucoup plus, bien davantage

▷ adv plus; **more dangerous/easily (than)** plus dangereux/facilement (que); **more and more expensive** de plus en plus cher; **more or less** plus ou moins; **more than ever** plus que jamais; **once more** encore une fois, une fois de plus

**moreover** [mɔː'rəʊvəˀ] adv de plus

**morgue** [mɔːg] n morgue f

**morning** ['mɔːnɪŋ] n matin m; (as duration) matinée f ▷ cpd matinal(e); (paper) du matin; **in the ~** le matin; **7 o'clock in the ~** 7 heures du matin; **morning sickness** n nausées matinales

**Moroccan** [mə'rɒkən] adj marocain(e) ▷ n Marocain(e)

**Morocco** [mə'rɒkəʊ] n Maroc m

**moron** ['mɔːrɒn] n idiot(e), minus m/f

**morphine** ['mɔːfiːn] n morphine f

**morris dancing** ['mɒrɪs-] n (BRIT) danses folkloriques anglaises

● **MORRIS DANCING**
●
● Le morris dancing est une
● danse folklorique anglaise
● traditionnellement réservée aux

hommes. Habillés tout en blanc et portant des clochettes, ils exécutent différentes figures avec des mouchoirs et de longs bâtons. Cette danse est très populaire dans les fêtes de village.

**Morse** [mɔːs] n (also: **~ code**) morse m

**mortal** ['mɔːtl] adj, n mortel(le)

**mortar** ['mɔːtəʳ] n mortier m

**mortgage** ['mɔːɡɪdʒ] n hypothèque f; (loan) prêt m (or crédit m) hypothécaire ▷ vt hypothéquer

**mortician** [mɔːˈtɪʃən] n (us) entrepreneur m de pompes funèbres

**mortified** ['mɔːtɪfaɪd] adj mort(e) de honte

**mortuary** ['mɔːtjuərɪ] n morgue f

**mosaic** [məuˈzeɪɪk] n mosaïque f

**Moscow** ['mɔskəu] n Moscou m

**Moslem** ['mɔzləm] adj, n = **Muslim**

**mosque** [mɔsk] n mosquée f

**mosquito** [mɔsˈkiːtəu] (pl **mosquitoes**) n moustique m

**moss** [mɔs] n mousse f

**most** [məust] adj (majority of) la plupart de; (greatest amount of) le plus de ▷ pron la plupart ▷ adv le plus; (very) très, extrêmement; **the ~** le plus; **~ fish** la plupart des poissons; **the ~ beautiful woman in the world** la plus belle femme du monde; **~ of** (with plural) la plupart de; (with singular) la plus grande partie de; **~ of them** la plupart d'entre eux; **~ of the time** la plupart du temps; **I saw ~** (a lot but not all) j'en ai vu la plupart; (more than anyone else) c'est moi qui en ai vu le plus; **at the (very) ~** au plus; **to make the ~ of** profiter au maximum de; **mostly** adv (chiefly) surtout, principalement; (usually) généralement

**MOT** n abbr (BRIT: = Ministry of Transport): **the ~ (test)** visite technique (annuelle) obligatoire des véhicules à moteur

**motel** [məuˈtɛl] n motel m

**moth** [mɔθ] n papillon m de nuit; (in clothes) mite f

**mother** ['mʌðəʳ] n mère f ▷ vt (pamper, protect) dorloter; **motherhood** n maternité f; **mother-in-law** n belle-mère f; **mother-of-pearl** n nacre f; **Mother's Day** n fête f des Mères; **mother-to-be** n future maman; **mother tongue** n langue maternelle

**motif** [məuˈtiːf] n motif m

**motion** ['məuʃən] n mouvement m; (gesture) geste m; (at meeting) motion f ▷ vt, vi: **to ~ (to) sb to do** faire signe à qn de faire; **motionless** adj immobile, sans mouvement; **motion picture** n film m

**motivate** ['məutɪveɪt] vt motiver

**motivation** [məutɪˈveɪʃən] n motivation f

**motive** ['məutɪv] n motif m, mobile m

**motor** ['məutəʳ] n moteur m; (BRIT inf: vehicle) auto f; **motorbike** n moto f; **motorboat** n bateau m à moteur; **motorcar** n (BRIT) automobile f; **motorcycle** n moto f; **motorcyclist** n motocycliste m/f; **motoring** (BRIT) n tourisme m automobile; **motorist** n automobiliste m/f; **motor racing** n (BRIT) course f automobile; **motorway** n (BRIT) autoroute f

**motto** ['mɔtəu] (pl **mottoes**) n devise f

**mould**, (us) **mold** [məuld] n moule m; (mildew) moisissure f ▷ vt mouler, modeler; (fig) façonner; **mouldy**, (us) **moldy** adj moisi(e); (smell) de moisi

**mound** [maund] n monticule m, tertre m

**mount** [maunt] n (hill) mont m, montagne f; (horse) monture f; (for picture) carton m de montage ▷ vt (horse) monter à; (bike) monter sur; (picture) monter sur carton ▷ vi (inflation, tension) augmenter; **mount up** vi s'élever, monter; (bills, problems, savings) s'accumuler

**m**

**mountain** ['mauntin] n montagne f ▷ cpd de (la) montagne; **mountain bike** n VTT m, vélo m tout terrain; **mountaineer** n alpiniste m/f; **mountaineering** n alpinisme m; **mountainous** adj montagneux(-euse); **mountain range** n chaîne f de montagnes

**mourn** [mɔːn] vt pleurer ▷ vi: **to ~ for sb** pleurer qn; **to ~ for sth** se lamenter sur qch; **mourner** n parent(e) or ami(e) du défunt; personne f en deuil or venue rendre hommage au défunt; **mourning** n deuil m; **in mourning** en deuil

**mouse** (pl **mice**) [maus, maɪs] n (also Comput) souris f; **mouse mat** n (Comput) tapis m de souris

**moussaka** [muˈsɑːkə] n moussaka f

**mousse** [muːs] n mousse f

**moustache** [məsˈtɑːʃ] n moustache f; (pl) f

**mouth** (pl **mouths**) [mauθ, mauðz] n bouche f; (of dog, cat) gueule f; (of river) embouchure f; (of hole, cave) ouverture f; **mouthful** n bouchée f; **mouth organ** n harmonica m; **mouthpiece** n (of musical instrument) bec m, embouchure f; (spokesperson) porte-parole m inv; **mouthwash** n eau f dentifrice

**move** [muːv] n (movement) mouvement m; (in game) coup m (: turn to play) tour m; (change of house) déménagement m; (change of job) changement m d'emploi ▷ vt déplacer, bouger; (emotionally) émouvoir; (Pol: resolution etc) proposer ▷ vi (gen) bouger, remuer; (traffic) circuler; (also: ~ house) déménager; (in game) jouer; **can you ~ your car, please?** pouvez-vous déplacer votre voiture, s'il vous plaît?; **to ~ sb to do sth** pousser or inciter qn à faire qch; **to get a ~ on** se dépêcher, se remuer; **move back** vi revenir, retourner; **move in** vi (to a house) emménager; (police,

soldiers) intervenir; **move off** vi s'éloigner, s'en aller; **move on** vi se remettre en route; **move out** vi (of house) déménager; **move over** vi se pousser, se déplacer; **move up** vi avancer; (employee) avoir de l'avancement; (pupil) passer dans la classe supérieure; **movement** n mouvement m

**movie** ['muːvɪ] n film m; **movies** npl; **the ~s** le cinéma; **movie theater** (US) n cinéma m

**moving** ['muːvɪŋ] adj en mouvement; (touching) émouvant(e)

**mow** (pt **mowed**, pp **mowed** or **mown**) [məu, -d, -n] vt faucher; (lawn) tondre; **mower** n (also: **lawnmower**) tondeuse f à gazon

**mown** [məun] pp of **mow**

**Mozambique** [məuzəmˈbiːk] n Mozambique m

**MP** n abbr (BRIT) = **Member of Parliament**

**MP3** n mp3 fm; **MP3 player** n baladeur m numérique, lecteur m mp3

**mpg** n abbr = **miles per gallon** (30 mpg = 9,4 l. aux 100 km)

**m.p.h.** abbr = **miles per hour** (60 mph = 96 km/h)

**Mr** (US) **Mr.** ['mɪstər] n: **~ X** Monsieur X, M. X

**Mrs** (US) **Mrs.** ['mɪsɪz] n: **~ X** Madame X, Mme X

**Ms** (US) **Ms.** [mɪz] n (Miss or Mrs): **~ X** Madame X, Mme X

**MSP** n abbr (= Member of the Scottish Parliament) député m au Parlement écossais

**Mt** abbr (Geo: = mount) Mt

**much** [mʌtʃ] adj beaucoup de ▷ adv, n, pron beaucoup; **we don't have ~ time** nous n'avons pas beaucoup de temps; **how ~ is it?** combien est-ce que ça coûte?; **it's not ~** ce n'est pas beaucoup; **too ~** trop (de); **so ~** tant (de); **I like it very/so ~** j'aime beaucoup/tellement ça; **as ~**

**as** autant de; **that's ~ better** c'est beaucoup mieux

**muck** [mʌk] n (mud) boue f; (dirt) ordures fpl; **muck up** vt (inf: ruin) gâcher, esquinter; (dirty) salir; (exam, interview) se planter à; **mucky** adj (dirty) boueux(-euse), sale

**mucus** ['mjuːkəs] n mucus m

**mud** [mʌd] n boue f

**muddle** ['mʌdl] n (mess) pagaille f, fouillis m; (mix-up) confusion f ▷ vt (also: **~ up**) brouiller, embrouiller; **to get in a ~** (while explaining etc) s'embrouiller

**muddy** ['mʌdɪ] adj boueux(-euse)

**mudguard** ['mʌdgɑːd] n garde-boue m inv

**muesli** ['mjuːzlɪ] n muesli m

**muffin** ['mʌfɪn] n (roll) petit pain rond et plat; (cake) petit gâteau au chocolat ou aux fruits

**muffled** ['mʌfld] adj étouffé(e), voilé(e)

**muffler** ['mʌflə'] n (scarf) cache-nez m inv; (us Aut) silencieux m

**mug** [mʌg] n (cup) tasse f (sans soucoupe); (: for beer) chope f; (inf: face) bouille f; (: fool) poire f ▷ vt (assault) agresser; **mugger** ['mʌgə'] n agresseur m; **mugging** n agression f

**muggy** ['mʌgɪ] adj lourd(e), moite

**mule** [mjuːl] n mule f

**multicoloured**, (us) **multicolored** ['mʌltɪkʌləd] adj multicolore

**multimedia** [mʌltɪ'miːdɪə] adj multimédia inv

**multinational** [mʌltɪ'næʃənl] n multinationale f ▷ adj multinational(e)

**multiple** ['mʌltɪpl] adj multiple ▷ n multiple m; **multiple choice (test)** n QCM m, questionnaire m à choix multiple; **multiple sclerosis** [-sklɪ'rəʊsɪs] n sclérose f en plaques

**multiplex (cinema)** ['mʌltɪpleks-] n (cinéma m) multisalles m

**multiplication** [mʌltɪplɪ'keɪʃən] n multiplication f

**multiply** ['mʌltɪplaɪ] vt multiplier ▷ vi se multiplier

**multistorey** ['mʌltɪ'stɔːrɪ] adj (BRIT: building) à étages; (: car park) à étages or niveaux multiples

**mum** [mʌm] n (BRIT) maman f ▷ adj: **to keep ~** ne pas souffler mot

**mumble** ['mʌmbl] vt, vi marmotter, marmonner

**mummy** ['mʌmɪ] n (BRIT: mother) maman f; (embalmed) momie f

**mumps** [mʌmps] n oreillons mpl

**munch** [mʌntʃ] vt, vi mâcher

**municipal** [mjuː'nɪsɪpl] adj municipal(e)

**mural** ['mjʊərl] n peinture murale

**murder** ['mɜːdə'] n meurtre m, assassinat m ▷ vt assassiner; **murderer** n meurtrier m, assassin m

**murky** ['mɜːkɪ] adj sombre, ténébreux(-euse); (water) trouble

**murmur** ['mɜːmə'] n murmure m ▷ vt, vi murmurer

**muscle** ['mʌsl] n muscle m; (fig) force f; **muscular** ['mʌskjʊlə'] adj musculaire; (person, arm) musclé(e)

**museum** [mjuː'zɪəm] n musée m

**mushroom** ['mʌʃrʊm] n champignon m ▷ vi (fig) pousser comme un (or des) champignon(s)

**music** ['mjuːzɪk] n musique f; **musical** adj musical(e); (person) musicien(ne) ▷ n (show) comédie musicale; **musical instrument** n instrument m de musique; **musician** [mjuː'zɪʃən] n musicien(ne)

**Muslim** ['mʌzlɪm] adj, n musulman(e)

**muslin** ['mʌzlɪn] n mousseline f

**mussel** ['mʌsl] n moule f

**must** [mʌst] aux vb (obligation): **I ~ do it** je dois le faire, il faut que je le fasse; (probability): **he ~ be there by now** il doit y être maintenant, il y est probablement maintenant; (suggestion, invitation): **you ~ come and see me** il faut que vous veniez me voir ▷ n nécessité f, impératif m;

it's a ~ c'est indispensable; **I ~ have made a mistake** j'ai dû me tromper

**mustache** ['mʌstæʃ] n (US) = **moustache**

**mustard** ['mʌstəd] n moutarde f

**mustn't** ['mʌsnt] = **must not**

**mute** [mju:t] adj, n muet(te)

**mutilate** ['mju:tɪleɪt] vt mutiler

**mutiny** ['mju:tɪnɪ] n mutinerie f ▷ vi se mutiner

**mutter** ['mʌtə'] vt, vi marmonner, marmotter

**mutton** ['mʌtn] n mouton m

**mutual** ['mju:tʃuəl] adj mutuel(le), réciproque; (benefit, interest) commun(e)

**muzzle** ['mʌzl] n museau m; (protective device) muselière f; (of gun) gueule f ▷ vt museler

**my** [maɪ] adj mon (ma), mes pl; **my house/car/gloves** ma maison/ma voiture/mes gants; **I've washed my hair/cut my finger** je me suis lavé les cheveux/coupé le doigt; **is this my pen or yours?** c'est mon stylo ou c'est le vôtre?

**myself** [maɪ'sɛlf] pron (reflexive) me; (emphatic) moi-même; (after prep) moi; see also **oneself**

**mysterious** [mɪs'tɪərɪəs] adj mystérieux(-euse)

**mystery** ['mɪstərɪ] n mystère m

**mystical** ['mɪstɪkl] adj mystique

**mystify** ['mɪstɪfaɪ] vt (deliberately) mystifier; (puzzle) ébahir

**myth** [mɪθ] n mythe m; **mythology** [mɪ'θɔlədʒɪ] n mythologie f

# n

**n/a** abbr (= not applicable) n.a.

**nag** [næg] vt (scold) être toujours après, reprendre sans arrêt

**nail** [neɪl] n (human) ongle m; (metal) clou m ▷ vt clouer; **to ~ sth to sth** clouer qch à qch; **to ~ sb down to a date/price** contraindre qn à accepter or donner une date/un prix; **nailbrush** n brosse f à ongles; **nailfile** n lime f à ongles; **nail polish** n vernis m à ongles; **nail polish remover** n dissolvant m; **nail scissors** npl ciseaux mpl à ongles; **nail varnish** n (BRIT) = **nail polish**

**naïve** [naɪ'i:v] adj naïf(-ive)

**naked** ['neɪkɪd] adj nu(e)

**name** [neɪm] n nom m; (reputation) réputation f ▷ vt nommer; (identify: accomplice etc) citer; (price, date) donner; **by ~** par son nom; de nom; **in the ~ of** au nom de; **what's your ~?** comment vous appelez-vous?, quel est votre nom?; **namely** adv à savoir

**nanny** ['nænɪ] n bonne f d'enfants

**nap** [næp] n (sleep) (petit) somme
**napkin** ['næpkɪn] n serviette f (de table)
**nappy** ['næpɪ] n (BRIT) couche f
**narcotics** [nɑː'kɒtɪks] npl (illegal drugs) stupéfiants mpl
**narrative** ['nærətɪv] n récit m ▷ adj narratif(-ive)
**narrator** [nə'reɪtə'] n narrateur(-trice)
**narrow** ['nærəʊ] adj étroit(e); (fig) restreint(e), limité(e) ▷ vi (road) devenir plus étroit, se rétrécir; (gap, difference) se réduire; **to have a ~ escape** l'échapper belle; **narrow down** vt restreindre; **narrowly** adv: **he narrowly missed injury/the tree** il a failli se blesser/rentrer dans l'arbre; **he only narrowly missed the target** il a manqué la cible de peu or de justesse; **narrow-minded** adj à l'esprit étroit, borné(e); (attitude) borné(e)
**nasal** ['neɪzl] adj nasal(e-)
**nasty** ['nɑːstɪ] adj (person: malicious) méchant(e); (: rude) très désagréable; (smell) dégoûtant(e); (wound, situation) mauvais(e), vilain(e)
**nation** ['neɪʃən] n nation f
**national** ['næʃənl] adj national(e) ▷ n (abroad) ressortissant(e); (when home) national(e); **national anthem** n hymne national; **national dress** n costume national; **National Health Service** n (BRIT) service national de santé; ≈ Sécurité Sociale; **National Insurance** n (BRIT) ≈ Sécurité Sociale; **nationalist** adj, n nationaliste m/f; **nationality** [næʃə'nælɪtɪ] n nationalité f; **nationalize** vt nationaliser; **national park** n parc national; **National Trust** n (BRIT) ≈ Caisse f nationale des monuments historiques et des sites

Le National Trust est un organisme indépendant, à but non lucratif, dont la mission est de protéger et de mettre en valeur les monuments et les sites britanniques en raison de leur intérêt historique ou de leur beauté naturelle.

**nationwide** ['neɪʃənwaɪd] adj s'étendant à l'ensemble du pays; (problem) à l'échelle du pays entier
**native** ['neɪtɪv] n habitant(e) du pays, autochtone m/f ▷ adj du pays, indigène; (country) natal(e); (language) maternel(le); (ability) inné(e); **Native American** n Indien(ne) d'Amérique ▷ adj américain(ne); **native speaker** n locuteur natif
**NATO** ['neɪtəʊ] n abbr (= North Atlantic Treaty Organization) OTAN f
**natural** ['nætʃrəl] adj naturel(le); **natural gas** n gaz naturel; **natural history** n histoire naturelle; **naturally** adv naturellement; **natural resources** npl ressources naturelles
**nature** ['neɪtʃə'] n nature f; **by ~** par tempérament, de nature; **nature reserve** n (BRIT) réserve naturelle
**naughty** ['nɔːtɪ] adj (child) vilain(e), pas sage
**nausea** ['nɔːsɪə] n nausée f
**naval** ['neɪvl] adj naval(e)
**navel** ['neɪvl] n nombril m
**navigate** ['nævɪgeɪt] vt (steer) diriger, piloter ▷ vi naviguer; (Aut) indiquer la route à suivre; **navigation** [nævɪ'geɪʃən] n navigation f
**navy** ['neɪvɪ] n marine f
**navy-blue** ['neɪvɪ'bluː] adj bleu marine inv
**Nazi** ['nɑːtsɪ] n Nazi(e)
**NB** abbr (= nota bene) NB
**near** [nɪə'] adj proche ▷ adv près ▷ prep (also: **~ to**) près de ▷ vt approcher de; **in the ~ future** dans un proche avenir; **nearby** [nɪə'baɪ] adj proche ▷ adv tout près, à proximité; **nearly** adv presque; **I nearly fell** j'ai failli tomber; **it's not**

**neat** | 482

nearly big enough ce n'est vraiment pas assez grand, c'est loin d'être assez grand; **near-sighted** *adj* myope

**neat** [niːt] *adj* (person, work) soigné(e); (room etc) bien tenu(e) *or* rangé(e); (solution, plan) habile; (spirits) pur(e); **neatly** *adv* avec soin *or* ordre; (skilfully) habilement

**necessarily** [ˈnɛsɪsrɪlɪ] *adv* nécessairement; **not ~** pas nécessairement *or* forcément

**necessary** [ˈnɛsɪsrɪ] *adj* nécessaire; **if ~** si besoin est, le cas échéant

**necessity** [nɪˈsɛsɪtɪ] *n* nécessité *f*; chose nécessaire *or* essentielle

**neck** [nɛk] *n* cou *m*; (of horse, garment) encolure *f*; (of bottle) goulot *m*; **~ and ~** à égalité; **necklace** [ˈnɛklɪs] *n* collier *m*; **necktie** [ˈnɛktaɪ] *n* (esp us) cravate *f*

**nectarine** [ˈnɛktərɪn] *n* brugnon *m*, nectarine *f*

**need** [niːd] *n* besoin *m* ▷ *vt* avoir besoin de; **to ~ to do** devoir faire; avoir besoin de faire; **you don't ~ to go** vous n'avez pas besoin *or* vous n'êtes pas obligé de partir; **a signature is ~ed** il faut une signature; **there's no ~ to do ....** il n'y a pas lieu de faire ..., il ne faut pas nécessaire de faire ...

**needle** [ˈniːdl] *n* aiguille *f* ▷ *vt* (inf) asticoter, tourmenter

**needless** [ˈniːdlɪs] *adj* inutile; **~ to say, ...** inutile de dire que ...

**needlework** [ˈniːdlwɜːk] *n* (activity) travaux *mpl* d'aiguille; (object) ouvrage *m*

**needn't** [ˈniːdnt] = **need not**

**needy** [ˈniːdɪ] *adj* nécessiteux(-euse)

**negative** [ˈnɛgətɪv] *n* (Phot, Elec) négatif *m*; (Ling) terme *m* de négation ▷ *adj* négatif(-ive)

**neglect** [nɪˈglɛkt] *n* négliger; (garden) ne pas entretenir; (duty) manquer à ▷ *n* (of person, duty, garden) le fait de négliger; **(state of) ~** abandon *m*; **to ~ to do sth** négliger

or omettre de faire qch; **to ~ one's appearance** se négliger

**negotiate** [nɪˈɡəʊʃɪeɪt] *vi* négocier ▷ *vt* négocier; (obstacle) franchir; ▷ négocier; **to ~ with sb for sth** négocier avec qn en vue d'obtenir qch

**negotiation** [nɪɡəʊʃɪˈeɪʃən] *n* négociation *f*, pourparlers *mpl*

**negotiator** [nɪˈɡəʊʃɪeɪtəʳ] *n* négociateur(-trice)

**neighbour**, (us) **neighbor** [ˈneɪbəʳ] *n* voisin(e); **neighbourhood**, (us) **neighborhood** *n* (place) quartier *m*; (people) voisinage *m*; **neighbouring**, (us) **neighboring** *adj* voisin(e), avoisinant(e)

**neither** [ˈnaɪðəʳ] *adj, pron* aucun(e) (des deux), ni l'un(e) ni l'autre ▷ *conj*: **~ do I** moi non plus ▷ *adv*: **~ good nor bad** ni bon ni mauvais; **~ of them** ni l'un ni l'autre

**neon** [ˈniːɔn] *n* néon *m*

**Nepal** [nɪˈpɔːl] *n* Népal *m*

**nephew** [ˈnɛvjuː] *n* neveu *m*

**nerve** [nɜːv] *n* nerf *m*; (bravery) sang-froid *m*, courage *m*; (cheek) aplomb *m*, toupet *m*; **nerves** *npl* (nervousness) nervosité *f*; **he gets on my ~s** il m'énerve

**nervous** [ˈnɜːvəs] *adj* nerveux(-euse); (anxious) inquiet(-ète), plein(e) d'appréhension; (timid) intimidé(e); **nervous breakdown** *n* dépression nerveuse

**nest** [nɛst] *n* nid *m* ▷ *vi* (se) nicher, faire son nid

**Net** [nɛt] *n* (Comput): **the ~** (Internet) le Net

**net** [nɛt] *n* filet *m*; (fabric) tulle *f* ▷ *adj* net(te) ▷ *vt* (fish etc) prendre au filet; **netball** *n* netball *m*

**Netherlands** [ˈnɛðələndz] *npl*: **the ~ les** Pays-Bas *mpl*

**nett** [nɛt] *adj* = **net**

**nettle** [ˈnɛtl] *n* ortie *f*

**network** [ˈnɛtwɜːk] *n* réseau *m*; **there's no ~ coverage here** (Tel) il n'y a pas de réseau ici

**neurotic** [njuə'rɔtɪk] *adj* névrosé(e)
**neuter** ['nju:tə*r*] *adj* neutre ▷ *vt* (*cat etc*) châtrer, couper
**neutral** ['nju:trəl] *adj* neutre ▷ *n* (*Aut*) point mort
**never** ['nevə*r*] *adv* (ne ...) jamais; **I ~ went** je n'y suis pas allé; **I've ~ been to Spain** je ne suis jamais allé en Espagne; **~ again** plus jamais; **~ in my life** jamais de ma vie; *see also* **mind**; **never-ending** *adj* interminable; **nevertheless** [nevəðə'les] *adv* néanmoins, malgré tout
**new** [nju:] *adj* nouveau (nouvelle); (*brand new*) neuf (neuve); **New Age** *n* New Age *m*; **newborn** *adj* nouveau-né(e); **newcomer** ['nju:kʌmə*r*] *n* nouveau venu (nouvelle venue); **newly** *adv* nouvellement, récemment
**news** [nju:z] *n* nouvelle(s) *f(pl)*; (*Radio, TV*) informations *fpl*, actualités *fpl*; **a piece of ~** une nouvelle; **news agency** *n* agence *f* de presse; **newsagent** *n* (*BRIT*) marchand *m* de journaux; **newscaster** *n* (*Radio, TV*) présentateur(-trice); **newsletter** *n* bulletin *m*; **newspaper** *n* journal *m*; **newsreader** *n* = **newscaster**
**newt** [nju:t] *n* triton *m*
**New Year** *n* Nouvel An; **Happy ~!** Bonne Année!; **New Year's Day** *n* le jour de l'An; **New Year's Eve** *n* la Saint-Sylvestre
**New York** [-'jɔ:k] *n* New York
**New Zealand** [-'zi:lənd] *n* Nouvelle-Zélande *f*; **New Zealander** *n* Néo-Zélandais(e)
**next** [nekst] *adj* (*in time*) prochain(e); (*seat, room*) voisin(e), d'à côté; (*meeting, bus stop*) suivant(e) ▷ *adv* la fois suivante; la prochaine fois; (*afterwards*) ensuite; **~** la prep à côté de; **~ to nothing** presque rien; **~ time** *adv* la prochaine fois; **the ~ day** le lendemain, le jour suivant or d'après; **~ year** l'année prochaine; **~ please!** (*at doctor's etc*) au suivant!;

**the week after** ~ dans deux semaines; **next door** *adv* à côté ▷ *adj* (*neighbour*) d'à côté; **next-of-kin** *n* parent *m* le plus proche
**NHS** *n abbr* (*BRIT*) = **National Health Service**
**nibble** ['nɪbl] *vt* grignoter
**nice** [naɪs] *adj* (*holiday, trip, taste*) agréable; (*flat, picture*) joli(e); (*person*) gentil(le); (*distinction, point*) subtil(e); **nicely** *adv* agréablement; joliment; gentiment; subtilement
**niche** [ni:ʃ] *n* (*Archit*) niche *f*
**nick** [nɪk] *n* (*indentation*) encoche *f*; (*wound*) entaille *f*; (*BRIT inf*): **in good ~** en bon état ▷ *vt* (*cut*): **to ~ o.s.** se couper; (*BRIT inf*: *steal*) faucher, piquer; **in the ~ of time** juste à temps
**nickel** ['nɪkl] *n* nickel *m*; (*US*) pièce *f* de 5 cents
**nickname** ['nɪkneɪm] *n* surnom *m* ▷ *vt* surnommer
**nicotine** ['nɪkəti:n] *n* nicotine *f*
**niece** [ni:s] *n* nièce *f*
**Nigeria** [naɪ'dʒɪərɪə] *n* Nigéria *m/f*
**night** [naɪt] *n* nuit *f*; (*evening*) soir *m*; **at ~** la nuit; **by ~** de nuit; **last ~** (*evening*) hier soir; (*night-time*) la nuit dernière; **night club** *n* boîte *f* de nuit; **nightdress** *n* chemise *f* de nuit; **nightie** ['naɪtɪ] *n* chemise *f* de nuit; **nightlife** *n* vie *f* nocturne; **nightly** *adj* (*news*) du soir; (*by night*) nocturne ▷ *adv* (*every evening*) tous les soirs; (*every night*) toutes les nuits; **nightmare** *n* cauchemar *m*; **night school** *n* cours *mpl* du soir; **night shift** *n* équipe *f* de nuit; **night-time** *n* nuit *f*
**nil** [nɪl] *n* (*BRIT Sport*) zéro *m*
**nine** [naɪn] *num* neuf; **nineteen** *num* dix-neuf; **nineteenth** [naɪn'ti:nθ] *num* dix-neuvième; **ninetieth** ['naɪntɪɪθ] *num* quatre-vingt-dixième; **ninety** *num* quatre-vingt-dix
**ninth** [naɪnθ] *num* neuvième
**nip** [nɪp] *vt* pincer ▷ *vi* (*BRIT inf*): **to ~ out/down/up** sortir/descendre/ monter en vitesse

**nipple** ['nɪpl] n (Anat) mamelon m, bout m du sein

**nitrogen** ['naɪtrədʒən] n azote m

**KEYWORD**

**no** [nəʊ] adv (opposite of "yes") non; **are you coming? — no (I'm not)** est-ce que vous venez? — non; **would you like some more? — no thank you** vous en voulez encore? — non merci
▷ adj (not any) (ne …) pas de, (ne …) aucun(e); **I have no money/books** je n'ai pas d'argent/de livres; **no student would have done it** aucun étudiant ne l'aurait fait; **"no smoking"** "défense de fumer"; **"no dogs"** "les chiens ne sont pas admis"
▷ n (pl **noes**) non m

**nobility** [nəʊ'bɪlɪtɪ] n noblesse f
**noble** ['nəʊbl] adj noble
**nobody** ['nəʊbədɪ] pron (ne …) personne

**nod** [nɒd] vi faire un signe de (la) tête (affirmatif ou amical); (sleep) somnoler
▷ vt: **to ~ one's head** faire un signe de (la) tête; (in agreement) faire signe que oui ▷ n signe m de (la) tête; **nod off** vi s'assoupir

**noise** [nɔɪz] n bruit m; **I can't sleep for the ~** je n'arrive pas à dormir à cause du bruit; **noisy** adj bruyant(e)

**nominal** ['nɒmɪnl] adj (rent, fee) symbolique; (value) nominal(e)

**nominate** ['nɒmɪneɪt] vt (propose) proposer; (appoint) nommer; **nomination** [nɒmɪ'neɪʃən] n nomination f; **nominee** [nɒmɪ'niː] n candidat agréé; personne nommée

**none** [nʌn] pron aucun(e); **~ of you** aucun d'entre vous, personne parmi vous; **I have ~ left** je n'en ai plus; **he's ~ the worse for it** il ne s'en porte pas plus mal

**nonetheless** ['nʌnðə'les] adv néanmoins

**non-fiction** [nɒn'fɪkʃən] n littérature f non romanesque

**nonsense** ['nɒnsəns] n absurdités fpl, idioties fpl; **~!** ne dites pas d'idioties!

**non:** **non-smoker** n non-fumeur m; **non-smoking** adj non-fumeur; **non-stick** adj qui n'attache pas

**noodles** ['nuːdlz] npl nouilles fpl

**noon** [nuːn] n midi m

**no-one** ['nəʊwʌn] pron = **nobody**

**nor** [nɔːʳ] conj = **neither** ▷ adv see **neither**

**norm** [nɔːm] n norme f

**normal** ['nɔːml] adj normal(e); **normally** adv normalement

**Normandy** ['nɔːməndɪ] n Normandie f

**north** [nɔːθ] n nord m ▷ adj nord inv; (wind) du nord ▷ adv au or vers le nord; **North Africa** n Afrique f du Nord; **North African** adj nord-africain(e), d'Afrique du Nord ▷ n Nord-Africain(e); **North America** n Amérique f du Nord; **North American** n Nord-Américain(e) ▷ adj nord-américain(e), d'Amérique du Nord; **northbound** ['nɔːθbaʊnd] adj (traffic) en direction du nord; (carriageway) nord inv; **north-east** n nord-est m; **northern** ['nɔːðən] adj du nord, septentrional(e); **Northern Ireland** n Irlande f du Nord; **North Korea** n Corée f du Nord; **North Pole** n: **the North Pole** le pôle Nord; **North Sea** n: **the North Sea** la mer du Nord; **north-west** n nord-ouest m

**Norway** ['nɔːweɪ] n Norvège f; **Norwegian** [nɔː'wiːdʒən] adj norvégien(ne) ▷ n Norvégien(ne); (Ling) norvégien m

**nose** [nəʊz] n nez m; (of dog, cat) museau m; (fig) flair m; **nose about**, **nose around** vi fouiner or fureter (partout); **nosebleed** n saignement m de nez; **nosey** adj (inf) curieux(-euse)

**nostalgia** [nɒs'tældʒɪə] n nostalgie f

**nostalgic** [nɒs'tældʒɪk] adj nostalgique

**nostril** ['nɒstrɪl] n narine f; (of horse) naseau m

**nosy** ['nəuzɪ] (inf) adj = **nosey**

**not** [nɒt] adv (ne ...) pas; **he is ~ or isn't here** il n'est pas ici; **you must ~ or mustn't do that** tu ne dois pas faire ça; **I hope ~** j'espère que non; **~ at all** pas du tout; (after thanks) de rien; **it's too late, isn't it?** c'est trop tard, n'est-ce pas?; **~ yet/now** pas encore/maintenant; see also **only**

**notable** ['nəutəbl] adj notable; **notably** adv (particularly) en particulier; (markedly) spécialement

**notch** [nɒtʃ] n encoche f

**note** [nəut] n note f; (letter) mot m; (banknote) billet m ▷ vt (also: **~ down**) noter; (notice) constater; **notebook** n carnet m; (for shorthand etc) bloc-notes m; **noted** ['nəutɪd] adj réputé(e); **notepad** n bloc-notes m; **notepaper** n papier m à lettres

**nothing** ['nʌθɪŋ] n rien m; **he does ~** il ne fait rien; **~ new** rien de nouveau; **for ~** (free) pour rien, gratuitement; (in vain) pour rien; **~ at all** rien du tout; **~ much** pas grand-chose

**notice** ['nəutɪs] n (announcement, warning) avis m ▷ vt remarquer, s'apercevoir de; **advance ~** préavis m; **at short ~** dans un délai très court; **until further ~** jusqu'à nouvel ordre; **to give ~, hand in one's ~** (employee) donner sa démission, démissionner; **to take ~ of** prêter attention à; **to bring sth to sb's ~** porter qch à la connaissance de qn; **noticeable** adj visible(s)

**notice board** n (BRIT) panneau m d'affichage

**notify** ['nəutɪfaɪ] vt: **to ~ sb of sth** avertir qn de qch

**notion** ['nəuʃən] n idée f; (concept) notion f; **notions** npl (us: haberdashery) mercerie f

**notorious** [nəu'tɔːrɪəs] adj notoire (souvent en mal)

**notwithstanding** [ˌnɒtwɪθ'stændɪŋ] adv néanmoins ▷ prep en dépit de

**nought** [nɔːt] n zéro m

**noun** [naun] n nom m

**nourish** ['nʌrɪʃ] vt nourrir; **nourishment** n nourriture f

**Nov.** abbr (= November) nov

**novel** ['nɒvl] n roman m ▷ adj nouveau (nouvelle), original(e); **novelist** n romancier m; **novelty** n nouveauté f

**November** [nəu'vɛmbə*] n novembre m

**novice** ['nɒvɪs] n novice m/f

**now** [nau] adv maintenant ▷ conj: **~ (that)** maintenant (que); **right ~** tout de suite; **by ~** à l'heure qu'il est; **that's the fashion just ~** c'est la mode en ce moment or maintenant; **~ and then, ~ and again** de temps en temps; **from ~ on** dorénavant; **nowadays** ['nauədeɪz] adv de nos jours

**nowhere** ['nəuwɛə*] adv (ne ...) nulle part

**nozzle** ['nɒzl] n (of hose) jet m, lance f; (of vacuum cleaner) suceur m

**nr** abbr (BRIT) = **near**

**nuclear** ['njuːklɪə*] adj nucléaire

**nucleus** (pl **nuclei**) ['njuːklɪəs, 'njuːklɪaɪ] n noyau m

**nude** [njuːd] adj nu(e) ▷ n (in Art) nu m; **in the ~** (tout(e)) nu(e)

**nudge** [nʌdʒ] vt donner un (petit) coup de coude à

**nudist** ['njuːdɪst] n nudiste m/f

**nudity** ['njuːdɪtɪ] n nudité f

**nuisance** ['njuːsns] n: **it's a ~** c'est (très) ennuyeux or gênant; **he's a ~** il est assommant or casse-pieds; **what a ~!** quelle barbe!

**numb** [nʌm] adj engourdi(e); (with fear) paralysé(e)

**number** ['nʌmbə*] n nombre m; (numeral) chiffre m; (of house, car, telephone, newspaper) numéro m ▷ vt numéroter; (amount to) compter;

**a ~ of** un certain nombre de; **they were seven in ~** ils étaient au (nombre de) sept; **to be ~ed among** compter parmi; **number plate** n (BRIT Aut) plaque f minéralogique or d'immatriculation; **Number Ten** n (BRIT: 10 Downing Street) résidence du Premier ministre

**numerical** [njuː'merɪkl] adj numérique

**numerous** ['njuːmərəs] adj nombreux(-euse)

**nun** [nʌn] n religieuse f, sœur f

**nurse** [nəːs] n infirmière f; (also: **~maid**) bonne f d'enfants ▷ vt (patient, cold) soigner

**nursery** ['nəːsərɪ] n (room) nursery f; (institution) crèche f, garderie f; (for plants) pépinière f; **nursery rhyme** n comptine f, chansonnette f pour enfants; **nursery school** n école maternelle; **nursery slope** n (BRIT Ski) piste f pour débutants

**nursing** ['nəːsɪŋ] n (profession) profession f d'infirmière; (care) soins mpl; **nursing home** n clinique f; (for convalescence) maison f de convalescence or de repos; (for old people) maison de retraite

**nurture** ['nəːtʃər] vt élever

**nut** [nʌt] n (of metal) écrou m; (fruit: walnut) noix f; (: hazelnut) noisette f; (: peanut) cacahuète f (terme générique en anglais)

**nutmeg** ['nʌtmeg] n (noix f) muscade f

**nutrient** ['njuːtrɪənt] n substance nutritive

**nutrition** [njuː'trɪʃən] n nutrition f, alimentation f

**nutritious** [njuː'trɪʃəs] adj nutritif(-ive), nourrissant(e)

**nuts** [nʌts] (inf) adj dingue

**NVQ** n abbr (BRIT) = **National Vocational Qualification**

**nylon** ['naɪlɔn] n nylon m ▷ adj de or en nylon

# O

**oak** [əuk] n chêne m ▷ cpd de or en (bois de) chêne

**O.A.P.** n abbr (BRIT) = **old age pensioner**

**oar** [ɔːʳ] n aviron m, rame f

**oasis** (pl **oases**) [əu'eɪsɪs, əu'eɪsiːz] n oasis f

**oath** [əuθ] n serment m; (swear word) juron m; **on** (BRIT) or **under ~** sous serment; assermenté(e)

**oatmeal** ['əutmiːl] n flocons mpl d'avoine

**oats** [əuts] n avoine f

**obedience** [ə'biːdɪəns] n obéissance f

**obedient** [ə'biːdɪənt] adj obéissant(e)

**obese** [əu'biːs] adj obèse

**obesity** [əu'biːsɪtɪ] n obésité f

**obey** [ə'beɪ] vt obéir à; (instructions, regulations) se conformer à ▷ vi obéir

**obituary** [ə'bɪtjuərɪ] n nécrologie f

**object** n ['ɔbdʒɪkt] objet m; (purpose) but m, objet; (Ling) complément *m* d'objet ▷ *vi* [əb'dʒɛkt]: **to ~ to** (*attitude*) désapprouver; (*proposal*) protester contre, élever une objection contre; **I ~ !** je proteste!; **he ~ed that ...** il a fait valoir or a objecté que ...; **money is no ~** l'argent n'est pas un problème; **objection** [əb'dʒɛkʃən] *n* objection *f*; **if you have no objection** si vous n'y voyez pas d'inconvénient; **objective** [əb'dʒɛktɪv]: *m* ▷ *adj* objectif(-ive)

**obligation** [ɔblɪ'geɪʃən] *n* obligation *f*, devoir *m*; (*debt*) dette *f* (de reconnaissance)

**obligatory** [ə'blɪgətərɪ] *adj* obligatoire

**oblige** [ə'blaɪdʒ] *vt* (*force*): **to ~ sb to do** obliger or forcer qn à faire; (*do a favour*) rendre service à, obliger; **to be ~d to sb for sth** être obligé(e) à qn de qch

**oblique** [ə'bliːk] *adj* oblique; (*allusion*) indirect(e)

**obliterate** [ə'blɪtəreɪt] *vt* effacer

**oblivious** [ə'blɪvɪəs] *adj*: **~ of** oublieux(-euse) de

**oblong** [ˈɔblɔŋ] *adj* oblong(ue) ▷ *n* rectangle *m*

**obnoxious** [əb'nɔkʃəs] *adj* odieux(-euse); (*smell*) nauséabond(e)

**oboe** [ˈəubəu] *n* hautbois *m*

**obscene** [əb'siːn] *adj* obscène

**obscure** [əb'skjuə] *adj* obscur(e) ▷ *vt* obscurcir; (*hide: sun*) cacher

**observant** [əb'zəːvnt] *adj* observateur(-trice)

**observation** [ɔbzə'veɪʃən] *n* observation *f*; (*by police etc*) surveillance *f*

**observatory** [əb'zəːvətrɪ] *n* observatoire *m*

**observe** [əb'zəːv] *vt* observer; (*remark*) faire observer or remarquer; **observer** *n* observateur(-trice)

**obsess** [əb'sɛs] *vt* obséder; **obsession** [əb'sɛʃən] *n* obsession *f*; **obsessive** *adj* obsédant(e)

**obsolete** [ˈɔbsəliːt] *adj* dépassé(e), périmé(e)

**obstacle** [ˈɔbstəkl] *n* obstacle *m*

**obstinate** [ˈɔbstɪnɪt] *adj* obstiné(e); (*pain, cold*) persistant(e)

**obstruct** [əb'strʌkt] *vt* (*block*) boucher, obstruer; (*hinder*) entraver; **obstruction** [əb'strʌkʃən] *n* obstruction *f*; (*to plan, progress*) obstacle *m*

**obtain** [əb'teɪn] *vt* obtenir

**obvious** [ˈɔbvɪəs] *adj* évident(e), manifeste; **obviously** *adv* manifestement; **obviously!** bien sûr!; **obviously not!** évidemment pas!, bien sûr que non!

**occasion** [ə'keɪʒən] *n* occasion *f*; (*event*) événement *m*; **occasional** *adj* pris(e) or fait(e) etc de temps en temps; (*worker, spending*) occasionnel(le); **occasionally** *adv* de temps en temps, quelquefois

**occult** [ɔ'kʌlt] *adj* occulte ▷ *n*: **the ~** le surnaturel

**occupant** [ˈɔkjupənt] *n* occupant *m*

**occupation** [ɔkju'peɪʃən] *n* occupation *f*; (*job*) métier *m*, profession *f*

**occupy** [ˈɔkjupaɪ] *vt* occuper; **to ~ o.s. with or by doing** s'occuper à faire

**occur** [ə'kəː] *vi* se produire; (*difficulty, opportunity*) se présenter; (*phenomenon, error*) se rencontrer; **to ~ to sb** venir à l'esprit de qn; **occurrence** [ə'kʌrəns] *n* (*existence*) présence *f*, existence *f*; (*event*) cas *m*, fait *m*

**ocean** [ˈəuʃən] *n* océan *m*

**o'clock** [ə'klɔk] *adv*: **it is 5 ~** il est 5 heures

**Oct.** *abbr* (= *October*) oct

**October** [ɔk'təubə] *n* octobre *m*

**octopus** [ˈɔktəpəs] *n* pieuvre *f*

**odd** [ɔd] *adj* (*strange*) bizarre, curieux(-euse); (*number*) impair(e); (*not of a set*) dépareillé(e); **60-~** 60 et quelques; **at ~ times** de temps en temps; **the ~ one out** l'exception *f*; **oddly** *adv* bizarrement,

curieusement; **odds** npl (in betting)
cote f; **it makes no odds** cela n'a
pas d'importance; **odds and ends**
de petites choses; **at odds** en
désaccord

**odometer** [ɔˈdɔmɪtəʳ] n (us)
odomètre m

**odour**, (us) **odor** [ˈəudəʳ] n odeur f

○ **KEYWORD**

**of** [ɔv, əv] prep 1 (gen) de; **a friend of
ours** un de nos amis; **a boy of 10** un
garçon de 10 ans; **that was kind of
you** c'était gentil de votre part
2 (expressing quantity, amount, dates
etc) de; **a kilo of flour** un kilo de
farine; **how much of this do you
need?** combien vous en faut-il?;
**there were three of them** (people)
ils étaient 3; (objects) il y en avait
3; **three of us went** 3 d'entre nous
y sont allé(e)s; **the 5th of July** le 5
juillet; **a quarter of 4** (us) 4 heures
moins le quart
3 (from, out of) en, de; **a statue of
marble** une statue de or en marbre;
**made of wood** (fait) en bois

**off** [ɔf] adj, adv (engine) coupé(e);
(light, TV) éteint(e); (tap) fermé(e);
(BRIT: food) mauvais(e), avancé(e);
(: milk) tourné(e); (absent) absent(e);
(cancelled) annulé(e); (removed): **the
lid was ~** le couvercle était retiré
or n'était pas mis; (away): **to run/
drive ~** partir en courant/en voiture
▷ prep de; **to be ~** (to leave) partir, s'en
aller; **to be ~ sick** être absent pour
cause de maladie; **a day ~** un jour de
congé; **to have an ~ day** n'être pas
en forme; **he had his coat ~** il avait
enlevé son manteau; **10% ~** (Comm)
10% de rabais; **5 km ~ (the road)** à 5
km (de la route); ~ **the coast** au large
de la côte; **it's a long way ~** c'est loin
(d'ici); **I'm ~ meat** je ne mange plus
de viande; je n'aime plus la viande; **on**

**the ~ chance** à tout hasard; ~ **and
on, on and ~** de temps à autre

**offence**, (us) **offense** [əˈfɛns] n
(crime) délit m, infraction f; **to take ~
at** se vexer de, s'offenser de

**offend** [əˈfɛnd] vt (person) offenser,
blesser; **offender** n délinquant(e);
(against regulations) contrevenant(e)

**offense** [əˈfɛns] n (us) = **offence**

**offensive** [əˈfɛnsɪv] adj offensant(e),
choquant(e); (smell etc) très
déplaisant(e); (weapon) offensif(-ive)
▷ n (Mil) offensive f

**offer** [ˈɔfəʳ] n offre f, proposition f ▷ vt
offrir, proposer; **"on ~"** (Comm) "en
promotion"

**offhand** [ɔfˈhænd] adj désinvolte
▷ adv spontanément

**office** [ˈɔfɪs] n (place) bureau m;
(position) charge f, fonction f;
**doctor's ~** (us) cabinet (médical);
**to take ~** entrer en fonctions;
**office block**, (us) **office building**
n immeuble m de bureaux; **office
hours** npl heures fpl de bureau; (us
Med) heures de consultation

**officer** [ˈɔfɪsəʳ] n (Mil etc) officier m;
(also: **police ~**) agent m (de police);
(of organization) membre m du bureau
directeur

**office worker** n employé(e) de bureau

**official** [əˈfɪʃl] adj (authorized)
officiel(le) ▷ n officiel m; (civil servant)
fonctionnaire m/f; (of railways, post
office, town hall) employé(e)

**off-licence** n (BRIT: shop) débit
m de vins et de spiritueux; **off-line**
adj (Comput) (en mode) autonome
(: switched off) non connecté(e);
**off-peak** adj aux heures creuses;
(electricity, ticket) au tarif heures
creuses; **off-putting** adj (BRIT)
(remark) rébarbatif(-ive); (person)
rebutant(e), peu engageant(e); **off-
season** adj, adv hors-saison inv

**offset** [ˈɔfsɛt] vt (irreg: like **set**)
(counteract) contrebalancer,
compenser

**offshore** [ɔfˈʃɔːʳ] *adj* (*breeze*) de terre; (*island*) proche du littoral; (*fishing*) côtier(-ière)

**offside** [ˈɔfˈsaɪd] *adj* (*Sport*) hors jeu; (*Aut: in Britain*) de droite; (*: in US, Europe*) de gauche

**offspring** [ˈɔfsprɪŋ] *n* progéniture *f*

**often** [ˈɔfn] *adv* souvent; **how ~ do you go?** vous y allez tous les combien?; **every so ~** de temps en temps, de temps à autre

**oh** [əu] *excl* ô!, oh!, ah!

**oil** [ɔɪl] *n* huile *f*; (*petroleum*) pétrole *m*; (*for central heating*) mazout *m* ▷ *vt* (*machine*) graisser; **oil filter** *n* (*Aut*) filtre *m* à huile; **oil painting** *n* peinture *f* à l'huile; **oil refinery** *n* raffinerie *f* de pétrole; **oil rig** *n* derrick *m*; (*at sea*) plate-forme pétrolière; **oil slick** *n* nappe *f* de mazout; **oil tanker** *n* (*ship*) pétrolier *m*; (*truck*) camion-citerne *m*; **oil well** *n* puits *m* de pétrole; **oily** *adj* huileux(-euse); (*food*) gras(se)

**ointment** [ˈɔɪntmənt] *n* onguent *m*

**O.K., okay** [ˈəuˈkeɪ] *excl* d'accord! ▷ *vt* approuver, donner son accord à ▷ *adj* (*not bad*) pas mal; **is it ~?, are you ~?** ça va?

**old** [əuld] *adj* vieux (vieille); (*person*) vieux, âgé(e); (*former*) ancien(ne), vieux; **how ~ are you?** quel âge avez-vous?; **he's 10 years ~** il a 10 ans, il est âgé de 10 ans; **~er brother/sister** frère/sœur aîné(e); **old age** *n* vieillesse *f*; **old-age pensioner** (*BRIT*) retraité(e); **old-fashioned** *adj* démodé(e); (*person*) vieux jeu *inv*; **old people's home** *n* (*esp BRIT*) maison *f* de retraite

**olive** [ˈɔlɪv] *n* (*fruit*) olive *f*; (*tree*) olivier *m* ▷ *adj* (*also: **~-green**) (vert) olive *inv*; **olive oil** *n* huile *f* d'olive

**Olympic** [əuˈlɪmpɪk] *adj* olympique; **the ~ Games, the ~s** les Jeux *mpl* olympiques

**omelet(te)** [ˈɔmlɪt] *n* omelette *f*

**omen** [ˈəumən] *n* présage *m*

**ominous** [ˈɔmɪnəs] *adj* menaçant(e), inquiétant(e); (*event*) de mauvais augure

**omit** [əuˈmɪt] *vt* omettre

**on** [ɔn] *prep* **1** (*indicating position*) sur; **on the table** sur la table; **on the wall** sur le or au mur; **on the left** à gauche

**2** (*indicating means, method, condition etc*) **on foot** à pied; **on the train/plane** (*be*) dans le train/l'avion; (*go*) en train/avion; **on the telephone/radio/television** au téléphone/à la radio/à la télévision; **to be on drugs** se droguer; **on holiday**, (*us*) **on vacation** en vacances

**3** (*referring to time*): **on Friday** vendredi; **on Fridays** le vendredi; **on June 20th** le 20 juin; **a week on Friday** vendredi en huit; **on arrival** à l'arrivée; **on seeing this** en voyant cela

**4** (*about, concerning*) sur, de; **a book on Balzac/physics** un livre sur Balzac/de physique

▷ *adv* **1** (*referring to dress*): **to have one's coat on** avoir (mis) son manteau; **to put one's coat on** mettre son manteau; **what's she got on?** qu'est-ce qu'elle porte?

**2** (*referring to covering*): **screw the lid on tightly** vissez bien le couvercle

**3** (*further, continuously*): **to walk** *etc* **on** continuer à marcher *etc*; **from that day on** depuis ce jour

▷ *adj* **1** (*in operation: machine*) en marche; (*: radio, TV, light*) allumé(e); (*: tap, gas*) ouvert(e); (*: brakes*) mis(e); **is the meeting still on?** (*not cancelled*) est-ce que la réunion a bien lieu?; **when is this film on?** quand passe ce film?

**2** (*inf*): **that's not on!** (*not acceptable*) cela ne se fait pas!; (*not possible*) pas question!

**once** [wʌns] adv une fois; (formerly)
autrefois ▷ conj une fois que + sub;
**~ he had left/it was done** une fois
qu'il fut parti/ que ce fut terminé;
**at ~** tout de suite, immédiatement;
(simultaneously) à la fois; **all at ~** adv
tout d'un coup; **~ a week** une fois par
semaine; **~ more** encore une fois;
**~ and for all** une fois pour toutes;
**~ upon a time there was ...** il y avait
une fois ..., il était une fois ...

**oncoming** ['ɒnkʌmɪŋ] adj (traffic)
venant en sens inverse

**KEYWORD**

**one** [wʌn] num un(e); **one hundred
and fifty** cent cinquante; **one by
one** un(e) à or par un(e); **one day**
un jour
▷ adj **1** (sole) seul(e), unique; **the
one book which** l'unique or le seul
livre qui; **the one man who** le seul
(homme) qui
**2** (same) même; **they came in the
one car** ils sont venus dans la même
voiture
▷ pron **1**: **this one** celui-ci (celle-ci);
**that one** celui-là (celle-là); **I've
already got one/a red one** j'en ai
déjà un(e)/un(e) rouge; **which one
do you want?** lequel voulez-vous?
**2**: **one another** l'un(e)/l'autre; **to
look at one another** se regarder
**3** (impersonal) on; **one never knows**
on ne sait jamais; **to cut one's finger**
se couper le doigt; **one needs to eat**
il faut manger

**one-off** [wʌn'ɒf] n (BRIT inf)
exemplaire m unique
**oneself** [wʌn'sɛlf] pron se; (after prep,
also emphatic) soi-même; **to hurt ~**
se faire mal; **to keep sth for ~** garder
qch pour soi; **to talk to ~** se parler à
soi-même; **by ~** tout seul
**one:** **one-shot** [wʌn'ʃɒt] (US) n
= **one-off**; **one-sided** adj (argument,

decision) unilatéral(e); **one-to-one**
adj (relationship) univoque; **one-way**
adj (street, traffic) à sens unique
**ongoing** ['ɒngəʊɪŋ] adj en cours;
(relationship) suivi(e)
**onion** ['ʌnjən] n oignon m
**on-line** ['ɒnlaɪn] adj (Comput) en ligne
(: switched on) connecté(e)
**onlooker** ['ɒnlʊkəʳ] n
spectateur(-trice)
**only** ['əʊnlɪ] adv seulement ▷ adj
seul(e), unique ▷ conj seulement,
mais; **an ~ child** un enfant unique;
**not ~ ... but also** non seulement
... mais aussi; **I ~ took one** j'en ai
seulement pris un, je n'en ai pris qu'un
**on-screen** [ɒn'skri:n] adj à l'écran
**onset** ['ɒnsɛt] n début m; (of winter, old
age) approche f
**onto** ['ɒntu] prep sur
**onward(s)** ['ɒnwəd(z)] adv (move) en
avant; **from that time ~** à partir de
ce moment
**oops** [ups] excl houp!
**ooze** [u:z] vi suinter
**opaque** [əʊ'peɪk] adj opaque
**open** ['əʊpn] adj ouvert(e); (car)
découvert(e); (road, view) dégagé(e);
(meeting) public(-ique); (admiration)
manifeste ▷ vt ouvrir ▷ vi (flower,
eyes, door, debate) s'ouvrir; (shop,
bank, museum) ouvrir; (book etc:
commence) commencer, débuter;
**is it ~ to public?** est-ce ouvert au
public?; **what time do you ~?** à
quelle heure ouvrez-vous?; **in the ~
(air)** en plein air; **open up** vt ouvrir;
(blocked road) dégager ▷ vi s'ouvrir;
**open-air** adj en plein air; **opening** n
ouverture f; (opportunity) occasion
f; (work) débouché m; (job) poste
vacant; **opening hours** npl heures
fpl d'ouverture; **open learning** n
enseignement universitaire à la carte,
notamment par correspondance,
(distance learning) télé-enseignement
m; **openly** adv ouvertement;
**open-minded** adj à l'esprit ouvert;

**open-necked** adj à col ouvert; **open-plan** adj sans cloisons; **Open University** n (BRIT) cours universitaires par correspondance

- **OPEN UNIVERSITY**
-
- L'*Open University* a été fondée en
- 1969. L'enseignement comprend
- des cours (certaines plages horaires
- sont réservées à cet effet à la
- télévision et à la radio), des devoirs
- qui sont envoyés par l'étudiant
- à son directeur ou sa directrice
- d'études, et un séjour obligatoire en
- université d'été. Il faut préparer un
- certain nombre d'unités de valeur
- pendant une période de temps
- déterminée et obtenir la moyenne
- à un certain nombre d'entre elles
- pour recevoir le diplôme visé.

**opera** ['ɔpərə] n opéra m; **opera house** n opéra m; **opera singer** n chanteur(-euse) d'opéra
**operate** ['ɔpəreɪt] vt (machine) faire marcher, faire fonctionner ▷ vi fonctionner; **to ~ on sb (for)** (Med) opérer qn (de)
**operating room** n (us Med) salle f d'opération
**operating theatre** n (BRIT Med) salle f d'opération
**operation** [ɔpə'reɪʃən] n opération f; (of machine) fonctionnement m; **to have an ~ (for)** se faire opérer (de); **to be in ~** (machine) être en service; (system) être en vigueur; **operational** adj opérationnel(le); (ready for use) en état de marche
**operative** ['ɔpərətɪv] adj (measure) en vigueur ▷ n (in factory) ouvrier(-ière)
**operator** ['ɔpəreɪtə[r]] n (of machine) opérateur(-trice); (Tel) téléphoniste m/f
**opinion** [ə'pɪnjən] n opinion f, avis m; **in my ~** à mon avis; **opinion poll** n sondage m d'opinion

**opponent** [ə'pəunənt] n adversaire m/f
**opportunity** [ɔpə'tjuːnɪtɪ] n occasion f; **to take the ~ to do** or **of doing** profiter de l'occasion pour faire
**oppose** [ə'pəuz] vt s'opposer à; **to be ~d to sth** être opposé(e) à qch; **as ~d to** par opposition à
**opposite** ['ɔpəzɪt] adj opposé(e); (house etc) d'en face ▷ adv en face ▷ prep en face de ▷ n opposé m, contraire m; (of word) contraire
**opposition** [ɔpə'zɪʃən] n opposition f
**oppress** [ə'prɛs] vt opprimer
**opt** [ɔpt] vi: **to ~ for** opter pour; **to ~ to do** choisir de faire; **opt out** vi: **to ~ out of** choisir de ne pas participer à ou de ne pas faire
**optician** [ɔp'tɪʃən] n opticien(ne)
**optimism** ['ɔptɪmɪzəm] n optimisme m
**optimist** ['ɔptɪmɪst] n optimiste m/f; **optimistic** [ɔptɪ'mɪstɪk] adj optimiste
**optimum** ['ɔptɪməm] adj optimum
**option** ['ɔpʃən] n choix m, option f; (Scol) matière f à option; **optional** adj facultatif(-ive)

O

**or** [ɔː[r]] conj ou; (with negative): **he hasn't seen or heard anything** il n'a rien vu ni entendu; **or else** sinon; ou bien
**oral** ['ɔːrəl] adj oral(e) ▷ n oral m
**orange** ['ɔrɪndʒ] n (fruit) orange f ▷ adj orange inv; **orange juice** n jus m d'orange
**orbit** ['ɔːbɪt] n orbite f ▷ vt graviter autour de
**orchard** ['ɔːtʃəd] n verger m
**orchestra** ['ɔːkɪstrə] n orchestre m; (us: seating) (fauteuils mpl d')orchestre
**orchid** ['ɔːkɪd] n orchidée f
**ordeal** [ɔː'diːl] n épreuve f
**order** ['ɔːdə[r]] n ordre m; (Comm) commande f ▷ vt ordonner; (Comm) commander; **in ~** en ordre; (document) en règle; **out of ~** (not in correct order) en désordre;

(machine) hors service; (telephone) en dérangement; **a machine in working** ~ une machine en état de marche; **in ~ to do/that** pour faire/ que + sub; **could I ~ now, please?** je peux commander, s'il vous plaît?; **to be on** ~ être en commande; **to ~ sb to do** ordonner à qn de faire; **order form** n bon m de commande; **orderly** n (Mil) ordonnance f; (Med) garçon m de salle ▷ adj (room) en ordre; (mind) méthodique; (person) qui a de l'ordre

**ordinary** ['ɔːdnrɪ] adj ordinaire, normal(e); (pej) ordinaire, quelconque; **out of the ~** exceptionnel(le)

**ore** [ɔː] n minerai m

**oregano** [ɔrɪ'gɑːnəʊ] n origan m

**organ** ['ɔːɡən] n organe m; (Mus) orgue m, orgues fpl; **organic** [ɔː'gænɪk] adj organique; (crops etc) biologique, naturel(le); **organism** n organisme m

**organization** [ɔːɡənaɪ'zeɪʃən] n organisation f

**organize** ['ɔːɡənaɪz] vt organiser; **organized** ['ɔːɡənaɪzd] adj (planned) organisé(e); (efficient) bien organisé; **organizer** n organisateur(-trice)

**orgasm** ['ɔːɡæzəm] n orgasme m

**orgy** ['ɔːdʒɪ] n orgie f

**oriental** [ɔːrɪ'ɛntl] adj oriental(e)

**orientation** [ɔːrɪɛn'teɪʃən] n (attitudes) tendance f; (in job) orientation f; (of building) orientation, exposition f

**origin** ['ɒrɪdʒɪn] n origine f

**original** [ə'rɪdʒɪnl] adj original(e); (earliest) originel(le) ▷ n original m; **originally** adv (at first) à l'origine

**originate** [ə'rɪdʒɪneɪt] vi: **to ~ from** être originaire de; (suggestion) provenir de; **to ~ in** (custom) prendre naissance dans, avoir son origine dans

**Orkney** ['ɔːknɪ] n (also: **the ~s, the ~ Islands**) les Orcades fpl

**ornament** ['ɔːnəmənt] n ornement m; (trinket) bibelot m; **ornamental** [ɔːnə'mɛntl] adj décoratif(-ive); (garden) d'agrément

**ornate** [ɔː'neɪt] adj très orné(e)

**orphan** ['ɔːfn] n orphelin(e)

**orthodox** ['ɔːθədɒks] adj orthodoxe

**orthopaedic, (us) orthopedic** [ɔːθə'piːdɪk] adj orthopédique

**osteopath** ['ɒstɪəpæθ] n ostéopathe m/f

**ostrich** ['ɒstrɪtʃ] n autruche f

**other** ['ʌðə] adj autre ▷ pron: **the ~ (one)** l'autre; **~s** (other people) d'autres ▷ adv: **~ than** autrement que; à part; **the ~ day** l'autre jour; **otherwise** adv, conj autrement

**Ottawa** ['ɒtəwə] n Ottawa f

**otter** ['ɒtə] n loutre f

**ouch** [autʃ] excl aïe!

**ought** [ɔːt] aux vb: **I ~ to do it** je devrais le faire, il faudrait que je le fasse; **this ~ to have been corrected** cela aurait dû être corrigé; **he ~ to win** (probability) il devrait gagner

**ounce** [auns] n once f (28.35g; 16 in a pound)

**our** ['auə] adj notre, nos pl; see also **my**; **ours** pron le (la) nôtre, les nôtres; see also **mine**[1]; **ourselves** pl pron (reflexive, after preposition) nous; (emphatic) nous-mêmes; see also **oneself**

**oust** [aust] vt évincer

**out** [aut] adv dehors; (published, not at home etc) sorti(e); (light, fire) éteint(e); **~ there** là-bas; **he's ~** (absent) il est sorti; **to be ~ in one's calculations** s'être trompé dans ses calculs; **to run/back etc ~** sortir en courant/en reculant etc; **~ loud** adv à haute voix; **~ of** prep (outside) en dehors de; (because of: anger etc) par; (from among): **10 ~ of 10** sur 10; (without): **~ of petrol** sans essence, à court d'essence; **~ of order** (machine) en panne; (Tel: line) en dérangement; **outback** n (in Australia) intérieur m; **outbound** adj: **outbound (from/for)** en partance (de/pour); **outbreak** n (of violence) éruption f, explosion f; (of disease) de nombreux cas; **the outbreak of war south of the border** la guerre qui s'est déclarée au sud de la frontière; **outburst** n explosion f, accès m; **outcast** n exilé(e); (socially) paria m; **outcome** n issue f, résultat m; **outcry** n tollé (général); **outdated** adj démodé(e); **outdoor** adj de or en plein air; **outdoors** adv dehors; au grand air

**outer** ['autə'] adj extérieur(e); **outer space** n espace m cosmique

**outfit** ['autfit] n (clothes) tenue f

**out**: **outgoing** adj (president, tenant) sortant(e); (character) ouvert(e), extraverti(e); **outgoings** npl (BRIT: expenses) dépenses fpl; **outhouse** n appentis m, remise f

**outing** ['autɪŋ] n sortie f, excursion f

**out**: **outlaw** n hors-la-loi m inv ▷ vt (person) mettre hors la loi; (practice) proscrire; **outlay** n dépenses fpl; (investment) mise f de fonds; **outlet** n (for liquid etc) issue f, sortie f; (for emotion) exutoire m; (also: **retail outlet**) point m de vente; (US Elec) prise f de courant; **outline** n (shape) contour m; (summary) esquisse f, grandes lignes ▷ vt (fig: theory, plan) exposer à grands traits; **outlook** n perspective f; (point of view) attitude f; **outnumber** vt surpasser en nombre; **out-of-date** adj (passport, ticket) périmé(e); (theory, idea) dépassé(e); (custom) désuet(-ète); (clothes) démodé(e); **out-of-doors** adv = **outdoors**; **out-of-the-way** adj loin de tout; **out-of-town** adj (shopping centre etc) en périphérie; **outpatient** n malade m/f en consultation externe; **outpost** n avant-poste m; **output** n rendement m, production f; (Comput) sortie f ▷ vt (Comput) sortir

**outrage** ['autreɪdʒ] n (anger) indignation f; (violent act) atrocité f, acte m de violence; (scandal) scandale m ▷ vt outrager; **outrageous** [aut'reɪdʒəs] adj atroce; (scandalous) scandaleux(-euse)

**outright** adv [aut'raɪt] complètement; (deny, refuse) catégoriquement; (ask) carrément; (kill) sur le coup ▷ adj ['autraɪt] complet(-ète); catégorique

**outset** ['autsɛt] n début m

**outside** [aut'saɪd] n extérieur m ▷ adj extérieur(e) ▷ adv (au) dehors, à l'extérieur ▷ prep hors de, à l'extérieur de; (in front of) devant; **at the ~** (fig) au plus or maximum; **outside lane** n (Aut: in Britain) voie f de droite; (: in US, Europe) voie f de gauche; **outside line** n (Tel) ligne extérieure; **outsider** n (stranger) étranger(-ère)

**out**: **outsize** adj énorme; (clothes) grande taille inv; **outskirts** npl faubourgs mpl; **outspoken** adj très franc (franche); **outstanding** adj remarquable, exceptionnel(le); (unfinished: work, business) en suspens, en souffrance; (debt) impayé(e); (problem) non réglé(e)

**outward** ['autwəd] adj (sign, appearances) extérieur(e); (journey) (d')aller; **outwards** adv (esp BRIT) = **outward**

**outweigh** [aut'weɪ] vt l'emporter sur

**oval** ['auvl] adj, n ovale m

**ovary** ['auvəri] n ovaire m

**oven** ['ʌvn] n four m; **oven glove** n gant m de cuisine; **ovenproof** adj allant au four; **oven-ready** adj prêt(e) à cuire

**over** ['auvə'] adv (par-)dessus ▷ adj (finished) fini(e), terminé(e); (too much) en plus ▷ prep sur; par-dessus; (above) au-dessus de; (on the other side of) de l'autre côté de; (more than) plus de; (during) pendant; (about, concerning): **they fell out ~ money/ her** ils se sont brouillés pour des

**o**

questions d'argent/à cause d'elle;
**~ here** ici; **~ there** là-bas; **all ~**
(everywhere) partout; **~ and ~ (again)**
à plusieurs reprises); **~ and above**
en plus de; **to ask sb ~** inviter qn (à
passer); **to fall ~** tomber; **to turn
sth ~** retourner qch

**overall** [əʊvər'ɔːl] adj (length)
total(e); (study, impression)
d'ensemble ⊳ n (BRIT) blouse f ⊳ adv
[əʊvər'ɔːl] dans l'ensemble, en
général; **overalls** npl (boiler suit) bleus
mpl (de travail)

**overboard** ['əʊvəbɔːd] adv (Naut)
par-dessus bord

**overcame** [əʊvə'keɪm] pt of
**overcome**

**overcast** ['əʊvəkɑːst] adj couvert(e)

**overcharge** ['əʊvə'tʃɑːdʒ] vt: **to ~ sb
for sth** faire payer qch trop cher à qn

**overcoat** ['əʊvəkəʊt] n pardessus m

**overcome** [əʊvə'kʌm] vt (irreg:
like **come**) (defeat) triompher
de; (difficulty) surmonter ⊳ adj
(emotionally) bouleversé(e); **~ with
grief** accablé(e) de douleur

**over: overcrowded** adj bondé(e);
(city, country) surpeuplé(e); **overdo**
vt (irreg: like **do**) exagérer; (overcook)
trop cuire; **to overdo it, to overdo
things** (work too hard) en faire
trop, se surmener; **overdone**
[əʊvə'dʌn] adj (vegetables, steak)
trop cuit(e); **overdose** n dose
excessive; **overdraft** n découvert
m; **overdrawn** adj (account) à
découvert; **overdue** adj en retard;
(bill) impayé(e); (change) qui tarde;
**overestimate** vt surestimer

**overflow** vi [əʊvə'fləʊ] déborder
⊳ n ['əʊvəfləʊ] (also: **~ pipe**) tuyau m
d'écoulement, trop-plein m

**overgrown** [əʊvə'grəʊn] adj (garden)
envahi(e) par la végétation

**overhaul** vt (irreg [əʊvə'hɔːl] réviser ⊳ n
['əʊvəhɔːl] révision f

**overhead** adv [əʊvə'hed] au-dessus
⊳ adj ['əʊvəhed] aérien(ne); (lighting)

vertical(e) ⊳ n ['əʊvəhed] (US)
= **overheads**; **overhead projector**
n rétroprojecteur m; **overheads** npl
(BRIT) frais généraux

**over: overhear** vt (irreg: like **hear**)
entendre (par hasard); **overheat**
vi (engine) chauffer; **overland** adj,
adv par voie de terre; **overlap** vi se
chevaucher; **overleaf** adv au verso;
**overload** vt surcharger; **overlook** vt
(have view of) donner sur; (miss) oublier,
négliger; (forgive) fermer les yeux sur

**overnight** adv [əʊvə'naɪt] (happen)
durant la nuit; (fig) soudain ⊳ adj
['əʊvənaɪt] d'une (or de) nuit;
soudain(e); **to stay ~ (with sb)**
passer la nuit (chez qn); **overnight
bag** n nécessaire m de voyage

**overpass** ['əʊvəpɑːs] n (us: for cars)
pont autoroutier m; (for pedestrians)
passerelle f, pont m

**overpower** [əʊvə'paʊər] vt vaincre;
(fig) accabler; **overpowering** adj
irrésistible; (heat, stench) suffocant(e)

**over: overreact** [əʊvəri:'ækt] vi
réagir de façon excessive; **overrule**
vt (decision) annuler; (claim) rejeter;
(person) rejeter l'avis de; **overrun**
vt (irreg: like **run**) (Mil: country etc)
occuper; (time limit etc) dépasser ⊳ vi
dépasser le temps imparti

**overseas** [əʊvə'si:z] adv outre-mer;
(abroad) à l'étranger ⊳ adj (trade)
extérieur(e); (visitor) étranger(-ère)

**oversee** [əʊvə'si:] vt (irreg: like **see**)
surveiller

**overshadow** [əʊvə'ʃædəʊ] vt (fig)
éclipser

**oversight** ['əʊvəsaɪt] n omission f,
oubli m

**oversleep** [əʊvə'sli:p] vi (irreg: like
**sleep**) se réveiller (trop) tard

**overspend** [əʊvə'spend] vi (irreg: like
**spend**) dépenser de trop

**overt** [əʊ'vɜːt] adj non dissimulé(e)

**overtake** [əʊvə'teɪk] vt (irreg: like
**take**) dépasser; (BRIT Aut) dépasser,
doubler

**over: overthrow** vt (irreg: like **throw**) (government) renverser; **overtime** n heures fpl supplémentaires; **overturn** vt renverser; (decision, plan) annuler ▷ vi se retourner; **overweight** adj (person) trop gros(se); **overwhelm** vt (subj: emotion) accabler, submerger; (enemy, opponent) écraser; **overwhelming** adj (victory, defeat) écrasant(e); (desire) irrésistible

**owe** [əʊ] vt devoir; **to ~ sth to sb**, **to ~ sth to sb** devoir qch à qn; **how much do I ~ you?** combien est-ce que je vous dois?; **owing to** prep à cause de, en raison de

**owl** [aʊl] n hibou m

**own** [əʊn] vt posséder ▷ adj propre; **a room of my ~** une chambre à moi, ma propre chambre; **to get one's ~ back** prendre sa revanche; **on one's ~** tout(e) seul(e); **own up** vi avouer; **owner** n propriétaire m/f; **ownership** n possession f

**ox** (pl **oxen**) [ɔks, 'ɔksn] n bœuf m

**Oxbridge** ['ɔksbrɪdʒ] n (BRIT) les universités d'Oxford et de Cambridge

**oxen** ['ɔksən] npl of **ox**

**oxygen** ['ɔksɪdʒən] n oxygène m

**oyster** ['ɔɪstər] n huître f

**oz.** abbr = **ounce; ounces**

**ozone** ['əʊzəʊn] n ozone m; **ozone friendly** adj qui n'attaque pas or qui préserve la couche d'ozone; **ozone layer** n couche f d'ozone

# p

**p** abbr (BRIT) = **penny; pence**

**P.A.** n abbr = **personal assistant; public address system**

**p.a.** abbr = **per annum**

**pace** [peɪs] n pas m; (speed) allure f; vitesse f ▷ vi: **to ~ up and down** faire les cent pas; **to keep ~ with** aller à la même vitesse que; (events) se tenir au courant de; **pacemaker** n (Med) stimulateur m cardiaque; (Sport: also: **pacesetter**) meneur(-euse) de train

**Pacific** [pə'sɪfɪk] n: **the ~ (Ocean)** le Pacifique, l'océan m Pacifique

**pacifier** ['pæsɪfaɪər] n (us: dummy) tétine f

**pack** [pæk] n paquet m; (of hounds) meute f; (of thieves, wolves etc) bande f; (of cards) jeu m; (us: of cigarettes) paquet; (back pack) sac m à dos ▷ vt (goods) empaqueter, emballer; (in suitcase etc) emballer; (box) remplir; (cram) entasser ▷ vi: **to ~ (one's bags)** faire ses bagages; **pack in** (BRIT

inf) vi (machine) tomber en panne
▷ vt (boyfriend) plaquer; ~ **it in!** laisse
tomber!; **pack off** vt: **to ~ sb off to**
expédier qn à; **pack up** vi (BRIT inf:
machine) tomber en panne ▷ vt (belongings) ranger; (goods,
presents) empaqueter, emballer
**package** ['pækɪdʒ] n paquet m;
(also: ~ **deal**) (agreement) marché
global; (purchase) forfait m; (Comput)
progiciel m ▷ vt (goods) conditionner;
**package holiday** (BRIT) vacances
organisées; **package tour** n voyage
organisé
**packaging** ['pækɪdʒɪŋ] n (wrapping
materials) emballage m
**packed** [pækt] adj (crowded)
bondé(e); **packed lunch** (BRIT) n
repas froid
**packet** ['pækɪt] n paquet m
**packing** ['pækɪŋ] n emballage m
**pact** [pækt] n pacte m, traité m
**pad** [pæd] n bloc(-notes m) m; (to
prevent friction) tampon m ▷ vt
rembourrer; **padded** adj (jacket)
matelassé(e); (bra) rembourré(e)
**paddle** ['pædl] n (oar) pagaie f;
(US: for table tennis) raquette f de
ping-pong ▷ vi (with feet) barboter,
faire trempette ▷ vt: **to ~ a canoe** etc
pagayer; **paddling pool** n petit bassin
**paddock** ['pædək] n enclos m;
(Racing) paddock m
**padlock** ['pædlɔk] n cadenas m
**paedophile**, (US) **pedophile**
['piːdəʊfaɪl] n pédophile m
**page** [peɪdʒ] n (of book) page f; (also:
~ **boy**) groom m, chasseur m; (at
wedding) garçon m d'honneur ▷ vt (in
hotel etc) (faire) appeler
**pager** ['peɪdʒəʳ] n bip m (inf),
Alphapage® m
**paid** [peɪd] pt, pp of **pay** ▷ adj (work,
official) rémunéré(e); (holiday)
payé(e); **to put ~ to** (BRIT) mettre fin
à, mettre par terre
**pain** [peɪn] n douleur f; (inf: nuisance)
plaie f; **to be in ~** souffrir, avoir

mal; **to take ~s to do** se donner
du mal pour faire; **painful** adj
douloureux(-euse); (difficult) difficile,
pénible; **painkiller** n calmant
m, analgésique m; **painstaking**
['peɪnzteɪkɪŋ] adj (person)
soigneux(-euse); (work) soigné(e)
**paint** [peɪnt] n peinture f ▷ vt peindre;
**to ~ the door blue** peindre la porte
en bleu; **paintbrush** n pinceau m;
**painter** n peintre m; **painting** n
peinture f; (picture) tableau m
**pair** [peəʳ] n (of shoes, gloves etc) paire
f; (of people) couple m; ~ **of scissors**
(paire de) ciseaux mpl; ~ **of trousers**
pantalon m
**pajamas** [pəˈdʒɑːməz] npl (US)
pyjama m
**Pakistan** [pɑːkɪˈstɑːn] n Pakistan
m; **Pakistani** adj pakistanais(e) ▷ n
Pakistanais(e)
**pal** [pæl] n (inf) copain (copine)
**palace** ['pæləs] n palais m
**pale** [peɪl] adj pâle; ~ **blue** adj bleu
pâle inv
**Palestine** ['pælɪstaɪn] n Palestine
f; **Palestinian** [pælɪsˈtɪnɪən] adj
palestinien(ne) ▷ n Palestinien(ne)
**palm** [pɑːm] n (Anat) paume f; (also: ~
**tree**) palmier m ▷ vt: **to ~ sth off on
sb** (inf) refiler qch à qn
**pamper** ['pæmpəʳ] vt gâter, dorloter
**pamphlet** ['pæmflət] n brochure f
**pan** [pæn] n (also: **sauce~**) casserole f;
(also: **frying ~**) poêle f
**pancake** ['pænkeɪk] n crêpe f
**panda** ['pændə] n panda m
**pandemic** [pænˈdemɪk] n
pandémie f
**pane** [peɪn] n carreau m (de fenêtre),
vitre f
**panel** ['pænl] n (of wood, cloth etc)
panneau m; (Radio, TV) panel m,
invités mpl; (for interview, exams) jury m
**panhandler** ['pænhændləʳ] n (US
inf) mendiant(e)
**panic** ['pænɪk] n panique f,
affolement m ▷ vi s'affoler, paniquer

**panorama** [pænəˈrɑːmə] n
panorama m
**pansy** [ˈpænzɪ] n (Bot) pensée f
**pant** [pænt] vi haleter
**panther** [ˈpænθəʳ] n panthère f
**panties** [ˈpæntɪz] npl slip m, culotte f
**pantomime** [ˈpæntəmaɪm] n (BRIT)
spectacle m de Noël

* **PANTOMIME**

Une *pantomime* (à ne pas confondre
avec le mot tel qu'on l'utilise
en français), que l'on appelle
également de façon familière
"panto", est un genre de farce où le
personnage principal est souvent
un jeune garçon et où il y a toujours
une "dame", c'est-à-dire une vieille
femme jouée par un homme, et
un méchant. La plupart du temps,
l'histoire est basée sur un conte de
fées comme Cendrillon ou Le Chat
botté, et le public est encouragé
à participer en prévenant les héros
d'un danger imminent. Ce genre
de spectacle, qui s'adresse surtout
aux enfants, vise également un
public d'adultes au travers des
nombreuses plaisanteries faisant
allusion à des faits d'actualité.

**pants** [pænts] npl (BRIT: woman's)
culotte f, slip m; (: man's) slip, caleçon
m; (us: trousers) pantalon m
**pantyhose** [ˈpæntɪhəʊz] npl (US)
collant m
**paper** [ˈpeɪpəʳ] n papier m; (also:
**wall~**) papier peint; (also: **news~**)
journal m; (academic essay) article
m; (exam) épreuve écrite ▷ adj en or
de papier ▷ vt tapisser (de papier
peint); **papers** npl (also: **identity ~s**)
papiers mpl (d'identité); **paperback**
n livre broché or non relié; (small) livre
m de poche; **paper bag** n sac m en
papier; **paper clip** n trombone m;
**paper shop** n (BRIT) marchand m de

journaux; **paperwork** n papiers mpl;
(pej) paperasserie f
**paprika** [ˈpæprɪkə] n paprika m
**par** [pɑːʳ] n pair m; (Golf) normale f du
parcours; **on a ~ with** à égalité avec,
au même niveau que
**paracetamol** [pærəˈsiːtəmɒl] n
(BRIT) paracétamol m
**parachute** [ˈpærəʃuːt] n
parachute m
**parade** [pəˈreɪd] n défilé m ▷ vt (fig)
faire étalage de ▷ vi défiler
**paradise** [ˈpærədaɪs] n paradis m
**paradox** [ˈpærədɒks] n paradoxe m
**paraffin** [ˈpærəfɪn] n (BRIT): **~ (oil)**
pétrole (lampant)
**paragraph** [ˈpærəɡrɑːf] n
paragraphe m
**parallel** [ˈpærəlɛl] adj: **~ (with or to)**
parallèle (à); (fig) analogue (à) ▷ n
(line) parallèle f; (fig, Geo) parallèle m
**paralysed** [ˈpærəlaɪzd] adj
paralysé(e)
**paralysis** (pl **paralyses**) [pəˈrælɪsɪs,
-siːz] n paralysie f
**paramedic** [pærəˈmɛdɪk] n
auxiliaire m/f médical(e)
**paranoid** [ˈpærənɔɪd] adj (Psych)
paranoïaque; (neurotic) paranoïde
**parasite** [ˈpærəsaɪt] n parasite m
**parcel** [ˈpɑːsl] n paquet m, colis m ▷ vt
(also: **~ up**) empaqueter
**pardon** [ˈpɑːdn] n pardon m; (Law)
grâce f ▷ vt pardonner à; (Law)
gracier; **~! pardon!; ~ me!** (after
burping etc) excusez-moi!; **I beg your
~!** (I'm sorry) pardon!, je suis désolé!; **(I
beg your) ~?**, (US) **~ me?** (what did you
say?) pardon?
**parent** [ˈpɛərənt] n (father) père
m; (mother) mère f; **parents** npl
parents mpl; **parental** [pəˈrɛntl] adj
parental(e), des parents
**Paris** [ˈpærɪs] n Paris
**parish** [ˈpærɪʃ] n paroisse f; (BRIT: civil)
≈ commune f
**Parisian** [pəˈrɪzɪən] adj parisien(ne),
de Paris ▷ n Parisien(ne)

**park** [pɑːk] n parc m, jardin public ▷ vt garer ▷ vi se garer; **can I ~ here?** est-ce que je peux me garer ici?

**parking** ['pɑːkɪŋ] n stationnement m; **"no ~"** "stationnement interdit"; **parking lot** n (US) parking m, parc m de stationnement; **parking meter** n parc(o)mètre m; **parking ticket** n P.-V. m

> Be careful not to translate *parking* by the French word *parking*.

**parkway** ['pɑːkweɪ] n (US) route f express (en site vert ou aménagé)

**parliament** ['pɑːləmənt] n parlement m; **parliamentary** [pɑːlə'mentərɪ] adj parlementaire

**Parmesan** [pɑːmɪ'zæn] n (also: **~ cheese**) Parmesan m

**parole** [pə'rəʊl] n: **on ~** en liberté conditionnelle

**parrot** ['pærət] n perroquet m

**parsley** ['pɑːslɪ] n persil m

**parsnip** ['pɑːsnɪp] n panais m

**parson** ['pɑːsn] n ecclésiastique m; (Church of England) pasteur m

**part** [pɑːt] n partie f; (of machine) pièce f; (Theat) rôle m; (of serial) épisode m; (US: in hair) raie f ▷ adv **= partly** ▷ vt séparer ▷ vi (people) se séparer; (crowd) s'ouvrir; **to take ~ in** participer à, prendre part à; **to take sb's ~** prendre le parti de qn, prendre parti pour qn; **for my ~** en ce qui me concerne; **for the most ~** en grande partie; dans la plupart des cas; **in ~** en partie; **to take sth in good/bad ~** prendre qch du bon/mauvais côté; **part with** vt fus (person) se séparer de; (possessions) se défaire de

**partial** ['pɑːʃl] adj (incomplete) partiel(le); **to be ~ to** aimer, avoir un faible pour

**participant** [pɑː'tɪsɪpənt] n (in competition, campaign) participant(e)

**participate** [pɑː'tɪsɪpeɪt] vi: **~ (in)** participer (à), prendre part à

**particle** ['pɑːtɪkl] n particule f; (of dust) grain m

**particular** [pə'tɪkjʊləʳ] adj (specific) particulier(-ière); (special) particulier, spécial(e); (fussy) difficile, exigeant(e); (careful) méticuleux(-euse); **in ~** en particulier, surtout; **particularly** adv particulièrement; (in particular) en particulier; **particulars** npl détails mpl; (information) renseignements mpl

**parting** ['pɑːtɪŋ] n séparation f; (BRIT: in hair) raie f

**partition** [pɑː'tɪʃən] n (Pol) partition f, division f; (wall) cloison f

**partly** ['pɑːtlɪ] adv en partie, partiellement

**partner** ['pɑːtnəʳ] n (Comm) associé(e); (Sport) partenaire m/f; (spouse) conjoint(e); (lover) ami(e); (at dance) cavalier(-ière); **partnership** n association f

**partridge** ['pɑːtrɪdʒ] n perdrix f

**part-time** ['pɑːt'taɪm] adj, adv à mi-temps, à temps partiel

**party** ['pɑːtɪ] n (Pol) parti m; (celebration) fête f; (: formal) réception f; (: in evening) soirée f; (group) groupe m; (Law) partie f

**pass** [pɑːs] vt (time, object) passer; (place) passer devant; (friend) croiser; (exam) être reçu(e) à, réussir; (overtake) dépasser; (approve) approuver, accepter ▷ vi passer; (Scol) être reçu(e) ou admis(e), réussir ▷ n (permit) laissez-passer m inv; (membership card) carte f d'accès ou d'abonnement; (in mountains) col m; (Sport) passe f; (Scol: also: **~ mark**) **to get a ~** être reçu(e) (sans mention); **to ~ sb sth** passer qch à qn; **could you ~ the salt/oil, please?** pouvez-vous me passer le sel/l'huile, s'il vous plaît?; **to make a ~ at sb** (inf) faire des avances à qn; **pass away** vi mourir; **pass by** vi passer ▷ vt (ignore) négliger; **pass on** vt (hand on): **to ~ (on to)** transmettre (à); **pass out** vi s'évanouir; **pass over** vt (ignore) passer sous silence; **pass up** vt (opportunity) laisser passer;

**passable** adj (road) praticable; (work) acceptable

Be careful not to translate to pass an exam by the French expression passer un examen.

**passage** ['pæsɪdʒ] n (also: **~way**) couloir m; (gen, in book) passage m; (by boat) traversée f

**passenger** ['pæsɪndʒəʳ] n passager(-ère)

**passer-by** [pɑːsəˈbaɪ] n passant(e)

**passing place** n (Aut) aire f de croisement

**passion** ['pæʃən] n passion f; **passionate** adj passionné(e); **passion fruit** n fruit m de la passion

**passive** ['pæsɪv] adj (also: Ling) passif(-ive)

**passport** ['pɑːspɔːt] n passeport m; **passport control** n contrôle m des passeports; **passport office** n bureau m de délivrance des passeports

**password** ['pɑːswɜːd] n mot m de passe

**past** [pɑːst] prep (in front of) devant; (further than) au delà de, plus loin que; (later than) après; (later than) après ▷ adv: **to run ~** passer en courant ▷ adj passé(e); (president etc) ancien(ne) ▷ n passé m; **he's ~ forty** il a dépassé la quarantaine, il a plus de or passé quarante ans; **ten/quarter ~ eight** (BRIT) huit heures dix/un or et quart; **for the ~ few/3 days** depuis quelques jours; ces derniers/3 derniers jours

**pasta** ['pæstə] n pâtes fpl

**paste** [peɪst] n pâte f; (Culin: meat) pâté m (à tartiner); (: tomato) purée f, concentré m; (glue) colle f (de pâte) ▷ vt coller

**pastel** ['pæstl] adj pastel inv ▷ n (Art: pencil) (crayon m) pastel m; (: drawing) (dessin m au) pastel; (colour) ton m pastel inv

**pasteurized** ['pæstəraɪzd] adj pasteurisé(e)

**pastime** ['pɑːstaɪm] n passe-temps m inv, distraction f

**pastor** ['pɑːstəʳ] n pasteur m

**pastry** ['peɪstrɪ] n pâte f; (cake) pâtisserie f

**pasture** ['pɑːstʃəʳ] n pâturage m

**pasty¹** n ['pæstɪ] petit pâté (en croûte)

**pasty²** ['peɪstɪ] adj (complexion) terreux(-euse)

**pat** [pæt] vt donner une petite tape à; (dog) caresser

**patch** [pætʃ] n (of material) pièce f; (eye patch) cache m; (spot) tache f; (of land) parcelle f; (on tyre) rustine f ▷ vt (clothes) rapiécer; **a bad ~** (BRIT) une période difficile; **patchy** adj inégal(e); (incomplete) fragmentaire

**pâté** ['pæteɪ] n pâté m, terrine f

**patent** ['peɪtnt, us 'pætnt] n brevet m (d'invention) ▷ vt faire breveter ▷ adj patent(e), manifeste

**paternal** [pə'tɜːnl] adj paternel(le)

**paternity leave** [pə'tɜːnɪtɪ-] n congé m de paternité

**path** [pɑːθ] n chemin m, sentier m; (in garden) allée f; (of missile) trajectoire f

**pathetic** [pə'θetɪk] adj (pitiful) pitoyable; (very bad) lamentable, minable

**pathway** ['pɑːθweɪ] n chemin m, sentier m; (in garden) allée f

**patience** ['peɪʃns] n patience f; (BRIT Cards) réussite f

**patient** ['peɪʃnt] n malade m/f; (of dentist etc) patient(e) ▷ adj patient(e)

**patio** ['pætɪəʊ] n patio m

**patriotic** [pætrɪ'ɔtɪk] adj patriotique; (person) patriote

**patrol** [pə'trəʊl] n patrouille f ▷ vt patrouiller dans; **patrol car** n voiture f de police

**patron** ['peɪtrən] n (in shop) client(e); (of charity) patron(ne); **~ of the arts** mécène m

**patronizing** ['pætrənaɪzɪŋ] adj condescendant(e)

**pattern** ['pætən] n (Sewing) patron m; (design) motif m; **patterned** adj à motifs

**pause** [pɔːz] n pause f, arrêt m ▷ vi faire une pause, s'arrêter

**pave** [peɪv] vt paver, daller; **to ~ the way for** ouvrir la voie à

**pavement** ['peɪvmənt] n (BRIT) trottoir m; (us) chaussée f

**pavilion** [pə'vɪliən] n pavillon m; (Sport) stand m

**paving** ['peɪvɪŋ] n (material) pavé m

**paw** [pɔː] n patte f

**pawn** [pɔːn] n (Chess, also fig) pion m ▷ vt mettre en gage; **pawnbroker** n prêteur m sur gages

**pay** [peɪ] (pt, pp **paid**) n salaire m; (of manual worker) paie f ▷ vt payer ▷ vi payer; (be profitable) être rentable; **can I ~ by credit card?** est-ce que je peux payer par carte de crédit?; **to ~ attention (to)** prêter attention (à); **to ~ sb a visit** rendre visite à qn; **to ~ one's respects to sb** présenter ses respects à qn; **pay back** vt rembourser; **pay for** vt fus payer; **pay in** vt verser; **pay off** vt (debts) régler, acquitter; (person) rembourser ▷ vi (scheme, decision) se révéler payant(e); (work) finir par porter ses fruits; **pay out** vt (money) payer, sortir de sa poche; **pay up** vt (amount) payer; **payable** adj payable; **to make a cheque payable to sb** établir un chèque à l'ordre de qn; **pay-as-you-go** adj (mobile phone) à carte prépayée; **payday** n jour m de paie; **pay envelope** n (us) paie f; **payment** n paiement m; (of bill) règlement m; (of deposit, cheque) versement m; **monthly payment** mensualité f; **payout** n (from insurance) dédommagement m; (in competition) prix m; **pay packet** n (BRIT) paie f; **pay phone** n cabine f téléphonique, téléphone public; **pay raise** n (us) = **pay rise**; **pay rise** n (BRIT) augmentation f (de salaire); **payroll** n registre m du personnel

**pay slip** n (BRIT) bulletin m de paie, feuille f de paie; **pay television** n chaînes fpl payantes; **paywall** n (Comput) mur m (payant)

**PC** n abbr = **personal computer**; (BRIT) = **police constable** ▷ adj abbr = **politically correct**

**p.c.** abbr = **per cent**

**pcm** n abbr (= per calendar month) par mois

**PDA** n abbr (= personal digital assistant) agenda m électronique

**PE** n abbr (= physical education) EPS f

**pea** [piː] n (petit) pois m

**peace** [piːs] n paix f; (calm) calme m, tranquillité f; **peaceful** adj paisible, calme

**peach** [piːtʃ] n pêche f

**peacock** ['piːkɔk] n paon m

**peak** [piːk] n (mountain) pic m, cime f; (of cap) visière f; (fig: highest level) maximum m; (: of career, fame) apogée m; **peak hours** npl heures fpl d'affluence or de pointe

**peanut** ['piːnʌt] n arachide f, cacahuète f; **peanut butter** n beurre m de cacahuète

**pear** [pɛəʳ] n poire f

**pearl** [pəːl] n perle f

**peasant** ['pɛznt] n paysan(ne)

**peat** [piːt] n tourbe f

**pebble** ['pɛbl] n galet m, caillou m

**peck** [pɛk] vt (also: ~ **at**) donner un coup de bec à; (food) picorer ▷ n coup m de bec; (kiss) bécot m; **peckish** adj (BRIT inf): **I feel peckish** je mangerais bien quelque chose, j'ai la dent

**peculiar** [pɪ'kjuːliəʳ] adj (odd) étrange, bizarre, curieux(-euse); (particular) particulier(-ière); **~ to** particulier à

**pedal** ['pɛdl] n pédale f ▷ vi pédaler

**pedestal** ['pɛdəstl] n piédestal m

**pedestrian** [pɪ'dɛstriən] n piéton m; **pedestrian crossing** n (BRIT) passage clouté; **pedestrianized** adj: **a pedestrianized street** une rue piétonne; **pedestrian precinct,**

(US) **pedestrian zone** n (BRIT) zone piétonne

**pedigree** ['pedɪgriː] n ascendance f; (of animal) pedigree m ▷ cpd (animal) de race

**pedophile** ['piːdəʊfaɪl] (US) n = **paedophile**

**pee** [piː] vi (inf) faire pipi, pisser

**peek** [piːk] vi jeter un coup d'œil (furtif)

**peel** [piːl] n pelure f, épluchure f; (of orange, lemon) écorce f ▷ vt peler, éplucher ▷ vi (paint etc) s'écailler; (wallpaper) se décoller; (skin) peler

**peep** [piːp] n (look) coup d'œil furtif; (sound) pépiement m ▷ vi jeter un coup d'œil (furtif)

**peer** [pɪəʳ] vi: **to ~ at** regarder attentivement, scruter ▷ n (noble) pair m; (equal) pair, égal(e)

**peg** [peg] n (for coat etc) patère f; (BRIT: also: **clothes ~**) pince f à linge

**pelican** ['pelɪkən] n pélican m; **pelican crossing** n (BRIT Aut) feu m à commande manuelle

**pelt** [pelt] vt: **to ~ sb (with)** bombarder qn (de) ▷ vi (rain) tomber à seaux; (inf: run) courir à toutes jambes ▷ n peau f

**pelvis** ['pelvɪs] n bassin m

**pen** [pen] n (for writing) stylo m; (for sheep) parc m

**penalty** ['penltɪ] n pénalité f; sanction f; (fine) amende f; (Sport) pénalisation f; (Football) penalty m; (Rugby) pénalité f

**pence** [pens] npl of **penny**

**pencil** ['pensl] n crayon m; **pencil in** vt noter provisoirement; **pencil case** n trousse f (d'écolier); **pencil sharpener** n taille-crayon(s) m inv

**pendant** ['pendnt] n pendentif m

**pending** ['pendɪŋ] prep en attendant ▷ adj en suspens

**penetrate** ['penɪtreɪt] vt pénétrer dans; (enemy territory) entrer en

**pen friend** n (BRIT) correspondant(e)

**penguin** ['peŋgwɪn] n pingouin m

**penicillin** [penɪ'sɪlɪn] n pénicilline f

**peninsula** [pə'nɪnsjulə] n péninsule f

**penis** ['piːnɪs] n pénis m, verge f

**penitentiary** [penɪ'tenʃərɪ] n (US) prison f

**penknife** ['pennaɪf] n canif m

**penniless** ['penɪlɪs] adj sans le sou

**penny** (pl **pennies** or **pence**) ['penɪ, 'pɛnɪz, pens] n (BRIT) penny m; (US) cent m

**pen pal** n correspondant(e)

**pension** ['penʃən] n (from company) retraite f; **pensioner** n (BRIT) retraité(e)

**pentagon** ['pentəgən] n: **the P~** (US Pol) le Pentagone

**penthouse** ['penthaus] n appartement m (de luxe) en attique

**penultimate** [pɪ'nʌltɪmət] adj pénultième, avant-dernier(-ière)

**people** ['piːpl] npl gens mpl; personnes fpl; (inhabitants) population f; (Pol) peuple m ▷ n (nation, race) peuple m; **several ~ came** plusieurs personnes sont venues; **~ say that ...** on dit or les gens disent que ...

**pepper** ['pepəʳ] n poivre m; (vegetable) poivron m ▷ vt (Culin) poivrer; **peppermint** n (sweet) pastille f de menthe

**per** [pəːʳ] prep par; **~ hour** (miles etc) à l'heure; (fee) de l'heure; **~ kilo** etc le kilo etc; **~ day/person** par jour/personne; **~ annum** par an

**perceive** [pə'siːv] vt percevoir; (notice) remarquer, s'apercevoir de

**per cent** adv pour cent

**percentage** [pə'sentɪdʒ] n pourcentage m

**perception** [pə'sepʃən] n perception f; (insight) sensibilité f

**perch** [pəːtʃ] n (fish) perche f; (for bird) perchoir m ▷ vi se percher

**percussion** [pə'kʌʃən] n percussion f

**perennial** [pə'renɪəl] n (Bot) plante f vivace f, plante pluriannuelle

**perfect** ['pɜːfɪkt] adj parfait(e)
▷ n (also: **~ tense**) parfait m ▷ vt
[pə'fekt] (technique, skill, work of art)
parfaire; (method, plan) mettre au
point; **perfection** [pə'fekʃən] n
perfection f; **perfectly** ['pɜːfɪktlɪ]
adv parfaitement

**perform** [pə'fɔːm] vt (carry out)
exécuter; (concert etc) jouer,
donner ▷ vi (actor, musician) jouer;
**performance** n représentation
f, spectacle m; (of an artist)
interprétation f; (Sport: of car,
engine) performance f; (of company,
economy) résultats mpl; **performer** n
artiste m/f

**perfume** ['pɜːfjuːm] n parfum m

**perhaps** [pə'hæps] adv peut-être

**perimeter** [pə'rɪmɪtər] n
périmètre m

**period** ['pɪərɪəd] n période f; (Hist)
époque f; (Scol) cours m; (full stop)
point m; (Med) règles fpl ▷ adj
(costume, furniture) d'époque;
**periodical** [pɪərɪ'ɒdɪkl] n périodique
m; **periodically** adv périodiquement

**perish** ['perɪʃ] vi périr, mourir; (decay)
se détériorer

**perjury** ['pɜːdʒərɪ] n (Law: in court)
faux témoignage; (breach of oath)
parjure m

**perk** [pɜːk] n (inf) avantage m,
à-côté m

**perm** [pɜːm] n (for hair) permanente f

**permanent** ['pɜːmənənt] adj
permanent(e); **permanently**
adv de façon permanente; (move
abroad) définitivement; (open, closed)
en permanence; (tired, unhappy)
constamment

**permission** [pə'mɪʃən] n permission
f, autorisation f

**permit** [pə'mɪt] permis m

**perplex** [pə'pleks] vt (person) rendre
perplexe

**persecute** ['pɜːsɪkjuːt] vt persécuter

**persecution** [pɜːsɪ'kjuːʃən] n
persécution f

**persevere** [pɜːsɪ'vɪər] vi persévérer

**Persian** ['pɜːʃən] adj persan(e); **the ~
Gulf** le golfe Persique

**persist** [pə'sɪst] vi: **to ~ (in doing)**
persister (à faire), s'obstiner (à faire);
**persistent** adj persistant(e), tenace

**person** ['pɜːsn] n personne f; **in
~** en personne; **personal** adj
personnel(le); **personal assistant** n
secrétaire personnel(le); **personal
computer** n ordinateur individuel,
PC m; **personality** [pɜːsə'nælɪtɪ]
n personnalité f; **personally** adv
personnellement; **to take sth
personally** se sentir visé(e) par
qch; **personal organizer** n agenda
(personnel); (electronic) agenda
électronique; **personal stereo** n
Walkman® m, baladeur m

**personnel** [pɜːsə'nel] n personnel m

**perspective** [pə'spektɪv] n
perspective f

**perspiration** [pɜːspɪ'reɪʃən] n
transpiration f

**persuade** [pə'sweɪd] vt: **to ~ sb to
do sth** persuader qn de faire qch,
amener ou décider qn à faire qch

**persuasion** [pə'sweɪʒən] n
persuasion f; (creed) conviction f

**persuasive** [pə'sweɪsɪv] adj
persuasif(-ive)

**perverse** [pə'vɜːs] adj pervers(e);
(contrary) entêté(e), contrariant(e)

**pervert** [pə'vɜːt] pervertir(e) ▷ vt
[pə'vɜːt] pervertir; (words) déformer

**pessimism** ['pesɪmɪzəm] n
pessimisme m

**pessimist** ['pesɪmɪst] n pessimiste
m/f; **pessimistic** [pesɪ'mɪstɪk] adj
pessimiste

**pest** [pest] n animal m (or insecte m)
nuisible; (fig) fléau m

**pester** ['pestər] vt importuner,
harceler

**pesticide** ['pestɪsaɪd] n pesticide m

**pet** [pet] n animal familier ▷ cpd
(favourite) favori(e) ▷ vt (stroke)
caresser, câliner; **teacher's ~**

chouchou m du professeur; **~ hate**
bête noire

**petal** ['petl] n pétale m

**petite** [pə'ti:t] adj menu(e)

**petition** [pə'tɪʃən] n pétition f

**petrified** ['petrɪfaɪd] adj (fig) mort(e)
de peur

**petrol** ['petrəl] n (BRIT) essence f;
**I've run out of ~** je suis en panne
d'essence

> Be careful not to translate petrol
> by the French word pétrole.

**petroleum** [pə'trəʊlɪəm] n pétrole m

**petrol: petrol pump** n (in car,
at garage) pompe f à essence; **petrol
station** n (BRIT) station-service f;
**petrol tank** n (BRIT) réservoir m
d'essence

**petticoat** ['petɪkəʊt] n jupon m

**petty** ['petɪ] adj (mean) mesquin(e);
(unimportant) insignifiant(e), sans
importance

**pew** [pju:] n banc m (d'église)

**pewter** ['pju:tər] n étain m

**phantom** ['fæntəm] n fantôme m

**pharmacist** ['fɑ:məsɪst] n
pharmacien(ne)

**pharmacy** ['fɑ:məsɪ] n pharmacie f

**phase** [feɪz] n phase f, période
f; **phase in** vt introduire
progressivement; **phase out** vt
supprimer progressivement

**Ph.D.** abbr = **Doctor of Philosophy**

**pheasant** ['feznt] n faisan m

**phenomena** [fə'nɒmɪnə] npl of
**phenomenon**

**phenomenal** [fɪ'nɒmɪnl] adj
phénoménal(e)

**phenomenon** (pl **phenomena**)
[fə'nɒmɪnən, -nə] n phénomène m

**Philippines** ['fɪlɪpi:nz] npl (also:
**Philippine Islands**): **the ~** les
Philippines fpl

**philosopher** [fɪ'lɒsəfər] n
philosophe m

**philosophical** [fɪlə'sɒfɪkl] adj
philosophique

**philosophy** [fɪ'lɒsəfɪ] n philosophie f

**phlegm** [flem] n flegme m

**phobia** ['fəʊbjə] n phobie f

**phone** [fəʊn] n téléphone m ▷ vt
téléphoner à ▷ vi téléphoner; **to
be on the ~** avoir le téléphone; (be
calling) être au téléphone; **phone
back** vt, vi rappeler; **phone up**
vt téléphoner à ▷ vi téléphoner;
**phone book** n annuaire m; **phone
box**, (US) **phone booth** n cabine f
téléphonique; **phone call** n coup m
de fil or de téléphone; **phonecard** n
télécarte f; **phone number** n numéro
m de téléphone

**phonetics** [fə'netɪks] n phonétique f

**phoney** ['fəʊnɪ] adj faux (fausse),
factice; (person) pas franc (franche)

**photo** ['fəʊtəʊ] n photo f; **photo
album** n album m de photos;
**photocopier** n copieur m;
**photocopy** n photocopie f ▷ vt
photocopier

**photograph** ['fəʊtəgræf] n
photographie f ▷ vt photographier;
**photographer** [fə'tɒgrəfər] n
photographe m/f; **photography**
[fə'tɒgrəfɪ] n photographie f

**phrase** [freɪz] n expression f, (Ling)
locution f ▷ vt exprimer; **phrase
book** n recueil m d'expressions (pour
touristes)

**physical** ['fɪzɪkl] adj physique;
**physical education** n éducation
f physique; **physically** adv
physiquement

**physician** [fɪ'zɪʃən] n médecin m

**physicist** ['fɪzɪsɪst] n physicien(ne)

**physics** ['fɪzɪks] n physique f

**physiotherapist** [fɪzɪəʊ'θerəpɪst] n
kinésithérapeute m/f

**physiotherapy** [fɪzɪəʊ'θerəpɪ] n
kinésithérapie f

**physique** [fɪ'zi:k] n (appearance)
physique m; (health etc) constitution f

**pianist** ['pi:ənɪst] n pianiste m/f

**piano** [pɪ'ænəʊ] n piano m

**pick** [pɪk] n (tool: also: **~-axe**) pic m,
pioche f ▷ vt choisir; (gather) cueillir;

P

(remove) prendre; (lock) forcer; **take your ~** faites votre choix; **the ~ of** le meilleur(e) de; **to ~ one's nose** se mettre les doigts dans le nez; **to ~ one's teeth** se curer les dents; **to ~ a quarrel with sb** chercher noise à qn; **pick on** vt fus (person) harceler; **pick out** vt choisir; (distinguish) distinguer; **pick up** vi (improve) remonter, s'améliorer ▷ vt ramasser; (collect) passer prendre; (Aut: give lift to) prendre; (learn) apprendre; (Radio) capter; **to ~ up speed** prendre de la vitesse; **to ~ o.s. up** se relever

**pickle** ['pɪkl] n (also: **~s**) (as condiment) pickles mpl ▷ vt conserver dans du vinaigre or dans de la saumure; **in a ~** (fig) dans le pétrin

**pickpocket** ['pɪkpɔkɪt] n pickpocket m

**pick-up** ['pɪkʌp] n (also: **~ truck**) pick-up m inv

**picnic** ['pɪknɪk] n pique-nique m ▷ vi pique-niquer; **picnic area** n aire f de pique-nique

**picture** ['pɪktʃə*] n (also TV) image f; (painting) peinture f, tableau m; (photograph) photo(graphie) f; (drawing) dessin m; (film) film m; (fig: description) description f ▷ vt (imagine) se représenter; **pictures** npl: **the ~s** (BRIT) le cinéma; **to take a ~ of sb/ sth** prendre qn/qch en photo; **would you take a ~ of us, please?** pourriez-vous nous prendre en photo, s'il vous plaît?; **picture frame** n cadre m; **picture messaging** n picture messaging m, messagerie f d'images

**picturesque** [pɪktʃə'rɛsk] adj pittoresque

**pie** [paɪ] n tourte f; (of fruit) tarte f; (of meat) pâté m en croûte

**piece** [piːs] n morceau m; (item): **a ~ of furniture/advice** un meuble/ conseil ▷ vt: **to ~ together** rassembler; **to take to ~s** démonter

**pie chart** n graphique m à secteurs, camembert m

**pier** [pɪə*] n jetée f

**pierce** [pɪəs] vt percer, transpercer; **pierced** adj (ears) percé(e)

**pig** [pɪg] n cochon m, porc m; (pej: unkind person) mufle m; (: greedy person) goinfre m

**pigeon** ['pɪdʒən] n pigeon m

**piggy bank** ['pɪgɪ-] n tirelire f

**pigsty** ['pɪgstaɪ] n porcherie f

**pigtail** ['pɪgteɪl] n natte f, tresse f

**pike** [paɪk] n (fish) brochet m

**pilchard** ['pɪltʃəd] n pilchard m (sorte de sardine)

**pile** [paɪl] n (pillar, of books) pile f; (heap) tas m; (of carpet) épaisseur f; **pile up** vi (accumulate) s'entasser, s'accumuler ▷ vt (put in heap) empiler, entasser; (accumulate) accumuler; **piles** npl hémorroïdes fpl; **pile-up** n (Aut) télescopage m, collision f en série

**pilgrim** ['pɪlgrɪm] n pèlerin m; voir article **"Pilgrim Fathers"**

● **PILGRIM FATHERS**

● Les *Pilgrim Fathers* ("Pères pèlerins")
● sont un groupe de puritains qui
● quittèrent l'Angleterre en 1620 pour
● fuir les persécutions religieuses.
● Ayant traversé l'Atlantique à bord
● du "Mayflower", ils fondèrent New
● Plymouth en Nouvelle-Angleterre,
● dans ce qui est aujourd'hui le
● Massachusetts. Ces Pères pèlerins
● sont considérés comme les
● fondateurs des États-Unis, et l'on
● commémore chaque année, le jour
● de "Thanksgiving", la réussite de
● leur première récolte.

**pilgrimage** ['pɪlgrɪmɪdʒ] n pèlerinage m

**pill** [pɪl] n pilule f; **the ~** la pilule

**pillar** ['pɪlə*] n pilier m

**pillow** ['pɪləʊ] n oreiller m; **pillowcase, pillowslip** n taie f d'oreiller

**pilot** ['paɪlət] n pilote m ⊳ cpd (scheme etc) pilote, expérimental(e) ⊳ vt piloter; **pilot light** n veilleuse f

**pimple** ['pɪmpl] n bouton m

**PIN** n abbr (= personal identification number) code m confidentiel

**pin** [pɪn] n épingle f; (Tech) cheville f; **~s and needles** fourmis fpl; **to ~ sb down** (fig) coincer qn; **to ~ sth on sb** (fig) mettre qch sur le dos de qn

**pinafore** ['pɪnəfɔːʳ] n tablier m

**pinch** [pɪntʃ] n pincement m; (of salt etc) pincée f ⊳ vt pincer; (inf: steal) piquer, chiper ⊳ vi (shoe) serrer; **at a ~** à la rigueur

**pine** [paɪn] n (also: **~ tree**) pin m ⊳ vi: **to ~ for** aspirer à, désirer ardemment

**pineapple** ['paɪnæpl] n ananas m

**ping** [pɪŋ] n (noise) tintement m; **ping-pong®** n ping-pong m

**pink** [pɪŋk] adj rose ⊳ n (colour) rose m

**pinpoint** ['pɪnpɔɪnt] vt indiquer (avec précision)

**pint** [paɪnt] n pinte f (Brit = 0,57 l; US = 0,47 l); (Brit inf) ≈ demi m, ≈ pot m

**pioneer** [paɪə'nɪəʳ] n pionnier m

**pious** ['paɪəs] adj pieux(-euse)

**pip** [pɪp] n (seed) pépin m; **pips** npl; **the ~s** (Brit: time signal on radio) le top

**pipe** [paɪp] n tuyau m, conduite f; (for smoking) pipe f ⊳ vt amener par tuyau; **pipeline** n (for gas) gazoduc m, pipeline m; (for oil) oléoduc m, pipeline; **piper** n (flautist) joueur(-euse) de pipeau; (of bagpipes) joueur(-euse) de cornemuse

**pirate** ['paɪərət] n pirate m ⊳ vt (CD, video, book) pirater

**Pisces** ['paɪsiːz] n les Poissons mpl

**piss** [pɪs] vi (inf!) pisser (!); **pissed** adj (inf!: Brit: drunk) bourré(e) (!; (: us: angry) furieux-euse

**pistol** ['pɪstl] n pistolet m

**piston** ['pɪstən] n piston m

**pit** [pɪt] n trou m, fosse f; (also: **coal ~**) puits m de mine; (also: **orchestra ~**) fosse d'orchestre; (us: fruit stone)

noyau m ⊳ vt: **to ~ o.s. or one's wits against** se mesurer à

**pitch** [pɪtʃ] n (Brit Sport) terrain m; (Mus) ton m; (fig: degree) degré m; (tar) poix f ⊳ vt (throw) lancer; (tent) dresser ⊳ vi (fall): **to ~ into/off** tomber dans/de; **pitch-black** adj noir(e) comme poix

**pitfall** ['pɪtfɔːl] n piège m

**pith** [pɪθ] n (of orange etc) intérieur m de l'écorce

**pitiful** ['pɪtɪful] adj (touching) pitoyable; (contemptible) lamentable

**pity** ['pɪtɪ] n pitié f ⊳ vt plaindre; **what a ~!** quel dommage!

**pizza** ['piːtsə] n pizza f

**placard** ['plækɑːd] n affiche f; (in march) pancarte f

**place** [pleɪs] n endroit m, lieu m; (proper position, job, rank, seat) place f; (home): **at/to his ~** chez lui ⊳ vt (position) placer, mettre; (identify) situer; reconnaître; **to take ~** avoir lieu; **to change ~ with sb** changer de place avec qn; **out of ~** (not suitable) déplacé(e), inopportun(e); **in the first ~** d'abord, en premier; **place mat** n set m de table; (in linen etc) napperon m; **placement** n (during studies) stage m

**placid** ['plæsɪd] adj placide

**plague** [pleɪg] n (Med) peste f ⊳ vt (fig) tourmenter

**plaice** [pleɪs] n (pl inv) carrelet m

**plain** [pleɪn] adj (in one colour) uni(e); (clear) clair(e), évident(e); (simple) simple; (not handsome) quelconque, ordinaire ⊳ adv franchement, carrément ⊳ n plaine f; **plain chocolate** n chocolat m à croquer; **plainly** adv clairement; (frankly) carrément, sans détours

**plaintiff** ['pleɪntɪf] n plaignant(e)

**plait** [plæt] n tresse f, natte f

**plan** [plæn] n plan m; (scheme) projet m ⊳ vt (think in advance) projeter; (prepare) organiser ⊳ vi faire des projets; **to ~ to do** projeter de faire

**plane** [pleɪn] n (Aviat) avion m; (also: ~ **tree**) platane m; (tool) rabot m; (Art, Math etc) plan m; (fig) niveau m, plan ▷ vt (with tool) raboter

**planet** ['plænɪt] n planète f

**plank** [plæŋk] n planche f

**planning** ['plænɪŋ] n planification f; **family ~** planning familial

**plant** [plɑːnt] n plante f; (machinery) matériel m; (factory) usine f ▷ vt planter; (bomb) déposer, poser; (microphone, evidence) cacher

**plantation** [plæn'teɪʃən] n plantation f

**plaque** [plæk] n plaque f

**plaster** ['plɑːstə*] n plâtre m; (also: ~ **of Paris**) plâtre à mouler; (BRIT: also: **sticking ~**) pansement adhésif ▷ vt plâtrer; (cover): **to ~ with** couvrir de; **plaster cast** n (Med) plâtre m; (model, statue) moule m

**plastic** ['plæstɪk] n plastique m ▷ adj (made of plastic) en plastique; **plastic bag** n sac m en plastique; **plastic surgery** n chirurgie f esthétique

**plate** [pleɪt] n (dish) assiette f; (sheet of metal, on door, Phot) plaque f; (in book) gravure f; (dental) dentier m

**plateau** (pl **plateaus** or **plateaux**) ['plætəu, -z] n plateau m

**platform** ['plætfɔːm] n (at meeting) tribune f; (stage) estrade f; (Rail) quai m; (Pol) plateforme f

**platinum** ['plætɪnəm] n platine m

**platoon** [plə'tuːn] n peloton m

**platter** ['plætə*] n plat m

**plausible** ['plɔːzɪbl] adj plausible; (person) convaincant(e)

**play** [pleɪ] n jeu m; (Theat) pièce f (de théâtre) ▷ vt (game) jouer à; (team, opponent) jouer contre; (instrument) jouer de; (part, piece of music, note) jouer; (CD etc) passer ▷ vi jouer; **to ~ safe** ne prendre aucun risque; **play back** vt repasser, réécouter; **play up** vi (cause trouble) faire les siennes; **player** n joueur(-euse); (Mus) musicien(ne); **playful** adj enjoué(e);

**playground** n cour f de récréation; (in park) aire f de jeux; **playgroup** n garderie f; **playing card** n carte f à jouer; **playing field** n terrain m de sport; **playschool** n = **playgroup**; **playtime** n (Scol) récréation f; **playwright** n dramaturge m

**plc** abbr (BRIT: = public limited company) ≈ SARL f

**plea** [pliː] n (request) appel m; (Law) défense f

**plead** [pliːd] vt plaider; (give as excuse) invoquer ▷ vi (Law) plaider; (beg): **to ~ with sb** (for sth) implorer qn (d'accorder qch); **to ~ guilty/ not guilty** plaider coupable/non coupable

**pleasant** ['plɛznt] adj agréable

**please** [pliːz] excl s'il te (or vous) plaît ▷ vt plaire à ▷ vi (think fit): **do as you ~** faites comme il vous plaira; **~ yourself!** (inf) (faites) comme vous voulez!; **pleased** adj: **pleased (with)** content(e) (de); **pleased to meet you** enchanté (de faire votre connaissance)

**pleasure** ['plɛʒə*] n plaisir m; "**it's a ~**" "je vous en prie"

**pleat** [pliːt] n pli m

**pledge** [plɛdʒ] n (promise) promesse f ▷ vt promettre

**plentiful** ['plɛntɪful] adj abondant(e), copieux(-euse)

**plenty** ['plɛntɪ] n: **~ of** beaucoup de; (sufficient) assez de

**pliers** ['plaɪəz] npl pinces fpl

**plight** [plaɪt] n situation f critique

**plod** [plɔd] vi avancer péniblement; (fig) peiner

**plonk** [plɔŋk] (inf) n (BRIT: wine) pinard m, piquette f ▷ vt: **to ~ sth down** poser brusquement qch

**plot** [plɔt] n complot m, conspiration f; (of story, play) intrigue f; (of land) lot m de terrain, lopin m ▷ vt (mark out) tracer point par point; (Naut) pointer; (make graph of) faire le graphique de; (conspire) comploter ▷ vi comploter

**plough**, (US) **plow** [plau] n charrue f ▷ vt (earth) labourer; **to ~ money into** investir dans

**ploy** [plɔɪ] n stratagème m

**pls** abbr (= please) SVP m

**pluck** [plʌk] vt (fruit) cueillir; (musical instrument) pincer; (bird) plumer; **to ~ one's eyebrows** s'épiler les sourcils; **to ~ up courage** prendre son courage à deux mains

**plug** [plʌg] n (stopper) bouchon m, bonde f; (Elec) prise f de courant; (Aut: also: **spark(ing) ~**) bougie f ▷ vt (hole) boucher; (inf: advertise) faire du battage pour, matraquer; **plug in** vt (Elec) brancher; **plughole** n (BRIT) trou m (d'écoulement)

**plum** [plʌm] n (fruit) prune f

**plumber** ['plʌmə'] n plombier m

**plumbing** ['plʌmɪŋ] n (trade) plomberie f; (piping) tuyauterie f

**plummet** ['plʌmɪt] vi (person, object) plonger; (sales, prices) dégringoler

**plump** [plʌmp] adj rondelet(te), dodu(e), bien en chair; **plump for** vt fus (inf: choose) se décider pour

**plunge** [plʌndʒ] n plongeon m; (fig) chute f ▷ vt plonger ▷ vi (fall) tomber, dégringoler; (dive) plonger; **to take the ~** se jeter à l'eau

**pluperfect** [pluː'pəːfɪkt] n (Ling) plus-que-parfait m

**plural** ['pluərl] adj pluriel(le) ▷ n pluriel m

**plus** [plʌs] n (also: **~ sign**) signe m plus; (advantage) atout m ▷ prep plus; **ten/twenty ~** plus de dix/vingt

**ply** [plaɪ] n (of wool) fil m ▷ vt (a trade) exercer ▷ vi (ship) faire la navette; **to ~ sb with drink** donner continuellement à boire à qn; **plywood** n contreplaqué m

**P.M.** n abbr (BRIT) = **prime minister**

**p.m.** adv abbr (= post meridiem) de l'après-midi

**PMS** n abbr (= premenstrual syndrome) syndrome prémenstruel

**PMT** n abbr (= premenstrual tension) syndrome prémenstruel

**pneumatic drill** [njuː'mætɪk-] n marteau-piqueur m

**pneumonia** [njuː'məunɪə] n pneumonie f

**poach** [pəutʃ] vt (cook) pocher; (steal) pêcher (or chasser) sans permis ▷ vi braconner; **poached** adj (egg) poché(e)

**P.O. Box** n abbr = **post office box**

**pocket** ['pɔkɪt] n poche f ▷ vt empocher; **to be (£5) out of ~** (BRIT) en être de sa poche (pour 5 livres); **pocketbook** n (US: wallet) portefeuille m; **pocket money** n argent m de poche

**pod** [pɔd] n cosse f

**podcast** ['pɔdkɑːst] n podcast m ▷ vi podcaster

**podiatrist** [pɔ'diːatrɪst] n (US) pédicure m/f

**poem** ['pəuɪm] n poème m

**poet** ['pəuɪt] n poète m; **poetic** [pəu'ɛtɪk] adj poétique; **poetry** n poésie f

**poignant** ['pɔɪnjənt] adj poignant(e)

**point** [pɔɪnt] n point m; (tip) pointe f; (in time) moment m; (in space) endroit m; (subject, idea) point, sujet m; (purpose) but m; (also: **decimal ~**): **2 ~ 3 (2.3)** 2 virgule 3 (2,3); (Elec: also: **power ~**) prise f (de courant) ▷ vt (show) indiquer; (gun etc): **to ~ sth at** braquer or diriger qch sur ▷ vi: **to ~ at** montrer du doigt; **points** npl (Rail) aiguillage m; **to make a ~ of doing sth** ne pas manquer de faire qch; **to get/miss the ~** comprendre/ne pas comprendre; **to come to the ~** en venir au fait; **there's no ~ (in doing)** cela ne sert à rien (de faire); **to be on the ~ of doing sth** être sur le point de faire qch; **point out** vt (mention) faire remarquer, souligner; **point-blank** adv (fig) catégoriquement; (also: **at point-blank range**) à bout portant; **pointed** adj (shape) pointu(e); (remark) plein(e) de sous-entendus; **pointer** n (needle) aiguille f; (clue) indication f; (advice) tuyau m; **pointless** adj inutile, vain(e); **point of view** n point m de vue

**poison** ['pɔɪzn] n poison m ▷ vt empoisonner; **poisonous** adj (snake) venimeux(-euse); (substance, plant) vénéneux(-euse); (fumes) toxique

**poke** [pəʊk] vt (jab with finger, stick etc) piquer; pousser du doigt; (put): **to ~ sth in(to)** fourrer or enfoncer qch dans; **poke about** vi fureter; **poke out** vi (stick out) sortir

**poker** ['pəʊkəʳ] n tisonnier m; (Cards) poker m

**Poland** ['pəʊlənd] n Pologne f

**polar** ['pəʊləʳ] adj polaire; **polar bear** n ours blanc

**Pole** [pəʊl] n Polonais(e)

**pole** [pəʊl] n (of wood) mât m, perche f; (Elec) poteau m; (Geo) pôle m; **pole bean** n (us) haricot m (à rames); **pole vault** n saut m à la perche

**police** [pə'liːs] n police f ▷ vt maintenir l'ordre dans; **police car** n voiture f de police; **police constable** n (BRIT) agent m de police; **police force** n police f, forces fpl de l'ordre; **policeman** (irreg) n agent m de police, policier m; **police officer** n agent m de police; **police station** n commissariat m de police; **policewoman** (irreg) n femme-agent f

**policy** ['pɔlɪsɪ] n politique f; (also: **insurance ~**) police f (d'assurance)

**polio** ['pəʊlɪəʊ] n polio f

**Polish** ['pəʊlɪʃ] adj polonais(e) ▷ n (Ling) polonais m

**polish** ['pɔlɪʃ] n (for shoes) cirage m; (for floor) cire f, encaustique f; (for nails) vernis m; (shine) éclat m, poli m; (fig: refinement) raffinement m ▷ vt (put polish on: shoes, wood) cirer; (make shiny) astiquer, faire briller; **polish off** vt (food) liquider; **polished** adj (fig) raffiné(e)

**polite** [pə'laɪt] adj poli(e); **politeness** n politesse f

**political** [pə'lɪtɪkl] adj politique; **politically** adv politiquement; **politically correct** politiquement correct(e)

**politician** [pɔlɪ'tɪʃən] n homme/femme politique, politicien(ne)

**politics** ['pɔlɪtɪks] n politique f

**poll** [pəʊl] n scrutin m, vote m; (also: **opinion ~**) sondage m (d'opinion) ▷ vt (votes) obtenir

**pollen** ['pɔlən] n pollen m

**polling station** n (BRIT) bureau m de vote

**pollute** [pə'luːt] vt polluer

**pollution** [pə'luːʃən] n pollution f

**polo** ['pəʊləʊ] n polo m; **polo-neck** adj à col roulé ▷ n (sweater) pull m à col roulé; **polo shirt** n polo m

**polyester** [pɔlɪ'estəʳ] n polyester m

**polystyrene** [pɔlɪ'staɪriːn] n polystyrène m

**polythene** ['pɔlɪθiːn] n (BRIT) polyéthylène m; **polythene bag** n sac m en plastique

**pomegranate** ['pɔmɪɡrænɪt] n grenade f

**pompous** ['pɔmpəs] adj pompeux(-euse)

**pond** [pɔnd] n étang m; (stagnant) mare f

**ponder** ['pɔndəʳ] vt considérer, peser

**pony** ['pəʊnɪ] n poney m; **ponytail** n queue f de cheval; **pony trekking** n (BRIT) randonnée f équestre or à cheval

**poodle** ['puːdl] n caniche m

**pool** [puːl] n (of rain) flaque f; (pond) mare f; (artificial) bassin m; (also: **swimming ~**) piscine f; (sth shared) fonds commun; (billiards) poule f ▷ vt mettre en commun; **pools** npl (football) = loto sportif

**poor** [pʊəʳ] adj pauvre; (mediocre) médiocre, faible, mauvais(e) ▷ npl; **the ~** les pauvres mpl; **poorly** adv

*(badly)* mal, médiocrement ▷ *adj*
souffrant(e), malade
**pop** [pɒp] *n (noise)* bruit sec; *(Mus
music)* pop; *(inf: drink)* soda *m*; *(us
inf: father)* papa *m* ▷ *vt (put)* fourrer,
mettre (rapidement) ▷ *vi* éclater;
*(cork)* sauter; **pop in** *vi* entrer en
passant; **pop out** *vi* sortir; **popcorn**
*n* pop-corn *m*
**pope** [pəʊp] *n* pape *m*
**poplar** ['pɒplə<sup>r</sup>] *n* peuplier *m*
**popper** ['pɒpə<sup>r</sup>] *n (BRIT)* bouton-
pression *m*
**poppy** ['pɒpɪ] *n (wild)* coquelicot *m*;
*(cultivated)* pavot *m*
**Popsicle®** ['pɒpsɪkl] *n (us)* esquimau
*m (glace)*
**pop star** *n* pop star *f*
**popular** ['pɒpjʊlə<sup>r</sup>] *adj* populaire;
*(fashionable)* à la mode; **popularity**
[pɒpjʊ'lærɪtɪ] *n* popularité *f*
**population** [pɒpjʊ'leɪʃən] *n*
population *f*
**pop-up** *adj (Comput: menu, window)*
pop up inv ▷ *n* pop up *m* inv, fenêtre
*f* pop up
**porcelain** ['pɔːslɪn] *n* porcelaine *f*
**porch** [pɔːtʃ] *n* porche *m*; *(us)*
véranda *f*
**pore** [pɔː<sup>r</sup>] *n* pore *m* ▷ *vi*: **to ~ over**
s'absorber dans, être plongé(e) dans
**pork** [pɔːk] *n* porc *m*; **pork chop** *n*
côte *f* de porc; **pork pie** *n* pâté *m* de
porc en croûte
**porn** [pɔːn] *adj (inf)* porno ▷ *n*
*(inf)* porno *m*; **pornographic**
[pɔːnə'græfɪk] *adj* pornographique;
**pornography** [pɔː'nɒɡrəfɪ] *n*
pornographie *f*
**porridge** ['pɒrɪdʒ] *n* porridge *m*
**port** [pɔːt] *n (harbour)* port *m*; *(Naut:
left side)* bâbord *m*; *(wine)* porto *m*;
*(Comput)* port *m*, accès *m*; **~ of call**
*(port d')escale f*
**portable** ['pɔːtəbl] *adj* portatif(-ive)
**porter** ['pɔːtə<sup>r</sup>] *n (for luggage)*
porteur *m*; *(doorkeeper)* gardien(ne);
portier *m*

**portfolio** [pɔːt'fəʊlɪəʊ] *n* portefeuille
*m*; *(of artist)* portfolio *m*
**portion** ['pɔːʃən] *n* portion *f*, part *f*
**portrait** ['pɔːtreɪt] *n* portrait *m*
**portray** [pɔː'treɪ] *vt* faire le
portrait de; *(in writing)* dépeindre,
représenter; *(subj: actor)* jouer
**Portugal** ['pɔːtjʊɡl] *n* Portugal *m*
**Portuguese** [pɔːtju'ɡiːz] *adj*
portugais(e) ▷ *n (pl inv)* Portugais(e);
*(Ling)* portugais *m*
**pose** [pəʊz] *n* pose *f* ▷ *vi* poser;
*(pretend)*: **to ~ as** se faire passer pour
▷ *vt* poser; *(problem)* créer
**posh** [pɒʃ] *adj (inf)* chic inv
**position** [pə'zɪʃən] *n* position *f*; *(job,
situation)* situation *f* ▷ *vt* mettre en
place or en position
**positive** ['pɒzɪtɪv] *adj* positif(-ive);
*(certain)* sûr(e), certain(e); *(definite)*
formel(le), catégorique; **positively**
*adv (affirmatively, enthusiastically)* de
façon positive; *(inf: really)* carrément
**possess** [pə'zɛs] *vt* posséder;
**possession** [pə'zɛʃən] *n* possession *f*;
**possessions** *npl (belongings)* affaires
*fpl*; **possessive** *adj* possessif(-ive)
**possibility** [pɒsɪ'bɪlɪtɪ] *n* possibilité *f*;
*(event)* éventualité *f*
**possible** ['pɒsɪbl] *adj* possible; **as big
as ~** aussi gros que possible; **possibly**
*adv (perhaps)* peut-être; **I cannot
possibly come** il m'est impossible
de venir
**post** [pəʊst] *n (BRIT: mail)* poste *f*;
*(: letters, delivery)* courrier *m*; *(job,
situation)* poste *m*; *(pole)* poteau *m*;
*(Internet)* post *m* ▷ *vt (Internet)* poster;
*(BRIT: send by post)* poster; *(appoint)*:
**to ~ to** affecter à; **where can I ~
these cards?** est-ce que je peux
poster ces cartes postales?; **postage**
*n* tarifs *mpl* d'affranchissement;
**postal** *adj* postal(e); **postal order**
*n* mandat(-poste) *m*; **postbox** *n*
*(BRIT)* boîte *f* aux lettres *(publique)*;
**postcard** *n* carte postale; **postcode**
*n (BRIT)* code postal

**poster** ['pəustə<sup>r</sup>] n affiche f

**postgraduate** ['pəust'grædjuət] n ≈ étudiant(e) de troisième cycle

**postman** ['pəustmən] (irreg) (BRIT) n facteur m

**postmark** ['pəustmɑːk] n cachet m (de la poste)

**post-mortem** [pəust'mɔːtəm] n autopsie f

**post office** n (building) poste f; (organization): **the Post Office** les postes fpl

**postpone** [pəs'pəun] vt remettre (à plus tard), reculer

**posture** ['pɒstʃə<sup>r</sup>] n posture f; (fig) attitude f

**postwoman** [pəust'wumən] (irreg) (BRIT) n factrice f

**pot** [pɒt] n (for cooking) marmite f, casserole f; (teapot) théière f; (for coffee) cafetière f; (for plants, jam) pot m; (inf: marijuana) herbe f ▷ vt (plant) mettre en pot; **to go to ~** (inf) aller à vau-l'eau

**potato** [pə'teɪtəu] (pl **potatoes**) n pomme f de terre; **potato peeler** n épluche-légumes m

**potent** ['pəutnt] adj puissant(e); (drink) fort(e), très alcoolisé(e); (man) viril

**potential** [pə'tɛnʃl] adj potentiel(le) ▷ n potentiel m

**pothole** ['pɒthəul] n (in road) nid m de poule; (BRIT: underground) gouffre m, caverne f

**pot plant** n plante f d'appartement

**potter** ['pɒtə<sup>r</sup>] n potier m ▷ vi (BRIT): **to ~ around** or **about** bricoler; **pottery** n poterie f

**potty** ['pɒtɪ] n (child's) pot m

**pouch** [pautʃ] n (Zool) poche f; (for tobacco) blague f; (for money) bourse f

**poultry** ['pəultrɪ] n volaille f

**pounce** [pauns] vi: **to ~ (on)** bondir (sur), fondre (sur)

**pound** [paund] n livre f (weight = 453g, 16 ounces; money = 100 pence); (for dogs, cars) fourrière f ▷ vt (beat) bourrer de coups, marteler; (crush) piler, pulvériser ▷ vi (heart) battre violemment, taper; **pound sterling** n livre f sterling

**pour** [pɔː<sup>r</sup>] vt verser ▷ vi couler à flots; (rain) pleuvoir à verse; **to ~ sb a drink** verser or servir à boire à qn; **pour in** vi (people) affluer, se précipiter; (news, letters) arriver en masse; **pour out** vi (people) sortir en masse ▷ vt (serve: a drink) verser; (fig) déverser; **pouring** adj: **pouring rain** pluie f torrentielle

**pout** [paut] vi faire la moue

**poverty** ['pɒvətɪ] n pauvreté f, misère f

**powder** ['paudə<sup>r</sup>] n poudre f ▷ vt poudrer; **powdered milk** n lait m en poudre

**power** ['pauə<sup>r</sup>] n (strength, nation) puissance f, force f; (ability, Pol: of party, leader) pouvoir m; (of speech, thought) faculté f; (Elec) courant m; **to be in ~** être au pouvoir; **power cut** n (BRIT) coupure f de courant; **power failure** n panne f de courant; **powerful** adj puissant(e); (performance etc) très fort(e); **powerless** adj impuissant(e); **power point** n (BRIT) prise f de courant; **power station** n centrale f électrique

**p.p.** abbr (= per procurationem: by proxy) p.p.

**PR** n abbr = **public relations**

**practical** ['præktɪkl] adj pratique; **practical joke** n farce f; **practically** adv (almost) pratiquement

**practice** ['præktɪs] n pratique f; (of profession) exercice m; (at football etc) entraînement m; (business) cabinet m ▷ vt, vi (US) = **practise**; **in ~** (in reality) en pratique; **out of ~** rouillé(e)

**practise**, (US) **practice** ['præktɪs] vt (work at: piano, backhand etc) s'exercer à, travailler; (train for: sport) s'entraîner à; (a sport, religion, method) pratiquer; (profession) exercer ▷ vi s'exercer, travailler; (train) s'entraîner; (lawyer, doctor) exercer; **practising**, (us) **practicing** adj (Christian etc) pratiquant(e); (lawyer) en exercice

**practitioner** [præk'tɪʃənər] n praticien(ne)

**pragmatic** [præg'mætɪk] adj pragmatique

**prairie** ['prɛərɪ] n savane f

**praise** [preɪz] n éloge(s) m(pl), louange(s) f(pl) ▷ vt louer, faire l'éloge de

**pram** [præm] n (BRIT) landau m, voiture f d'enfant

**prank** [præŋk] n farce f

**prawn** [prɔːn] n crevette f (rose); **prawn cocktail** n cocktail m de crevettes

**pray** [preɪ] vi prier; **prayer** [prɛər] n prière f

**preach** [priːtʃ] vi prêcher; **preacher** n prédicateur m; (us: clergyman) pasteur m

**precarious** [prɪ'kɛərɪəs] adj précaire

**precaution** [prɪ'kɔːʃən] n précaution f

**precede** [prɪ'siːd] vt, vi précéder; **precedent** ['prɛsɪdənt] n précédent m; **preceding** [prɪ'siːdɪŋ] adj qui précède (or précédait)

**precinct** ['priːsɪŋkt] n (us: district) circonscription f, arrondissement m; **pedestrian ~** (BRIT) zone piétonnière; **shopping ~** (BRIT) centre commercial

**precious** ['prɛʃəs] adj précieux(-euse)

**precise** [prɪ'saɪs] adj précis(e); **precisely** adv précisément

**precision** [prɪ'sɪʒən] n précision f

**predator** ['prɛdətər] n prédateur m, rapace m

**predecessor** [prɪ'diːsɛsər] n prédécesseur m

**predicament** [prɪ'dɪkəmənt] n situation f difficile

**predict** [prɪ'dɪkt] vt prédire; **predictable** adj prévisible; **prediction** [prɪ'dɪkʃən] n prédiction f

**predominantly** [prɪ'dɔmɪnəntlɪ] adv en majeure partie; (especially) surtout

**preface** ['prɛfəs] n préface f

**prefect** ['priːfɛkt] n (BRIT: in school) élève chargé de certaines fonctions de discipline

**prefer** [prɪ'fəːr] vt préférer; **preferable** ['prɛfrəbl] adj préférable; **preferably** ['prɛfrəblɪ] adv de préférence; **preference** ['prɛfrəns] n préférence f

**prefix** ['priːfɪks] n préfixe m

**pregnancy** ['prɛgnənsɪ] n grossesse f

**pregnant** ['prɛgnənt] adj enceinte; (animal) pleine

**prehistoric** ['priːhɪs'tɔrɪk] adj préhistorique

**prejudice** ['prɛdʒudɪs] n préjugé m; **prejudiced** adj (person) plein(e) de préjugés; (in a matter) partial(e)

**preliminary** [prɪ'lɪmɪnərɪ] adj préliminaire

**prelude** ['prɛljuːd] n prélude m

**premature** ['prɛmətʃuər] adj prématuré(e)

**premier** ['prɛmɪər] adj premier(-ière), principal(e) ▷ n (Pol: Prime Minister) premier ministre; (Pol: President) chef m de l'État

**premiere** ['prɛmɪɛər] n première f

**Premier League** n première division

**premises** ['prɛmɪsɪz] npl locaux mpl; **on the ~** sur les lieux; sur place

**premium** ['priːmɪəm] n prime f; **to be at a ~** (fig: housing etc) être très demandé(e), être rarissime

**premonition** [prɛmə'nɪʃən] n prémonition f

**preoccupied** [priː'ɔkjupaɪd] adj préoccupé(e)

**prepaid** [priː'peɪd] adj payé(e) d'avance

**preparation** [prɛpə'reɪʃən] n préparation f; **preparations** npl (for trip, war) préparatifs mpl

**preparatory school** n (BRIT) école primaire privée; (us) lycée privé

**prepare** [prɪ'pɛər] vt préparer ▷ vi: **to ~ for** se préparer à

**P**

**prepared** [prɪ'peəd] *adj:* **~ for** préparé(e) à; **~ to** prêt(e) à
**preposition** [prepə'zɪʃən] *n* préposition f
**prep school** *n* = **preparatory school**
**prerequisite** [pri:'rekwɪzɪt] *n* condition f préalable
**preschool** [pri:'sku:l] *adj* préscolaire; *(child)* d'âge préscolaire
**prescribe** [prɪ'skraɪb] *vt* prescrire
**prescription** [prɪ'skrɪpʃən] *n (Med)* ordonnance f; *(: medicine)* médicament *m* (obtenu sur ordonnance); **could you write me a ~?** pouvez-vous me faire une ordonnance?
**presence** ['prezns] *n* présence f; **in sb's ~** en présence de qn; **~ of mind** présence d'esprit
**present** ['preznt] *adj* présent(e); *(current)* présent, actuel(le) ▷ *n* cadeau *m*; *(actuality)* présent *m* ▷ *vt* [prɪ'zent] présenter; *(prize, medal)* remettre; *(give)* **to ~ sb with sth** offrir qch à qn; **at ~** en ce moment; **to give sb a ~** offrir un cadeau à qn; **presentable** [prɪ'zentəbl] *adj* présentable; **presentation** [prezn'teɪʃən] *n* présentation f; *(ceremony)* remise f du cadeau (or de la médaille *etc*); **present-day** *adj* contemporain(e), actuel(le); **presenter** [prɪ'zentə'] *n (Brit Radio, TV)* présentateur(-trice); **presently** *adv (soon)* tout à l'heure, bientôt; *(with verb in past)* peu après; *(at present)* en ce moment
**preservation** [prezə'veɪʃən] *n* préservation f, conservation f
**preservative** [prɪ'zə:vətɪv] *n* agent *m* de conservation
**preserve** [prɪ'zə:v] *vt (keep safe)* préserver, protéger; *(maintain)* conserver, garder; *(food)* mettre en conserve ▷ *n (for game, fish)* réserve f; *(often pl: jam)* confiture f
**preside** [prɪ'zaɪd] *vi* présider
**president** ['prezɪdənt] *n* président(e); **presidential** [prezɪ'denʃl] *adj* présidentiel(le)

**press** [pres] *n (tool, machine, newspapers)* presse f; *(for wine)* pressoir *m* ▷ *vt (push)* appuyer sur; *(squeeze)* presser, serrer; *(clothes: iron)* repasser; *(insist)*: **to ~ sth on sb** presser qn d'accepter qch; *(urge, entreat)*: **to ~ sb to do** *or* **into doing sth** pousser qn à faire qch ▷ *vi* appuyer; **we are ~ed for time** le temps nous manque; **to ~ for sth** faire pression pour obtenir qch; **press conference** *n* conférence f de presse; **pressing** *adj* urgent(e), pressant(e); **press stud** *n (Brit)* bouton-pression *m*; **press-up** *n (Brit)* traction f
**pressure** ['preʃə'] *n* pression f; *(stress)* tension f; **to put ~ on sb (to do sth)** faire pression sur qn (pour qu'il fasse qch); **pressure cooker** *n* cocotte-minute® f; **pressure group** *n* groupe *m* de pression
**prestige** [pres'ti:ʒ] *n* prestige *m*
**prestigious** [pres'tɪdʒəs] *adj* prestigieux(-euse)
**presumably** [prɪ'zju:məblɪ] *adv* vraisemblablement
**presume** [prɪ'zju:m] *vt* présumer, supposer
**pretence,** *(us)* **pretense** [prɪ'tens] *n (claim)* prétention f; **under false ~s** sous des prétextes fallacieux
**pretend** [prɪ'tend] *vt (feign)* feindre, simuler ▷ *vi (feign)* faire semblant
**pretense** [prɪ'tens] *n (us)* = **pretence**
**pretentious** [prɪ'tenʃəs] *adj* prétentieux(-euse)
**pretext** ['pri:tekst] *n* prétexte *m*
**pretty** ['prɪtɪ] *adj* joli(e) ▷ *adv* assez
**prevail** [prɪ'veɪl] *vi (win)* l'emporter, prévaloir; *(be usual)* avoir cours; **prevailing** *adj (widespread)* courant(e), répandu(e); *(wind)* dominant(e)
**prevalent** ['prevələnt] *adj* répandu(e), courant(e)
**prevent** [prɪ'vent] *vt:* **to ~ (from doing)** empêcher (de faire); **prevention** [prɪ'venʃən]

*n* prévention *f*; **preventive** *adj* préventif(-ive)

**preview** ['pri:vju:] *n (of film)* avant-première *f*

**previous** ['pri:viəs] *adj (last)* précédent(e); *(earlier)* antérieur(e); **previously** *adv* précédemment, auparavant

**prey** [preɪ] *n* proie *f* ▷ *vi*: **to ~ on** s'attaquer à; **it ~ing on his mind** ça le rongeait or minait

**price** [praɪs] *n* prix *m* ▷ *vt (goods)* fixer le prix de; **priceless** *adj* sans prix, inestimable; **price list** *n* tarif *m*

**prick** [prɪk] *n (sting)* piqûre *f* ▷ *vt* piquer; **to ~ up one's ears** dresser or tendre l'oreille

**prickly** ['prɪklɪ] *adj* piquant(e), épineux(-euse); *(fig: person)* irritable

**pride** [praɪd] *n* fierté *f*; *(pej)* orgueil *m* ▷ *vt*: **to ~ o.s. on** se flatter de; s'enorgueillir de

**priest** [pri:st] *n* prêtre *m*

**primarily** ['praɪmərɪlɪ] *adv* principalement, essentiellement

**primary** ['praɪmərɪ] *adj* primaire; *(first in importance)* premier(-ière), primordial(e) ▷ *n (us: election)* (élection *f*) primaire *f*; **primary school** *n (BRIT)* école *f* primaire

**prime** [praɪm] *adj* primordial(e), fondamental(e); *(excellent)* excellent(e) ▷ *vt (fig)* mettre au courant ▷ *n*: **in the ~ of life** à la fleur de l'âge; **Prime Minister** *n* Premier ministre

**primitive** ['prɪmɪtɪv] *adj* primitif(-ive)

**primrose** ['prɪmrəuz] *n* primevère *f*

**prince** [prɪns] *n* prince *m*

**princess** [prɪn'sɛs] *n* princesse *f*

**principal** ['prɪnsɪpl] *adj* principal(e) ▷ *n (head teacher)* directeur *m*, principal *m*; **principally** *adv* principalement

**principle** ['prɪnsɪpl] *n* principe *m*; **in ~** en principe; **on ~** par principe

**print** [prɪnt] *n (mark)* empreinte *f*; *(letters)* caractères *mpl*; *(fabric)*

imprimé *m*; *(Art)* gravure *f*, estampe *f*; *(Phot)* épreuve *f* ▷ *vt* imprimer; *(publish)* publier; *(write in capitals)* écrire en majuscules; **out of ~** épuisé(e); **print out** *vt (Comput)* imprimer; **printer** *n (machine)* imprimante *f*; *(person)* imprimeur *m*; **printout** *n (Comput)* sortie *f* imprimante

**prior** ['praɪə*] *adj* antérieur(e), précédent(e); *(more important)* prioritaire ▷ *adv*: **~ to doing** avant de faire

**priority** [praɪ'ɒrɪtɪ] *n* priorité *f*; **to have or take ~ over sth/sb** avoir la priorité sur qch/qn

**prison** ['prɪzn] *n* prison *f* ▷ *cpd* pénitentiaire; **prisoner** *n* prisonnier(-ière); **prisoner of war** *n* prisonnier(-ière) de guerre

**pristine** ['prɪsti:n] *adj* virginal(e)

**privacy** ['prɪvəsɪ] *n* intimité *f*, solitude *f*

**private** ['praɪvɪt] *adj (not public)* privé(e); *(personal)* personnel(le); *(house, car, lesson)* particulier(-ière); *(quiet: place)* tranquille ▷ *n* soldat *m* de deuxième classe; **"~"** *(on envelope)* "personnelle"; *(on door)* "privé"; **in ~** en privé; **privately** *adv* en privé; *(within oneself)* intérieurement; **private property** *n* propriété privée; **private school** *n* école privée

**privatize** ['praɪvɪtaɪz] *vt* privatiser

**privilege** ['prɪvɪlɪdʒ] *n* privilège *m*

**prize** [praɪz] *n* prix *m* ▷ *adj (example, idiot)* parfait(e); *(bull, novel)* primé(e) ▷ *vt* priser, faire grand cas de; **prize-giving** *n* distribution *f* des prix; **prizewinner** *n* gagnant(e)

**pro** [prəu] *n (inf: Sport)* professionnel(le) ▷ *prep* pro; **pros** *npl*: **the ~s and cons** le pour et le contre

**probability** [prɒbə'bɪlɪtɪ] *n* probabilité *f*; **in all ~** très probablement

**probable** ['prɒbəbl] *adj* probable

**probably** ['prɒbəblɪ] *adv* probablement

P

**probation** [prəˈbeɪʃən] n: **on ~**
(employee) à l'essai; (Law) en liberté
surveillée

**probe** [prəʊb] n (Med, Space) sonde
f; (enquiry) enquête f, investigation f
▷ vt sonder, explorer

**problem** [ˈprɒbləm] n problème m

**procedure** [prəˈsiːdʒər] n (Admin,
Law) procédure f; (method) marche f à
suivre, façon f de procéder

**proceed** [prəˈsiːd] vi (go forward)
avancer; (act) procéder; (continue):
**to ~ (with)** continuer, poursuivre;
**to ~ to do** se mettre à faire;
**proceedings** npl (measures) mesures
fpl; (Law: against sb) poursuites fpl;
(meeting) réunion f, séance f; (records)
compte rendu; actes mpl; **proceeds**
[ˈprəʊsiːdz] npl produit m, recette f

**process** [ˈprəʊses] n processus m;
(method) procédé m ▷ vt traiter

**procession** [prəˈseʃən] n défilé
m, cortège m; **funeral ~** (on foot)
cortège funèbre; (in cars) convoi m
mortuaire

**proclaim** [prəˈkleɪm] vt déclarer,
proclamer

**prod** [prɒd] vt pousser

**produce** n [ˈprɒdjuːs] (Agr) produits
mpl ▷ vt [prəˈdjuːs] produire; (show)
présenter; (cause) provoquer, causer;
(Theat) monter, mettre en scène;
(TV: programme) réaliser; (: play, film)
mettre en scène; (Radio: programme)
réaliser; (: play) mettre en ondes;
**producer** n (Theat) metteur m en
scène; (Agr, Comm, Cine) producteur
m; (TV: of programme) réalisateur
m; (: of play, film) metteur en scène;
(Radio: of programme) réalisateur m; (: of
play) metteur en ondes

**product** [ˈprɒdʌkt] n produit
m; **production** [prəˈdʌkʃən] n
production f; (Theat) mise f en
scène; **productive** [prəˈdʌktɪv]
adj productif(-ive); **productivity**
[prɒdʌkˈtɪvɪtɪ] n productivité f

**Prof.** [prɒf] abbr (= professor) Prof

**profession** [prəˈfeʃən] n profession
f; **professional** n professionnel(le)
▷ adj professionnel(le); (work) de
professionnel

**professor** [prəˈfesər] n professeur
m (titulaire d'une chaire); (us: teacher)
professeur m

**profile** [ˈprəʊfaɪl] n profil m

**profit** [ˈprɒfɪt] n (from trading)
bénéfice m; (advantage) profit m
▷ vi: **to ~ (by or from)** profiter (de);
**profitable** adj lucratif(-ive), rentable

**profound** [prəˈfaʊnd] adj profond(e)

**programme** (us) **program**
[ˈprəʊɡræm] n (Comput)
programme m; (Radio, TV) émission
f ▷ vt programmer; **programmer**
n programmeur(-euse);
**programming**, (us) **programing** n
programmation f

**progress** n [ˈprəʊɡres] progrès m(pl)
▷ vi [prəˈɡres] progresser, avancer; **in
~** en cours; **progressive** [prəˈɡresɪv]
adj progressif(-ive); (person)
progressiste

**prohibit** [prəˈhɪbɪt] vt interdire,
défendre

**project** n [ˈprɒdʒekt] (plan) projet
m, plan m; (venture) opération f,
entreprise f; (Scol: research) étude f,
dossier m ▷ vt [prəˈdʒekt] projeter
▷ vi [prəˈdʒekt] (stick out) faire saillie,
s'avancer; **projection** [prəˈdʒekʃən]
n projection f; (overhang) saillie
f; **projector** [prəˈdʒektər] n
projecteur m

**prolific** [prəˈlɪfɪk] adj prolifique

**prolong** [prəˈlɒŋ] vt prolonger

**prom** [prɒm] n abbr = **promenade**;
(us: ball) bal m d'étudiants; **the P~s**
série de concerts de musique classique

◦ **PROM**
◦
◦ En Grande-Bretagne, un promenade
◦ concert ou prom est un concert de
◦ musique classique, ainsi appelé
◦ car, à l'origine, le public restait

debout et se promenait au lieu
de rester assis. De nos jours, une
partie du public reste debout,
mais il y a également des places
assises (plus chères). Les Proms
les plus connus sont les Proms
londoniens. La dernière séance (the
"Last Night of the Proms") est un
grand événement médiatique où
se jouent des airs traditionnels et
patriotiques. Aux États-Unis et au
Canada, le *prom* ou *promenade* est
un bal organisé par le lycée.

**promenade** [prɔmə'nɑːd] *n* (*by sea*)
esplanade *f*, promenade *f*
**prominent** ['prɔmɪnənt] *adj*
(*standing out*) proéminent(e);
(*important*) important(e)
**promiscuous** [prə'mɪskjuəs] *adj*
(*sexually*) de mœurs légères
**promise** ['prɔmɪs] *n* promesse *f*
▷ *vt, vi* promettre; **promising** *adj*
prometteur(-euse)
**promote** [prə'məʊt] *vt* promouvoir;
(*new product*) lancer; **promotion**
[prə'məʊʃən] *n* promotion *f*
**prompt** [prɔmpt] *adj* rapide ▷ *n*
(*Comput*) message *m* (de guidage) ▷ *vt*
(*cause*) entraîner, provoquer; (*Theat*)
souffler (son rôle *or* ses répliques) à;
**at 8 o'clock ~** à 8 heures précises;
**to ~ sb to do** inciter *or* pousser
qn à faire; **promptly** *adv* (*quickly*)
rapidement, sans délai; (*on time*)
ponctuellement
**prone** [prəʊn] *adj* (*lying*) couché(e)
(face contre terre); (*liable*): **~ to**
enclin(e) à
**prong** [prɔŋ] *n* (*of fork*) dent *f*
**pronoun** ['prəʊnaʊn] *n* pronom *m*
**pronounce** [prə'naʊns] *vt*
prononcer; **how do you ~ it?**
comment est-ce que ça se prononce?
**pronunciation** [prənʌnsɪ'eɪʃən] *n*
prononciation *f*
**proof** [pruːf] *n* preuve *f* ▷ *adj*:
**~ against** à l'épreuve de

**prop** [prɔp] *n* support *m*, étai *m*; (*fig*)
soutien *m* ▷ *vt* (*also:* **~ up**) étayer,
soutenir; **props** *npl* accessoires *mpl*
**propaganda** [prɔpə'gændə] *n*
propagande *f*
**propeller** [prə'pelə'] *n* hélice *f*
**proper** ['prɔpə'] *adj* (*suited, right*)
approprié(e), bon (bonne); (*seemly*)
correct(e), convenable; (*authentic*)
vrai(e), véritable; (*referring to place*):
**the village** ~ le village proprement
dit; **properly** *adv* correctement,
convenablement; **proper noun** *n*
nom *m* propre
**property** ['prɔpətɪ] *n* (*possessions*)
biens *mpl*; (*house etc*) propriété *f*;
(*land*) terres *fpl*, domaine *m*
**prophecy** ['prɔfɪsɪ] *n* prophétie *f*
**prophet** ['prɔfɪt] *n* prophète *m*
**proportion** [prə'pɔːʃən] *n*
proportion *f*; (*share*) part *f*; partie *f*;
**proportions** *npl* (*size*) dimensions *fpl*;
**proportional, proportionate** *adj*
proportionnel(le)
**proposal** [prə'pəʊzl] *n* proposition
*f*, offre *f*; (*plan*) projet *m*; (*of marriage*)
demande *f* en mariage
**propose** [prə'pəʊz] *vt* proposer,
suggérer ▷ *vi* faire sa demande en
mariage; **to ~ to do** avoir l'intention
de faire
**proposition** [prɔpə'zɪʃən] *n*
proposition *f*
**proprietor** [prə'praɪətə'] *n*
propriétaire *m/f*
**prose** [prəʊz] *n* prose *f*; (*Scol:
translation*) thème *m*
**prosecute** ['prɔsɪkjuːt] *vt*
poursuivre; **prosecution**
[prɔsɪ'kjuːʃən] *n* poursuites *fpl*
judiciaires; (*accusing side: in criminal
case*) accusation *f*; (: *in civil case*) la
partie plaignante; **prosecutor** *n*
(*lawyer*) procureur *m*; (*also:* **public
prosecutor**) ministère public; (*us:
plaintiff*) plaignant(e)
**prospect** *n* ['prɔspekt] perspective
*f*; (*hope*) espoir *m*, chances *fpl* ▷ *vt, vi*

[prə'spɛkt] prospecter; **prospects** *npl* (*for work etc*) possibilités *fpl* d'avenir, débouchés *mpl*; **prospective** [prə'spɛktɪv] *adj* (*possible*) éventuel(le); (*future*) futur(e)

**prospectus** [prə'spɛktəs] *n* prospectus *m*

**prosper** ['prɔspə'] *vi* prospérer; **prosperity** [prɔ'spɛrɪtɪ] *n* prospérité *f*; **prosperous** *adj* prospère

**prostitute** ['prɔstɪtjuːt] *n* prostituée *f*; **male** ~ prostitué *m*

**protect** [prə'tɛkt] *vt* protéger; **protection** [prə'tɛkʃən] *n* protection *f*; **protective** *adj* protecteur(-trice); (*clothing*) de protection

**protein** ['prəutiːn] *n* protéine *f*

**protest** *n* ['prəutɛst] protestation *f* ▷ *vi* [prə'tɛst]: **to ~ against/about** protester contre/à propos de; **to ~ (that)** protester que

**Protestant** ['prɔtɪstənt] *adj*, *n* protestant(e)

**protester, protestor** [prə'tɛstə'] *n* (*in demonstration*) manifestant(e)

**protractor** [prə'træktə'] *n* (*Geom*) rapporteur *m*

**proud** [praud] *adj* fier(-ère); (*pej*) orgueilleux(-euse)

**prove** [pruːv] *vt* prouver, démontrer ▷ *vi*: **to ~ correct** *etc* s'avérer juste *etc*; **to ~ o.s.** montrer ce dont on est capable

**proverb** ['prɔvəːb] *n* proverbe *m*

**provide** [prə'vaɪd] *vt* fournir; **to ~ sb with sth** fournir qch à qn; **provide for** *vt fus* (*person*) subvenir aux besoins de; (*future event*) prévoir; **provided** *conj*: **provided (that)** à condition que + *sub*; **providing** [prə'vaɪdɪŋ] *conj* à condition que + *sub*

**province** ['prɔvɪns] *n* province *f*; (*fig*) domaine *m*; **provincial** [prə'vɪnʃəl] *adj* provincial(e)

**provision** [prə'vɪʒən] *n* (*supplying*) fourniture *f*; approvisionnement *m*; (*stipulation*) disposition *f*; **provisions**

*npl* (*food*) provisions *fpl*; **provisional** *adj* provisoire

**provocative** [prə'vɔkətɪv] *adj* provocateur(-trice), provocant(e)

**provoke** [prə'vəuk] *vt* provoquer

**prowl** [praul] *vi* (*also:* **~ about, ~ around**) rôder

**proximity** [prɔk'sɪmɪtɪ] *n* proximité *f*

**proxy** ['prɔksɪ] *n*: **by ~** par procuration

**prudent** ['pruːdnt] *adj* prudent(e)

**prune** [pruːn] *n* pruneau *m* ▷ *vt* élaguer

**pry** [praɪ] *vi*: **to ~ into** fourrer son nez dans

**PS** *n abbr* (= *postscript*) PS *m*

**pseudonym** ['sjuːdənɪm] *n* pseudonyme *m*

**PSHE** *n abbr* (BRIT *Scol*: = *personal, social and health education*) cours d'éducation personnelle, sanitaire et sociale préparant à la vie adulte

**psychiatric** [saɪkɪ'ætrɪk] *adj* psychiatrique

**psychiatrist** [saɪ'kaɪətrɪst] *n* psychiatre *m/f*

**psychic** ['saɪkɪk] *adj* (*also:* **~al**) (méta)psychique; (*person*) doué(e) de télépathie ou d'un sixième sens

**psychoanalysis** (*pl* **psychoanalyses**) [saɪkəuə'nælɪsɪs, -siːz] *n* psychanalyse *f*

**psychological** [saɪkə'lɔdʒɪkl] *adj* psychologique

**psychologist** [saɪ'kɔlədʒɪst] *n* psychologue *m/f*

**psychology** [saɪ'kɔlədʒɪ] *n* psychologie *f*

**psychotherapy** [saɪkəu'θɛrəpɪ] *n* psychothérapie *f*

**pt** *abbr* = **pint; pints; point; points**

**PTO** *abbr* (= *please turn over*) TSVP

**PTV** *abbr* (US) = **pay television**

**pub** [pʌb] *n abbr* (= *public house*) pub *m*

**puberty** ['pjuːbətɪ] *n* puberté *f*

**public** ['pʌblɪk] *adj* public(-ique) ▷ *n* public *m*; **in ~** en public; **to make ~** rendre public

**publication** [pʌblɪˈkeɪʃən] n
publication f
**public**: **public company** n société
f anonyme; **public convenience** n
(BRIT) toilettes fpl; **public holiday**
n (BRIT) jour férié; **public house** n
(BRIT) pub m

**publicity** [pʌbˈlɪsɪtɪ] n publicité f
**publicize** [ˈpʌblɪsaɪz] vt (make
known) faire connaître, rendre
public; (advertise) faire de la publicité
pour

**public**: **public limited company** n
≈ société f anonyme (SA) (cotée en
Bourse); **publicly** adv publiquement,
en public; **public opinion** n opinion
publique; **public relations** n
relations publiques (RP); **public
school** n (BRIT) école privée; (US)
école publique; **public transport**,
(US) **public transportation** n
transports mpl en commun

**publish** [ˈpʌblɪʃ] vt publier; **publisher**
n éditeur m; **publishing** n (industry)
édition f

**pub lunch** n repas m de bistrot
**pudding** [ˈpudɪŋ] n (BRIT: dessert)
dessert m, entremets m; (sweet dish)
pudding m, gâteau m

**puddle** [ˈpʌdl] n flaque f d'eau
**puff** [pʌf] n bouffée f ▷ vt (also: ~
out: sails, cheeks) gonfler ▷ vi (pant)
haleter; **puff pastry**, (US) **puff paste**
n pâte feuilletée

**pull** [pul] n (tug): **to give sth a ~** tirer
sur qch ▷ vt tirer; (trigger) presser;
(strain: muscle, tendon) se claquer
▷ vi tirer; **to ~ to pieces** mettre en
morceaux; (also fig) ménager son adversaire;
**to ~ one's punches** se donner
**to ~ one's weight** y mettre du sien;
**to ~ o.s. together** se ressaisir; **to
~ sb's leg** (fig) faire marcher qn;
**pull apart** vt (break) mettre en
pièces, démantibuler; **pull away** vi
(vehicle: move off) partir; (draw back)
s'éloigner; **pull back** vt (lever etc)
tirer sur; (curtains) ouvrir ▷ vi (refrain)

s'abstenir; (Mil: withdraw) se retirer;
**pull down** vt baisser, abaisser;
(house) démolir; **pull in** vi (Aut) se
ranger; (Rail) entrer en gare; **pull off**
vt enlever, ôter; (deal etc) conclure;
**pull out** vi (Aut) démarrer, partir; (Aut:
come out of line) déboîter ▷ vt (from
bag, pocket) sortir; (remove) arracher;
**pull over** vi (Aut) se ranger; **pull up** vi
(stop) s'arrêter ▷ vt remonter; (uproot)
déraciner, arracher

**pulley** [ˈpulɪ] n poulie f
**pullover** [ˈpuləuvəʳ] n pull-over m,
tricot m

**pulp** [pʌlp] n (of fruit) pulpe f; (for
paper) pâte f à papier

**pulpit** [ˈpulpɪt] n chaire f
**pulse** [pʌls] n (of blood) pouls m; (of
heart) battement m; **pulses** npl (Culin)
légumineuses fpl

**puma** [ˈpjuːmə] n puma m
**pump** [pʌmp] n pompe f; (shoe)
escarpin m ▷ vt pomper; **pump up**
vt gonfler

**pumpkin** [ˈpʌmpkɪn] n potiron m,
citrouille f

**pun** [pʌn] n jeu m de mots,
calembour m

**punch** [pʌntʃ] n (blow) coup m de
poing; (tool) poinçon m; (drink) punch
m ▷ vt (make a hole in) poinçonner,
perforer; (hit): **to ~ sb/sth** donner un
coup de poing à qn/sur qch; **punch-
up** n (BRIT inf) bagarre f

**punctual** [ˈpʌŋktjuəl] adj
ponctuel(le)

**punctuation** [pʌŋktjuˈeɪʃən] n
ponctuation f

**puncture** [ˈpʌŋktʃəʳ] n (BRIT)
crevaison f ▷ vt crever

**punish** [ˈpʌnɪʃ] vt punir; **punishment**
n punition f, châtiment m

**punk** [pʌŋk] n (person: also: ~ rocker)
punk m/f; (music: also: ~ rock) le
punk; (us inf: hoodlum) voyou m

**pup** [pʌp] n chiot m
**pupil** [ˈpjuːpl] n élève m/f; (of eye)
pupille f

P

# puppet | 518

**puppet** ['pʌpɪt] *n* marionnette *f*, pantin *m*

**puppy** ['pʌpɪ] *n* chiot *m*, petit chien

**purchase** ['pɜːtʃɪs] *n* achat *m* ▷ *vt* acheter

**pure** [pjuər] *adj* pur(e); **purely** *adv* purement

**purify** ['pjuərɪfaɪ] *vt* purifier, épurer

**purity** ['pjuərɪtɪ] *n* pureté *f*

**purple** ['pɜːpl] *adj* violet(te); (*face*) cramoisi(e)

**purpose** ['pɜːpəs] *n* intention *f*, but *m*; **on ~** exprès

**purr** [pɜːˈ] *vi* ronronner

**purse** [pɜːs] *n* (BRIT: *for money*) porte-monnaie *m inv*; (US: *handbag*) sac *m* (à main) ▷ *vt* serrer, pincer

**pursue** [pəˈsjuː] *vt* poursuivre

**pursuit** [pəˈsjuːt] *n* poursuite *f*; (*occupation*) occupation *f*, activité *f*

**pus** [pʌs] *n* pus *m*

**push** [puʃ] *n* poussée *f* ▷ *vt* pousser; (*button*) appuyer sur; (*fig: product*) mettre en avant, faire de la publicité pour ▷ *vi* pousser; **to ~ for** (*better pay, conditions*) réclamer; **push in** *vi* s'introduire de force; **push off** *vi* (*inf*) filer, ficher le camp; **push on** *vi* (*continue*) continuer; **push over** *vt* renverser; **push through** *vi* (*in crowd*) se frayer un chemin; **pushchair** *n* (BRIT) poussette *f*; **pusher** *n* (*also*: **drug pusher**) revendeur(-euse) (de drogue), ravitailleur(-euse) (en drogue); **push-up** *n* (US) traction *f*

**pussy(-cat)** ['pʊsɪ] *n* (*inf*) minet *m*

**put** (*pt, pp* **put**) [put] *vt* mettre; (*place*) poser, placer; (*say*) dire, exprimer; (*a question*) poser; (*case, view*) exposer, présenter; (*estimate*) estimer; **put aside** *vt* mettre de côté; **put away** *vt* (*store*) ranger; **put back** *vt* (*replace*) remettre, replacer; (*postpone*) remettre; **put by** *vt* (*money*) mettre de côté, économiser; **put down** *vt* (*parcel etc*) poser, déposer; (*in writing*) mettre par écrit, inscrire; (*suppress: revolt etc*) réprimer, écraser; (*attribute*)

attribuer; (*animal*) abattre; (*cat, dog*) faire piquer; **put forward** *vt* (*ideas*) avancer, proposer; **put in** *vt* (*complaint*) soumettre; (*time, effort*) consacrer; **put off** *vt* (*postpone*) remettre à plus tard, ajourner; (*discourage*) dissuader; **put on** *vt* (*clothes, lipstick, CD*) mettre; (*light etc*) allumer; (*play etc*) monter; (*weight*) prendre; (*assume: accent, manner*) prendre; **put out** *vt* (*take outside*) mettre dehors; (*one's hand*) tendre; (*light etc*) éteindre; (*person: inconvenience*) déranger, gêner; **put through** *vt* (*Tel: caller*) mettre en communication; (: *call*) passer; (*plan*) faire accepter; **put together** *vt* mettre ensemble; (*assemble: furniture*) monter, assembler; (: *meal*) préparer; **put up** *vt* (*raise*) lever, relever, remonter; (*hang*) accrocher; (*build*) construire, ériger; (*increase*) augmenter; (*accommodate*) loger; **put up with** *vt fus* supporter

**putt** [pʌt] *n* putt *m*; **putting green** *n* green *m*

**puzzle** ['pʌzl] *n* énigme *f*, mystère *m*; (*game*) jeu *m*, casse-tête *m*; (*jigsaw*) puzzle *m*; (*also*: **crossword ~**) mots croisés ▷ *vt* intriguer, rendre perplexe ▷ *vi*: **to ~ over** chercher à comprendre; **puzzled** *adj* perplexe; **puzzling** *adj* déconcertant(e), inexplicable

**pyjamas** [pɪˈdʒɑːməz] *npl* (BRIT) pyjama *m*

**pylon** ['paɪlən] *n* pylône *m*

**pyramid** ['pɪrəmɪd] *n* pyramide *f*

**Pyrenees** [pɪrəˈniːz] *npl* Pyrénées *fpl*

# q

**quack** [kwæk] n (of duck) coin-coin m inv; (pej: doctor) charlatan m

**quadruple** [kwɔ'druːpl] vt, vi quadrupler

**quail** [kweɪl] n (Zool) caille f ▷ vi: **to ~ at** or **before** reculer devant

**quaint** [kweɪnt] adj bizarre; (old-fashioned) désuet(-ète); (picturesque) au charme vieillot, pittoresque

**quake** [kweɪk] vi trembler ▷ n abbr = **earthquake**

**qualification** [kwɔlɪfɪ'keɪʃən] n (often pl: degree etc) diplôme m; (training) qualification(s) f(pl); (ability) compétence(s) f(pl); (limitation) réserve f, restriction f

**qualified** ['kwɔlɪfaɪd] adj (trained) qualifié(e); (professionally) diplômé(e); (fit, competent) compétent(e), qualifié(e); (limited) conditionnel(le)

**qualify** ['kwɔlɪfaɪ] vt qualifier; (modify) atténuer, nuancer ▷ vi: **to ~ (as)** obtenir son diplôme (de); **to ~**

**(for)** remplir les conditions requises (pour); (Sport) se qualifier (pour)

**quality** ['kwɔlɪtɪ] n qualité f

**qualm** [kwɑːm] n doute m; scrupule m

**quantify** ['kwɔntɪfaɪ] vt quantifier

**quantity** ['kwɔntɪtɪ] n quantité f

**quarantine** ['kwɔrntiːn] n quarantaine f

**quarrel** ['kwɔrl] n querelle f, dispute f ▷ vi se disputer, se quereller

**quarry** ['kwɔrɪ] n (for stone) carrière f; (animal) proie f, gibier m

**quart** [kwɔːt] n ≈ litre m

**quarter** ['kwɔːtər] n quart m; (of year) trimestre m; (district) quartier m; (us, canada: 25 cents) (pièce f de) vingt-cinq cents mpl ▷ vt partager en quartiers or en quatre; (Mil) caserner, cantonner; **quarters** npl logement m; (Mil) quartiers mpl, cantonnement m; **a ~ of an hour** un quart d'heure; **quarter final** n quart m de finale; **quarterly** adj trimestriel(le) ▷ adv tous les trois mois

**quartet(te)** [kwɔː'tet] n quatuor m; (jazz players) quartette m

**quartz** [kwɔːts] n quartz m

**quay** [kiː] n (also: **~side**) quai m

**queasy** ['kwiːzɪ] adj: **to feel ~** avoir mal au cœur

**Quebec** [kwɪ'bɛk] n (city) Québec; (province) Québec m

**queen** [kwiːn] n (gen) reine f; (Cards etc) dame f

**queer** [kwɪər] adj étrange, curieux(-euse); (suspicious) louche ▷ n (offensive) homosexuel m

**quench** [kwentʃ] vt: **to ~ one's thirst** se désaltérer

**query** ['kwɪərɪ] n question f ▷ vt (disagree with, dispute) mettre en doute, questionner

**quest** [kwest] n recherche f, quête f

**question** ['kwestʃən] n question f ▷ vt (person) interroger; (plan, idea) mettre en question or en doute; **beyond ~** sans aucun doute; **out of the ~** hors de question; **questionable** adj discutable; **question mark** n point m d'interrogation; **questionnaire** [kwɛstʃəˈnɛə] n questionnaire m

**queue** [kjuː] (BRIT) n queue f, file f ▷ vi (also: **~ up**) faire la queue

**quiche** [kiːʃ] n quiche f

**quick** [kwɪk] adj rapide; (mind) vif (vive); (agile) agile, vif (vive) ▷ n: **cut to the ~** (fig) touché(e) au vif; **be ~!** dépêche-toi!; **quickly** adv (fast) vite, rapidement; (immediately) tout de suite

**quid** [kwɪd] n (pl inv: BRIT inf) livre f

**quiet** [ˈkwaɪət] adj tranquille, calme; (voice) bas(se); (ceremony, colour) discret(-ète) ▷ n tranquillité f, calme m; (silence) silence m; **quietly** adv tranquillement, (silently) silencieusement; (discreetly) discrètement

**quilt** [kwɪlt] n édredon m; (continental quilt) couette f

**quirky** [ˈkwɜːkɪ] adj singulier(-ère)

**quit** [kwɪt] (pt, pp **quit** or **quitted**) vt quitter ▷ vi (give up) abandonner, renoncer; (resign) démissionner

**quite** [kwaɪt] adv (rather) assez, plutôt; (entirely) complètement, tout à fait; **~ a few of them** un assez grand nombre d'entre eux; **that's not ~ right** ce n'est pas tout à fait juste; **~ (so)!** exactement!

**quits** [kwɪts] adj: **~ (with)** quitte (envers); **let's call it ~** restons-en là

**quiver** [ˈkwɪvə] vi trembler, frémir

**quiz** [kwɪz] n (on TV) jeu-concours m (télévisé); (in magazine etc) test m de connaissances ▷ vt interroger

**quota** [ˈkwəʊtə] n quota m

**quotation** [kwəʊˈteɪʃən] n citation f; (estimate) devis m f; **quotation marks** npl guillemets mpl

**quote** [kwəʊt] n citation f; (estimate) devis m ▷ vt (sentence, author) citer; (price) donner, soumettre ▷ vi: **to ~ from** citer; **quotes** npl (inverted commas) guillemets mpl

# r

**rabbi** [ˈræbaɪ] n rabbin m

**rabbit** [ˈræbɪt] n lapin m

**rabies** [ˈreɪbiːz] n rage f

**RAC** n abbr (BRIT: = Royal Automobile Club) ≈ ACF m

**rac(c)oon** [rəˈkuːn] n raton m laveur

**race** [reɪs] n (species) race f; (competition, rush) course f ▷ vt (person) faire la course avec ▷ vi (compete) faire la course, courir; (pulse) battre très vite; **race car** n (US) = **racing car**; **racecourse** n champ m de courses; **racehorse** n cheval m de course; **racetrack** n piste f

**racial** [ˈreɪʃl] adj racial(e)

**racing** [ˈreɪsɪŋ] n courses fpl; **racing car** n (BRIT) voiture f de course; **racing driver** n (BRIT) pilote m de course

**racism** [ˈreɪsɪzəm] n racisme m; **racist** [ˈreɪsɪst] adj, n raciste m/f

**rack** [ræk] n (for guns, tools) râtelier m; (for clothes) portant m; (for bottles) casier m; (also: **luggage ~**) filet m à bagages; (also: **roof ~**) galerie f; (also: **dish ~**) égouttoir m ▷ vt tourmenter; **to ~ one's brains** se creuser la cervelle

**racket** ['rækɪt] n (for tennis) raquette f; (noise) tapage m, vacarme m; (swindle) escroquerie f

**racquet** ['rækɪt] n raquette f

**radar** ['reɪdɑː'] n radar m

**radiation** [reɪdɪ'eɪʃən] n rayonnement m; (radioactive) radiation f

**radiator** ['reɪdɪeɪtə'] n radiateur m

**radical** ['rædɪkl] adj radical(e)

**radio** ['reɪdɪəʊ] n radio f ▷ vt (person) appeler par radio; **on the ~** à la radio; **radioactive** adj radioactif(-ive); **radio station** n station f de radio

**radish** ['rædɪʃ] n radis m

**RAF** n abbr (BRIT) = **Royal Air Force**

**raffle** ['ræfl] n tombola f

**raft** [rɑːft] n (craft: also: **life ~**) radeau m; (logs) train m de flottage

**rag** [ræg] n chiffon m; (pej: newspaper) feuille f, torchon m; (for charity) attractions organisées pour les étudiants au profit d'œuvres de charité; **rags** npl haillons mpl

**rage** [reɪdʒ] n (fury) rage f, fureur f ▷ vi (person) être fou (folle) de rage; (storm) faire rage, être déchaîné(e); **it's all the ~** cela fait fureur

**ragged** ['rægɪd] adj (edge) inégal(e), qui accroche; (clothes) en loques; (appearance) déguenillé(e)

**raid** [reɪd] n (Mil) raid m; (criminal) hold-up m inv; (by police) descente f, rafle f ▷ vt faire un raid sur or un hold-up dans or une descente dans

**rail** [reɪl] n (on stair) rampe f; (on bridge, balcony) balustrade f; (of ship) bastingage m; (for train) rail m; **railcard** n (BRIT) carte f de chemin de fer; **railing(s)** n(pl) grille f; **railway**, (US) **railroad** n chemin m de fer; (track) voie f ferrée; **railway line** n (BRIT) ligne f de chemin de fer; (track)

voie f ferrée; **railway station** n (BRIT) gare f

**rain** [reɪn] n pluie f ▷ vi pleuvoir; **in the ~** sous la pluie; **it's ~ing** il pleut; **rainbow** n arc-en-ciel m; **raincoat** n imperméable m; **raindrop** n goutte f de pluie; **rainfall** n chute f de pluie; (measurement) hauteur f des précipitations; **rainforest** n forêt tropicale; **rainy** adj pluvieux(-euse)

**raise** [reɪz] n augmentation f ▷ vt (lift) lever; hausser; (increase) augmenter; (morale) remonter; (standards) améliorer; (a protest, doubt) provoquer, causer; (a question) soulever; (cattle, family) élever; (crop) faire pousser; (army, funds) rassembler; (loan) obtenir; **to ~ one's voice** élever la voix

**raisin** ['reɪzn] n raisin sec

**rake** [reɪk] n (tool) râteau m; (person) débauché m ▷ vt (garden) ratisser

**rally** ['rælɪ] n (Pol etc) meeting m, rassemblement m; (Aut) rallye m; (Tennis) échange m ▷ vt rassembler, rallier; (support) gagner ▷ vi (sick person) aller mieux; (Stock Exchange) reprendre

**RAM** [ræm] n abbr (Comput: = random access memory) mémoire vive

**ram** [ræm] n bélier m ▷ vt (push) enfoncer; (crash into: vehicle) emboutir; (: lamppost etc) percuter

**Ramadan** [ræmə'dæn] n Ramadan m

**ramble** ['ræmbl] n randonnée f ▷ vi (walk) se promener, faire une randonnée; (pej: also: **~ on**) discourir, pérorer; **rambler** n promeneur(-euse), randonneur(-euse); **rambling** adj (speech) décousu(e); (house) plein(e) de coins et de recoins; (Bot) grimpant(e)

**ramp** [ræmp] n (incline) rampe f; (Aut) dénivellation f; (in garage) pont m; **on/off ~** (US Aut) bretelle f d'accès

**rampage** ['ræmpeɪdʒ] n: **to be on the ~** se déchaîner

r

**ran** [ræn] *pt of* **run**

**ranch** [rɑːntʃ] *n* ranch *m*

**random** ['rændəm] *adj* fait(e) or établi(e) au hasard; (*Comput, Math*) aléatoire ▷ *n*: **at ~** au hasard

**rang** [ræŋ] *pt of* **ring**

**range** [reɪndʒ] *n* (*of mountains*) chaîne *f*; (*of missile, voice*) portée *f*; (*of products*) choix *m*, gamme *f*; (*also*: **shooting ~**) champ *m* de tir; (*also*: **kitchen ~**) fourneau *m* (de cuisine) ▷ *vt* (*place*) mettre en rang, placer ▷ *vi*: **to ~ over** couvrir; **to ~ from ... to** aller de ... à

**ranger** ['reɪndʒəʳ] *n* garde *m* forestier

**rank** [ræŋk] *n* rang *m*; (*Mil*) grade *m*; (*BRIT: also*: **taxi ~**) station *f* de taxis ▷ *vi*: **to ~ among** compter or se classer parmi ▷ *adj* (*smell*) nauséabond(e); **the ~ and file** (*fig*) la masse, la base

**ransom** ['rænsəm] *n* rançon *f*; **to hold sb to ~** (*fig*) exercer un chantage sur qn

**rant** [rænt] *vi* fulminer

**rap** [ræp] *n* (*music*) rap *m* ▷ *vt* (*door*) frapper sur or à; (*table etc*) taper sur

**rape** [reɪp] *n* viol *m*; (*Bot*) colza *m* ▷ *vt* violer

**rapid** ['ræpɪd] *adj* rapide; **rapidly** *adv* rapidement; **rapids** *npl* (*Geo*) rapides *mpl*

**rapist** ['reɪpɪst] *n* auteur *m* d'un viol

**rapport** [ræ'pɔːʳ] *n* entente *f*

**rare** [rɛəʳ] *adj* rare; (*Culin: steak*) saignant(e); **rarely** *adv* rarement

**rash** [ræʃ] *adj* imprudent(e), irréfléchi(e) ▷ *n* (*Med*) rougeur *f*, éruption *f*; (*of events*) série *f* (noire)

**rasher** ['ræʃəʳ] *n* fine tranche (de lard)

**raspberry** ['rɑːzbərɪ] *n* framboise *f*

**rat** [ræt] *n* rat *m*

**rate** [reɪt] *n* (*ratio*) taux *m*, pourcentage *m*; (*speed*) vitesse *f*, rythme *m*; (*price*) tarif *m* ▷ *vt* (*price*) évaluer, estimer; (*people*) classer; **rates** *npl* (*BRIT: property tax*) impôts

locaux; **to ~ sb/sth as** considérer qn/qch comme

**rather** ['rɑːðəʳ] *adv* (*somewhat*) assez, plutôt; (*to some extent*) un peu; **it's ~ expensive** c'est assez cher; (*too much*) c'est un peu cher; **there's ~ a lot** il y en a beaucoup; **I would** or **I'd ~ go** j'aimerais mieux or je préférerais partir; **or ~** (*more accurately*) ou plutôt

**rating** ['reɪtɪŋ] *n* (*assessment*) évaluation *f*; (*score*) classement *m*; (*Finance*) cote *f*; **ratings** *npl* (*Radio*) indice(s) *m*(*pl*) d'écoute; (*TV*) Audimat® *m*

**ratio** ['reɪʃɪəu] *n* proportion *f*; **in the ~ of 100 to 1** dans la proportion de 100 contre 1

**ration** ['ræʃən] *n* ration *f* ▷ *vt* rationner; **rations** *npl* (*food*) vivres *mpl*

**rational** ['ræʃənl] *adj* raisonnable, sensé(e); (*solution, reasoning*) logique; (*Med: person*) lucide

**rat race** *n* foire *f* d'empoigne

**rattle** ['rætl] *n* (*of door, window*) battement *m*; (*of coins, chain*) cliquetis *m*; (*of train, engine*) bruit *m* de ferraille; (*for baby*) hochet *m* ▷ *vi* cliqueter; (*car, bus*): **to ~ along** rouler en faisant un bruit de ferraille ▷ *vt* agiter (bruyamment); (*inf: disconcert*) décontenancer

**rave** [reɪv] *vi* (*in anger*) s'emporter; (*with enthusiasm*) s'extasier; (*Med*) délirer ▷ *n* (*inf: party*) rave *f*, soirée *f* techno

**raven** ['reɪvən] *n* grand corbeau

**ravine** [rə'viːn] *n* ravin *m*

**raw** [rɔː] *adj* (*uncooked*) cru(e); (*not processed*) brut(e); (*sore*) à vif, irrité(e); (*inexperienced*) inexpérimenté(e); **~ materials** matières premières

**ray** [reɪ] *n* rayon *m*; **~ of hope** lueur *f* d'espoir

**razor** ['reɪzəʳ] *n* rasoir *m*; **razor blade** *n* lame *f* de rasoir

**Rd** *abbr* = **road**

**RE** n abbr (BRIT: = religious education) instruction religieuse

**re** [riː] prep concernant

**reach** [riːtʃ] n portée f, atteinte f; (of river etc) étendue f ▷ vt atteindre, arriver à; (conclusion, decision) parvenir à ▷ vi s'étendre; **out of/ within ~** (object) hors de/à portée; **reach out** vt tendre ▷ vi: **to ~ out (for)** allonger le bras pour

**react** [riːˈækt] vi réagir; **reaction** [riːˈækʃən] n réaction f; **reactor** [riːˈæktəʳ] n réacteur m

**read** (pt, pp **read**) [riːd, rɛd] vi lire ▷ vt lire; (understand) comprendre, interpréter; (study) étudier; (meter) relever; (subj: instrument etc) indiquer, marquer; **read out** vt lire à haute voix; **reader** n lecteur/-trice

**readily** [ˈrɛdɪlɪ] adv volontiers, avec empressement; (easily) facilement

**reading** [ˈriːdɪŋ] n lecture f; (understanding) interprétation f; (on instrument) indications fpl

**ready** [ˈrɛdɪ] adj prêt(e); (willing) prêt, disposé(e); (available) disponible ▷ n: **at the ~** (Mil) prêt à faire feu; **when will my photos be ~?** quand est-ce que mes photos seront prêtes?; **to get ~** (as vi) se préparer; (as vt) préparer; **ready-cooked** adj précuit(e); **ready-made** adj tout(e) fait(e)

**real** [rɪəl] adj (world, life) réel(le); (genuine) véritable; (proper) vrai(e) ▷ adv (US inf: very) vraiment; **real ale** n bière traditionnelle; **real estate** n biens fonciers ou immobiliers; **realistic** [rɪəˈlɪstɪk] adj réaliste; **reality** [riːˈælɪtɪ] n réalité f; **reality TV** n téléréalité f

**realization** [rɪəlaɪˈzeɪʃən] n (awareness) prise f de conscience; (fulfilment, also: of asset) réalisation f

**realize** [ˈrɪəlaɪz] vt (understand) se rendre compte de, prendre conscience de; (a project, Comm: asset) réaliser

**really** [ˈrɪəlɪ] adv vraiment; **~?** vraiment?, c'est vrai?

**realm** [rɛlm] n royaume m; (fig) domaine m

**realtor** [ˈrɪəltɔːʳ] n (US) agent immobilier

**reappear** [riːəˈpɪəʳ] vi réapparaître, reparaître

**rear** [rɪəʳ] adj de derrière, arrière inv; (Aut: wheel etc) arrière ▷ n arrière m ▷ vt (cattle, family) élever ▷ vi (also: ~ up: animal) se cabrer

**rearrange** [riːəˈreɪndʒ] vt réarranger

**rear: rear-view mirror** n (Aut) rétroviseur m; **rear-wheel drive** n (Aut) traction f arrière

**reason** [ˈriːzn] n raison f ▷ vi: **to ~ with sb** raisonner qn, faire entendre raison à qn; **it stands to ~ that** il va sans dire que; **reasonable** adj raisonnable; (not bad) acceptable; **reasonably** adv (behave) raisonnablement; (fairly) assez; **reasoning** n raisonnement m

**reassurance** [riːəˈʃuərəns] n (factual) assurance f, garantie f; (emotional) réconfort m

**reassure** [riːəˈʃuəʳ] vt rassurer

**rebate** [ˈriːbeɪt] n (on tax etc) dégrèvement m

**rebel** n [ˈrɛbl] rebelle m/f ▷ vi [rɪˈbɛl] se rebeller, se révolter; **rebellion** [rɪˈbɛljən] n rébellion f, révolte f; **rebellious** [rɪˈbɛljəs] adj rebelle

**rebuild** [riːˈbɪld] vt (irreg: like **build**) reconstruire

**recall** vt [rɪˈkɔːl] rappeler; (remember) se rappeler, se souvenir de ▷ n [ˈriːkɔːl] rappel m; (ability to remember) mémoire f

**receipt** [rɪˈsiːt] n (document) reçu m; (for parcel etc) accusé m de réception; (act of receiving) réception f; **receipts** npl (Comm) recettes fpl; **can I have a ~, please?** je peux avoir un reçu, s'il vous plaît?

**receive** [rɪˈsiːv] vt recevoir; (guest) recevoir, accueillir; **receiver** n (Tel) récepteur m, combiné m; (Radio) récepteur; (of stolen goods) receleur m; (for bankruptcies) administrateur m judiciaire

**recent** ['riːsnt] adj récent(e); **recently** adv récemment

**reception** [rɪ'sepʃən] n réception f; (welcome) accueil m, réception; **reception desk** n réception f; **receptionist** n réceptionniste m/f

**recession** [rɪ'seʃən] n (Econ) récession f

**recharge** [riː'tʃɑːdʒ] vt (battery) recharger

**recipe** ['resɪpɪ] n recette f

**recipient** [rɪ'sɪpɪənt] n (of payment) bénéficiaire m/f; (of letter) destinataire m/f

**recital** [rɪ'saɪtl] n récital m

**recite** [rɪ'saɪt] vt (poem) réciter

**reckless** ['reklɪs] adj (driver etc) imprudent(e); (spender etc) insouciant(e)

**reckon** ['rekən] vt (count) calculer, compter; (consider) considérer, estimer; (think): **I ~ (that) ...** je pense (que) ..., j'estime (que) ...

**reclaim** [rɪ'kleɪm] vt (land: from sea) assécher; (demand back) réclamer (le remboursement or la restitution de); (waste materials) récupérer

**recline** [rɪ'klaɪn] vi être allongé(e) or étendu(e)

**recognition** [rekəg'nɪʃən] n reconnaissance f; **transformed beyond ~** méconnaissable

**recognize** ['rekəgnaɪz] vt: **to ~ (by/ as)** reconnaître (à/comme étant)

**recollection** [rekə'lekʃən] n souvenir m

**recommend** [rekə'mend] vt recommander; **can you ~ a good restaurant?** pouvez-vous me conseiller un bon restaurant?; **recommendation** [rekəmen'deɪʃən] n recommandation f

**reconcile** ['rekənsaɪl] vt (two people) réconcilier; (two facts) concilier, accorder; **to ~ o.s. to sth** se résigner à

**reconsider** [riːkən'sɪdər] vt reconsidérer

**reconstruct** [riːkən'strʌkt] vt (building) reconstruire; (crime, system) reconstituer

**record** n ['rekɔːd] rapport m, récit m; (of meeting etc) procès-verbal m; (register) registre m; (file) dossier m; (Comput) article m; (also: **police ~**) casier m judiciaire; (Mus: disc) disque m; (Sport) record m ▷ adj ['rekɔːd] record inv ▷ vt [rɪ'kɔːd] (set down) noter; (Mus: song etc) enregistrer; **public ~s** archives fpl; **in ~ time** dans un temps record; **recorded delivery** n (BRIT Post): **to send sth recorded delivery** = envoyer qch en recommandé; **recorder** n (Mus) flûte f à bec; **recording** n (Mus) enregistrement m; **record player** n tourne-disque m

**recount** [rɪ'kaunt] vt raconter

**recover** [rɪ'kʌvər] vt récupérer ▷ vi (from illness) se rétablir; (from shock) se remettre; **recovery** n récupération f; rétablissement m; (Econ) redressement m

**recreate** [riːkri'eɪt] vt recréer

**recreation** [rekri'eɪʃən] n (leisure) récréation f, détente f; **recreational drug** n drogue récréative; **recreational vehicle** n (us) camping-car m

**recruit** [rɪ'kruːt] n recrue f ▷ vt recruter; **recruitment** n recrutement m

**rectangle** ['rektæŋgl] n rectangle m; **rectangular** [rek'tæŋgjulər] adj rectangulaire

**rectify** ['rektɪfaɪ] vt (error) rectifier, corriger

**rector** ['rektər] n (Rel) pasteur m

**recur** [rɪ'kəːr] vi se reproduire; (idea, opportunity) se retrouver; (symptoms) réapparaître; **recurring** adj (problem) périodique, fréquent(e); (Math) périodique

**recyclable** [riː'saɪkləbl] adj recyclable

**recycle** [riːˈsaɪkl] vt, vi recycler

**recycling** [riːˈsaɪklɪŋ] n recyclage m

**red** [rɛd] n rouge m; (Pol: pej) rouge m/f ▷ adj rouge; (hair) roux (rousse); **in the ~** (account) à découvert; (business) en déficit; **Red Cross** n Croix-Rouge f; **redcurrant** n groseille f (rouge)

**redeem** [rɪˈdiːm] vt (debt) rembourser; (sth in pawn) dégager; (fig, also Rel) racheter

**red-: red-haired** adj roux (rousse); **redhead** n roux (rousse); **red-hot** adj chauffé(e) au rouge, brûlant(e); **red light** n: **to go through a red light** (Aut) brûler un feu rouge; **red-light district** n quartier mal famé

**red meat** n viande f rouge

**reduce** [rɪˈdjuːs] vt réduire; (lower) abaisser; **"~ speed now"** (Aut) "ralentir"; **to ~ to tears** faire pleurer qn; **reduced** adj réduit(e); **"greatly reduced prices"** "gros rabais"; **at a reduced price** (goods) au rabais; (ticket etc) à prix réduit; **reduction** [rɪˈdʌkʃən] n réduction f; (of price) baisse f; (discount) rabais m; réduction; **is there a reduction for children/students?** y a-t-il une réduction pour les enfants/les étudiants?

**redundancy** [rɪˈdʌndənsɪ] n (BRIT) licenciement m, mise f au chômage

**redundant** [rɪˈdʌndnt] adj (BRIT: worker) licencié(e), mis(e) au chômage; (detail, object) superflu(e); **to be made ~** (worker) être licencié, être mis au chômage

**reed** [riːd] n (Bot) roseau m

**reef** [riːf] n (at sea) récif m, écueil m

**reel** [riːl] n bobine f; (Fishing) moulinet m; (Cine) bande f; (dance) quadrille écossais ▷ vi (sway) chanceler

**ref** [rɛf] n abbr (inf: = referee) arbitre m

**refectory** [rɪˈfɛktərɪ] n réfectoire m

**refer** [rɪˈfəː] vt: **to ~ sb to** (inquirer, patient) adresser qn à; (reader: to text) renvoyer qn à ▷ vi: **to ~ to** (allude to) parler de, faire allusion à; (consult) se reporter à; (apply to) s'appliquer à

**referee** [rɛfəˈriː] n arbitre m; (BRIT: for job application) répondant(e) ▷ vt arbitrer

**reference** [ˈrɛfrəns] n référence f, renvoi m; (mention) allusion f, mention f; (for job application: letter) références; lettre f de recommandation; **with ~ to** en ce qui concerne; (Comm: in letter) me référant à; **reference number** n (Comm) numéro m de référence

**refill** vt [riːˈfɪl] remplir à nouveau; (pen, lighter etc) recharger ▷ n [ˈriːfɪl] (for pen etc) recharge f

**refine** [rɪˈfaɪn] vt (sugar, oil) raffiner; (taste) affiner; (idea, theory) peaufiner; **refined** adj (person, taste) raffiné(e); **refinery** n raffinerie f

**reflect** [rɪˈflɛkt] vt (light, image) réfléchir, refléter ▷ vi (think) réfléchir, méditer; **it ~s badly on him** cela le discrédite; **it ~s well on him** c'est tout à son honneur; **reflection** [rɪˈflɛkʃən] n réflexion f; (image) reflet m; **on reflection** réflexion faite

**reflex** [ˈriːflɛks] adj, n réflexe (m)

**reform** [rɪˈfɔːm] n réforme f ▷ vt réformer

**refrain** [rɪˈfreɪn] vi: **to ~ from doing** s'abstenir de faire ▷ n refrain m

**refresh** [rɪˈfrɛʃ] vt rafraîchir; (subj: food, sleep etc) redonner des forces à; **refreshing** adj (drink) rafraîchissant(e); (sleep) réparateur(-trice); **refreshments** npl rafraîchissements mpl

**refrigerator** [rɪˈfrɪdʒəreɪtəʳ] n réfrigérateur m, frigidaire m

**refuel** [riːˈfjuəl] vi se ravitailler en carburant

**refuge** [ˈrɛfjuːdʒ] n refuge m; **to take ~ in** se réfugier dans; **refugee** [rɛfjuˈdʒiː] n réfugié(e)

**refund** n [ˈriːfʌnd] remboursement m ▷ vt [rɪˈfʌnd] rembourser

**refurbish** [riːˈfəːbɪʃ] vt remettre à neuf

**refusal** [rɪ'fjuːzəl] n refus m; **to have first ~ on sth** avoir droit de préemption sur qch

**refuse**[1] ['refjuːs] n ordures fpl, détritus mpl

**refuse**[2] [rɪ'fjuːz] vt, vi refuser; **to ~ to do sth** refuser de faire qch

**regain** [rɪ'geɪn] vt (lost ground) regagner; (strength) retrouver

**regard** [rɪ'gɑːd] n respect m, estime f, considération f ▷ vt considérer; **to give one's ~s to** faire ses amitiés à; **"with kindest ~s"** "bien amicalement"; **as ~s, with ~ to** en ce qui concerne; **regarding** prep en ce qui concerne; **regardless** adv quand même; **regardless of** sans se soucier de

**regenerate** [rɪ'dʒenəreɪt] vt régénérer ▷ vi se régénérer

**reggae** ['regeɪ] n reggae m

**regiment** ['redʒɪmənt] n régiment m

**region** ['riːdʒən] n région f; **in the ~ of** (fig) aux alentours de; **regional** adj régional(e)

**register** ['redʒɪstər] n registre m; (also: **electoral ~**) liste électorale ▷ vt enregistrer, inscrire; (birth) déclarer; (vehicle) immatriculer; (letter) envoyer en recommandé; (subj: instrument) marquer ▷ vi s'inscrire; (at hotel) signer le registre; (make impression) être (bien) compris(e); **registered** adj (BRIT: letter) recommandé(e); **registered trademark** n marque déposée

**registrar** ['redʒɪstrɑːr] n officier m de l'état civil

**registration** [redʒɪs'treɪʃən] n (act) enregistrement m; (of student) inscription f; (BRIT Aut: also: **~ number**) numéro m d'immatriculation

**registry office** ['redʒɪstrɪ-] n (BRIT) bureau m de l'état civil; **to get married in a ~** se marier à la mairie

**regret** [rɪ'gret] n regret m ▷ vt regretter; **regrettable** adj regrettable, fâcheux(-euse)

**regular** ['regjulər] adj régulier(-ière), (usual) habituel(le), normal(e); (soldier) de métier; (Comm: size) ordinaire ▷ n (client etc) habitué(e); **regularly** adv régulièrement

**regulate** ['regjuleɪt] vt régler; **regulation** [regju'leɪʃən] n (rule) règlement m; (adjustment) réglage m

**rehabilitation** ['riːəbɪlɪ'teɪʃən] n (of offender) réhabilitation f; (of addict) réadaptation f

**rehearsal** [rɪ'həːsəl] n répétition f

**rehearse** [rɪ'həːs] vt répéter

**reign** [reɪn] n règne m ▷ vi régner

**reimburse** [riːɪm'bəːs] vt rembourser

**rein** [reɪn] n (for horse) rêne f

**reincarnation** [riːɪnkɑː'neɪʃən] n réincarnation f

**reindeer** ['reɪndɪər] n (pl inv) renne m

**reinforce** [riːɪn'fɔːs] vt renforcer; **reinforcements** npl (Mil) renfort(s) m(pl)

**reinstate** [riːɪn'steɪt] vt rétablir, réintégrer

**reject** n [rɪ'dʒekt] (Comm) article m de rebut ▷ vt [rɪ'dʒekt] refuser; (idea) rejeter; **rejection** [rɪ'dʒekʃən] n rejet m, refus m

**rejoice** [rɪ'dʒɔɪs] vi: **to ~ (at or over)** se réjouir (de)

**relate** [rɪ'leɪt] vt (tell) raconter; (connect) établir un rapport entre ▷ vi: **to ~ to** (connect) se rapporter à; **to ~ to sb** (interact) entretenir des rapports avec qn; **related** adj apparenté(e); **related to** (subject) lié(e) à; **relating to** prep concernant

**relation** [rɪ'leɪʃən] n (person) parent(e); (link) rapport m, lien m; **relations** npl (relatives) famille f; **relationship** n rapport m, lien m; (personal ties) relations fpl, rapports; (also: **family relationship**) lien de parenté; (affair) liaison f

**relative** ['relətɪv] n parent(e) ▷ adj relatif(-ive); (respective) respectif(-ive); **relatively** adv relativement

**relax** [rɪ'læks] vi (muscle) se relâcher; (person: unwind) se détendre ▷ vt relâcher; (mind, person) détendre; **relaxation** [riːlæk'seɪʃən] n relâchement m; (of mind) détente f; (recreation) détente, délassement m; **relaxed** adj relâché(e); détendu(e); **relaxing** adj délassant(e)

**relay** ['riːleɪ] n (Sport) course f de relais ▷ vt (message) retransmettre, relayer

**release** [rɪ'liːs] n (from prison, obligation) libération f; (of gas etc) émission f; (of film etc) sortie f; (new recording) disque m ▷ vt (prisoner) libérer; (book, film) sortir; (report, news) rendre public, publier; (gas etc) émettre, dégager; (free: from wreckage etc) dégager; (Tech: catch, spring etc) déclencher; (let go: person, animal) relâcher; (: hand, object) lâcher; (: grip, brake) desserrer

**relegate** ['reləgeɪt] vt reléguer; (BRIT Sport): **to be ~d** descendre dans une division inférieure

**relent** [rɪ'lent] vi se laisser fléchir; **relentless** adj implacable; (non-stop) continuel(le)

**relevant** ['reləvənt] adj (question) pertinent(e); (corresponding) approprié(e); (fact) significatif(-ive); (information) utile

**reliable** [rɪ'laɪəbl] adj (person, firm) sérieux(-euse), fiable; (method, machine) fiable; (news, information) sûr(e)

**relic** ['relɪk] n (Rel) relique f; (of the past) vestige m

**relief** [rɪ'liːf] n (from pain, anxiety) soulagement m; (help, supplies) secours m(pl); (Art, Geo) relief m

**relieve** [rɪ'liːv] vt (pain, patient) soulager; (fear, worry) dissiper; (bring help) secourir; (take over from: gen) relayer; (: guard) relever; **to ~ sb of sth** débarrasser qn de qch; **to ~ o.s.**

(euphemism) se soulager, faire ses besoins; **relieved** adj soulagé(e)

**religion** [rɪ'lɪdʒən] n religion f

**religious** [rɪ'lɪdʒəs] adj religieux(-euse); (book) de piété; **religious education** n instruction religieuse

**relish** ['relɪʃ] n (Culin) condiment m; (enjoyment) délectation f ▷ vt (food etc) savourer; **to ~ doing** se délecter à faire

**relocate** [riːləu'keɪt] vt (business) transférer ▷ vi se transférer, s'installer or s'établir ailleurs

**reluctance** [rɪ'lʌktəns] n répugnance f

**reluctant** [rɪ'lʌktənt] adj peu disposé(e), qui hésite; **reluctantly** adv à contrecœur, sans enthousiasme

**rely** [rɪ'laɪ-] vt fus (be dependent on) dépendre de; (trust) compter sur

**remain** [rɪ'meɪn] vi rester; **remainder** n reste m; (Comm) fin f de série; **remaining** adj qui reste; **remains** npl restes mpl

**remand** [rɪ'mɑːnd] n: **on ~** en détention préventive ▷ vt: **to be ~ed in custody** être placé(e) en détention préventive

**remark** [rɪ'mɑːk] n remarque f, observation f ▷ vt (faire) remarquer, dire; **remarkable** adj remarquable

**remarry** [riː'mærɪ] vi se remarier

**remedy** ['remədɪ] n: **~ (for)** remède m (contre or à) ▷ vt remédier à

**remember** [rɪ'membə'] vt se rappeler, se souvenir de; (send greetings): **~ me to him** saluez-le de ma part; **Remembrance Day** [rɪ'membrəns-] n (BRIT) ≈ (le jour de) l'Armistice, ≈ le 11 novembre

- **REMEMBRANCE DAY**
-
- *Remembrance Day* ou *Remembrance*
- *Sunday* est le dimanche le plus
- proche du 11 novembre, jour où
- la Première Guerre mondiale

r

a officiellement pris fin. Il rend
hommage aux victimes des
deux guerres mondiales. À
cette occasion, on observe deux
minutes de silence à 11h, heure de
la signature de l'armistice avec
l'Allemagne en 1918; certaines
membres de la famille royale et
du gouvernement déposent des
gerbes de coquelicots au cénotaphe
de Whitehall, et des couronnes
sont placées sur les monuments
aux morts dans toute la Grande-
Bretagne; par ailleurs, les gens
portent des coquelicots artificiels
fabriqués et vendus par des
membres de la légion britannique
blessés au combat, au profit des
blessés de guerre et de leur famille.

**remind** [rɪ'maɪnd] vt: **to ~ sb of sth**
rappeler qch à qn; **to ~ sb to do**
faire penser à qn à faire, rappeler à qn qu'il
doit faire; **reminder** n (Comm: letter)
rappel m; (note etc) pense-bête m;
(souvenir) souvenir m

**reminiscent** [remɪ'nɪsnt] adj: **~ of**
qui rappelle, qui fait penser à

**remnant** ['remnənt] n reste m, restant m;
(of cloth) coupon m

**remorse** [rɪ'mɔːs] n remords m

**remote** [rɪ'məut] adj éloigné(e),
lointain(e); (person) distant(e);
(possibility) vague; **remote control**
n télécommande f; **remotely** adv au
loin; (slightly) très vaguement

**removal** [rɪ'muːvəl] n (taking away)
enlèvement m; suppression f; (BRIT:
from house) déménagement m;
(from office: dismissal) renvoi m; (of
stain) nettoyage m; (Med) ablation
f; **removal man** (irreg) n (BRIT)
déménageur m; **removal van** n
(BRIT) camion m de déménagement

**remove** [rɪ'muːv] vt enlever, retirer;
(employee) renvoyer; (stain) faire
partir; (abuse) supprimer; (doubt)
chasser

**Renaissance** [rɪ'neɪsɑ̃s] n: **the ~** la
Renaissance

**rename** [riː'neɪm] vt rebaptiser

**render** ['rendə'] vt rendre

**rendezvous** ['rɒndɪvuː] n rendez-
vous m inv

**renew** [rɪ'njuː] vt renouveler;
(negotiations) reprendre;
(acquaintance) renouer; **renewable**
adj (energy) renouvelable

**renovate** ['renəveɪt] vt rénover;
(work of art) restaurer

**renowned** [rɪ'naund] adj
renommé(e)

**rent** [rent] n loyer m ▷ vt louer;
**rental** n (for television, car) (prix m de)
location f

**reorganize** [riː'ɔːgənaɪz] vt
réorganiser

**rep** [rep] n abbr (Comm)
= **representative**

**repair** [rɪ'peə'] n réparation f ▷ vt
réparer; **in good/bad ~** en bon/
mauvais état; **where can I get
this ~ed?** où est-ce que je peux faire
réparer ceci?; **repair kit** n trousse f de
réparations

**repay** [riː'peɪ] vt (irreg: like **pay**)
(money, creditor) rembourser; (sb's
efforts) récompenser; **repayment** n
remboursement m

**repeat** [rɪ'piːt] n (Radio, TV) reprise
f ▷ vt répéter; (promise, attack, also
Comm: order) renouveler; (Scol: a
class) redoubler ▷ vi répéter; **can
you ~ that, please?** pouvez-vous
répéter, s'il vous plaît?; **repeatedly**
adv souvent, à plusieurs reprises;
**repeat prescription** n (BRIT)
**I'd like a repeat prescription**
je voudrais renouveler mon
ordonnance

**repellent** [rɪ'pelənt] adj
repoussant(e) ▷ n: **insect ~**
insectifuge m

**repercussions** [riːpə'kʌʃənz] npl
répercussions f pl

**repetition** [repɪ'tɪʃən] n répétition f

**repetitive** [rɪ'pɛtɪtɪv] adj (movement, work) répétitif(-ive); (speech) plein(e) de redites

**replace** [rɪ'pleɪs] vt (put back) remettre, replacer; (take the place of) remplacer; **replacement** n (substitution) remplacement m; (person) remplaçant(e)

**replay** ['riːpleɪ] n (of match) match rejoué; (of tape, film) répétition f

**replica** ['rɛplɪkə] n réplique f, copie exacte

**reply** [rɪ'plaɪ] n réponse f ▷ vi répondre

**report** [rɪ'pɔːt] n rapport m; (Press etc) reportage m; (BRIT: also: **school ~**) bulletin m (scolaire); (of gun) détonation f ▷ vt rapporter, faire un compte rendu de; (Press etc) faire un reportage sur; (notify: accident) signaler; (: culprit) dénoncer ▷ vi (make a report) faire un rapport; **I'd like to ~ a theft** je voudrais signaler un vol; **to ~ (to sb)** (present o.s.) se présenter (chez qn); **report card** n (us, SCOTTISH) bulletin m (scolaire); **reportedly** adv: **she is reportedly living in Spain** elle habiterait en Espagne; **he reportedly told them to ...** il leur aurait dit de ...; **reporter** n reporter m

**represent** [rɛprɪ'zɛnt] vt représenter; (view, belief) présenter, expliquer; (describe): **to ~ sth as** présenter ou décrire qch comme; **representation** [rɛprɪzɛn'teɪʃən] n représentation f; **representative** n représentant(e); (us Pol) député m ▷ adj représentatif(-ive), caractéristique

**repress** [rɪ'prɛs] vt réprimer; **repression** [rɪ'prɛʃən] n répression f

**reprimand** ['rɛprɪmɑːnd] n réprimande f ▷ vt réprimander

**reproduce** [riːprə'djuːs] vt reproduire ▷ vi se reproduire; **reproduction** [riːprə'dʌkʃən] n reproduction f

**reptile** ['rɛptaɪl] n reptile m

**republic** [rɪ'pʌblɪk] n république f; **republican** adj, n républicain(e)

**reputable** ['rɛpjutəbl] adj de bonne réputation; (occupation) honorable

**reputation** [rɛpju'teɪʃən] n réputation f

**request** [rɪ'kwɛst] n demande f; (formal) requête f ▷ vt: **to ~ (of or from sb)** demander (à qn); **request stop** n (BRIT: for bus) arrêt facultatif

**require** [rɪ'kwaɪəʳ] vt (need: subj: person) avoir besoin de; (: thing, situation) nécessiter, demander; (want) exiger; (order): **to ~ sb to do sth/sth of sb** exiger que qn fasse qch/qch de qn; **requirement** n (need) exigence f; besoin m; (condition) condition f (requise)

**resat** [riː'sæt] pt, pp of **resit**

**rescue** ['rɛskjuː] n (from accident) sauvetage m; (help) secours mpl ▷ vt sauver

**research** [rɪ'səːtʃ] n recherche(s) f(pl) ▷ vt faire des recherches sur

**resemblance** [rɪ'zɛmbləns] n ressemblance f

**resemble** [rɪ'zɛmbl] vt ressembler à

**resent** [rɪ'zɛnt] vt être contrarié(e) par; **resentful** adj irrité(e), plein(e) de ressentiment; **resentment** n ressentiment m

**reservation** [rɛzə'veɪʃən] n (booking) réservation f; **to make a ~ (in an hotel/a restaurant/on a plane)** réserver ou retenir une chambre/une table/une place; **reservation desk** n (us: in hotel) réception f

**reserve** [rɪ'zəːv] n réserve f; (Sport) remplaçant(e) ▷ vt (seats etc) réserver, retenir; **reserved** adj réservé(e)

**reservoir** ['rɛzəvwɑːʳ] n réservoir m

**reshuffle** ['riːʃʌfl] n: **Cabinet ~** (Pol) remaniement ministériel

**residence** ['rɛzɪdəns] n résidence f; **residence permit** n (BRIT) permis m de séjour

**resident** ['rezɪdənt] n (of country) résident(e); (of area, house) habitant(e); (in hotel) pensionnaire ▷ adj résidant(e); **residential** [rezɪ'dɛnʃəl] adj de résidence; (area) résidentiel(le); (course) avec hébergement sur place

**residue** ['rezɪdju:] n reste m; (Chem, Physics) résidu m

**resign** [rɪ'zaɪn] vt (one's post) se démettre de ▷ vi démissionner; **to ~ o.s. to** (endure) se résigner à; **resignation** [rezɪg'neɪʃən] n (from post) démission f; (state of mind) résignation f

**resin** ['rezɪn] n résine f

**resist** [rɪ'zɪst] vt résister à; **resistance** n résistance f

**resit** vt [ri:'sɪt] (irreg: like **sit**) (BRIT: exam) repasser ▷ n ['ri:sɪt] deuxième session f (d'un examen)

**resolution** [rezə'lu:ʃən] n résolution f

**resolve** [rɪ'zɔlv] n résolution f ▷ vt (problem) résoudre; (decide): **to ~ to do** résoudre ou décider de faire

**resort** [rɪ'zɔ:t] n (seaside town) station f balnéaire; (for skiing) station de ski; (recourse) recours m ▷ vi: **to ~ to** avoir recours à; **in the last ~** en dernier ressort

**resource** [rɪ'sɔ:s] n ressource f; **resourceful** adj ingénieux(-euse), débrouillard(e)

**respect** [rɪs'pɛkt] n respect m ▷ vt respecter; **respectable** adj respectable; (quite good: result etc) honorable; **respectful** adj respectueux(-euse); **respective** adj respectif(-ive); **respectively** adv respectivement

**respite** ['respait] n répit m

**respond** [rɪs'pɔnd] vi répondre; (react) réagir; **response** [rɪs'pɔns] n réponse f; (reaction) réaction f

**responsibility** [rɪspɔnsɪ'bɪlɪtɪ] n responsabilité f

**responsible** [rɪs'pɔnsɪbl] adj (liable): **~ (for)** responsable (de);

(person) digne de confiance; (job) qui comporte des responsabilités; **responsibly** adv avec sérieux

**responsive** [rɪs'pɔnsɪv] adj (student, audience) réceptif(-ive); (brakes, steering) sensible

**rest** [rest] n repos m; (stop) arrêt m, pause f; (Mus) silence m; (support) support m, appui m; (remainder) reste m, restant m ▷ vi se reposer; (be supported): **to ~ on** appuyer ou reposer sur ▷ vt (lean): **to ~ sth on/against** appuyer qch sur/contre; **the ~ of them** les autres

**restaurant** ['restərɔŋ] n restaurant m; **restaurant car** n (BRIT Rail) wagon-restaurant m

**restless** ['restlɪs] adj agité(e)

**restoration** [restə'reɪʃən] n (of building) restauration f; (of stolen goods) restitution f

**restore** [rɪ'stɔ:] vt (building) restaurer; (sth stolen) restituer; (peace, health) rétablir; **to ~ to** (former state) ramener à

**restrain** [rɪs'treɪn] vt (feeling) contenir; (person): **to ~ (from doing)** retenir (de faire); **restraint** n (restriction) contrainte f; (moderation) retenue f; (of style) sobriété f

**restrict** [rɪs'trɪkt] vt restreindre, limiter; **restriction** [rɪs'trɪkʃən] n restriction f, limitation f

**rest room** n (US) toilettes fpl

**restructure** [ri:'strʌktʃə*] vt restructurer

**result** [rɪ'zʌlt] n résultat m ▷ vi: **to ~ in** aboutir à, se terminer par; **as a ~ of** à la suite de

**resume** [rɪ'zju:m] vt (work, journey) reprendre ▷ vi (work etc) reprendre

**résumé** ['reɪzju:meɪ] n (summary) résumé m; (US: curriculum vitae) curriculum vitae m inv

**resuscitate** [rɪ'sʌsɪteɪt] vt (Med) réanimer

**retail** ['ri:teɪl] adj de ou au détail ▷ adv au détail; **retailer** n détaillant(e)

**retain** [rɪˈteɪn] vt (keep) garder, conserver

**retaliation** [rɪtælɪˈeɪʃən] n représailles fpl, vengeance f

**retire** [rɪˈtaɪər] vi (give up work) prendre sa retraite; (withdraw) se retirer, partir; (go to bed) (aller) se coucher; **retired** adj (person) retraité(e); **retirement** n retraite f

**retort** [rɪˈtɔːt] vi riposter

**retreat** [rɪˈtriːt] n retraite f ▷ vi battre en retraite

**retrieve** [rɪˈtriːv] vt (sth lost) récupérer; (situation, honour) sauver; (error, loss) réparer; (Comput) rechercher

**retrospect** [ˈretrəspekt] n: **in ~** rétrospectivement, après coup; **retrospective** [retrəˈspektɪv] adj rétrospectif(-ive); (law) rétroactif(-ive) ▷ n (Art) rétrospective f

**return** [rɪˈtɜːn] n (going or coming back) retour m; (of sth stolen etc) restitution f; (Finance: from land, shares) rapport m ▷ cpd (journey) de retour; (BRIT: ticket) aller et retour; (match) retour ▷ vi (person etc: come back) revenir; (: go back) retourner ▷ vt rendre; (bring back) rapporter; (send back) renvoyer; (put back) remettre; (Pol: candidate) élire; **returns** npl (Comm) recettes fpl; (Finance) bénéfices mpl; **many happy ~s (of the day)!** bon anniversaire!; **by ~ (of post)** par retour (du courrier); **in ~ (for)** en échange (de); **a ~ (ticket) for ...** un billet aller et retour pour ...; **return ticket** n (esp BRIT) billet m aller-retour

**retweet** [riːˈtwiːt] vt (on Twitter) retweeter

**reunion** [riːˈjuːnɪən] n réunion f

**reunite** [riːjuːˈnaɪt] vt réunir

**revamp** [riːˈvæmp] vt (house) retaper; (firm) réorganiser

**reveal** [rɪˈviːl] vt (make known) révéler; (display) laisser voir; **revealing** adj révélateur(-trice); (dress) au décolleté généreux or suggestif

**revel** [ˈrevl] vi: **to ~ in sth/in doing** se délecter de qch/à faire

**revelation** [revəˈleɪʃən] n révélation f

**revenge** [rɪˈvendʒ] n vengeance f; (in game etc) revanche f ▷ vt venger; **to take ~ (on)** se venger (sur)

**revenue** [ˈrevənjuː] n revenu m

**Reverend** [ˈrevərənd] adj: **the ~ John Smith** (Anglican) le révérend John Smith; (Catholic) l'abbé (John) Smith; (Protestant) le pasteur (John) Smith

**reversal** [rɪˈvɜːsl] n (of opinion) revirement m; (of order) renversement m; (of direction) changement m

**reverse** [rɪˈvɜːs] n contraire m, opposé m; (back) dos m, envers m; (of paper) verso m; (of coin) revers m; (Aut: also: **~ gear**) marche f arrière ▷ adj (order, direction) opposé(e), inverse ▷ vt (order, position) changer complètement de; (decision) annuler; (roles) renverser ▷ vi (BRIT Aut) faire marche arrière; **reversing lights** npl (BRIT Aut) feux mpl de marche arrière or de recul

**revert** [rɪˈvɜːt] vi: **to ~ to** revenir à, retourner à

**review** [rɪˈvjuː] n revue f; (of book, film) critique f; (of situation, policy) examen m, bilan m; (us: examination) examen ▷ vt passer en revue; faire la critique de; examiner

**revise** [rɪˈvaɪz] vt réviser, modifier; (manuscript) revoir, corriger ▷ vi (study) réviser; **revision** [rɪˈvɪʒən] n révision f

**revival** [rɪˈvaɪvəl] n reprise f; (recovery) rétablissement m; (of faith) renouveau m

**revive** [rɪˈvaɪv] vt (person) ranimer; (custom) rétablir; (economy) relancer; (hope, courage) raviver, faire renaître; (play, fashion) reprendre ▷ vi (person) reprendre connaissance; (: from ill health) se rétablir; (hope etc) renaître; (activity) reprendre

**revolt** [rɪ'vəʊlt] n révolte f ▷ vi
se révolter, se rebeller ▷ vt
révolter, dégoûter; **revolting** adj
dégoûtant(e)

**revolution** [revə'lu:ʃən] n révolution
f; (of wheel etc) tour m, révolution;
**revolutionary** adj, n révolutionnaire
(m/f)

**revolve** [rɪ'vɒlv] vi tourner

**revolver** [rɪ'vɒlvə*] n revolver m

**reward** [rɪ'wɔ:d] n récompense f
▷ vt: **to ~ (for)** récompenser (de);
**rewarding** adj (fig) qui (en) vaut la
peine, gratifiant(e)

**rewind** [ri:'waɪnd] vt (irreg: like
**wind²**) (tape) réembobiner

**rewritable** [ri:'raɪtəbl] adj (CD, DVD)
réinscriptible

**rewrite** [ri:'raɪt] (irreg: like **write**)
vt récrire

**rheumatism** ['ru:mətɪzəm] n
rhumatisme m

**Rhine** [raɪn] n: **the (River) ~** le Rhin

**rhinoceros** [raɪ'nɒsərəs] n
rhinocéros m

**rhubarb** ['ru:bɑ:b] n rhubarbe f

**rhyme** [raɪm] n rime f; (verse) vers mpl

**rhythm** ['rɪðm] n rythme m

**rib** [rɪb] n (Anat) côte f

**ribbon** ['rɪbən] n ruban m; **in ~s** (torn)
en lambeaux

**rice** [raɪs] n riz m; **rice pudding** n
riz m au lait

**rich** [rɪtʃ] adj riche; (gift, clothes)
somptueux(-euse); **to be ~ in sth**
être riche en qch

**rid** [rɪd] (pt, pp **rid**) vt: **to ~ sb of**
débarrasser qn de; **to get ~ of** se
débarrasser de

**ridden** ['rɪdn] pp of **ride**

**riddle** ['rɪdl] n (puzzle) énigme f ▷ vt:
**to be ~d with** être criblé(e) de; (fig)
être en proie à

**ride** [raɪd] (pt **rode**, pp **ridden**) n
promenade f, tour m; (distance
covered) trajet m ▷ vi (as sport)
monter (à cheval), faire du cheval;
(go somewhere: on horse, bicycle) aller

(à cheval or bicyclette etc); (travel: on
bicycle, motor cycle, bus) rouler ▷ vt (a
horse) monter; (distance) parcourir,
faire; **to ~ a horse/bicycle** monter à
cheval/à bicyclette; **to take sb for a
~** (fig) faire marcher qn; (cheat) rouler
qn; **rider** n cavalier(-ière); (in race)
jockey m; (on bicycle) cycliste m/f; (on
motorcycle) motocycliste m/f

**ridge** [rɪdʒ] n (of hill) faîte m; (of roof,
mountain) arête f; (on object) strie f

**ridicule** ['rɪdɪkju:l] n ridicule m;
dérision f ▷ vt ridiculiser, tourner en
dérision; **ridiculous** [rɪ'dɪkjʊləs]
adj ridicule

**riding** ['raɪdɪŋ] n équitation f;
**riding school** n manège m, école f
d'équitation

**rife** [raɪf] adj répandu(e); **~ with**
abondant(e) en

**rifle** ['raɪfl] n fusil m (à canon rayé)
▷ vt vider, dévaliser

**rift** [rɪft] n fente f, fissure f; (fig:
disagreement) désaccord m

**rig** [rɪg] n (also: **oil ~**: on land) derrick
m; (: at sea) plate-forme pétrolière
▷ vt (election etc) truquer

**right** [raɪt] adj (true) juste, exact(e);
(correct) bon (bonne); (suitable)
approprié(e), convenable; (just)
juste, équitable; (morally good) bien
inv; (not left) droit(e) ▷ n (moral good)
bien m; (title, claim) droit m; (not left)
droite f ▷ adv (answer) correctement;
(not left) à droite ▷ vt redresser ▷ excl
bon!; **do you have the ~ time?**
avez-vous l'heure juste or exacte?; **to
be ~** (person) avoir raison; (answer)
être juste or correct(e); **by ~s** en
toute justice; **on the ~** à droite; **to
be in the ~** avoir raison; **~ in the
middle** en plein milieu; **~ away**
immédiatement; **right angle** n
(Math) angle droit; **rightful** adj (heir)
légitime; **right-hand** adj: **the right-
hand side** la droite; **right-hand
drive** n conduite f à droite; (vehicle)

véhicule m avec la conduite à droite;
**right-handed** adj (person) droitier(-
ière); **rightly** adv bien, correctement;
(with reason) à juste titre; **right
of way** n (on path etc) droit m de
passage; (Aut) priorité f; **right-wing**
adj (Pol) de droite

**rigid** ['rɪdʒɪd] adj rigide; (principle,
control) strict(e)

**rigorous** ['rɪgərəs] adj
rigoureux(-euse)

**rim** [rɪm] n bord m, rebord m; (of spectacles)
monture f; (of wheel) jante f

**rind** [raɪnd] n (of bacon) couenne f; (of
lemon etc) écorce f, zeste m; (of cheese)
croûte f

**ring** [rɪŋ] n anneau m; (on finger)
bague f; (also: **wedding ~**) alliance f;
(of people, objects) cercle m; (of spies)
réseau m; (of smoke etc) rond m; (arena)
piste f, arène f; (for boxing) ring m;
(sound of bell) sonnerie f ▷ vi (pt **rang**,
pp **rung**) (telephone, bell) sonner;
(person: by telephone) téléphoner;
(ears) bourdonner; (also: **~ out**:
voice, words) retentir ▷ vt (BRIT Tel: also: **~ up**)
téléphoner à, appeler; **to ~ the bell**
sonner; **to give sb a ~** (Tel) passer
un coup de téléphone or de fil à qn;
**ring back** vt, vi (BRIT Tel) rappeler;
**ring off** vi (BRIT Tel) raccrocher; **ring
up** vt (BRIT Tel) téléphoner à, appeler;
**ringing tone** n (BRIT Tel) tonalité f
d'appel; **ringleader** n (of gang) chef
m, meneur m; **ring road** n (BRIT)
rocade f, (motorway) périphérique m;
**ringtone** n (on mobile) sonnerie f (de
téléphone portable)

**rink** [rɪŋk] n (also: **ice-~**) patinoire f

**rinse** [rɪns] n rinçage m ▷ vt rincer

**riot** ['raɪət] n émeute f, bagarres
fpl ▷ vi (demonstrators) manifester
avec violence; (population) se
soulever, se révolter; **to run ~** se
déchaîner

**rip** [rɪp] n déchirure f ▷ vt déchirer
▷ vi se déchirer; **rip off** vt (inf: cheat)
arnaquer; **rip up** vt déchirer

**ripe** [raɪp] adj (fruit) mûr(e); (cheese)
fait(e)

**rip-off** ['rɪpɔf] n (inf): **it's a ~!** c'est du
vol manifeste!, c'est de l'arnaque!

**ripple** ['rɪpl] n ride f, ondulation f; (of
applause, laughter) cascade f ▷ vi se
rider, onduler

**rise** [raɪz] n (slope) côte f, pente f;
(hill) élévation f; (increase: in wages:
BRIT) augmentation f; (: in prices,
temperature) hausse f, augmentation f;
(fig: to power etc) ascension f ▷ vi
(pt **rose**, pp **risen**) s'élever, monter;
(prices, numbers) augmenter, monter;
(waters, river) monter; (sun, wind,
person: from chair, bed) se lever; (also:
**~ up**: tower, building) s'élever; (: rebel)
se révolter; se rebeller; (in rank)
s'élever; **to give ~ to** donner lieu à;
**to ~ to the occasion** se montrer à
la hauteur; **risen** ['rɪzn] pp of **rise**;
**rising** adj (increasing: number, prices)
en hausse; (tide) montant(e); (sun,
moon) levant(e)

**risk** [rɪsk] n risque m ▷ vt risquer; **to
take** or **run the ~ of doing** courir le
risque de faire; **at ~** en danger; **at
one's own ~** à ses risques et périls;
**risky** adj risqué(e)

**rite** [raɪt] n rite m; **the last ~s** les
derniers sacrements

**ritual** ['rɪtjuəl] adj rituel(le) ▷ n
rituel m

**rival** ['raɪvl] n rival(e); (in business)
concurrent(e) ▷ adj rival(e); qui fait
concurrence ▷ vt (match) égaler;
**rivalry** n rivalité f; (in business)
concurrence f

**river** ['rɪvə'] n rivière f; (major: also fig)
fleuve m ▷ cpd (port, traffic) fluvial(e);
**up/down ~** en amont/aval;
**riverbank** n rive f, berge f

**rivet** ['rɪvɪt] n rivet m ▷ vt (fig) river,
fixer

**Riviera** [rɪvɪ'eərə] n: **the (French) ~**
la Côte d'Azur

**road** [rəud] n route f; (in town) rue f;
(fig) chemin, voie f ▷ cpd (accident)

r

de la route; **major/minor ~** route principale or à priorité/voie secondaire; **which ~ do I take for ...?** quelle route dois-je prendre pour aller à ...?; **roadblock** n barrage routier; **road map** n carte routière; **road rage** n comportement très agressif de certains usagers de la route; **road safety** n sécurité routière; **roadside** n bord m de la route, bas-côté m; **road sign** n panneau m de signalisation; **road tax** n (BRIT Aut) taxe f sur les automobiles; **roadworks** npl travaux mpl (de réfection des routes)

**roam** [rəum] vi errer, vagabonder

**roar** [rɔːʳ] n rugissement m; (of crowd) hurlements mpl; (of vehicle, thunder, storm) grondement m ▷ vi rugir; hurler; gronder; **to ~ with laughter** rire à gorge déployée

**roast** [rəust] n rôti m ▷ vt (meat) (faire) rôtir; (coffee) griller, torréfier; **roast beef** n rôti m de bœuf, rosbif m

**rob** [rɔb] vt (person) voler; (bank) dévaliser; **to ~ sb of sth** voler or dérober qch à qn; (fig: deprive) priver qn de qch; **robber** n bandit m, voleur m; **robbery** n vol m

**robe** [rəub] n (for ceremony etc) robe f; (also: **bath~**) peignoir m; (us: rug) couverture f ▷ vt revêtir (d'une robe)

**robin** ['rɔbɪn] n rouge-gorge m

**robot** ['rəubɔt] n robot m

**robust** [rəu'bʌst] adj robuste; (material, appetite) solide

**rock** [rɔk] n (substance) roche f, roc m; (boulder) rocher m, roche; (us: small stone) caillou m; (BRIT: sweet) = sucre m d'orge ▷ vt (swing gently: cradle) balancer; (: child) bercer; (shake) ébranler, secouer ▷ vi se balancer, être ébranlé(e) or secoué(e); **on the ~s** (drink) avec des glaçons; (marriage etc) en train de craquer; **rock and roll** n rock (and roll) m; **rock'n'roll** m; **rock climbing** n varappe f

**rocket** ['rɔkɪt] n fusée f; (Mil) fusée, roquette f; (Culin) roquette

**rocking chair** ['rɔkɪŋ-] n fauteuil m à bascule

**rocky** ['rɔkɪ] adj (hill) rocheux(-euse); (path) rocailleux(-euse)

**rod** [rɔd] n (metallic) tringle f; (Tech) tige f; (wooden) baguette f; (also: **fishing ~**) canne f à pêche

**rode** [rəud] pt of **ride**

**rodent** ['rəudnt] n rongeur m

**rogue** [rəug] n coquin(e)

**role** [rəul] n rôle m; **role-model** n modèle m à émuler

**roll** [rəul] n rouleau m; (of banknotes) liasse f; (also: **bread ~**) petit pain; (register) liste f; (sound: of drums etc) roulement m ▷ vt rouler; (also: **~ up**) (string) enrouler; (also: **~ out**: pastry) étendre au rouleau, abaisser ▷ vi rouler; **roll over** vi se retourner; **roll up** vi (inf: arrive) arriver, s'amener ▷ vt (carpet, cloth, map) rouler; (sleeves) retrousser; **roller** n rouleau m; (wheel) roulette f; (for road) rouleau compresseur; (for hair) bigoudi m; **roller coaster** n montagnes fpl russes; **roller skates** npl patins mpl à roulettes; **roller-skating** n patin m à roulettes; **to go roller-skating** faire du patin à roulettes; **rolling pin** n rouleau m à pâtisserie

**ROM** [rɔm] n abbr (Comput: = read-only memory) mémoire morte, ROM f

**Roman** ['rəumən] adj romain(e) ▷ n Romain(e); **Roman Catholic** adj, n catholique (m/f)

**romance** [rə'mæns] n (love affair) idylle f; (charm) poésie f; (novel) roman m à l'eau de rose

**Romania** [rəu'meɪnɪə] n = **Rumania**

**Roman numeral** n chiffre romain

**romantic** [rə'mæntɪk] adj romantique; (novel, attachment) sentimental(e)

**Rome** [rəum] n Rome

**roof** [ruːf] n toit m; (of tunnel, cave) plafond m ▷ vt couvrir (d'un toit); **the ~ of the mouth** la voûte du palais; **roof rack** n (Aut) galerie f

**rook** [ruk] n (bird) freux m; (Chess) tour f

**room** [ru:m] n (in house) pièce f; (also: **bed~**) chambre f (à coucher); (in school etc) salle f; (space) place f; **roommate** n camarade m/f de chambre; **room service** n service m des chambres (dans un hôtel); **roomy** adj spacieux(-euse); (garment) ample

**rooster** ['ru:stə'] n coq m

**root** [ru:t] n (Bot, Math) racine f; (fig: of problem) origine f, fond m ▷ vi (plant) s'enraciner

**rope** [rəup] n corde f; (Naut) cordage m ▷ vt (tie up or together) attacher; (climbers: also: **~ together**) encorder; (area: also: **~ off**) interdire l'accès de; (: divide off) séparer; **to know the ~s** (fig) être au courant, connaître les ficelles

**rort** [rɔ:t] n (AUST, NZ inf) arnaque f (inf) ▷ vt escroquer

**rose** [rəuz] pt of **rise** ▷ n rose f; (also: **~bush**) rosier m

**rosé** ['rəuzeɪ] n rosé m

**rosemary** ['rəuzmərɪ] n romarin m

**rosy** ['rəuzɪ] adj rose; **a ~ future** un bel avenir

**rot** [rɒt] n (decay) pourriture f; (fig: nonsense) idioties fpl, balivernes fpl ▷ vt, vi pourrir

**rota** ['rəutə] n liste f, tableau m de service

**rotate** [rəu'teɪt] vt (revolve) faire tourner; (change round: crops) alterner; (: jobs) faire à tour de rôle ▷ vi (revolve) tourner

**rotten** ['rɒtn] adj (decayed) pourri(e); (dishonest) corrompu(e); (inf: bad) mauvais(e), moche; **to feel ~** (ill) être mal fichu(e)

**rough** [rʌf] adj (cloth, skin) rêche, rugueux(-euse); (terrain) accidenté(e); (path) rocailleux(-euse); (voice) rauque, rude; (person, manner: coarse) rude, fruste; (: violent) brutal(e); (district, weather) mauvais(e); (sea) houleux(-euse); (plan) ébauché(e);

(guess) approximatif(-ive) ▷ n (Golf) rough m ▷ vt: **to ~ it** vivre à la dure; **to sleep ~** (BRIT) coucher à la dure; **roughly** adv (handle) rudement, brutalement; (speak) avec brusquerie; (make) grossièrement; (approximately) à peu près, en gros

**roulette** [ru:'let] n roulette f

**round** [raund] adj rond(e) ▷ n rond m, cercle m; (BRIT: of toast) tranche f; (duty: of policeman, milkman etc) tournée f; (: of doctor) visites fpl; (game: of cards, in competition) partie f; (Boxing) round m; (of talks) série f ▷ prep autour de ▷ adv: **right ~, all ~** tout autour; **~ of ammunition** cartouche f; **~ of applause** applaudissements mpl; **~ of drinks** tournée f; **the long way ~** (par) le chemin le plus long; **all (the) year ~** toute l'année; **it's just ~ the corner** (fig) c'est tout près; **to go ~ to sb's (house)** aller chez qn; **go ~ the back** passez par derrière; **enough to go ~** assez pour tout le monde; **she arrived ~ (about) noon** (BRIT) elle est arrivée vers midi; **~ the clock** 24 heures sur 24; **round off** vt (speech etc) terminer; **round up** vt rassembler; (criminals) effectuer une rafle de; (prices) arrondir (au chiffre supérieur); **roundabout** n (BRIT: Aut) rond-point m (à sens giratoire); (: at fair) manège m (de chevaux de bois) ▷ adj (route, means) détourné(e); **round trip** n (voyage m) aller et retour m; **roundup** n rassemblement m; (of criminals) rafle f

**rouse** [rauz] vt (wake up) réveiller; (stir up) susciter, provoquer; (interest) éveiller; (suspicions) susciter, éveiller

**route** [ru:t] n itinéraire m; (of bus) parcours m; (of trade, shipping) route f

**router** n (Comput) routeur m

**routine** [ru:'ti:n] adj (work) ordinaire, courant(e); (procedure) d'usage ▷ n (habits) habitudes fpl; (pej) train-train m; (Theat) numéro m

**row¹** [rəʊ] n (line) rangée f; (of people, seats, Knitting) rang m; (behind one another: of cars, people) file f ▷ vi (in boat) ramer; (as sport) faire de l'aviron ▷ vt (boat) faire aller à la rame or à l'aviron; **in a ~** (fig) d'affilée

**row²** [raʊ] n (noise) vacarme m; (dispute) dispute f, querelle f; (scolding) réprimande f, savon m ▷ vi (also: **to have a ~**) se disputer, se quereller

**rowboat** ['rəʊbəʊt] n (US) canot m (à rames)

**rowing** ['rəʊɪŋ] n canotage m; (as sport) aviron m; **rowing boat** n (BRIT) canot m (à rames)

**royal** ['rɔɪəl] adj royal(e); **royalty** n (royal persons) (membres mpl de la) famille royale; (payment: to author) droits mpl d'auteur; (: to inventor) royalties fpl

**rpm** abbr (= revolutions per minute) t/mn (= tours/minute)

**R.S.V.P.** abbr (= répondez s'il vous plaît) RSVP

**Rt. Hon.** abbr (BRIT: = Right Honourable) titre donné aux députés de la Chambre des communes

**rub** [rʌb] n: **to give sth a ~** donner un coup de chiffon or de torchon à qch ▷ vt (hands) frotter; (person) frictionner; **to ~ sb up** (BRIT) or **to ~ sb** (US) **the wrong way** prendre qn à rebrousse-poil; **rub in** vt (ointment) faire pénétrer; **rub off** vi partir, s'effacer; **rub off on** vt fus déteindre sur; **rub out** vt effacer

**rubber** ['rʌbəʳ] n caoutchouc m; (BRIT: eraser) gomme f (à effacer); **rubber band** n élastique m; **rubber gloves** npl gants mpl en caoutchouc

**rubbish** ['rʌbɪʃ] n (from household) ordures fpl; (fig: pej) choses fpl sans valeur; camelote f; (nonsense) bêtises fpl, idioties fpl; **rubbish bin** n (BRIT) boîte f à ordures, poubelle f; **rubbish dump** n (BRIT: in town) décharge publique, dépotoir m

**rubble** ['rʌbl] n décombres mpl; (smaller) gravats mpl; (Constr) blocage m

**ruby** ['ruːbɪ] n rubis m

**rucksack** ['rʌksæk] n sac m à dos

**rudder** ['rʌdəʳ] n gouvernail m

**rude** [ruːd] adj (impolite: person) impoli(e); (: word, manners) grossier(-ière); (shocking) indécent(e), inconvenant(e)

**ruffle** ['rʌfl] vt (hair) ébouriffer; (clothes) chiffonner; (fig: person): **to get ~d** s'énerver

**rug** [rʌg] n petit tapis; (BRIT: blanket) couverture f

**rugby** ['rʌgbɪ] n (also: **~ football**) rugby m

**rugged** ['rʌgɪd] adj (landscape) accidenté(e); (features, character) rude

**ruin** ['ruːɪn] n ruine f ▷ vt (spoil: clothes) abîmer; (: event) gâcher; **ruins** npl (of building) ruine(s)

**rule** [ruːl] n règle f; (regulation) règlement m; (government) autorité f, gouvernement m ▷ vt (country) gouverner; (person) dominer; (decide) décider ▷ vi commander; **as a ~** normalement, en règle générale; **rule out** vt exclure; **ruler** n (sovereign) souverain(e); (leader) chef m (d'État); (for measuring) règle f; **ruling** adj (party) au pouvoir; (class) dirigeant(e) ▷ n (Law) décision f

**rum** [rʌm] n rhum m

**Rumania** [ruːˈmeɪnɪə] n Roumanie f; **Rumanian** adj roumain(e) ▷ n Roumain(e); (Ling) roumain m

**rumble** ['rʌmbl] n grondement m; (of stomach, pipe) gargouillement m ▷ vi gronder; (stomach, pipe) gargouiller

**rumour**, (US) **rumor** ['ruːməʳ] n rumeur f, bruit m (qui court) ▷ vt: **it is ~ed that** le bruit court que

**rump steak** n romsteck m

**run** [rʌn] (pt **ran**, pp **run**) n (race) course f; (outing) tour m or promenade f (en voiture); (distance travelled) parcours m, trajet m; (series) suite f, série f; (Theat) série de représentations; (Ski) piste f; (Cricket, Baseball) point m; (in tights, stockings) maille filée, échelle f ▷ vt (business) diriger; (competition, course) organiser; (hotel, house) tenir; (race) participer à; (Comput: program) exécuter; (to pass: hand, finger): **to ~ sth over** or passer qch sur; (water, bath) faire couler; (Press: feature) publier ▷ vi courir; (pass: road etc) passer; (work: machine, factory) marcher; (bus, train) circuler; (continue: play) se jouer, être à l'affiche; (: contract) être valide or en vigueur; (flow: river, bath, nose) couler; (colours, washing) déteindre; (in election) être candidat, se présenter; **at a ~** au pas de course; **to go for a ~** aller courir or faire une course à pied; (in car) faire un tour or une promenade (en voiture); **there was a ~ on** (meat, tickets) les gens se sont rués sur; **in the long ~** à la longue; **on the ~** en fuite; **I'll ~ you to the station** je vais vous emmener or conduire à la gare; **to ~ a risk** courir un risque; **run after** vt fus (to catch up) courir après; (chase) poursuivre; **run away** vi s'enfuir; **run down** vt (Aut: knock over) renverser; (BRIT: reduce: production) réduire progressivement; (: factory/shop) réduire progressivement la production/l'activité de; (criticize) dénigrer; **to be ~ down** (tired) être fatigué(e) or à plat; **run into** vt fus (meet: person) rencontrer par hasard; (: trouble) se heurter à; (collide with) heurter; **run off** vi s'enfuir ▷ vt (water) laisser s'écouler; (copies) tirer; **run out** vi (person) sortir en courant; (liquid) couler; (lease) expirer; (money) être épuisé(e); **run out of** vt fus se trouver à court de; **run over** vt (Aut) écraser ▷ vt fus (revise) revoir, reprendre; **run through** vt fus (recap) reprendre, revoir; (play) répéter; **run up** vi: **to ~ up against** (difficulties) se heurter

à; **runaway** adj (horse) emballé(e); (truck) fou (folle); (person) fugitif(-ive); (child) fugueur(-euse)
**rung** [rʌŋ] pp of **ring** ▷ n (of ladder) barreau m
**runner** ['rʌnə*] n (in race: person) coureur(-euse); (: horse) partant m; (on sledge) patin m; (for drawer etc) coulisseau m; **runner bean** n (BRIT) haricot m (à rames); **runner-up** n second(e)
**running** ['rʌnɪŋ] n (in race etc) course f; (of business, organization) direction f, gestion f ▷ adj (water) courant(e); (commentary) suivi(e); **6 days ~** 6 jours de suite; **to be in/out of the ~ for sth** être/ne pas être sur les rangs pour qch
**runny** ['rʌnɪ] adj qui coule
**run-up** ['rʌnʌp] n (BRIT): **~ to sth** période f précédant qch
**runway** ['rʌnweɪ] n (Aviat) piste f (d'envol or d'atterrissage)
**rupture** ['rʌptʃə*] n (Med) hernie f
**rural** ['rʊərl] adj rural(e)
**rush** [rʌʃ] n (of crowd, Comm: sudden demand) ruée f; (hurry) hâte f; (of anger, joy) accès m; (current) flot m; (Bot) jonc m ▷ vt (hurry) transporter or envoyer d'urgence ▷ vi se précipiter; **to ~ sth off** (do quickly) faire qch à la hâte; **rush hour** n heures fpl de pointe or d'affluence
**Russia** ['rʌʃə] n Russie f; **Russian** adj russe ▷ n Russe m/f; (Ling) russe m
**rust** [rʌst] n rouille f ▷ vi rouiller
**rusty** ['rʌstɪ] adj rouillé(e)
**ruthless** ['ruːθlɪs] adj sans pitié, impitoyable
**RV** n abbr (US) = **recreational vehicle**
**rye** [raɪ] n seigle m

# S

**Sabbath** ['sæbəθ] n (Jewish) sabbat m; (Christian) dimanche m
**sabotage** ['sæbətɑːʒ] n sabotage m ▷ vt saboter
**saccharin(e)** ['sækərɪn] n saccharine f
**sachet** ['sæʃeɪ] n sachet m
**sack** [sæk] n (bag) sac m ▷ vt (dismiss) renvoyer, mettre à la porte; (plunder) piller, mettre à sac; **to get the ~** être renvoyé(e) or mis(e) à la porte
**sacred** ['seɪkrɪd] adj sacré(e)
**sacrifice** ['sækrɪfaɪs] n sacrifice m ▷ vt sacrifier
**sad** [sæd] adj (unhappy) triste; (deplorable) triste, fâcheux(-euse); (inf: pathetic: thing) triste, lamentable; (: person) minable
**saddle** ['sædl] n selle f ▷ vt (horse) seller; **to be ~d with sth** (inf) avoir qch sur les bras
**sadistic** [sə'dɪstɪk] adj sadique

**sadly** ['sædlɪ] adv tristement; (unfortunately) malheureusement; (seriously) fort
**sadness** ['sædnɪs] n tristesse f
**s.a.e.** n abbr (BRIT: = stamped addressed envelope) enveloppe affranchie pour la réponse
**safari** [sə'fɑːrɪ] n safari m
**safe** [seɪf] adj (out of danger) hors de danger, en sécurité; (not dangerous) sans danger; (cautious) prudent(e); (sure: bet) assuré(e) ▷ n coffre-fort m; **~ and sound** sain(e) et sauf; **(just) to be on the ~ side** pour plus de sûreté, par précaution; **safely** adv (assume, say) sans risque d'erreur; (drive, arrive) sans accident; **safe sex** n rapports sexuels protégés
**safety** ['seɪftɪ] n sécurité f; **safety belt** n ceinture f de sécurité; **safety pin** n épingle f de sûreté or de nourrice
**saffron** ['sæfrən] n safran m
**sag** [sæg] vi s'affaisser, fléchir; (hem, breasts) pendre
**sage** [seɪdʒ] n (herb) sauge f; (person) sage m
**Sagittarius** [sædʒɪ'tɛərɪəs] n le Sagittaire
**Sahara** [sə'hɑːrə] n: **the ~ (Desert)** le (désert du) Sahara m
**said** [sɛd] pt, pp of **say**
**sail** [seɪl] n (on boat) voile f; (trip): **to go for a ~** faire un tour en bateau ▷ vt (boat) manœuvrer, piloter ▷ vi (travel: ship) avancer, naviguer; (set off) partir, prendre la mer; (Sport) faire de la voile; **they ~ed into Le Havre** ils sont entrés dans le port du Havre; **sailboat** n (us) bateau m à voiles, voilier m; **sailing** n (Sport) voile f; **to go sailing** faire de la voile; **sailing boat** n bateau m à voiles, voilier m; **sailor** n marin m, matelot m
**saint** [seɪnt] n saint(e)
**sake** [seɪk] n: **for the ~ of** (out of concern for) pour (l'amour de), dans

l'intérêt de; (*out of consideration for*) par égard pour

**salad** [ˈsæləd] *n* salade *f*; **salad cream** *n* (BRIT) (sorte *f* de) mayonnaise *f*; **salad dressing** *n* vinaigrette *f*

**salami** [səˈlɑːmɪ] *n* salami *m*

**salary** [ˈsælərɪ] *n* salaire *m*, traitement *m*

**sale** [seɪl] *n* vente *f*; (*at reduced prices*) soldes *mpl*; **sales** *npl* (*total amount sold*) chiffre *m* de ventes; **"for ~"** "à vendre"; **on ~** en vente; **sales assistant,** (*US*) **sales clerk** *n* vendeur(-euse); **salesman** (*irreg*) *n* (*in shop*) vendeur *m*; **salesperson** (*irreg*) *n* (*in shop*) vendeur(-euse); **sales rep** *n* (*Comm*) représentant(e) *m/f*; **saleswoman** (*irreg*) *n* (*in shop*) vendeuse *f*

**saline** [ˈseɪlaɪn] *adj* salin(e)

**saliva** [səˈlaɪvə] *n* salive *f*

**salmon** [ˈsæmən] *n* (*pl inv*) saumon *m*

**salon** [ˈsælɔn] *n* salon *m*

**saloon** [səˈluːn] *n* (*US*) bar *m*; (BRIT Aut) berline *f*; (*ship's lounge*) salon *m*

**salt** [sɔːlt] *n* sel *m* ▷ *vt* saler; **saltwater** *adj* (*fish etc*) (d'eau) de mer; **salty** *adj* salé(e)

**salute** [səˈluːt] *n* salut *m*; (*of guns*) salve *f* ▷ *vt* saluer

**salvage** [ˈsælvɪdʒ] *n* (*saving*) sauvetage *m*; (*things saved*) biens sauvés *or* récupérés ▷ *vt* sauver, récupérer

**Salvation Army** [sælˈveɪʃən-] *n* Armée *f* du Salut

**same** [seɪm] *adj* même ▷ *pron*: **the ~** le (la) même, les mêmes; **the ~ book as** le même livre que; **at the ~ time** en même temps; (*yet*) néanmoins; **all** *or* **just the ~** tout de même, quand même; **to do the ~** faire de même, en faire autant; **to do the ~ as sb** faire comme qn; **and the ~ to you!** et à vous de même!; (*after insult*) toi-même!

**sample** [ˈsɑːmpl] *n* échantillon *m*; (Med) prélèvement *m* ▷ *vt* (*food, wine*) goûter

**sanction** [ˈsæŋkʃən] *n* approbation *f*, sanction *f* ▷ *vt* cautionner, sanctionner; **sanctions** *npl* (Pol) sanctions

**sanctuary** [ˈsæŋktjʊərɪ] *n* (*holy place*) sanctuaire *m*; (*refuge*) asile *m*; (*for wildlife*) réserve *f*

**sand** [sænd] *n* sable *m* ▷ *vt* (*also*: **~ down:** *wood etc*) poncer

**sandal** [ˈsændl] *n* sandale *f*

**sand: sandbox** *n* (*US*: *for children*) tas *m* de sable; **sand castle** *n* château *m* de sable; **sand dune** *n* dune *f* de sable; **sandpaper** *n* papier *m* de verre; **sandpit** *n* (BRIT: *for children*) tas *m* de sable; **sands** *npl* plage *f* (de sable); **sandstone** [ˈsændstəʊn] *n* grès *m*

**sandwich** [ˈsændwɪtʃ] *n* sandwich *m* ▷ *vt* (*also*: **~ in**) intercaler; **~ed between** pris en sandwich entre; **cheese/ham ~** sandwich au fromage/jambon

**sandy** [ˈsændɪ] *adj* sablonneux(-euse); (*colour*) sable *inv*, blond roux *inv*

**sane** [seɪn] *adj* (*person*) sain(e) d'esprit; (*outlook*) sensé(e), sain(e)

**sang** [sæŋ] *pt of* **sing**

**sanitary towel,** (*US*) **sanitary napkin** [ˈsænɪtərɪ-] *n* serviette *f* hygiénique

**sanity** [ˈsænɪtɪ] *n* santé mentale; (*common sense*) bon sens

**sank** [sæŋk] *pt of* **sink**

**Santa Claus** [sæntəˈklɔːz] *n* le Père Noël

**sap** [sæp] *n* (*of plants*) sève *f* ▷ *vt* (*strength*) saper, miner

**sapphire** [ˈsæfaɪə*] *n* saphir *m*

**sarcasm** [ˈsɑːkæzm] *n* sarcasme *m*, raillerie *f*

**sarcastic** [sɑːˈkæstɪk] *adj* sarcastique

**sardine** [sɑːˈdiːn] *n* sardine *f*

**SASE** n abbr (us: = self-addressed stamped envelope) enveloppe affranchie pour la réponse

**sat** [sæt] pt, pp of **sit**

**Sat.** abbr (= Saturday)

**satchel** ['sætʃl] n cartable m

**satellite** ['sætəlaɪt] n satellite m; **satellite dish** n antenne f parabolique; **satellite navigation system** n système m de navigation par satellite; **satellite television** n télévision f par satellite

**satin** ['sætɪn] n satin m ▷ adj en or de satin, satiné(e)

**satire** ['sætaɪə*] n satire f

**satisfaction** [sætɪs'fækʃən] n satisfaction f

**satisfactory** [sætɪs'fæktərɪ] adj satisfaisant(e)

**satisfied** ['sætɪsfaɪd] adj satisfait(e); **to be ~ with sth** être satisfait de qch

**satisfy** ['sætɪsfaɪ] vt satisfaire, contenter; (convince) convaincre, persuader

**Saturday** ['sætədɪ] n samedi m

**sauce** [sɔ:s] n sauce f; **saucepan** n casserole f

**saucer** ['sɔ:sə*] n soucoupe f

**Saudi Arabia** ['saʊdɪ-] n Arabie f Saoudite

**sauna** ['sɔ:nə] n sauna m

**sausage** ['sɔsɪdʒ] n saucisse f; (salami etc) saucisson m; **sausage roll** n friand m

**sautéed** ['səʊteɪd] adj sauté(e)

**savage** ['sævɪdʒ] adj (cruel, fierce) brutal(e), féroce; (primitive) primitif(-ive), sauvage ▷ n sauvage m/f ▷ vt attaquer férocement

**save** [seɪv] vt (person, belongings) sauver; (money) mettre de côté, économiser; (time) (faire) gagner; (keep) garder; (Comput) sauvegarder; (Sport: stop) arrêter; (avoid: trouble) éviter ▷ vi (also: ~ **up**) mettre de l'argent de côté ▷ n (Sport) arrêt m (du ballon) ▷ prep sauf, à l'exception de

**saving** ['seɪvɪŋ] n économie f; **savings** npl économies fpl

**savings account** n compte m d'épargne

**savings and loan association** (us) n ≈ société f de crédit immobilier

**savoury**, (us) **savory** ['seɪvərɪ] adj savoureux(-euse); (dish: not sweet) salé(e)

**saw** [sɔ:] pt of **see** ▷ n (tool) scie f ▷ vt (pt **sawed**, pp **sawed** or **sawn**) scier; **sawdust** n sciure f

**sawn** [sɔ:n] pp of **saw**

**saxophone** ['sæksəfəʊn] n saxophone m

**say** [seɪ] vt (pt, pp **said**) dire ▷ n: **to have one's ~** dire ce qu'on a à dire; **to have a ~** avoir voix au chapitre; **could you ~ that again?** pourriez-vous répéter ce que vous venez de dire?; **to ~ yes/no** dire oui/non; **my watch ~s 3 o'clock** ma montre indique 3 heures, il est 3 heures à ma montre; **that is to ~** c'est-à-dire; **that goes without ~ing** cela va sans dire, cela va de soi; **saying** n dicton m, proverbe m

**scab** [skæb] n croûte f; (pej) jaune m

**scaffolding** ['skæfəldɪŋ] n échafaudage m

**scald** [skɔ:ld] n brûlure f ▷ vt ébouillanter

**scale** [skeɪl] n (of fish) écaille f; (Mus) gamme f; (of ruler, thermometer etc) graduation f, échelle (graduée); (of salaries, fees etc) barème m; (of map, also size, extent) échelle f ▷ vt (mountain) escalader; **scales** npl balance f; (larger) bascule f; (also: **bathroom ~s**) pèse-personne m inv; **~ of charges** tableau m des tarifs; **on a large ~** sur une grande échelle, en grand

**scallion** ['skæljən] n (us: salad onion) ciboule f

**scallop** ['skɔləp] n coquille f Saint-Jacques; (Sewing) feston m

**scalp** [skælp] n cuir chevelu ▷ vt scalper

**scalpel** ['skælpl] n scalpel m
**scam** [skæm] n (inf) arnaque f
**scampi** ['skæmpɪ] npl langoustines (frites), scampi mpl
**scan** [skæn] vt (examine) scruter, examiner; (glance at quickly) parcourir; (TV, Radar) balayer ▷ n (Med) scanographie f
**scandal** ['skændl] n scandale m; (gossip) ragots mpl
**Scandinavia** [skændɪˈneɪvɪə] n Scandinavie f; **Scandinavian** adj scandinave ▷ n Scandinave m/f
**scanner** ['skænəʳ] n (Radar, Med) scanner m, scanographe m; (Comput) scanner
**scapegoat** ['skeɪpɡəʊt] n bouc m émissaire
**scar** [skɑːʳ] n cicatrice f ▷ vt laisser une cicatrice or une marque à
**scarce** [skɛəs] adj rare, peu abondant(e); **to make o.s. ~** (inf) se sauver; **scarcely** adv à peine, presque pas
**scare** [skɛəʳ] n peur f, panique f ▷ vt effrayer, faire peur à; **to ~ sb stiff** faire une peur bleue à qn; **bomb ~** alerte f à la bombe; **scarecrow** n épouvantail m; **scared** adj: **to be scared** avoir peur
**scarf** (pl **scarves**) [skɑːf, skɑːvz] n (long) écharpe f; (square) foulard m
**scarlet** ['skɑːlɪt] adj écarlate
**scarves** [skɑːvz] npl of **scarf**
**scary** ['skɛərɪ] adj (inf) effrayant(e); (film) qui fait peur
**scatter** ['skætəʳ] vt éparpiller, répandre; (crowd) disperser ▷ vi se disperser
**scenario** [sɪˈnɑːrɪəʊ] n scénario m
**scene** [siːn] n (Theat, fig etc) scène f; (of crime, accident) lieu(x) m(pl), endroit m; (sight, view) spectacle m, vue f; **scenery** n (Theat) décor(s) m(pl); (landscape) paysage m; **scenic** adj offrant de beaux paysages or panoramas
**scent** [sɛnt] n parfum m, odeur f; (fig: track) piste f

**sceptical**, (US) **skeptical** ['skɛptɪkl] adj sceptique
**schedule** ['ʃɛdjuːl, US 'skɛdjuːl] n programme m, plan m; (of trains) horaire m; (of prices etc) barème m, tarif m ▷ vt prévoir; **on ~** à l'heure (prévue); à la date prévue; **to be ahead of/behind ~** avoir de l'avance/du retard; **scheduled flight** n vol régulier
**scheme** [skiːm] n plan m, projet m; (plot) complot m, combine f; (arrangement) arrangement m, classification f; (pension scheme etc) régime m ▷ vt, vi comploter, manigancer
**schizophrenic** [skɪtsəˈfrɛnɪk] adj schizophrène
**scholar** ['skɔləʳ] n érudit(e); (pupil) boursier(-ère); **scholarship** n érudition f; (grant) bourse f (d'études)
**school** [skuːl] n (gen) école f; (secondary school) collège m; lycée m; (in university) faculté f; (US: university) université f ▷ cpd scolaire; **schoolbook** n livre m scolaire or de classe; **schoolboy** n écolier m; (at secondary school) collégien m; lycéen m; **schoolchildren** npl écoliers mpl; (at secondary school) collégiens mpl; lycéens mpl; **schoolgirl** n écolière f; (at secondary school) collégienne f; lycéenne f; **schooling** n instruction f, études fpl; **schoolteacher** n (primary) instituteur(-trice); (secondary) professeur m
**science** ['saɪəns] n science f; **science fiction** n science-fiction f; **scientific** [saɪənˈtɪfɪk] adj scientifique; **scientist** n scientifique m/f; (eminent) savant m
**sci-fi** ['saɪfaɪ] n abbr (inf: = science fiction) SF f
**scissors** ['sɪzəz] npl ciseaux mpl; **a pair of ~** une paire de ciseaux
**scold** [skəʊld] vt gronder
**scone** [skɔn] n sorte de petit pain rond au lait

**scoop** [skuːp] n pelle f (à main); (for ice cream) boule f à glace; (Press) reportage exclusif or à sensation

**scooter** ['skuːtə*] n (motor cycle) scooter m; (toy) trottinette f

**scope** [skəup] n (capacity: of plan, undertaking) portée f, envergure f; (: of person) compétence f, capacités fpl; (opportunity) possibilités fpl

**scorching** ['skɔːtʃɪŋ] adj torride, brûlant

**score** [skɔː*] n score m, décompte m des points; (Mus) partition f ▷ vt (goal, point) marquer; (success) remporter; (cut: leather, wood, card) entailler, inciser ▷ vi marquer des points; (Football) marquer un but; (keep score) compter les points; **on ~** sur ce chapitre, à cet égard; **a ~ of** (twenty) vingt; **~s of** (fig) des tas de; **to ~ 6 out of 10** obtenir 6 sur 10; **score out** vt rayer, barrer, biffer; **scoreboard** n tableau m; **scorer** n (Football) auteur m du but; **buteur** m; (keeping score) marqueur m

**scorn** [skɔːn] n mépris m, dédain m

**Scorpio** ['skɔːpɪəu] n le Scorpion

**scorpion** ['skɔːpɪən] n scorpion m

**Scot** [skɔt] n Écossais(e)

**Scotch** [skɔtʃ] n whisky m, scotch m

**Scotch tape®** (us) n scotch® m, ruban adhésif

**Scotland** ['skɔtlənd] n Écosse f

**Scots** [skɔts] adj écossais(e); **Scotsman** (irreg) n Écossais m; **Scotswoman** (irreg) n Écossaise f; **Scottish** ['skɔtɪʃ] adj écossais(e); **the Scottish Parliament** le Parlement écossais

**scout** [skaut] n (Mil) éclaireur m; (also: **boy ~**) scout m; **girl ~** (us) guide f

**scowl** [skaul] vi se renfrogner; **to ~ at** regarder de travers

**scramble** ['skræmbl] n (rush) bousculade f, ruée f ▷ vi grimper/descendre tant bien que mal; **to ~ for** se bousculer or se disputer pour

(avoir); **to go scrambling** (Sport) faire du trial; **scrambled eggs** npl œufs brouillés

**scrap** [skræp] n bout m, morceau m; (fight) bagarre f; (also: **~ iron**) ferraille f ▷ vt jeter, mettre au rebut; (fig) abandonner, laisser tomber ▷ vi se bagarrer; **scraps** npl (waste) déchets mpl; **scrapbook** n album m

**scrape** [skreip] vt, vi gratter, racler ▷ n: **to get into a ~** s'attirer des ennuis; **scrape through** vi (exam etc) réussir de justesse

**scrap paper** n papier m brouillon

**scratch** [skrætʃ] n égratignure f, rayure f; (on paint) éraflure f; (from claw) coup m de griffe ▷ vt (rub) (se) gratter; (paint etc) érafler; (with claw, nail) griffer ▷ vi (se) gratter; **to start from ~** partir de zéro; **to be up to ~** être à la hauteur; **scratch card** n carte f à gratter

**scream** [skriːm] n cri perçant, hurlement m ▷ vi crier, hurler

**screen** [skriːn] n écran m; (in room) paravent m; (fig) écran, rideau m ▷ vt masquer, cacher; (from the wind etc) abriter, protéger; (film) projeter; (candidates etc) filtrer; **screening** n (of film) projection f; (Med) test m (or tests) de dépistage; **screenplay** n scénario m; **screen saver** n (Comput) économiseur m d'écran; **screenshot** n (Comput) capture f d'écran

**screw** [skruː] n vis f ▷ vt (also: **~ in**) visser; **screw up** vt (paper etc) froisser; **to ~ up one's eyes** se plisser les yeux; **screwdriver** n tournevis m

**scribble** ['skrɪbl] n gribouillage m ▷ vt gribouiller, griffonner

**script** [skrɪpt] n (Cine etc) scénario m, texte m; (writing) (écriture f) script m

**scroll** [skrəul] n rouleau m ▷ vt (Comput) faire défiler (sur l'écran)

**scrub** [skrʌb] n (land) broussailles fpl ▷ vt (floor) nettoyer à la brosse; (pan) récurer; (washing) frotter

**scruffy** ['skrʌfɪ] adj débraillé(e)

**scrum(mage)** ['skrʌm(ɪdʒ)] *n* mêlée *f*

**scrutiny** ['skruːtɪnɪ] *n* examen minutieux

**scuba diving** ['skuːbə-] *n* plongée sous-marine

**sculptor** ['skʌlptə'] *n* sculpteur *m*

**sculpture** ['skʌlptʃə'] *n* sculpture *f*

**scum** [skʌm] *n* écume *f*, mousse *f*; (*pej: people*) rebut *m*, lie *f*

**scurry** ['skʌrɪ] *vi* filer à toute allure; **to ~ off** détaler, se sauver

**sea** [siː] *n* mer *f* ⊳ *cpd* marin(e), de (la) mer, maritime; **by or beside the ~** (*holiday, town*) au bord de la mer; **by ~** par mer, en bateau; **out to ~** au large; **(out) at ~** en mer; **to be all at ~** (*fig*) nager complètement; **seafood** *n* fruits *mpl* de mer; **sea front** *n* bord *m* de mer; **seagull** *n* mouette *f*

**seal** [siːl] *n* (*animal*) phoque *m*; (*stamp*) sceau *m*, cachet *m* ⊳ *vt* sceller; (*envelope*) coller (: *with seal*) cacheter; **seal off** *vt* (*forbid entry to*) interdire l'accès de

**sea level** *n* niveau *m* de la mer

**seam** [siːm] *n* couture *f*; (*of coal*) veine *f*, filon *m*

**search** [səːtʃ] *n* (*for person, thing, Comput*) recherche *f*(*pl*); (*of drawer, pockets*) fouille *f*; (*Law: at sb's home*) perquisition *f* ⊳ *vt* fouiller; (*examine*) examiner minutieusement; scruter ⊳ *vi*: **to ~ for** chercher; **in ~ of** à la recherche de; **search engine** *n* (*Comput*) moteur *m* de recherche; **search party** *n* expédition *f* de secours

**sea:** **seashore** *n* rivage *m*, plage *f*, bord *m* de (la) mer; **seasick** *adj*: **to be seasick** avoir le mal de mer; **seaside** *n* bord *m* de mer; **seaside resort** *n* station *f* balnéaire

**season** ['siːzn] *n* saison *f* ⊳ *vt* assaisonner, relever; **to be in/out of ~** être/ne pas être de saison; **seasonal** *adj* saisonnier(-ière); **seasoning** *n* assaisonnement

*m*; **season ticket** *n* carte *f* d'abonnement

**seat** [siːt] *n* siège *m*; (*in bus, train: place*) place *f*; (*buttocks*) postérieur *m*; (*of trousers*) fond *m* ⊳ *vt* faire asseoir, placer; (*have room for*) avoir des places assises pour, pouvoir accueillir; **to be ~ed** être assis; **seat belt** *n* ceinture *f* de sécurité; **seating** *n* sièges *fpl*, places assises

**sea:** **sea water** *n* eau *f* de mer; **seaweed** *n* algues *fpl*

**sec.** *abbr* (= *second*) sec

**secluded** [sɪ'kluːdɪd] *adj* retiré(e), à l'écart

**second** ['sɛkənd] *num* deuxième, second(e) ⊳ *adv* (*in race etc*) en seconde position ⊳ *n* (*unit of time*) seconde *f*; (*Aut: also:* **~ gear**) seconde; (*Comm: imperfect*) article *m* de second choix; (*BRIT Scol*) ≈ licence *f* avec mention ⊳ *vt* (*motion*) appuyer; **seconds** *npl* (*inf: food*) rab *m* (*inf*); **secondary** *adj* secondaire; **secondary school** *n* (*age 11 to 15*) collège *m*; (*age 15 to 18*) lycée *m*; **second-class** *adj* de deuxième classe; (*Rail*) de seconde (classe); (*Post*) au tarif réduit; (*pej*) de qualité inférieure ⊳ *adv* (*Rail*) en seconde; (*Post*) au tarif réduit; **secondhand** *adj* d'occasion; (*information*) de seconde main; **secondly** *adv* deuxièmement; **second-rate** *adj* de deuxième ordre, de qualité inférieure; **second thoughts** *npl*: **to have second thoughts** changer d'avis; **on second thoughts** *or* (*us*) **thought** à la réflexion

**secrecy** ['siːkrəsɪ] *n* secret *m*

**secret** ['siːkrɪt] *adj* secret(-ète) ⊳ *n* secret *m*; **in ~** *adv* en secret, secrètement, en cachette

**secretary** ['sɛkrətrɪ] *n* secrétaire *m/f*; **S~ of State (for)** (*Pol*) ministre *m* (de)

**secretive** ['siːkrətɪv] *adj* réservé(e), (*pej*) cachottier(-ière), dissimulé(e)

**secret service** n services secrets
**sect** [sɛkt] n secte f
**section** ['sɛkʃən] n section f; (Comm) rayon m; (of document) section, article m, paragraphe m; (cut) coupe f
**sector** ['sɛktə'] n secteur m
**secular** ['sɛkjulə'] adj laïque
**secure** [sɪ'kjuə'] adj (free from anxiety) sans inquiétude, sécurisé(e); (firmly fixed) solide, bien attaché(e) (or fermé(e) etc); (in safe place) en lieu sûr, en sûreté ▷ vt (fix) fixer, attacher; (get) obtenir, se procurer
**security** [sɪ'kjuərɪtɪ] n sécurité f, mesures fpl de sécurité; (for loan) caution f, garantie f; **securities** npl (Stock Exchange) valeurs fpl, titres mpl; **security guard** n garde chargé de la sécurité; (transporting money) convoyeur m de fonds
**sedan** [sə'dæn] n (us Aut) berline f
**sedate** [sɪ'deɪt] adj calme; posé(e) ▷ vt donner des sédatifs à
**sedative** ['sɛdɪtɪv] n calmant m, sédatif m
**seduce** [sɪ'djuːs] vt séduire
**seductive** [sɪ'dʌktɪv] adj séduisant(e); (smile) séducteur(-trice); (fig: offer) alléchant(e)
**see** [siː] (pt **saw**, pp **seen**) vt (gen) voir; (accompany): **to ~ sb to the door** reconduire or raccompagner qn jusqu'à la porte ▷ vi voir; **to ~ that** (ensure) veiller à ce que + sub, faire en sorte que + sub, s'assurer que; **~ you soon/later/tomorrow!** à bientôt/plus tard/demain!; **see off** vt accompagner (à l'aéroport etc); **see out** vt (take to door) raccompagner à la porte; **see through** vt mener à bonne fin ▷ vt fus voir clair dans; **see to** vt fus s'occuper de, se charger de
**seed** [siːd] n graine f; (fig) germe m; (Tennis etc) tête f de série; **to go to ~** (plant) monter en graine; (fig) se laisser aller
**seeing** ['siːɪŋ] conj: **~ (that)** vu que, étant donné que

**seek** [siːk] (pt, pp **sought**) vt chercher, rechercher
**seem** [siːm] vi sembler, paraître: **there ~s to be ...** il semble qu'il y a ..., on dirait qu'il y a ...; **seemingly** adv apparemment
**seen** [siːn] pp of **see**
**seesaw** ['siːsɔː] n (jeu m de) bascule f
**segment** ['sɛgmənt] n segment m; (of orange) quartier m
**segregate** ['sɛgrɪgeɪt] vt séparer, isoler
**Seine** [seɪn] n: **the (River) ~** la Seine
**seize** [siːz] vt (grasp) saisir, attraper; (take possession of) s'emparer de; (opportunity) saisir
**seizure** ['siːʒə'] n (Med) crise f, attaque f; (of power) prise f
**seldom** ['sɛldəm] adv rarement
**select** [sɪ'lɛkt] adj choisi(e), d'élite; (hotel, restaurant, club) chic inv, sélect inv ▷ vt sélectionner, choisir; **selection** n sélection f, choix m; **selective** adj sélectif(-ive); (school) à recrutement sélectif
**self** (pl **selves**) [sɛlf, sɛlvz] n: **the ~** le moi inv ▷ prefix auto-; **self-assured** adj sûr(e) de soi, plein(e) d'assurance; **self-catering** adj (BRIT: flat) avec cuisine, où l'on peut faire sa cuisine; (: holiday) en appartement (or chalet etc) loué; **self-centred**, (us) **self-centered** adj égocentrique; **self-confidence** n confiance f en soi; **self-confident** adj sûr(e) de soi, plein(e) d'assurance; **self-conscious** adj timide, qui manque d'assurance; **self-contained** adj (BRIT: flat) avec entrée particulière, indépendant(e); **self-control** n maîtrise f de soi; **self-defence**, (us) **self-defense** n autodéfense f; (Law) légitime défense f; **self-drive** adj (BRIT): **self-drive car** voiture f de location; **self-employed** adj qui travaille à son compte; **self-esteem** n amour-propre m; **self-harm** vi s'automutiler; **self-indulgent** adj qui ne se refuse rien; **self-interest** n intérêt personnel;

**selfish** adj égoïste; **self-pity** n
apitoiement m sur soi-même; **self-
raising** [selfˈreɪzɪŋ], (US) **self-rising**
[selfˈraɪzɪŋ] adj: **self-raising flour**
farine f pour gâteaux (avec levure
incorporée); **self-respect** n respect m
de soi, amour-propre m; **self-service**
adj, n libre-service (m), self-service (m)

**sell** (pt, pp **sold**) [sel, səuld] vt vendre
▷ vi se vendre; **to ~ at** or **for 10 euros**
se vendre 10 euros; **sell off** vt liquider;
**sell out** vi: **to ~ out (of sth)** (use up
stock) vendre tout son stock (de qch);
**sell-by date** n date f limite de vente;
**seller** n vendeur(-euse), marchand(e)

**Sellotape®** [ˈseləuteɪp] n (BRIT)
scotch® m

**selves** [selvz] npl of **self**

**semester** [sɪˈmestəʳ] n (esp US)
semestre m

**semi...** [ˈsemɪ] prefix semi-, demi-; à
demi, à moitié; **semicircle** n demi-
cercle m; **semidetached (house)**
n (BRIT) maison jumelée or jumelle;
**semi-final** n demi-finale f

**seminar** [ˈsemɪnɑːʳ] n séminaire m

**semi-skimmed** [ˈsemɪˈskɪmd] adj
demi-écrémé(e)

**senate** [ˈsenɪt] n sénat m; (US): **the S~**
le Sénat; **senator** n sénateur m

**send** (pt, pp **sent**) [send, sent] vt
envoyer; **send back** vt renvoyer;
**send for** vt fus (by post) se
faire envoyer, commander par
correspondance; **send in** vt (report,
application, resignation) remettre;
**send off** vt (goods) envoyer, expédier;
(BRIT Sport: player) expulser or
renvoyer du terrain; **send on** vt (BRIT:
letter) faire suivre; (luggage etc: in
advance) (faire) expédier à l'avance;
**send out** vt (invitation) envoyer
(par la poste); (emit: light, heat,
signal) émettre; **send up** vt (person,
price) faire monter; (BRIT: parody)
parodier; **sender** n expéditeur(-trice); **send-off** n: **a
good send-off** des adieux chaleureux

**senile** [ˈsiːnaɪl] adj sénile

**senior** [ˈsiːnɪəʳ] adj (high-ranking) de
haut niveau; (of higher rank): **to be ~
to sb** être le supérieur de qn; **senior
citizen** n personne f du troisième
âge; **senior high school** n (US) ≈
lycée m

**sensation** [senˈseɪʃən] n sensation
f; **sensational** adj qui fait sensation;
(marvellous) sensationnel(le)

**sense** [sens] n sens m; (feeling)
sentiment m; (meaning) sens m,
signification f; (wisdom) bon sens ▷ vt
sentir, pressentir; **it makes ~** c'est
logique; **senseless** adj insensé(e),
stupide; (unconscious) sans
connaissance; **sense of humour**,
(US) **sense of humor** n sens m de
l'humour

**sensible** [ˈsensɪbl] adj sensé(e),
raisonnable; (shoes etc) pratique
> Be careful not to translate
> sensible by the French word
> sensible.

**sensitive** [ˈsensɪtɪv] adj: **~ (to)**
sensible (à)

**sensual** [ˈsensjuəl] adj sensuel(le)

**sensuous** [ˈsensjuəs] adj
voluptueux(-euse), sensuel(le)

**sent** [sent] pt, pp of **send**

**sentence** [ˈsentns] n (Ling) phrase
f; (Law: judgment) condamnation
f, sentence f; (: punishment) peine
f ▷ vt: **to ~ sb to death/to 5 years**
condamner qn à mort/à 5 ans

**sentiment** [ˈsentɪmənt] n
sentiment m; (opinion) opinion f, avis
m; **sentimental** [sentɪˈmentl] adj
sentimental(e)

**separate** adj [ˈseprɪt] séparé(e);
(organization) indépendant(e); (day,
occasion, issue) différent(e) ▷ vt
[ˈsepəreɪt] séparer; (distinguish)
distinguer ▷ vi [ˈsepəreɪt] se séparer;
**separately** adv séparément;
**separates** npl (clothes) coordonnés
mpl; **separation** [sepəˈreɪʃən] n
séparation f

**September** [sɛp'tɛmbə'] n
septembre m

**sequel** ['si:kwl] n conséquence f;
séquelles fpl; (of story) suite f

**sequence** ['si:kwəns] n ordre m,
suite f; (in film) séquence f; (dance)
numéro m

**sequin** ['si:kwɪn] n paillette f

**Serb** [sə:b] adj, n = **Serbian**

**Serbia** ['sə:bɪə] n Serbie f

**Serbian** ['sə:bɪən] adj serbe ▷ n Serbe
m/f; (Ling) serbe m

**sergeant** ['sɑːdʒənt] n sergent m;
(Police) brigadier m

**serial** ['sɪərɪəl] n feuilleton m; **serial
killer** n meurtrier m tuant en série;
**serial number** n numéro m de série

**series** ['sɪərɪz] n série f; (Publishing)
collection f

**serious** ['sɪərɪəs] adj sérieux(-euse);
(accident etc) grave; **seriously** adv
sérieusement; (hurt) gravement

**sermon** ['sə:mən] n sermon m

**servant** ['sə:vənt] n domestique m/f;
(fig) serviteur (servante)

**serve** [sə:v] vt (employer etc) servir,
être au service de; (purpose) servir
à; (customer, food, meal) servir;
(subj: train) desservir; (apprenticeship) faire,
accomplir; (prison term) purger
▷ vi (Tennis) servir; (be useful): **to ~
as/for/to do** servir de/à/à faire ▷ n
(Tennis) service m; **it ~s him right**
c'est bien fait pour lui; **server** n
(Comput) serveur m

**service** ['sə:vɪs] n (gen) service m;
(Aut) révision f; (Rel) office m ▷ vt
(car etc) réviser; **services** npl (Econ:
tertiary sector) (secteur m) tertiaire
m, secteur des services; (BRIT: on
motorway) station-service f; (Mil): the
**S~s** npl les forces armées; **to be of ~
to sb, to do sb a ~** rendre service à
qn; **~ included/not included** service
compris/non compris; **service area**
n (on motorway) aire f de services;

**service charge** n (BRIT) service m;
**serviceman** (irreg) n militaire m;
**service station** n station-service f

**serviette** [sə:vɪ'ɛt] n (BRIT) serviette
f (de table)

**session** ['sɛʃən] n (sitting) séance f;
**to be in ~** siéger, être en session or
en séance

**set** [sɛt] (pt, pp set) n série f,
assortiment m; (of tools etc) jeu m;
(Radio, TV) poste m; (Tennis) set m;
(group of people) cercle m, milieu m;
(Cine) plateau m; (Theat: stage) scène
f; (: scenery) décor m; (Math) ensemble
m; (Hairdressing) mise f en plis ▷ adj
(fixed) fixe, déterminé(e); (ready)
prêt(e) ▷ vt (place) mettre, poser,
placer; (fix, establish) fixer (: record)
établir; (assign: task, homework)
donner; (exam) composer; (adjust)
régler; (decide: rules etc) fixer, choisir
▷ vi (sun) se coucher; (jam, jelly,
concrete) prendre; (bone) se ressouder;
**to be ~ on doing** être résolu(e)
à faire; **to ~ to music** mettre en
musique; **to ~ on fire** mettre le feu
à; **to ~ free** libérer; **to ~ sth going**
déclencher qch; **to ~ sail** partir,
prendre la mer; **set aside** vt mettre
de côté; (time) garder; **set down** vt
(subj: bus, train) déposer; **set in** vi
(infection, bad weather) s'installer;
(complications) survenir, surgir; **set
off** vi se mettre en route, partir ▷ vt
(bomb) faire exploser; (cause to start)
déclencher; (show up well) mettre en
valeur, faire valoir; **set out** vi: **to ~
out (from)** partir (de) ▷ vt (arrange)
disposer; (state) présenter, exposer;
**to ~ out to do** entreprendre de
faire; avoir pour but or intention de
faire; **set up** vt (organization) fonder,
créer; **setback** n (hitch) revers m,
contretemps m; **set menu** n menu m

**settee** [sɛ'tiː] n canapé m

**setting** ['sɛtɪŋ] n cadre m; (of jewel)
monture f; (position: of controls)
réglage m

**settle** ['sɛtl] vt (argument, matter, account) régler; (problem) résoudre; (Med: calm) calmer ▸ vi (bird, dust etc) se poser; **to ~ for sth** accepter qch, se contenter de qch; **to ~ on sth** opter or se décider pour qch; **settle down** vi (get comfortable) s'installer; (become calmer) se ranger; **settle in** vi s'installer; **settle up** vi: **to ~ up with sb** régler (ce que l'on doit à) qn; **settlement** n (payment) règlement m; (agreement) accord m; (village etc) village m, hameau m

**setup** ['sɛtʌp] n (arrangement) manière f dont les choses sont organisées; (situation) situation f, allure f des choses

**seven** ['sɛvn] num sept; **seventeen** num dix-sept; **seventeenth** [sɛvn'tiːnθ] num dix-septième; **seventh** num septième; **seventieth** ['sɛvntɪɪθ] num soixante-dixième; **seventy** num soixante-dix

**sever** ['sɛvəʳ] vt couper, trancher; (relations) rompre

**several** ['sɛvərl] adj, pron plusieurs pl; **~ of us** plusieurs d'entre nous

**severe** [sɪ'vɪəʳ] adj (stern) sévère, strict(e); (serious) grave, sérieux(-euse); (plain) sévère, austère

**sew** (pt **sewed**, pp **sewn**) [səu, səud, səun] vt, vi coudre

**sewage** ['suːɪdʒ] n vidange(s) f(pl)

**sewer** ['suːəʳ] n égout m

**sewing** ['səuɪŋ] n couture f; (item/s) ouvrage m; **sewing machine** n machine f à coudre

**sewn** [səun] pp of **sew**

**sex** [sɛks] n sexe m; **to have ~ with** avoir des rapports (sexuels) avec; **sexism** ['sɛksɪzəm] n sexisme m; **sexist** adj sexiste; **sexual** ['sɛksjuəl] adj sexuel(le); **sexual intercourse** n rapports sexuels; **sexuality** [sɛksju'ælɪtɪ] n sexualité f; **sexy** adj sexy inv

**shabby** ['ʃæbɪ] adj miteux(-euse); (behaviour) mesquin(e), méprisable

**shack** [ʃæk] n cabane f, hutte f

**shade** [ʃeɪd] n ombre f; (for lamp) abat-jour m inv; (of colour) nuance f, ton m; (us: window shade) store m; (small quantity): **a ~ of** un soupçon de ▸ vt abriter du soleil, ombrager; **shades** npl (us: sunglasses) lunettes fpl de soleil; **in the ~** à l'ombre; **a ~ smaller** un tout petit peu plus petit

**shadow** ['ʃædəu] n ombre f ▸ vt (follow) filer; **shadow cabinet** n (BRIT Pol) cabinet parallèle formé par le parti qui n'est pas au pouvoir

**shady** ['ʃeɪdɪ] adj ombragé(e); (fig: dishonest) louche, véreux(-euse)

**shaft** [ʃɑːft] n (of arrow, spear) hampe f; (Aut, Tech) arbre m; (of mine) puits m; (of lift) cage f; (of light) rayon m, trait m

**shake** [ʃeɪk] (pt **shook**, pp **shaken**) vt secouer; (bottle, cocktail) agiter; (house, confidence) ébranler ▸ vi trembler; **to ~ one's head** (in refusal etc) dire or faire non de la tête; (in dismay) secouer la tête; **to ~ hands with sb** serrer la main à qn; **shake off** vt secouer; (pursuer) se débarrasser de; **shake up** vt secouer; **shaky** adj (hand, voice) tremblant(e); (building) branlant(e), peu solide

**shall** [ʃæl] aux vb: **I ~ go** j'irai; **~ I open the door?** j'ouvre la porte?; **I'll get the coffee, ~ I?** je vais chercher le café, d'accord?

**shallow** ['ʃæləu] adj peu profond(e); (fig) superficiel(le), qui manque de profondeur

**sham** [ʃæm] n frime f

**shambles** ['ʃæmblz] n confusion f, pagaie f, fouillis m

**shame** [ʃeɪm] n honte f ▸ vt faire honte à; **it is a ~ (that/to do)** c'est dommage (que + sub/de faire); **what a ~!** quel dommage!; **shameful** adj honteux(-euse), scandaleux(-euse); **shameless** adj effronté(e), éhonté(e)

**shampoo** [ʃæm'puː] n shampooing m ▸ vt faire un shampooing à

**shandy** ['ʃændɪ] n bière panachée

**S**

**shan't** [ʃɑːnt] = **shall not**

**shape** [ʃeɪp] n forme f ▷ vt façonner, modeler; (sb's ideas, character) former; (sb's life) déterminer ▷ vi (also: **~ up**: events) prendre tournure; (: person) faire des progrès, se développer; **to take ~** prendre forme or tournure

**share** [ʃɛəʳ] n part f, (Comm) action f ▷ vt partager; (have in common) avoir en commun; **to ~ out** (among or between) partager (entre); **shareholder** n (BRIT) actionnaire m/f

**shark** [ʃɑːk] n requin m

**sharp** [ʃɑːp] adj (razor, knife) tranchant(e), bien aiguisé(e); (point, voice) aigu(ë); (nose, chin) pointu(e); (outline, increase) net(te); (cold, pain) vif (vive); (taste) piquant(e), âcre; (Mus) dièse; (person: quick-witted) vif (vive), éveillé(e); (: unscrupulous) malhonnête ▷ n (Mus) dièse m ▷ adv: **at 2 o'clock ~** à deux heures pile or tapantes; **sharpen** vt aiguiser; (pencil) tailler; (fig) aviver; **sharpener** n (also: **pencil sharpener**) taille-crayon(s) m inv; **sharply** adv (turn, stop) brusquement; (stand out) nettement; (criticize, retort) sèchement, vertement

**shatter** [ˈʃætəʳ] vt briser; (fig: upset) bouleverser; (: ruin) briser, ruiner ▷ vi voler en éclats, se briser; **shattered** adj (overwhelmed, grief-stricken) bouleversé(e); (inf: exhausted) éreinté(e)

**shave** [ʃeɪv] vt raser ▷ vi se raser ▷ n: **to have a ~** se raser; **shaver** n (also: **electric shaver**) rasoir m électrique

**shaving cream** n crème f à raser

**shaving foam** n mousse f à raser

**shavings** [ˈʃeɪvɪŋz] npl (of wood etc) copeaux mpl

**shawl** [ʃɔːl] n châle m

**she** [ʃiː] pron elle

**sheath** [ʃiːθ] n gaine f, fourreau m, étui m; (contraceptive) préservatif m

**shed** [ʃɛd] n remise f, resserre f ▷ vt (pt, pp **shed**) (leaves, fur etc) perdre;

(tears) verser, répandre; (workers) congédier

**she'd** [ʃiːd] = **she had; she would**

**sheep** [ʃiːp] n (pl inv) mouton m; **sheepdog** n chien m de berger; **sheepskin** n peau f de mouton

**sheer** [ʃɪəʳ] adj (utter) pur(e), pur et simple; (steep) à pic, abrupt(e); (almost transparent) extrêmement fin(e) ▷ adv à pic, abruptement

**sheet** [ʃiːt] n (on bed) drap m; (of paper) feuille f; (of glass, metal etc) feuille, plaque f

**sheik, sheikh** [ʃeɪk] n cheik m

**shelf** (pl **shelves**) [ʃɛlf, ʃɛlvz] n étagère f, rayon m

**shell** [ʃɛl] n (on beach) coquillage m; (of egg, nut etc) coquille f; (explosive) obus m; (of building) carcasse f ▷ vt (peas) écosser; (Mil) bombarder (d'obus)

**she'll** [ʃiːl] = **she will; she shall**

**shellfish** [ˈʃɛlfɪʃ] n (pl inv: crab etc) crustacé m; (: scallop etc) coquillage m ▷ npl (as food) fruits mpl de mer

**shelter** [ˈʃɛltəʳ] n abri m, refuge m ▷ vt abriter, protéger; (give lodging to) donner asile à ▷ vi s'abriter, se mettre à l'abri; **sheltered** adj (life) retiré(e), à l'abri des soucis; (spot) abrité(e)

**shelves** [ˈʃɛlvz] npl of **shelf**

**shelving** [ˈʃɛlvɪŋ] n (shelves) rayonnage(s) m(pl)

**shepherd** [ˈʃɛpəd] n berger m ▷ vt (guide) guider, escorter; **shepherd's pie** n ≈ hachis m Parmentier

**sheriff** [ˈʃɛrɪf] (us) n shérif m

**sherry** [ˈʃɛrɪ] n xérès m, sherry m

**she's** [ʃiːz] = **she is; she has**

**Shetland** [ˈʃɛtlənd] n (also: **the ~s, the ~ Isles** or **Islands**) les îles fpl Shetland

**shield** [ʃiːld] n bouclier m; (protection) écran m de protection ▷ vt: **to ~ (from)** protéger (de or contre)

**shift** [ʃɪft] n (change) changement m; (work period) période f de travail; (of workers) équipe f, poste m ▷ vt déplacer, changer de place; (remove) enlever ▷ vi changer de place, bouger

**shin** [ʃɪn] n tibia m

**shine** [ʃaɪn] n éclat m, brillant m ▷ vi (pt, pp **shone**) briller ▷ vt (pt, pp **shined**) (polish) faire briller or reluire; **to ~ sth on sth** (torch) braquer qch sur qch

**shingles** [ˈʃɪŋɡlz] n (Med) zona m

**shiny** [ˈʃaɪnɪ] adj brillant(e)

**ship** [ʃɪp] n bateau m; (large) navire m ▷ vt transporter (par mer); (send) expédier (par mer); **shipment** n cargaison f; **shipping** n (ships) navires mpl; (traffic) navigation f; (the industry) industrie navale; (transport) transport m; **shipwreck** n épave f; (event) naufrage m ▷ vt: **to be shipwrecked** faire naufrage; **shipyard** n chantier naval

**shirt** [ʃəːt] n chemise f; (woman's) chemisier m; **in ~ sleeves** en bras de chemise

**shit** [ʃɪt] excl (infl) merde (!)

**shiver** [ˈʃɪvəʳ] n frisson m ▷ vi frissonner

**shock** [ʃɔk] n choc m; (Elec) secousse f, décharge f; (Med) commotion f, choc m ▷ vt (scandalize) choquer, scandaliser; (upset) bouleverser; **shocking** adj (outrageous) choquant(e), scandaleux(-euse); (awful) épouvantable

**shoe** [ʃuː] n chaussure f, soulier m; (also: **horse~**) fer m à cheval ▷ vt (pt, pp **shod**) (horse) ferrer; **shoelace** n lacet m (de soulier); **shoe polish** n cirage m; **shoeshop** n magasin m de chaussures

**shone** [ʃɔn] pt, pp of **shine**

**shonky** [ˈʃɔŋkɪ] adj (Aust, NZ inf: untrustworthy) louche

**shook** [ʃuk] pt of **shake**

**shoot** [ʃuːt] n (pt, pp **shot**) (on branch, seedling) pousse f ▷ vt (game: hunt) chasser; (: aim at) tirer; (: kill) abattre; (person) blesser/tuer d'un coup de fusil (or de revolver); (execute) fusiller;

(arrow) tirer; (gun) tirer un coup de; (Cine) tourner ▷ vi (with gun, bow): **to ~ (at)** tirer (sur); (Football) shooter, tirer; **shoot down** vt (plane) abattre; **shoot up** vi (fig: prices etc) monter en flèche; **shooting** n (shots) coups mpl de feu; (attack) fusillade f; (murder) homicide m (à l'aide d'une arme à feu); (Hunting) chasse f

**shop** [ʃɔp] n magasin m; (workshop) atelier m ▷ vi (also: **go ~ping**) faire ses courses or ses achats; **shop assistant** n (BRIT) vendeur(-euse); **shop keeper** n marchand(e), commerçant(e); **shoplifting** n vol m à l'étalage; **shopping** n (goods) achats mpl, provisions fpl; **shopping bag** n sac m (à provisions); **shopping centre**, (US) **shopping center** n centre commercial; **shopping mall** n centre commercial; **shopping trolley** n (BRIT) Caddie® m; **shop window** n vitrine f

**shore** [ʃɔːʳ] n (of sea, lake) rivage m, rive f ▷ vt: **to ~ (up)** étayer; **on ~** à terre

**short** [ʃɔːt] adj (not long) court(e); (soon finished) court, bref (brève); (person, step) petit(e); (curt) brusque, sec (sèche); (insufficient) insuffisant(e) ▷ n (also: **~ film**) court métrage; (Elec) court-circuit m; **to be ~ of sth** être à court de or manquer de qch; **in ~** bref; en bref; **~ of doing** à moins de faire; **everything ~ of** tout sauf; **it is ~ for** c'est l'abréviation or le diminutif de; **to cut ~** (speech, visit) abréger, écourter; **to fall ~ of** ne pas être à la hauteur de; **to run ~ of** arriver à court de, venir à manquer de; **to stop ~** s'arrêter net; **to stop ~ of** ne pas aller jusqu'à; **shortage** n manque m, pénurie f; **shortbread** n ≈ sablé m; **shortcoming** n défaut m; **short(crust) pastry** n (BRIT) pâte brisée; **shortcut** n raccourci m; **shorten** vt raccourcir; (text, visit) abréger; **shortfall** n déficit m; **shorthand** n (BRIT) sténo(graphie)

**S**

*f*; **shortlist** *n* (BRIT: for job) liste *f* des candidats sélectionnés; **short-lived** *adj* de courte durée; **shortly** *adv* bientôt, sous peu; **shorts** *npl*: **(a pair of) shorts** un short; **short-sighted** *adj* (BRIT) myope; (fig) qui manque de clairvoyance; **short-sleeved** *adj* à manches courtes; **short story** *n* nouvelle *f*; **short-tempered** *adj* qui s'emporte facilement; **short-term** *adj* (effect) à court terme

**shot** [ʃɔt] *pt, pp of* **shoot** ▷ *n* coup *m* (de feu); (try) coup, essai *m*; (injection) piqûre *f*; (Phot) photo *f*; **to be a good/poor** ~ (person) tirer bien/mal; **like a** ~ comme une flèche; (very readily) sans hésiter; **shotgun** *n* fusil *m* de chasse

**should** [ʃud] *aux vb*: **I** ~ **go now** je devrais partir maintenant; **he** ~ **be there now** il devrait être arrivé maintenant; **I** ~ **go if I were you** si j'étais vous j'irais; **I** ~ **like to** volontiers; j'aimerais bien

**shoulder** [ˈʃəuldəʳ] *n* épaule *f* ▷ *vt* (fig) endosser, se charger de; **shoulder blade** *n* omoplate *f*

**shouldn't** [ˈʃudnt] = **should not**

**shout** [ʃaut] *n* cri *m* ▷ *vt* crier ▷ *vi* crier, pousser des cris

**shove** [ʃʌv] *vt* pousser; (inf: put): **to** ~ **sth in** fourrer or ficher qch dans ▷ *n* poussée *f*

**shovel** [ˈʃʌvl] *n* pelle *f* ▷ *vt* pelleter, enlever (or enfourner) à la pelle

**show** [ʃəu] (*pt* **showed**, *pp* **shown**) *n* (of emotion) manifestation *f*, démonstration *f*; (semblance) semblant *m*, apparence *f*; (exhibition) exposition *f*, salon *m*; (Theat, TV) spectacle *m*; (Cine) séance *f* ▷ *vt* montrer; (film) passer; (courage etc) faire preuve de, manifester; (exhibit) exposer ▷ *vi* se voir, être visible; **can you** ~ **me where it is, please?** pouvez-vous me montrer où c'est?; **to be on** ~ être exposé(e); **it's just for** ~ c'est juste pour l'effet; **show in**

*vt* faire entrer; **show off** *vi* (pej) crâner ▷ *vt* (display) faire valoir; (pej) faire étalage de; **show out** *vt* reconduire à la porte; **show up** *vi* (stand out) ressortir; (inf: turn up) se montrer ▷ *vt* (unmask) démasquer, dénoncer; (flaw) faire ressortir; **show business** *n* le monde du spectacle

**shower** [ˈʃauəʳ] *n* (for washing) douche *f*; (rain) averse *f*; (of stones etc) pluie *f*, grêle *f*; (us: party) réunion organisée pour la remise de cadeaux ▷ *vi* prendre une douche, se doucher ▷ *vt*: **to** ~ **sb** (gifts etc) combler qn de; **to have** or **take a** ~ prendre une douche, se doucher; **shower cap** *n* bonnet *m* de douche; **shower gel** *n* gel *m* douche

**showing** [ˈʃəuɪŋ] *n* (of film) projection *f*

**show jumping** [-dʒʌmpɪŋ] *n* concours *m* hippique

**shown** [ʃəun] *pp of* **show**

**show-off** [ˈʃəuɔf] *n* (inf: person) crâneur(-euse), m'as-tu-vu(e);
**showroom** *n* magasin *m* or salle *f* d'exposition

**shrank** [ʃræŋk] *pt of* **shrink**

**shred** [ʃred] *n* (gen pl) lambeau *m*, petit morceau; (fig: of truth, evidence) parcelle *f* ▷ *vt* mettre en lambeaux, déchirer; (documents) détruire; (Culin: grate) râper; (: lettuce etc) couper en lanières

**shrewd** [ʃru:d] *adj* astucieux(-euse), perspicace; (business person) habile

**shriek** [ʃri:k] *n* cri perçant or aigu, hurlement *m* ▷ *vt, vi* hurler, crier

**shrimp** [ʃrɪmp] *n* crevette grise

**shrine** [ʃraɪn] *n* (place) lieu *m* de pèlerinage

**shrink** (*pt* **shrank**, *pp* **shrunk**) [ʃrɪŋk, ʃræŋk, ʃrʌŋk] *vi* rétrécir; (fig) diminuer; (also: ~ **away**) reculer ▷ *vt* (wool) (faire) rétrécir ▷ *n* (inf, pej) psychanalyste *m/f*; **to** ~ **from (doing) sth** reculer devant (la pensée de faire) qch

**shrivel** ['ʃrɪvl], **shrivel up** vt ratatiner, flétrir ▷ vi se ratatiner, se flétrir

**shroud** [ʃraud] n linceul m ▷ vt: **~ed in mystery** enveloppé(e) de mystère

**Shrove Tuesday** ['ʃrəuv-] n (le) Mardi gras

**shrub** [ʃrʌb] n arbuste m

**shrug** [ʃrʌg] n haussement m d'épaules ▷ vt, vi: **to ~ (one's shoulders)** hausser les épaules; **shrug off** vt faire fi de

**shrunk** [ʃrʌŋk] pp of **shrink**

**shudder** ['ʃʌdəʳ] n frisson m, frémissement m ▷ vi frissonner, frémir

**shuffle** ['ʃʌfl] vt (cards) battre; **to ~ (one's feet)** traîner les pieds

**shun** [ʃʌn] vt éviter, fuir

**shut** (pt, pp **shut**) [ʃʌt] vt fermer ▷ vi (se) fermer; **shut down** vt fermer définitivement ▷ vi fermer définitivement; **shut up** vi (inf: keep quiet) se taire ▷ vt (close) fermer; (silence) faire taire; **shutter** n volet m; (Phot) obturateur m

**shuttle** ['ʃʌtl] n navette f; (also: **~ service**) (service m de) navette f; **shuttlecock** n volant m (de badminton)

**shy** [ʃaɪ] adj timide

**siblings** ['sɪblɪŋz] npl (formal) frères et sœurs mpl (de mêmes parents)

**Sicily** ['sɪsɪlɪ] n Sicile f

**sick** [sɪk] adj (ill) malade; (BRIT: humour) noir(e), macabre; (vomiting): **to be ~** vomir; **to feel ~** avoir envie de vomir, avoir mal au cœur; **to be ~ of** (fig) en avoir assez de; **sickening** adj (fig) écœurant(e), révoltant(e), répugnant(e); **sick leave** n congé m de maladie; **sickly** adj maladif(-ive), souffreteux(-euse); (causing nausea) écœurant(e); **sickness** n maladie f; (vomiting) vomissement(s) m(pl)

**side** [saɪd] n côté m; (of lake, road) bord m; (of mountain) versant(s) m(pl); (fig: aspect) côté, aspect m; (team: Sport) équipe

f; (TV: channel) chaîne f ▷ adj (door, entrance) latéral(e) ▷ vi: **to ~ with sb** prendre le parti de qn, se ranger du côté de qn; **by the ~ of** au bord de; **~ by ~** côte à côte; **to rock from ~ to ~** se balancer; **to take ~s (with)** prendre parti (pour); **sideboard** n buffet m; **sideboards**, (us) **sideburns** npl (whiskers) pattes fpl; **side effect** n effet m secondaire; **sidelight** n (Aut) veilleuse f; **sideline** n (Sport) (ligne f de) touche f; (fig) activité f secondaire; **side order** n garniture f; **side road** n petite route, route transversale; **side street** n rue transversale; **sidetrack** vt (fig) faire dévier de son sujet; **sidewalk** n (us) trottoir m; **sideways** adv de côté

**siege** [siːdʒ] n siège m

**sieve** [sɪv] n tamis m, passoire f ▷ vt tamiser, passer (au tamis)

**sift** [sɪft] vt passer au tamis or au crible; (fig) passer au crible

**sigh** [saɪ] n soupir m ▷ vi soupirer, pousser un soupir

**sight** [saɪt] n (faculty) vue f; (spectacle) spectacle m ▷ vt apercevoir; **in ~** visible; (fig) en vue; **out of ~** hors de vue; **sightseeing** n tourisme m; **to go sightseeing** faire du tourisme

**sign** [saɪn] n (gen) signe m; (with hand etc) signe, geste m; (notice) panneau m, écriteau m; (road ~) panneau de signalisation ▷ vt signer; **where do I ~?** où dois-je signer?; **sign for** vt fus (item) signer le reçu pour; **sign in** vi signer le registre (en arrivant); **sign on** vi (BRIT: as unemployed) s'inscrire au chômage; (enrol) s'inscrire ▷ vt (employee) embaucher; **sign over** vt: **to ~ sth over to sb** céder qch par écrit à qn; **sign up** vi (Mil) s'engager; (for course) s'inscrire

**signal** ['sɪgnl] n signal m ▷ vi (Aut) mettre son clignotant ▷ vt (person) faire signe à; (message) communiquer par signaux

**signature** ['sɪgnətʃəʳ] n signature f

# significance | 552

**significance** [sɪɡˈnɪfɪkəns] n
signification f; importance f
**significant** [sɪɡˈnɪfɪkənt] adj
significatif(-ive); (important)
important(e), considérable
**signify** [ˈsɪɡnɪfaɪ] vt signifier
**sign language** n langage m par
signes
**signpost** [ˈsaɪnpəʊst] n poteau
indicateur
**Sikh** [siːk] adj, n Sikh m/f
**silence** [ˈsaɪləns] n silence m ▷ vt faire
taire, réduire au silence
**silent** [ˈsaɪlnt] adj silencieux(-euse);
(film) muet(te); **to keep** or **remain ~**
garder le silence, ne rien dire
**silhouette** [sɪluːˈɛt] n silhouette f
**silicon chip** [ˈsɪlɪkən-] n puce f
électronique
**silk** [sɪlk] n soie f ▷ cpd de or en soie
**silly** [ˈsɪlɪ] adj stupide, sot(te), bête
**silver** [ˈsɪlvəʳ] n argent m; (money)
monnaie f (en pièces d'argent); (also:
**~ware**) argenterie f ▷ adj (made
of silver) d'argent, en argent; (in
colour) argenté(e); **silver-plated** adj
plaqué(e) argent
**SIM card** [ˈsɪm-] n abbr (Tel) carte
f SIM
**similar** [ˈsɪmɪləʳ] adj: **~ (to)**
semblable (à); **similarity**
[sɪmɪˈlærɪtɪ] n ressemblance f,
similarité f; **similarly** adv de la même
façon, de même
**simmer** [ˈsɪməʳ] vi cuire à feu doux,
mijoter
**simple** [ˈsɪmpl] adj simple; **simplicity**
[sɪmˈplɪsɪtɪ] n simplicité
f, **simplify** [ˈsɪmplɪfaɪ] vt simplifier;
**simply** adv simplement; (without
fuss) avec simplicité; (absolutely)
absolument
**simulate** [ˈsɪmjʊleɪt] vt simuler,
feindre
**simultaneous** [sɪməlˈteɪnɪəs] adj
simultané(e); **simultaneously** adv
simultanément
**sin** [sɪn] n péché m ▷ vi pécher

**since** [sɪns] adv, prep depuis ▷ conj
(time) depuis que; (because) puisque,
étant donné que, comme; **~ then,
ever ~** depuis ce moment-là
**sincere** [sɪnˈsɪəʳ] adj sincère;
**sincerely** adv sincèrement; **yours
sincerely** (at end of letter) veuillez
agréer, Monsieur (or Madame)
l'expression de mes sentiments
distingués or les meilleurs
**sing** (pt **sang**, pp **sung**) [sɪŋ, sæŋ, sʌŋ]
vt, vi chanter
**Singapore** [sɪŋɡəˈpɔː] n
Singapour m
**singer** [ˈsɪŋəʳ] n chanteur(-euse)
**singing** [ˈsɪŋɪŋ] n (of person, bird)
chant m
**single** [ˈsɪŋɡl] adj seul(e), unique;
(unmarried) célibataire; (not double)
simple ▷ n (BRIT: also: **~ ticket**) aller m
(simple); (record) 45 tours m; **singles**
npl (Tennis) simple m; **every ~ day**
chaque jour sans exception; **single
out** vt choisir; (distinguish) distinguer;
**single bed** n lit m d'une personne or à
une place; **single file** n: **in single file**
en file indienne; **single-handed** adv
tout(e) seul(e), sans (aucune) aide;
**single-minded** adj résolu(e), tenace;
**single parent** n parent unique or
célibataire; **single-parent family**
famille monoparentale; **single
room** n chambre f à un lit or pour une
personne
**singular** [ˈsɪŋɡjʊləʳ] adj
singulier(-ière); (odd) singulier,
étrange; (outstanding) remarquable;
(Ling) (au) singulier, du singulier ▷ n
(Ling) singulier m
**sinister** [ˈsɪnɪstəʳ] adj sinistre
**sink** [sɪŋk] (pt **sank**, pp **sunk**) n
évier m; (washbasin) lavabo m ▷ vt
(ship) (faire) couler, faire sombrer;
(foundations) creuser ▷ vi couler,
sombrer; (ground etc) s'affaisser; **to ~
into sth** (chair) s'enfoncer dans qch;
**sink in** vi (explanation) rentrer (inf),
être compris

**sinus** ['saɪnəs] n (Anat) sinus m inv
**sip** [sɪp] n petite gorgée ▷ vt boire à
petites gorgées
**sir** [sɜːʳ] n monsieur m; **S~ John Smith**
sir John Smith; **yes ~** oui Monsieur
**siren** ['saɪərn] n sirène f
**sirloin** ['sɜːlɔɪn] n (also: **~ steak**)
aloyau m
**sister** ['sɪstəʳ] n sœur f; (nun)
religieuse f, (bonne) sœur; (BRIT:
nurse) infirmière f en chef; **sister-in-
law** n belle-sœur f
**sit** (pt, pp **sat**) [sɪt, sæt] vi s'asseoir; (be
sitting) être assis(e); (assembly) être
en séance, siéger; (for painter) poser
▷ vt (exam) passer, se présenter à; **sit
back** vi (in seat) bien s'installer, se
carrer; **sit down** vi s'asseoir; **sit on** vt
fus (jury, committee) faire partie de; **sit
up** vi s'asseoir; (straight) se redresser;
(not go to bed) rester debout, ne pas
se coucher
**sitcom** ['sɪtkɔm] n abbr (TV:
= situation comedy) sitcom f, comédie
f de situation
**site** [saɪt] n emplacement m, site
m; (also: **building ~**) chantier m;
(Internet) site m web ▷ vt placer
**sitting** ['sɪtɪŋ] n (of assembly etc)
séance f; (in canteen) service m;
**sitting room** n salon m
**situated** ['sɪtjueɪtɪd] adj situé(e)
**situation** [sɪtju'eɪʃən] n situation f;
**"~s vacant/wanted"** (BRIT) "offres/
demandes d'emploi"
**six** [sɪks] num six; **sixteen** num
seize; **sixteenth** [sɪks'tiːnθ] num
seizième; **sixth** [sɪksθ] num sixième;
**sixth form** n (BRIT) ≈ classes fpl de
première et de terminale; **sixth-form
college** n lycée n'ayant que des classes
de première et de terminale; **sixtieth**
['sɪkstɪɪθ] num soixantième; **sixty**
num soixante
**size** [saɪz] n dimensions fpl; (of person)
taille f; (of clothing) taille; (of shoes)
pointure f; (of problem) ampleur
f; (glue) colle f; **sizeable** adj assez

grand(e); (amount, problem, majority)
assez important(e)
**sizzle** ['sɪzl] vi grésiller
**skate** [skeɪt] n patin m; (fish: pl inv)
raie f ▷ vi patiner; **skateboard** n
skateboard m, planche f à roulettes;
**skateboarding** n skateboard m;
**skater** n patineur(-euse); **skating**
n patinage m; **skating rink** n
patinoire f
**skeleton** ['skɛlɪtn] n squelette m;
(outline) schéma m
**skeptical** ['skɛptɪkl] (US) adj
**=sceptical**
**sketch** [skɛtʃ] n (drawing) croquis
m, esquisse f; (outline plan) aperçu
m; (Theat) sketch m, saynète f ▷ vt
esquisser, faire un croquis or une
esquisse de; (plan etc) esquisser
**skewer** ['skjuːəʳ] n brochette f
**ski** [skiː] n ski m ▷ vi skier, faire du ski;
**ski boot** n chaussure f de ski
**skid** [skɪd] n dérapage m ▷ vi déraper
**ski: skier** n skieur(-euse); **skiing** n ski
m; **to go skiing** (aller) faire du ski
**skilful**, (US) **skillful** ['skɪlful] adj
habile, adroit(e)
**ski lift** n remonte-pente m inv
**skill** [skɪl] n (ability) habileté f,
adresse f, talent m; (requiring training)
compétences fpl; **skilled** adj habile,
adroit(e); (worker) qualifié(e)
**skim** [skɪm] vt (soup) écumer;
(glide over) raser, effleurer ▷ vi: **to ~
through** (fig) parcourir; **skimmed
milk**, (US) **skim milk** n lait écrémé
**skin** [skɪn] n peau f ▷ vt (fruit
etc) éplucher; (animal) écorcher;
**skinhead** n skinhead m; **skinny** adj
maigre, maigrichon(ne)
**skip** [skɪp] n petit bond or saut; (BRIT:
container) benne f ▷ vi gambader,
sautiller; (with rope) sauter à la corde
▷ vt (pass over) sauter
**ski: ski-lift** n forfait-skieur(s) m; **ski
pole** n bâton m de ski
**skipper** ['skɪpəʳ] n (Naut, Sport)
capitaine m; (in race) skipper m

**S**

**skipping rope** ['skɪpɪŋ-], (US) **skip
  rope** n corde f à sauter
**skirt** [skəːt] n jupe f ▷ vt longer,
  contourner
**skirting board** ['skəːtɪŋ-] n (BRIT)
  plinthe f
**ski slope** n piste f de ski
**ski suit** n combinaison f de ski
**skull** [skʌl] n crâne m
**skunk** [skʌŋk] n mouffette f
**sky** [skaɪ] n ciel m; **skyscraper** n
  gratte-ciel m inv
**slab** [slæb] n (of stone) dalle f; (of meat,
  cheese) tranche épaisse
**slack** [slæk] adj (loose) lâche,
  desserré(e); (slow) stagnant(e);
  (careless) négligent(e), peu
  sérieux/-euse ou consciencieux(-euse);
  **slacks** npl pantalon m
**slain** [sleɪn] pp of **slay**
**slam** [slæm] vt (door) (faire) claquer;
  (throw) jeter violemment, flanquer;
  (inf: criticize) éreinter, démolir ▷ vi
  claquer
**slander** ['slɑːndəʳ] n calomnie f; (Law)
  diffamation f
**slang** [slæŋ] n argot m
**slant** [slɑːnt] n inclinaison f; (fig)
  angle m, point m de vue
**slap** [slæp] n claque f, gifle f; (on the
  back) tape f ▷ vt donner une claque ou
  une gifle (ou une tape) à ▷ adv (directly)
  tout droit, en plein; **to ~ on** (paint)
  appliquer rapidement
**slash** [slæʃ] vt entailler, taillader; (fig:
  prices) casser
**slate** [sleɪt] n ardoise f ▷ vt (fig:
  criticize) éreinter, démolir
**slaughter** ['slɔːtəʳ] n carnage m,
  massacre m; (of animals) abattage
  m ▷ vt (animal) abattre; (people)
  massacrer; **slaughterhouse** n
  abattoir m
**Slav** [slɑːv] adj slave
**slave** [sleɪv] n esclave m/f ▷ vi
  (also: **~ away**) trimer, travailler
  comme un forçat; **slavery** n
  esclavage m

**slay** (pt **slew**, pp **slain**) [sleɪ, sluː,
  sleɪn] vt (literary) tuer
**sleazy** ['sliːzɪ] adj miteux(-euse),
  minable
**sled** [slɛd] (US) n = **sledge**
**sledge** [slɛdʒ] n luge f
**sleek** [sliːk] adj (hair, fur) brillant(e),
  luisant(e); (car, boat) aux lignes pures
  ou élégantes
**sleep** [sliːp] n sommeil m ▷ vi (pt, pp
  **slept**) dormir; **to go to ~** s'endormir;
  **sleep in** vi (oversleep) se réveiller
  trop tard; (on purpose) faire la grasse
  matinée; **sleep together** vi (have sex)
  coucher ensemble; **sleeper** n (person)
  dormeur(-euse); (BRIT Rail: on track)
  traverse f; (: train) train-couchettes
  m; (: berth) couchette f; **sleeping
  bag** ['sliːpɪŋ-] n sac m de couchage;
  **sleeping car** n wagon-lits m, voiture-
  lits f; **sleeping pill** n somnifère m;
  **sleepover** n nuit f chez un copain
  ou une copine; **we're having a
  sleepover at Jo's** nous allons
  passer la nuit chez Jo; **sleepwalk** vi
  marcher en dormant; **sleepy** adj (fig)
  endormi(e)
**sleet** [sliːt] n neige fondue
**sleeve** [sliːv] n manche f; (of record)
  pochette f; **sleeveless** adj (garment)
  sans manches
**sleigh** [sleɪ] n traîneau m
**slender** ['slɛndəʳ] adj svelte, mince;
  (fig) faible, ténu(e)
**slept** [slɛpt] pt, pp of **sleep**
**slew** [sluː] pt of **slay**
**slice** [slaɪs] n tranche f; (round)
  rondelle f; (utensil) spatule f; (also:
  **fish ~**) pelle f à poisson ▷ vt couper en
  tranches (ou en rondelles)
**slick** [slɪk] adj (skilful) bien ficelé(e);
  (salesperson) qui a du bagout ▷ n
  (also: **oil ~**) nappe f de pétrole,
  marée noire
**slide** [slaɪd] (pt, pp **slid**) [slaɪd, slɪd] n (in
  playground) toboggan m; (Phot)
  diapositive f; (BRIT: also: **hair ~**)
  barrette f; (in prices) chute f, baisse f

▷ vt (faire) glisser ▷ vi glisser; **sliding** adj (door) coulissant(e)

**slight** [slaɪt] adj (slim) mince, menu(e); (frail) frêle; (trivial) faible, insignifiant(e); (small) petit(e), léger(-ère) before n ▷ n offense f, affront m ▷ vt (offend) blesser, offenser; **not in the ~est** pas le moins du monde, pas du tout; **slightly** adv légèrement, un peu

**slim** [slɪm] adj mince ▷ vi maigrir; (diet) suivre un régime amaigrissant; **slimming** n amaigrissement m ▷ adj (diet, pills) amaigrissant(e), pour maigrir; (food) qui ne fait pas grossir

**slimy** ['slaɪmɪ] adj visqueux(-euse), gluant(e)

**sling** [slɪŋ] n (Med) écharpe f; (for baby) porte-bébé m; (weapon) fronde f, lance-pierre m ▷ vt (pt, pp **slung**) lancer, jeter

**slip** [slɪp] n faux pas; (mistake) erreur f, bévue f; (underskirt) combinaison f; (of paper) petite feuille, fiche f ▷ vt (slide) glisser ▷ vi (slide) glisser; (decline) baisser; (move smoothly): **to ~ into/out of** se glisser or se faufiler dans/hors de; **to ~ sth on/off** enfiler/enlever qch; **to give sb the ~** fausser compagnie à qn; **a ~ of the tongue** un lapsus; **slip up** vi faire une erreur, gaffer

**slipped disc** [slɪpt-] n déplacement m de vertèbre

**slipper** ['slɪpə] n pantoufle f

**slippery** ['slɪpərɪ] adj glissant(e)

**slip road** n (BRIT: to motorway) bretelle f d'accès

**slit** [slɪt] n fente f; (cut) incision f ▷ vt (pt, pp **slit**) fendre; couper, inciser

**slog** [slɒg] n (BRIT: effort) gros effort; (work) tâche fastidieuse ▷ vi travailler très dur

**slogan** ['sləʊgən] n slogan m

**slope** [sləʊp] n pente f, côte f; (side of mountain) versant m; (slant) inclinaison f ▷ vi: **to ~ down** être or descendre en pente; **to ~ up** monter;

**sloping** adj en pente, incliné(e); (handwriting) penché(e)

**sloppy** ['slɒpɪ] adj (work) peu soigné(e), bâclé(e); (appearance) négligé(e), débraillé(e)

**slot** [slɒt] n fente f ▷ vt: **to ~ sth into** encastrer or insérer qch dans; **slot machine** n (BRIT: vending machine) distributeur m (automatique), machine f à sous; (for gambling) appareil m or machine m à sous

**Slovakia** [sləʊˈvækɪə] n Slovaquie f

**Slovene** [sləʊˈviːn] adj slovène ▷ n Slovène m/f; (Ling) slovène m

**Slovenia** [sləʊˈviːnɪə] n Slovénie f; **Slovenian** adj, n = **Slovene**

**slow** [sləʊ] adj lent(e); (watch): **to be ~** retarder ▷ adv lentement ▷ vt, vi ralentir; **"~"** (road sign) "ralentir"; **slow down** vi ralentir; **slowly** adv lentement; **slow motion** n: **in slow motion** au ralenti

**slug** [slʌg] n limace f; (bullet) balle f; **sluggish** adj (person) mou (molle), lent(e); (stream, engine, trading) lent(e)

**slum** [slʌm] n (house) taudis m; **slums** npl (area) quartiers mpl pauvres

**slump** [slʌmp] n baisse soudaine, effondrement m; (Econ) crise f ▷ vi s'effondrer, s'affaisser

**slung** [slʌŋ] pt, pp of **sling**

**slur** [sləː] n (smear): **~ (on)** atteinte f (à); insinuation f (contre) ▷ vt mal articuler

**slush** [slʌʃ] n neige fondue

**sly** [slaɪ] adj (person) rusé(e); (smile, expression, remark) sournois(e)

**smack** [smæk] n (slap) tape f; (on face) gifle f ▷ vt donner une tape à; (on face) gifler; (on bottom) donner la fessée à ▷ vi: **to ~ of** avoir des relents de, sentir

**small** [smɔːl] adj petit(e); **small ads** npl (BRIT) petites annonces; **small change** n petite or menue monnaie

**smart** [smɑːt] adj élégant(e), chic inv; (clever) intelligent(e); (quick) vif (vive), prompt(e) ▷ vi faire mal, brûler;

**smart card** n carte f à puce; **smart phone** n smartphone m

**smash** [smæʃ] n (also: **~-up**) collision f, accident m; (Mus) succès foudroyant ▷ vt casser, briser, fracasser; (opponent) écraser; (Sport: record) pulvériser ▷ vi se briser, se fracasser; s'écraser; **smashing** adj (inf) formidable

**smear** [smɪə<sup>r</sup>] n (stain) tache f; (mark) trace f; (Med) frottis m ▷ vt enduire; (make dirty) salir; **smear test** n (BRIT Med) frottis m

**smell** [smɛl] (pt, pp **smelt** or **smelled**) n odeur f; (sense) odorat m ▷ vt sentir ▷ vi (pej) sentir mauvais; (have odour) sentir; **smelly** adj qui sent mauvais, malodorant(e)

**smelt** [smɛlt] pt, pp de **smell**

**smile** [smaɪl] n sourire m ▷ vi sourire

**smirk** [smə:k] n petit sourire suffisant or affecté

**smog** [smɔg] n brouillard mêlé de fumée

**smoke** [sməuk] n fumée f ▷ vt, vi fumer; **do you mind if I ~?** ça ne vous dérange pas que je fume?; **smoke alarm** n détecteur m de fumée; **smoked** adj (bacon, glass) fumé(e); **smoker** n (person) fumeur(-euse); (Rail) wagon m fumeurs; **smoking** n: **"no smoking"** (sign) "défense de fumer"; **smoky** adj enfumé(e); (taste) fumé(e)

**smooth** [smu:ð] adj lisse; (sauce) onctueux(-euse); (flavour, whisky) moelleux(-euse); (movement) régulier(-ière), sans à-coups or heurts; (flight) sans secousses; (pej: person) doucereux(-euse), mielleux(-euse) ▷ vt (also: **~ out**) lisser, défroisser; (creases, difficulties) faire disparaître

**smother** [ˈsmʌðə<sup>r</sup>] vt étouffer

**SMS** n abbr (= short message service) SMS m; **SMS message** n (message m) SMS m

**smudge** [smʌdʒ] n tache f, bavure f ▷ vt salir, maculer

**smug** [smʌg] adj suffisant(e), content(e) de soi

**smuggle** [ˈsmʌgl] vt passer en contrebande or en fraude; **smuggling** n contrebande f

**snack** [snæk] n casse-croûte m inv; **snack bar** n snack(-bar) m

**snag** [snæg] n inconvénient m, difficulté f

**snail** [sneɪl] n escargot m

**snake** [sneɪk] n serpent m

**snap** [snæp] n (sound) claquement m, bruit sec; (photograph) photo f, instantané m ▷ adj subit(e), fait(e) sans réfléchir ▷ vt (fingers) faire claquer; (break) casser net ▷ vi se casser net or avec un bruit sec; (speak sharply) parler d'un ton brusque; **to ~ open/shut** s'ouvrir/se refermer brusquement; **snap at** vt fus (subj: dog) essayer de mordre; **snap up** vt sauter sur, saisir; **snapshot** n photo f, instantané m

**snarl** [snɑ:l] vi gronder

**snatch** [snætʃ] n ▷ vt saisir (d'un geste vif); (steal) voler; **to ~ some sleep** arriver à dormir un peu

**sneak** [sni:k] (us: pt, pp **snuck**) vi: **to ~ in/out** entrer/sortir furtivement or à la dérobée ▷ n (inf: pej: informer) faux jeton; **to ~ up on sb** s'approcher de qn sans faire de bruit; **sneakers** npl tennis mpl, baskets fpl

**sneer** [snɪə<sup>r</sup>] vi ricaner; **to ~ at sb/sth** se moquer de qn/qch avec mépris

**sneeze** [sni:z] vi éternuer

**sniff** [snɪf] vi renifler ▷ vt renifler, flairer; (glue, drug) sniffer, respirer

**snigger** [ˈsnɪgə<sup>r</sup>] vi ricaner

**snip** [snɪp] n (cut) entaille f; (BRIT inf: bargain) (bonne) occasion or affaire ▷ vt couper

**sniper** [ˈsnaɪpə<sup>r</sup>] n tireur embusqué

**snob** [snɔb] n snob m/f

**snooker** [ˈsnu:kə<sup>r</sup>] n sorte de jeu de billard

**snoop** [snu:p] vi: **to ~ about** fureter

**snooze** [snu:z] n petit somme ▷ vi faire un petit somme

**snore** [snɔ:ʳ] vi ronfler ▷ n ronflement m

**snorkel** ['snɔ:kl] n (of swimmer) tuba m

**snort** [snɔ:t] n grognement m ▷ vi grogner; (horse) renâcler

**snow** [snəu] n neige f ▷ vi neiger; **snowball** n boule f de neige; **snowdrift** n congère f; **snowman** (irreg) n bonhomme m de neige; **snowplough**, (us) **snowplow** n chasse-neige m inv; **snowstorm** n tempête f de neige

**snub** [snʌb] vt repousser, snober ▷ n rebuffade f

**snuck** [snʌk] (us) pt, pp of **sneak**

**snug** [snʌg] adj douillet(te), confortable; (person) bien au chaud

**KEYWORD**

**so** [səu] adv 1 (thus, likewise) ainsi, de cette façon; **if so** si oui; **so do or have I** moi aussi; **it's 5 o'clock — so it is!** il est 5 heures — en effet! or c'est vrai!; **I hope/think so** je l'espère/ le crois; **so far** jusqu'ici, jusqu'à maintenant; (in past) jusque-là
2 (in comparisons etc: to such a degree) si, tellement; **so big (that)** si or tellement grand (que); **she's not as clever as her brother** elle n'est pas aussi intelligente que son frère
3: **so much** adj, adv tant (de); **I've got so much work** j'ai tant de travail; **I love you so much** je vous aime tant; **so many** tant (de)
4 (phrases): **10 or so** à peu près or environ 10; **so long!** (inf: goodbye) au revoir!, à un de ces jours!; **so (what)?** (inf) (bon) et alors?, et après?
▷ conj 1 (expressing purpose): **so as to do** pour faire, afin de faire; **so (that)** pour que or afin que + sub
2 (expressing result) donc, par conséquent; **so that** si bien que; **so**

**that's the reason!** c'est donc (pour) ça!; **so you see, I could have gone** alors tu vois, j'aurais pu y aller

**soak** [səuk] vt faire or laisser tremper; (drench) tremper ▷ vi tremper; **soak up** vt absorber; **soaking** adj (also: **soaking wet**) trempé(e)

**so-and-so** ['səuənsəu] n (somebody) un(e) tel(le)

**soap** [səup] n savon m; **soap opera** n feuilleton télévisé (quotidienneté réaliste ou embellie); **soap powder** n lessive f, détergent m

**soar** [sɔ:ʳ] vi monter (en flèche), s'élancer; (building) s'élancer

**sob** [sɔb] n sanglot m ▷ vi sangloter

**sober** ['səubəʳ] adj qui n'est pas (or plus) ivre; (serious) sérieux(-euse), sensé(e); (colour, style) sobre, discret(-ète); **sober up** vi se dégriser

**so-called** ['səu'kɔ:ld] adj soi-disant inv

**soccer** ['sɔkəʳ] n football m

**sociable** ['səuʃəbl] adj sociable

**social** ['səuʃl] adj social(e); (sociable) sociable ▷ n (petite) fête; **socialism** n socialisme m; **socialist** adj, n socialiste (m/f); **socialize** vi: **to socialize with** (meet often) fréquenter; (get to know) lier connaissance or parler avec; **social life** n vie sociale; **socially** adv socialement, en société; **social media** npl médias mpl sociaux; **social networking** n réseaux mpl sociaux; **social networking site** n site m de réseautage; **social security** n aide sociale; **social services** npl services sociaux; **social work** n assistance sociale; **social worker** n assistant(e) sociale(e)

**society** [sə'saɪətɪ] n société f; (club) société, association f; (also: **high ~**) (haute) société, grand monde

**sociology** [səusɪ'ɔlədʒɪ] n sociologie f

**sock** [sɔk] n chaussette f

**socket** ['sɒkɪt] n cavité f; (Elec: also: **wall ~**) prise f de courant

**soda** ['səʊdə] n (Chem) soude f; (also: **~ water**) eau f de Seltz; (us: also: **~ pop**) soda m

**sodium** ['səʊdɪəm] n sodium m

**sofa** ['səʊfə] n sofa m, canapé m; **sofa bed** n canapé-lit m

**soft** [sɒft] adj (not rough) doux (douce); (not hard) doux, mou (molle); (not loud) doux, léger(-ère); (kind) doux, gentil(le) n boisson non alcoolisée; **soft drink** n boisson non alcoolisée; **soft drugs** npl drogues douces; **soften** ['sɒfn] vt (r)amollir; (fig) adoucir ▷ vi se ramollir; (fig) s'adoucir; **softly** adv doucement; (touch) légèrement; (kiss) tendrement; **software** n (Comput) logiciel m, software m

**soggy** ['sɒgɪ] adj (clothes) trempé(e); (ground) détrempé(e)

**soil** [sɔɪl] n (earth) sol m, terre f ▷ vt salir; (fig) souiller

**solar** ['səʊləᵏ] adj solaire; **solar power** n énergie f solaire; **solar system** n système m solaire

**sold** [səʊld] pt, pp of **sell**

**soldier** ['səʊldʒəᵏ] n soldat m, militaire m

**sold out** adj (Comm) épuisé(e)

**sole** [səʊl] n (of foot) plante f; (of shoe) semelle f; (fish: pl inv) sole f ▷ adj seul(e), unique; **solely** adv seulement, uniquement

**solemn** ['sɒləm] adj solennel(le); (person) sérieux(-euse), grave

**solicitor** [sə'lɪsɪtəᵏ] n (BRIT: for wills etc) ≈ notaire m; (: in court) ≈ avocat m

**solid** ['sɒlɪd] adj (not liquid) solide; (not hollow: mass) compact(e); (: metal, rock, wood) massif(-ive) ▷ n solide m

**solitary** ['sɒlɪtərɪ] adj solitaire

**solitude** ['sɒlɪtjuːd] n solitude f

**solo** ['səʊləʊ] n solo m ▷ adv (fly) en solitaire; **soloist** n soliste m/f

**soluble** ['sɒljʊbl] adj soluble

**solution** [sə'luːʃən] n solution f

**solve** [sɒlv] vt résoudre

**solvent** ['sɒlvənt] adj (Comm) solvable ▷ n (Chem) (dis)solvant m

**sombre**, (us) **somber** ['sɒmbəᵏ] adj sombre, morne

**KEYWORD**

**some** [sʌm] adj 1 (a certain amount or number of): **some tea/water/ice cream** du thé/de l'eau/de la glace; **some children/apples** des enfants/pommes; **I've got some money but not much** j'ai de l'argent mais pas beaucoup
2 (certain: in contrasts): **some people say that ...** il y a des gens qui disent que ...; **some films were excellent, but most were mediocre** certains films étaient excellents, mais la plupart étaient médiocres
3 (unspecified): **some woman was asking for you** il y avait une dame qui vous demandait; **he was asking for some book (or other)** il demandait un livre quelconque; **some day** un de ces jours; **some day next week** un jour la semaine prochaine
▷ pron 1 (a certain number) quelques-un(e)s, certain(e)s; **I've got some** (books etc) j'en ai (quelques-uns); **some (of them) have been sold** certains ont été vendus
2 (a certain amount) un peu; **I've got some** (money, milk) j'en ai (un peu); **would you like some?** est-ce que vous en voulez?, en voulez-vous?; **could I have some of this cheese?** pourrais-je avoir un peu de ce fromage?; **I've read some of the book** j'ai lu une partie du livre
▷ adv: **some 10 people** quelque 10 personnes, 10 personnes environ; **somebody** ['sʌmbədɪ] pron = **someone**; **somehow** adv d'une façon ou d'une autre; (for some reason) pour une raison ou une autre; **someone** pron quelqu'un; **someplace** adv (us) = **somewhere**;

**something** *pron* quelque chose *m*; **something interesting** quelque chose d'intéressant; **something to do** quelque chose à faire; **sometime** *adv* (*in future*) un de ces jours, un jour ou l'autre; (*in past*): **sometime last month** au cours du mois dernier; **sometimes** *adv* quelquefois, parfois; **somewhat** *adv* quelque peu, un peu; **somewhere** *adv* quelque part; **somewhere else** ailleurs, autre part

**son** [sʌn] *n* fils *m*

**song** [sɔŋ] *n* chanson *f*; (*of bird*) chant *m*

**son-in-law** ['sʌnɪnlɔː] *n* gendre *m*, beau-fils *m*

**soon** [suːn] *adv* bientôt; (*early*) tôt; **~ afterwards** peu après; *see also* **as**; **sooner** *adv* (*time*) plus tôt; (*preference*): **I would sooner do that** j'aimerais autant or je préférerais faire ça; **sooner or later** tôt ou tard

**soothe** [suːð] *vt* calmer, apaiser

**sophisticated** [sə'fɪstɪkeɪtɪd] *adj* raffiné(e), sophistiqué(e); (*machinery*) hautement perfectionné(e), très complexe

**sophomore** ['sɔfəmɔːʳ] *n* (*US*) étudiant(e) de seconde année

**soprano** [sə'prɑːnəu] *n* (*singer*) soprano *m/f*

**sorbet** ['sɔːbeɪ] *n* sorbet *m*

**sordid** ['sɔːdɪd] *adj* sordide

**sore** [sɔːʳ] *adj* (*painful*) douloureux(-euse), sensible ▷ *n* plaie *f*

**sorrow** ['sɔrəu] *n* peine *f*, chagrin *m*

**sorry** ['sɔrɪ] *adj* désolé(e); (*condition, excuse, tale*) triste, déplorable; **~!** pardon!, excusez-moi!; **~?** pardon?; **to feel ~ for sb** plaindre qn

**sort** [sɔːt] *n* genre *m*, espèce *f*, sorte *f*; (*make: of coffee, car etc*) marque *f* ▷ *vt* (*also:* **~ out**: *select which to keep*) trier; (*classify*) classer; (*tidy*) ranger; **sort out** *vt* (*problem*) résoudre, régler

**SOS** *n* SOS *m*

**so-so** ['səusəu] *adv* comme ci comme ça

**sought** [sɔːt] *pt, pp of* **seek**

**soul** [səul] *n* âme *f*

**sound** [saund] *adj* (*healthy*) en bonne santé, sain(e); (*safe, not damaged*) solide, en bon état; (*reliable, not superficial*) sérieux(-euse), solide; (*sensible*) sensé(e) ▷ *adv*: **~ asleep** profondément endormi(e) ▷ *n* (*noise, volume*) son *m*; (*louder*) bruit *m*; (*Geo*) détroit *m*, bras *m* de mer ▷ *vt* (*alarm*) sonner ▷ *vi* sonner, retentir; (*fig: seem*) sembler (être); **to ~ like** ressembler à; **sound bite** *n* phrase toute faite (*pour être citée dans les médias*); **soundtrack** *n* (*of film*) bande *f* sonore

**soup** [suːp] *n* soupe *f*, potage *m*

**sour** ['sauəʳ] *adj* aigre; **it's ~ grapes** c'est du dépit

**source** [sɔːs] *n* source *f*

**south** [sauθ] *n* sud *m* ▷ *adj* sud *inv*; (*wind*) du sud ▷ *adv* au sud, vers le sud; **South Africa** *n* Afrique *f* du Sud; **South African** *adj* sud-africain(e) ▷ *n* Sud-Africain(e); **South America** *n* Amérique *f* du Sud; **South American** *adj* sud-américain(e) ▷ *n* Sud-Américain(e); **southbound** *adj* en direction du sud; (*carriageway*) sud *inv*; **south-east** *n* sud-est *m*; **southern** ['sʌðən] *adj* (du) sud; méridional(e); **South Korea** *n* Corée *f* du Sud; **South of France** *n*: **the South of France** le Sud de la France, le Midi; **South Pole** *n*: **the South Pole** le Pôle Sud; **southward(s)** *adv* vers le sud; **south-west** *n* sud-ouest *m*

**souvenir** [suːvə'nɪəʳ] *n* souvenir *m* (*objet*)

**sovereign** ['sɔvrɪn] *adj, n* souverain(e)

**sow¹** (*pt* **sowed**, *pp* **sown**) [səu, səud, səun] *vt* semer

**sow²** [sau] *n* (*pig*) truie *f*

**soya** ['sɔɪə], (*US*) **soy** [sɔɪ] *n*: **~ bean** graine *f* de soja; **~ sauce** sauce *f* au soja

**S**

**spa** [spɑː] n (town) station thermale; (us: also: **health ~**) établissement m de cure de rajeunissement

**space** [speɪs] n (gen) espace m; (room) place f; espace; (length of time) laps m de temps ▷ cpd spatial(e) ▷ vt (also: **~ out**) espacer; **spacecraft** n engin or vaisseau spatial; **spaceship** n = **spacecraft**

**spacious** ['speɪʃəs] adj spacieux(-euse), grand(e)

**spade** [speɪd] n (tool) bêche f, pelle f; (child's) pelle; **spades** npl (Cards) pique m

**spaghetti** [spə'gɛtɪ] n spaghetti mpl

**Spain** [speɪn] n Espagne f

**spam** [spæm] n (Comput) pourriel m

**span** [spæn] n (of bird, plane) envergure f; (of arch) portée f; (in time) espace m de temps, durée f ▷ vt enjamber, franchir; (fig) couvrir, embrasser

**Spaniard** ['spænjəd] n Espagnol(e)

**Spanish** ['spænɪʃ] adj espagnol(e), d'Espagne ▷ n (Ling) espagnol m; **the Spanish** npl les Espagnols

**spank** [spæŋk] vt donner une fessée à

**spanner** ['spænə] n (BRIT) clé f (de mécanicien)

**spare** [spɛə] adj de réserve, de rechange; (surplus) de or en trop, de reste ▷ n (part) pièce f de rechange, pièce détachée ▷ vt (do without) se passer de; (afford to give) donner, accorder, passer; (not hurt) épargner; **to ~** (surplus) en surplus, de trop; **spare part** n pièce f de rechange, pièce détachée; **spare room** n chambre f d'ami; **spare time** n moments mpl de loisir; **spare tyre**, (us) **spare tire** n (Aut) pneu m de rechange; **spare wheel** n (Aut) roue f de secours

**spark** [spɑːk] n étincelle f

**sparkle** ['spɑːkl] n scintillement m, étincellement m, éclat m ▷ vi étinceler, scintiller

**sparkling** ['spɑːklɪŋ] adj (wine) mousseux(-euse), pétillant(e); (water) pétillant(e), gazeux(-euse)

**spark plug** n bougie f

**sparrow** ['spærəu] n moineau m

**sparse** [spɑːs] adj clairsemé(e)

**spasm** ['spæzəm] n (Med) spasme m

**spat** [spæt] pt, pp of **spit**

**spate** [speɪt] n (fig): **~ of** avalanche f or torrent m de

**spatula** ['spætjulə] n spatule f

**speak** (pt **spoke**, pp **spoken**) [spiːk, spəuk, 'spəukn] vt (language) parler; (truth) dire ▷ vi parler; (make a speech) prendre la parole; **to ~ to sb/of** or **about sth** parler à qn/de qch; **I don't ~ French** je ne parle pas français; **do you ~ English?** parlez-vous anglais?; **can I ~ to ...?** est-ce que je peux parler à ...?; **speaker** n (in public) orateur m; (also: **loudspeaker**) haut-parleur m; (for stereo etc) baffle m, enceinte f; (Pol): **the Speaker** (BRIT) le président de la Chambre des communes or des représentants; (us) le président de la Chambre

**spear** [spɪə] n lance f ▷ vt transpercer

**special** ['spɛʃl] adj spécial(e); **special delivery** n (Post): **by special delivery** en express; **special effects** npl (Cine) effets spéciaux; **specialist** n spécialiste m/f; **speciality** [spɛʃɪ'ælɪtɪ] n (BRIT) spécialité f; **specialize** vi: **to specialize (in)** se spécialiser (dans); **specially** adv spécialement, particulièrement; **special needs** npl (BRIT) difficultés fpl d'apprentissage scolaire; **special offer** n (Comm) réclame f; **special school** n (BRIT) établissement m d'enseignement spécialisé; **specialty** n (us) = **speciality**

**species** ['spiːʃiːz] n (pl inv) espèce f

**specific** [spə'sɪfɪk] adj spécial (not vague) précis(e), explicite; (particular) particulier(-ière); **specifically** adv explicitement, précisément;

*(intend, ask, design)* expressément, spécialement

**specify** ['spesɪfaɪ] *vt* spécifier, préciser

**specimen** ['spesɪmən] *n* spécimen *m*, échantillon *m*; *(Med: of blood)* prélèvement *m*; *(: of urine)* échantillon *m*

**speck** [spek] *n* petite tache, petit point; *(particle)* grain *m*

**spectacle** ['spektəkl] *n* spectacle *m*; **spectacles** *npl* (BRIT) lunettes *fpl*; **spectacular** [spek'tækjulə'] *adj* spectaculaire

**spectator** [spek'teɪtə'] *n* spectateur(-trice)

**spectrum** *(pl* **spectra***)* ['spektrəm, -rə] *n* spectre *m*; *(fig)* gamme *f*

**speculate** ['spekjuleɪt] *vi* spéculer; *(ponder)*: **to ~ about** s'interroger sur

**sped** [sped] *pt, pp of* **speed**

**speech** [spiːtʃ] *n (faculty)* parole *f*; *(talk)* discours *m*, allocution *f*; *(manner of speaking)* façon *f* de parler, langage *m*; *(enunciation)* élocution *f*; **speechless** *adj* muet(te)

**speed** [spiːd] *n* vitesse *f*; *(promptness)* rapidité *f* ▷ *vi (pt, pp* **sped***)* (Aut: exceed speed limit) faire un excès de vitesse; **at full** or **top ~** à toute vitesse or allure; **speed up** *(pt, pp* **speeded up)** *vi* aller plus vite, accélérer ▷ *vt* accélérer; **speedboat** *n* vedette *f*, hors-bord *m* inv; **speed camera** *n* (Aut) radar *m* (automatique); **speeding** *n* (Aut) excès *m* de vitesse; **speed limit** *n* limitation *f* de vitesse, vitesse maximale permise; **speedometer** [spɪ'dɔmɪtə'] *n* compteur *m* (de vitesse); **speedy** *adj* rapide, prompt(e)

**spell** [spel] *n (also:* **magic ~)** sortilège *m*, charme *m*; *(period of time)* (courte) période ▷ *vt (pt, pp* **spelled** or **spelt)** *(in writing)* écrire, orthographier; *(aloud)* épeler; *(fig)* signifier; **to cast a ~ on sb** jeter un sort à qn; **he can't ~** il fait

des fautes d'orthographe; **spell out** *vt (explain)*: **to ~ sth out for sb** expliquer qch clairement à qn; **spellchecker** ['speltʃekə'] *n* (Comput) correcteur *m* or vérificateur *m* orthographique; **spelling** *n* orthographe *f*

**spelt** [spelt] *pt, pp of* **spell**

**spend** *(pt, pp* **spent)** [spend, spent] *vt (money)* dépenser; *(time, life)* passer; *(devote)* consacrer; **spending** *n*: **government spending** les dépenses publiques

**spent** [spent] *pt, pp of* **spend** ▷ *adj (cartridge, bullets)* vide

**sperm** [spəːm] *n* spermatozoïde *m*; *(semen)* sperme *m*

**sphere** [sfɪə'] *n* sphère *f*; *(fig)* sphère, domaine *m*

**spice** [spaɪs] *n* épice *f* ▷ *vt* épicer

**spicy** ['spaɪsɪ] *adj* épicé(e), relevé(e); *(fig)* piquant(e)

**spider** ['spaɪdə'] *n* araignée *f*

**spike** [spaɪk] *n* pointe *f*; *(Bot)* épi *m*

**spill** *(pt, pp* **spilt** or **spilled)** [spɪl, -t, -d] *vt* renverser; répandre ▷ *vi* se répandre; **spill over** *vi* déborder

**spilt** [spɪlt] *pt, pp of* **spill**

**spin** [spɪn] *n (pt, pp* **spun)** *(revolution of wheel)* tour *m*; *(Aviat)* (chute *f* en) vrille *f*; *(trip in car)* petit tour, balade *f*; *(on ball)* effet *m* ▷ *vt (wool etc)* filer; *(wheel)* faire tourner ▷ *vi (turn)* tourner, tournoyer

**spinach** ['spɪnɪtʃ] *n* épinards *mpl*

**spinal** ['spaɪnl] *adj* vertébral(e), spinal(e); **spinal cord** *n* moelle épinière

**spin doctor** *n (inf)* personne employée pour présenter un parti politique sous un jour favorable

**spin-dryer** [spɪn'draɪə'] *n* (BRIT) essoreuse *f*

**spine** [spaɪn] *n* colonne vertébrale; *(thorn)* épine *f*, piquant *m*

**spiral** ['spaɪərl] *n* spirale *f* ▷ *vi (fig: prices etc)* monter en flèche

**spire** ['spaɪə'] *n* flèche *f*, aiguille *f*

**spirit** ['spɪrɪt] n (soul) esprit m, âme f; (ghost) esprit, revenant m; (mood) esprit, état m d'esprit; (courage) courage m, énergie f; **spirits** npl (drink) spiritueux mpl, alcool m; **in good ~s** de bonne humeur

**spiritual** ['spɪrɪtjʊəl] adj spirituel(le); (religious) religieux(-euse)

**spit** [spɪt] n (for roasting) broche f; (spittle) crachat m; (saliva) salive f ▷ vi (pt, pp **spat**) cracher; (sound) crépiter; (rain) crachiner

**spite** [spaɪt] n rancune f, dépit m ▷ vt contrarier, vexer; **in ~ of** en dépit de, malgré; **spiteful** adj malveillant(e), rancunier(-ière)

**splash** [splæʃ] n (sound) plouf m; (of colour) tache f ▷ vt éclabousser ▷ vi (also: **~ about**) barboter, patauger; **splash out** vi (BRIT) faire une folie

**splendid** ['splendɪd] adj splendide, superbe, magnifique

**splinter** ['splɪntər] n (wood) écharde f; (metal) éclat m ▷ vi (wood) se fendre; (glass) se briser

**split** [splɪt] (pt, pp **split**) n fente f, déchirure f; (fig: Pol) scission f ▷ vt fendre, déchirer; (party) diviser; (work, profits) partager, répartir ▷ vi (break) se fendre, se briser; (divide) se diviser; **split up** vi (couple) se séparer, rompre; (meeting) se disperser

**spoil** (pt, pp **spoiled** or **spoilt**) [spɔɪl, -d, -t] vt (damage) abîmer; (mar) gâcher; (child) gâter

**spoilt** [spɔɪlt] pt, pp of **spoil** ▷ adj (child) gâté(e); (ballot paper) nul(le)

**spoke** [spəʊk] pt of **speak** ▷ n rayon m

**spoken** ['spəʊkn] pp of **speak**

**spokesman** ['spəʊksmən] (irreg) n porte-parole m inv

**spokesperson** ['spəʊkspɜːsn] (irreg) n porte-parole m inv

**spokeswoman** ['spəʊkswʊmən] (irreg) n porte-parole m inv

**sponge** [spʌndʒ] n éponge f; (Culin: also: **~ cake**) ≈ biscuit m de Savoie ▷ vt

éponger ▷ vi: **to ~ off** or **on** vivre aux crochets de; **sponge bag** n (BRIT) trousse f de toilette

**sponsor** ['spɒnsər] n (Radio, TV, Sport) sponsor m; (for application) parrain m, marraine f; (BRIT: for fund-raising event) donateur(-trice) ▷ vt sponsoriser; parrainer; faire un don à; **sponsorship** n sponsoring m; parrainage m; dons mpl

**spontaneous** [spɒn'teɪnɪəs] adj spontané(e)

**spooky** ['spuːkɪ] adj (inf) qui donne la chair de poule

**spoon** [spuːn] n cuiller f; **spoonful** n cuillerée f

**sport** [spɔːt] n sport m; (person) chic type m/chic fille f ▷ vt (wear) arborer; **sport jacket** n (us) = **sports jacket**; **sports car** n voiture f de sport; **sports centre** (BRIT) n centre sportif; **sports jacket** n (BRIT) veste f de sport; **sportsman** (irreg) n sportif m; **sports utility vehicle** n véhicule m de loisirs (de type SUV); **sportswear** n vêtements mpl de sport; **sportswoman** (irreg) n sportive f; **sporty** adj sportif(-ive)

**spot** [spɒt] n tache f; (dot: on pattern) pois m; (pimple) bouton m; (place) endroit m, coin m ▷ vt (notice) apercevoir, repérer; **on the ~** sur place, sur les lieux; (immediately) sur le champ; **spotless** adj immaculé(e); **spotlight** n projecteur m; (Aut) phare m auxiliaire

**spouse** [spaʊz] n époux (épouse)

**sprain** [spreɪn] n entorse f, foulure f ▷ vt: **to ~ one's ankle** se fouler or se tordre la cheville

**sprang** [spræŋ] pt of **spring**

**sprawl** [sprɔːl] vi s'étaler

**spray** [spreɪ] n jet m (en fines gouttelettes); (from sea) embruns mpl; (aerosol) vaporisateur m, bombe f; (for garden) pulvérisateur m; (of flowers) petit bouquet ▷ vt vaporiser, pulvériser; (crops) traiter

**spread** [sprɛd] (pt, pp **spread**) n (distribution) répartition f; (Culin) pâte f à tartiner; (inf: meal) festin m ▷ vt (paste, contents) étendre, étaler; (rumour, disease) répandre, propager; (wealth) répartir ▷ vi s'étendre; se répandre; (stain) s'étaler; **spread out** vi (people) se disperser; **spreadsheet** n (Comput) tableur m

**spree** [spriː] n: **to go on a ~** faire la fête

**spring** [sprɪŋ] (pt **sprang**, pp **sprung**) n (season) printemps m; (leap) bond m, saut m; (coiled metal) ressort m; (of water) source f ▷ vi bondir, sauter; **spring up** vi (problem) se présenter, surgir; (plant, buildings) surgir de terre; **spring onion** n (BRIT) ciboule f, cive f

**sprinkle** ['sprɪŋkl] vt: **to ~ water** etc **on, ~ with water** etc asperger d'eau etc; **to ~ sugar** etc **on, ~ with sugar** etc saupoudrer de sucre etc

**sprint** [sprɪnt] n sprint m ▷ vi courir à toute vitesse; (Sport) sprinter

**sprung** [sprʌŋ] pp of **spring**

**spun** [spʌn] pt, pp of **spin**

**spur** [spəː] n éperon m; (fig) aiguillon m ▷ vt (also: **~ on**) éperonner; aiguillonner; **on the ~-of the moment** sous l'impulsion du moment

**spurt** [spəːt] n jet m; (of blood) jaillissement m; (of energy) regain m, sursaut m ▷ vi jaillir, gicler

**spy** [spaɪ] n espion(ne) ▷ vi: **to ~ on** espionner, épier ▷ vt (see) apercevoir

**Sq.** abbr (in address) = **square**

**sq.** abbr (Math etc) = **square**

**squabble** ['skwɔbl] vi se chamailler

**squad** [skwɔd] n (Mil, Police) escouade f, groupe m; (Football) contingent m

**squadron** ['skwɔdrn] n (Mil) escadron m; (Aviat, Naut) escadrille f

**squander** ['skwɔndəʳ] vt gaspiller, dilapider

**square** [skwɛəʳ] n carré m; (in town) place f ▷ adj carré(e) ▷ vt (arrange)

régler; arranger; (Math) élever au carré; (reconcile) concilier; **all ~** quitte; à égalité; **a ~ meal** un repas convenable; **2 metres ~** (de) 2 mètres sur 2; **1 ~ metre** 1 mètre carré; **square root** n racine carrée

**squash** [skwɔʃ] n (BRIT Sport) squash m; (us: vegetable) courge f; (drink): **lemon/orange ~** citronnade f/ orangeade f ▷ vt écraser

**squat** [skwɔt] adj petit(e) et épais(se), ramassé(e) ▷ vi (also: **~ down**) s'accroupir; **squatter** n squatter m

**squeak** [skwiːk] vi (hinge, wheel) grincer; (mouse) pousser un petit cri

**squeal** [skwiːl] vi pousser un ou des cri(s) aigu(s) or perçant(s); (brakes) grincer

**squeeze** [skwiːz] n pression f ▷ vt presser; (hand, arm) serrer

**squid** [skwɪd] n calmar m

**squint** [skwɪnt] vi loucher

**squirm** [skwəːm] vi se tortiller

**squirrel** ['skwɪrəl] n écureuil m

**squirt** [skwəːt] vi jaillir, gicler ▷ vt faire gicler

**Sr** abbr = **senior**

**Sri Lanka** [srɪ'læŋkə] n Sri Lanka m

**St** abbr = **saint**; **street**

**stab** [stæb] n (with knife etc) coup m (de couteau etc); (of pain) lancée f; (inf: try): **to have a ~ at (doing) sth** s'essayer à (faire) qch ▷ vt poignarder

**stability** [stə'bɪlɪtɪ] n stabilité f

**stable** ['steɪbl] n écurie f ▷ adj stable

**stack** [stæk] n tas m, pile f ▷ vt empiler, entasser

**stadium** ['steɪdɪəm] n stade m

**staff** [stɑːf] n (work force) personnel m; (BRIT Scol: also: **teaching ~**) professeurs mpl, enseignants mpl, personnel enseignant ▷ vt pourvoir en personnel

**stag** [stæg] n cerf m

**stage** [steɪdʒ] n scène f; (platform) estrade f; (point) étape f, stade m; (profession): **the ~** le théâtre ▷ vt

**s**

(*play*) monter, mettre en scène; (*demonstration*) organiser; **in ~s** par étapes, par degrés

Be careful not to translate *stage* by the French word *stage*.

**stagger** ['stægə'] *vi* chanceler, tituber ▷ *vt* (*person: amaze*) stupéfier; (*hours, holidays*) étaler, échelonner; **staggering** *adj* (*amazing*) stupéfiant(e), renversant(e)

**stagnant** ['stægnənt] *adj* stagnant(e)

**stag night, stag party** *n* enterrement *m* de vie de garçon

**stain** [steɪn] *n* tache *f*; (*colouring*) colorant *m* ▷ *vt* tacher; (*wood*) teindre; **stained glass** (*decorative*) verre coloré; (*in church*) vitraux *mpl*; **stainless steel** *n* inox *m*, acier *m* inoxydable

**staircase** ['steəkeɪs] *n* = **stairway**

**stairs** [steəz] *npl* escalier *m*

**stairway** ['steəweɪ] *n* escalier *m*

**stake** [steɪk] *n* pieu *m*, poteau *m*; (*Comm: interest*) intérêts *mpl*; (*Betting*) enjeu *m* ▷ *vt* risquer, jouer; (*also: ~ out: area*) marquer, délimiter; **to be at ~** être en jeu

**stale** [steɪl] *adj* (*bread*) rassis(e); (*food*) pas frais (fraîche); (*beer*) éventé(e); (*smell*) de renfermé; (*air*) confiné(e)

**stalk** [stɔːk] *n* tige *f* ▷ *vt* traquer

**stall** [stɔːl] *n* (*in street, market etc*) éventaire *m*, étal *m*; (*in stable*) stalle *f* ▷ *vt* (*Aut*) caler; (*fig: delay*) retarder ▷ *vi* (*Aut*) caler; (*fig*) essayer de gagner du temps; **stalls** *npl* (*BRIT: in cinema, theatre*) orchestre *m*

**stamina** ['stæmɪnə] *n* vigueur *f*, endurance *f*

**stammer** ['stæmə'] *n* bégaiement *m* ▷ *vi* bégayer

**stamp** [stæmp] *n* timbre *m*; (*also: **rubber ~**) tampon *m*; (*mark: also fig*) empreinte *f*; (*on document*) cachet *m* ▷ *vi* (*also: ~ **one's foot**) taper du pied ▷ *vt* (*letter*) timbrer; (*with rubber stamp*) tamponner; **stamp out** *vt*

(*fire*) piétiner; (*crime*) éradiquer; (*opposition*) éliminer; **stamped addressed envelope** *n* (BRIT) enveloppe affranchie pour la réponse

**stampede** [stæm'piːd] *n* ruée *f*; (*of cattle*) débandade *f*

**stance** [stæns] *n* position *f*

**stand** [stænd] (*pt, pp* **stood**) *n* (*position*) position *f*; (*for taxis*) station *f* (de taxis); (*Comm*) étalage *m*, stand *m*; (*Sport: also: ~s*) tribune *f*; (*also: **music ~**) pupitre *m* ▷ *vi* être or se tenir (debout); (*rise*) se lever, se mettre debout; (*be placed*) se trouver; (*remain: offer etc*) rester valable ▷ *vt* (*place*) mettre, poser; (*tolerate, withstand*) supporter; (*treat, invite*) offrir, payer; **to make a ~** prendre position; **to ~ for parliament** (BRIT) se présenter aux élections (*comme candidat à la députation*); **I can't ~ him** je ne peux pas le voir; **stand back** *vi* (*move back*) reculer, s'écarter; **stand by** *vi* (*be ready*) se tenir prêt(e) ▷ *vt fus* (*opinion*) s'en tenir à; (*person*) ne pas abandonner, soutenir; **stand down** *vi* (*withdraw*) se retirer; **stand for** *vt fus* (*signify*) représenter, signifier; (*tolerate*) supporter, tolérer; **stand in for** *vt fus* remplacer; **stand out** *vi* (*be prominent*) ressortir; **stand up** *vi* (*rise*) se lever, se mettre debout; **stand up for** *vt fus* défendre; **stand up to** *vt fus* tenir tête à, résister à

**standard** ['stændəd] *n* (*norm*) norme *f*, étalon *m*; (*level*) niveau *m* (voulu); (*criterion*) critère *m*; (*flag*) étendard *m* ▷ *adj* (*size etc*) ordinaire, normal(e); (*model, feature*) standard *inv*; (*practice*) courant(e); (*text*) de base; **standards** *npl* (*morals*) morale *f*, principes *mpl*; **standard of living** *n* niveau *m* de vie

**stand-by ticket** *n* (*Aviat*) billet *m* stand-by

**standing** ['stændɪŋ] *adj* debout *inv*; (*permanent*) permanent(e) ▷ *n* réputation *f*, rang *m*, standing *m*; **of many years' ~** qui dure or existe depuis longtemps; **standing order** n (BRIT: at bank) virement m automatique, prélèvement m bancaire

**stand: standpoint** n for de vue; **standstill** n: **at a standstill** à l'arrêt; (fig) au point mort; **to come to a standstill** s'immobiliser, s'arrêter

**stank** [stæŋk] pt of **stink**

**staple** ['steɪpl] n (for papers) agrafe f ▷ adj (food, crop, industry etc) de base principal(e) ▷ vt agrafer

**star** [stɑː] n étoile f; (celebrity) vedette f ▷ vt (Cine) avoir pour vedette; **stars** npl: **the ~s** (Astrology) l'horoscope m

**starboard** ['stɑːbəd] n tribord m

**starch** [stɑːtʃ] n amidon m; (in food) fécule f

**stardom** ['stɑːdəm] n célébrité f

**stare** [steə°] n regard m fixe ▷ vi: **to ~ at** regarder fixement

**stark** [stɑːk] adj (bleak) désolé(e), morne ▷ adv: **~ naked** complètement nu(e)

**start** [stɑːt] n commencement m, début m; (of race) départ m; (sudden movement) sursaut m; (advantage) avance f, avantage m ▷ vt commencer; (cause: fight) déclencher; (rumour) donner naissance à; (fashion) lancer; (found: business, newspaper) lancer, créer; (engine) mettre en marche ▷ vi (begin) commencer; (begin journey) partir, se mettre en route; (jump) sursauter; **when does the film ~?** à quelle heure est-ce que le film commence?; **to ~ doing** or **to do sth** se mettre à faire qch; **start off** vi commencer; (leave) partir; **start out** vi (begin) commencer; (set out) partir; **start up** vi commencer; (car) démarrer ▷ vt (fight) déclencher; (business) créer; (car) mettre en marche; **starter** n (Aut) démarreur m; (Sport: official) starter m; (BRIT Culin) entrée f; **starting point** n point m de départ

**startle** ['stɑːtl] vt faire sursauter; donner un choc à; **startling** adj surprenant(e), saisissant(e)

**starvation** [stɑː'veɪʃən] n faim f, famine f

**starve** [stɑːv] vi mourir de faim ▷ vt laisser mourir de faim

**state** [steɪt] n état m; (Pol) État m (declare) déclarer, affirmer; (specify) indiquer, spécifier; **States** npl: **the S~s** les États-Unis; **to be in a ~** être dans tous ses états; **stately home** ['steɪtlɪ-] n manoir m or château m (ouvert au public); **statement** n déclaration f; (Law) déposition f; **state school** n école publique; **statesman** (irreg) n homme m d'État

**static** ['stætɪk] n (Radio) parasites mpl; (also: **~ electricity**) électricité f statique ▷ adj statique

**station** ['steɪʃən] n gare f; (also: **police ~**) poste m or commissariat m (de police) ▷ vt placer, poster

**stationary** ['steɪʃnərɪ] adj à l'arrêt, immobile

**stationer's (shop)** n (BRIT) papeterie f

**stationery** ['steɪʃnərɪ] n papier m à lettres, petit matériel de bureau

**station wagon** n (us) break m

**statistic** [stə'tɪstɪk] n statistique f; **statistics** n (science) statistique f

**statue** ['stætjuː] n statue f

**stature** ['stætʃə°] n stature f; (fig) envergure f

**status** ['steɪtəs] n position f, situation f; (prestige) prestige m; (Admin, official position) statut m; **status quo** [-'kwəu] n: **the status quo** le statu quo

**statutory** ['stætjutrɪ] adj statutaire, prévu(e) par un article de loi

**staunch** [stɔːntʃ] adj sûr(e), loyal(e)

**stay** [steɪ] n (period of time) séjour m ▷ vi rester; (reside) loger; (spend some time) séjourner; **to ~ put** ne pas bouger; **to ~ the night** passer la nuit; **stay away** vi (from person, building) ne pas s'approcher; (*from event*) ne pas venir; **stay behind** *vi* rester en arrière; **stay in** *vi* (*at home*) rester à la maison; **stay on** *vi* rester; **stay out** *vi* (*of house*) ne pas rentrer; (*strikers*) rester en grève; **stay up** *vi* (*at night*) ne pas se coucher

**steadily** ['stɛdɪlɪ] *adv* (*regularly*) progressivement; (*firmly*) fermement; (*walk*) d'un pas ferme; (*fixedly: look*) sans détourner les yeux

**steady** ['stɛdɪ] *adj* stable, solide, ferme; (*regular*) constant(e), régulier(-ière); (*person*) calme, pondéré(e) ▷ *vt* assurer, stabiliser; (*nerves*) calmer; **a ~ boyfriend** *n* petit ami

**steak** [steɪk] *n* (*meat*) bifteck *m*, steak *m*; (*fish, pork*) tranche *f*

**steal** (*pt* **stole**, *pp* **stolen**) [stiːl, stəul, 'stəuln] *vt*, *vi* voler; (*move*) se faufiler, se déplacer furtivement; **my wallet has been stolen** on m'a volé mon portefeuille

**steam** [stiːm] *n* vapeur *f* ▷ *vt* (*Culin*) cuire à la vapeur ▷ *vi* fumer; **steam up** *vi* (*window*) se couvrir de buée; **to get ~ed up about sth** (*fig: inf*) s'exciter à propos de qch; **steamy** *adj* humide; (*window*) embué(e); (*sexy*) torride

**steel** [stiːl] *n* acier *m* ▷ *cpd* d'acier

**steep** [stiːp] *adj* raide, escarpé(e); (*price*) très élevé(e), excessif(-ive) ▷ *vt* (*faire*) tremper

**steeple** ['stiːpl] *n* clocher *m*

**steer** [stɪə*] *vt* diriger; (*boat*) gouverner; (*lead: person*) guider, conduire ▷ *vi* tenir le gouvernail; **steering** *n* (*Aut*) conduite *f*; **steering wheel** *n* volant *m*

**stem** [stɛm] *n* (*of plant*) tige *f*; (*of glass*) pied *m* ▷ *vt* contenir, endiguer; (*attack, spread of disease*) juguler

**step** [stɛp] *n* pas *m*; (*stair*) marche *f*; (*action*) mesure *f*, disposition *f* ▷ *vi*: **to ~ forward/back** faire un pas en avant/arrière, avancer/reculer; **to steps** *npl* (BRIT) = **stepladder**

**be in/out of ~ (with)** (*fig*) aller dans le sens (de)/être déphasé(e) (par rapport à); **step down** *vi* (*fig*) se retirer, se désister; **step in** *vi* (*fig*) intervenir; **step up** *vt* (*production, sales*) augmenter; (*campaign, efforts*) intensifier; **stepbrother** *n* demi-frère *m*; **stepchild** (*pl* **stepchildren**) *n* beau-fils *m*, belle-fille *f*; **stepdaughter** *n* belle-fille *f*; **stepfather** *n* beau-père *m*; **stepladder** *n* (BRIT) escabeau *m*; **stepmother** *n* belle-mère *f*; **stepsister** *n* demi-sœur *f*; **stepson** *n* beau-fils *m*

**stereo** ['stɛrɪəu] *n* (*sound*) stéréo *f*; (*hi-fi*) chaîne *f* stéréo ▷ *adj* (*also*: **~phonic**) stéréo(phonique)

**stereotype** ['stɪərɪətaɪp] *n* stéréotype *m* ▷ *vt* stéréotyper

**sterile** ['stɛraɪl] *adj* stérile; **sterilize** ['stɛrɪlaɪz] *vt* stériliser

**sterling** ['stɜːlɪŋ] *adj* (*silver*) de bon aloi, fin(e) ▷ *n* (*currency*) livre *f* sterling *inv*

**stern** [stɜːn] *adj* sévère ▷ *n* (*Naut*) arrière *m*, poupe *f*

**steroid** ['stɪərɔɪd] *n* stéroïde *m*

**stew** [stjuː] *n* ragoût *m* ▷ *vt*, *vi* cuire à la casserole

**steward** ['stjuːəd] *n* (*Aviat, Naut, Rail*) steward *m*; **stewardess** *n* hôtesse *f*

**stick** [stɪk] (*pt*, *pp* **stuck**) *n* bâton *m*; (*for walking*) canne *f*; (*of chalk etc*) morceau *m* ▷ *vt* (*of glue*) coller; (*thrust*): **to ~ sth into** piquer or planter or enfoncer qch dans; (*inf: put*) mettre, fourrer; (: *tolerate*) supporter ▷ *vi* (*adhere*) tenir, coller; (*remain*) rester; (*get jammed: door, lift*) se bloquer; **stick out** *vi* dépasser, sortir; **stick up** *vi* dépasser, sortir; **stick up for** *vt fus* défendre; **sticker** *n* auto-collant *m*; **sticking plaster** *n* sparadrap *m*, pansement adhésif; **stick insect** *n* phasme *m*; **stick shift** *n* (us *Aut*) levier *m* de vitesses

**sticky** ['stɪkɪ] adj poisseux(-euse); (label) adhésif(-ive); (fig: situation) délicat(e)

**stiff** [stɪf] adj (gen) raide, rigide; (door, brush) dur(e); (difficult) difficile, ardu(e); (cold) froid(e), distant(e); (strong, high) fort(e), élevé(e) ▷ adv: **to be bored/scared/frozen ~** s'ennuyer à mourir/être mort(e) de peur/froid

**stifling** ['staɪflɪŋ] adj (heat) suffocant(e)

**stigma** ['stɪgmə] n stigmate m

**stiletto** [stɪ'lɛtəu] n (BRIT: also: **~ heel**) talon m aiguille

**still** [stɪl] adj immobile ▷ adv (up to this time) encore, toujours; (even) encore; (nonetheless) quand même, tout de même

**stimulate** ['stɪmjuleɪt] vt stimuler

**stimulus** (pl **stimuli**) ['stɪmjuləs, 'stɪmjulaɪ] n stimulant m; (Biol, Psych) stimulus m

**sting** [stɪŋ] n piqûre f; (organ) dard m ▷ vt, vi (pt, pp **stung**) piquer

**stink** [stɪŋk] n puanteur f ▷ vi (pt **stank**, pp **stunk**) puer, empester

**stir** [stəːʳ] n agitation f, sensation f ▷ vt remuer ▷ vi remuer, bouger; **stir up** vt (trouble) fomenter, provoquer; **stir-fry** vt faire sauter ▷ n: **vegetable stir-fry** légumes sautés à la poêle

**stitch** [stɪtʃ] n (Sewing) point m; (Knitting) maille f; (Med) point de suture; (pain) point de côté ▷ vt coudre, piquer; (Med) suturer

**stock** [stɔk] n réserve f, provision f; (Comm) stock m; (Agr) cheptel m, bétail m; (Culin) bouillon m; (Finance) valeurs fpl, titres mpl; (descent, origin) souche f ▷ adj (fig: reply etc) classique ▷ vt (have in stock) avoir, vendre; **in ~** en stock, en magasin; **out of ~** épuisé(e); **to take ~** (fig) faire le point; **~s and shares** valeurs (mobilières), titres; **stockbroker** ['stɔkbrəukəʳ] n agent m de change; **stock cube** n (BRIT Culin) bouillon-cube m; **stock exchange** n Bourse f (des valeurs); **stockholder** ['stɔkhəuldəʳ] n (US) actionnaire m/f

**stocking** ['stɔkɪŋ] n bas m

**stock market** n Bourse f, marché financier

**stole** [stəul] pt of **steal** ▷ n étole f

**stolen** ['stəuln] pp of **steal**

**stomach** ['stʌmək] n estomac m; (abdomen) ventre m ▷ vt supporter, digérer; **stomachache** n mal m à l'estomac ou au ventre

**stone** [stəun] n pierre f; (pebble) caillou m, galet m; (in fruit) noyau m; (Med) calcul m; (BRIT: weight) = 6.348 kg; 14 pounds ▷ cpd de or en pierre ▷ vt (person) lancer des pierres sur, lapider; (fruit) dénoyauter

**stood** [stud] pt, pp of **stand**

**stool** [stuːl] n tabouret m

**stoop** [stuːp] vi (also: **have a ~**) être voûté(e); (also: **~ down**: bend) se baisser, se courber

**stop** [stɔp] n arrêt m; (in punctuation) point m ▷ vt arrêter; (break off) interrompre; (also: **put a ~ to**) mettre fin à; (prevent) empêcher ▷ vi s'arrêter; (rain, noise etc) cesser, s'arrêter; **to ~ doing sth** cesser or arrêter de faire qch; **to ~ sb (from) doing sth** empêcher qn de faire qch; **~ it!** arrête!; **stop by** vi s'arrêter (au passage); **stop off** vi faire une courte halte; **stopover** n halte f; (Aviat) escale f; **stoppage** n (strike) arrêt m de travail; (obstruction) obstruction f

**storage** ['stɔːrɪdʒ] n emmagasinage m

**store** [stɔːʳ] n (stock) provision f, réserve f; (depot) entrepôt m; (BRIT: large shop) grand magasin; (US: shop) magasin m ▷ vt emmagasiner; (information) enregistrer; **stores** npl (food) provisions; **who knows what is in ~ for us?** qui sait ce que l'avenir nous réserve or ce qui nous attend?; **storekeeper** n (US) commerçant(e)

**storey**, (US) **story** ['stɔːrɪ] n étage m

**storm** [stɔːm] n tempête f; (thunderstorm) orage m ▷ vi (fig) fulminer ▷ vt prendre d'assaut; **stormy** adj orageux(-euse)

**story** ['stɔːrɪ] n histoire f; (Press: article) article m; (US) = **storey**

**stout** [staʊt] adj (strong) solide; (fat) gros(se), corpulent(e) ▷ n bière brune

**stove** [stəʊv] n (for cooking) fourneau m (; small) réchaud m; (for heating) poêle m

**straight** [streɪt] adj droit(e); (hair) raide; (frank) honnête, franc (franche); (simple) simple ▷ adv (tout) droit; (drink) sec, sans eau; **to put** or **get ~** mettre en ordre, mettre de l'ordre dans; (fig) mettre au clair; **~ away, ~ off** (at once) tout de suite; **straighten** vt (also: bed) arranger; **straighten out** vt (fig) débrouiller; **straighten up** vi (stand up) se redresser; **straightforward** adj simple; (frank) honnête, direct(e)

**strain** [streɪn] n (Tech) tension f; pression f; (physical) effort m; (mental) tension (nerveuse); (Med) entorse f; (breed: of plants) variété f; (: of animals) race f ▷ vt (fig: resources etc) mettre à rude épreuve, grever; (hurt: back etc) se faire mal à; (vegetables) égoutter; **strains** npl (Mus) accords mpl, accents mpl; **strained** adj (muscle) froissé(e); (laugh etc) forcé(e), contraint(e); (relations) tendu(e); **strainer** n passoire f

**strait** [streɪt] n (Geo) détroit m; **straits** npl: **to be in dire ~s** (fig) avoir de sérieux ennuis

**strand** [strænd] n (of thread) fil m, brin m; (of rope) toron m; (of hair) mèche f ▷ vt (boat) échouer; **stranded** adj en rade, en plan

**strange** [streɪndʒ] adj (not known) inconnu(e); (odd) étrange, bizarre; **strangely** adv étrangement, bizarrement; see also

**enough**; **stranger** n (unknown) inconnu(e); (from somewhere else) étranger(-ère)

**strangle** ['stræŋgl] vt étrangler

**strap** [stræp] n lanière f, courroie f, sangle f; (of slip, dress) bretelle f

**strategic** [strə'tiːdʒɪk] adj stratégique

**strategy** ['strætɪdʒɪ] n stratégie f

**straw** [strɔː] n paille f; **that's the last ~!** ça c'est le comble!

**strawberry** ['strɔːbərɪ] n fraise f

**stray** [streɪ] adj (animal) perdu(e), errant(e); (scattered) isolé(e) ▷ vi s'égarer; **~ bullet** balle perdue

**streak** [striːk] n bande f, filet m; (in hair) raie f ▷ vt zébrer, strier

**stream** [striːm] n (brook) ruisseau m; (current) courant m, flot m; (of people) défilé ininterrompu, flot ▷ vt (Scol) répartir par niveau ▷ vi ruisseler; **to ~ in/out** entrer/sortir à flots

**street** [striːt] n rue f; **streetcar** n (US) tramway m; **street light** n réverbère m; **street map, street plan** n plan m des rues

**strength** [streŋθ] n force f; (of girder, knot etc) solidité f; **strengthen** vt renforcer; (muscle) fortifier; (building, Econ) consolider

**strenuous** ['strenjuəs] adj vigoureux(-euse), énergique; (tiring) ardu(e), fatigant(e)

**stress** [stres] n (force, pressure) pression f; (mental tension) tension (nerveuse), stress m; (accent) accent m; (emphasis) insistance f ▷ vt insister sur, souligner; (syllable) accentuer; **stressed** adj (tense) stressé(e); (syllable) accentué(e); **stressful** adj (job) stressant(e)

**stretch** [stretʃ] n (of sand etc) étendue f ▷ vi s'étirer; (extend): **to ~ to** or **as far as** s'étendre jusqu'à ▷ vt tendre, étirer; (fig) pousser (au maximum); **at a ~** d'affilée; **stretch out** vi s'étendre ▷ vt (arm etc) allonger, tendre; (to spread) étendre

**stretcher** ['strɛtʃəʳ] n brancard m, civière f

**strict** [strɪkt] adj strict(e); **strictly** adv strictement

**stridden** ['strɪdn] pp of **stride**

**stride** [straɪd] n grand pas, enjambée f ▷ vi (pt **strode**, pp **stridden**) marcher à grands pas

**strike** [straɪk] (pt, pp **struck**) n grève f; (of oil etc) découverte f; (attack) raid m ▷ vt frapper; (oil etc) trouver, découvrir; (make: agreement, deal) conclure ▷ vi faire grève; (attack) attaquer; (clock) sonner; **to go on** or **come out on ~** se mettre en grève, faire grève; **to ~ a match** frotter une allumette; **striker** n gréviste m/f; (Sport) buteur m; **striking** adj frappant(e), saisissant(e); (attractive) éblouissant(e)

**string** [strɪŋ] n ficelle f, fil m; (row: of beads) rang m; (Mus) corde f ▷ vt (pt, pp **strung**): **to ~ out** échelonner; **to ~ together** enchaîner; **the strings** npl (Mus) les instruments mpl à cordes; **to pull ~s** (fig) faire jouer le piston

**strip** [strɪp] n bande f; (Sport) tenue f ▷ vt (undress) déshabiller; (paint) décaper; (fig) dégarnir, dépouiller; (also: **~ down**) (machine) démonter ▷ vi se déshabiller; **strip off** vt (paint etc) décaper ▷ vi (person) se déshabiller

**stripe** [straɪp] n raie f, rayure f; (Mil) galon m; **striped** adj rayé(e), à rayures

**stripper** ['strɪpəʳ] n strip-teaseuse f

**strip-search** ['strɪpsɜːtʃ] vt: **to ~ sb** fouiller qn (en le faisant se déshabiller)

**strive** (pt **strove**, pp **striven**) [straɪv, strəuv, 'strɪvn] vi: **to ~ to do/for sth** s'efforcer de faire/d'obtenir qch

**strode** [strəud] pt of **stride**

**stroke** [strəuk] n coup m; (Med) attaque f; (Swimming: style) (sorte f de) nage f ▷ vt caresser; **at a ~** d'un (seul) coup

**stroll** [strəul] n petite promenade ▷ vi flâner, se promener nonchalamment; **stroller** n (us: for child) poussette f

**strong** [strɔŋ] adj (gen) fort(e); (healthy) vigoureux(-euse); (heart, nerves) solide; **they are 50 ~** ils sont au nombre de 50; **stronghold** n forteresse f, fort m; (fig) bastion m; **strongly** adv fortement, avec force; vigoureusement; solidement

**strove** [strəuv] pt of **strive**

**struck** [strʌk] pt, pp of **strike**

**structure** ['strʌktʃəʳ] n structure f; (building) construction f

**struggle** ['strʌgl] n lutte f ▷ vi lutter, se battre

**strung** [strʌŋ] pt, pp of **string**

**stub** [stʌb] n (of cigarette) bout m, mégot m; (of ticket etc) talon m ▷ vt: **to ~ one's toe (on sth)** se heurter le doigt de pied (contre qch); **stub out** vt écraser

**stubble** ['stʌbl] n chaume m; (on chin) barbe f de plusieurs jours

**stubborn** ['stʌbən] adj têtu(e), obstiné(e), opiniâtre

**stuck** [stʌk] pt, pp of **stick** ▷ adj (jammed) bloqué(e), coincé(e)

**stud** [stʌd] n (on boots etc) clou m; (collar stud) bouton m de col; (earring) petite boucle d'oreille; (of horses: also: **~ farm**) écurie f, haras m; (also: **~ horse**) étalon m ▷ vt (fig): **~ded with** parsemé(e) or criblé(e) de

**student** ['stjuːdənt] n étudiant(e) ▷ adj (life) estudiantin(e), étudiant(e), d'étudiant; (residence, restaurant) universitaire; (loan, movement) étudiant; **student driver** n (us) (conducteur(-trice)) débutant(e); **students' union** n (BRIT: association) ≈ union f des étudiants; (: building) ≈ foyer m des étudiants

**studio** ['stjuːdɪəu] n studio m, atelier m; (TV etc) studio; **studio flat**, (us) **studio apartment** n studio m

**study** ['stʌdɪ] n étude f; (room) bureau m ▷ vt étudier; (examine) examiner ▷ vi étudier, faire ses études

**stuff** [stʌf] n (gen) chose(s) f(pl), truc m; (belongings) affaires fpl, trucs; (substance) substance f ▷ vt rembourrer; (Culin) farcir; (inf: push) fourrer; **stuffing** n bourre f, rembourrage m; (Culin) farce f; **stuffy** adj (room) mal ventilé(e) or aéré(e); (ideas) vieux jeu inv

**stumble** ['stʌmbl] vi trébucher; **to ~ across** or **on** (fig) tomber sur

**stump** [stʌmp] n souche f; (of limb) moignon m ▷ vt: **to be ~ed** sécher, ne pas savoir que répondre

**stun** [stʌn] vt (blow) étourdir; (news) abasourdir, stupéfier

**stung** [stʌŋ] pt, pp of **sting**

**stunk** [stʌŋk] pp of **stink**

**stunned** [stʌnd] adj assommé(e); (fig) sidéré(e)

**stunning** ['stʌnɪŋ] adj (beautiful) étourdissant(e); (news etc) stupéfiant(e)

**stunt** [stʌnt] n (in film) cascade f, acrobatie f; (publicity) truc m publicitaire ▷ vt retarder, arrêter

**stupid** ['stjuːpɪd] adj stupide, bête; **stupidity** [stjuˈpɪdɪtɪ] n stupidité f, bêtise f

**sturdy** ['stɜːdɪ] adj (person, plant) robuste, vigoureux(-euse); (object) solide

**stutter** ['stʌtəʳ] n bégaiement m ▷ vi bégayer

**style** [staɪl] n style m; (distinction) allure f, cachet m, style; (design) modèle m; **stylish** adj élégant(e), chic inv; **stylist** n (hair stylist) coiffeur(-euse)

**sub...** [sʌb] prefix sub..., sous-; **subconscious** adj subconscient(e)

**subdued** [səbˈdjuːd] adj (light) tamisé(e); (person) qui a perdu de son entrain

**subject** n ['sʌbdʒɪkt] sujet m; (Scol) matière f ▷ vt [səbˈdʒɛkt]: **to ~ to**

soumettre à; **to be ~ to** (law) être soumis(e) à; **subjective** [səbˈdʒɛktɪv] adj subjectif(-ive); **subject matter** n (content) contenu m

**subjunctive** [səbˈdʒʌŋktɪv] n subjonctif m

**submarine** [sʌbməˈriːn] n sous-marin m

**submission** [səbˈmɪʃən] n soumission f

**submit** [səbˈmɪt] vt soumettre ▷ vi se soumettre

**subordinate** [səˈbɔːdɪnət] adj (junior) subalterne; (Grammar) subordonné(e) ▷ n subordonné(e)

**subscribe** [səbˈskraɪb] vi cotiser; **to ~ to** (opinion, fund) souscrire à; (newspaper) s'abonner à; être abonné(e) à

**subscription** [səbˈskrɪpʃən] n (to magazine etc) abonnement m

**subsequent** ['sʌbsɪkwənt] adj ultérieur(e), suivant(e); **subsequently** adv par la suite

**subside** [səbˈsaɪd] vi (land) s'affaisser; (flood) baisser; (wind, feelings) tomber

**subsidiary** [səbˈsɪdɪərɪ] adj subsidiaire, accessoire; (BRIT Scol: subject) complémentaire ▷ n filiale f

**subsidize** ['sʌbsɪdaɪz] vt subventionner

**subsidy** ['sʌbsɪdɪ] n subvention f

**substance** ['sʌbstəns] n substance f

**substantial** [səbˈstænʃl] adj substantiel(le); (fig) important(e)

**substitute** ['sʌbstɪtjuːt] n (person) remplaçant(e); (thing) succédané m ▷ vt: **to ~ sth/sb for** substituer qch/qn à, remplacer par qch/qn; **substitution** n substitution f

**subtitles** ['sʌbtaɪtlz] npl (Cine) sous-titres mpl

**subtle** ['sʌtl] adj subtil(e)

**subtract** [səbˈtrækt] vt soustraire, retrancher

**suburb** ['sʌbəːb] n faubourg m; **the ~s** la banlieue; **suburban** [səˈbəːbən] adj de banlieue, suburbain(e)

**subway** ['sʌbweɪ] n (BRIT: underpass) passage souterrain; (US: railway) métro m

**succeed** [sək'siːd] vi réussir ▷ vt succéder à; **to ~ in doing** réussir à faire

**success** [sək'sɛs] n succès m; réussite f; **successful** adj (business) prospère, qui réussit; (attempt) couronné(e) de succès; **to be successful (in doing)** réussir (à faire); **successfully** adv avec succès

**succession** [sək'sɛʃən] n succession f

**successive** [sək'sɛsɪv] adj successif(-ive)

**successor** [sək'sɛsər] n successeur m

**succumb** [sə'kʌm] vi succomber

**such** [sʌtʃ] adj tel (telle); (of that kind): **~ a book** un livre de ce genre ou pareil, un tel livre; (so much): **~ courage** un tel courage ▷ adv si; **~ a long trip** un si long voyage; **~ a lot of** tellement or tant de; **~ as** (like) tel (telle) que, comme; **as ~** adv en tant que tel (telle); **such-and-such** adj tel ou tel (telle ou telle)

**suck** [sʌk] vt sucer; (breast, bottle) téter

**Sudan** [suː'dɑːn] n Soudan m

**sudden** ['sʌdn] adj soudain(e), subit(e); **all of a ~** soudain, tout à coup; **suddenly** adv brusquement, tout à coup, soudain

**sudoku** [suˈduːkuː] n sudoku m

**sue** [suː] vt poursuivre en justice, intenter un procès à

**suede** [sweɪd] n daim m, cuir suédé

**suffer** ['sʌfər] vt souffrir, subir; (bear) tolérer, supporter, subir ▷ vi souffrir; **to ~ from** (illness) souffrir de, avoir; **suffering** n souffrance(s) f(pl)

**suffice** [sə'faɪs] vi suffire

**sufficient** [sə'fɪʃənt] adj suffisant(e)

**suffocate** ['sʌfəkeɪt] vi suffoquer; étouffer

**sugar** ['ʃʊɡər] n sucre m ▷ vt sucrer; **suggest** [sə'dʒɛst] vt suggérer, proposer; (indicate) sembler indiquer; **suggestion** n suggestion f

**suicide** ['suɪsaɪd] n suicide m; **~ bombing** attentat m suicide; see also **commit**; **suicide bomber** n kamikaze m/f

**suit** [suːt] n (man's) costume m, complet m; (woman's) tailleur m, ensemble m; (Cards) couleur f; (lawsuit) procès m ▷ vt (subj: clothes, hairstyle) aller à; (be convenient for) convenir à; (adapt): **to ~ sth to** adapter or approprier qch à; **well ~ed** (couple) faits l'un pour l'autre, très bien assortis; **suitable** adj qui convient; approprié(e), adéquat(e); **suitcase** n valise f

**suite** [swiːt] n (of rooms, also Mus) suite f; (furniture): **bedroom/dining room ~** (ensemble m de) chambre f à coucher/salle f à manger; **a three-piece ~** un salon (canapé et deux fauteuils)

**sulfur** ['sʌlfər] (US) n = **sulphur**

**sulk** [sʌlk] vi bouder

**sulphur**, (US) **sulfur** ['sʌlfər] n soufre m

**sultana** [sʌl'tɑːnə] n (fruit) raisin (sec) de Smyrne

**sum** [sʌm] n somme f; (Scol etc) calcul m; **sum up** vt résumer ▷ vi résumer

**summarize** ['sʌməraɪz] vt résumer

**summary** ['sʌmərɪ] n résumé m

**summer** ['sʌmər] n été m ▷ cpd d'été, estival(e); **in (the) ~** en été, pendant l'été; **summer holidays** npl grandes vacances; **summertime** n (season) été m

**summit** ['sʌmɪt] n sommet m; (also: **~ conference**) (conférence f au) sommet m

**summon** ['sʌmən] vt appeler, convoquer; **to ~ a witness** citer or assigner un témoin

**sun** [sʌn] n soleil m

**Sun.** abbr (= Sunday) dim

**sun: sunbathe** vi prendre un bain de soleil; **sunbed** n lit pliant; (with sun lamp) lit à ultra-violets; **sunblock** n écran m total; **sunburn** n coup m de

soleil; **sunburned, sunburnt** adj
bronzé(e), hâlé(e); (painfully) brûlé(e)
par le soleil
**Sunday** ['sʌndɪ] n dimanche m
**sunflower** ['sʌnflaʊəʳ] n
tournesol m
**sung** [sʌŋ] pp of **sing**
**sunglasses** ['sʌnglɑːsɪz] npl lunettes
fpl de soleil
**sunk** [sʌŋk] pp of **sink**
**sun**: **sunlight** n (lumière f du) soleil
m; **sun lounger** n chaise longue;
**sunny** adj ensoleillé(e); **it is sunny** il
fait (du) soleil, il y a du soleil; **sunrise**
n lever m du soleil; **sun roof** n (Aut)
toit ouvrant; **sunscreen** n crème f
solaire; **sunset** n coucher m du soleil;
**sunshade** n (over table) parasol m;
**sunshine** n (lumière f du) soleil m;
**sunstroke** n insolation f, coup m de
soleil; **suntan** n bronzage m; **suntan
lotion** n lotion f or lait m solaire;
**suntan oil** n huile f solaire
**super** ['suːpəʳ] adj (inf) formidable
**superb** [suːˈpɜːb] adj superbe,
magnifique
**superficial** [suːpəˈfɪʃəl] adj
superficiel(le)
**superintendent**
[suːpərɪnˈtɛndənt] n directeur(-
trice); (Police) ≈ commissaire m
**superior** [suːˈpɪərɪəʳ] adj supérieur(e);
(smug) condescendant(e),
méprisant(e) ▷ n supérieur(e)
**superlative** [suːˈpɜːlətɪv] n (Ling)
superlatif m
**supermarket** ['suːpəmɑːkɪt] n
supermarché m
**supernatural** [suːpəˈnætʃərəl] adj
surnaturel(le) ▷ n: **the ~** le surnaturel
**superpower** ['suːpəpaʊəʳ] n (Pol)
superpuissance f
**superstition** [suːpəˈstɪʃən] n
superstition f
**superstitious** [suːpəˈstɪʃəs] adj
superstitieux(-euse)
**superstore** ['suːpəstɔːʳ] n (BRIT)
hypermarché m, grande surface

**supervise** ['suːpəvaɪz] vt (children
etc) surveiller; (organization, work)
diriger; **supervision** [suːpəˈvɪʒən] n
surveillance f; (monitoring) contrôle m;
(management) direction f; **supervisor**
n surveillant(e); (in shop) chef m
de rayon
**supper** ['sʌpəʳ] n dîner m; (late)
souper m
**supple** ['sʌpl] adj souple
**supplement** n ['sʌplɪmənt]
supplément m ▷ vt [sʌplɪˈmɛnt]
ajouter à, compléter
**supplier** [səˈplaɪəʳ] n fournisseur m
**supply** [səˈplaɪ] vt (provide) fournir;
(equip): **to ~ (with)** approvisionner
or ravitailler (en); fournir (en) ▷ n
provision f, réserve f; (supplying)
approvisionnement m; **supplies** npl
(food) vivres mpl; (Mil) subsistances fpl
**support** [səˈpɔːt] n (moral, financial
etc) soutien m, appui m; (Tech)
support m, soutien m ▷ vt soutenir,
supporter; (financially) subvenir aux
besoins de; (uphold) être pour, être
partisan de, appuyer; (Sport: team)
être pour; **supporter** n (Pol etc)
partisan(e); (Sport) supporter m
**suppose** [səˈpəuz] vt, vi supposer;
imaginer; **to be ~d to do/be** être
censé(e) faire/être; **supposedly**
[səˈpəuzɪdlɪ] adv soi-disant;
**supposing** conj si, à supposer que
+ sub
**suppress** [səˈprɛs] vt (revolt,
feeling) réprimer; (information) faire
disparaître; (scandal, yawn) étouffer
**supreme** [suːˈpriːm] adj suprême
**surcharge** ['sɜːtʃɑːdʒ] n surcharge f
**sure** [ʃuəʳ] adj (gen) sûr(e); (definite,
convinced) sûr, certain(e); **~! (of course)**
bien sûr!; **~ enough** effectivement;
**to make ~ of sth/that** s'assurer de
qch/que, vérifier qch/que; **surely** adv
sûrement; certainement
**surf** [sɜːf] n (waves) ressac m ▷ vt: **to
~ the Net** surfer sur Internet, surfer
sur le Net

**surface** ['sə:fɪs] n surface f ▷ vt (road) poser un revêtement sur ▷ vi remonter à la surface; (fig) faire surface; **by ~ mail** par voie de terre; (by sea) par voie maritime

**surfboard** ['sə:fbɔːd] n planche f de surf

**surfer** ['sə:fə'] n (in sea) surfeur(-euse); **web** or **Net ~** internaute m/f

**surfing** ['sə:fɪŋ] n (in sea) surf m

**surge** [sə:dʒ] n (of emotion) vague f ▷ vi déferler

**surgeon** ['sə:dʒən] n chirurgien m

**surgery** ['sə:dʒərɪ] n chirurgie f; (BRIT: room) cabinet m (de consultation); (also: **~ hours**) heures fpl de consultation

**surname** ['sə:neɪm] n nom m de famille

**surpass** [sə:'pɑːs] vt surpasser, dépasser

**surplus** ['sə:pləs] n surplus m, excédent m ▷ adj en surplus, de trop; (Comm) excédentaire

**surprise** [sə'praɪz] n (gen) surprise f; (astonishment) étonnement m ▷ vt surprendre, étonner; **surprised** adj (look, smile) surpris(e), étonné(e); **to be surprised** être surpris; **surprising** adj surprenant(e), étonnant(e); **surprisingly** adv (easy, helpful) étonnamment, étrangement; **(somewhat) surprisingly, he agreed** curieusement, il a accepté

**surrender** [sə'rɛndə'] n reddition f, capitulation f ▷ vi se rendre, capituler

**surround** [sə'raund] vt entourer; (Mil etc) encercler; **surrounding** adj environnant(e); **surroundings** npl environs mpl, alentours mpl

**surveillance** [sə:'veɪləns] n surveillance f

**survey** n ['sə:veɪ] enquête f, étude f; (in house buying etc) inspection f, (rapport m d')expertise f; (of land) levé m ▷ vt [sə:'veɪ] (situation) passer en revue; (examine carefully) inspecter;

(building) expertiser; (land) faire le levé de; (look at) embrasser du regard; **surveyor** n (of building) expert m; (of land) (arpenteur m) géomètre m

**survival** [sə'vaɪvl] n survie f

**survive** [sə'vaɪv] vi survivre; (custom etc) subsister ▷ vt (accident etc) survivre à, réchapper de; (person) survivre à; **survivor** n survivant(e)

**suspect** adj, n ['sʌspɛkt] suspect(e) ▷ vt [səs'pɛkt] soupçonner, suspecter

**suspend** [səs'pɛnd] vt suspendre; **suspended sentence** n (Law) condamnation f avec sursis; **suspenders** npl (BRIT) jarretelles fpl; (US) bretelles fpl

**suspense** [səs'pɛns] n attente f, incertitude f; (in film etc) suspense m; **to keep sb in ~** tenir qn en suspens, laisser qn dans l'incertitude

**suspension** [səs'pɛnʃən] n (gen, Aut) suspension f; (of driving licence) retrait m provisoire; **suspension bridge** n pont suspendu

**suspicion** [səs'pɪʃən] n soupçon(s) m(pl); **suspicious** adj (suspecting) soupçonneux(-euse), méfiant(e); (causing suspicion) suspect(e)

**sustain** [səs'teɪn] vt soutenir; (subj: food) nourrir, donner des forces à; (damage) subir; (injury) recevoir

**SUV** n abbr (esp us: = sports utility vehicle) SUV m, véhicule m de loisirs

**swallow** ['swɔləu] n (bird) hirondelle f ▷ vt avaler; (fig: story) gober

**swam** [swæm] pt of **swim**

**swamp** [swɔmp] n marais m, marécage m ▷ vt submerger

**swan** [swɔn] n cygne m

**swap** [swɔp] n échange m, troc m ▷ vt: **to ~ (for)** échanger (contre), troquer (contre)

**swarm** [swɔːm] n essaim m ▷ vi (bees) essaimer; (people) grouiller; **to be ~ing** grouiller de

**sway** [sweɪ] vi se balancer, osciller ▷ vt (influence) influencer

**S**

**swear** [swɛəʳ] (pt **swore**, pp **sworn**) vt, vi jurer; **swear in** vt assermenter; **swearword** n gros mot, juron m

**sweat** [swɛt] n sueur f, transpiration f ▷ vi suer

**sweater** ['swɛtəʳ] n tricot m, pull m

**sweatshirt** ['swɛtʃə:t] n sweat-shirt m

**sweaty** ['swɛtɪ] adj en sueur, moite or mouillé(e) de sueur

**Swede** [swi:d] n Suédois(e)

**swede** [swi:d] n (BRIT) rutabaga m

**Sweden** ['swi:dn] n Suède f; **Swedish** ['swi:dɪʃ] adj suédois(e) ▷ n (Ling) suédois m

**sweep** [swi:p] (pt, pp **swept**) n (curve) grande courbe; (also: **chimney ~**) ramoneur m ▷ vt balayer; (subj: current) emporter

**sweet** [swi:t] n (BRIT: pudding) dessert m; (candy) bonbon m ▷ adj doux (douce); (not savoury) sucré(e); (kind) gentil(le); (baby) mignon(ne); **sweetcorn** n maïs doux; **sweetener** ['swi:tnəʳ] n (Culin) édulcorant m; **sweetheart** n amoureux(-euse); **sweetshop** n (BRIT) confiserie f

**swell** [swɛl] (pt **swelled**, pp **swollen** or **swelled**) n (of sea) houle f ▷ adj (US inf: excellent) chouette ▷ vt (increase) grossir, augmenter ▷ vi (increase) grossir, augmenter; (sound) s'enfler; (Med: also: **~ up**) enfler; **swelling** n (Med) enflure f; (lump) grosseur f

**swept** [swɛpt] pt, pp de **sweep**

**swerve** [swə:v] vi (to avoid obstacle) faire une embardée or un écart; (off the road) dévier

**swift** [swɪft] n (bird) martinet m ▷ adj rapide, prompt(e)

**swim** [swɪm] (pt **swam**, pp **swum**) n: **to go for a ~** aller nager or se baigner ▷ vi nager; (Sport) faire de la natation; (fig: head, room) tourner ▷ vt traverser (à la nage); **to ~ a length** nager une longueur; **swimmer** n nageur(-euse); **swimming** n nage f, natation f; **swimming costume** n

(BRIT) maillot m (de bain); **swimming pool** n piscine f; **swimming trunks** npl maillot m de bain; **swimsuit** n maillot m (de bain)

**swine flu** ['swaɪn-] n grippe f A

**swing** [swɪŋ] (pt, pp **swung**) n (in playground) balançoire f; (movement) balancement m, oscillations fpl; (change in opinion etc) revirement m ▷ vt balancer, faire osciller; (also: **~ round**) tourner, faire virer ▷ vi se balancer, osciller; (also: **~ round**) virer, tourner; **to be in full ~** battre son plein

**swipe card** ['swaɪp-] n carte f magnétique

**swirl** [swə:l] vi tourbillonner, tournoyer

**Swiss** [swɪs] adj suisse ▷ n (pl inv) Suisse(-esse)

**switch** [swɪtʃ] n (for light, radio etc) bouton m; (change) changement m, revirement m ▷ vt (change) changer; **switch off** vt éteindre; (engine, machine) arrêter; **could you ~ off the light?** pouvez-vous éteindre la lumière?; **switch on** vt allumer; (engine, machine) mettre en marche; **switchboard** n (Tel) standard m

**Switzerland** ['swɪtsələnd] n Suisse f

**swivel** ['swɪvl] vi (also: **~ round**) pivoter, tourner

**swollen** ['swəulən] pp de **swell**

**swoop** [swu:p] n (by police etc) rafle f, descente f ▷ vi (bird: also: **~ down**) descendre en piqué, piquer

**swop** [swɔp] n, vt = **swap**

**sword** [sɔ:d] n épée f; **swordfish** n espadon m

**swore** [swɔ:ʳ] pt of **swear**

**sworn** [swɔ:n] pp of **swear** ▷ adj (statement, evidence) donné(e) sous serment; (enemy) juré(e)

**swum** [swʌm] pp of **swim**

**swung** [swʌŋ] pt, pp of **swing**

**syllable** ['sɪləbl] n syllabe f

**syllabus** ['sɪləbəs] n programme m

**symbol** ['sɪmbl] n symbole m;
  **symbolic(al)** [sɪm'bɔlɪk(l)] adj
  symbolique
**symmetrical** [sɪ'mɛtrɪkl] adj
  symétrique
**symmetry** ['sɪmɪtrɪ] n symétrie f
**sympathetic** [sɪmpə'θɛtɪk] adj
  (showing pity) compatissant(e);
  (understanding) bienveillant(e),
  compréhensif(-ive); **~ towards** bien
  disposé(e) envers

  > Be careful not to translate
  > sympathetic by the French word
  > sympathique.

**sympathize** ['sɪmpəθaɪz] vi: **to
  ~ with sb** plaindre qn; (in grief)
  s'associer à la douleur de qn; **to ~
  with sth** comprendre qch
**sympathy** ['sɪmpəθɪ] n (pity)
  compassion f
**symphony** ['sɪmfənɪ] n symphonie f
**symptom** ['sɪmptəm] n symptôme
  m; indice m
**synagogue** ['sɪnəgɔg] n synagogue f
**syndicate** ['sɪndɪkɪt] n syndicat
  m, coopérative f; (Press) agence f
  de presse
**syndrome** ['sɪndrəum] n
  syndrome m
**synonym** ['sɪnənɪm] n synonyme m
**synthetic** [sɪn'θɛtɪk] adj synthétique
**Syria** ['sɪrɪə] n Syrie f
**syringe** [sɪ'rɪndʒ] n seringue f
**syrup** ['sɪrəp] n sirop m; (BRIT: also:
  **golden ~**) mélasse raffinée
**system** ['sɪstəm] n système m;
  (Anat) organisme m; **systematic**
  [sɪstə'mætɪk] adj systématique;
  méthodique; **systems analyst** n
  analyste-programmeur m/f

# t

**ta** [tɑ:] excl (BRIT inf) merci!
**tab** [tæb] n (label) étiquette f; (on
  drinks can etc) languette f; **to keep ~s
  on** (fig) surveiller
**table** ['teɪbl] n table f ⊳ vt (BRIT:
  motion etc) présenter; **to lay** or
  **set the ~** mettre le couvert or la
  table; **tablecloth** n nappe f; **table
  d'hôte** [tɑ:bl'dəut] adj (meal)
  à prix fixe; **table lamp** n lampe
  décorative or de table; **tablemat** n
  (for plate) napperon m, set m; (for
  hot dish) dessous-de-plat m inv;
  **tablespoon** n cuiller f de service;
  (also: **tablespoonful**: as measurement)
  cuillerée f à soupe
**tablet** ['tæblɪt] n (Med) comprimé m;
  (Comput) tablette f (tactile); (of stone)
  plaque f
**table tennis** n ping-pong m
**tabloid** ['tæblɔɪd] n (newspaper)
  quotidien m populaire
**taboo** [tə'bu:] adj, n tabou (m)

**tack** [tæk] n (nail) petit clou m; (fig) direction f ▷ vt (nail) clouer; (sew) bâtir ▷ vi (Naut) tirer un ou des bord(s); **to ~ sth on to (the end of) sth** (of letter, book) rajouter qch à la fin de qch

**tackle** ['tækl] n matériel m, équipement m; (for lifting) appareil m de levage; (Football, Rugby) plaquage m ▷ vt (difficulty, animal, burglar) s'attaquer à; (person: challenge) s'expliquer avec; (Football, Rugby) plaquer

**tacky** ['tækɪ] adj collant(e); (paint) pas sec (sèche); (pej: poor-quality) minable; (: showing bad taste) ringard(e)

**tact** [tækt] n tact m; **tactful** adj plein(e) de tact

**tactics** ['tæktɪks] npl tactique f

**tactless** ['tæktlɪs] adj qui manque de tact

**tadpole** ['tædpəʊl] n têtard m

**taffy** ['tæfɪ] n (us) (bonbon m au) caramel m

**tag** [tæg] n étiquette f

**tail** [teɪl] n queue f; (of shirt) pan m ▷ vt (follow) suivre, filer; **tails** npl (suit) habit m; see also **head**

**tailor** ['teɪlə'] n tailleur m (artisan)

**Taiwan** ['taɪ'wɑ:n] n Taïwan (no article); **Taiwanese** [taɪwə'ni:z] adj taïwanais(e) ▷ n inv Taïwanais(e)

**take** [teɪk] (pt **took**, pp **taken**) vt prendre; (gain: prize) remporter; (require: effort, courage) demander; (tolerate) accepter, supporter; (hold: passengers etc) contenir; (accompany) emmener, accompagner; (bring, carry) apporter, emporter; (exam) passer, se présenter à; **to ~ sth from** (drawer etc) prendre qch dans; (person) prendre qch à; **I ~ it that** je suppose que; **to ~ be ~ n ill** tomber malade; **it won't ~ long** ça ne prendra pas longtemps; **I was quite ~ n with her/it** elle/cela m'a beaucoup plu; **take after** vt fus ressembler à; **take apart** vt démonter; **take away** vt

(carry off) emporter; (remove) enlever; (subtract) soustraire; **take back** vt (return) rendre, rapporter; (one's words) retirer; **take down** vt (building) démolir; (letter etc) prendre, écrire; **take in** vt (deceive) tromper, rouler; (understand) comprendre, saisir; (include) couvrir, inclure; (lodger) prendre; (dress, waistband) reprendre; **take off** vi (Aviat) décoller ▷ vt (remove) enlever; **take on** vt (work) accepter, se charger de; (employee) prendre, embaucher; (opponent) accepter de se battre contre; **take out** vt sortir; (remove) enlever; (invite) sortir avec; **to ~ sth out of** (drawer etc) prendre qch dans; **to ~ sb out to a restaurant** emmener qn au restaurant; **take over** vt (business) reprendre ▷ vi: **to ~ over from sb** prendre la relève de qn; **take up** vt (one's story) reprendre; (dress) raccourcir; (occupy: time, space) prendre, occuper; (engage in: hobby etc) se mettre à; (accept: offer, challenge) accepter; **takeaway** (BRIT) adj (food) à emporter ▷ n (shop, restaurant) magasin m qui vend des plats à emporter; **taken** pp of **take**; **takeoff** n (Aviat) décollage m; **takeout** adj, n (us) = **takeaway**; **takeover** n (Comm) rachat m; **takings** npl (Comm) recette f

**talc** [tælk] n (also: **~um powder**) talc m

**tale** [teɪl] n (story) conte m, histoire f; (account) récit m; **to tell ~s** (fig) rapporter

**talent** ['tælnt] n talent m, don m; **talented** adj doué(e), plein(e) de talent

**talk** [tɔ:k] n (a speech) causerie f, exposé m; (conversation) discussion f; (interview) entretien m; (gossip) racontars mpl (pej) ▷ vi parler; (chatter) bavarder; **talks** npl (Pol etc) entretiens mpl ▷ vt: **to ~ about** parler de; **to ~ sb out of/into doing** persuader qn de ne pas faire/de faire; **to ~ shop** parler métier or affaires; **talk over** vt discuter (de); **talk show** n (TV, Radio) émission-débat f

**tall** [tɔːl] adj (person) grand(e); (building, tree) haut(e); **to be 6 feet ~** ≈ mesurer 1 mètre 80

**tambourine** [tæmbəˈriːn] n tambourin m

**tame** [teɪm] adj apprivoisé(e); (fig: story, style) insipide

**tamper** [ˈtæmpəʳ] vi: **to ~ with** toucher à (en cachette ou sans permission)

**tampon** [ˈtæmpɒn] n tampon m hygiénique or périodique

**tan** [tæn] n (also: **sun~**) bronzage m ▷ vt, vi bronzer, brunir ▷ adj (colour) marron clair inv

**tandem** [ˈtændəm] n tandem m

**tangerine** [tændʒəˈriːn] n mandarine f

**tangle** [ˈtæŋgl] n enchevêtrement m; **to get in(to) a ~** s'emmêler

**tank** [tæŋk] n réservoir m; (for fish) aquarium m; (Mil) char m d'assaut, tank m

**tanker** [ˈtæŋkəʳ] n (ship) pétrolier m, tanker m; (truck) camion-citerne m

**tanned** [tænd] adj bronzé(e)

**tantrum** [ˈtæntrəm] n accès m de colère

**Tanzania** [tænzəˈnɪə] n Tanzanie f

**tap** [tæp] n (on sink etc) robinet m; (gentle blow) petite tape ▷ vt frapper or taper légèrement; (resources) exploiter, utiliser; (telephone) mettre sur écoute; **on ~** (fig: resources) disponible; **tap dancing** n claquettes fpl

**tape** [teɪp] n (for tying) ruban m; (also: **magnetic ~**) bande f (magnétique); (cassette) cassette f; (sticky) Scotch® m ▷ vt (record) enregistrer (au magnétoscope or sur cassette); (stick) coller avec du Scotch®; **tape measure** n mètre m à ruban; **tape recorder** n magnétophone m

**tapestry** [ˈtæpɪstrɪ] n tapisserie f

**tar** [tɑː] n goudron m

**target** [ˈtɑːgɪt] n cible f; (fig: objective) objectif m

**tariff** [ˈtærɪf] n (Comm) tarif m; (taxes) tarif douanier

**tarmac** [ˈtɑːmæk] n (BRIT: on road) macadam m; (Aviat) aire f d'envol

**tarpaulin** [tɑːˈpɔːlɪn] n bâche goudronnée

**tarragon** [ˈtærəgən] n estragon m

**tart** [tɑːt] n (Culin) tarte f; (BRIT inf: pej: prostitute) poule f ▷ adj (flavour) âpre, aigrelet(te)

**tartan** [ˈtɑːtn] n tartan m ▷ adj écossais(e)

**tartar** [ˈtɑːtəʳ] n (on teeth) tartre m; **tartar('s) sauce**, **tartare sauce** [ˈtɑːtə-] n sauce f tartare

**task** [tɑːsk] n tâche f; **to take to ~** prendre à partie

**taste** [teɪst] n goût m; (fig: glimpse, idea) idée f, aperçu m ▷ vt goûter ▷ vi: **to ~ of** (fish etc) avoir le or un goût de; **you can ~ the garlic (in it)** on sent bien l'ail; **to have a ~ of sth** goûter (à) qch; **can I have a ~?** je peux goûter?; **to be in good/bad** or **poor ~** être de bon/mauvais goût; **tasteful** adj de bon goût; **tasteless** adj (food) insipide; (remark) de mauvais goût; **tasty** adj savoureux(-euse), délicieux(-euse)

**tatters** [ˈtætəz] npl, in ~ (also: **tattered**) en lambeaux

**tattoo** [təˈtuː] n tatouage m; (spectacle) parade f militaire ▷ vt tatouer

**taught** [tɔːt] pt, pp of **teach**

**taunt** [tɔːnt] n raillerie f ▷ vt railler

**Taurus** [ˈtɔːrəs] n le Taureau

**taut** [tɔːt] adj tendu(e)

**tax** [tæks] n (on goods etc) taxe f; (on income) impôts mpl, contributions fpl ▷ vt taxer; impose; (fig: patience etc) mettre à l'épreuve; **tax disc** n (BRIT Aut) vignette f (automobile); **tax-free** adj exempt(e) d'impôts

**taxi** [ˈtæksɪ] n taxi m ▷ vi (Aviat) rouler (lentement) au sol; **taxi driver** n chauffeur m de taxi; **taxi rank**, (US) **taxi stand** n station f de taxis

**tax payer** [-peɪəʳ] n contribuable m/f

**tax return** n déclaration f d'impôts or de revenus

**TB** n abbr = **tuberculosis**

**tbc** abbr = **to be confirmed**

**tea** [tiː] n thé m; (BRIT: snack: for children) goûter m; **high ~** (BRIT) collation complète goûter et dîner; **tea bag** n sachet m de thé; **tea break** n (BRIT) pause-thé f

**teach** (pt, pp **taught**) [tiːtʃ, tɔːt] vt: **to ~ sb sth, to ~ sth to sb** apprendre qch à qn; (in school etc) enseigner qch à qn ▷ vi enseigner; **teacher** n (in secondary school) professeur m; (in primary school) instituteur(-trice); **teaching** n enseignement m; **teaching assistant** n aide-éducateur(-trice)

**tea: teacup** n tasse f à thé; **tea leaves** npl feuilles fpl de thé

**team** [tiːm] n équipe f; (of animals) attelage m; **team up** vi: **to ~ up (with)** faire équipe (avec)

**teapot** [ˈtiːpɔt] n théière f

**tear¹** [tɪəʳ] n larme f; **in ~s** en larmes

**tear²** [tɛəʳ] (pt **tore**, pp **torn**) n déchirure f ▷ vt déchirer ▷ vi se déchirer; **tear apart** vt (also fig) déchirer; **tear down** vt (building, statue) démolir; (poster, flag) arracher; **tear off** vt (sheet of paper etc) arracher; (one's clothes) enlever à toute vitesse; **tear up** vt (sheet of paper etc) déchirer, mettre en morceaux or pièces

**tearful** [ˈtɪəful] adj larmoyant(e)

**tear gas** [ˈtɪə-] n gaz m lacrymogène

**tearoom** [ˈtiːruːm] n salon m de thé

**tease** [tiːz] vt taquiner; (unkindly) tourmenter

**tea: teaspoon** n petite cuiller; (also: **teaspoonful**: as measurement) = cuillerée f à café; **teatime** n l'heure f du thé; **tea towel** n (BRIT) torchon m (à vaisselle)

**technical** [ˈtɛknɪkl] adj technique

**technician** [tɛkˈnɪʃən] n technicien(ne)

**technique** [tɛkˈniːk] n technique f

**technology** [tɛkˈnɔlədʒɪ] n technologie f

**teddy (bear)** [ˈtɛdɪ-] n ours m (en peluche)

**tedious** [ˈtiːdɪəs] adj fastidieux(-euse)

**tee** [tiː] n (Golf) tee m

**teen** [tiːn] adj = **teenage** = **teenager**

**teenage** [ˈtiːneɪdʒ] adj (fashions etc) pour jeunes, pour adolescents; (child) qui est adolescent(e); **teenager** n adolescent(e)

**teens** [tiːnz] npl: **to be in one's ~** être adolescent(e)

**teeth** [tiːθ] npl of **tooth**

**teetotal** [ˈtiːˈtəutl] adj (person) qui ne boit jamais d'alcool

**telecommunications** [ˈtɛlɪkəmjuːnɪˈkeɪʃənz] n télécommunications fpl

**telegram** [ˈtɛlɪgræm] n télégramme m

**telegraph pole** [ˈtɛlɪgrɑːf-] n poteau m télégraphique

**telephone** [ˈtɛlɪfəun] n téléphone m ▷ vt (person) téléphoner à; (message) téléphoner; **to be on the ~** (be speaking) être au téléphone; **telephone book** n = **telephone directory**; **telephone box**, (US) **telephone booth** n cabine f téléphonique; **telephone call** n appel m téléphonique; **telephone directory** n annuaire m (du téléphone); **telephone number** n numéro m de téléphone

**telesales** [ˈtɛlɪseɪlz] npl télévente f

**telescope** [ˈtɛlɪskəup] n télescope m

**televise** [ˈtɛlɪvaɪz] vt téléviser

**television** [ˈtɛlɪvɪʒən] n télévision f; **on ~** à la télévision; **television programme** n (BRIT) émission f de télévision

**tell** (pt, pp **told**) [tɛl, təʊld] vt dire; (relate: story) raconter; (distinguish): **to ~ sth from** distinguer qch de ▷ vi (talk): **to ~ of** parler de; (have effect) se faire sentir, se voir; **to ~ sb to do** dire à qn de faire; **to ~ the time** (know how to) savoir lire l'heure; **tell off** vt réprimander, gronder; **teller** n (in bank) caissier(-ière)

**telly** ['tɛlɪ] n abbr (BRIT inf: = television) télé f

**temp** [tɛmp] n (BRIT: = temporary worker) intérimaire m/f ▷ vi travailler comme intérimaire

**temper** ['tɛmpə'] n (nature) caractère m; (mood) humeur f; (fit of anger) colère f ▷ vt (moderate) tempérer, adoucir; **to be in a ~** être en colère; **to lose one's ~** se mettre en colère

**temperament** ['tɛmprəmənt] n (nature) tempérament m; **temperamental** [tɛmprə'mɛntl] adj capricieux(-euse)

**temperature** ['tɛmprətʃə'] n température f; **to have** or **run a ~** avoir de la fièvre

**temple** ['tɛmpl] n (building) temple m; (Anat) tempe f

**temporary** ['tɛmpərərɪ] adj temporaire, provisoire; (job, worker) temporaire

**tempt** [tɛmpt] vt tenter; **to ~ sb into doing** induire qn à faire; **temptation** n tentation f; **tempting** adj tentant(e); (food) appétissant(e)

**ten** [tɛn] num dix

**tenant** ['tɛnənt] n locataire m/f

**tend** [tɛnd] vt s'occuper de ▷ vi: **to ~ to do** avoir tendance à faire; **tendency** ['tɛndənsɪ] n tendance f

**tender** ['tɛndə'] adj tendre; (delicate) délicat(e); (sore) sensible ▷ n (Comm: offer) soumission f; (money): **legal ~** cours légal ▷ vt offrir

**tendon** ['tɛndən] n tendon m

**tenner** ['tɛnə'] n (BRIT inf) billet de dix livres

**tennis** ['tɛnɪs] n tennis m; **tennis ball** n balle f de tennis; **tennis court** n (court m de) tennis m; **tennis match** n match m de tennis; **tennis player** n joueur(-euse) de tennis; **tennis racket** n raquette f de tennis

**tenor** ['tɛnə'] n (Mus) ténor m

**tenpin bowling** ['tɛnpɪn-] n (BRIT) bowling m (à 10 quilles)

**tense** [tɛns] adj tendu(e) ▷ n (Ling) temps m

**tension** ['tɛnʃən] n tension f

**tent** [tɛnt] n tente f

**tentative** ['tɛntətɪv] adj timide, hésitant(e); (conclusion) provisoire

**tenth** [tɛnθ] num dixième

**tent: tent peg** n piquet m de tente; **tent pole** n montant m de tente

**tepid** ['tɛpɪd] adj tiède

**term** [tə:m] n terme m; (Scol) trimestre m ▷ vt appeler; **terms** npl (conditions) conditions fpl; (Comm) tarif m; **in the short/long ~** à court/long terme; **to come to ~s with** (problem) faire face à; **to be on good ~s with** bien s'entendre avec, être en bons termes avec

**terminal** ['tə:mɪnl] adj (disease) dans sa phase terminale; (patient) incurable ▷ n (Elec) borne f; (for oil, ore etc: also Comput) terminal m; (also: **air ~**) aérogare f; (BRIT: also: **coach ~**) gare routière

**terminate** ['tə:mɪneɪt] vt mettre fin à; (pregnancy) interrompre

**termini** ['tə:mɪnaɪ] npl of **terminus**

**terminology** [tə:mɪ'nɔlədʒɪ] n terminologie f

**terminus** (pl **termini**) ['tə:mɪnəs, 'tə:mɪnaɪ] n terminus m inv

**terrace** ['tɛrəs] n terrasse f; (BRIT: row of houses) rangée f de maisons (attenantes les unes aux autres); **the ~s** (BRIT Sport) les gradins mpl; **terraced** adj (garden) en terrasses; (in a row: house) attenant(e) aux maisons voisines

**terrain** [tɛ'reɪn] n terrain m (sol)

**t**

**terrestrial** [tɪˈrestrɪəl] *adj* terrestre

**terrible** [ˈterɪbl] *adj* terrible, atroce; (*weather, work*) affreux(-euse), épouvantable; **terribly** *adv* terriblement; (*very badly*) affreusement mal

**terrier** [ˈterɪə*] *n* terrier *m* (*chien*)

**terrific** [təˈrɪfɪk] *adj* (*very great*) fantastique, incroyable, terrible; (*wonderful*) formidable, sensationnel(le)

**terrified** [ˈterɪfaɪd] *adj* terrifié(e); **to be ~ of sth** avoir très peur de qch

**terrify** [ˈterɪfaɪ] *vt* terrifier; **terrifying** *adj* terrifiant(e)

**territorial** [terɪˈtɔːrɪəl] *adj* territorial(e)

**territory** [ˈterɪtərɪ] *n* territoire *m*

**terror** [ˈterə*] *n* terreur *f*; **terrorism** *n* terrorisme *m*; **terrorist** *n* terroriste *m/f*; **terrorist attack** *n* attentat *m* terroriste

**test** [test] *n* (*trial, check*) essai *m*; (*of courage etc*) épreuve *f*; (*Med*) examen *m*; (*Chem*) analyse *f*; (*Scol*) interrogation *f* de contrôle; (*also:* **driving ~**) (examen du) permis *m* de conduire ▷ *vt* essayer; mettre à l'épreuve; examiner; analyser; faire subir une interrogation à

**testicle** [ˈtestɪkl] *n* testicule *m*

**testify** [ˈtestɪfaɪ] *vi* (*Law*) témoigner, déposer; **to ~ to sth** (*Law*) attester qch

**testimony** [ˈtestɪmənɪ] *n* (*Law*) témoignage *m*, déposition *f*

**test: test match** *n* (*Cricket, Rugby*) match international; **test tube** *n* éprouvette *f*

**tetanus** [ˈtetənəs] *n* tétanos *m*

**text** [tekst] *n* texte *m*; (*on mobile phone*) SMS *m inv*, texto® ▷ *vt* (*inf*) envoyer un SMS or texto® à; **textbook** *n* manuel *m*

**textile** [ˈtekstaɪl] *n* textile *m*

**text message** *n* SMS *m inv*, texto® *m*

**text messaging** [-ˈmesɪdʒɪŋ] *n* messagerie textuelle

**texture** [ˈtekstʃə*] *n* texture *f*; (*of skin, paper etc*) grain *m*

**Thai** [taɪ] *adj* thaïlandais(e) ▷ *n* Thaïlandais(e)

**Thailand** [ˈtaɪlænd] *n* Thaïlande *f*

**Thames** [temz] *n*: **the (River) ~** la Tamise

**than** [ðæn, ðən] *conj* que; (*with numerals*): **more ~ 10/once** plus de 10/d'une fois; **I have more/less ~ you** j'en ai plus/moins que toi; **she has more apples ~ pears** elle a plus de pommes que de poires; **it is better to phone ~ to write** il vaut mieux téléphoner (plutôt) qu'écrire; **she is older ~ you think** elle est plus âgée que tu le crois

**thank** [θæŋk] *vt* remercier, dire merci à; **thanks** *npl* remerciements *mpl*, **~s!** merci!; **~ you (very much)** merci (beaucoup); **~ God** Dieu merci; **~s to** *prep* grâce à; **thankfully** *adv* (*fortunately*) heureusement; **Thanksgiving (Day)** *n* jour *m* d'action de grâce

⊙ **THANKSGIVING (DAY)**

○
○ *Thanksgiving (Day)* est un jour de
○ congé aux États-Unis, le quatrième
○ jeudi du mois de novembre,
○ commémorant la bonne récolte
○ que les Pèlerins venus de
○ Grande-Bretagne ont eue en 1621;
○ traditionnellement, c'était un jour
○ où l'on remerciait Dieu et où l'on
○ organisait un grand festin. Une
○ fête semblable, mais qui n'a aucun
○ rapport avec les Pères Pèlerins, a
○ lieu au Canada le deuxième lundi
○ d'octobre.

 **KEYWORD**

**that** [ðæt] *adj* (*demonstrative*) ce, cet + *vowel or h mute*, cette *f*; **that man/woman/book** cet homme/ cette femme/ce livre; (*not this*) cet

homme-là/cette femme-là/ce livre-là; **that one** celui-là (celle-là)
▶ *pron* **1** *(demonstrative)*: (: *not this one)* cela, ça; (: *that one)* celui (celle); **who's that?** qui est-ce?; **what's that?** qu'est-ce que c'est?; **is that you?** c'est toi?; **I prefer this to that** je préfère ceci à cela or ça; **that's what he said** c'est or voilà ce qu'il a dit; **will you eat all that?** tu vas manger tout ça?; **that is (to say)** c'est-à-dire, à savoir
**2** *(relative: subject)* qui; (: *object)* que; (: *after prep)* lequel (laquelle), lesquels (lesquelles) *pl*; **the book that I read** le livre que j'ai lu; **the books that are in the library** les livres qui sont dans la bibliothèque; **all that I have** tout ce que j'ai; **the box that I put it in** la boîte dans laquelle je l'ai mis; **the people that I spoke to** les gens auxquels or à qui j'ai parlé
**3** *(relative, of time)* où; **the day that he came** le jour où il est venu
▶ *conj scan*: **he thought that I was ill** il pensait que j'étais malade
▶ *adv (demonstrative)*: **I don't like it that much** ça ne me plaît pas tant que ça; **I didn't know it was that bad** je ne savais pas que c'était si or aussi mauvais; **it's about that high** c'est à peu près de cette hauteur

**thatched** [θætʃt] *adj (roof)* de chaume; **~ cottage** chaumière *f*

**thaw** [θɔː] *n* dégel *m* ▶ *vi (ice)* fondre; *(food)* dégeler ▶ *vt (food)* (faire) dégeler

○ **KEYWORD**

**the** [ðiː, ðə] *def art* **1** *(gen)* le, la *f*, l' + *vowel or h mute*, les *pl* (NB: à + *le(s)* = **au(x)**; *de + le* = **du**; *de + les* = **des**); **the boy/girl/ink** le garçon/la fille/l'encre; **the children** les enfants; **the history of the world** l'histoire du monde; **give it to the postman** donne-le au facteur; **to**

**play the piano/flute** jouer du piano/de la flûte
**2** (+ *adj to form n)* le, la *f*, l' + *vowel or h mute*, les *pl*; **the rich and the poor** les riches et les pauvres; **to attempt the impossible** tenter l'impossible
**3** *(in titles)*: **Elizabeth the First** Elisabeth première; **Peter the Great** Pierre le Grand
**4** *(in comparisons)*: **the more he works, the more he earns** plus il travaille, plus il gagne de l'argent

**theatre** *(US)* **theater** [ˈθɪətə<sup>r</sup>] *n* théâtre *m*; *(Med: also: **operating ~)*** salle *f* d'opération

**theft** [θɛft] *n* vol *m (larcin)*

**their** [ðɛə<sup>r</sup>] *adj* leur, leurs *pl*; *see also* **my**; **theirs** *pron* le (la) leur, les leurs; *see also* **mine**[1]

**them** [ðɛm, ðəm] *pron (direct)* les; *(indirect)* leur; *(stressed, after prep)* eux (elles); **give me a few of ~** donnez m'en quelques uns *or* quelques unes); *see also* **me**

**theme** [θiːm] *n* thème *m*; **theme park** *n* parc *m* à thème

**themselves** [ðəmˈsɛlvz] *pl pron* *(reflexive)* se; *(emphatic, after prep)* eux-mêmes (elles-mêmes); **between ~** entre eux (elles); *see also* **oneself**

**then** [ðɛn] *adv (at that time)* alors, à ce moment-là; *(next)* puis, ensuite; *(and also)* et puis ▶ *conj (therefore)* alors, dans ce cas ▶ *adj*: **the ~ president** le président d'alors or de l'époque; **by ~** *(past)* à ce moment-là; *(future)* d'ici là; **from ~ on** dès lors; **until ~** jusqu'à ce moment-là, jusque-là

**theology** [θɪˈɒlədʒɪ] *n* théologie *f*

**theory** [ˈθɪərɪ] *n* théorie *f*

**therapist** [ˈθɛrəpɪst] *n* thérapeute *m/f*

**therapy** [ˈθɛrəpɪ] *n* thérapie *f*

○ **KEYWORD**

**there** [ðɛə<sup>r</sup>] *adv* **1**: **there is, there are** il y a; **there are 3 of them**

(*people, things*) il y en a 3; **there is no-one here/no bread left** il n'y a personne/il n'y a plus de pain; **there has been an accident** il y a eu un accident

**2** (*referring to place*) là, là-bas; **it's there** c'est là(-bas); **in/on/up/down there** là-dedans/là-dessus/là-haut/en bas; **he went there on Friday** il y est allé vendredi; **I want that book there** je veux ce livre-là; **there he is!** le voilà!

**3**: **there, there!** (*esp to child*) allons, allons!

**there:** ~abouts *adv* (*place*) par là, près de là; (*amount*) environ, à peu près; **thereafter** *adv* par la suite; **thereby** *adv* ainsi; **therefore** *adv* donc, par conséquent

**there's** ['ðɛəz] = **there is**; **there has**

**thermal** ['θə:ml] *adj* thermique; **~ underwear** sous-vêtements *mpl* en Thermolactyl®

**thermometer** [θə'mɒmɪtə'] *n* thermomètre *m*

**thermostat** ['θə:məʊstæt] *n* thermostat *m*

**these** [ði:z] *pl adj* ces; (*not those*) ▷ *pl adj* ces; (*not those*): **~ books** ces livres-ci

**thesis** (*pl* theses) ['θi:sɪs, 'θi:si:z] *n* thèse *f*

**they** [ðeɪ] *pl pron* ils (elles); (*stressed*) eux (elles); **~ say that ...** (*it is said that*) on dit que ...; **they'd = they had; they would; they'll = they shall; they will; they're = they are; they've = they have**

**thick** [θɪk] *adj* épais(se); (*stupid*) bête, borné(e) ▷ *n*: **in the ~ of** au beau milieu de, en plein cœur de; **it's 20 cm ~** ça a 20 cm d'épaisseur; **thicken** vi s'épaissir ▷ *vt* (*sauce etc*) épaissir; **thickness** *n* épaisseur *f*

**thief** (*pl* thieves) [θi:f, θi:vz] *n* voleur(-euse)

**thigh** [θaɪ] *n* cuisse *f*

**thin** [θɪn] *adj* mince; (*skinny*) maigre; (*soup*) peu épais(se); (*hair, crowd*) clairsemé(e) ▷ *vt* (*also*: **~ down**: *sauce, paint*) délayer

**thing** [θɪŋ] *n* chose *f*; (*object*) objet *m*; (*contraption*) truc *m*; **things** *npl* (*belongings*) affaires *fpl*; **the ~ is ...** c'est que ...; **the best ~ would be to** le mieux serait de; **how are ~s?** comment ça va?; **to have a ~ about** (*be obsessed by*) être obsédé(e) par; (*hate*) détester; **poor ~!** le (la) pauvre!

**think** (*pt, pp* thought) [θɪŋk, θɔ:t] *vi* penser, réfléchir ▷ *vt* penser, croire; (*imagine*) s'imaginer; **what did you ~ of them?** qu'avez-vous pensé d'eux?; **to ~ about sth/sb** penser à qch/qn; **I'll ~ about it** je vais y réfléchir; **to ~ of doing** avoir l'idée de faire; **I ~ so/not** je crois or pense que oui/non; **to ~ well of** avoir une haute opinion de; **think over** *vt* bien réfléchir à; **think up** *vt* inventer, trouver

**third** [θə:d] *num* troisième ▷ *n* (*fraction*) tiers *m*; (*Aut*) troisième (*vitesse*) *f*; (*BRIT Scol: degree*) ≈ licence *f* avec mention passable; **thirdly** *adv* troisièmement; **third party insurance** *n* (*BRIT*) assurance *f* au tiers; **Third World** *n*: **the Third World** le Tiers-Monde

**thirst** [θə:st] *n* soif *f*; **thirsty** *adj* qui a soif, assoiffé(e); (*work*) qui donne soif; **to be thirsty** avoir soif

**thirteen** [θə:'ti:n] *num* treize; **thirteenth** [θə:'ti:nθ] *num* treizième

**thirtieth** ['θə:tɪɪθ] *num* trentième

**thirty** ['θə:tɪ] *num* trente

**KEYWORD**

**this** [ðɪs] *adj* (*demonstrative*) ce, cet + *vowel or h mute*, cette *f*; **this man/woman/book** cet homme/cette femme/ce livre; (*not that*) cet homme-ci/cette femme-ci/ce livre-ci; **this one** celui-ci (celle-ci)

▶pron (demonstrative) ce (: not that one) celui-ci (celle-ci), ceci; **who's this?** qui est-ce?; **what's this?** qu'est-ce que c'est?; **I prefer this to that** je préfère ceci à cela; **this is where I live** c'est ici que j'habite; **this is what he said** voici ce qu'il a dit; **this is Mr Brown** (in introductions) je vous présente Mr Brown; (in photo) c'est Mr Brown; (on telephone) ici Mr Brown ▶adv (demonstrative): **it was about this big** c'était à peu près de cette grandeur or grand comme ça; **I didn't know it was this bad** je ne savais pas que c'était si or aussi mauvais

**thistle** ['θɪsl] n chardon m

**thorn** [θɔ:n] n épine f

**thorough** ['θʌrə] adj (search) minutieux(-euse), (knowledge, research) approfondie(e); (work, person) consciencieux(-euse); (cleaning) à fond; **thoroughly** adv (search) minutieusement; (study) en profondeur; (clean) à fond; (very) tout à fait

**those** [ðəuz] pl pron ceux-là (celles-là) ▶pl adj ces; (not these): **~ books** ces livres-là

**though** [ðəu] conj bien que + sub, quoique + sub ▶adv pourtant

**thought** [θɔ:t] pt, pp of **think** ▶n pensée f; (idea) idée f; (opinion) avis m; **thoughtful** adj (deep in thought) pensif(-ive); (serious) réfléchie(e); (considerate) prévenant(e); **thoughtless** adj manque de considération

**thousand** ['θauzənd] num mille; **one ~** mille; **two ~** deux mille; **~s of** des milliers de; **thousandth** num millième

**thrash** [θræʃ] vt rouer de coups; (inf: defeat) donner une raclée a (inf)

**thread** [θrɛd] n fil m; (of screw) pas m, filetage m ▶vt (needle) enfiler

**threat** [θrɛt] n menace f; **threaten** vi (storm) menacer ▶vt: **to threaten sb with sth/to do** menacer qn de qch/de faire; **threatening** adj menaçant(e)

**three** [θri:] num trois; **three-dimensional** adj à trois dimensions; **three-piece suite** n salon m (canapé et deux fauteuils); **three-quarters** npl trois-quarts mpl; **three-quarters full** aux trois-quarts plein

**threshold** ['θrɛʃhəuld] n seuil m

**threw** [θru:] pt of **throw**

**thrill** [θrɪl] n (excitement) émotion f, sensation forte; (shudder) frisson m ▶vt (audience) électriser; **thrilled (with)** ravi(e) de; **thriller** n film m (or roman m or pièce f) à suspense; **thrilling** adj (book, play etc) saisissant(e); (news, discovery) excitant(e)

**thriving** ['θraɪvɪŋ] adj (business, community) prospère

**throat** [θrəut] n gorge f; **to have a sore ~** avoir mal à la gorge

**throb** [θrɔb] vi (heart) palpiter; (engine) vibrer; **my head is ~bing** j'ai des élancements dans la tête

**throne** [θrəun] n trône m

**through** [θru:] prep à travers; (time) pendant, durant; (by means of) par, par l'intermédiaire de; (owing to) à cause de ▶adj (ticket, train, passage) direct(e) ▶adv à travers; (from) **Monday ~ Friday** (us) de lundi à vendredi; **to put sb ~ to sb** (Tel) passer qn à qn; **to be ~** (BRIT Tel) avoir la communication; (esp us: have finished) avoir fini; **"no ~ traffic"** (us) "passage interdit"; **"no ~ road"** (BRIT) "impasse"; **throughout** prep (place) partout dans; (time) durant tout(e) le ▶adv partout

**throw** [θrəu] n jet m; (Sport) lancer m ▶vt (gen) lancer, jeter; (Sport) lancer, jeter; (rider) désarçonner; (fig) déconcerter; **to ~ a party** donner une réception; **throw away** vt jeter; (money) gaspiller; **throw in** vt (Sport: ball) remettre en jeu; (include) ajouter; **throw off** vt se débarrasser de; **throw out** vt jeter; (reject) rejeter; (person) mettre à la porte; **throw up** vi vomir

**thrown** [θrəun] pp of **throw**

**thru** [θruː] (US) prep = **through**

**thrush** [θrʌʃ] n (Zool) grive f

**thrust** [θrʌst] vt (pt, pp **thrust**) pousser brusquement; (push in) enfoncer

**thud** [θʌd] n bruit sourd

**thug** [θʌg] n voyou m

**thumb** [θʌm] n (Anat) pouce m ▷ vt: **to ~ a lift** faire de l'auto-stop, arrêter une voiture; **thumbtack** n (US) punaise f (clou)

**thump** [θʌmp] n grand coup; (sound) bruit sourd ▷ vt cogner sur ▷ vi cogner, frapper

**thunder** [ˈθʌndəʳ] n tonnerre m ▷ vi tonner; (train etc): **to ~ past** passer dans un grondement ou un bruit de tonnerre; **thunderstorm** n orage m

**Thursday** [ˈθəːzdɪ] n jeudi m

**thus** [ðʌs] adv ainsi

**thwart** [θwɔːt] vt contrecarrer

**thyme** [taɪm] n thym m

**Tibet** [tɪˈbɛt] n Tibet m

**tick** [tɪk] n (sound: of clock) tic-tac m; (mark) coche f; (Zool) tique f ▷ vi faire tic-tac ▷ vt (item on list) cocher; **in a ~** (BRIT inf) dans un instant; **tick off** vt (item on list) cocher; (person) réprimander, attraper

**ticket** [ˈtɪkɪt] n billet m; (for bus, tube) ticket m; (in shop, on goods) étiquette f; (for library) carte f; (also: **parking ~**) contravention f, p.-v. m; **ticket barrier** n (BRIT Rail) portillon m automatique; **ticket collector** n contrôleur(-euse); **ticket inspector** n contrôleur(-euse); **ticket machine** n billetterie f automatique; **ticket office** n guichet m, bureau m de vente des billets

**tickle** [ˈtɪkl] vi chatouiller ▷ vt chatouiller; **ticklish** adj (person)

chatouilleux(-euse); (problem) épineux(-euse)

**tide** [taɪd] n marée f; (fig: of events) cours m

**tidy** [ˈtaɪdɪ] adj (room) bien rangé(e); (dress, work) net (nette), soigné(e); (person) ordonné(e), qui a de l'ordre ▷ vt (also: **~ up**) ranger

**tie** [taɪ] n (string etc) cordon m; (BRIT: also: **neck~**) cravate f; (fig: link) lien m; (Sport: draw) égalité f de points match nul ▷ vt (parcel) attacher; (ribbon) nouer ▷ vi (Sport) faire match nul; finir à égalité de points; **to ~ sth in a bow** faire un nœud à ou avec qch; **to ~ a knot in sth** faire un nœud à qch; **tie down** vt: **to ~ sb down to** (fig) contraindre qn à accepter; **to feel ~d down** (by relationship) se sentir coincé(e); **tie up** vt (parcel) ficeler; (dog, boat) attacher; (prisoner) ligoter; (arrangements) conclure; **to be ~d up** (busy) être pris(e) ou occupé(e)

**tier** [tɪəʳ] n gradin m; (of cake) étage m

**tiger** [ˈtaɪɡəʳ] n tigre m

**tight** [taɪt] adj (rope) tendu(e), raide; (clothes) étroit(e), très juste; (budget, programme, bend) serré(e); (control) strict(e), sévère; (inf: drunk) ivre, rond(e) ▷ adv (squeeze) très fort; (shut) à bloc, hermétiquement; **hold ~!** accrochez-vous bien!; **tighten** vt (rope) tendre; (screw) resserrer; (control) renforcer ▷ vi se tendre; se resserrer; **tightly** adv (grasp) bien, très fort; **tights** npl (BRIT) collant m

**tile** [taɪl] n (on roof) tuile f; (on wall or floor) carreau m

**till** [tɪl] n caisse (enregistreuse) ▷ prep, conj = **until**

**tilt** [tɪlt] vt pencher, incliner ▷ vi pencher, être incliné(e)

**timber** [ˈtɪmbəʳ] n (material) bois m de construction

**time** [taɪm] n temps m; (epoch: often pl) époque f, temps; (by clock) heure f; (moment) moment m; (occasion, also Math) fois f; (Mus) mesure f ▷ vt (race) chronométrer; (programme) minuter; (visit) fixer; (remark etc) choisir le moment de; **a long ~** un long moment, longtemps; **four at a ~** quatre à la fois; (on the) **being** pour le moment; **from ~ to ~** de temps en temps; **at ~s** parfois; **in ~** (soon enough) à temps; (after some time) avec le temps, à la longue; (Mus) en mesure; **in a week's ~** dans une semaine; **in no ~** en un rien de temps; **any ~** n'importe quand; **on ~** à l'heure; **5 ~ s 5 5** fois 5; **what ~ is it?** quelle heure est-il?; **what ~ is the museum/shop open?** à quelle heure ouvre le musée/magasin?; **to have a good ~** bien s'amuser; **time limit** n limite f de temps, délai m; **timely** adj opportun(e); **timer** n (in kitchen) compte-minutes m inv; (Tech) minuteur m; **time-share** n maison f/appartement m en multipropriété; **timetable** n (Rail) (indicateur m) horaire m; (Scol) emploi m du temps; **time zone** n fuseau m horaire

**timid** ['tɪmɪd] adj timide; (easily scared) peureux(-euse)

**timing** ['taɪmɪŋ] n (Sport) chronométrage m; **the ~ of his resignation** le moment choisi pour sa démission

**tin** [tɪn] n étain m; (also: **~ plate**) fer-blanc m; (BRIT: can) boîte f (de conserve); (for baking) moule m (à gâteau); (for storage) boîte f; **tinfoil** n papier m d'étain or d'aluminium

**tingle** ['tɪŋgl] vi picoter; (person) avoir des picotements

**tinker** ['tɪŋkə'']: **tinker with** vt fus bricoler, rafistoler

**tinned** [tɪnd] adj (BRIT: food) en boîte, en conserve

**tin opener** [-'əʊpnə''] n (BRIT) ouvre-boîte(s) m

**tinsel** ['tɪnsl] n guirlandes fpl de Noël (argentées)

**tint** [tɪnt] n teinte f; (for hair) shampooing colorant; **tinted** adj

(hair) teint(e); (spectacles, glass) teinté(e)

**tiny** ['taɪnɪ] adj minuscule

**tip** [tɪp] n (end) bout m; (gratuity) pourboire m; (BRIT: for rubbish) décharge f; (advice) tuyau m ▷ vt (waiter) donner un pourboire à; (tilt) incliner; (overturn: also: **~ over**) renverser; (empty: also: **~ out**) déverser; **how much should I ~?** combien de pourboire est-ce qu'il faut laisser?; **tip off** vt prévenir, avertir

**tiptoe** ['tɪptəʊ] n: **on ~** sur la pointe des pieds

**tire** ['taɪə''] n (US) = **tyre** ▷ vt fatiguer ▷ vi se fatiguer; **tired** adj fatigué(e); **to be tired of** en avoir assez de, être las (lasse) de; **tire pressure** (US) n = **tyre pressure**; **tiring** adj fatigant(e)

**tissue** ['tɪʃu:] n tissu m; (paper handkerchief) mouchoir m en papier, kleenex® m; **tissue paper** n papier m de soie

**tit** [tɪt] n (bird) mésange f; **to give ~ for tat** rendre coup pour coup

**title** ['taɪtl] n titre m

**T-junction** ['ti:'dʒʌŋkʃən] n croisement m en T

**TM** n abbr = **trademark**

KEYWORD

**to** [tu:, tə] prep (with noun/pronoun) **1** (direction) à; (: towards) vers; envers; **to go to France/Portugal/London/school** aller en France/au Portugal/à Londres/à l'école; **to go to Claude's/the doctor's** aller chez Claude/le docteur; **the road to Edinburgh** la route d'Édimbourg **2** (as far as) (jusqu')à; **to count to 10** compter jusqu'à 10; **from 40 to 50 people** de 40 à 50 personnes **3** (with expressions of time): **a quarter to 5 5** heures moins le quart; **it's twenty to 3** il est 3 heures moins vingt

**4** (for, of) de; **the key to the front door** la clé de la porte d'entrée; **a letter to his wife** une lettre (adressée) à sa femme

**5** (expressing indirect object) à; **to give sth to sb** donner qch à qn; **to talk to sb** parler à qn; **to be a danger to sb** être dangereux(-euse) pour qn

**6** (in relation to) à; **3 goals to 2** 3 (buts) à 2; **30 miles to the gallon** = 9,4 litres aux cent (km)

**7** (purpose, result): **to come to sb's aid** venir au secours de qn, porter secours à qn; **to sentence sb to death** condamner qn à mort; **to my surprise** à ma grande surprise

▶prep (with vb) **1** (simple infinitive): **to go/eat** aller/manger

**2** (following another vb): **to want/ try/start to do** vouloir/essayer de/ commencer à faire

**3** (with vb omitted): **I don't want to** je ne veux pas

**4** (purpose, result) pour; **I did it to help you** je l'ai fait pour vous aider

**5** (equivalent to relative clause): **I have things to do** j'ai des choses à faire; **the main thing is to try** l'important est d'essayer

**6** (after adjective etc): **ready to go** prêt(e) à partir; **too old/young to ...** trop vieux/jeune pour ...

▶adv: **push/pull the door to** tirez/ poussez la porte

**toad** [təud] n crapaud m; **toadstool** n champignon (vénéneux)

**toast** [təust] n (Culin) pain grillé, toast m; (drink, speech) toast m ▶ vt (Culin) faire griller; (drink to) porter un toast à; **toaster** n grille-pain m inv

**tobacco** [təˈbækəu] n tabac m

**toboggan** [təˈbɒgən] n toboggan m; (child's) luge f

**today** [təˈdeɪ] adv, n (also fig) aujourd'hui (m)

**toddler** [ˈtɒdlər] n enfant m/f qui commence à marcher, bambin m

**toe** [təu] n doigt m de pied, orteil m; (of shoe) bout m ▶ vt: **to ~ the line** (fig) obéir, se conformer; **toenail** n ongle m de l'orteil

**toffee** [ˈtɒfɪ] n caramel m

**together** [təˈgeðər] adv ensemble; (at same time) en même temps; **~ with** prep avec

**toilet** [ˈtɔɪlət] n (BRIT: lavatory) toilettes fpl, cabinets mpl; **to go to the ~** aller aux toilettes; **where's the ~?** où sont les toilettes?; **toilet bag** n (BRIT) nécessaire m de toilette; **toilet paper** n papier m hygiénique; **toiletries** npl articles mpl de toilette; **toilet roll** n rouleau m de papier hygiénique

**token** [ˈtəukən] n (sign) marque f, témoignage m; (metal disc) jeton m ▶ adj (fee, strike) symbolique; **book/ record ~** (BRIT) chèque-livre/ -disque m

**Tokyo** [ˈtəukjəu] n Tokyo

**told** [təuld] pt, pp of **tell**

**tolerant** [ˈtɒlərnt] adj: **~ (of)** tolérant(e) (à l'égard de)

**tolerate** [ˈtɒləreɪt] vt supporter

**toll** [təul] n (on road) péage m ▶ vi (bell) sonner; **the accident ~ on the roads** le nombre des victimes de la route; **toll call** n (US Tel) appel m (à) longue distance; **toll-free** adj (US) gratuit(e) ▶ adv gratuitement

**tomato** [təˈmɑːtəu] (pl **tomatoes**) n tomate f; **tomato sauce** n sauce f tomate

**tomb** [tuːm] n tombe f; **tombstone** n pierre tombale

**tomorrow** [təˈmɒrəu] adv, n (also fig) demain (m); **the day after ~** après-demain; **a week ~** demain en huit; **~ morning** demain matin

**ton** [tʌn] n tonne f (Brit: = 1016 kg; US = 907 kg; metric = 1000 kg); **~s of** (inf) des tas de

**tone** [təun] n ton m; (of radio, BRIT Tel) tonalité f ▶ vi (also: **~ in**) s'harmoniser; **tone down** vt (colour, criticism) adoucir

**tongs** [tɒŋz] *npl* pinces *fpl*; *(for coal)* pincettes *fpl*; *(for hair)* fer m à friser

**tongue** [tʌŋ] *n* langue *f*; **~ in cheek** *adv* ironiquement

**tonic** ['tɒnɪk] *n (Med)* tonique *m*; *(also:* **~ water)** Schweppes® *m*

**tonight** [tə'naɪt] *adv, n* cette nuit; *(this evening)* ce soir

**tonne** [tʌn] *n (BRIT: metric ton)* tonne *f*

**tonsil** ['tɒnsl] *n* amygdale *f*; **tonsillitis** [tɒnsɪ'laɪtɪs] *n*: **to have tonsillitis** avoir une angine *or* une amygdalite

**too** [tu:] *adv (excessively)* trop; *(also)* aussi; **~ much** *(as adv)* trop; *(as adj)* trop de; **~ many** *adj* trop de

**took** [tʊk] *pt of* **take**

**tool** [tu:l] *n* outil *m*; **tool box** *n* boîte *f* à outils; **tool kit** *n* trousse *f* à outils

**tooth** *(pl* **teeth)** [tu:θ, ti:θ] *n (Anat, Tech)* dent *f*; **to brush one's teeth** se laver les dents; **toothache** *n* mal *m* de dents; **to have toothache** avoir mal aux dents; **toothbrush** *n* brosse *f* à dents; **toothpaste** *n (pâte f)* dentifrice *m*; **toothpick** *n* cure-dent *m*

**top** [tɒp] *n (of mountain, head)* sommet *m*; *(of page, ladder)* haut *m*; *(of box, cupboard, table)* dessus *m*; *(lid: of box, jar)* couvercle *m*; *(: of bottle)* bouchon *m*; *(toy)* toupie *f*; *(Dress: blouse etc)* haut *m*; *(: of pyjamas)* veste *f* ▷ *adj* du haut; *(in rank)* premier(-ière); *(best)* meilleur(e) ▷ *vt (exceed)* dépasser; *(be first in)* être en tête de; **from ~ to bottom** de fond en comble; **on ~ of** sur; *(in addition to)* en plus de; **over the ~** *(inf) (behaviour)* qui dépasse les limites; **top up,** *(us)* **top off** *vt (bottle)* remplir; *(salary)* compléter; **to ~ up one's mobile (phone)** recharger son compte; **top floor** *n* dernier étage; **top hat** *n* haut-de-forme *m*

**topic** ['tɒpɪk] *n* sujet *m*, thème *m*; **topical** *adj* d'actualité

**topless** ['tɒplɪs] *adj (bather etc)* aux seins nus

**topping** ['tɒpɪŋ] *n (Culin)* couche de crème, fromage etc qui recouvre un plat

**topple** ['tɒpl] *vt* renverser, faire tomber ▷ *vi* basculer; tomber

**top-up** ['tɒpʌp] *n (for mobile phone)* recharge *f*, minutes *fpl*; **top-up card** *n (for mobile phone)* recharge *f*

**torch** [tɔ:tʃ] *n* torche *f*; *(BRIT: electric)* lampe *f* de poche

**tore** [tɔ:ʳ] *pt of* **tear²**

**torment** *n* ['tɔ:mɛnt] tourment *m* ▷ *vt* [tɔ:'mɛnt] tourmenter; *(fig: annoy)* agacer

**torn** [tɔ:n] *pp of* **tear²**

**tornado** [tɔ:'neɪdəʊ] *(pl* **tornadoes)** *n* tornade *f*

**torpedo** [tɔ:'pi:dəʊ] *(pl* **torpedoes)** *n* torpille *f*

**torrent** ['tɒrnt] *n* torrent *m*; **torrential** [tɒ'rɛnʃl] *adj* torrentiel(le)

**tortoise** ['tɔ:təs] *n* tortue *f*

**torture** ['tɔ:tʃəʳ] *n* torture *f* ▷ *vt* torturer

**Tory** ['tɔ:rɪ] *adj, n (BRIT Pol)* tory *m/f*, conservateur(-trice)

**toss** [tɒs] *vt* lancer, jeter; *(BRIT: pancake)* faire sauter; *(head)* rejeter en arrière ▷ *vi*: **to ~ up for sth** *(BRIT)* jouer qch à pile ou face; **to ~ a coin** jouer à pile ou face; **to ~ and turn** *(in bed)* se tourner et se retourner

**total** ['təʊtl] *adj* total(e) ▷ *n* total *m* ▷ *vt (add up)* faire le total de, additionner; *(amount to)* s'élever à

**totalitarian** [təʊtælɪ'tɛərɪən] *adj* totalitaire

**totally** ['təʊtəlɪ] *adv* totalement

**touch** [tʌtʃ] *n* contact *m*, toucher *m*; *(sense, skill: of pianist etc)* toucher ▷ *vt (gen)* toucher; *(tamper with)* toucher à; **a ~ of** *(fig)* un petit peu de; une touche de; **to get in ~ with** prendre contact avec; **to lose ~** *(friends)* se perdre de vue; **touch down** *vi (Aviat)* atterrir; *(on sea)* amerrir; **touchdown** *n (Aviat)* atterrissage *m*; *(on sea)* amerrissage *m*; *(us Football)* essai *m*; **touched** *adj (moved)* touché(e); **touching** *adj*

*adj* touchant(e), attendrissant(e); **touchline** *n* (*Sport*) (ligne *f* de) touche *f*; **touch-sensitive** *adj* (*keypad*) à effleurement; (*screen*) tactile

**tough** [tʌf] *adj* dur(e); (*resistant*) résistant(e), solide; (*meat*) dur, coriace; (*firm*) inflexible; (*task, problem, situation*) difficile

**tour** ['tuə'] *n* voyage *m*; (*also:* **package ~**) voyage organisé; (*of town, museum*) tour *m*, visite *f*; (*by band*) tournée *f* ▷ *vt* visiter; **tour guide** *n* (*person*) guide *m/f*

**tourism** ['tuərɪzm] *n* tourisme *m*

**tourist** ['tuərɪst] *n* touriste *m/f* ▷ *cpd* touristique; **tourist office** *n* syndicat *m* d'initiative

**tournament** ['tuənəmənt] *n* tournoi *m*

**tour operator** *n* (*BRIT*) organisateur *m* de voyages, tour-opérateur *m*

**tow** [təu] *vt* remorquer; (*caravan, trailer*) tracter; **"on ~"**, (*US*) **"in ~"** (*Aut*) "véhicule en remorque"; **tow away** *vt* (*subj: police*) emmener à la fourrière; (*: breakdown service*) remorquer

**toward(s)** [tə'wɔːd(z)] *prep* vers; (*of attitude*) envers, à l'égard de; (*of purpose*) pour

**towel** ['tauəl] *n* serviette *f* (de toilette); **towelling** *n* (*fabric*) tissuéponge *m*

**tower** ['tauə'] *n* tour *f*; **tower block** *n* (*BRIT*) immeuble *m* (d'habitation)

**town** [taun] *n* ville *f*; **to go to ~** aller en ville; (*fig*) y mettre le paquet; **town centre** *n* (*BRIT*) centre *m* de la ville, centre-ville *m*; **town hall** *n* ≈ mairie *f*

**tow truck** *n* (*US*) dépanneuse *f*

**toxic** ['tɔksɪk] *adj* toxique

**toy** [tɔɪ] *n* jouet *m*; **toy with** *vt fus* jouer avec; (*idea*) caresser; **toyshop** *n* magasin *m* de jouets

**trace** [treɪs] *n* trace *f* ▷ *vt* (*draw*) tracer, dessiner; (*follow*) suivre la trace de; (*locate*) retrouver

**tracing paper** ['treɪsɪŋ-] *n* papier-calque *m*

**track** [træk] *n* (*mark*) trace *f*; (*path: gen*) chemin *m*, piste *f*; (*: of bullet etc*) trajectoire *f*; (*: of suspect, animal*) piste; (*Rail*) voie ferrée, rails *mpl*; (*Comput, Sport*) piste; (*on CD*) piste; (*on record*) plage *f* ▷ *vt* suivre la trace or la piste de; **to keep ~ of** suivre; **track down** *vt* (*prey*) trouver et capturer; (*sth lost*) finir par retrouver; **tracksuit** *n* survêtement *m*

**tractor** ['træktə'] *n* tracteur *m*

**trade** [treɪd] *n* commerce *m*; (*skill, job*) métier *m* ▷ *vi* faire du commerce ▷ *vt* (*exchange*): **to ~ sth (for sth)** échanger qch (contre qch); **to ~ with/in** faire du commerce avec/ le commerce de; **trade in** *vt* (*old car etc*) faire reprendre; **trademark** *n* marque *f* de fabrique; **trader** *n* commerçant(e), négociant(e); **tradesman** (*irreg*) *n* (*shopkeeper*) commerçant *m*; **trade union** *n* syndicat *m*

**trading** ['treɪdɪŋ] *n* affaires *fpl*, commerce *m*

**tradition** [trə'dɪʃən] *n* tradition *f*; **traditional** *adj* traditionnel(le)

**traffic** ['træfɪk] *n* trafic *m*; (*cars*) circulation *f* ▷ *vi*: **to ~ in** (*pej: liquor, drugs*) faire le trafic de; **traffic circle** *n* (*US*) rond-point *m*; **traffic island** *n* refuge *m* (pour piétons); **traffic jam** *n* embouteillage *m*; **traffic lights** *npl* feux *mpl* (de signalisation); **traffic warden** *n* contractuel(le)

**tragedy** ['trædʒədɪ] *n* tragédie *f*

**tragic** ['trædʒɪk] *adj* tragique

**trail** [treɪl] *n* (*tracks*) trace *f*, piste *f*; (*path*) chemin *m*, piste *f*; (*of smoke etc*) traînée *f* ▷ *vt* (*drag*) traîner, tirer; (*follow*) suivre ▷ *vi* traîner; (*in game, contest*) être en retard; **trailer** *n* (*Aut*) remorque *f*; (*US: caravan*) caravane *f*; (*Cine*) bande-annonce *f*

**train** [treɪn] *n* train *m*; (*in underground*) rame *f*; (*of dress*) traîne *f*; (*BRIT: series*):

**~ of events** série f d'événements
▷ vt (apprentice, doctor etc) former;
(Sport) entraîner; (dog) dresser;
(memory) exercer; (point: gun etc):
**to ~ sth on** braquer qch sur ▷ vi
recevoir sa formation; (Sport)
s'entraîner; **one's ~ of thought** le
fil de sa pensée; **what time does
the ~ from Paris get in?** à quelle
heure arrive le train de Paris?; **is this
the ~ for ...?** c'est bien le train pour
...?; **trainee** [treɪ'niː] n stagiaire
m/f; (in trade) apprenti(e); **trainer** n
(Sport) entraîneur(-euse); (of dogs etc)
dresseur(-euse); **trainers** npl (shoes)
chaussures fpl de sport; **training** n
formation f; (Sport) entraînement m;
(of dog etc) dressage m; **in training**
(Sport) à l'entraînement; (fit) en
forme; **training course** n cours m de
formation professionnelle; **training
shoes** npl chaussures fpl de sport

**trait** [treɪt] n trait m (de caractère)

**traitor** ['treɪtə'] n traître m

**tram** [træm] n (BRIT: also: **~car**)
tram(way) m

**tramp** [træmp] n (person)
vagabond(e), clochard(e); (inf, pej:
woman): **to be a ~** être coureuse

**trample** ['træmpl] vt: **to ~
(underfoot)** piétiner

**trampoline** ['træmpəliːn] n
trampoline m

**tranquil** ['træŋkwɪl] adj tranquille;
**tranquillizer**, (us)**tranquilizer** n
(Med) tranquillisant m

**transaction** [træn'zækʃən] n
transaction f

**transatlantic** ['trænzət'læntɪk] adj
transatlantique

**transcript** ['trænskrɪpt] n
transcription f (texte)

**transfer** n ['trænsfə'] (gen, also Radio)
transfert m; (Pol: of power) passation
f; (of money) virement m; (picture,
design) décalcomanie f; (: stick-on)
autocollant m ▷ vt [træns'fə:']
transférer; passer; virer; **to ~ the

charges** (BRIT Tel) téléphoner en
P.C.V.

**transform** [træns'fɔːm] vt
transformer; **transformation** n
transformation f

**transfusion** [træns'fjuːʒən] n
transfusion f

**transit** ['trænzɪt] n: **in ~** en transit

**transition** [træn'zɪʃən] n transition f

**transitive** ['trænzɪtɪv] adj (Ling)
transitif(-ive)

**translate** [trænz'leɪt] vt: **to ~
(from/into)** traduire (du/en); **can
you ~ this for me?** pouvez-vous
me traduire ceci?; **translation**
[trænz'leɪʃən] n traduction f; (Scol: as
opposed to prose) version f; **translator**
n traducteur(-trice)

**transmission** [trænz'mɪʃən] n
transmission f

**transmit** [trænz'mɪt] vt
transmettre; (Radio, TV) émettre;
**transmitter** n émetteur m

**transparent** [træns'pærnt] adj
transparent(e)

**transplant** ['trænsplɑːnt] n (Med)
transplantation f

**transport** ['trænspɔːt] transport
m ▷ vt [træns'pɔːt] transporter;
**transportation** [trænspɔː'teɪʃən] n
(moyen m de) transport m

**transvestite** [trænz'vestaɪt] n
travesti(e)

**trap** [træp] n (snare, trick) piège m;
(carriage) cabriolet m ▷ vt prendre au
piège; (confine) coincer

**trash** [træʃ] n (inf, pej: goods)
camelote f; (: nonsense) sottises fpl;
(us: rubbish) ordures fpl; **trash can** n
(us) poubelle f

**trauma** ['trɔːmə] n traumatisme
m; **traumatic** [trɔː'mætɪk] adj
traumatisant(e)

**travel** ['trævl] n voyage(s) m(pl) ▷ vi
voyager; (news, sound) se propager ▷ vt
(distance) parcourir; **travel agency** n
agence f de voyages; **travel agent** n
agent m de voyages; **travel insurance**

t

n assurance-voyage f; **traveller**, (us) **traveler** n voyageur(-euse); **traveller's cheque**, (us) **traveler's check** n chèque m de voyage; **travelling**, (us) **traveling** n voyage(s) m(pl); **travel-sick** adj: **to get travel-sick** avoir le mal de la route ( or de mer or de l'air); **travel sickness** n mal m de la route (or de mer or de l'air)

**tray** [treɪ] n (for carrying) plateau m; (on desk) corbeille f

**treacherous** ['trɛtʃərəs] adj traître(sse); (ground, tide) dont il faut se méfier

**treacle** ['tri:kl] n mélasse f

**tread** [trɛd] n (step) pas m; (sound) bruit m de pas; (of tyre) chape f, bande f de roulement ▷ vi (pt **trod**, pp **trodden**) marcher; **tread on** vt fus marcher sur

**treasure** ['trɛʒəʳ] n trésor m ▷ vt (value) tenir beaucoup à; **treasurer** n trésorier(-ière)

**treasury** ['trɛʒərɪ] n: **the T~**, (us) **the T~ Department** ≈ le ministère des Finances

**treat** [tri:t] n petit cadeau, petite surprise ▷ vt traiter; **to ~ sb to sth** offrir qch à qn; **treatment** n traitement m

**treaty** ['tri:tɪ] n traité m

**treble** ['trɛbl] adj triple n ▷ vt, vi tripler

**tree** [tri:] n arbre m

**trek** [trɛk] n (long walk) randonnée f; (tiring walk) longue marche, trotte f

**tremble** ['trɛmbl] vi trembler

**tremendous** [trɪ'mɛndəs] adj (enormous) énorme; (excellent) formidable, fantastique

**trench** [trɛntʃ] n tranchée f

**trend** [trɛnd] n (tendency) tendance f; (of events) cours m; (fashion) mode f; **trendy** adj (idea, person) dans le vent; (clothes) dernier cri m inv

**trespass** ['trɛspəs] vi: **to ~ on** s'introduire sans permission dans; **"no ~ing"** "propriété privée", "défense d'entrer"

**trial** ['traɪəl] n (Law) procès m, jugement m; (test: of machine etc) essai m; **trials** fpl (unpleasant experiences) épreuves fpl; **trial period** n période f d'essai

**triangle** ['traɪæŋgl] n (Math, Mus) triangle m

**triangular** [traɪ'æŋgjuləʳ] adj triangulaire

**tribe** [traɪb] n tribu f

**tribunal** [traɪ'bju:nl] n tribunal m

**tribute** ['trɪbju:t] n tribut m, hommage m; **to pay ~ to** rendre hommage à

**trick** [trɪk] n (magic) tour m; (joke, prank) tour, farce f; (skill, knack) astuce f; (Cards) levée f ▷ vt attraper, rouler; **to play a ~ on sb** jouer un tour à qn; **that should do the ~** (inf) ça devrait faire l'affaire

**trickle** ['trɪkl] n (of water etc) filet m ▷ vi couler en un filet de goutte à goutte

**tricky** ['trɪkɪ] adj difficile, délicat(e)

**tricycle** ['traɪsɪkl] n tricycle m

**trifle** ['traɪfl] n bagatelle f; (Culin) ≈ diplomate m ▷ adv: **a ~ long** un peu long

**trigger** ['trɪgəʳ] n (of gun) gâchette f

**trim** [trɪm] adj (house, garden) bien tenu(e); (figure) svelte ▷ n (haircut etc) légère coupe; (on car) garnitures fpl ▷ vt (cut) couper légèrement; (Naut: a sail) gréer; (decorate): **to ~ (with)** décorer (de)

**trio** ['tri:əu] n trio m

**trip** [trɪp] n voyage m; (excursion) excursion f; (stumble) faux pas m ▷ vi faire un faux pas, trébucher; **trip up** vi trébucher ▷ vt faire un croc-en-jambe à

**triple** ['trɪpl] adj triple

**triplets** ['trɪplɪts] npl triplés(-ées)

**tripod** ['traɪpɔd] n trépied m

**triumph** ['traɪʌmf] n triomphe m ▷ vi: **to ~ (over)** triompher (de); **triumphant** [traɪ'ʌmfənt] adj triomphant(e)

**trivial** ['trɪvɪəl] adj insignifiant(e); (commonplace) banal(e)

**trod** [trɒd] pt of **tread**

**trodden** ['trɒdn] pp of **tread**

**troll** [trɒl] n (Comput) troll m, trolleur(-euse) m/f

**trolley** ['trɒlɪ] n chariot m

**trombone** [trɒm'bəun] n trombone m

**troop** [truːp] n bande f, groupe m; **troops** npl (Mil) troupes fpl (: men) hommes mpl, soldats mpl

**trophy** ['trəufɪ] n trophée m

**tropical** ['trɒpɪkl] adj tropical(e)

**trot** [trɒt] n trot m ▷ vi trotter; **on the ~** (BRIT fig) d'affilée

**trouble** ['trʌbl] n difficulté(s) f(pl), problème(s) m(pl); (worry) ennuis mpl, soucis mpl; (bother, effort) peine f; (Pol) conflit(s) m(pl), troubles mpl; (Med): **stomach** etc ~ troubles gastriques etc ▷ vt (disturb) déranger, gêner; (worry) inquiéter ▷ vi: **to ~ to do** prendre la peine de faire; **troubles** npl (Pol etc) troubles; (personal) ennuis, soucis; **to be in ~** avoir des ennuis; (ship, climber etc) être en difficulté; **to have ~ doing sth** avoir du mal à faire qch; **it's no ~!** je vous en prie!; **the ~ is …** le problème, c'est que …; **what's the ~?** qu'est-ce qui ne va pas?; **troubled** adj (person) inquiet(-ète); (times, life) agité(e); **troublemaker** n élément perturbateur, fauteur m de troubles; **troublesome** adj (child) fatigant(e), difficile; (cough) gênant(e)

**trough** [trɒf] n (also: drinking ~) abreuvoir m; (also: feeding ~) auge f; (depression) creux m

**trousers** ['trauzəz] npl pantalon m; **short ~** (BRIT) culottes courtes

**trout** [traut] n (pl inv) truite f

**truant** ['truənt] n: **to play ~** (BRIT) faire l'école buissonnière

**truce** [truːs] n trêve f

**truck** [trʌk] n camion m; (Rail) wagon m à plate-forme; **truck driver** n camionneur m

**true** [truː] adj vrai(e); (accurate) exact(e); (genuine) vrai, véritable; (faithful) fidèle; **to come ~** se réaliser

**truly** ['truːlɪ] adv vraiment, réellement; (truthfully) sans mentir; **yours ~** (in letter) je vous prie d'agréer, Monsieur (or Madame etc), l'expression de mes sentiments respectueux

**trumpet** ['trʌmpɪt] n trompette f

**trunk** [trʌŋk] n (of tree, person) tronc m; (of elephant) trompe f; (case) malle f; (us Aut) coffre m; **trunks** npl (also: **swimming ~s**) maillot m or slip m de bain

**trust** [trʌst] n confiance f; (responsibility): **to place sth in sb's ~** confier la responsabilité de qch à qn; (Law) fidéicommis m ▷ vt (rely on) avoir confiance en; (entrust): **to ~ sth to sb** confier qch à qn; (hope): **to ~ (that)** espérer (que); **to take sth on ~** accepter qch les yeux fermés; **trusted** adj en qui l'on a confiance; **trustworthy** adj digne de confiance

**truth** [truːθ, truːðz] n vérité f; **truthful** adj (person) qui dit la vérité; (answer) sincère

**try** [traɪ] n essai m, tentative f; (Rugby) essai m ▷ vt (attempt) essayer, tenter; (test: sth new: also: ~ **out**) essayer, tester; (Law: person) juger; (strain) éprouver ▷ vi essayer; **to ~ to do** essayer de faire; (seek) chercher à faire; **try on** vt (clothes) essayer; **trying** adj pénible

**T-shirt** ['tiːʃəːt] n tee-shirt m

**tub** [tʌb] n cuve f; (for washing clothes) baquet m; (bath) baignoire f

**tube** [tjuːb] n tube m; (BRIT: underground) métro m; (for tyre) chambre f à air

**tuberculosis** [tjubəːkju'ləusɪs] n tuberculose f

**tube station** n (BRIT) station f de métro

**tuck** [tʌk] vt (put) mettre; **tuck away** vt cacher, ranger; (money) mettre de côté; (building): **to be ~ed away** être caché(e); **tuck in** vt rentrer; (child) border ▷ vi (eat) manger de bon appétit; attaquer le repas

**tucker** ['tʌkə'] n (AUST, NZ inf) bouffe f (inf)

**tuck shop** n (BRIT Scol) boutique f à provisions

**Tuesday** ['tjuːzdɪ] n mardi m

**tug** [tʌg] n (ship) remorqueur m ▷ vt tirer (sur)

**tuition** [tjuː'ɪʃən] n (BRIT: lessons) leçons fpl; (: private) cours particuliers; (us: fees) frais mpl de scolarité

**tulip** ['tjuːlɪp] n tulipe f

**tumble** ['tʌmbl] n (fall) chute f, culbute f ▷ vi tomber, dégringoler; **to ~ to sth** (inf) réaliser qch; **tumble dryer** n (BRIT) séchoir m (à linge) à air chaud

**tumbler** ['tʌmblə'] n verre (droit), gobelet m

**tummy** ['tʌmɪ] n (inf) ventre m

**tumour**, (us) **tumor** ['tjuːmə'] n tumeur f

**tuna** ['tjuːnə] n (pl inv: also: ~ fish) thon m

**tune** [tjuːn] n (melody) air m ▷ vt (Mus) accorder; (Radio, TV, Aut) régler, mettre au point; **to be in/ out of ~** (instrument) être accordé/ désaccordé; (singer) chanter juste/ faux; **tune in** vi (Radio, TV): **to ~ in (to)** se mettre à l'écoute (de); **tune up** vi (musician) accorder son instrument

**tunic** ['tjuːnɪk] n tunique f

**Tunis** ['tjuːnɪs] n Tunis

**Tunisia** [tjuː'nɪzɪə] n Tunisie f

**Tunisian** [tjuː'nɪzɪən] adj tunisien(ne) ▷ n Tunisien(ne)

**tunnel** ['tʌnl] n tunnel m; (in mine) galerie f ▷ vi creuser un tunnel (or une galerie)

**turbulence** ['tə:bjuləns] n (Aviat) turbulence f

**turf** [tə:f] n gazon m; (clod) motte f (de gazon) ▷ vt gazonner

**Turk** [tə:k] n Turc (Turque)

**Turkey** ['tə:kɪ] n Turquie f

**turkey** ['tə:kɪ] n dindon m, dinde f

**Turkish** ['tə:kɪʃ] adj turc (turque) ▷ n (Ling) turc m

**turmoil** ['tə:mɔɪl] n trouble m, bouleversement m

**turn** [tə:n] n tour m; (in road) tournant m; (tendency: of mind, events) tournure f; (performance) numéro m; (Med) crise f, attaque f ▷ vt tourner; (collar, steak) retourner; (age) atteindre; (change): **to ~ sth into** changer qch en ▷ vi (object, wind, milk) tourner; (person: look back) se (re)tourner; (reverse direction) faire demi-tour; (become) devenir; **to ~ into** se changer en, se transformer en; **a good ~** un service; **it gave me quite a ~** ça m'a fait un coup; **"no left ~"** (Aut) "défense de tourner à gauche"; **~ left/right at the next junction** tournez à gauche/droite au prochain carrefour; **it's your ~** c'est (à) votre tour; **in ~** à son tour; à tour de rôle; **to take ~s** se relayer; **turn away** vi (person) se retourner ▷ vt (object) tourner; (person) se détourner, tourner la tête ▷ vt (reject: person) renvoyer; (: business) refuser; **turn back** vi revenir, faire demi-tour; **turn down** vt (refuse) rejeter, refuser; (reduce) baisser; (fold) rabattre; **turn in** vi (inf: go to bed) aller se coucher ▷ vt (fold) rentrer; **turn off** vi (from road) tourner ▷ vt (light, radio etc) éteindre; (tap) fermer; (engine) arrêter; **I can't ~ the heating off** je n'arrive pas à éteindre le chauffage; **turn on** vt (light, radio etc) allumer; (tap) ouvrir; (engine) mettre en marche; **I can't ~ the heating on** je n'arrive pas à allumer le chauffage; **turn out** vt (light, gas) éteindre; (produce) produire ▷ vi (voters, troops) se présenter; **to ~ out to be ...** s'avérer ..., se révéler ...; **turn over** vi (person) se retourner ▷ vt (object) retourner; (page) tourner; **turn round** vi faire demi-tour;

(*rotate*) tourner; **turn to** vt fus: **to ~ to sb** s'adresser à qn; **turn up** vi (*person*) arriver, se pointer (*inf*); (*lost object*) être retrouvé(e) ▷ vt (*collar*) remonter; (*radio, heater*) mettre plus fort; **turning** n (*in road*) tournant m; **turning point** n (*fig*) tournant m, moment décisif

**turnip** ['tɜːnɪp] n navet m

**turn: turnout** n (*of voters*) taux m de participation; **turnover** n (*Comm: amount of money*) chiffre m d'affaires; (*: of goods*) roulement m; (*of staff*) renouvellement m, changement m; **turnstile** n tourniquet m (*d'entrée*); **turn-up** n (BRIT: *on trousers*) revers m

**turquoise** ['tɜːkwɔɪz] n (*stone*) turquoise f ▷ adj turquoise inv

**turtle** ['tɜːtl] n tortue marine; **turtleneck (sweater)** n pullover m à col montant

**tusk** [tʌsk] n défense f (*d'éléphant*)

**tutor** ['tjuːtəʳ] n (BRIT Scol: *in college*) directeur(-trice) d'études; (*private teacher*) précepteur(-trice); **tutorial** [tjuː'tɔːrɪəl] n (Scol) (*séance f de*) travaux mpl pratiques

**tuxedo** [tʌk'siːdəu] n (US) smoking m

**TV** [tiː'viː] n abbr (= *television*) télé f, TV f

**tweed** [twiːd] n tweed m

**tweet** [twiːt] n (*on Twitter*) tweet m ▷ vt, vi tweeter

**tweezers** ['twiːzəz] npl pince f à épiler

**twelfth** [twelfθ] num douzième

**twelve** [twelv] num douze; **at ~ (o'clock)** à midi; (*midnight*) à minuit

**twentieth** ['twentɪθ] num vingtième

**twenty** ['twentɪ] num vingt; **in ~ fourteen** en deux mille quatorze

**twice** [twaɪs] adv deux fois; **~ as much** deux fois plus

**twig** [twɪg] n brindille f ▷ vt, vi (*inf*) piger

**twilight** ['twaɪlaɪt] n crépuscule m

**twin** [twɪn] adj, n jumeau(-elle) ▷ vt jumeler; **twin-bedded room** n

= **twin room**; **twin beds** npl lits mpl jumeaux

**twinkle** ['twɪŋkl] vi scintiller; (*eyes*) pétiller

**twin room** n chambre f à deux lits

**twist** [twɪst] n torsion f, tour m; (*in wire, flex*) tortillon m; (*bend: in road*) tournant m; (*in story*) coup m de théâtre ▷ vt tordre; (*weave*) entortiller; (*roll around*) enrouler; (*fig*) déformer ▷ vi (*road, river*) serpenter; **to ~ one's ankle/wrist** (*Med*) se tordre la cheville/le poignet

**twit** [twɪt] n (*inf*) crétin(e)

**twitch** [twɪtʃ] n (*pull*) coup sec, saccade f; (*nervous*) tic m ▷ vi se convulser; avoir un tic

**two** [tuː] num deux; **to put ~ and ~ together** (*fig*) faire le rapprochement

**type** [taɪp] n (*category*) genre m, espèce f; (*model*) modèle m; (*example*) type m; (*Typ*) type, caractère m ▷ vt (*letter etc*) taper (à la machine); **typewriter** n machine f à écrire

**typhoid** ['taɪfɔɪd] n typhoïde f

**typhoon** [taɪ'fuːn] n typhon m

**typical** ['tɪpɪkl] adj typique, caractéristique; **typically** ['tɪpɪklɪ] adv (*as usual*) comme d'habitude; (*characteristically*) typiquement

**typing** ['taɪpɪŋ] n dactylo(graphie) f

**typist** ['taɪpɪst] n dactylo m/f

**tyre**, (US) **tire** [taɪəʳ] n pneu m; **tyre pressure** n (BRIT) pression f (de gonflage)

# U

**UFO** ['ju:fəʊ] n abbr (= unidentified flying object) ovni m

**Uganda** [ju:'gændə] n Ouganda m

**ugly** ['ʌglɪ] adj laid(e), vilain(e); (fig) répugnant(e)

**UHT** adj abbr (= ultra-heat treated): **~ milk** lait m UHT or longue conservation

**UK** n abbr = **United Kingdom**

**ulcer** ['ʌlsə'] n ulcère m; **mouth ~** aphte f

**ultimate** ['ʌltɪmət] adj ultime, final(e); (authority) suprême; **ultimately** adv (at last) en fin de compte; (fundamentally) finalement; (eventually) par la suite

**ultimatum** (pl ultimatums or ultimata) [ʌltɪ'meɪtəm, -tə] n ultimatum m

**ultrasound** ['ʌltrəsaʊnd] n (Med) ultrason m

**ultraviolet** ['ʌltrə'vaɪəlɪt] adj ultraviolet(te)

**umbrella** [ʌm'brɛlə] n parapluie m; (for sun) parasol m

**umpire** ['ʌmpaɪə'] n arbitre m; (Tennis) juge m de chaise

**UN** n abbr = **United Nations**

**unable** [ʌn'eɪbl] adj: **to be ~ to** ne (pas) pouvoir, être dans l'impossibilité de; (not capable) être incapable de

**unacceptable** [ʌnək'sɛptəbl] adj (behaviour) inadmissible; (price, proposal) inacceptable

**unanimous** [ju:'nænɪməs] adj unanime

**unarmed** [ʌn'ɑ:md] adj (person) non armé(e); (combat) sans armes

**unattended** [ʌnə'tɛndɪd] adj (car, child, luggage) sans surveillance

**unattractive** [ʌnə'træktɪv] adj peu attrayant(e); (character) sympathique

**unavailable** [ʌnə'veɪləbl] adj (article, room, book) (qui n'est) pas disponible; (person) (qui n'est) pas libre

**unavoidable** [ʌnə'vɔɪdəbl] adj inévitable

**unaware** [ʌnə'wɛə'] adj: **to be ~ of** ignorer, ne pas savoir, être inconscient(e) de; **unawares** adv à l'improviste, au dépourvu

**unbearable** [ʌn'bɛərəbl] adj insupportable

**unbeatable** [ʌn'bi:təbl] adj imbattable

**unbelievable** [ʌnbɪ'li:vəbl] adj incroyable

**unborn** [ʌn'bɔ:n] adj à naître

**unbutton** [ʌn'bʌtn] vt déboutonner

**uncalled-for** [ʌn'kɔ:ldfɔ:'] adj déplacé(e), injustifié(e)

**uncanny** [ʌn'kænɪ] adj étrange, troublant(e)

**uncertain** [ʌn'sə:tn] adj incertain(e); (hesitant) hésitant(e); **uncertainty** n incertitude f, doutes mpl

**unchanged** [ʌn'tʃeɪndʒd] adj inchangé(e)

**uncle** ['ʌŋkl] n oncle m

**unclear** [ʌnˈklɪə<sup>r</sup>] adj (qui n'est) pas clair(e) or évident(e); **I'm still ~ about what I'm supposed to do** je ne sais pas encore exactement ce que je dois faire

**uncomfortable** [ʌnˈkʌmfətəbl] adj inconfortable, peu confortable; (uneasy) mal à l'aise, gêné(e); (situation) désagréable

**uncommon** [ʌnˈkɔmən] adj rare, singulier(-ière), peu commun(e)

**unconditional** [ʌnkənˈdɪʃənl] adj sans conditions

**unconscious** [ʌnˈkɔnʃəs] adj sans connaissance, évanoui(e); (unaware): **~ (of)** inconscient(e) (de) ▷ n: **the ~** l'inconscient m

**uncontrollable** [ʌnkənˈtrəuləbl] adj (child, dog) indiscipliné(e); (temper, laughter) irrépressible

**unconventional** [ʌnkənˈvɛnʃənl] adj peu conventionnel(le)

**uncover** [ʌnˈkʌvə<sup>r</sup>] vt découvrir

**undecided** [ʌndɪˈsaɪdɪd] adj indécis(e), irrésolu(e)

**undeniable** [ʌndɪˈnaɪəbl] adj indéniable, incontestable

**under** [ˈʌndə<sup>r</sup>] prep sous; (less than) (de) moins de; au-dessous de; (according to) selon, en vertu de ▷ adv au-dessous; en dessous; **~ there** là-dessous; **~ the circumstances** étant donné les circonstances; **~ repair** en (cours de) réparation; **undercover** adj secret(-ète), clandestin(e); **underdone** adj (Culin) saignant(e); (: pej) pas assez cuit(e); **underestimate** vt sous-estimer; **undergo** vt (irreg: like **go**) subir; (treatment) suivre; **undergraduate** n étudiant(e) (qui prépare la licence); **underground** adj souterrain(e); (fig) clandestin(e) ▷ n (BRIT: railway) métro m; (Pol) clandestinité f; **undergrowth** n broussailles fpl, sous-bois m; **underline** vt souligner; **undermine** vt saper, miner; **underneath**

[ʌndəˈniːθ] adv (en) dessous ▷ prep sous, au-dessous de; **underpants** npl caleçon m, slip m; **underpass** n (BRIT: for pedestrians) passage souterrain; (: for cars) passage inférieur; **underprivileged** adj défavorisé(e); **underscore** vt souligner; **undershirt** n (us) tricot m de corps; **underskirt** n (BRIT) jupon m

**understand** [ʌndəˈstænd] vt, vi (irreg: like **stand**) comprendre; **I don't ~** je ne comprends pas; **understandable** adj compréhensible; **understanding** adj compréhensif(-ive) ▷ n compréhension f; (agreement) accord m

**understatement** [ˈʌndəsteɪtmənt] n: **that's an ~** c'est (bien) peu dire, le terme est faible

**understood** [ʌndəˈstud] pt, pp of **understand** ▷ adj entendu(e); (implied) sous-entendu(e)

**undertake** [ʌndəˈteɪk] vt (irreg: like **take**) (job, task) entreprendre; (duty) se charger de; **to ~ to do sth** s'engager à faire qch

**undertaker** [ˈʌndəteɪkə<sup>r</sup>] n (BRIT) entrepreneur m des pompes funèbres, croque-mort m

**undertaking** [ˈʌndəteɪkɪŋ] n entreprise f; (promise) promesse f

**under: underwater** adv sous l'eau ▷ adj sous-marin(e); **underway** adj: **to be underway** (meeting, investigation) être en cours; **underwear** n sous-vêtements mpl; (women's only) dessous mpl; **underwent** pt of **undergo**; **underworld** n (of crime) milieu m, pègre f

**undesirable** [ʌndɪˈzaɪərəbl] adj peu souhaitable; (person, effect) indésirable

**undisputed** [ʌndɪsˈpjuːtɪd] adj incontesté(e)

**undo** [ʌnˈduː] vt (irreg: like **do**) défaire

**undone** [ʌnˈdʌn] pp of **undo** ▷ adj: **to come ~** se défaire

**undoubtedly** [ʌnˈdautɪdlɪ] adv sans aucun doute

**undress** [ʌnˈdrɛs] vi se déshabiller

**unearth** [ʌnˈəːθ] vt déterrer; (fig) dénicher

**uneasy** [ʌnˈiːzɪ] adj mal à l'aise, gêné(e); (worried) inquiet(-ète); (feeling) désagréable; (peace, truce) fragile

**unemployed** [ʌnɪmˈplɔɪd] adj sans travail, au chômage ▷ n: **the ~** les chômeurs mpl

**unemployment** [ʌnɪmˈplɔɪmənt] n chômage m; **unemployment benefit**, (us) **unemployment compensation** n allocation f de chômage

**unequal** [ʌnˈiːkwəl] adj inégal(e)

**uneven** [ʌnˈiːvn] adj inégal(e); (quality, work) irrégulier(-ière)

**unexpected** [ʌnɪkˈspɛktɪd] adj inattendu(e), imprévu(e); **unexpectedly** adv (succeed) contre toute attente; (arrive) à l'improviste

**unfair** [ʌnˈfɛəʳ] adj: **~ (to)** injuste (envers)

**unfaithful** [ʌnˈfeɪθful] adj infidèle

**unfamiliar** [ʌnfəˈmɪlɪəʳ] adj étrange, inconnu(e); **to be ~ with sth** mal connaître qch

**unfashionable** [ʌnˈfæʃnəbl] adj (clothes) démodé(e); (place) peu chic inv

**unfasten** [ʌnˈfɑːsn] vt défaire; (belt, necklace) détacher; (open) ouvrir

**unfavourable**, (us) **unfavorable** [ʌnˈfeɪvrəbl] adj défavorable

**unfinished** [ʌnˈfɪnɪʃt] adj inachevé(e)

**unfit** [ʌnˈfɪt] adj (physically: ill) en mauvaise santé; (: out of condition) pas en forme; (incompetent): **~ (for)** impropre (à); (work, service) inapte à

**unfold** [ʌnˈfəuld] vt déplier ▷ vi se dérouler

**unforgettable** [ʌnfəˈgɛtəbl] adj inoubliable

**unfortunate** [ʌnˈfɔːtʃnət] adj malheureux(-euse); (event, remark) malencontreux(-euse); **unfortunately** adv malheureusement

**unfriend** [ʌnˈfrɛnd] vt (Internet) supprimer de sa liste d'amis

**unfriendly** [ʌnˈfrɛndlɪ] adj peu aimable, froid(e)

**unfurnished** [ʌnˈfəːnɪʃt] adj non meublé(e)

**unhappiness** [ʌnˈhæpɪnɪs] n tristesse f, peine f

**unhappy** [ʌnˈhæpɪ] adj triste, malheureux(-euse); (unfortunate: remark etc) malheureux(-euse); (not pleased): **~ with** mécontent(e) de, peu satisfait(e) de

**unhealthy** [ʌnˈhɛlθɪ] adj (gen) malsain(e); (person) maladif(-ive)

**unheard-of** [ʌnˈhəːdɔv] adj inouï(e), sans précédent

**unhelpful** [ʌnˈhɛlpful] adj (person) peu serviable; (advice) peu utile

**unhurt** [ʌnˈhəːt] adj indemne, sain(e) et sauf

**unidentified** [ʌnaɪˈdɛntɪfaɪd] adj non identifié(e); see also **UFO**

**uniform** [ˈjuːnɪfɔːm] n uniforme m ▷ adj uniforme

**unify** [ˈjuːnɪfaɪ] vt unifier

**unimportant** [ʌnɪmˈpɔːtənt] adj sans importance

**uninhabited** [ʌnɪnˈhæbɪtɪd] adj inhabité(e)

**unintentional** [ʌnɪnˈtɛnʃənəl] adj involontaire

**union** [ˈjuːnjən] n union f; (also: **trade ~**) syndicat m ▷ cpd du syndicat, syndical(e); **Union Jack** n drapeau du Royaume-Uni

**unique** [juːˈniːk] adj unique

**unisex** [ˈjuːnɪsɛks] adj unisexe

**unit** [ˈjuːnɪt] n unité f; (section: of furniture etc) élément m, bloc m; (team, squad) groupe m, service m; **kitchen ~** élément de cuisine

**unite** [juːˈnaɪt] vt unir ▷ vi s'unir; **united** adj uni(e); (country, party)

unifié(e); *(efforts)* conjugué(e);
**United Kingdom** *n* Royaume-Uni
*m*; **United Nations (Organization)**
*n* (Organisation *f* des) Nations unies;
**United States (of America)** *n*
États-Unis *mpl*

**unity** ['ju:nɪtɪ] *n* unité *f*

**universal** [ju:nɪ'vɜ:sl] *adj*
universel(le)

**universe** ['ju:nɪvɜ:s] *n* univers *m*

**university** [ju:nɪ'vɜ:sɪtɪ] *n*
université *f* ⊳ *cpd* (student, professor)
d'université; (education, year, degree)
universitaire

**unjust** [ʌn'dʒʌst] *adj* injuste

**unkind** [ʌn'kaɪnd] *adj* peu gentil(le),
méchant(e)

**unknown** [ʌn'nəun] *adj* inconnu(e)

**unlawful** [ʌn'lɔ:fʊl] *adj* illégal(e)

**unleaded** [ʌn'lɛdɪd] *n* (also: **~ petrol**)
essence *f* sans plomb

**unleash** [ʌn'li:ʃ] *vt* (fig) déchaîner,
déclencher

**unless** [ʌn'lɛs] *conj*: **~ he leaves** à
moins qu'il (ne) parte; **~ otherwise
stated** sauf indication contraire

**unlike** [ʌn'laɪk] *adj* dissemblable,
différent(e) ⊳ *prep* à la différence de,
contrairement à

**unlikely** [ʌn'laɪklɪ] *adj* (result,
event) improbable; (explanation)
invraisemblable

**unlimited** [ʌn'lɪmɪtɪd] *adj* illimité(e)

**unlisted** ['ʌn'lɪstɪd] *adj* (US Tel) sur
la liste rouge

**unload** [ʌn'ləud] *vt* décharger

**unlock** [ʌn'lɔk] *vt* ouvrir

**unlucky** [ʌn'lʌkɪ] *adj* (person)
malchanceux(-euse); (object, number)
qui porte malheur; **to be ~** (person) ne
pas avoir de chance

**unmarried** [ʌn'mærɪd] *adj*
célibataire

**unmistak(e)able** [ʌnmɪs'teɪkəbl]
*adj* indubitable; qu'on ne peut pas ne
pas reconnaître

**unnatural** [ʌn'nætʃrəl] *adj* non
naturel(le); (perversion) contre nature

**unnecessary** [ʌn'nɛsəsərɪ] *adj*
inutile, superflu(e)

**UNO** ['ju:nəu] *n abbr* = **United
Nations Organization**

**unofficial** [ʌnə'fɪʃl] *adj* (news)
officieux(-euse), non officiel(le);
(strike) ≈ sauvage

**unpack** [ʌn'pæk] *vi* défaire sa valise
⊳ *vt* (suitcase) défaire; (belongings)
déballer

**unpaid** [ʌn'peɪd] *adj* (bill) impayé(e);
(holiday) non-payé(e), sans salaire;
(work) non rétribué(e)

**unpleasant** [ʌn'plɛznt] *adj*
déplaisant(e), désagréable

**unplug** [ʌn'plʌg] *vt* débrancher

**unpopular** [ʌn'pɒpjulə'] *adj*
impopulaire

**unprecedented** [ʌn'prɛsɪdəntɪd]
*adj* sans précédent

**unpredictable** [ʌnprɪ'dɪktəbl] *adj*
imprévisible

**unprotected** ['ʌnprə'tɛktɪd] *adj*
(sex) non protégé(e)

**unqualified** [ʌn'kwɔlɪfaɪd] *adj*
(teacher) non diplômé(e), sans titres;
(success) sans réserve, total(e);
(disaster) total(e)

**unravel** [ʌn'rævl] *vt* démêler

**unreal** [ʌn'rɪəl] *adj* irréel(le);
(extraordinary) incroyable

**unrealistic** ['ʌnrɪə'lɪstɪk] *adj* (idea)
irréaliste; (estimate) peu réaliste

**unreasonable** [ʌn'ri:znəbl] *adj* qui
n'est pas raisonnable

**unrelated** [ʌnrɪ'leɪtɪd] *adj* sans
rapport; (people) sans lien de parenté

**unreliable** [ʌnrɪ'laɪəbl] *adj* sur qui
(or quoi) on ne peut pas compter,
peu fiable

**unrest** [ʌn'rɛst] *n* agitation *f*,
troubles *mpl*

**unroll** [ʌn'rəul] *vt* dérouler

**unruly** [ʌn'ru:lɪ] *adj* indiscipliné(e)

**unsafe** [ʌn'seɪf] *adj* (in danger) en
danger; (journey, car) dangereux(-euse)

**unsatisfactory** ['ʌnsætɪs'fæktərɪ]
*adj* peu satisfaisant(e)

**unscrew** [ʌnˈskruː] vt dévisser

**unsettled** [ʌnˈsɛtld] adj (restless) perturbé(e); (unpredictable) instable; incertain(e); (not finalized) non résolu(e)

**unsettling** [ʌnˈsɛtlɪŋ] adj qui a un effet perturbateur

**unsightly** [ʌnˈsaɪtlɪ] adj disgracieux(-euse), laid(e)

**unskilled** [ʌnˈskɪld] adj: **~ worker** manœuvre m

**unspoiled** ['ʌnˈspɔɪld], **unspoilt** ['ʌnˈspɔɪlt] adj (place) non dégradé(e)

**unstable** [ʌnˈsteɪbl] adj instable

**unsteady** [ʌnˈstɛdɪ] adj mal assuré(e), chancelant(e), instable

**unsuccessful** [ʌnsəkˈsɛsful] adj (attempt) infructueux(-euse); (writer, proposal) qui n'a pas de succès; **to be** ~ (in attempting sth) ne pas réussir; ne pas avoir de succès; (application) ne pas être retenu(e)

**unsuitable** [ʌnˈsuːtəbl] adj qui ne convient pas, peu approprié(e); (time) inopportun(e)

**unsure** [ʌnˈʃuəʳ] adj peu sûr(e); **to be ~ of o.s.** ne pas être sûr de soi, manquer de confiance en soi

**untidy** [ʌnˈtaɪdɪ] adj (room) en désordre; (appearance, person) débraillé(e); (person: in character) sans ordre, désordonné(e); (work) peu soigné(e)

**untie** [ʌnˈtaɪ] vt (knot, parcel) défaire; (prisoner, dog) détacher

**until** [ənˈtɪl] prep jusqu'à; (after negative) avant ▷ conj jusqu'à ce que + sub; (in past, after negative) avant que + sub; **~ he comes** jusqu'à ce qu'il vienne, jusqu'à son arrivée; **~ now** jusqu'à présent, jusqu'ici; **~ then** jusque-là

**untrue** [ʌnˈtruː] adj (statement) faux (fausse)

**unused¹** [ʌnˈjuːzd] adj (new) neuf (neuve)

**unused²** [ʌnˈjuːst] adj: **to be ~ to sth/to doing sth** ne pas avoir l'habitude de qch/de faire qch

**unusual** [ʌnˈjuːʒuəl] adj insolite, exceptionnel(le), rare; **unusually** adv exceptionnellement, particulièrement

**unveil** [ʌnˈveɪl] vt dévoiler

**unwanted** [ʌnˈwɒntɪd] adj (child, pregnancy) non désiré(e); (clothes etc) à donner

**unwell** [ʌnˈwɛl] adj souffrant(e); **to feel ~** ne pas se sentir bien

**unwilling** [ʌnˈwɪlɪŋ] adj: **to be ~ to do** ne pas vouloir faire

**unwind** [ʌnˈwaɪnd] vt (irreg: like wind²) dérouler ▷ vi (relax) se détendre

**unwise** [ʌnˈwaɪz] adj imprudent(e), peu judicieux(-euse)

**unwittingly** [ʌnˈwɪtɪŋlɪ] adv involontairement

**unwrap** [ʌnˈræp] vt défaire; ouvrir

**unzip** [ʌnˈzɪp] vt ouvrir (la fermeture éclair de); (Comput) dézipper

**KEYWORD**

**up** [ʌp] prep: **he went up the stairs/ the hill** il a monté l'escalier/la colline; **the cat was up a tree** le chat était dans un arbre; **they live further up the street** ils habitent plus haut dans la rue; **go up that road and turn left** remontez la rue et tournez à gauche

▷ adv **1** en haut; en l'air; (upwards, higher): **up in the sky/the mountains** (là-haut) dans le ciel/les montagnes; **put it a bit higher up** mettez-le un peu plus haut; **to stand up** (get up) se lever, se mettre debout; (be standing) être debout; **up there** là-haut; **up above** au-dessus

**2**: **to be up** (out of bed) être levé(e); (prices) avoir augmenté or monté; (finished): **when the year was up** à la fin de l'année

**3**: **up to** (as far as) jusqu'à; **up to now** jusqu'à présent

**4**: **to be up to** (depending on): **it's up**

**to you** c'est à vous de décider; (*equal to*): **he's not up to it** (*job, task etc*) il n'en est pas capable; (*inf: be doing*): **what is he up to?** qu'est-ce qu'il peut bien faire?

▶ *n*: **ups and downs** hauts et bas *mpl*

**up-and-coming** [ʌpənd'kʌmɪŋ] *adj* plein(e) d'avenir *or* de promesses

**upbringing** ['ʌpbrɪŋɪŋ] *n* éducation *f*

**update** [ʌp'deɪt] *vt* mettre à jour

**upfront** [ʌp'frʌnt] *adj* (*open*) franc (franche) ▶ *adv* (*pay*) d'avance; **to be ~ about sth** ne rien cacher de qch

**upgrade** [ʌp'greɪd] *vt* (*person*) promouvoir; (*job*) revaloriser; (*property, equipment*) moderniser

**upheaval** [ʌp'hi:vl] *n* bouleversement *m*; (*in room*) branle-bas *m*; (*event*) crise *f*

**uphill** [ʌp'hɪl] *adj* qui monte; (*fig: task*) difficile, pénible ▶ *adv* (*face, look*) en amont, vers l'amont; **to go ~** monter

**upholstery** [ʌp'həʊlstərɪ] *n* rembourrage *m*; (*cover*) tissu *m* d'ameublement; (*of car*) garniture *f*

**upload** [ʌp'ləʊd] *vt* (*Comput*) télécharger

**upmarket** [ʌp'mɑ:kɪt] *adj* (*product*) haut de gamme *inv*; (*area*) chic *inv*

**upon** [ə'pɒn] *prep* sur

**upper** ['ʌpəʳ] *adj* supérieur(e); du dessus ▶ *n* (*of shoe*) empeigne *f*; **upper-class** *adj* de la haute société, aristocratique; (*district*) élégant(e), huppé(e); (*accent, attitude*) caractéristique des classes supérieures

**upright** ['ʌpraɪt] *adj* droit(e); (*fig*) droit, honnête

**uprising** ['ʌpraɪzɪŋ] *n* soulèvement *m*, insurrection *f*

**uproar** ['ʌprɔ:ʳ] *n* tumulte *m*, vacarme *m*; (*protests*) protestations *fpl*

**upset** *n* ['ʌpset] dérangement *m* ▶ *vt* [ʌp'set] (*irreg: like* **set**) (*glass etc*) renverser; (*plan*) déranger;

(*person: offend*) contrarier; (*: grieve*) faire de la peine à; bouleverser ▶ *adj* [ʌp'set] contrarié(e); peiné(e); **to have a stomach ~** (*BRIT*) avoir une indigestion

**upside down** ['ʌpsaɪd-] *adv* à l'envers; **to turn sth ~** (*fig: place*) mettre sens dessus dessous

**upstairs** [ʌp'steəz] *adv* en haut ▶ *adj* (*room*) du dessus, d'en haut ▶ *n*: **the ~** l'étage *m*

**up-to-date** ['ʌptə'deɪt] *adj* moderne; (*information*) très récent(e)

**upward** ['ʌpwəd] *adj* ascendant(e); vers le haut ▶ *adv* = **upwards**

**upwards** *adv* vers le haut; (*more than*): **~ of** plus de

**uranium** [juə'reɪnɪəm] *n* uranium *m*

**Uranus** [juə'reɪnəs] *n* Uranus *f*

**urban** ['ə:bən] *adj* urbain(e)

**urge** [ə:dʒ] *n* besoin (impératif), envie (pressante) ▶ *vt* (*person*): **to ~ sb to do** exhorter qn à faire, pousser qn à faire, recommander vivement à qn de faire

**urgency** ['ə:dʒənsɪ] *n* urgence *f*; (*of tone*) insistance *f*

**urgent** ['ə:dʒənt] *adj* urgent(e); (*plea, tone*) pressant(e)

**urinal** ['juərɪnl] *n* (*BRIT: place*) urinoir *m*

**urinate** ['juərɪneɪt] *vi* uriner

**urine** ['juərɪn] *n* urine *f*

**URL** *abbr* (= *uniform resource locator*) URL *f*

**US** *n abbr* = **United States**

**us** [ʌs] *pron* nous; *see also* **me**

**USA** *n abbr* = **United States of America**

**USB stick** *n* clé *f* USB

**use** *n* [ju:s] emploi *m*, utilisation *f*; (*usefulness*) utilité *f* ▶ *vt* [ju:z] se servir de, utiliser, employer; **in ~** en usage; **out of ~** hors d'usage; **to be of ~** servir, être utile; **it's no ~** ça ne sert à rien; **to have the ~ of** avoir l'usage de; **she ~d to do it** elle le faisait (autrefois), elle avait

coutume de le faire; **to be ~d to**
avoir l'habitude de, être habitué(e)
à; **use up** vt finir, épuiser; (*food*)
consommer; **used** [ju:zd] adj (*car*)
d'occasion; **useful** adj utile; **useless**
adj inutile; (*inf: person*) nul(le); **user**
n utilisateur(-trice), usager m;
**user-friendly** adj convivial(e), facile
d'emploi; **username** n (*Comput*) nom
m d'utilisateur
**usual** ['ju:ʒuəl] adj habituel(le); **as**
**~** comme d'habitude; **usually** adv
d'habitude, d'ordinaire
**ute** [ju:t] n (*AUST, NZ*) pick-up m inv
**utensil** [ju:'tɛnsl] n ustensile m;
**kitchen ~s** batterie f de cuisine
**utility** [ju:'tɪlɪtɪ] n utilité f; (*also:*
**public ~**) service public
**utilize** ['ju:tɪlaɪz] vt utiliser; (*make*
*good use of*) exploiter
**utmost** ['ʌtməust] adj extrême, le
plus grand(e) ▷ n: **to do one's ~** faire
tout son possible
**utter** ['ʌtə*] adj total(e), complet(-ète)
▷ vt prononcer, proférer; (*sounds*)
émettre; **utterly** adv complètement,
totalement
**U-turn** ['ju:'tə:n] n demi-tour m; (*fig*)
volte-face f inv

**v.** abbr = **verse**; (= vide) v.; (= versus)
vs; (= volt) V
**vacancy** ['veɪkənsɪ] n (*job*) poste
vacant; (*room*) chambre f disponible;
**"no vacancies"** complet
**vacant** ['veɪkənt] adj (*post*) vacant(e);
(*seat etc*) libre, disponible; (*expression*)
distrait(e)
**vacate** [və'keɪt] vt quitter
**vacation** [və'keɪʃən] n (*esp US*)
vacances fpl; **on ~** en vacances;
**vacationer, vacationist** (*US*) n
vacancier(-ière)
**vaccination** [væksɪ'neɪʃən] n
vaccination f
**vaccine** ['væksi:n] n vaccin m
**vacuum** ['vækjuəm] n vide m;
**vacuum cleaner** n aspirateur m
**vagina** [və'dʒaɪnə] n vagin m
**vague** [veɪg] adj vague, imprécis(e);
(*blurred: photo, memory*) flou(e)
**vain** [veɪn] adj (*useless*) vain(e);
(*conceited*) vaniteux(-euse); **in ~**
en vain

**Valentine's Day** ['væləntaɪnz-] n
Saint-Valentin f

**valid** ['vælɪd] adj (document) valide,
valable; (excuse) valable

**valley** ['vælɪ] n vallée f

**valuable** ['væljuəbl] adj (jewel)
de grande valeur; (time, help)
précieux(-euse); **valuables** npl objets
mpl de valeur

**value** ['vælju:] n valeur f ▷ vt (fix
price) évaluer, expertiser; (appreciate)
apprécier; **values** npl (principles)
valeurs fpl

**valve** [vælv] n (in machine) soupape f;
(on tyre) valve f; (Med) valvule f

**vampire** ['væmpaɪər] n vampire m

**van** [væn] n (Aut) camionnette f

**vandal** ['vændl] n vandale m/f;
**vandalism** n vandalisme m;
**vandalize** vt saccager

**vanilla** [və'nɪlə] n vanille f

**vanish** ['vænɪʃ] vi disparaître

**vanity** ['vænɪtɪ] n vanité f

**vapour**, (us) **vapor** ['veɪpər] n
vapeur f; (on window) buée f

**variable** ['vɛərɪəbl] adj variable;
(mood) changeant(e)

**variant** ['vɛərɪənt] n variante f

**variation** [vɛərɪ'eɪʃən] n variation f;
(in opinion) changement m

**varied** ['vɛərɪd] adj varié(e), divers(e)

**variety** [və'raɪətɪ] n variété f;
(quantity) nombre m, quantité f

**various** ['vɛərɪəs] adj divers(e),
différent(e); (several) divers, plusieurs

**varnish** ['vɑ:nɪʃ] n vernis m ▷ vt vernir

**vary** ['vɛərɪ] vt, vi varier, changer

**vase** [vɑ:z] n vase m

**Vaseline®** ['væsɪli:n] n vaseline f

**vast** [vɑ:st] adj vaste, immense;
(amount, success) énorme

**VAT** [væt] n abbr (BRIT: = value added
tax) TVA f

**vault** [vɔ:lt] n (of roof) voûte f; (tomb)
caveau m; (in bank) salle f des coffres,
chambre forte f ▷ vt (also: ~ **over**)
sauter (d'un bond)

**VCR** n abbr = **video cassette recorder**

**VDU** n abbr = **visual display unit**

**veal** [vi:l] n veau m

**veer** [vɪər] vi tourner; (car, ship) virer

**vegan** ['vi:gən] n végétalien(ne)

**vegetable** ['vɛdʒtəbl] n légume m
▷ adj végétal(e)

**vegetarian** [vɛdʒɪ'tɛərɪən] adj,
n végétarien(ne); **do you have
any ~ dishes?** avez-vous des plats
végétariens?

**vegetation** [vɛdʒɪ'teɪʃən] n
végétation f

**vehicle** ['vi:ɪkl] n véhicule m

**veil** [veɪl] n voile m

**vein** [veɪn] n veine f; (on leaf) nervure f

**Velcro®** ['vɛlkrəu] n velcro® m

**velvet** ['vɛlvɪt] n velours m

**vending machine** ['vɛndɪŋ-] n
distributeur m automatique

**vendor** ['vɛndər] n vendeur(-euse);
**street ~** marchand ambulant

**Venetian blind** [vɪ'ni:ʃən-] n store
vénitien

**vengeance** ['vɛndʒəns] n
vengeance f; **with a ~** (fig) vraiment,
pour de bon

**venison** ['vɛnɪsn] n venaison f

**venom** ['vɛnəm] n venin m

**vent** [vɛnt] n conduit m d'aération;
(in dress, jacket) fente f ▷ vt (fig: one's
feelings) donner libre cours à

**ventilation** [vɛntɪ'leɪʃən] n
ventilation f, aération f

**venture** ['vɛntʃər] n entreprise f ▷ vt
risquer, hasarder ▷ vi s'aventurer, se
risquer; **a business ~** une entreprise
commerciale

**venue** ['vɛnju:] n lieu m

**Venus** ['vi:nəs] n (planet) Vénus f

**verb** [və:b] n verbe m; **verbal** adj
verbal(e)

**verdict** ['və:dɪkt] n verdict m

**verge** [və:dʒ] n bord m; **"soft ~s"**
(BRIT) "accotements non stabilisés";
**on the ~ of doing** sur le point de faire

**verify** ['vɛrɪfaɪ] vt vérifier

**versatile** ['və:sətaɪl] adj
polyvalent(e)

**verse** [vəːs] n vers mpl; (stanza) strophe f; (in Bible) verset m

**version** [ˈvəːʃən] n version f

**versus** [ˈvəːsəs] prep contre

**vertical** [ˈvəːtɪkl] adj vertical(e)

**very** [ˈvɛrɪ] adv très ▷ adj: **the ~ book which** le livre même que; **the ~ last** le tout dernier; **at the ~ least** au moins; **~ much** beaucoup

**vessel** [ˈvɛsl] n (Anat, Naut) vaisseau m; (container) récipient m; see also **blood vessel**

**vest** [vɛst] n (BRIT: underwear) tricot m de corps; (US: waistcoat) gilet m

**vet** [vɛt] n abbr (BRIT: = veterinary surgeon) vétérinaire m/f; (US: = veteran) ancien(ne) combattant(e) ▷ vt examiner minutieusement

**veteran** [ˈvɛtərn] n vétéran m; (also: **war ~**) ancien combattant

**veterinary surgeon** [ˈvɛtrɪnərɪ-] (BRIT) n vétérinaire m/f

**veto** [ˈviːtəu] n (pl **vetoes**) veto m ▷ vt opposer son veto à

**via** [ˈvaɪə] prep par, via

**viable** [ˈvaɪəbl] adj viable

**vibrate** [vaɪˈbreɪt] vi: **to ~ (with)** vibrer (de)

**vibration** [vaɪˈbreɪʃən] n vibration f

**vicar** [ˈvɪkəʳ] n pasteur m (de l'Église anglicane)

**vice** [vaɪs] n (evil) vice m; (Tech) étau m; **vice-chairman** (irreg) n vice-président(e)

**vice versa** [ˈvaɪsɪˈvəːsə] adv vice versa

**vicinity** [vɪˈsɪnɪtɪ] n environs mpl, alentours mpl

**vicious** [ˈvɪʃəs] adj (remark) cruel(le), méchant(e); (blow) brutal(e); (dog) méchant(e), dangereux(-euse); **a ~ circle** un cercle vicieux

**victim** [ˈvɪktɪm] n victime f

**victor** [ˈvɪktəʳ] n vainqueur m

**Victorian** [vɪkˈtɔːrɪən] adj victorien(ne)

**victorious** [vɪkˈtɔːrɪəs] adj victorieux(-euse)

**victory** [ˈvɪktərɪ] n victoire f

**video** [ˈvɪdɪəu] n (video film) vidéo f; (also: **~ cassette**) vidéocassette f; (also: **~ cassette recorder**) magnétoscope m ▷ vt (with recorder) enregistrer; (with camera) filmer; **video camera** n caméra f vidéo inv; **video game** n jeu m vidéo inv; **videophone** n vidéophone m; **video recorder** n magnétoscope m; **video shop** n vidéoclub m; **video tape** n bande f vidéo inv; (cassette) vidéocassette f

**vie** [vaɪ] vi: **to ~ with** lutter avec, rivaliser avec

**Vienna** [vɪˈɛnə] n Vienne

**Vietnam, Viet Nam** [ˈvjɛtˈnæm] n Viêt-nam or Vietnam m; **Vietnamese** [vjɛtnəˈmiːz] adj vietnamien(ne) ▷ n (pl inv) Vietnamien(ne)

**view** [vjuː] n vue f; (opinion) avis m, vue f ▷ vt voir, regarder; (situation) considérer; (house) visiter; **on ~** (in museum etc) exposé(e); **in full ~ of sb** sous les yeux de qn; **in my ~** à mon avis; **in ~ of the fact that** étant donné que; **viewer** n (TV) téléspectateur(-trice); **viewpoint** n point m de vue

**vigilant** [ˈvɪdʒɪlənt] adj vigilant(e)

**vigorous** [ˈvɪɡərəs] adj vigoureux(-euse)

**vile** [vaɪl] adj (action) vil(e); (smell, food) abominable; (temper) massacrant(e)

**villa** [ˈvɪlə] n villa f

**village** [ˈvɪlɪdʒ] n village m; **villager** n villageois(e)

**villain** [ˈvɪlən] n (scoundrel) scélérat m; (BRIT: criminal) bandit m; (in novel etc) traître m

**vinaigrette** [vɪneɪˈɡrɛt] n vinaigrette f

**vine** [vaɪn] n vigne f

**vinegar** [ˈvɪnɪɡəʳ] n vinaigre m

**vineyard** [ˈvɪnjɑːd] n vignoble m

**vintage** [ˈvɪntɪdʒ] n (year) année f, millésime m ▷ cpd (car) d'époque; (wine) de grand cru

**vinyl** ['vaɪnl] n vinyle m

**viola** [vɪ'əʊlə] n alto m

**violate** ['vaɪəleɪt] vt violer

**violation** [vaɪə'leɪʃən] n violation f; **in ~ of** (rule, law) en infraction à, en violation de

**violence** ['vaɪələns] n violence f

**violent** ['vaɪələnt] adj violent(e)

**violet** ['vaɪələt] adj (colour) violet(te) ▷ n (plant) violette f

**violin** [vaɪə'lɪn] n violon m

**VIP** n abbr (= very important person) VIP m

**viral** ['vaɪərəl] adj (also Comput) viral(e)

**virgin** ['və:dʒɪn] n vierge f

**Virgo** ['və:gəʊ] n la Vierge

**virtual** ['və:tjuəl] adj (Comput, Physics) virtuel(le); (in effect): **it's a ~ impossibility** c'est quasiment impossible; **virtually** adv (almost) pratiquement; **virtual reality** n (Comput) réalité virtuelle

**virtue** ['və:tju:] n vertu f; (advantage) mérite m, avantage m; **by ~ of** en vertu or raison de

**virus** ['vaɪərəs] n virus m

**visa** ['vi:zə] n visa m

**vise** [vaɪs] n (us Tech) = **vice**

**visibility** [vɪzɪ'bɪlɪtɪ] n visibilité f

**visible** ['vɪzəbl] adj visible

**vision** ['vɪʒən] n (sight) vue f, vision f; (foresight, in dream) vision

**visit** ['vɪzɪt] n visite f; (stay) séjour m ▷ vt (person: us: also: ~ **with**) rendre visite à; (place) visiter; **visiting hours** npl heures fpl de visite; **visitor** n visiteur(-euse); (to one's house) invité(e); **visitor centre**, (us) **visitor center** n hall m or centre m d'accueil

**visual** ['vɪzjuəl] adj visuel(le); **visualize** vt se représenter

**vital** ['vaɪtl] adj vital(e); **of ~ importance (to sb/sth)** d'une importance capitale (pour qn/qch)

**vitality** [vaɪ'tælɪtɪ] n vitalité f

**vitamin** ['vɪtəmɪn] n vitamine f

**vivid** ['vɪvɪd] adj (account) frappant(e), vivant(e); (light, imagination) vif (vive)

**V-neck** ['vi:nɛk] n décolleté m en V

**vocabulary** [vəʊ'kæbjʊlərɪ] n vocabulaire m

**vocal** ['vəʊkl] adj vocal(e); (articulate) qui n'hésite pas à s'exprimer, qui sait faire entendre ses opinions

**vocational** [vəʊ'keɪʃənl] adj professionnel(le)

**vodka** ['vɔdkə] n vodka f

**vogue** [vəʊg] n: **to be in ~** être en vogue or à la mode

**voice** [vɔɪs] n voix f ▷ vt (opinion) exprimer, formuler; **voice mail** n (system) messagerie f vocale, boîte f vocale; (device) répondeur m

**void** [vɔɪd] n vide m ▷ adj (invalid) nul(le); (empty): **~ of** vide de, dépourvu(e) de

**volatile** ['vɔlətaɪl] adj volatil(e); (fig: person) versatile; (: situation) explosif(-ive)

**volcano** [vɔl'keɪnəʊ] (pl **volcanoes**) n volcan m

**volleyball** ['vɔlɪbɔːl] n volley(-ball) m

**volt** [vəʊlt] n volt m; **voltage** n tension f, voltage m

**volume** ['vɔljuːm] n volume m; (of tank) capacité f

**voluntarily** ['vɔləntrɪlɪ] adv volontairement

**voluntary** ['vɔləntərɪ] adj volontaire; (unpaid) bénévole

**volunteer** [vɔlən'tɪə*] n volontaire m/f ▷ vt (information) donner spontanément ▷ vi (Mil) s'engager comme volontaire; **to ~ to do** se proposer pour faire

**vomit** ['vɔmɪt] n vomissure f ▷ vt, vi vomir

**vote** [vəʊt] n vote m, suffrage m; (votes cast) voix f, vote; (franchise) droit m de vote ▷ vt (chairman) élire; (propose): **to ~ that** proposer que + sub ▷ vi voter; **~ of thanks** discours m de remerciement;

**V**

**voter** n électeur(-trice); **voting** n
scrutin m, vote m
**voucher** ['vautʃə'] n (for meal, petrol,
gift) bon m
**vow** [vau] n vœu m, serment m
▷ vi jurer
**vowel** ['vauəl] n voyelle f
**voyage** ['vɔɪɪdʒ] n voyage m par mer,
traversée f
**vulgar** ['vʌlgə'] adj vulgaire
**vulnerable** ['vʌlnərəbl] adj
vulnérable
**vulture** ['vʌltʃə'] n vautour m

**waddle** ['wɔdl] vi se dandiner
**wade** [weɪd] vi: **to ~ through**
marcher dans, patauger dans; (fig:
book) venir à bout de
**wafer** ['weɪfə'] n (Culin) gaufrette f
**waffle** ['wɔfl] n (Culin) gaufre f ▷ vi
parler pour ne rien dire; faire du
remplissage
**wag** [wæg] vt agiter, remuer ▷ vi
remuer
**wage** [weɪdʒ] n (also: **~s**) salaire m,
paye f ▷ vt: **to ~ war** faire la guerre
**wag(g)on** ['wægən] n (horse-drawn)
chariot m; (BRIT Rail) wagon m (de
marchandises)
**wail** [weɪl] n gémissement m; (of siren)
hurlement m ▷ vi gémir; (siren) hurler
**waist** [weɪst] n taille f, ceinture f;
**waistcoat** n (BRIT) gilet m
**wait** [weɪt] n attente f ▷ vi attendre;
**to ~ for sb/sth** attendre qn/qch; **to
keep sb ~ing** faire attendre qn; **~ for
me, please** attendez-moi, s'il vous

plaît; **I can't to ...** (fig) je meurs
d'envie de ...; **to lie in - for** guetter;
**wait on** vt fus servir; **waiter** n garçon
m (de café), serveur m; **waiting list**
n liste f d'attente; **waiting room** n
salle f d'attente; **waitress** ['weɪtrɪs]
n serveuse f

**waive** [weɪv] vt renoncer à,
abandonner

**wake** [weɪk] (pt **woke** or **waked**,
pp **woken** or **waked**) vt (also: ~
**up**) réveiller ▷ vi (also: ~ **up**) se
réveiller ▷ n (for dead person) veillée f
mortuaire; (Naut) sillage m

**Wales** [weɪlz] n pays m de Galles; **the
Prince of ~** le prince de Galles

**walk** [wɔːk] n promenade f; (short)
petit tour; (gait) démarche f; (path)
chemin m; (in park etc) allée f ▷ vi
marcher; (for pleasure, exercise) se
promener ▷ vt (distance) faire à
pied; (dog) promener; **10 minutes'
~ from** à 10 minutes de marche de;
**to go for a ~** se promener, faire un
tour; **from all ~s of life** de toutes
conditions sociales; **walk out** vi (go
out) sortir; (as protest) partir en signe
de protestation; (strike) se mettre
en grève; **to ~ out on sb** quitter qn;
**walker** n (person) marcheur(-euse);
**walkie-talkie** ['wɔːkɪ'tɔːkɪ] n talkie-
walkie m; **walking** n marche f à
pied; **walking shoes** npl chaussures
fpl de marche; **walking stick** n
canne f; **Walkman®** n Walkman®
m; **walkway** n promenade f,
cheminement piéton

**wall** [wɔːl] n mur m; (of tunnel, cave)
paroi f

**wallet** ['wɔlɪt] n portefeuille m; **I
can't find my ~** je ne retrouve plus
mon portefeuille

**wallpaper** ['wɔːlpeɪpər] n papier
peint ▷ vt tapisser

**walnut** ['wɔːlnʌt] n noix f; (tree, wood)
noyer m

**walrus** ['wɔːlrəs] (pl **walrus** or
**walruses**) n morse m

**waltz** [wɔːlts] n valse f ▷ vi valser

**wand** [wɔnd] n (also: **magic ~**)
baguette f (magique)

**wander** ['wɔndər] vi (person) errer,
aller sans but; (thoughts) vagabonder
▷ vt errer dans

**want** [wɔnt] vt vouloir; (need) avoir
besoin de ▷ n: **for ~ of** par manque
de, faute de; **to ~ to do** vouloir faire;
**to ~ sb to do** vouloir que qn fasse;
**wanted** adj (criminal) recherché(e)
par la police

**war** [wɔːr] n guerre f; **to make ~ (on)**
faire la guerre (à)

**ward** [wɔːd] n (in hospital) salle f; (Pol)
section électorale; (Law: child: also: ~
**of court**) pupille m/f

**warden** ['wɔːdn] n (BRIT: of
institution) directeur(-trice); (of park,
game reserve) gardien(ne); (BRIT: also:
**traffic ~**) contractuel(le)

**wardrobe** ['wɔːdrəub] n (cupboard)
armoire f; (clothes) garde-robe f

**warehouse** ['weəhaus] n entrepôt m

**warfare** ['wɔːfeər] n guerre f

**warhead** ['wɔːhɛd] n (Mil) ogive f

**warm** [wɔːm] adj chaud(e);
(person, thanks, welcome, applause)
chaleureux(-euse); **it's ~** il fait
chaud; **I'm ~** j'ai chaud; **warm up** vi
(person, room) se réchauffer; (athlete,
discussion) s'échauffer ▷ vt (food)
(faire) réchauffer; (water) (faire)
chauffer; (engine) faire chauffer;
**warmly** adv (dress) chaudement;
(thank, welcome) chaleureusement;
**warmth** n chaleur f

**warn** [wɔːn] vt avertir, prévenir; **to ~
sb (not) to do** conseiller à qn de (ne
pas) faire; **warning** n avertissement
m; (notice) avis m; **warning light** n
avertisseur lumineux

**warrant** ['wɔrnt] n (guarantee)
garantie f; (Law: to arrest) mandat
m d'arrêt; (: to search) mandat de
perquisition ▷ vt (justify, merit)
justifier

**warranty** ['wɔrəntɪ] n garantie f

**warrior** ['wɒrɪə*] n guerrier(-ière)

**Warsaw** ['wɔːsɔː] n Varsovie

**warship** ['wɔːʃɪp] n navire m de guerre

**wart** [wɔːt] n verrue f

**wartime** ['wɔːtaɪm] n: **in ~** en temps de guerre

**wary** ['wɛərɪ] adj prudent(e)

**was** [wɒz] pt of **be**

**wash** [wɒʃ] vt laver ▷ vi se laver; (sea): **to ~ over/against sth** inonder/ baigner qch ▷ n (clothes) lessive f; (washing programme) lavage m; (of ship) sillage m; **to have a ~** se laver, faire sa toilette; **wash up** vi (BRIT) faire la vaisselle; (US: have a wash) se débarbouiller; **washbasin** n lavabo m; **washer** n (Tech) rondelle f, joint m; **washing** n (BRIT: linen etc: dirty) linge m; (: clean) lessive f; **washing line** n (BRIT) corde f à linge; **washing machine** n machine f à laver; **washing powder** n (BRIT) lessive f (en poudre)

**Washington** ['wɒʃɪŋtən] n Washington

**wash-up**: **washing-up** n vaisselle f; **washing-up liquid** n (BRIT) produit m pour la vaisselle; **washroom** n (US) toilettes fpl

**wasn't** ['wɒznt] = **was not**

**wasp** [wɒsp] n guêpe f

**waste** [weɪst] n gaspillage m; (of time) perte f; (rubbish) déchets mpl; (also: **household ~**) ordures fpl ▷ adj (land, ground: in city) à l'abandon; (leftover): **material** déchets ▷ vt gaspiller; (time, opportunity) perdre; **waste ground** n (BRIT) terrain m vague; **wastepaper basket** n corbeille f à papier

**watch** [wɒtʃ] n montre f; (act of watching) surveillance f; (guard: Mil) sentinelle f; (: Naut) homme m de quart; (Naut: spell of duty) quart m ▷ vt (look at) observer (: match, programme) regarder; (spy on, guard) surveiller; (be careful of) faire attention à ▷ vi regarder; (keep guard) monter la garde; **to keep ~** faire le guet; **watch out** vi faire attention; **watchdog** n chien m de garde; (fig) gardien(ne); **watch strap** n bracelet m de montre

**water** ['wɔːtə*] n eau f ▷ vt (plant, garden) arroser ▷ vi (eyes) larmoyer; **in British ~s** dans les eaux territoriales Britanniques; **to make sb's mouth ~** mettre l'eau à la bouche de qn; **water down** vt (milk etc) couper avec de l'eau; (fig: story) édulcorer; **watercolour**, (US) **watercolor** n aquarelle f; **watercress** n cresson m (de fontaine); **waterfall** n chute f d'eau; **watering can** n arrosoir m; **watermelon** n pastèque f; **waterproof** adj imperméable; **water-skiing** n ski m nautique

**watt** [wɒt] n watt m

**wave** [weɪv] n vague f; (of hand) geste m, signe m; (Radio) onde f; (in hair) ondulation f; (fig) vague ▷ vi faire signe de la main; (flag) flotter au vent; (grass) ondoyer ▷ vt (handkerchief) agiter; (stick) brandir; **wavelength** n longueur f d'ondes

**waver** ['weɪvə*] vi vaciller; (voice) trembler; (person) hésiter

**wavy** ['weɪvɪ] adj (hair, surface) ondulé(e); (line) onduleux(-euse)

**wax** [wæks] n cire f; (for skis) fart m ▷ vt cirer; (car) lustrer; (skis) farter ▷ vi (moon) croître

**way** [weɪ] n chemin m, voie f; (distance) distance f; (direction) chemin, direction f; (manner) façon f, manière f; (habit) habitude f, façon; **which ~? — this —/that —** par où? or de quel côté? — par ici/par là; **to lose one's ~** perdre son chemin; **on the ~ (to)** en route (pour); **to be on one's ~** être en route; **to be in the ~** bloquer le passage; (fig) gêner; **it's a long ~ away** c'est loin d'ici; **to go out of one's ~ to do** (fig) se donner beaucoup de mal pour faire; **to be under ~** (work, project) être en cours; **in a ~** dans un sens; **by the ~** à propos; **"~ in"** (BRIT) "entrée"; **"~ out"** (BRIT) "sortie"; **the ~ back** le chemin du retour; **"give ~"** (BRIT Aut) "cédez la priorité"; **no ~!** (inf) pas question!

**W.C.** n abbr (BRIT: = water closet) w.-c. mpl, waters mpl

**we** [wiː] pl pron nous

**weak** [wiːk] adj faible; (health) fragile; (beam etc) peu solide; (tea, coffee) léger(-ère); **weaken** vi faiblir ▷ vt affaiblir; **weakness** n faiblesse f; (fault) point m faible

**wealth** [wɛlθ] n (money, resources) richesse(s) f(pl); (of details) profusion f; **wealthy** adj riche

**weapon** ['wɛpən] n arme f; **~s of mass destruction** armes fpl de destruction massive

**wear** [wɛəʳ] (pt wore, pp worn) n (use) usage m; (deterioration through use) usure f ▷ vt (clothes) porter; (put on) mettre; (damage: through use) user ▷ vi (last) faire de l'usage; (rub etc through) s'user; **sports/baby~** vêtements mpl de sport/pour bébés; **evening ~** tenue f de soirée; **wear off** vi disparaître; **wear out** vt user; (person, strength) épuiser

**weary** ['wɪərɪ] adj (tired) épuisé(e); (dispirited) las (lasse), abattu(e) ▷ vi: **to ~ of** se lasser de

**weasel** ['wiːzl] n (Zool) belette f

**weather** ['wɛðəʳ] n temps m ▷ vt (storm: lit, fig) essuyer; (crisis) survivre à; **under the ~** (fig: ill) mal fichu(e); **weather forecast** n prévisions fpl météorologiques, météo f

**weave** (pt wove, pp woven) [wiːv, wəʊv, 'wəʊvn] vt (cloth) tisser; (basket) tresser

**web** [wɛb] n (of spider) toile f; (on duck's foot) palmure f; (fig) tissu m; (Comput): **the (World-Wide) W~** le Web; **web address** n adresse f Web; **webcam** n webcam f; **webinar** ['wɛbɪnɑːʳ] n (Comput) séminaire m en ligne; **web page** n (Comput) page f Web; **website** n (Comput) site m Web

**wed** [wɛd] (pt, pp wedded) vt épouser ▷ vi se marier

**we'd** [wiːd] = **we had; we would**

**wedding** ['wɛdɪŋ] n mariage m; **wedding anniversary** n anniversaire m de mariage; **silver/ golden wedding anniversary** noces fpl d'argent/d'or; **wedding day** n jour m du mariage; **wedding dress** n robe f de mariée; **wedding ring** n alliance f

**wedge** [wɛdʒ] n (of wood etc) coin m; (under door etc) cale f; (of cake) part f ▷ vt (fix) caler; (push) enfoncer, coincer

**Wednesday** ['wɛdnzdɪ] n mercredi m

**wee** [wiː] adj (SCOTTISH) petit(e); tout(e) petit(e)

**weed** [wiːd] n mauvaise herbe ▷ vt désherber; **weedkiller** n désherbant m

**week** [wiːk] n semaine f; **a ~ today/ on Tuesday** aujourd'hui/mardi en huit; **weekday** n jour m de semaine; (Comm) jour ouvrable; **weekend** n week-end m; **weekly** adv une fois par semaine, chaque semaine ▷ adj, n hebdomadaire (m)

**weep** [wiːp] (pt, pp wept) vi (person) pleurer

**weigh** [weɪ] vt, vi peser; **to ~ anchor** lever l'ancre; **weigh up** vt examiner

**weight** [weɪt] n poids m; **to put on/ lose ~** grossir/maigrir; **weightlifting** n haltérophilie f

**weir** [wɪəʳ] n barrage m

**weird** [wɪəd] adj bizarre; (eerie) surnaturel(le)

**welcome** ['wɛlkəm] adj bienvenu(e) ▷ n accueil m ▷ vt accueillir; (also: **bid ~**) souhaiter la bienvenue à; (be glad of) se réjouir de; **you're ~!** (after thanks) de rien, il n'y a pas de quoi

**weld** [wɛld] vt souder

**welfare** ['wɛlfɛəʳ] n (wellbeing) bien-être m; (social aid) assistance sociale; **welfare state** n État-providence m

**well** [wɛl] n puits m ▷ adv bien ▷ adj: **to be ~** aller bien ▷ excl eh bien!; (relief also) bon!; (resignation) enfin!; **~ done!** bravo!; **get ~ soon!** remets-toi

vite!; **to do ~** bien réussir; (*business*)
prospérer; **as ~** (*in addition*) aussi,
également; **as ~ as** aussi bien que ou
de; en plus de

**we'll** [wiːl] = **we will; we shall**

**well: well-behaved** adj sage,
obéissant(e); **well-built** adj
(*person*) bien bâti(e); **well-dressed**
adj bien habillé(e), bien vêtu(e);
**well-groomed** [-ˈɡruːmd] adj très
soigné(e)

**wellies** [ˈwɛlɪz] npl (BRIT inf)
= **wellingtons**

**wellingtons** [ˈwɛlɪŋtənz] npl (also:
**wellington boots**) bottes fpl en
caoutchouc

**well: well-known** adj (*person*) bien
connu(e); **well-off** adj aisé(e), assez
riche; **well-paid** [wɛlˈpeɪd] adj bien
payé(e)

**Welsh** [wɛlʃ] adj gallois(e) ▷ n (Ling)
gallois m; **the Welsh** npl (*people*) les
Gallois; **Welshman** (*irreg*) n gallois
m; **Welshwoman** (*irreg*) n Galloise f

**went** [wɛnt] pt of **go**

**wept** [wɛpt] pt, pp of **weep**

**were** [wəːʳ] pt of **be**

**we're** [wɪəʳ] = **we are**

**weren't** [wəːnt] = **were not**

**west** [wɛst] n ouest m ▷ adj (*wind*)
d'ouest; (*side*) ouest inv ▷ adv à ou vers
l'ouest; **the W~** l'Occident m, l'Ouest;
**westbound** [ˈwɛstbaʊnd] adj en
direction de l'ouest; (*carriageway*)
ouest inv; **western** adj occidental(e),
de ou à l'ouest ▷ n (Cine) western
m; **West Indian** adj antillais(e) ▷ n
Antillais(e); **West Indies** [-ˈɪndɪz] npl
Antilles fpl

**wet** [wɛt] adj mouillé(e); (*damp*)
humide; (*soaked: also:* **~ through**)
trempé(e); (*rainy*) pluvieux(-euse);
**to get ~** se mouiller; **"~ paint"**
"attention peinture fraîche"; **wetsuit**
n combinaison f de plongée

**we've** [wiːv] = **we have**

**whack** [wæk] vt donner un grand
coup à

**whale** [weɪl] n (Zool) baleine f

**wharf** (pl **wharves**) [wɔːf, wɔːvz]
n quai m

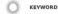

**KEYWORD**

**what** [wɔt] adj **1** (*in questions*)
quel(le); **what size is he?** quelle
taille fait-il?; **what colour is it?**
de quelle couleur est-ce?; **what
books do you need?** quels livres
vous faut-il?
**2** (*in exclamations*): **what a mess!**
quel désordre!; **what a fool I am!**
que je suis bête!
▷ pron **1** (*interrogative*) que; de/à/
en etc quoi; **what are you doing?**
que faites-vous?, qu'est-ce que vous
faites?; **what is happening?** qu'est-
ce qui se passe?, que se passe-t-il?;
**what are you talking about?** de
quoi parlez-vous?; **what are you
thinking about?** à quoi pensez-
vous?; **what is it called?** comment
est-ce que ça s'appelle?; **what about
me?** et moi?; **what about doing …?**
et si on faisait …?
**2** (*relative: subject*) ce qui; (: *direct
object*) ce que; (: *indirect object*) ce à
quoi, ce dont; **I saw what you did/
was on the table** j'ai vu ce que vous
avez fait/ce qui était sur la table; **tell
me what you remember** dites-moi
ce dont vous vous souvenez; **what I
want is a cup of tea** ce que je veux,
c'est une tasse de thé
▷ excl (*disbelieving*) quoi!, comment!

**whatever** [wɔtˈɛvəʳ] adj: **take ~
book you prefer** prenez le livre que
vous préférez, peu importe lequel;
**~ book you take** quel que soit le
livre que vous prenez ▷ pron: **do ~
is necessary** faites (tout) ce qui est
nécessaire; **~ happens** quoi qu'il
arrive; **no reason ~** or **whatsoever**
pas la moindre raison; **nothing ~** or
**whatsoever** rien du tout

**whatsoever** [wɒtsəu'evə<sup>r</sup>] *adj see* **whatever**

**wheat** [wi:t] *n* blé *m*, froment *m*

**wheel** [wi:l] *n* roue *f*; (Aut: also: **steering ~**) volant *m*; (Naut) gouvernail *m* ▷ *vt* (pram etc) pousser, rouler ▷ *vi* (birds) tournoyer; (also: **~ round**: person) se retourner, faire volte-face; **wheelbarrow** *n* brouette *f*; **wheelchair** *n* fauteuil roulant; **wheel clamp** *n* (Aut) sabot *m* (de Denver)

**wheeze** [wi:z] *vi* respirer bruyamment

KEYWORD

**when** [wen] *adv* quand; **when did we go?** quand est-ce qu'il est parti?
▷ *conj* 1 (at, during, after the time that) quand, lorsque; **she was reading when I came in** elle lisait quand or lorsque je suis entré
2 (on, at which): **on the day when I met him** le jour où je l'ai rencontré
3 (whereas) alors que; **I thought I was wrong when in fact I was right** j'ai cru que j'avais tort alors qu'en fait j'avais raison

**whenever** [wen'evə<sup>r</sup>] *adv* quand donc ▷ *conj* quand; (every time that) chaque fois que

**where** [weə<sup>r</sup>] *adv*, *conj* où; **this is ~** c'est là que; **whereabouts** *adv* où donc ▷ *n*: **nobody knows his whereabouts** personne ne sait où il se trouve; **whereas** *conj* alors que; **whereby** *adv* (formal) par lequel (or laquelle etc); **wherever** *adv* où donc ▷ *conj* où que + sub; **sit wherever you like** asseyez-vous (là) où vous voulez

**whether** ['weðə<sup>r</sup>] *conj* si; **I don't know ~ to accept or not**; **it's doubtful** il est peu probable que + sub; **~ you go or not** que vous y alliez ou non

KEYWORD

**which** [wɪtʃ] *adj* 1 (interrogative, direct, indirect) quel(le); **which picture do you want?** quel tableau voulez-vous?; **which one?** lequel (laquelle)?
2: **in which case** auquel cas; **we got there at 8pm, by which time the cinema was full** quand nous sommes arrivés à 20h, le cinéma était complet
▷ *pron* 1 (interrogative) lequel (laquelle), lesquels (lesquelles) *pl*; **I don't mind which** peu importe lequel; **which (of these) are yours?** lesquels sont à vous?; **tell me which you want** dites-moi lesquels *or* ceux que vous voulez
2 (relative: subject) qui; (: object) que; sur/vers etc lequel (laquelle) (NB: à + lequel = **auquel**; de + lequel = **duquel**); **the apple which you ate/which is on the table** la pomme que vous avez mangée/qui est sur la table; **the chair on which you are sitting** la chaise sur laquelle vous êtes assis; **the book of which you spoke** le livre dont vous avez parlé; **he said he knew, which is true/I was afraid of** il a dit qu'il le savait, ce qui est vrai/ ce que je craignais; **after which** après quoi

**whichever** [wɪtʃ'evə<sup>r</sup>] *adj*: **take ~ book you prefer** prenez le livre que vous préférez, peu importe lequel; **~ book you take** quel que soit le livre que vous preniez

**while** [waɪl] *n* moment *m* ▷ *conj* pendant que; (as long as) tant que; (as, whereas) alors que; (though) bien que + sub, quoique + sub; **for a ~** pendant quelque temps; **in a ~** dans un moment

**whilst** [waɪlst] *conj* = **while**

**whim** [wɪm] *n* caprice *m*

**whine** [waɪn] *n* gémissement *m*; (of engine, siren) plainte stridente ▷ *vi* gémir, geindre, pleurnicher; (dog, engine, siren) gémir

**whip** [wɪp] n fouet m; (for riding) cravache f; (Pol: person) chef m de file (assurant la discipline dans son groupe parlementaire) ▷ vt fouetter; (snatch) enlever (or sortir) brusquement; **whipped cream** n crème fouettée

**whirl** [wəːl] vi tourbillonner; (dancers) tournoyer ▷ vt faire tourbillonner; faire tournoyer

**whisk** [wɪsk] n (Culin) fouet m ▷ vt (eggs) fouetter, battre; **to ~ sb away** or **off** emmener qn rapidement

**whiskers** ['wɪskəz] npl (of animal) moustaches fpl; (of man) favoris mpl

**whisky,** (IRISH, US) **whiskey** ['wɪskɪ] n whisky m

**whisper** ['wɪspə^r] n chuchotement m ▷ vt, vi chuchoter

**whistle** ['wɪsl] n (sound) sifflement m; (object) sifflet m ▷ vi siffler ▷ vt siffler, siffloter

**white** [waɪt] adj blanc (blanche); (with fear) blême ▷ n blanc m; (person) blanc (blanche); **White House** la Maison-Blanche; **whitewash** n (paint) lait m de chaux ▷ vt blanchir à la chaux; (fig) blanchir

**whiting** ['waɪtɪŋ] n (pl inv: fish) merlan m

**Whitsun** ['wɪtsn] n la Pentecôte

**whittle** ['wɪtl] vt: **to ~ away, to ~ down** (costs) réduire, rogner

**whizz** [wɪz] vi aller (or passer) à toute vitesse

**who** [huː] pron qui

**whoever** [huː'evə^r] pron: **~ finds it** celui (celle) qui le trouve (, qui que ce soit), quiconque le trouve; **ask ~ you like** demandez à qui vous voulez; **~ he marries** qui que ce soit or quelle que soit la personne qu'il épouse; **~ told you that?** qui a bien pu vous dire ça?, qui donc vous a dit ça?

**whole** [həʊl] adj (complete) entier(-ière), tout(e); (not broken) intact(e), complet(-ète) ▷ n (entire unit) tout

m; (all): **the ~ of** la totalité de, tout(e) le; **the ~ of the town** la ville tout entière; **on the ~, as a ~** dans l'ensemble; **wholefood(s)** n(pl) aliments complets; **wholeheartedly** [haul'haːtɪdlɪ] adv sans réserve; **to agree wholeheartedly** être entièrement d'accord; **wholemeal** adj (BRIT: flour, bread) complet(-ète); **wholesale** n (vente f en) gros m ▷ adj (price) de gros; (destruction) systématique; **wholewheat** adj = wholemeal; **wholly** adv entièrement, tout à fait

**KEYWORD**

**whom** [huːm] pron **1** (interrogative) qui; **whom did you see?** qui avez-vous vu?; **to whom did you give it?** à qui l'avez-vous donné?
**2** (relative) que (à qui etc) qui; **the man whom I saw/to whom I spoke** l'homme que j'ai vu/à qui j'ai parlé

**whore** [hɔː^r] n (inf: pej) putain f

**KEYWORD**

**whose** [huːz] adj **1** (possessive, interrogative): **whose book is this?, whose is this book?** à qui est ce livre?; **whose pencil have you taken?** à qui est le crayon que vous avez pris?, c'est le crayon de qui que vous avez pris?; **whose daughter are you?** de qui êtes-vous la fille?
**2** (possessive, relative): **the man whose son you rescued** l'homme dont or de qui vous avez sauvé le fils; **the girl whose sister you were speaking to** la fille à la sœur de qui or de laquelle vous parliez; **the woman whose car was stolen** la femme dont la voiture a été volée
▷ pron à qui; **whose is this?** à qui est ceci?; **I know whose it is** je sais à qui c'est

**why** [waɪ] *adv* pourquoi; **why not?** pourquoi pas?
▶*conj*: **I wonder why he said that** je me demande pourquoi il a dit ça; **that's not why I'm here** ce n'est pas pour ça que je suis là; **the reason why** la raison pour laquelle
▶*excl* eh bien!, tiens!; **why, it's you!** tiens, c'est vous!; **why, that's impossible!** voyons, c'est impossible!

**wicked** ['wɪkɪd] *adj* méchant(e); (*mischievous: grin, look*) espiègle, malicieux(-euse); (*crime*) pervers(e); (*inf: very good*) génial(e) (*inf*)

**wicket** ['wɪkɪt] *n* (*Cricket: stumps*) guichet *m*; (: *grass area*) espace compris entre les deux guichets

**wide** [waɪd] *adj* large; (*area, knowledge*) vaste, très étendu(e); (*choice*) étendu(e) ▶ *adv*: **to open ~** ouvrir tout grand; **to shoot ~** tirer à côté; **it is 3 metres ~** cela fait 3 mètres de large; **widely** *adv* (*different*) radicalement; (*spaced*) sur une grande étendue; (*believed*) généralement; (*travel*) beaucoup; **widen** *vt* élargir ▶ *vi* s'élargir; **wide open** *adj* grand(e) ouvert(e); **widespread** *adj* (*belief etc*) très répandu(e)

**widow** ['wɪdəu] *n* veuve *f*; **widower** *n* veuf *m*

**width** [wɪdθ] *n* largeur *f*

**wield** [wi:ld] *vt* (*sword*) manier; (*power*) exercer

**wife** (*pl* **wives**) [waɪf, waɪvz] *n* femme *f*, épouse *f*

**Wi-Fi** ['waɪfaɪ] *n* wifi *m*

**wig** [wɪg] *n* perruque *f*

**wild** [waɪld] *adj* sauvage; (*sea*) déchaînée(e); (*idea, life*) fou (folle); (*behaviour*) déchaînée(e), extravagant(e); (*inf: angry*) hors de soi, furieux(-euse) ▶ *n*: **the ~** la nature; **wilderness** ['wɪldənɪs] *n*

désert *m*, région *f* sauvage; **wildlife** *n* faune *f* (et flore *f*); **wildly** *adv* (*behave*) de manière déchaînée; (*applaud*) frénétiquement; (*hit, guess*) au hasard; (*happy*) follement

**will** [wɪl] *aux vb* **1** (*forming future tense*): **I will finish it tomorrow** je le finirai demain; **I will have finished it by tomorrow** je l'aurai fini d'ici demain; **will you do it?** — **yes I will/no I won't** le ferez-vous? — oui/non **2** (*in conjectures, predictions*): **he will** or **he'll be there by now** il doit être arrivé à l'heure qu'il est; **that will be the postman** ça doit être le facteur **3** (*in commands, requests, offers*): **will you be quiet!** voulez-vous bien vous taire!; **will you help me?** est-ce que vous pouvez m'aider?; **will you have a cup of tea?** voulez-vous une tasse de thé?; **I won't put up with it!** je ne le tolérerai pas!
▶*vt* (*pt, pp* **willed**): **to will sb to do** souhaiter ardemment que qn fasse; **he willed himself to go on** par un suprême effort de volonté, il continua
▶*n* **1** volonté *f*; **against one's will** à contre-cœur
**2** (*document*) testament *m*

**willing** ['wɪlɪŋ] *adj* de bonne volonté, serviable; **he's ~ to do it** il est disposé à le faire, il veut bien le faire; **willingly** *adv* volontiers

**willow** ['wɪləu] *n* saule *m*

**willpower** ['wɪl'pauə'] *n* volonté *f*

**wilt** [wɪlt] *vi* dépérir

**win** [wɪn] (*pt, pp* **won**) *n* (*in sports etc*) victoire *f* ▶ *vt* (*battle, money*) gagner; (*prize, contract*) remporter; (*popularity*) acquérir ▶ *vi* gagner; **win over** *vt* convaincre

**wince** [wɪns] *vi* tressaillir

**wind¹** [wɪnd] *n* (*also Med*) vent *m*; (*breath*) souffle *m* ▶ *vt* (*take breath* *away)* couper le souffle à; **the ~(s)** (*Mus*) les instruments *mpl* à vent

**wind²** (*pt, pp* **wound**) [waʊnd, waʊnd] *vt* enrouler; (*wrap*) envelopper; (*clock, toy*) remonter ▷ *vi* (*road, river*) serpenter; **wind down** *vt* (*car window*) baisser; (*fig: production, business*) réduire progressivement; **wind up** *vt* (*clock*) remonter; (*debate*) terminer, clôturer

**windfall** [ˈwɪndfɔːl] *n* coup *m* de chance

**wind farm** *n* ferme *f* éolienne

**winding** [ˈwaɪndɪŋ] *adj* (*road*) sinueux(-euse); (*staircase*) tournant(e)

**windmill** [ˈwɪndmɪl] *n* moulin *m* à vent

**window** [ˈwɪndəʊ] *n* fenêtre *f*; (*in car, train: also:* **~pane**) vitre *f*; (*in shop etc*) vitrine *f*; **window box** *n* jardinière *f*; **window cleaner** *n* (*person*) laveur(-euse) de vitres; **window pane** *n* vitre *f*, carreau *m*; **window seat** *n* (*on plane*) place *f* côté hublot; **windowsill** *n* (*inside*) appui *m* de la fenêtre; (*outside*) rebord *m* de la fenêtre

**windscreen** [ˈwɪndskriːn] *n* pare-brise *m inv*; **windscreen wiper** *n* essuie-glace *m inv*

**windshield** [ˈwɪndʃiːld] (*US*) *n* = **windscreen**

**windsurfing** [ˈwɪndsɜːfɪŋ] *n* planche *f* à voile

**wind turbine** [-təːbaɪn] *n* éolienne *f*

**windy** [ˈwɪndɪ] *adj* (*day*) de vent, venteux(-euse); (*place, weather*) venteux; **it's ~** il y a du vent

**wine** [waɪn] *n* vin *m*; **wine bar** *n* bar *m* à vin; **wine glass** *n* verre *m* à vin; **wine list** *n* carte *f* des vins; **wine tasting** *n* dégustation *f* (de vins)

**wing** [wɪŋ] *n* aile *f*; **wings** *npl* (*Theat*) coulisses *fpl*; **wing mirror** *n* (*BRIT*) rétroviseur latéral

**wink** [wɪŋk] *n* clin *m* d'œil ▷ *vi* faire un clin d'œil; (*blink*) cligner des yeux

**winner** [ˈwɪnəʳ] *n* gagnant(e)

**winning** [ˈwɪnɪŋ] *adj* (*team*) gagnant(e); (*goal*) décisif(-ive); (*charming*) charmeur(-euse)

**winter** [ˈwɪntəʳ] *n* hiver *m* ▷ *vi* hiverner; **in ~** en hiver; **winter sports** *npl* sports *mpl* d'hiver; **wintertime** *n* hiver *m*

**wipe** [waɪp] *n*: **to give sth a ~** donner un coup de torchon/de chiffon/d'éponge à qch ▷ *vt* essuyer; (*erase: tape*) effacer; **to ~ one's nose** se moucher; **wipe out** *vt* (*debt*) éteindre, amortir; (*memory*) effacer; (*destroy*) anéantir; **wipe up** *vt* essuyer

**wire** [ˈwaɪəʳ] *n* fil *m* (de fer); (*Elec*) fil électrique; (*Tel*) télégramme *m* ▷ *vt* (*house*) faire l'installation électrique de; (*also:* **- up**) brancher; (*person: send telegram to*) télégraphier à

**wireless** [ˈwaɪəlɪs] *adj* sans fil; **wireless technology** *n* technologie *f* sans fil

**wiring** [ˈwaɪərɪŋ] *n* (*Elec*) installation *f* électrique

**wisdom** [ˈwɪzdəm] *n* sagesse *f*; (*of action*) prudence *f*; **wisdom tooth** *n* dent *f* de sagesse

**wise** [waɪz] *adj* sage, prudent(e); (*remark*) judicieux(-euse)

**wish** [wɪʃ] *n* (*desire*) désir *m*; (*specific desire*) souhait *m*, vœu *m* ▷ *vt* souhaiter, désirer, vouloir; **best ~es** (*on birthday etc*) meilleurs vœux; **with best ~es** (*in letter*) bien amicalement; **to ~ sb goodbye** dire au revoir à qn; **he ~ed me well** il m'a souhaité bonne chance; **to ~ to do/sb to do** désirer *or* vouloir faire/que qn fasse; **to ~ for** souhaiter

**wistful** [ˈwɪstful] *adj* mélancolique

**wit** [wɪt] *n* (*also:* **~s**: *intelligence*) intelligence *f*, esprit *m*; (*presence of mind*) présence *f* d'esprit; (*wittiness*) esprit; (*person*) homme/femme d'esprit

**witch** [wɪtʃ] *n* sorcière *f*

## KEYWORD

**with** [wɪð, wɪθ] prep **1** (*in the company of*) avec; (*: at the home of*) chez; **we stayed with friends** nous avons logé chez des amis; **I'll be with you in a minute** je suis à vous dans un instant **2** (*descriptive*): **a room with a view** une chambre avec vue; **the man with the grey hat/blue eyes** l'homme au chapeau gris/aux yeux bleus

**3** (*indicating manner, means, cause*): **with tears in her eyes** les larmes aux yeux; **to walk with a stick** marcher avec une canne; **red with anger** rouge de colère; **to shake with fear** trembler de peur; **to fill sth with water** remplir qch d'eau

**4** (*in phrases*): **I'm with you** (*I understand*) je vous suis; **to be with it** (*inf*: *up-to-date*) être dans le vent

**withdraw** [wɪðˈdrɔː] vt (*irreg: like* **draw**) retirer ▷ vi se retirer; **withdrawal** n retrait m; (*Med*) état m de manque; **withdrawn** pp of **withdraw** ▷ adj (*person*) renfermé(e)

**withdrew** [wɪðˈdruː] pt of **withdraw**

**wither** [ˈwɪðə'] vi se faner

**withhold** [wɪðˈhəʊld] vt (*irreg: like* **hold**) (*money*) retenir; (*decision*) remettre; **to ~ (from)** (*permission*) refuser (à); (*information*) cacher (à)

**within** [wɪðˈɪn] prep à l'intérieur de ▷ adv à l'intérieur; **~ his reach** à sa portée; **~ sight of** en vue de; **~ a mile of** à moins d'un mille de; **~ the week** avant la fin de la semaine

**without** [wɪðˈaʊt] prep sans; **~ a coat** sans manteau; **~ speaking** sans parler; **to go or do ~ sth** se passer de qch

**withstand** [wɪðˈstænd] vt (*irreg: like* **stand**) résister à

**witness** [ˈwɪtnɪs] n (*person*) témoin m ▷ vt (*event*) être témoin de; (*document*)

attester l'authenticité de; **to bear ~ to sth** témoigner de qch

**witty** [ˈwɪtɪ] adj spirituel(le), plein(e) d'esprit

**wives** [waɪvz] npl of **wife**

**wizard** [ˈwɪzəd] n magicien m

**wk** abbr = **week**

**wobble** [ˈwɒbl] vi trembler; (*chair*) branler

**woe** [wəʊ] n malheur m

**woke** [wəʊk] pt of **wake**

**woken** [ˈwəʊkn] pp of **wake**

**wolf** (*pl* **wolves**) [wʊlf, wʊlvz] n loup m

**woman** (*pl* **women**) [ˈwʊmən, ˈwɪmɪn] n femme f ▷ *cpd*: **~ doctor** femme f médecin; **~ teacher** professeur m femme

**womb** [wuːm] n (*Anat*) utérus m

**women** [ˈwɪmɪn] npl of **woman**

**won** [wʌn] pt, pp of **win**

**wonder** [ˈwʌndə'] n merveille f, miracle m; (*feeling*) émerveillement m ▷ vi: **to ~ whether/why** se demander si/pourquoi; **to ~ at** (*surprise*) s'étonner de; (*admiration*) s'émerveiller de; **to ~ about** songer à; **it's no ~ that** il n'est pas étonnant que + *sub*; **wonderful** adj merveilleux(-euse)

**won't** [wəʊnt] = **will not**

**wood** [wʊd] n (*timber, forest*) bois m; **wooden** adj en bois; (*fig: actor*) raide; (*: performance*) qui manque de naturel; **woodwind** n: **the woodwind** les bois mpl; **woodwork** n menuiserie f

**wool** [wʊl] n laine f; **to pull the ~ over sb's eyes** (*fig*) en faire accroire à qn; **woollen**, (*us*) **woolen** adj de or en laine; **woolly**, (*us*) **wooly** adj laineux(-euse); (*fig: ideas*) confus(e)

**word** [wəːd] n mot m, parole f; (*spoken*) mot, parole f; (*promise*) parole; (*news*) nouvelles fpl ▷ vt rédiger, formuler; **in other ~s** en d'autres termes; **to have a ~ with sb** toucher un mot à qn; **to break/keep one's ~** manquer à sa parole/tenir (sa) parole;

**W**

**wording** n termes mpl, langage m; (of document) libellé m; **word processing** n traitement m de texte; **word processor** n machine f de traitement de texte

**wore** [wɔːʳ] pt of **wear**

**work** [wəːk] n travail m; (Art, Literature) œuvre f ▷ vi travailler; (mechanism) marcher, fonctionner; (plan etc) marcher; (medicine) agir ▷ vt (clay, wood etc) travailler; (mine etc) exploiter; (machine) faire marcher or fonctionner; (miracles etc) faire; **works** n (BRIT: factory) usine f; **how does this ~?** comment est-ce que ça marche?; **the TV isn't ~ing** la télévision est en panne or ne marche pas; **to be out of ~** être au chômage or sans emploi; **to ~ loose** se défaire, se desserrer; **work out** vi (plans etc) marcher; (Sport) s'entraîner ▷ vt (problem) résoudre; (plan) élaborer; **it ~s out at £100** ça fait 100 livres; **worker** n travailleur(-euse), ouvrier(-ière); **work experience** n stage m; **workforce** n main-d'œuvre f; **working class** n classe ouvrière ▷ adj; **working-class** ouvrier(-ière), de la classe ouvrière; **working week** n semaine f de travail; **workman** (irreg) n ouvrier m; **work of art** n œuvre f d'art; **workout** n (Sport) séance f d'entraînement; **work permit** n permis m de travail; **workplace** n lieu m de travail; **worksheet** n (Scol) feuille f d'exercices; **workshop** n atelier m; **work station** n poste m de travail; **work surface** n plan m de travail; **worktop** n plan m de travail

**world** [wəːld] n monde m ▷ cpd (champion) du monde; (power, war) mondial(e); **to think the ~ of sb** (fig) ne jurer que par qn; **World Cup** n: **the World Cup** (Football) la Coupe du monde; **world-wide** adj universel(le); **World-Wide Web** n: **the World-Wide Web** le Web

**worm** [wəːm] n (also: **earth~**) ver m

**worn** [wɔːn] pp of **wear** ▷ adj usé(e); **worn-out** adj (object) complètement usé(e); (person) épuisé(e)

**worried** ['wʌrɪd] adj inquiet(-ète); **to be ~ about sth** être inquiet au sujet de qch

**worry** ['wʌrɪ] n souci m ▷ vt inquiéter ▷ vi s'inquiéter, se faire du souci; **worrying** adj inquiétant(e)

**worse** [wəːs] adj pire, plus mauvais(e) ▷ adv plus mal ▷ n pire m; **to get ~** (condition, situation) empirer, se dégrader; **a change for the ~** une détérioration; **worsen** vt, vi empirer; **worse off** adj moins à l'aise financièrement; (fig): **you'll be worse off this way** ça ira moins bien de cette façon

**worship** ['wəːʃɪp] n culte m ▷ vt (God) rendre un culte à; (person) adorer

**worst** [wəːst] adj le (la) pire, le (la) plus mauvais(e) ▷ adv le plus mal ▷ n pire m; **at ~** au pis aller

**worth** [wəːθ] n valeur f ▷ adj: **to be ~** valoir; **it's ~ £5** cela en vaut la peine, ça vaut la peine; **it is ~ one's while (to do)** ça vaut le coup (inf) (de faire); **worthless** adj qui ne vaut rien; **worthwhile** adj (activity) qui en vaut la peine; (cause) louable

**worthy** ['wəːðɪ] adj (person) digne; (motive) louable; **~ of** digne de

**KEYWORD**

**would** [wud] aux vb 1 (conditional tense): **if you asked him he would do it** si vous le lui demandiez, il le ferait; **if you had asked him he would have done it** si vous le lui aviez demandé, il l'aurait fait
2 (in offers, invitations, requests): **would you like a biscuit?** voulez-vous un biscuit?; **would you close the door please?** voulez-vous fermer la porte, s'il vous plaît?
3 (in indirect speech): **I said I would do**

it j'ai dit que je le ferais

**4** (emphatic): **it would have to snow today!** naturellement il neige aujourd'hui, il fallait qu'il neige aujourd'hui

**5** (insistence): **she wouldn't do it** elle n'a pas voulu or elle a refusé de le faire

**6** (conjecture): **it would have been midnight** il devait être minuit; **it would seem so** on dirait bien

**7** (indicating habit): **he would go there on Mondays** il y allait le lundi

**wouldn't** ['wudnt] = **would not**

**wound¹** [wu:nd] n blessure f ▷ vt blesser

**wound²** [waund] pt, pp of **wind²**

**wove** [wəuv] pt of **weave**

**woven** ['wəuvn] pp of **weave**

**wrap** [ræp] vt (also: **~ up**) envelopper; (parcel) emballer; (wind) enrouler; **wrapper** n (on chocolate etc) papier m; (BRIT: of book) couverture f; **wrapping** n (of sweet, chocolate) papier m; (of parcel) emballage m; **wrapping paper** n papier m d'emballage; (for gift) papier cadeau

**wreath** [ri:θ] n couronne f

**wreck** [rɛk] n (sea disaster) naufrage m; (ship) épave f; (vehicle) véhicule accidenté; (pej: person) loque (humaine) ▷ vt démolir; (fig) briser, ruiner; **wreckage** n débris mpl; (of building) décombres mpl; (of ship) naufrage m

**wren** [rɛn] n (Zool) roitelet m

**wrench** [rɛntʃ] n (Tech) clé f (à écrous); (tug) violent mouvement de torsion; (fig) déchirement m ▷ vt tirer violemment sur, tordre; **to ~ sth from** arracher qch (violemment) à or de qn

**wrestle** ['rɛsl] vi: **to ~ (with sb)** lutter (avec qn); **wrestler** n lutteur(-euse); **wrestling** n lutte f; (BRIT: also: **all-in wrestling**) catch m

**wretched** ['rɛtʃid] adj misérable

**wriggle** ['rɪgl] vi (also: **~ about**) se tortiller

**wring** (pt, pp **wrung**) [rɪŋ, rʌŋ] vt tordre; (wet clothes) essorer; (fig): **to ~ sth out of** arracher qch à

**wrinkle** ['rɪŋkl] n (on skin) ride f; (on paper etc) pli m ▷ vt rider, plisser ▷ vi se plisser

**wrist** [rɪst] n poignet m

**write** (pt **wrote**, pp **written**) [raɪt, rəut, 'rɪtn] vt, vi écrire; (prescription) rédiger; **write down** vt noter; (put in writing) mettre par écrit; **write off** vt (debt) passer aux profits et pertes; (project) mettre une croix sur; (smash up: car etc) démolir complètement; **write out** vt écrire; (copy) recopier; **write-off** n perte totale; **the car is a write-off** la voiture est bonne pour la casse; **writer** n auteur m, écrivain m

**writing** ['raɪtɪŋ] n écriture f; (of author) œuvres fpl; **in ~** par écrit; **writing paper** n papier m à lettres

**written** ['rɪtn] pp of **write**

**wrong** [rɔŋ] adj (incorrect) faux (fausse); (incorrectly chosen: number, road etc) mauvais(e); (not suitable) qui ne convient pas; (wicked) mal; (unfair) injuste ▷ adv mal ▷ n tort m ▷ vt faire du tort à, léser; **you are ~ to do it** tu as tort de le faire; **you are ~ about that, you've got it ~** tu te trompes; **what's ~?** qu'est-ce qui ne va pas? **what's ~ with the car?** qu'est-ce qu'elle a, la voiture? **to go ~** (person) se tromper; (plan) mal tourner; (machine) se détraquer; **I took a ~ turning** je me suis trompé de route; **wrongly** adv à tort; (answer, do, count) mal, incorrectement; **wrong number** n (Tel): **you have the wrong number** vous vous êtes trompé de numéro

**wrote** [rəut] pt of **write**

**wrung** [rʌŋ] pt, pp of **wring**

**WWW** n abbr = **World-Wide Web**

**XL** *abbr* (= *extra large*) XL
**Xmas** ['ɛksməs] *n abbr* = **Christmas**
**X-ray** ['ɛksreɪ] *n* (*ray*) rayon *m* X; (*photograph*) radio(graphie) *f* ▷ *vt* radiographier
**xylophone** ['zaɪləfəun] *n* xylophone *m*

**yacht** [jɔt] *n* voilier *m*; (*motor, luxury yacht*) yacht *m*; **yachting** *n* yachting *m*, navigation *f* de plaisance
**yard** [jɑːd] *n* (*of house etc*) cour *f*; (*us: garden*) jardin *m*; (*measure*) yard *m* (= *914 mm*; *3 feet*); **yard sale** *n* (*us*) brocante *f* (dans son propre jardin)
**yarn** [jɑːn] *n* fil *m*; (*tale*) longue histoire
**yawn** [jɔːn] *n* bâillement *m* ▷ *vi* bâiller
**yd.** *abbr* = **yard; yards**
**yeah** [jɛə] *adv* (*inf*) ouais
**year** [jɪəʳ] *n* an *m*, année *f*; (*Scol etc*) année; **to be 8 ~s old** avoir 8 ans; **an eight-~-old child** un enfant de huit ans; **yearly** *adj* annuel(le) ▷ *adv* annuellement; **twice yearly** deux fois par an
**yearn** [jəːn] *vi*: **to ~ for sth/to do** aspirer à qch/à faire
**yeast** [jiːst] *n* levure *f*
**yell** [jɛl] *n* hurlement *m*, cri *m* ▷ *vi* hurler

**yellow** ['jɛləʊ] adj, n jaune (m);
**Yellow Pages®** npl (Tel) pages fpl
jaunes

**yes** [jɛs] adv oui; (answering negative
question) si ▷ n oui m; **to say ~ (to)**
dire oui (à)

**yesterday** ['jɛstədɪ] adv, n hier (m);
**~ morning/evening** hier matin/soir;
**all day ~** toute la journée d'hier

**yet** [jɛt] adv encore; (in questions) déjà
▷ conj pourtant, néanmoins; **it is not
finished ~** ce n'est pas encore fini or
toujours pas fini; **have you eaten ~?**
vous avez déjà mangé; **the best ~**
le meilleur jusqu'ici or jusque-là; **as ~**
jusqu'ici, encore

**yew** [juː] n if m

**Yiddish** ['jɪdɪʃ] n yiddish m

**yield** [jiːld] n production f, rendement
m; (Finance) rapport m ▷ vt produire,
rendre, rapporter; (surrender) céder
▷ vi céder; (us Aut) céder la priorité

**yob(bo)** ['jɔb(əʊ)] n (BRIT inf)
loubar(d)n

**yoga** ['jəʊgə] n yoga m

**yog(h)urt** ['jɔgət] n yaourt m

**yolk** [jəʊk] n jaune m (d'œuf)

**KEYWORD**

**you** [juː] pron 1 (subject) tu; (: polite
form) vous; (: plural) vous; **you are
very kind** vous êtes très gentil; **you
French enjoy your food** vous autres
Français, vous aimez bien manger; **you
and I will go** toi et moi or vous
et moi, nous irons; **there you are!**
vous voilà!

2 (object: direct, indirect) te, t' + vowel;
vous; **I know you** je te or vous
connais; **I gave it to you** je te l'ai
donné, je vous l'ai donné

3 (stressed) toi; vous; **I told you to do
it** c'est à toi or vous que j'ai dit de le faire

4 (after prep, in comparisons) toi; vous;
**it's for you** c'est pour toi or vous;
**she's younger than you** elle est plus
jeune que toi or vous

5 (impersonal: one) on; **fresh air does
you good** l'air frais fait du bien; **you
never know** on ne sait jamais; **you
can't do that!** ça ne se fait pas!

**you'd** [juːd] = **you had; you would**

**you'll** [juːl] = **you will; you shall**

**young** [jʌŋ] adj jeune ▷ npl (of animal)
petits mpl; **the ~ (people)** les jeunes, la
jeunesse; **my ~ brother** mon frère
cadet; **youngster** n jeune m/f; (child)
enfant m/f

**your** [jɔː] adj ton (ta), tes pl; (polite
form, pl) votre, vos pl; see also **my**

**you're** [juə] = **you are**

**yours** [jɔːz] pron le (la) tien(ne), les
tiens (tiennes); (polite form, pl) le (la)
vôtre, les vôtres; **is it ~?** c'est à toi (or
à vous)?; **a friend of ~** un(e) de tes
(or de vos) amis; see also **faithfully**;
**mine**[1]; **sincerely**

**yourself** [jɔː'sɛlf] pron (reflexive) te;
(: polite form) vous; (after prep) toi;
vous; (emphatic) toi-même; vous-
même; see also **oneself**; **yourselves**
pl pron vous; (emphatic) vous-mêmes;
see also **oneself**

**youth** [juːθ] n jeunesse f; (young man)
jeune homme m; **youth club** n centre
m de jeunes; **youthful** adj jeune;
(enthusiasm etc) juvénile; **youth
hostel** n auberge f de jeunesse

**you've** [juːv] = **you have**

**Yugoslav** ['juːgəʊslɑːv] adj (Hist)
yougoslave ▷ n Yougoslave m/f

**Yugoslavia** [juːgəʊ'slɑːvɪə] n (Hist)
Yougoslavie f

y

**zoology** [zuːˈɔlədʒɪ] n zoologie f
**zoom** [zuːm] vi: **to ~ past** passer en
   trombe; **zoom lens** n zoom m
**zucchini** [zuːˈkiːnɪ] n (US) courgette f

# Z

**zeal** [ziːl] n (revolutionary etc) ferveur f;
   (keenness) ardeur f, zèle m
**zebra** [ˈziːbrə] n zèbre m; **zebra**
   **crossing** n (BRIT) passage clouté or
   pour piétons
**zero** [ˈzɪərəu] n zéro m
**zest** [zɛst] n entrain m, élan m; (of
   lemon etc) zeste m
**zigzag** [ˈzɪgzæg] n zigzag m ▷ vi
   zigzaguer, faire des zigzags
**Zimbabwe** [zɪmˈbɑːbwɪ] n
   Zimbabwe m
**zinc** [zɪŋk] n zinc m
**zip** [zɪp] n (also: ~ **fastener**) fermeture
   f éclair® or à glissière ▷ vt (file)
   zipper; (also: ~ **up**) fermer (avec une
   fermeture éclair®); **zip code** n (US)
   code postal; **zip file** n (Comput) fichier
   m zip inv; **zipper** n (US) = **zip**
**zit** [zɪt] (inf) n bouton m
**zodiac** [ˈzəudɪæk] n zodiaque m
**zone** [zəun] n zone f
**zoo** [zuː] n zoo m